Wissenschaftliche Untersuchungen
zum Neuen Testament

Begründet von Joachim Jeremias und Otto Michel
Herausgegeben von
Martin Hengel und Otfried Hofius

31

Sebasmata

Studien zur antiken Religionsgeschichte
und zum frühen Christentum

Band I

von

Hildebrecht Hommel

J. C. B. Mohr (Paul Siebeck) Tübingen 1983

Meiner Frau
Lotte Hommel
der treuen Gefährtin
in sechs Jahrzehnten

CIP-Kurztitelaufnahme der Deutschen Bibliothek

Hommel, Hildebrecht:
Sebasmata: Studien zur antiken Religionsgeschichte und zum frühen Christentum / von Hildebrecht Hommel. – Tübingen: Mohr

Bd. I (1983).
 (Wissenschaftliche Untersuchungen zum Neuen Testament; 31)
 ISBN 3-16-144722-0
NE: GT

Vorwort zu Band I

Diese Sammlung ausgewählter Schriften zur antiken und christlichen Religionsgeschichte folgt meinen unter dem Titel Symbola I beim Verlag Olms in Hildesheim 1976 erschienenen, von Burkhard Gladigow betreuten gesammelten Abhandlungen zur Literatur- und Kulturgeschichte der Antike, wovon noch ein zweiter Band erscheinen soll. Die hier vorliegende Sammlung ist mit insgesamt 35 Aufsätzen ebenfalls auf zwei Bände berechnet. Der erste, stärker altertumswissenschaftlich geprägte liegt hier vor, während der zweite noch mehr dem Neuen Testament zugewandt ist und voraussichtlich im Sommer 1984 folgen soll. Ihm werden auch einige Arbeiten zugefügt, die über die Antike weiter in die neuere Zeit hinausgreifen, was man meiner bibliothekarischen Vergangenheit zugute halten möge, die mich seit meinen Anfängen in einer weiter ausschauenden Blickrichtung bestärkt hat. Der Name SEBASMATA für das Ganze, „verehrungswürdige Gegenstände", wird wie ich hoffe als kurzer, die Zitierweise erleichternder Übertitel dem Inhalt gerecht.

Es ist mir nahegelegt worden, mich hier kurz darüber zu äußern, wie es bei mir zu der heute nicht mehr gerade häufigen Verbindung von Philologie und Religionswissenschaft mit dem ständigen Blick auf die christliche Überlieferung gekommen ist. Das Münchner Elternhaus, in dem ich als jüngstes von acht Kindern aufwuchs (drei Brüder wurden Theologen), hat viel dazu getan, ebenso die Schule. Schon das Auswendiglernen des Katechismus und biblischer Sprüche wie zahlreicher Kirchenlieder – auch wenn man sie im Augenblick noch nicht verstand – war damals vor siebzig und mehr Jahren zu meinem Glück noch selbstverständlich. So haben sich mir bei den mit Leidenschaft ergriffenen altertumswissenschaftlichen Studien in ausgedehnter, oft sporadischer, aber stets intensiver Klassikerlektüre von Anfang an biblische und überhaupt christliche Parallelen geradezu aufgedrängt und dabei den Blick geschärft sowohl für das Gemeinsame wie für die tiefgreifenden Unterschiede im Überlieferungsgut von Antike und Christentum. Der Akzent von anfänglich vorwiegend betriebenen rechtsgeschichtlichen Studien verlagerte sich nach und nach auf die antike Literatur in weitem Umfang (wofür dann auch die Lehrtätigkeit sorgte) und dabei besonders auf die Religionsgeschichte. Eine von 1948 bis 1955 wahrgenommene Gastprofessur an der Kirchlichen Hochschule Berlin in meinem Fach, der Altertumswissenschaft, hat die von mir beschrittene Brücke zwischen den Fakultäten in wechselseitiger Anregung noch belebt und befestigt. Dabei habe ich, der Schüler von Eduard Meyer und Eduard Norden, gegenüber den Theologen stets meine religionsgeschichtliche Ausgangsposition vertreten.

Mein Bestreben, bei Lebzeiten kein Denkmal meiner selbst hinzustellen, hat mich veranlaßt, durch Aufarbeiten der neueren Literatur und durch Eingehen auf kritische oder ergänzende Äußerungen alle Beiträge in dieser Sammlung einigermaßen auf den neuesten Stand zu bringen und so in den Strom der nicht abreißenden Forschung einmünden zu lassen. Zum Teil geschah dies durch Einarbeitungen in den Text, dann aus technischen Gründen mehr und mehr durch Nachträge, die den einzelnen Aufsätzen angefügt wurden. Dies hat den an sich beträchtlichen Umfang so erweitert, daß sich die Aufteilung in zwei Bände empfahl. Am oberen Rand sind jeweils die Seitenzahlen der Originalvorlagen in [ ] angegeben, der Beginn der betreffenden neuen Seite ist im Text durch | bezeichnet. Bei Querverweisen sind die Seitenzahlen der Vorlagen entsprechend in [ ] gesetzt. Wo dabei diese eckigen Klammern fehlen, handelt es sich um Verweise auf die Seitenzahlen der vorliegenden Sammlung.

Ich danke meinem Kollegen Martin Hengel für die Aufnahme dieses umfangreichen und mir besonders am Herzen liegenden Teils meiner Forschung in die von ihm herausgegebene Reihe. Mein Dank gilt außerdem dem Verleger Georg Siebeck und seinem Mitarbeiter Rudolf Pflug, die sich in großzügiger und gewissenhafter Weise um eine sorgfältige Vorbereitung und Erleichterung des oft schwierigen Drucks annehmen, sowie meinem Schüler Gerd Schäfer für das Mitlesen der Korrektur und dafür, daß er auch die Register erstellen will, die dem 2. Band beigegeben werden sollen.

Tübingen, Oktober 1983   Hildebrecht Hommel

Inhalt

Band I

I. Antike

Band II

II. Antike und Christentum

III. Nachantike

Abbildungsverzeichnis

Die Abbildungen zu den folgenden Beiträgen
sind am Schluß des Bandes eingeheftet

Der Himmelvater

Abb. 1: Die prähistorischen Brandopferplätze im Alpengebiet. Nach W. Krämer, 1966. Hirmer Fotoarchiv München

Abb. 2: Der Aschenaltar in Olympia. Rekonstruktionsversuch. Nach H. Schleif, 1934. Hirmer Fotoarchiv München

Abb. 3: Münzen der griechischen Stadt Krannon mit dem Wappenemblem eines von Vögeln flankierten Kesselwagens. Bronze. 1–3 = 1/1/,4 = etwas vergrößert. Nach R. Forrer und A. B. Cook

Abb. 4: Der Kultwagen von Acholshausen bei Ochsenfurt. Urnenfelderkultur, ca. 1000 v. Chr. Höhe ca. 18 cm. Nach Christian Pescheck, 1971

Die Satorformel und ihr Ursprung

Abb. 1: Die älteste vollständig erhaltene Rotas-Formel. Pompeji, Palästra. Aus: Notizie degli Scavi 1939

Abb. 2: Holzrelief der Tür von Sta. Sabina in Rom, Mitte des 5. Jahrhunderts. Foto Alinari

Das Apollonorakel in Didyma

Abb. 1: Grundriß des Apollontempels in Didyma bei Milet. (Nach Wiegand-Knackfuß, Didyma 1, 1941)

Abb. 2: Ostansicht der Tempelruine von Didyma nach den deutschen Grabungen. (Mustafa-Foto, Izmir)

Abb. 3: Nordwand des Heiligtums von Didyma. (Photo A. Hommel)

Abb. 4: Rundaltar, „Säulenwald" und Quersaal des Tempels von Didyma, im Hintergrund die Erscheinungstür für den Orakelverkünder. (Photo P. Hommel)

Abb. 5: „Säulenwald" in der Vorhalle des Tempels von Didyma. (Photo A. Hommel)

Abb. 6: Ostfront des Tempels von Didyma (l. vorn Rundaltar, r. hinten Türe zum gedeckten Gang). (Photo P. Hommel)

I. Antike

Der Himmelvater

Vorbemerkung: Dieser fürs Archiv für Religionswissenschaft Bd. 38. 1943/44, S. 30–66 bestimmte Aufsatz, der zuvor in der Heidelberger Akademie der Wissenschaften vorgetragen war, wurde bei der Zerstörung des Teubner-Verlags-Gebäudes in Leipzig durch den großen Luftangriff der Alliierten vom 4. 12. 1943 im Satz vernichtet und konnte daher nicht mehr erscheinen. Resümees finden sich in: DLZ 63. 1942, Sp. 721 f. und ausführlicher in: Forschungen und Fortschritte 19. 1943, 95–98. Ich lasse den Text im wesentlichen unverändert (wenn ich jetzt auch manches anders formulieren würde); die Anmerkungen sind jedoch weithin nach dem heutigen Stand der Diskussion ergänzt.

Die Überzeugung vom gemeinsamen Überlieferungserbe der großen indogermanischen Hauptvölker ist in erster Linie ein Glaube, der in seiner Weise zum inneren Zusammenhalt eines neuen Europas beitragen kann. Da er aus richtigem Instinkt geboren zu sein scheint, so braucht er eine kritische Prüfung nicht zu scheuen. Diese Nachprüfung zu vollziehen, ist Sache der Wissenschaft. Für einen kleinen, aber wesentlichen Bezirk aus dem Gebiet der indogermanischen Religionsgeschichte, für die tiefwurzelnde Verehrung eines höchsten Himmels- und Vatergottes bei den indogermanischen Völkern, soll hier versucht werden, das gemeinsame Erbe herauszustellen und gegenüber Fremd- und Andersartigem abzugrenzen. Es muß sich zeigen, ob die Probe aufs Exempel stimmt.

Die einzige Göttergestalt, die alle großen indogermanischen Volksreligionen deutlich gemeinsam besitzen, ist die des Himmelsgottes. Schon aus der Sprache ist diese Gemeinsamkeit zu greifen. Dem indoarischen *Dyauṣ pitā* entspricht der *Ζεὺς πατήρ* der Griechen und der *Δεινάτυρος* der Illyrier[1] wie der römische *Diespiter-Iuppiter*[1a] und der germanische| *Tiwaz (Týr, Tiu, Ziu)*[2].

---

[1] Hesych s. v.; M. P. NILSSON, ARW 25 (1938) 156. – Die keltische Entsprechung scheint sich wenigstens aus den *Devo*-Namen erschließen zu lassen (z. B. *Deorix* und *Deiotarus*), wie nach dem Vorgang anderer HELMUT BIRKHAN, Germanen und Kelten . . . 1970, 251 ff. in dem Kapitel ‚Der Himmelsgott bei Germanen und Kelten‘ ausführlich gezeigt hat (vgl. bes. a. S. 270 u. 277). Danach wäre *Deorix* wohl der ‚im Himmel Mächtige‘, der ‚Himmelskönig‘, *Deiotarus* vielleicht sogar der ‚Himmels-Gott-Stier‘, wobei man sofort auch an die wenngleich spärlich bezeugte Stiergestalt des griechischen Zeus denkt (z. B. in der Europa-Sage). – Zu den idg. **deivos-*dieus* im Baltisch-Slavischen s. a. FR. SPECHT, Zs. f. vglchde. Sprachforschg. 69. 1951, 115–123.

[1a] Dazu jetzt W. PÖTSCHER, Namen . . . In: ANRW II 16. 1978, S. 372 und Anm. 73 mit weiterer Literatur.

[2] SCHRADER-NEHRING, Reallexikon der idg. Altertumskde. II (1929) 234 f. E. FEHRLE, Zeus,

Suchen wir seinem Wesen näher zu kommen, so helfen uns wiederum sprachliche Erwägungen fort[3]: Sanskrit *dī* „scheinen, glänzen", *divasa* „Himmel, Tag", lateinisch *di-es*[4] und sogar auch fürs Griechische eine Glosse, die in einem Dialekt der Insel Kreta Ζεύς als Wort für „Tag" bezeugt[5], weisen klar genug auf die Anknüpfung des Götternamens an die Sphäre des Tagesgestirns[6]. Und der altschwedische Himmelsgott **Wulþuz,* der auch in ostgotländischen Ortsnamen fortlebende *Ullr,* das genaue Gegenstück zu dem altnorwegisch bezeugten *Tý,* vielleicht ursprünglich nur Beiname dieses Gottes, stellt sich zu gotisch *wulþus* und heißt ebenfalls nichts anderes als „Glanz, Herrlichkeit"[7], wenn auch mehr mit Bezug auf den Menschen[8] als auf den Kosmos.

Daß sich diese Anschauung vom Gott der Taghelle und des Glanzes sehr bald zu dem das Sonnenlicht aussendenden und den Erdentag umspannenden Himmel weitete[9], beweisen fürs Lateinische schon etwa Wendungen wie *sub divo* und *sub Iove*[10] oder das schöne Wort des Ennius vom *sublime*

---

in: Roschers Mythol. Lex. VI 566f. 578. E. Bickel, RhM. 1940, 37. Zurückhaltender M. P. Nilsson, Gesch. d. griech. Religion I (1941) 314 ([2]1955, 336f.). Ganz ablehnend H. Krahe in: Beiträge zur Namenforschung 7. 1956, S. 97, und ebenso W. Baethke, RGG II 1958, Sp. 1439, die *Tiwaz* vielmehr lediglich zu lat. *divus* stellen wollen. Vgl. aber zur nahen Verwandtschaft von Ζεύς und *divus* H. Birkhan aaO. 282. 323f.

[3] A. B. Cook in seiner die Naturgrundlage der Gottheit freilich allzu einseitig bedenkenden großen Monographie über „Zeus . . ." I (1914) 3ff. J. Wackernagel, SB Preuß Akad. 1918, 396ff.

[4] *Diespiter . . . id est diei et lucis pater* deutet schon Gellius, Noctes Att. V 12,5. Das gemeinidg. *πατήρ pater* etc., das man früher mit *parens* „der Erzeuger" zusammenbringen wollte, ist wohl von dem Lallwort der Kinder „pa" ausgegangen, Walde-Pokorny, Vglds. Wörterb. d. idg. Spr. II 4.

[5] Macrob. Saturnal. I 15 *Cretenses Δία τὴν ἡμέραν vocant,* was sprachlich keinesfalls dazu berechtigt anzunehmen, „daß die Kreter den Tag *δία* nannten", wie vielfach zu lesen ist (so noch bei Nilsson aaO. 365; = [2]391). – Allgemein vgl. a. schon A. Zinzow, Ζεὺς πατήρ . . . Zschr. f. kirchl. Wiss. 3 (1882) 191ff. Zum ,Himmel' etc. als dem Wirkungsbereich des Zeus s. jetzt H. Schwabl RE S VI 1978, Sp. 1013ff.

[6] Diesen „sonnenhaften Einschlag" nimmt dagegen als erst sekundär hinzutretend W. Wüst an (ARW 36 [1939] 95) in seinem Aufsatz „Von idg. Religiosität . . .", mit dem sich der Verf. dieser Abhandlung gern als in der Grundhaltung verbunden bekennt. Vgl. jetzt auch Wüsts Münchener Rektoratsrede „Indogermanisches Bekenntnis" 1941.

[7] Elias Wessén, Meddelanden fr. Östergötlands Fornminnes- och Museiförening" 1921, 114ff.

[8] Latein. *vultus* ist ja damit verwandt; vgl. altnord. *vols splendor* und den gotischen Mannsnamen *Sigisvulthus.*

[9] Ed. Meyer, Gesch. d. Altert. I 9, spricht sehr treffend vom „Lichthimmel".

[10] Ohne Grund für einen Gräzismus gehalten von U. v. Wilamowitz (Vorträge d. Bibl. Warburg 1923/24 – erschienen 1926 –, 3) in einem Hervorragendes und Ungereimtes in bunter Fülle bietenden Zeus-Vortrag. Gleichwohl mutet es peinlich an, wenn K. Kerényi in einer seiner letzten Arbeiten, Zeus und Hera. Urbild des Vaters, des Gatten und der Frau 1972, 5ff., bes. 7. 11 u. 13 wiederholt nachdrücklich sowohl dem Zeusvortrag von Wilamowitz wie dem von H. Diels (s. unten Anm. 18) „Beschränktheit des Denkens" gegenüber religiösen Phänomenen bescheinigt. Er selber handelt über Zeus als den Gott des (äußeren und inneren) „Aufleuchtens" ebda. 8ff. in seiner stets an Richtiges anknüpfenden, aber einzelne Beobachtun-

candens, quem (in)vocant omnes Iovem[11], fürs Germanische legt es wenigstens der Name des Gottes nahe[12] und die Paar|heit, die er zusammen mit der Erdgöttin bildet[13], fürs Griechische etwa der Ζεὺς οὐράνιος der Lakedaimonier[14], ferner zahlreiche Stellen der die Frühzeit des Hellenenvolkes erhellenden homerischen Dichtung. So wenn Achilleus zu Zeus, der als der im lichten Himmelsglanz Wohnende gedacht ist (als αἰθέρι ναίων[15]), um Sieg und Bewahrung für Patroklos betet und dabei zum Himmel aufblickt, οὐρανὸν εἰς ἀνιδών[16]. Oder wenn der Höchste der Götter in jener gewaltigen Herausforderung, die er der Gesamtheit der übrigen Olympier entgegenschleudert, sich erbietet, sie alle an einer am Himmel – ἐξ οὐρανόθεν[17] – befestigten goldenen Kette samt Erde und Meer zu sich heraufzuziehen, die niemals imstande wären, ihn zu sich herunter zu zwingen[18]. Himmelsgott ist der Zeus der griechischen Einwanderer von Anfang an gewesen; wenn er sich in der neuen Heimat gern auf hohen Bergen niederließ, so hat das seinen Grund darin, daß er sich mit dort hausenden vorgriechischen Gottheiten verband[19], ohne sein Wesen aufzugeben[20]. Der Name des Olymp sowohl wie des Ida enthält vorgriechische Bezeichnungen für Berg und Waldgebirge[21].

Mit fast juristischer Bestimmtheit wird dem Gott der Himmel als seine Domäne zugewiesen, wenn Poseidon erzählt, daß er selber das Meer, Hades das Schattenreich und Zeus „den geräumigen Himmel in Äther und Wolken" erlost habe[22]. Wenn das auch „Theologie" sein mag[23], so hat sie doch

---

gen verabsolutierenden Weise in gewohnter Mischung von Verallgemeinerung und geistreicher Rechthaberei.

[11] Ennius fr. Sc. 345 (= Thyestes fr. V) Vahlen bei Cic. nat. deor. II 4, 65.

[12] SCHRADER-NEHRING II 235.

[13] M. OLSEN, Det gamle norske önavn Njardarlog 1905; WESSÉN aaO. 117 u. ö.

[14] Über ihn vgl. unten [S. 50] mit Anm. 138. Vgl. die von Ζεύς abgeleiteten Adjektive εὔδιος und εὐδιεινός ‚heiter, ruhig, still‘, die besonders gern zur Kennzeichnung der freundlichen Himmelsatmosphäre dienen; dazu HJ. FRISK, Griech. etymol. Wtrbch. I 1960, 585. KERÉNYI aaO. 17.

[15] HOMER Ilias B 412. Δ 166; Od. o 523; vgl. Aristoph. Thesmophor. 272 αἰθέρ' οἴκησιν Διός, Frösche 100 αἰθέρα Διὸς δωμάτιον. Fein nachempfunden ist „der unbewölkte Zeus" Schillers (Klage der Ceres, Strophe 1).

[16] Ilias Π 232.

[17] Θ 19, zwei Verse später mit Nachdruck wiederholt.

[18] HERM. DIELS, Zeus = ARW 22 (1924) 1 ff., hier 7.

[19] E. FEHRLE aaO. 567 f., 572. E. BICKEL aaO. 37 ff. (seinen Vergleich der vorhellenischen Bergkulte mit dem semitischen auf dem Sinai kann ich freilich nicht gelten lassen, s. dazu meinen Aufsatz „Neue Sinai-Forschungen", StMatStorRel. 1928, 21 u. Philol. Woch. 1928, 268 f.). – WILAMOWITZ aaO. 2 f. 15 sieht merkwürdigerweise die umgekehrte Entwicklung vom Berggott zum Himmelsgott als bewiesen an, muß aber (2, 3 f.) Einschränkungen machen.

[20] O. KERN, Die Religion der Griechen I (1926) 180 ff. DIELS aaO. 8.

[21] NILSSON in dem genannten Aufsatz 157.

[22] Ilias O 190 ff. (Ζεὺς δ' ἔλαχ' οὐρανὸν εὐρὺν ἐν αἰθέρι καὶ νεφέλῃσιν). Vgl. Empedokles fr. 6, wo Zeus unter den vier Elementen die Luft verkörpert. Hier ist also der alte Glaube bereits systematisiert.   [23] WILAMOWITZ aaO. 4 f.

auf einem alten Glauben aufgebaut. Das zeigt sich auch weiterhin; denn an der gleichen Stelle wird gleich darauf dem herrschaftslüsternen Zeus sein Machtanspruch verwiesen, den er, wie Poseidon höhnisch hinzufügt, doch seinen eigenen Söhnen und Töchtern gegenüber ausleben möge, „die er selber gezeugt hat: diese werden ihm, wenn er gebietet, aus Zwang[24] | schon gehorchen"[25]. In diesem spöttisch gemeinten Wort liegt etwas Wahres: Zeus ist seinem Wesen nach nicht König, sondern Sippenvater, Hausherr, οἴκοιο ἄναξ[26], wie er denn bei Homer zwar oft als ἄναξ angerufen wird, niemals jedoch βασιλεύς heißt in den über dreihundert Fällen, in denen er mit Epitheton erscheint. Δεσπότης gar oder auch κύριος kommt schon deshalb als Bezeichnung für den Zeus des Epos nicht in Betracht, weil diese beiden Worte bei Homer überhaupt noch fehlen[27]. Dagegen ist sein weitaus häufigstes Beiwort, das Homer mehr als hundertmal gebraucht, πατήρ, und wir wissen also nun, daß wir darunter den Herrn des οἶκος, den Sippenvater, zu verstehen haben. Das ist seine ursprüngliche soziale Erscheinung so wie die Konzeption des Himmels sein natürliches Wesen begreift[28]. Hüten müssen wir uns freilich, im Ζεὺς πατήρ nur einen „lieben Vater" voll allzeit gütiger oder etwa gar kraftloser Milde zu erblicken[29]. Wie das Sippenhaupt den seinem väterlichen Schutz Befohlenen gegenüber seine Autorität, wo es nottut, unerbittlich durchzusetzen wußte[30], so auch der nach seinem Bilde gestaltete Zeus, der sich mehr als einmal von seinen Kindern sagen lassen muß: „Vater Zeus, wie bist du von allen Unsterblichen grausam"[31]. Doch

---

[24] ἀνάγκῃ, vgl. ἀναγκαῖοι ‚die Angehörigen', lat. *necessarii*.   [25] Il. *O* 198 f.

[26] Od. *a* 397, wo es einmal von Telemach gebraucht wird, ist es deutlich zu den βασιλῆες (v. 394) in Gegensatz gestellt. – Zum ἄναξ vgl. M. LEUMANN, Homerische Wörter 1950, S. 42 ff. – B. BEMBERG, Ἄναξ, Ἄνασσα und Ἄνακες als Götternamen, . . . 1955. – O. WATHELET, ἄναξ et βασιλεὺς dans la tradition formulaire de l'épopée grecque. In: Živa Antika 29. 1979, S. 25–40.

[27] J. WACKERNAGEL, Sprachliche Untersuchungen zu Homer 1916, 209 A. 1.

[28] Ähnliche Doppeltheit der Gottesvorstellung findet sich auch bei anderen Völkern, so beim lunaren Vater- und Volksgott der alten Araber; s. DITL. NIELSEN, Der dreieinige Gott . . . II 1942, 15 u. ö.

[29] Richtig sagt WILAMOWITZ (Reden und Vorträge 182 f.) von ihm: Zeus war ein Gott „von jener universalen Majestät, die in den homerischen Versen liegt, daß sein Kopfnicken, auch wenn er Gewährung nickt, Himmel und Erde erschüttert, aber zugleich der Gott, den schon der homerische Dichter ohne weiteren Zusatz Vater nannte". Ähnlich liegen die Verhältnisse, im Gegensatz zu Hesiod und den Späteren, noch im Demeterhymnos; vgl. K. DEICHGRÄBER, Eleusinische Frömmigkeit und homerische Vorstellungswelt im homerischen Demeterhymnos. Mainzer Ak.-Abhdlgn. 1950, 6, S. 525 ff.

[30] Ein schönes Beispiel bietet noch Sophokles' König Ödipus, bei dem die milden, väterlichen Züge (v. 1, 6, 11 f., 47 f., 58 usw.) sich mit den strengen mischen (v. 14, 33, 40, 334 ff. usw.).

[31] HOMER Ilias *Γ* 365. Od. *v* 201. Daraus zu schließen, die Bezeichnung des Zeus als eines Vaters sei für Homer nur noch bloße epische Formel, wie dies A. ZINZOW tut (Ζεὺς πατήρ . . . Zschr. f. kirchl. Wissensch. 3 [1882] 200 f., 204), heißt nichts anderes als einen seinerseits schon verblaßten christlichen Vatergottbegriff zum Maßstab des homerischen Sippenvaters Zeus machen zu wollen, der seine kraftvolle Anax-Natur den Menschenkindern gegenüber doch immer noch reiner bewahrt hat als allerdings im Verhältnis zu seiner gestrengen Gattin oder seiner verwöhnten Tochter. Aber auch diese Schwächen spiegeln menschliche Züge wider.

auch dieser strenge Zeus bleibt den Seinen blutsmäßig nah, er ist weder Despot noch Herrscher, und das wirkt noch lange nach, so etwa noch bei Sophokles, wo der seinen Sohn Herakles mit demütigender Strafe erniedrigende Zeus die alten Züge des Großfamilienhauptes erhalten hat[32]. |

Überhaupt scheint mir die den Schluß der „Trachinierinnen" bildende Heraklestragödie[33] sich im Triumph des patriarchalischen Anspruchs zu erfüllen, den Herakles seinem Sohn Hyllos gegenüber[34] ebenso durchsetzt wie sein Vater Zeus gegen ihn selber[35]. Daß der in den Orakelsprüchen von Dodona[36] vorverkündete Wille des ἄναξ und πατήρ[37] Zeus, des himmlischen Vaters, geschehe, ist der Sinn von Herakles' Leiden[38]. Die Unerbittlichkeit des patriarchalischen Zwangs wirkt durch den vom Abglanz des Göttlichen bestrahlten irdischen Vaters Herakles weiter auf Hyllos, der die väterlichen Gebote in stummem Gehorsam als gottgewollt zu erkennen und zu erfüllen gehalten ist. Daß die ihm verhaßte Verbindung mit Iole, des Vaters Kebse, durch die der eigenen Mutter Leid und Tod kam, in diesem Gebot inbegriffen ist, daß also der unerbittliche patriarchalische Anspruch sich auf Kosten der Pietät gegen die Mutter verwirklicht[39], dieser uns so fremde Zug ist nur

---

[32] Soph. Trachin. 274ff. ἄναξ, ὁ τῶν ἁπάντων Ζεὺς πατὴρ Ὀλύμπιος κτλ. Dazu A. DIETERICH, Eine Mithrasliturgie 1903 (²1910. ³1923), 141.

[33] Soph. Trachin. 953–1278. Der erste Teil bis v. 946 hat die Tragödie der Deianeira zum Inhalt, deren Schicksalsweg zwischen δοκεῖν und πίστις (v. 588ff., 669f.) zu ganz ähnlichem Ziel gespannt ist wie der des König Ödipus zwischen δόξα und ἀλήθεια (v. 350, 356, 369, 401, 435, hierzu K. REINHARDT, Sophokles 1933, 110, 131, 146, FRZ. STOESSL, Der Tod des Herakles . . . 1945, 50f.). Trachin. v. 947–952 verklammern bedeutsam die beiden Tragödien des Dramas, deren gemeinsames Grundthema Anfangs- und Schlußverse des Ganzen (Trach. 1–3; 1276–1278) enthüllen. Zur Einheit des Ganzen haben J. GEFFCKEN, Die griech. Tragödie 1918, 56 und H. WEINSTOCK, Sophokles 1931, 139, 142 (2. Aufl. 35, 38f.) bereits Wesentliches gesagt; vgl. a. P. Friedländer in Die Antike 1 (1925) 316f. H. DILLER, Göttliches und menschliches Wissen bei Sophokles 1950, 15ff. In dem Drama handelt es sich allenthalben um menschliche Urbeziehungen (Mann–Weib, Vater–Sohn); weniger glücklich G. PERROTTA, Sofocle 1935, 486; A. v. BLUMENTHAL, Sophokles 1936, 184 unten.

[34] Hier können nur die zahlreichen Stellen angeführt werden, die in ihrer Häufung das Motiv als beherrschend erkennen lassen: v. 1024 u. 1114 (erste Anrede παῖ bzw. πάτερ). 1125, 1137, 1146, 1147f., 1155f., 1177f., 1179f., 1181ff., (1183), 1245ff., 1257f., 1268f. (dazu vgl. jetzt auch E.-R. SCHWINGE, Die Stellung der Trachinierinnen im Werk des Sophokles 1962, 85ff.). Wichtig auch die Stellen, an denen Herakles auf die Vaterebenbildlichkeit seines Sohnes größten Wert legt: 1064f., 1129, 1157f., 1200f., 1204f.

[35] v. 956, 993ff., 1001f., 1022, 1087f., 1106., 1168, 1185, 1188, 1191ff., 1223.

[36] Die Frage von A. v. BLUMENTHAL aaO. 187, warum „die Sprüche bei dem fernen thesprotischen Orakel des Zeus statt in Delphi eingeholt sind", dürfte damit ihre Erledigung gefunden haben.

[37] v. 1087f., vgl. schon v. 274ff. und dazu oben Anm. 32f.

[38] Das scheint mir die Antwort auf die von H. WEINSTOCK aaO. 143 (2. Aufl. 39) offen gelassene Aporie zu sein.

[39] v. 1233ff., 1272, dazu treffend FR. WEHRLI, Λάθε βιώσας 1931, 101, Anm. Daß die „Bitte", wie H. WEINSTOCK aaO. 137 (2. Aufl. 33) meint, „durch die Zusammenhänge der Heraklessage gefordert" war, trifft nicht den Kern. Einmal war es keine Bitte, sondern ein unabänderliches Gebot (v. 1224, 1227ff. u.ö.); zum andern hat sich ja Sophokles auch sonst nicht an die

geeignet, das Thema um so schärfer | einzuprägen, kennzeichnet freilich auch hellenische Vatergewalt in ihrer Unbedingtheit[40]. Von königlicher Gewalt ist bei alledem nichts zu spüren; Sophokles hat also hier die homerische Konzeption des Sippenvaters Zeus und seines irdischen Abbilds treu bewahrt.

Bald nach Homer sprechen freilich die kyklischen Epen, die homerischen Hymnen und Hesiod[41] – deutlich sekundär – vom Ζεὺς βασιλεύς, dem *König Zeus*[42]. Ἐκ δὲ Διὸς βασιλῆες, dies bekannte Wort des Hesiod[43] wirft ein deutliches Schlaglicht auf die Herkunft der neuen Auffassung: das irdische Königtum, das die alten patriarchalischen Züge des homerischen ἄναξ ἀνδρῶν abgestreift hatte und sich des im hellenischen Bereich sekundär eingedrungenen Fremdworts βασιλεύς als Bezeichnung bediente[44], es berief sich zu

---

überlieferten Züge der Sage gehalten (Weinstock 130, 132 = 2. Aufl. 26, 28). Vielmehr trifft A. v. BLUMENTHAL, Soph. 196 das Richtige, wenn er in dem Zug, daß Iole „dem Sohne vom Vater als Gattin hinterlassen wird", eine „äußerste Steigerung der männlichen Herrschaft" erblickt. Nach Aufspüren dieses ausgesprochen patriarchalischen Elementes hätte er freilich nicht mehr zu fragen brauchen, „warum Herakles den widerstrebenden Sohn zur Erfüllung dieses . . . Vermächtnisses durch die schrecklichsten Drohungen zwingt"!

[40] Sehr bezeichnend, daß der einzige Auftrag, von dessen Erfüllung den Sohn zu entbinden sich Herakles bereit findet, das Entzünden des Scheiterhaufens, in Hyllos das Gefühl der Pietät gegen den eigenen Vater hätte verletzen müssen, daß also Herakles gerade nur in dem Punkt nachgibt, wo der Sohn sich aus eben dem Gefühl heraus widersetzt, das der Vater in ihm zur restlosen Erfüllung bringen will (vgl. v. BLUMENTHAL aaO. 195). Von allem andern wird dem Hyllos nichts erspart.

[41] Bei ihm wird folgerichtig Zeus zugleich zum Schirmherrn des Rechtes, dessen Beisitzerin die strafende Dike ist; WILAMOWITZ, Zeus aaO. 4, 6f.

[42] Der (Sippen-)*Vater* Zeus lebt natürlich daneben fort, wie wir am Beispiel von Sophokles' Heraklesdrama sahen, freilich vielfach nicht mehr in der alten Stärke und Unmittelbarkeit. So eignet übrigens auch der ‚Großen Mutter' Kybele neben diesem Kultnamen gleichrangig der andere einer δέσποινα (ALB. HENRICHS, Harv. Studies in Class. Philol. 80. 1976, 253–286). Wenn Tyrtaios fr. 8, 2 D. anläßlich des messenischen Aufstandes zur Ermunterung der Spartiaten von Zeus sagt, „er hält den Nacken noch nicht krumm wie die Sklaven" (οὔ πω Ζεὺς αὐχένα λοξὸν ἔχει, vgl. Theogn. 535f.), d. h. er hält sich nach wie vor zu den Herren, so weist der unausgesprochen dahinter stehende Gegensatz wohl auch noch eher auf seine Sippenvatereigenschaft als auf sein Königtum. Ebenso trägt auch wiederum in Sophokles' Trachinierinnen 127ff. der πάντα κραίνων βασιλεὺς Κρονίδας noch ganz die Züge des Vaters, der sich über seine Kinder erbarmt, v. 139f.: τίς τέκνοισι Ζῆν' ἄβουλον εἶδεν; „wer hat je Zeus seine Kinder versäumen sehen?" ἄναξ ἀνάκτων ruft ihn Aischylos Hiket. 524 an, weitere Belege aus Aischylos, Sophokles, Euripides usw. s. bei H. PREISKER, ARW 35 (1938) 103; vgl. a. A. ZINZOW aaO. 214f., 222ff. K. PRÜMM, Der christliche Glaube und die altheidnische Welt I (1935) 93ff., 450. Dabei ergibt sich (ZINZOW 223), daß Platon (der übrigens an einer entscheidenden Stelle Kratylos 396 A den Zeus ἄρχων τε καὶ βασιλεὺς τῶν πάντων nennt) nur ein einziges Mal vom Schöpfer und *Vater* aller Dinge spricht (Tim. 28 C), noch dazu ohne den Namen Zeus zu nennen. Zum Vater Zeus bei Kleanthes vgl. M. POHLENZ, Hermes 1940, 122f. ZINZOW aaO. 223f. Wichtig ist bei ALBR. DIETERICH, Mithrasliturgie 1903 u. ö. 141ff. das Kapitel ‚Die Gotteskindschaft. Der Gott als Vater im Altertum'. Dort vor allem die Stellen: Simonides fr. 13, 19ff. D., Soph. Trach. 140, Kallimachos Zeushymn. 94, Dion Chrysost. I 39f., Lactanz, Inst. div, IV 3, 11ff. Dazu vgl. a. noch Epiktet, Diatr, I 3, Anfg. Weitere Literatur bei J. AMANN, Die Zeusrede des Ailios Aristides 1931, 99.

[43] Hes. Theog. 96; Hymn. Homer. XXV 4; vgl. K. ZIEGLER, Roschers Lex. VI 695.

[44] J. WACKERNAGEL, Sprachliche Untersuchungen zu Homer 1916, 211ff.

seiner Legitimation auf den höchsten Gott, der damit| selber zum βασιλεύς
ward. Jene Beobachtungen über den Wandel des Sprachgebrauchs, die zu
solchen Feststellungen von bedeutender Tragweite führen müssen, hat der
treffliche amerikanische Gelehrte G. M. Calhoun gemacht und weithin
bereits selber ausgedeutet[46]; ein Kenner wie der schwedische Religionshisto-
riker M. P. Nilsson hat sich dadurch veranlaßt gesehen, gründlich umzuler-
nen und seine alte These[47] vom homerischen König Zeus zu revidieren[48].
Diese sozusagen an der äußeren Gestalt des Gottes, an seiner menschlichen
Erscheinungsform ablesbare Veränderung hat ihre Parallele in einer Wandlung des inneren Verhältnisses von Mensch zu Gott. Der vom Vater zum
König gewordene Zeus schafft sich notwendig größere Distanz; eine grundsätzlich neue Scheidung zwischen Gottheit und Mensch tritt ein[49]. Sie
kennzeichnet sich nicht mehr wie bei Homer und weithin auch noch bei
Hesiod nur in größerer Machtfülle und stärkerer Wirkungsmöglichkeit des
Gottes gegenüber dem Menschen. Vielmehr rückt, wie sich aus den Theodi-
zee-Gedanken Solons und seiner Zeit ableiten läßt, das Denken und Wollen
des Gottes dem menschlichen Begreifen ferner, kurz die Gottheit gewinnt
einen größeren Abstand von dem Menschen, ein geistig-religiöser Umschwung, der mit einer Gestalt wie dem Zeus des aischyleischen Prometheus
ebenso bezeichnet ist wie mit jener Feststellung des Xenophanes, die das
Doppelgesicht der hier aufgewiesenen Wende klar zum Ausdruck bringt (fr.
23):

> Einer allein nur ist Gott, unter Göttern und Menschen der Größte,
> Nicht an *Gestalt* den Sterblichen ähnlich und nicht an *Gedanken*. |

---

[45] Übrigens auch für die Datierung von Ilias und Odyssee, bes. in ihrem Verhältnis zu
Hesiod.

[46] Zeus the Father in Homer, Transactions of the Amer. Philol. Ass. 66 (1935) 1 ff., bes. 2 f.,
4 f., 10, 14 f. Vgl. a. schon E. Fehrle aaO. 609 nach J. Wackernagel aaO. 209 f., der jedoch die
unhaltbare Ansicht vertritt, ἄναξ habe (wie βασιλεύς) ursprünglich „König" geheißen und sei zur
Bezeichnung des „Herrn innerhalb des Hausstandes" erst nachträglich abgesunken. – Noch
ganz unerkannt bleibt die bedeutsame Wandlung in Jessens als Materialsammlung wichtigen
Ausführungen über den Zeus Basileus RE III 82. Wichtig jetzt der Abschnitt S. 40 ff. in K.
Kerényis schon erwähntem Buch, Zeus und Hera 1972, wo gute Beobachtungen sich mit
spintisierenden Folgerungen mischen; vor allem grenzt K. in origineller Weise die Zeus-Vater-
Religion von matriarchalischen Vorstellungen ab. Vgl. auch die archäologischen Untersu-
chung von E. Thiemann, Hellenistische Vatergottheiten . . . 1959, 9 ff. (wo zum Kriterium der
Vatergottheit die Bärtigkeit dient!).

[47] M. P. Nilsson, Das homer. Königtum, SB Berlin 1927, 27, 33 f., 35. The Mycenaean
Origin of the Greek Mythology 1932, 221 ff. Homer and Mycenae 1933, 266 ff.

[48] Vater Zeus, ARW 35 (1938) 156 ff., bes. 159 ff. und 161 ff., wo außerdem Ζεὺς Κτήσιος der
„Gott der Vorratskammer" als eine Sonderform des Oikosvaters Zeus erwiesen wird. Vgl. jetzt
a. Nilsson, Gesch. d. griech. Religion I (1941) 314, 322, 378 f. (²1955, 337, 345, 403 f.). Zum
Familienhaupt Zeus vgl. schon Wilamowitz aaO. 4, 6.

[49] Dies und einiges aus dem Folgenden nach den trefflichen Formulierungen von Egon
Römisch, Studien zur älteren griechischen Elegie 1933, 8 f. Vgl. a. schon K. Lehrs, Populäre
Aufsätze . . . ²1875, 176, wo mit Recht hingewiesen wird auf die „dem Homerischen patriar-
chalischen Wesen gegenüber so weit und überall complicirter gewordenen Verhältnisse" jener
Zeit.

Angesichts des neuerdings geführten Nachweises, daß Agamemnon ursprünglich ein vordorisch-lakonischer Gott oder Heros ist, der später in Sparta als Ζεὺς Ἀγαμέμνων Verehrung fand[50], und im Blick auf den βασιλεὺς Ἀγαμέμνων der Ilias[51] möchte sich hier die Vermutung aufdrängen, Agamemnon sei von Haus aus eine das Königstum verkörpernde Gottheit gewesen, die mit Zeus erst dann verbunden werden konnte, als dessen streng patriarchalische Züge zugunsten eines mehr königlichen Charakters verblaßten.

Wir weisen an dieser Stelle auf eine bedeutsame Äußerung des Aristoteles hin, der zwar – wie zu seiner Zeit ganz erklärlich – schon völlig im Banne der Auffassung des Zeus als König steht, aber selbst da noch den patriarchalischen Grundcharakter als entscheidend ansieht; dabei führt er gerade die homerische Bezeichnung des höchsten Gottes als „Vater der Menschen und Götter" zum Beweis an[52] – gewiß eine gewichtige Bestätigung jener These Calhouns, um die es hier geht. Diese Bemerkung führt uns wieder zurück zum alten Vatergott Zeus und damit in den großen indogermanischen Zusammenhang, der uns in den eingangs aufgeführten Namen (*Dyauṣ pitā, Iuppiter* etc.[53]) ohne weiteres deutlich wird und der nachher auch fürs Germanische, wo er nicht so offen zutage liegt und wo vor allem die Quellen spärlicher fließen, aufgezeigt werden soll.

Denn es kann als Gesetz völkischen Lebens gelten, daß ein starker, vaterrechtlich betonter Familiensinn, wo immer er in einem Volke lebendig ist, nicht nur patriarchalische Organisationsformen des staatlichen Daseins schafft[54], sondern auch die Gottheit nach dem Bilde dieser Ordnungen

---

[50] E. Kirsten in seiner noch unveröffentlichten Frühgeschichte Spartas gegen Harrie, ARW 23 (1925) 359ff. und M. P. Nilsson, The Mycenaean Origin of Greek Mythology 1932, 46ff.; vgl. schon E. Bethe, Homer III 96.

[51] Ebendort in der Ilias ist Zeus deutlich „Parallelfigur zu Agamemnon"; s. K. Wiessner, Bauformen der Ilias 1940, 10, 128.

[52] Aristot. Politik I 12, 1259b, 10ff., vgl. Nikomach. Ethik VIII 12, 1160b, 22ff. Ausführlicher darüber in meiner Studie „Domina Roma" Antike 18 (1942) 127ff. (= Symbola I 1976, 331ff., jetzt auch: Wege der Forschung 528. 1979, 271ff.).

[53] Der Vatername steckt wohl auch in Παπαῖος, der skythischen Bezeichnung für Zeus, die uns Herodot IV 59, 2 überliefert.

[54] Übrigens liegen im Vater-Sohn-Verhältnis auch die Wurzeln der erzieherischen Weisheitsdichtung der Hellenen, die in geradliniger Entwicklung von ihren Anfängen bis zu Theognis' Kyrnosbuch verfolgt werden kann (vgl. vor allem den 6., 9. u. 11. Gesang der Ilias); s. darüber J. Kroll, Theognisinterpretationen 1936, 98 (hier in der Anm. 264 weitere Literatur); Karl Bielohlawek, Hypotheke und Gnome 1940, 5. Ein Nachklang noch bei J. H. Pestalozzi; dort lautet das Motto zu seinem 1780 aufgestellten Programm ‚Die Abendstunde des Einsiedlers': „Vatersinn Gottes; Kindersinn der Menschen. Vatersinn der Fürsten; Kindersinn der Bürger. Quellen aller Glückseligkeit." Einen entschiedenen Kontrapunkt dazu bieten die Ausführungen von Thornton Wilder, ‚Kultur in einer Demokratie', zitiert nach dem Programm des Landestheaters Württemberg-Hohenzollern. Tübingen 1958/59, S. 90: „Gott war König und Vater, und so hatten Könige und Väter – im Gleichnis gesprochen – am Element des Göttlichen ihren Teil. Gott war droben, und droben waren die Könige und die Väter – und alle anderen waren drunten, niedrig. Da Gott der Vater war, waren alle Menschen Kinder. Aber

gestaltet. Dabei findet eine Doppelwirkung statt: das vom Menschen auf den Gott übertragene Vaterverhältnis strahlt von dorther auf das Menschenleben reinigend und veredelnd zurück[55]. Nirgendwo läßt sich das deutlicher| ablesen als an der *römischen Religion;* dort mußte entsprechend dem auf strenges Recht gegründeten Verhältnis des *pater familias* zu den Seinen der Vatergott von allem Anfang an herbere, verpflichtendere, ja geradezu majestätischere Züge annehmen, eine Ordnung, die mit zunehmender Politisierung des römischen Volkslebens ein immer strengeres, erhabeneres Gesicht erhielt[55a]. Ovid hat das im Proömium zum 5. Buch seines römischen Festkalenders schön in Worte gefaßt. Dort singt er den Ruhm der Maiestas, *quae mundum temperat omnem,* und läßt sie ebenso dem Göttervater als treueste Wächterin zur Seite sitzen, wie sie den Vätern und Müttern der Menschen die Pietät der Ihrigen erhält und über die Autorität der staatlichen Amtsträger wacht[56]. So schließt sich göttlicher, menschlicher und politischer Bereich zusammen. Aber hinter diesem strengen Gesicht des irdischen wie des himmlischen Vaters verbirgt sich doch auch ein väterliches Herz, das selbst an dem erhaben thronenden römischen Iuppiter noch milde, vertrauliche Züge erahnen läßt[57]. Ohne Gewalt *(sine vi)* erfüllt sich seine Herrschermajestät, lehrt uns Ovid[58]. *Propter caritatem,* aus Anhänglichkeit, erhalten auch in der politischen Sphäre die Senatoren den Vaternamen nach Ciceros Auffassung[59], dessen feine Zeichnung des Idealbilds eines Familienvaters nach dem

---

Gott . . . will uns nicht als Kinder, er will uns als Männer und Frauen. Und da es keine Könige mehr gibt, ist es nun unsere Pflicht, nicht länger mehr Untertanen zu sein, sondern Mitregenten . . .“

[55] Siehe die wertvolle Untersuchung von ADOLF ZINZOW, Der Vaterbegriff bei den römischen Gottheiten. Progr. Pyritz 1887, 1 ff. Zu dem ganzen Fragenkomplex vgl. außerdem H. HOMMEL in: Forschungen und Fortschritte 19. 1943, 95 ff.; Antike 18. 1942, 133 ff. (= H. H., Symbola I 336 ff.).

[55a] Daß dann, vor allem seit Cicero und Seneca, die gütige Fürsorge des patriarchalischen Gottes gegenüber seiner strengen Gewalt wieder mehr und mehr in den Vordergrund tritt, hat ANTONIE WLOSOK, Laktanz und die philosophische Gnosis . . . 1960, 237 ff. betont und durch Zeugnisse belegt.

[56] Ov. fast. V 25 ff., bes. 45 f., 49, 51:

adsidet inde Iovi, Iovis est fidissima custos
et praestat sine vi sceptra tenenda Iovi. . . .
illa patres in honore pio matresque tuetur . . .
illa datos fasces commendat eburque curule.

[57] Vgl. Cic. nat. deor. II 64 und dazu unten [S. 44].

[58] aaO.; vgl. Seneca de provid. 5, 6 *nec servio deo, sed assentior.*

[59] Cic. rep. II 14 *Romulus . . . in regium consilium delegerat principes, qui appellati sunt propter caritatem patres;* über andere Deutungen *(reverentiae, honoris causa, ab aetate, propter senectutem* etc.) vgl. ZINZOW aaO. 3₄, 4₂. Überhaupt ist Ciceros Staatsschrift voll von aufschlußreichen und klugen Bemerkungen über die Bedeutung der Familie für die Respublica, und andrerseits über den religiösen Hintergrund dieser Anschauung. Vgl. bes. De re publ. I 18, 54 ff., 61, 64, 69; III 33; IV, VI 13, 16 (dazu s. RICH. HARDER, Über das Somnium Scipionis 1929, 140 ff.). Vgl. aber außerdem auch die Einleitung zu den Tusculanen I; De off. I 57; etc. etc. Dazu V. PÖSCHL, Röm. Staat u. griech. Staatsdenken bei Cicero 1936, 143. Die Fülle der seither erschienenen Literatur zu dieser Frage (K. BÜCHNER und viele andere) kann hier nicht ausgebreitet werden.

Muster des Appius Claudius dieselbe abgewogene Verteilung herber und freundlicher Züge aufweist: *et caecus et senex tenebat non modo auctoritatem, sed etiam imperium in suos; metuebant servi, verebantur liberi, carum omnes habebant; vigebat in illa domo mos patrius et disciplina*[60]. „Der alte, blinde Censor ließ die Seinen nicht nur seine Würde, sondern auch seine Macht spüren; Furcht genoß er beim Gesinde, Verehrung bei seinen Kindern, lieb hatten sie ihn alle; Vätertradition und Zucht waren in seinem Hause lebendig."[60a]

Bevor wir die beiden bis hierher gewonnenen Haupteigenschaften des Gottes[61], die sich in dem noch uns vertrauten Begriff *„Himmel-Vater"* zusammenschließen, etwas genauer betrachten, müssen wir unseren Blick | auf eine Reihe von Wesenszügen richten, in denen er – wiederum bei den meisten der in Frage kommenden Völker – seine besondere Ausprägung erfahren hat. Wir glauben nicht fehl zu gehen, wenn wir sie alle aus jenen beiden beherrschenden Zügen ableiten möchten. So haben sich, wie es scheint, vom *Himmelsgott* da und dort kosmische Erscheinungen sozusagen abgespalten und sich ihren eigenen göttlichen Bereich gesichert, während andernorts der Himmlische nach wie vor all diese Mächte und Erscheinungen in sich miteinbegreift[62]. Und so wurden auch die *vatergöttlichen Eigenschaften* bei manchen der den Gott verehrenden indogermanischen Völker ausgeweitet, verselbständigt oder umgedeutet. Daß dabei die einzelnen Volksindividualitäten – jedes auf seine besondere Weise – am lebendigen Kleid des gemeinsamen Gottes wirkten, indem sie ihn zugleich nach ihrem Bilde formten, das gibt solchen Betrachtungen ihren besonderen Reiz. Denn

---

Darüber gibt guten Aufschluß Peter L. Schmidt, Cicero ‚De re publica'. Die Forschung der letzten fünf Dezennien. In: Aufstieg und Niedergang der römischen Welt . . . I 4. 1973, 262–333.

[60] Cic. Cato 37.

[60a] Ant. Wlosok hat in einem ursprünglich selbständigen ‚Anhang' zu ihrem Laktanzbuch aaO. (Anm. 55ᵃ), 232 ff. zur Erklärung der „Gottesprädikation *pater et dominus* bei Laktanz" dessen Gottesbegriff ganz „in Analogie zum römischen *paterfamilias*" gesehen und hat im Anschluß an Zinzow, Dieterich, Latte und Nilsson (s. bei ihr 237₂₃) die Züge des römischen Hauptgottes richtig aus der römischen Familienorganisation abgeleitet. Eine Kenntnis meiner Arbeiten (Domina Roma, Antike 18. 1942, bes. 133 f., und Der Himmelvater, Forschungen und Fortschritte 19. 1943, 95 ff.; vgl. jetzt auch die vorliegende Abhandlung hier und weiter unten) hätte dieser ihrer allzu statisch akzentuierten Position vielleicht eine stärker differenzierende historische Note verleihen können (wie sie bei ihr erst für die von Cicero ab eintretende Entwicklung sichtbar wird; s. dazu ob. Anm. 55ᵃ). Ich denke dabei an etruskische Einflüsse auf den Gott des Kapitols sowie an das allmähliche Zusammenwachsen der kosmischen Züge des Himmelsgottes mit den patriarchalischen des Vatergottes, wie es von mir aufzuzeigen versucht wird.

[61] Klar und richtig sind diese erkannt von Fehrle, Roschers Lex. VI 572, 53 ff.

[62] So bei Sophokles und Euripides (die Stellen s. bei Zinzow, Zschr. f. kirchl. Wissensch. 3 [1882] 216, 221), aber auch noch in später philosophischer Spekulation, die hier bewußt oder unbewußt auf uralten Volksglauben zurückgreift, etwa bei Eustathios, Hom. Od. 1387, 26, wo Zeus zugleich οὐρανός, αἰϑήρ, ἀήρ, ἥλιος heißt, oder in einem öfter wiederkehrenden orphischen Fragment: Ζεὺς ἥλιος ἠδὲ σελήνη, vgl. Jessen, RE VIII 76; P. Kretschmer, Glotta 14 (1925) 318. Siehe zu der Frage auch unten [S. 47].

nichts soll uns ferner liegen, als einen blutleeren und verwaschenen indogermanischen Allerweltszeus destillieren zu wollen[63]. Gerade im Spiegel der
zahlreichen volksmäßig geschiedenen Sonderentwicklungen des Gottes
werden die gemeinsamen Grundzüge lebendig hervortreten.

Um zunächst von den Spielarten und Abwandlungen der göttlichen Verehrung des *Himmels* zu reden, so tritt bei den alten *Indoariern Dyauṣ* bald
zurück hinter dem überragenden Götterkönig *Indra*[64], der als Anführer über
die Maruts, eine Art Sturm- und Gewittergottheiten herrscht, wie denn der
ihm beigegebene Donnerkeil ihn selber als alten *Gewittergott* kennzeichnet[65].
Die grollenden, zürnenden Eigenschaften des bedeckten, Donner und Blitz
sendenden Himmels haben sich hier also wie anderwärts eine eigene göttliche Sphäre geschaffen. Daneben erscheint in einer anderen Göttergruppe,
ebenfalls mit göttlichen Zügen ausgestattet, *Varuṇa,* den eine freilich umstrittene Deutung als den „Gott des Firmaments, des bedeckenden, die ganze
Welt umfassenden, umschließenden Himmelsgewölbes in Anspruch
nimmt", wie auch sein Name nach einer | verbreiteten, zwar ebenfalls nicht
unangefochtenen Deutung mit griech. οὐρανός zusammengebracht wird[66].
Man hat vermutet, daß er „eigentlich nichts weiter sei als ein Beiname des
alten *Dyauṣ*", von dem er sich allmählich „als eine besondere Göttergestalt
loslöste", indem er „immer mehr Sonderleben und Selbständigkeit gewann"[67]. Andere Himmelserscheinungen wie die Sonne als *Sūrya,* der
Mond als *Mâs*, Morgen- und Abendstern als die rossegestaltigen *Aśvins* (die
im Lettischen und Litauischen „Himmelssöhne" heißen – vgl. die griechischen διόσκουροι[68] –) erhalten daneben nur untergeordnete Bedeutung[69].

Wie im Indoarischen scheint sich auch bei den *Hellenen* der Himmelsgott
im engeren Sinn von dem zum Wettergott verengten Zeus, dem Wolken-
sammler, Blitzeschleuderer und Regensender abgespalten zu haben. Bei
Homer nämlich ist Zeus zwar noch, wie wir sahen, durchaus Himmelsgott-

---

[63] Von dieser Erkenntnis ausgehend, hat einst ADOLF ZINZOW den Vaterbegriff bei den
römischen Gottheiten, vor allem bei Iuppiter, in der bereits erwähnten, noch heute in vielem
unveralteten Studie untersucht, eine Betrachtungsform, wie sie uns für die übrigen indogermanischen Religionen noch fehlt.

[64] W. WÜST, ARW 36 (1939) 96 m. Anm. 2 (dort auch auch Belege).

[65] GELDNER in: Die Rel. i. Gesch. u. Gegenw. (RGG) ₂V (1931) 1459. Unverständlich, wieso
hier trotzdem *Indra* unter die einer Naturgrundlage entbehrenden Götter gerechnet wird.

[66] Anders z. B. H. GÜNTERT, Der arische Weltkönig . . . 1923, 146f., der aber 98, 205, 208
u. ö. immerhin die enge, tatsächliche Verbindung *Varuṇas* mit dem Himmel hervorhebt, die
inzwischen von G. DUMÉZIL erwiesen worden ist (darüber s. O. WEINREICH, ARW 34 [1937]
139). GÜNTERT hat wohl mit Recht aaO. 117 die lange Zeit diskutierte Deutung des *Varuṇa* als
Mondgottheit energisch zurückgewiesen. Über *Ahuramazda* und *Mithra* als die iranischen
Entsprechungen bzw. Ablösungen des Licht- und Himmelsgottes *Varuṇa* s. GÜNTERT aaO.
123, 202, 205, 208 u. ö.

[67] Das wörtlich Angeführte nach LEOPOLD V. SCHROEDER, Arische Religion I (1914) 322, 331;
vgl. H. HOMMEL, Der allgegenwärtige Himmelsgott, ARW 23 (1926) 200f., unten S. 51f.

[68] H. GÜNTERT aaO. 260ff. PAUL KRETSCHMER, Glotta 14, 303.

[69] SCHRADER-NEHRING II 237f.

heit, aber doch nicht mehr vorwiegend „Gott des heiteren, lachenden Himmels, sondern Gott des Himmels als des Raumes der atmosphärischen Erscheinungen" besonders eindrucksvoller Art, kurz gesagt eben Wettergott[70]. Nilsson hat ihn bereits in einem spätmykenischen Kultidol aus Asine in der Argolis dargestellt sehen wollen, das i. J. 1926 zusammen mit einem vom gleichen Forscher als Donnerkeil gedeuteten, noch viel älteren Steinbeil im Kultraum eines Hauses aufgedeckt wurde[71]. Hat sich so die alte | Himmelsgottheit in ihrem Wesen verengt, so finden wir ganz folgerichtig seit Hesiod und den homerischen Hymnen[72] als Produkt theologisierenden Nachdenkens den kosmischen Himmelsgott Οὐρανός, gleichsam eine Art Ersatzbildung. Daneben erhalten die Sphären des Lichtes und der Sonne, die nach der Wortbedeutung des Zeusnamens, wie eingangs deutlich wurde, ursprünglich ebenfalls im obersten Gott mit inbegriffen sein mußten, schon früh in Phoibos Apollon und Helios ihre neue Verkörperung[73]. Das zeigt uns am deutlichsten eine sehr verbreitete, bisher zu wenig beachtete und noch kaum untersuchte formelhafte Dreiheit kosmischer Schwurgottheiten, in der sich dem mitunter auch allein angerufenen Paar Himmel und Erde häufig die Lichtgottheit verbindet: Zeus, Demeter und Apollon, für den oft Helios eintritt[74], sind die Götter des attischen Heliasteneids, die auch sonst vielfach als Schwurzeugen dienen[75]. Zeus, Ge und Helios oder Phos über-

---

[70] Nilsson, ARW 35 (1938) 157, Ziegler in Roschers Lex. VI 686, und schon Wilamowitz in seinem Zeusvortrag 2, der auf die alten olympischen Bronzedarstellungen des Gottes und auf Pindar verweist. Vgl. etwa auch Stellen wie Platon Protag. 321 A τὰς ἐκ Διὸς ὥρας, wo also Zeus als Gott der Jahreszeiten erscheint; ferner den Zeus als tobenden Sturmgott Maimaktes in Athen, wo er seinen eigenen, ungefähr unserem November entsprechenden Monat hat (s. Harpokration s. v. Μαιμακτηριών, RE XIV 560).

[71] M. P. Nilsson, The Minoan-Mycenaean Religion . . . 1927, XX ff. mit Taf. 3 u. 4; Homer and Mycenae 1933, 80 m. Abb. 12; Gesch. d. griech. Rel. I (1941) 322, 366 ([2]345, 391 f.) m. Abb. 2 auf Taf. 24, alles nach Asine, Results of the Swedish Excavations 1922–30. Stockh. 1938, Fig. 206 u. 211. Vgl. G. Weicker in: Die Antike 1939, 269 b. Nilsson erinnert an die Rolle, die der Donnerkeil noch bei der Einweihung des Pythagoras in kretische Däumlingsmysterien am Berge Ida gespielt haben soll (Porphyr., Vita Pythag. 17).

[72] Homer Il. O 36. Od. ε 184 sind οὐρανός und γαῖα Appellativa, noch nicht Götternamen.

[73] Die von der Komödie verspottete philosophische Spekulation schreitet auf dem damit eingeschlagenen Weg selbständig fort; so verehrt der Chor der Wolken des Aristophanes folgerichtig als Allvater den Äther und daneben Helios (v. 539ff.), während Zeus mehr königliche Züge erhält (v. 563ff.). Helios selbst ist Allvater bei Sophokles fr. 1017 N., der sich ausdrücklich die σοφοί beruft: Ἥλιος οἰκτείρειέ με, ὃν οἱ σοφοὶ λέγουσι γεννητὴν θεῶν καὶ πατέρα πάντων – Text verbessert von Brunckius – (wozu die Vita Arat. ed. Buhl. vol 2, 437, die das Fragment überliefert, bemerkt οἱ δὲ Δία τὸν ἥλιον νοήσαντες λέγουσιν, ὅτι καὶ Σοφοκλῆς Δία τὸν ἥλιον καλεῖ, sie spielt damit auf stoische Lehre an; s. dazu ausführlich K. Reinhardt, Kosmos und Sympathie 1926, 357f., wo hinter den σοφοί des Sophokles die Orphiker vermutet werden). πάντων θεῶν θεὸν πρόμον nennt er den Helios Oid. Tyr. 661.

[74] Dazu vgl. etwa auch das sibyllinische Säkularorakel zur Feier des Jahres 17 v. Chr. (Diels, Sibyllin. Blätter 1890, 133ff.; Heinze in seiner Einleitung zu Horazens carmen saeculare) v. 16f. Φοῖβος Ἀπόλλων, ὅστε καὶ Ἥλιος κικλήσκεται.

[75] Z. B. Aristoph. Ritter 941. – Bemerkenswert, daß auch in Hölderlins Griechenseele diese Dreiheit noch ganz lebendig ist („Der Wanderer"): „Du aber, über den Wolken, Vater des

wiegen neben ihnen in diesen Formeln durchaus, statt Demeter oder Ge steht häufig auch Athena[76].

Der *römische* Iuppiterglaube war umfassend genug, um in dem Himmelsgott, der sich zum Staatsgott wie zum Bauerngott[77] weitete, auch noch alle Sondererscheinungen seiner Naturgrundlage mit einzubegreifen: wir kennen ihn als Iuppiter Caelius, der zugleich eine, wenn auch wohl un|richtige Volksetymologie des Caeliushügels verrät[78], als Iuppiter Caelestis, Caelestinus, Serenus, Pluvialis, Fulgur und dergleichen mehr; auch die Lichtsphäre umschließt er als Iuppiter Lucetius[79]. Doch wuchs hier, offenbar vom Sabinischen her, daneben ein eigener Sonnengott Sol zu[80]. Und das Epitheton des Donnerers[81], das ursprünglich *altitonans* hieß und damit auf den Wohnsitz des Gottes in der Himmelshöhe hinwies, lautet seit Cicero nur noch *tonans* und verselbständigt sich weiterhin zum Gottesnamen Tonans, der die Beifügung „Iuppiter" ganz entbehren kann[82].

Auch bei den *Germanen* hat sich von *Tiwaz-Tiu-Ziu*, dem alten Himmelsgott, erst in jüngerer Zeit der Donnerer losgelöst, dem der an eine wichtige Wesensseite des Iuppiter erinnernde und dann auch durch ihn interpretierte[83] Bauern- und Wettergott *Donar*, der nordische *Thor*, der Hammerschwinger, willkommene Gestalt lieh. Wenn wir Cäsar Glauben schenken, so haben die Germanen neben anderen Naturerscheinungen auch einen Sol verehrt, wofür sich auch sonst vereinzelte Spuren finden[84].

Vaterlands! mächtiger Äther! und du, Erd' und Licht! ihr einigen drei, . . . Ewige Götter! mit euch brechen die Bande mir nie." Weiteres bei P. Böckmann, Hölderlin 1944, 32 f.

[76] H. Hommel, Heliaia 1927, 44f. (Anm. 109); Sammlung der Stellen bei H. Usener, Dreiheit = RhM. 58 (1903) bes. 18 ff., wo im ganzen 17 Varianten der Schwurgöttertrias gezählt werden. Mein Schüler Alfons Senn hat 1963 in einer handschr. Tübinger Seminararbeit das Thema der griechischen Schwurgöttertriaden umsichtig behandelt.

[77] Als solcher war er nicht nur Wettergott (*Iovi tempestati*: Dessau 3934, vgl. 3932), sondern überhaupt Ackerbaugott (*Iupp. Dapalis*: Cato de agricult. 132). Vgl. Thulin, RE X (1919) 1129. 1132; C. Koch, Der röm. Iuppiter 1937, 74, Anm. 2.

[78] Vgl. Hülsen, RE III (1899) 1273. Zur Ableitung des Namens vom Etrusker Caeles Vibenna *(caile vipinas)* vgl. Varro l. l. V 46; Münzer, RhM. 53 (1898) 603 ff.; W. Schulze, Zur Geschichte lateinischer Eigennamen (1904) 101, 561.

[79] Thulin aaO. 1127 ff. – Vgl. ferner das von H. Mattingly (Die Welt als Geschichte 4 [1938] 319 ff.) Ausgeführte über die Unterordnung der Lichtgottheiten Apollo und Diana unter den capitolinischen Kult (s. dazu a. unten Anm. 89).

[80] Marbach, RE III A (1929) 902, dort auch Hinweis auf den Sonnenkult des italischen Iuppiter Anxur.

[81] Im heiligen Kiesel des Juppiter Elicius in Rom erblickt Wilamowitz aaO. wohl mit Recht den „Donnerkeil"; nach anderen ist es eine primitive Nachbildung des Donnerwagens (s. Thulin, RE X 1129).

[82] z. B. Ovid, Metam. I 170.

[83] *Iovis dies* = *⋆Þonaresdag* (Donnerstag): Adam von Bremen IV 26, vgl. R. Much, Tacitus Germania 1937, 123 (³175).

[84] Caes. b. G. VI 21, 2; vgl. Tac. Ann. XIII 55, 3 usw.; s. Schrader-Nehring II 237; H. Krahe, Idg. Forschgn. 56 (1938) 308, u. vgl. F. Sprater in: Unsere Heimat, Blätter f. saarländ.-pfälz. Volkstum 1936/37, 324, wo aber der Himmelsgott der Germanen (und Kelten) als erst

Die *Kelten* dagegen scheinen Sonnen- und Wettergott in ihrem wahrscheinlich dem Namen des Donnerers tragenden Himmelsgott *Taranis* vereinigt zu haben[85]; denn das Rad, das er – oft zusammen mit dem Blitz – als ständiges Attribut bei sich trägt[86], wird doch wohl letztlich als altes nordisches Sonnensymbol zu erklären sein[87]. Eine vom Historischen Museum | der Pfalz in Speyer erst 1936 erworbene Hochreliefdarstellung aus Odernheim im nördlichen Vangionengebiet zeigt den keltisch-germanischen Himmelsgott aufrechtstehend mit Rad und Speer oder Keule[88].

Wir wenden uns von der natürlichen wieder zur menschlichen Erscheinungsform des Gottes. Beim Zeus der Griechen sahen wir bereits, daß der *Vatergott*, der dort das Sippenhaupt zu repräsentieren scheint, sich in nachhomerischer Zeit zum Herrn und *König*, zum βασιλεύς, fortgebildet und damit der Entwicklung vom Volkskönigtum angepaßt hat, wie ja so oft staatliche Wandlungen solche religiöser Art nach sich ziehen. So hat sich ähnlich in *Indien* dem alten *Dyauṣ pitā*, dem Himmel-Vater, gegenüber – hier sogar unter anderem Namen – der Götterkönig *Indra* als Hauptgott durchgesetzt. Besonders deutlich aber läßt sich dieser Wechsel am *römischen* Vatergott ablesen, als dessen Haupterscheinungsform sich ja mehr und mehr der kapitolinische Iuppiter präsentiert: Iuppiter Optimus Maximus, der abstrakt politische Staatsgott κατ' ἐξοχήν[89], der die alten gentilizischen Ordnungen völlig hinter sich läßt[90], im gleichen Maße wie das Gemeinwesen aus einer Summe von gentes zur res publica wird und der Mythos sich zur Geschichte festigt[91]. Daß er den Vaterbegriff noch in seinem Namen behält, das bleibt fast das Einzige[92], was in diesem Zusammenhang seine Herkunft verrät. Carl Koch hat in scharfsinnigen Ausführungen gezeigt, daß eine Abspaltung

---

aus den einzelnen Naturerscheinungen herausentwickelt erscheint. Also gerade die Umkehrung dessen, was wir für richtig erkannten.

[85] Vereinigung von Himmels- und Sonnengott nimmt Mogk, German. Mythologie [2]1898 in Pauls Grdrß. III 315 sogar auch für den germanisch-suebischen Hauptgott der Semnonen an (Tac. Germ. 39).

[86] Schrader-Nehring II 236; Heichelheim, RE IV A (1932) 2275 ff., bes. a. 2279 f.

[87] Sprater aaO. 73 ff., 324 gegen Heichelheim aaO. 2280; vgl. H. Hommel, ARW 37 (1941) 163, Anm. 3 (= unten S. 197, Anm. 92).

[88] Sprater aaO. 71 m. Abb. 5 auf S. 74. Auf Abb. 1–4 u. 6–7 weitere Radgott-Darstellungen aus der Pfalz. Vgl. Hommel aaO., 166, Anm. 4 (= unten S. 200, Anm. 107).

[89] Wie er sich etwa auch das für Roms Frühentwicklung so wichtige fremde Götterpaar Apollo und Diana unterzuordnen verstand, darüber hat H. Mattingly in: Die Welt als Geschichte 4 (1938) 320 f. einleuchtend gehandelt.

[90] Der Versuch von Ad. Zinzow, Der Vaterbegriff . . . 14, Anm. 1, im Blick auf Cic. nat. deor. II 64 (dazu gleich unten im Text) im Epitheton *optimus* die väterlichen, im anderen *maximus* die königlichen Züge aufspüren zu wollen, scheint mir doch zu gewagt. Im übrigen ebd. 11 u. 14 treffliche Bemerkungen zu dem oben aufgezeigten Wandel.

[91] Carl Koch, Der römische Iuppiter 1937 passim, bes. 71, 74 ff., 85 f., 121 ff. Klaren Ausdruck findet diese echt römische Gottesvorstellung in Horaz' Musengedicht im Kranz der Römeroden c. III 4, 48 *imperio regit unus aequo*, so sehr die vorangehenden Verse mit griechischem Gedanken- und Formelgut beschwert sind.

[92] Doch vgl. oben [S. 38] (Ov. fast. V 46).

des alten Iuppiter, *Ve-diovis (pater)*, der „abgewandelte Iovis", wie er ihn erklärt, an seiner Statt die Vertretung der „genealogisch-mythologischen Elemente" des Gottes übernahm und so den Bestand der „gentilizisch-familiären Welt" im Bereich des Glaubens und Kultus sicherte, ein Sondergott, dessen natürliche Grundlage das Chthonische gewesen ist und der dann späterhin wieder zum Iuppiternamen zurückgekehrt zu sein scheint[93]. |

Daß aber selbst an dem erhaben thronenden Iuppiter Optimus Maximus das hilfreich Väterliche noch vertrauter ansprach als seine absolute Herrschermacht und darum vielfach als wesentlicher empfunden wurde, dafür zeugt am eindringlichsten eine schöne Stelle aus Ciceros Abhandlung über das Wesen der Götter[94]: „Iuppiter selbst, d. h. *iuvans pater*, der helfende Vater . . . wird von den Dichtern der Vater der Götter und Menschen genannt, von unseren Vorfahren aber *optimus maximus*, der Beste und Mächtigste, und zwar im voraus der Beste, d. h. der Wohltätigste, und erst in zweiter Linie der Mächtigste, weil es größer und sicherlich willkommener ist, allen zu helfen als große Macht zu besitzen." Dem Cicero hat hier freilich sein eigenes Staats- und Herrscherideal unverkennbar den Griffel geführt.

Bezeichnend genug, daß wir eine Entwicklung von der Art der römischen bei den *Griechen* nur in schwachen Ansätzen[95], bei den *Germanen* überhaupt nicht finden, woran auch bei diesen sicherlich nicht nur die spärlichen Quellen schuld sind. Das Problem der Zerlegung des Vater- oder Stammesgotts in eine rein staatliche und eine mehr gentilizische oder sippische Komponente konnte da gar nicht auftauchen, wo die Bildung eines gefestig-

---

[93] KOCH aaO. 61 ff., bes. 76 ff., 85 f., 88 ff. KOCH scheint mir die Trennung zwischen Staatsgott einerseits, Himmels- und Stammesgott andererseits freilich zu scharf gezogen zu haben; die Grenzen fließen in der praktischen Wirklichkeit des Lebens (vgl. dazu H. HOMMEL aaO., unt. S. 185, Anm. 27). Das kann etwa Ovid metam. XV 860 deutlich machen, wo es von Iuppiter (und Augustus) heißt: *pater est et rector uterque*. Noch heute kann ein weltberühmt gewordener autobiographischer italienischer Roman seine Problematik in den prägnanten Titel bannen ‚Vater und Herr' (Gavino Ledda, Padre padrone 1976 u. ö., 1977 verfilmt). Wie nahe das Patriarchalische für den Römer dem Politischen verbunden war, beweist auch der Ehrenname *pater patriae* für Romulus und Augustus. Und beide Herrscher hat man nicht von ungefähr in den Himmel erhoben. Es ist durchaus falsch, wenn man hier Widersprüche statuiert (so PETRA VERMEHREN, Köln. Ztg. 29. 7. 40: „Unter dem Namen ‚Vater des Vaterlandes' wollte Augustus in die Geschichte eingehen. Die Nachwelt hat diesen Wunsch nicht lange respektiert, sie hat ihn zum Gott erhoben . . ."!). Zum *parens patriae* grundlegend A. ALFÖLDI, Die Geburt der kaiserlichen Bildsymbolik 3. = Mus. Helvet. 9. 1952, 204 ff., 10. 1953, 103 ff., 11. 1954, 133 ff. Über die römische *pater*-Epiklese allgemein handelt FRZ. BÖMER, Würzbgr. Jbchr. 1949/50, 63 ff. (bes. 65, Anm.).

[94] Cic. nat. deor. II 64; vgl. or. pro dom. 144. Die Ähnlichkeit mit jener Äußerung des Aristoteles, auf die oben [S. 37 f.] hingewiesen wurde, ist unverkennbar.

[95] Ζεὺς πολιεύς, ἐλευθέριος, σωτήρ, dazu WILAMOWITZ aaO. 8, 10; vgl. Glaube der Hellenen I (1931) 324; ferner Ζεὺς βασιλεύς im Gegensatz zu Ζεὺς πατήρ oder Κτήσιος, dazu oben [S. 33, 36 f.], ZIEGLER, Rosch. Lex. VI 695 f. Aber auch der Ζεὺς βασιλεύς ist dem römischen Staatsgott nur ganz von fern vergleichbar. Nicht von ungefähr haben die Griechen des Gorgias kühne Metapher für den Großkönig Xerxes „ὁ τῶν Περσῶν Ζεύς" als Oxymoron verlacht: Ps.-Long. *π. ὕψ*. 3, 2.

ten, die Stammesverfassung überwindenden Staates über bescheidene Anfänge nicht hinauskam[96].

Die Anschauung vom *Himmelsgott* und der Glaube an sein *väterliches
Walten* stehen im Begriff des indogermanischen höchsten Gottes selbständig
und gleichberechtigt nebeneinander; das beweisen die alten Be|zeichnungen
(Dyauṣ pitā[97]*) Ζεὺς πατήρ* und *Δειπάτυρος* sowie *Dies-piter*, von denen wir
ausgegangen sind, oder fürs Iranische etwa Stellen aus dem großen Pahlavī-
Werk Dēnkard, nach denen er „*Licht* ist und wie ein *Vater* seine Geschöpfe
nach ihrer Bewährung wieder zu sich nimmt"[98].

Beide Elemente der Verehrung des Himmelvaters haben sich nicht nur da
und dort verändert, gespalten oder auf anders benannte Gottheiten übertragen, wie wir eben sehen konnten, sondern sie haben sich auch da, wo sie
ungestört erhalten blieben, vertieft und geweitet.

Das von Haus aus kosmisch betonte Gefühl vom göttlichen Charakter des
Himmels hat in Anknüpfung an die *natürlichen Eigenschaften des Firmaments*
eine ganz besondere Bezogenheit dieses Himmelgottes zum Menschen entwickelt. Angesichts seiner eigenen Kleinheit und Begrenzung mußte dem
Menschen die unendliche alles umspannende Weite des Himmels und das
überall hinreichende Auge seiner Gestirne überwältigend ins Bewußtsein
dringen. Daraus ergab sich die Überzeugung von der *Allgegenwart* und
Allmacht[99], ja auch von der Allwissenheit des mehr und mehr persönlich
gedachten Himmelswesens. Selbst die jenseits des Himmels geahnte Sphäre
kann seinem Auge, seinem Ohr und seiner Macht sich nicht entziehen.

„Der große Herr dieser Welten sieht, als ob er nahe wäre . . . Ob einer
gehe oder stehe oder sich verstecke, ob einer gehe, niederzuliegen oder
aufzustehen, was zwei zusammensitzend miteinander beraten – König Varuṇa weiß es . . . Wenn einer auch suchte, fern hinwegzufliehen, jenseits des
Himmels, auch dann würde er nicht entrinnen Varuṇa, unserm König. Seine
Späher gehen aus vom Himmel hernieder zur Erde; mit tausend Augen
forschen sie über die Welt dahin. König Varuṇa schaut alles, was zwischen
Himmel und Erde ist und was darüber hinaus liegt. Er hat gezählt die Blicke

---

[96] Diese Unterschiede treten daher auch in der rein formalen Entwicklung der alten Stamm-
verfassung Roms, Athens und germanischer Völkerschaften ganz deutlich zutage; s. Hommel,
RE VII A 356 ff. und jetzt auch die Ausführungen in: Aufstieg und Niedergang der röm. Welt I
2. 1972, 397 ff., unten S. 238 ff.

[97] Rüdiger Schmitt, Dichtung und Dichtersprache in idg. Zeit 1967, 149 ff. weiß überdies
die Wendung *pitā́ dyáuḥ* ‚Vater Himmel' mehrfach in den Veden zu belegen (S. 149 f.).

[98] H. Junker, Vortr. d. Bibl. Warburg I (1921–22, Berlin 1923) 135, Quellenbeleg 159
(Hervorhebungen von mir zugefügt).

[99] H. Günterts Versuch (Der arische Weltkönig . . . 212), den allgegenwärtigen *Varuṇa* des
vedischen Hymnus (Atharvav. IV 16, dazu Güntert 149 f. und hier gleich unten im Text) zwar
als „Weltkönig" in Anspruch zu nehmen, aber ihn trotzdem zugleich jeder Allmacht zu
entkleiden, hat mich nicht überzeugt.

der Augen der Menschen. Wie ein Spieler die Würfel wirft, so ordnet er alle Dinge."[100]

So singt ein uraltes Lied der Veden vom Gott des Himmels[101], ein Stück ältester indoarischer Poesie, dessen Gehalt und Form den 139. Psalm der sonst ganz und gar nicht auf Gottes Allgegenwart eingestellten alten Israeliten ebenso beeinflußt hat[102] wie eine Reihe von griechischen Zeug|nissen religiöser Rede, deren nächster Ursprung im Bereich der Orphik zu suchen sein dürfte[103]. Diese religiöse Bewegung, die heute ganz zu Unrecht gern als unindogermanisch abgetan wird, hat von Thrakien her sich in Griechenland ausbreitend die mystische Seite des griechischen Wesens aufgeschlossen und ist da und dort, so in keinem Geringeren als Aischylos, weithin auch bei Solon, Pindar, Sophokles[104], Sokrates, Platon[105] und Xenophon, mit den rationaleren Zügen hellenischer Art eine fruchtbare Verbindung eingegangen, ohne sich allenthalben durchsetzen zu können[106]. Sie war es, die – ausgerichtet auf eine stark monotheistische Tendenz – mit Hermann Diels zu reden[107] in den Griechen „den pantheistischen Glauben an den einen allumfassenden Zeus" geweckt hat, „in dem alle Götter und Menschen, Himmel, Erde und Meere einheitlich zusammengeschlossen werden". Sie hat Pindar auf die Frage „was ist Gott?" die bedeutsame Antwort geben lassen: „Gott ist das All."[108] Ist es Zufall, daß uns diese ins All geweitete und zugleich

---

[100] Atharvaveda IV 16, 1 f., 4 f., nach der Übersetzung von HERMANN BRUNNHOFER, Iran und Turan 1889, 188 f.   [101] Über diesen Charakter des *Varuṇa* s. oben [S. 39 f.].

[102] Nachgewiesen von HERM. BRUNNHOFER aaO. 188 ff., weiter verfolgt von H. HOMMEL, Der allgegenwärtige Himmelsgott ARW 23 (1926) 193 ff. und Das rel.-gesch. Problem des 139. Psalms, Zschr. f. alttest. Wissensch. 47 (1929) 110 ff. (= unten S. 65 ff.)

[103] Platon, Ges. X 905 A/B. Xenoph. Mem. I 1, 19. 4, 18. An. II 5. 7,2. Plutarch de superst. 4, 166 D; dazu H. HOMMEL in den beiden genannten Aufsätzen, bes. ARW 23 (1926) 198 f., ferner J. GEFFCKEN, Zum allgegenwärtigen Himmelsgott, ARW 27 (1929) 346 ff. In Homer, Il. Γ 277 und Xenophanes fr. 24 D ist einiges aus diesem Formelgut vorgebildet, bei Herodot IV 131 f. und in Eurip. Medea 1296 f., Hek. 1099 ff., Hipp. 1290 ff., Phoin. 504 f. sowie bei Vergil Aen. XII 892 f. dagegen seines religiösen Gehalts entkleidet. Aristophanes (Ritter 74 ff.) verwendet es frech in unverkennbarer Anlehnung an religiöse Sprache zur Kennzeichnung der Allgegenwart des geschäftigen Demagogen Kleon. Dazu bietet weitere gute Parallelstellen H. KLEINKNECHT ARW 34 (1937) 311 f., darunter bes. wichtig Philemon fr. 91 K.

[104] WILAMOWITZ, Zeus 9, wo freilich die Orphik (auf die er 11 andeutend hinweist) nicht zur Erklärung herangezogen wird. Ihre Verfolgung führt nach einem bezeichnenden brieflich geäußerten Wort von Wilamowitz „immer in den Sumpf". Heute ist dieser Sumpf gleich vielen anderen bereits teilweise in Fruchtland umgewandelt; vgl. z. B. O. KERNS Forschungen und Fragmentensammlung und K. KERÉNYIs aufschlußreiche Studie Pythagoras und Orpheus 1938. WOLFG. KIEFNER, Der religiöse Allbegriff des Aischylos 1965, 53 ff., 135.

[105] Z. B. KRATYLOS 396 A. Tim. 28 C; vgl. dazu oben Anm. 42.

[106] WILAMOWITZ aaO. 10.

[107] In seinem nachgelassenen Zeus-Vortrag ARW 22 (1924) 11. – Zu der im vorigen Jh. seit K. O. MÜLLER und GOTTFR. WELCKER lebhaft diskutierten monotheistischen Tendenz im Zeusglauben vgl. J. OVERBECK, Beiträge zur Kenntnis und Kritik der Zeusreligion 1861, 4 ff. mit weiterer Literatur. Diese Arbeit ist auch für andere grundlegende Fragen der Zeusreligion heute noch von Belang.

[108] fr. 140ᵈ τί θεός; ὅτι τὸ πᾶν, vgl. a. fr. 141, 1 θεὸς τὰ πάντα τεύχων βροτοῖς.

moralisch gedeutete Vorstellung des Vaters und Himmelsgottes zuerst bei Archilochos begegnet, der sie etwa in Thrakien, wo er als Soldat gekämpft hat, schon übernehmen mochte, als sie in Griechenland noch gar nicht eingedrungen oder erwacht war?

> Zeus, *Vater* Zeus, dein ist des *Himmels* Macht,
> Du schaust auf aller Menschen Werk,
> Der Guten wie der Bösen[109].|

Gewiß ist diese Ausweitung des Himmelsgottbegriffs in homerischen Wendungen wie *οὐρανὸν εὐρὺν ἔχων* oder *εὐρύοπα Ζεῦ* schon vorgebildet, aber voll ausgelöst und klar zum Bewußtsein gebracht wird sie erst in der Sprache der orphischen Religion, wo der Begriff des Alls, *πᾶν*, *πάντα* und *πάντες* ihr Kennwort ist[110]. Zum *πανόπτης* der Orphiker[111] tritt der *παντελής*[112], *παναίτιος* und *πανεργέτης* des Aischylos[113], der im Prometheus die Allmacht des Göttervaters schauernd erkennen läßt und in den Heliaden den Begriff des Zeus ins Höchste gesteigert und erweitert hat:

> Zeus ist der Äther, Himmel und das Erdenrund,
> Zeus ist das All und was sich drüber noch erhebt[114].

Und Sophokles, der den Zeus einmal *πάνταρχος* und *παντόπτας* nennt[115], schließt seine Heraklesdichtung mit dem tiefsinnigen Wort, in dem der Allbegriff des Himmlischen auf die Theodizee angewendet erscheint:

> Vielfältig unerhörtes Leid, und in all dem nichts,
> Das nicht Zeus ist[116].

Wenn auch in der Folge sich diese mystisch geweitete, gläubige „Religion des Herzens" weder bei den Griechen[117] noch bei den anderen indogermani-

---

[109] Archilochos fr. 94,1ff. Diehl. Die vergleichbaren Stellen Hesiod, Theog. 71 ff., Hipponax fr. 34 (vgl. Semonides fr. 1,1f., Solon fr. 1, 17 usw.) lassen Wesentliches dieser Anschauung vermissen; vgl. WILAMOWITZ aaO. 7. Bei Homer ist als Träger einer naturhaften Allgegenwartsvorstellung Helios von Zeus abgetrennt und neben ihn gestellt: Ilias *Γ* 276f., danach weiterhin ganz verselbständigt Od. *λ* 109. *μ* 323. Vgl. aber die mit Archilochos wohl etwa gleichzeitigen, nah verwandten, jedoch mehr allmachtbetonten Odyseestellen *δ* 236f., *ξ* 444f., wo die Wendung *δύναται γὰρ ἅπαντα* formelhaft wiederkehrt.

[110] Orph. fr. 21 Kern *Διὸς δ' ἐκ πάντα τελεῖται. Ζεὺς πυθμὴν . . . οὐρανοῦ ἀστερόεντος.* fr. 21a, v. 7 *Ζεὺς βασιλεύς, Ζεὺς ἀρχὸς ἁπάντων,* ferner fr. 168, 245, 277b, 1 (*Ζεὺς δέ τε πάντων ἐστὶ θεὸς πάντων τε κεραστής*). 298 usw. Vgl. a. K. ZIEGLER, Rosch. Lex. VI 698f.. W. KIEFNER aaO. 54 u. ö.; dazu unten ‚Sator opera tenet' [S. 69], Anm. 161. Eine hübsche Parodie auf die orphischen *παν*-Häufungen bietet Aristophanes, Vögel 1058–1070, wo in der kurzen Ode der Nebenparabase 7–8mal die *παν*-Prädikationen erscheinen.

[111] fr. 170 K. Weitere Belege bei FEHRLE, Rosch. Lex. VI 650ff.

[112] Aischyl. Sieben geg. Theb. 117f. *Ζεῦ πάτερ παντελές, πάντως ἄρηξον!* W. KIEFNER aaO. 118.

[113] Agam. 1486. W. KIEFNER aaO. 121 u. ö.

[114] fr. 70 N.; DIELS aaO. 12. KIEFNER aaO. 131 u. ö.

[115] Oid. Kol. 1085f. Vgl. a. die Anwendung ähnlicher Epitheta auf Helios durch Sophokles, oben [Anm. 73].

[116] Trachin. 1277f., vgl. WILAMOWITZ aaO. 9.   [117] WILAMOWITZ 9f.

schen Völkern[118] durchgesetzt und gehalten hat, so war damit doch ein vielfach nur in der Stille wirkendes, immer wieder hervorquellendes oder von außen her aktivierbares religiöses Grundgefühl in der Seele dieser verwandten Völker geweckt, dem wir weiterhin nicht von ungefähr auch bei Römern und Germanen begegnen.

Der Begriff des Allgemeinen und Universalen in der Konzeption des Himmelsgottes wird auch hier zum Merkmal der verwandten Anschauung. Neben die offizielle staatliche Bezeichnung des *römischen Himmelsgottes I. O. M.*[119] treten, durch Griechisches mitbeeinflußt, schon in der| frühen Kunstdichtung solche ausweitenden Epitheta, die den Versuch ausmachen, den Charakter des Gottes in seinem religiösen Gehalt tiefer und wesentlicher darzustellen[120]: *meus pater, deorum regnator, architectus omnibus* läßt Plautus den Merkur zu Iuppiter sagen[121]. Ennius bürgert den Iuppiter omnipotens ein, der zu Beginn des ersten vorchristlichen Jahrhunderts bei Valerius Soranus in der schönen Wendung erscheint

> Iuppiter omnipotens, regum rex ipse deusque
> Progenitor"[122].

Und in Verbindung mit „all"-betonten Beiwörtern[123] hat sich vollends bei Vergil eine in verschiedenen Variationen gebrauchte *regnator*-Formel für den höchsten Gott herausgebildet, die den reicheren und deutlicheren griechischen παν-Wendungen bis zu einem gewissen Grad entspricht. In offenbarer Anknüpfung an diese bis dahin nur dichterisch gebrauchten, aber wie es scheint ganz populären Epitheta Iuppiters hat dann Tacitus den höchsten Suebengott, dessen Heiligtum und Kult im Semnonengebiet er beschreibt, als *regnator omnium deus* charakterisiert[124]. Damit hat er den germanischen Himmelsgott *Ziu (Tiu)*[125] andeutungsweise mit der auf römischer Seite nicht üblichen, aber überaus treffenden Iuppiter-Interpretatio ausgezeichnet

---

[118] G. Ipsen, Idg. Jahrbuch 11 (1926/27) 93.

[119] Hermann Fränkel, Gnomon 3 (1927) 383 will auch sie vom Griechischen, d. h. von der homerischen Anrede des idäischen Zeus herleiten: Ζεῦ . . . κύδιστε μέγιστε (Ilias Γ 276, 320, H 203, Ω 308).

[120] H. Hommel, ARW 37 (1941) 151 f. = unten, S. 185 f., dort noch weitere Beispiele. Dazu ferner Horaz s. II 1, 42 f. *pater et rex Iuppiter* (vgl. epist. I 7, 37 ff. *rexque paterque* vom väterlichen Gönner Mäzenas).

[121] Amphitr. 44 f.; vgl. Accius fr. 33 *deum regnator nocte caeca caelum e conspectu abstulit.* Horaz c. I 2,1 ff. und c. III 29,43 ff. vom Vater Jupiter und seinem Walten als Himmels- und Gewittergott.

[122] Varro bei Augustin civ. dei VII 9 = Val. Sor. fr. 4 Baehrens (Fr. poet. Rom. 273); der Schluß des ersten Verses nach Burmanns Wiederherstellungsversuch des verderbten *regum rerum deumque.* Vgl. a. M. Leumann, Mus. Helvet. 4. 1947, 135 f.

[123] Meist das aus dem Griechischen übernommene *divum atque hominum (pater)* als polare Umschreibung des Allbegriffs.

[124] Tac. Germ. 39. Darüber ausführlich H. Hommel aaO. 150 ff. = unten S. 184 ff.

[125] Diese seit Müllenhoff, Tac. Germ. 460 vermutete Gleichung wird heute fast allgemein anerkannt; s. G. Trathnigg, ARW 34 (1937) 245 f.

und in ihm zugleich den universalen Zug aufgespürt, der dem obersten
Himmelsgott bei Griechen und Römern eben auch vielfach beigelegt wurde[126]. Als Probe aufs Exempel dieser sonst vielleicht zu gewagt scheinenden
Schlüsse darf gelten, daß RICHARD VON KIENLE neuerdings in einer Fülle von
ganz singulären I. O. M.-Widmungen im Oberrheingebiet Weihungen dort
ansässiger Sueben an ihren Himmelsgott *Tiu* mit ziemlicher Sicherheit hat
erkennen können[127]. |

Auch die fast stets mit der Widmung an I. O. M. versehenen sogenannten
Iuppitergigantensäulen Südwestdeutschlands und der westlich angrenzen-
den Gebiete gehören in diesen Zusammenhang, wenngleich hier die Problemlage wesentlich verwickelter ist[128]. Die Gleichung *Tiu = Erminaz,* die
in dem Stammgott der die Sueben mit einbegreifenden Herminones[129] den
germanischen Himmelsgott wiederfindet[130], möchte zur weiteren Bestätigung dienen: eine ihrer Stützen liefert WIDUKIND VON CORVEY[131], der den
germanischen Gott *Hirmin* mit Mars wiedergibt, was der üblichen Gleichung *Tiu* = Mars[132] entspricht; eine andere bietet RUDOLF VON FULDA in
der Transactio Sancti Alexandri, wo er vom Namen jenes berühmten Kult-
symbols der Sachsen, der Irminsul, spricht, *quod latine dicitur universalis
columna, quasi sustinens omnia.*[133] Der Name *Irmin* selber war wohl gleichzeitig ein Appellativum mit der Bedeutung „groß, erhaben", und das Hildebrandslied setzt die universale Erscheinung des *irmingot* sogar in ausdrückliche Beziehung zum Himmel[134].

Die allumfassenden, allbeherrschenden Züge, die der indogermanische
Himmelsgott allenthalben entwickelt hat, das in die Weite Drängende,
Allumspannende seiner Erscheinung, kurz sein universaler Charakter, der
deswegen für diese Völker noch keineswegs übernationale Bedeutung zu

---

[126] Hiermit wäre zu den von E. BICKEL aufgezeigten Fällen für „unwillkürliche Wiederent-
deckung ursprünglicher Verwandtschaft des Italischen mit dem Germanischen" durch Tacitus
(RhM. 1940, 27) ein weiterer von beträchtlichem Gewicht gefügt.

[127] Abhandlungen zur saarpfälz. Landeskunde 1 (1937) 23ff. und ARW 35 (1938) 252ff.; vgl.
a. H. HOMMEL aaO. 155ff. = unten S. 189ff.

[128] Wahrscheinlich liegt, soweit es sich um germanische Stifter handelt, Umdeutung einer
keltischen Gottesvorstellung auf den heimischen Hauptgott *Tiu-Erminaz* vor; s. H. HOMMEL
aaO. 161ff. = unten S. 195ff. Die seinerzeit noch recht gewagte These von FR. HERTLEIN
(Die Iuppitergigantensäulen 1910, 70ff.), der in dem diese Denkmäler krönenden Iuppiter den
germanischen Gott *Irmin-Ziu* erblicken wollte, dürfte also der Wahrheit nahekommen (s. dazu
a. gleich unten im Text). Zum Folgenden vgl. durchwegs unten in dem Aufsatz über die
Germanengötter bei Tacitus [S. 147ff., 161ff.] mit weiteren Belegen und dem Nachtrag
neuerer Literatur.

[129] Tac. Germ. 2,2. Plin. n. h. IV 100.

[130] R. MUCH, Tac. Germania 1937, 25f. (= ³1967, 54); vgl. J. DE VRIES, Altgerman.
Religionsgesch. I (1935) 214f., 239.

[131] Res gestae Saxon. I 12, dazu G. NECKEL, Festschr. f. Th. Siebs 1933, 1ff.

[132] Tac. Germ. 9,1 u. ö.; vgl. die Wochentagsnamen *dies Martis* = alemann. *Ziesdich* usw.

[133] Mon. Germ. Hist. II 676; vgl. HERTELIN aaO. 73.

[134] v. 30: *wettu irmingot obana ab hevane.* E. MOGK, German. Mythol. 2 = Pauls Grdrß. III
315f. erblickt darin ein „Gemisch heidnischer und christlicher Anschauung".

haben brauchte, all das wird somit auch für den germanischen Himmelsgott mindestens von ferne deutlich und faßbar.

Bevor wir diesen Wesenszug germanischer Gotterkenntnis weiter auf seinem Weg verfolgen, sei über die *Ausweitung* noch ein Wort zugefügt, die der höchste Gott auch in seiner menschlichen Erscheinungsform als *Vatergott* erfahren hat. ANDREAS HEUSLER hat einmal gesagt, und das scheint die ‚communis opinio‘ darzustellen: „*Tiu* zeigt uns nichts mehr vom ‚Vater‘, weder Göttern noch Menschen gegenüber. Aber auch der ‚Himmel‘| bezeichnet nicht mehr sein Walten."[135] Durch Rückschluß und Vergleich konnten wir soeben den Charakter des *Allumfassenden,* der uns für den alten germanischen Hauptgott bezeugt ist, von der ursprünglichen Verbindung mit dem Himmel ableiten, die auch sein Name erweist. Ähnliche Schlüsse lassen uns glaube ich erraten, daß er ursprünglich in der Tat wie *Dyauṣ,* Zeus und Iuppiter auch *ein Vater*gott gewesen ist.

Bei den Griechen ist der Ζεὺς πατρῷος in Familie, Geschlechterverband[136], Volksteil oder Staat noch verehrt worden, als die ‚väterliche‘ Religion des Ζεὺς πατήρ längst stagnierte[137]. Der Vatergott ist zum Gott der Gemeinschaft geworden, der in seinem Namen Patroios die Herkunft aus der Sphäre der Hausvaterschaft noch bewahrte. Eine Polarität der beiden Erscheinungen des Zeus als Himmels- und als Vater- oder Stammesgottheit finden wir im alten Sparta, wo uns als Priestertum der beiden Könige ein solches des Himmelszeus (Ζεὺς Οὐράνιος) und des Lakedaimonenzeus (Ζεὺς Λακεδαίμων) begegnet[138]. Das Doppelgesicht des höchsten Gottes der nordischen Einwanderer hat hier dazu dienen müssen, die merkwürdige Tatsache des Doppelkönigtums mit der Zeusverbundenheit des Herrschers in Einklang zu bringen. Besonders wichtig daran ist hier für uns, daß ganz eindeutig der Vater Zeus zum Stammesgott geweitet erscheint, wobei die Bezeichnung als Vater verloren ging. Der kapitolinische Iuppiter der Römer hat dagegen sogar als reiner Staatsgott den Vatertitel noch im Namen mitgeführt, ohne daß diesem ein erkennbarer Sinn mehr abgenommen werden konnte.

---

[135] RGG² II (1928) 1066 (s. a. W. BAETKE ³II [1955] 1439, vgl. oben Anm. 2 gegen Ende).

[136] Die enge Verbundenheit von Ζεὺς φράτριος und Ζεὺς πατρῷος wird (gegen ED. MEYERS unrichtige Interpretation Gesch. d. Altert. II 87) schlagend erwiesen durch Platon, Euthydem 302 Bff.. Vgl. BUSOLT-SWOBODA, Griech. Staatskunde II (1926) 958. Sie beruht darauf, daß die Sippe bei den Doriern nach dem Oberhaupt πάτρα (in Elis πατριά IGA 112), bei den Ioniern und Athenern nach dem Geschlechtsbruder φρήτρη bzw. φρατρία hieß; vgl. WILAMOWITZ, Aristot. u. Athen II 273₁₉; BUSOLT aaO. und I 133₆. So wurde Zeus als Sippengott ganz folgerichtig hier φράτριος, dort πατρῷος genannt. Vgl. jetzt auch M. P. NILSSON, Gesch. d. griech. Religion ²I 1955, 556f. Übrigens gebraucht Aristophanes, Wolken 1468 die Wendung Ζεὺς πατρῷος (in einem parodistischen Zitat!) für den Vatergott schlechthin („als den Schützer der Elternrechte", TH. KOCK zu d. St.).

[137] WILAMOWITZ, Zeus 8ff.; vgl. a. ob. [S. 35f.], Anm. 3.

[138] Herodot VI 56 mit der treffenden Erklärung in K. ABICHTs Kommentar: „Z. Λακ. hieß Zeus als spezieller Stammgott der Lakonen, Z. Οὐραν. als höchster der Götter, der als solcher von allen griechischen Stämmen verehrt wurde." Vgl. a. H. LAMER, RE XII (1925) 520ff., besser ZIEHEN, RE III A (1929) 1488.

Daß unsere Vorfahren Stammesgötter hatten[139], wird schon aus Tacitus' Germania vielfältig klar. Von den drei Hauptstämmen der Westgermanen trugen, wie wir sahen, die Herminonen wahrscheinlich den alten Himmelsgott in stammgebundener Ausprägung in ihrem Namen, und auch die Benennungen der Ingaevonen und Istaevonen hat man mit guten Gründen auf Götternamen bezogen, wie es ja auch Tacitus ausdrücklich über|liefert[140]. Zumal für den in diesem Zusammenhang erschlossenen *Erminaz greifen wir es deutlich, daß er sozusagen nicht nur der „Ζεὺς πατρῷος" der größeren Gruppe der Herminonen war, sondern auch von den ihrem Verband zugehörigen Sueben, insbesondere wieder von deren Hauptstamm, den Semnonen, besonders verehrt wurde[141]. Der Bericht über diesen *regnator omnium deus* häuft geradezu die Angaben, die ihn als Stammesgott kennzeichnen: die *auguria patrum,* die *omnes eiusdem sanguinis populi,* die hervorgehobene *potestas numinis,* wie sie dem sich seinerseits als *caput Sueborum* fühlenden Semnonenstamm entspricht, all das weist in diese Richtung. Und vollends der berühmte Satz *eoque omnis superstitio respicit, tamquam inde initia gentis, ibi regnator omnium deus, cetera subiecta atque parentia* könnte einen ϑεὸς πατήρ oder πατρῷος nach Art des oben besprochenen patriarchalischen Oikosgottes der Hellenen gar nicht besser kennzeichnen. Gerade der Charakter des *Tiu* als Stammes- und Volksgott, mit dem sich ja nach außen, bei den vielfältigen feindlichen Berührungen mit den römischen Eroberern, notwendig kriegerische Wesenszüge verbinden mußten, wird es übrigens gewesen sein, der dem Gott in der interpretatio Romana den Namen Mars einbrachte[142], während seiner himmelsgöttlichen Art die Ausdeutung als Iuppiter besser entsprach.

Der Schluß liegt also nahe: wie aus dem Ζεὺς πατήρ etwa der Stammesgott der Lakedaimonier, der Troer[143] oder der Elier wurde, die sogar in „πατριαί" gegliedert waren[144], so mag auch *Tiu-Erminaz,* der mutmaßliche Stammesgott der Semnonen, Sueben und Herminonen, seine Eigenschaft als spezifische Volksgottheit aus dem Vatergottbegriff hergeleitet haben, der ihm nach Ausweis der indogermanischen Parallele Tiu – Zeus – Diespiter ur-

---

[139] Dazu vgl. a. R. v. KIENLE, Germanische Gemeinschaftsformen (1938) 258 ff.

[140] Tac. Germ 2, 2; dazu R. MUCH aaO. 24 ff. (³1967, 53 ff.). E. MOGK aaO. 315 sieht sogar in allen drei erschließbaren Götternamen Beinamen eines und desselben Himmelsgottes Tiu.

[141] Tac. Germ. 39.

[142] Tac. Germ. 9, 1 und sonst. Vgl. R. v. KIENLE aaO. 260.

[143] An bekannten Stellen der Ilias wird dieser auf dem Ida thronende Gott ὅς τε Τροίην κατὰ πᾶσαν ὁρᾶται (Ω 291, vgl. Π 604 f.) stets formelhaft als Vater Zeus angerufen (Ω 287 u. 308, vgl. Φ 276 u. 320, H 202); der „Vater" Zeus darf dabei von dem „Landesgott" nicht geschieden werden, wie es AMEIS-HENTZE zu Ω 291 tun.

[144] Oben Anm. 136. SWOBODA, RE V (1905) 2424; der auf Zeus zurückgeführte Stammbaum ihrer Herrscher ebd. 2375 f. Bekannt ist auch das auf den elischen Münzen immer wiederkehrende Zeusbild, dem wir ja u. a. auch unsere Hauptkenntnis von Phidias' Meisterwerk verdanken: vgl. DIELS aaO. 13 und unten Anm. 159.

sprünglich ja einmal zugekommen sein muß[145]. Ja, wir glauben| diese Vatergotteigenschaft gerade des *Tiu* auch noch unmittelbarer greifen zu können. Wie sein Rivale und Nachfolger[146] *Wodan* die reiterliche Lanze, wie der bäuerliche *Thor* den Hammer, so führte er, der Himmelsgott, das Schwert[147]. Dadurch, so will uns scheinen, erweist er sich als patriarchalische Gottheit, als Vatergott. Denn die Verwandten von Vaterseite heißen bekanntlich im germanischen Recht die Schwertmagen, so wie die mütterlichen die Spindel- oder Kunkelmagen[148]. Wir dürften also nach all dem auch im germanischen Himmelsgott mit größerer Zuversicht als bisher zugleich einen alten Vatergott erblicken.

Aber selbst wenn dieser Rückschluß nicht gestattet sein sollte, so wüßten wir oder empfänden es doch unmittelbar, daß für den *Vatergott* des indogermanischen Erbes auch bei den Germanen und ihren Nachfahren, den Deutschen, je und je Glaubensbereitschaft bestanden haben muß, ohne daß dabei an eine äußerliche Kontinuität der Überlieferung gedacht zu werden braucht. Wenn dafür jetzt einige Belege beigebracht werden sollen, so mag dabei zugleich auch jener aus seiner Himmelssphäre abgeleitete *universale Charakter* des Gottes Beachtung finden. Beides mit einem Wort gesagt, es soll (an Hand von ein paar herausgegriffenen Beispielen) dem *All-Vater-Glauben* unserer Voreltern nachgespürt werden, wo er in Volksglauben und Hochreligion immer wieder spontan hervorbricht und daher vielseitige Spuren hinterlassen hat[149].

Wenn ein Gewitter grollt, so sagt der altbairische Bauer, dessen Suebenabkunft man angesichts der Abstammung der Baiuvaren von den Markomannen in Böhmen nicht vergessen sollte[150], noch heutigentags zu seinen Kindern: „Jetzt schimpft der Himmivota."[151] Und es wird in manchen

---

[145] Zur engen Verbindung der Vatereigenschaft des Himmelsgottes mit der Volksorganisation („Sippenältester – Herrscher des Reiches – Vater der Himmlischen wie der Sterblichen") vgl. W. Wüst, ARW 36 (1939) 93.

[146] Darüber s. H. Hommel, ARW 37 (1941) 147 ff. = unten S. 181 ff. mit weiterer Literatur.

[147] Dazu neuerdings Er. Jung, Hammer, Schwert und Speer als Götterbeigaben und Rechtssinnbilder, in „Volkswerk" Jahrb. d. staatl. Mus. f. Dtsche. Volksde. 1941, 58 ff.

[148] Jung aaO. 70. Noch etwa im heutigen Dänischen heißt „verwandt von Vaterseite" beslaegded fra svaerdside („von Mutterseite" fra spindeside).

[149] Eine Ahnung von der Fruchtbarkeit dieser Methode schon bei A. Zinzow, Ζεὺς πατήρ und Θεὸς πατήρ, Zschr. f. kirchl. Wissensch. 3 (1882) 191.

[150] Vgl. Erich Jung, Germanische Götter und Helden in christlicher Zeit ²1939, 37. Fr. Maurer, Nordgermanen und Alpengermanen. In: Forschungen und Fortschritte 19 (1943) 92.

[151] Oder „der Himmelvater greint, er ist harb", Stegemann, Handwbch. des deutschen Aberglaubens II 313. Ähnlich heißt es vom altattischen Himmelvater als Sturmgott, dem Zeus Maimaktes: μαιμάσσει, σφύζει, er tobt, ist in Wallung (Kruse, RE XIV 560). Höchst verwunderlich, daß Herb. Grabert in seinem gründlichen Buch „Der Glaube des deutschen Bauerntums . . .", 1. Bd. Bauerntum und Christentum 1939 (457 S.) vom Himmelvater unserer Bauern mit keinem Wort redet. Lediglich in dem Kapitel „Der Herrgott" 363 ff. erscheint er einmal in der Wiedergabe des Berichts eines katholischen Geistlichen. Sollte im norddeutschen Bauerntum, das dem Verf. als hauptsächliche Grundlage seiner Beobachtungen dient, gegen-

streng| kirchengläubigen Kreisen mit richtigem Instinkt als „heidnisch" empfunden, wenn jemand etwa auf ein Geburtstagskind gut aufklärerisch den ‚Segen des Himmels' herabwünscht. Hatte doch schon Papst Gregor der Große einst warnend darauf hingewiesen, „daß ein Lob Christi sich nicht mit dem Lobe Iuppiters im gleichen Munde vertrage"[152]. Wo HERMANN DIELS in seinem Zeusvortrag über des Gottes umfassende Erscheinung handelt, da spricht er ganz spontan von der „Universalbedeutung eines Vaters im Himmel, den ja auch wir anbeten"[153].

JEAN PAUL hat in seinem „Siebenkäs" den toten Christus vom Weltgebäude herab verkünden lassen, daß kein Gott sei. Mit dieser schauerlich-großartigen Rede gedachte der Dichter nach eigenem Zeugnis einen gewaltigen Gottesbeweis zu liefern, der dann in der Tat von ungeheurer Wirkung auf die Zeitgenossen im In- und Ausland[154] gewesen ist. In dem ganz auf die Absurdität der Gottesverneinung zielenden Traumgesicht wird die abgrundtiefe Trostlosigkeit der Nichtexistenz Gottes am Bild der vater|losen Kinder besonders eindringlich dargetan: „O da kamen, schrecklich für das Herz, die gestorbenen Kinder, die im Gottesacker erwacht waren, in den Tempel und warfen sich vor die hohe Gestalt am Altare und sagten: ‚Jesus, haben wir keinen Vater?' – Und er antwortete mit strömenden Tränen: ‚Wir sind alle Waisen, ihr und ich, wir sind ohne Vater.' Da . . . sank das ganze Weltgebäude mit seiner Unermeßlichkeit vor uns vorbei." Schiller dagegen

---

über dem Süden der Wodanglaube denjenigen an den Himmelvater Tiu so gründlich verdrängt haben, daß dieser Glaube ganz in den Hintergrund getreten ist? Ich möchte es bezweifeln; aber mit landschaftlich bzw. stammesmäßig gebundenen Unterschieden haben wir zu rechnen. Dieser Eindruck verstärkt sich bei Lektüre einer Monographie wie H. F. K. GÜNTHERs Werk „Das Bauerntum als Lebens- und Gemeinschaftsform" 1939, wo mir ebenfalls dem bäuerlichen Himmelvaterglauben zu geringe Bedeutung eingeräumt scheint. Aber S. 365 u. 408 hat der Verf. doch klar erkannt und ausgesprochen, daß die religiöse Vorstellung eines strengen Vaters dem bäuerlichen Verstand und Gemüt besonders angemessen zu sein scheint, und daß patriarchalisches Symboldenken etwa gerade auch in niedersächsischer Bauernfrömmigkeit lebendig gewesen ist. Am meisten trägt in der neueren Literatur die Lebensdarstellung „Das gemeine Volk" (bes. Bd. 2 Religiöse Volkskunde 1933) von MAX RUMPF dem Vaterglauben im deutschen Volke Rechnung; s. bes. Bd. 2, 280, 314ff. mit wertvollen Belegen (so aus „Georgica curiosa" [1682] 193, wo von „der Vorsorg des besten und ältisten Haus-Vatters, des Allmächtigen Gottes" die Rede ist). Von ERNST TROELTSCH hat RUMPF ferner den Begriff des christlichen „Liebespatriarchalismus" übernommen, von dem er Bd. I 118f. u. ö. Bd. II 41, 378f., 386 aus volkstümlichem Brauch eindrucksvoll berichtet.

152 Zitiert nach O. KLUGE in: Das Gymnasium 52 (1941) 52 m. Anm. 29.
153 ARW 22 (1924) 9.
154 Vor allem in Frankreich unter dem Namen „Le Songe" in vielfältiger Nachdichtung (bei Mᵐᵉ de Staël, Victor Hugo, Nodier, Balzac, Gautier, Ballanche, Quinet, Alfr. de Vigny, Gérard de Nerval usw.); s. darüber W. WÜHR, Jean Paul-Blätter, Bayreuth 1940, 58, wo auch der Text der „Rede" abgedruckt ist. Ferner W. REHM, Experimentum suae medietatis. Eine Studie zur dichterischen Gestaltung des Unglaubens bei Jean Paul und Dostojewski (Großinquisitor). Jb. d. Fr. Dtsch. Hochstifts, Frankfurt a. M. 1936/40, 237ff., und dazu W. WÜHR, Jean Paul-Blätter 1940, 122ff., bes. 128f. mit weiteren Literaturangaben auf S. 130. Inzwischen hat sich die Literatur über dieses einzigartige Stück Weltdichtung noch bedeutend vermehrt.

hat die hier am Gegenbild der Gottverlassenheit gewonnene unumstößliche Gewißheit ohne Umschweif in positiver Formulierung hinausgerufen: „Brüder – überm Sternenzelt *muß* ein lieber Vater wohnen."[155]

GOETHE schließlich hat das Lied gesungen vom „uralten heiligen *Vater,* der mit gelassener Hand aus rollenden *Wolken* segnende Blitze über die Erde sät"[156]. Derselbe hat über den Gott, von dem es gilt „Name ist Schall und Rauch umnebelnd Himmelsglut", seinen Faust in jenem ans Tiefste rühren- den Gespräch mit der Geliebten die Worte sagen lassen: „Der *All*umfasser, der *All*erhalter, faßt und erhält er nicht dich, mich, sich selbst? Wölbt sich der *Himmel* nicht da droben?"[157] Ein gültigeres Bekenntnis zum ererbten Gott der Vorväter Germaniens, wie sich uns seine Züge im Vergleich mit dem indogermanischen Himmelsgott erschlossen haben, wüßte ich nicht zu nennen. Aus einer anderen Äußerung GOETHES geht ebenfalls deutlich her- vor, daß ihm die menschlich-väterliche Seite dieser Vorstellung nicht min- der vertraut war wie ihre Allbezogenheit. Im Werther spricht er es aus: „Nichts ist, das mich so mit einer stillen, wahren Empfindung ausfüllte als die Züge patriarchalischen Lebens."[158]

Es ist – so will es zunächst scheinen – viel eher der Zeus des Phidias in seiner „hoheitsvollen und doch milden Auffassung"[159], der aus dem reli|giö- sen Gehalt all dieser Zeugnisse spricht als der Christengott. Aber unver- kennbar trägt auch dieser in der ersten Person der Dreieinigkeit die Züge des Himmelsvaters[160]. „Ungefähr sagt das der Pfarrer auch, nur mit ein bißchen anderen Worten." In dieser Antwort Margaretens auf Fausts Bekenntnis liegt in der Tat ein Problem. Ich meine, es ist so zu lösen, daß hier, im

---

[155] „An die Freude", Schluß von Strophe 1.

[156] GOETHE, Grenzen der Menschheit. Die Stelle führt in ähnlichem Zusammenhang, wie ich erfreut bemerke, auch W. WÜST, ARW 36 (1939) 94₄ an. Für GERO ZENKER dagegen (Germani- scher Volksglaube in fränkischen Missionsberichten [1939] 93, 175 u. ö.) sind derartige Äuße- rungen tiefster indogermanischer Religiosität nichts anderes als Fremdgedanken orientalischer Herkunft. Man wird hier keine Auseinandersetzung mit einem Buch erwarten, unter dessen Thesen die besonders auffällt, daß nicht nur bei den Germanen, sondern „auch bei sämtlichen Indogermanen die weltanschaulichen Grundlagen . . . für einen Allherrscher-Gott fehlen" (aaO. 93).

[157] Faust I 3438 ff. Vgl. a. den Zeus des Ganymed-Gedichtes (Ausg. letzter Hand II 82 f.), der in den Schlußworten als „Alliebender Vater" erscheint.

[158] Vgl. H. F. K. GÜNTHER aaO. 64.

[159] DIELS aaO. 13; vgl. WILAMOWITZ, Zeus aaO. 9. DIELS wollte den phidiasischen Zeus auf einer bei Amisos am Schwarzen Meer gefundenen Gemme des Berliner Museums am treuesten nachgebildet finden (s. die Abb. bei H. SCHRADER. Phidias 1924, 45). Neuerdings hat man ihn noch besser einer elischen Münze der Kaiserzeit aus dem Berliner Münzkabinett abgewonnen; s. die Monographie von JOS. LIEGLE, Der Zeus des Phidias 1952. Über die feinsinnige, freilich die sanften Züge allzu einseitig hervorhebende Würdigung des phidiasischen Zeus durch Dion Chrysostomos XII vgl. HUBERT SCHRADE in der Zeitschrift „Das Werk des Künstlers" 1939, 210 f.

[160] „Mit den Lippen bekennen wir uns zu Christus, aber im Herzen tragen wir Iupiter Maximus", hatte schon Erasmus von Rotterdam sagen können (Ciceronianus Bas. 1528, zitiert nach O. KLUGE in: Das Gymnasium 52 [1941] 64). Vgl. a. unten mit Anm. 189.

Glauben an den allumfassenden Himmelvater, eine entscheidende Antwort beschlossen liegt auf die Frage der Bekehrungsbereitschaft der Germanen und anderer verwandten Völker *zur christlichen Religion,* und zwar in deren gewiß nicht ganz ohne indogermanischen, d. h. wohl iranischen Einfluß wiederum vorgeprägten Form[161].

Schon als Paulus nach dem Bericht der Apostelgeschichte[162] den Athenern auf ihrem Areiopag angeblich predigte (er, der von sich frei bekennt, daß er – ein echter Missionar – jedermanns Rolle gespielt habe, damit er „allenthalben ja etliche selig mache"[163]), da kleidet er seinen übernationalen Gott für die Griechen in das ihnen vertraute Gewand eines väterlichen Stammgotts: „er hat gemacht, daß aus einer Wurzel (‚von einem Blut' übersetzt Luther sogar) alles Menschengeschlecht auf der ganzen Erde wohnen soll . . . er ist nicht ferne von jedem einzelnen von uns; denn in ihm leben, weben und sind wir[164], wie ja auch von euren Dichtern[165] welche gesagt haben: ‚Wir sind seines Geschlechts.'"[166]

Aber es ist nicht reine Anpassung, wenn der Christ so spricht. Das Evangelium Jesu, das Paulus verkündet und dem er zugleich mit seiner eigenen Lehre „im Wege ist"[167], hat als Haupt- und Kernstück die Predigt vom *Vater* im *Himmel,* eine Auffassung, die zur alttestamentlichen Vor|stellung von Gott als dem Herrn in schärfstem Gegensatz steht, „wie ein verlorenes Wort in einer fremden Welt"[168]. Es kann hier nicht untersucht|

---

[161] Der Zustrom iranischer Gedanken und Vorstellungen hat dabei großenteils schon den Mutterboden des Christentums, das nachexilische Judentum, befruchtet; s. Ed. Meyer, Urspr. u. Anfänge des Christentums 2. 1921, 58 ff.

[162] Martin Dibelius hat erwiesen, daß Lukas, der Verfasser der Acta, die Areopagrede „als Beispiel einer vorbildlichen Heidenpredigt" frei geschaffen hat: Paulus auf dem Areopag. Heidelberg 1939, bes. 26 ff., 53. Darüber jetzt ausführlich auch unten Bd. II.

[163] 1. Kor. 9,22 τοῖς πᾶσιν γέγονα πάντα, ἵνα πάντως τινὰς σώσω.

[164] Auch dies eine antike Formel; Quintilian. instit. orat. X 1,16 *vivunt omnia enim et moventur.* Die in der Apostelgeschichte zitierte Fassung soll auf Epimenides von Kreta zurückgehen; s. darüber M. Dibelius aaO. 28. Weiterführende Untersuchung unten Bd. II.

[165] Arat, Phainomena v. 4/5 *(πάντη δὲ Διὸς κεχρήμεθα πάντες.)* Τοῦ γὰρ καὶ γένος εἰμέν, nach Kleanthes' Zeushymnos fr. 537, 5 A. (ἐκ σοῦ γὰρ γένος εἶο'). Der sehr alte Prototyp der Formel findet sich bereits bei Tyrtaios fr. 8,1 D. Ἡρακλῆος γὰρ ἀνικήτου γένος ἐστέ.

[166] Acta Apostol. 17,26 ff.

[167] Albert Schweitzer, Die Mystik des Apostels Paulus 1930, 379; vgl. W. Hellpach in: Geistige Arbeit 11 (1939) 9 in einem Aufsatz über den christlichen Vatergott, der für unsere Fragestellung viel abgibt.

[168] W. Bousset, Die Religion des Judentums . . . 2 (1906) 434. – Selbst wo ihm väterliche Züge beigelegt werden, verleugnet der Gott der Juden seinen Herrencharakter nie; z. B. Ps. 103,13: „Wie sich ein Vater über Kinder erbarmet, so erbarmet sich *der Herr* über die, so ihn *fürchten.*" Grundlegend für die Frage H. Preisker, ARW 35 (1938) 103 f. Frz. Sauter, Der römische Kaiserkult bei Martial und Statius 1934, 38 f. Ed. Wechssler, Hellas im Evangelium 1936, 317 ff. – Höchst bezeichnend, daß sich im jüdisch-hellenistischen Dura Europos ein Tempel des Zeus Kyrios fand (Phil. Woch. 1941, 554; vgl. den Gott Basileus in einer syrischen Inschrift bei Waddington, Inscr. de la Syrie 2442 und dazu L. Radermacher, Berl. Philol. Woch. 1915, 1197, ferner schon Usener, Götternamen 227 ff.).

Da mir im Blick auf die angeführte Psalmstelle (103,13) gelegentlich einer Diskussion über diese Frage von alttestamentlicher Seite (GUSTAV HÖLSCHER) entgegengehalten wurde, ich sei der Lutherschen Übersetzung zum Opfer gefallen, die hier ‚Herr‘ biete, wo das Original vielmehr auf ‚Jahwe‘ laute, und da von der gleichen Seite sogar unter Berufung auf W. BOUSSET behauptet wurde, Vaterbegriff und Vaternamen für Gott sei gerade im Semitischen gang und gäbe, ja vielleicht eingewurzelter als im Indogermanischen, so ist es vielleicht doch nötig, kurz die wichtigsten Belege und Hinweise zu geben (durchweg ist zu vergleichen das grundlegende Werk von WOLF W. GRAF BAUDISSIN, Kyrios als Gottesname im Judentum und seine Stelle in der Religionsgeschichte I/IV, 1929, bes. III 309 bis 379).

Nicht erst Luther, sondern bereits die jüdischen Übersetzer der Septuaginta haben den Gottesnamen Jahwe des Alten Testaments fast durchgängig mit Kyrios ‚der Herr‘ wiedergegeben (W. BOUSSET aaO. 353₁; 432 ‚Gott ist der Herr ganz allgemein und schlechthin‘; DERSELBE, Kyrios Christos [1913] 108. Baudissin II 236 ff.). Das war nicht reine Willkür; vielmehr hatte man aus Scheu, den Jahwenamen auszusprechen, ihn selbst in der öffentlichen Schriftverlesung in der Synagoge durch *ădonāj* (‚der Herr‘) ersetzt, *weil diese Bezeichnung wie keine andere seinem Wesen zu entsprechen schien* (W. BOUSSET, Rel. d. Judentums ²355 f. BAUDISSIN II 17 ff. H. GUNKEL, RGG² I 89). Bekanntlich gemahnte auch späterhin den Leser der hebr. Bibel stets der Umstand an diese Vorschrift, daß man den Jahwenamen mit den punktieren Vokalen von *ădonāj* auszeichnete, woraus bei uns sich für lange Zeit die auf irrtümlicher Lesung beruhende Unform Jehovah ausgebildet hat (vgl. BAUDISSIN II 72 ff., 174 ff. H. GUNKEL RGG² III 10).

Auf die ganz auffallende Seltenheit der „Bezeichnung Gottes als des Vaters" im Alten Testament, die GESENIUS' Handwörterbuch auf den ersten Blick lehrt, hat nach dem Vorgang anderer wiederum W. BOUSSET (aaO. 432 ff.) nachdrücklich hingewiesen und die meist jungen und erst in ganz später alttestamentlicher Zeit sich etwas mehrenden Stellen genau verzeichnet. Die Belege aus den älteren Büchern des AT einschließlich des Propheten sind so spärlich, daß sie sich an den Fingern aufzählen lassen (BOUSSET 432₂). Man vergleiche im Gegensatz dazu die oben angemerkte Häufigkeit des Vaternamens für Zeus und das absolute Fehlen der Bezeichnung des Zeus als König und Herrscher im homerischen Epos. ED. WECHSSLER, Hellas im Evangelium 1936, 318 hat – wohl zu weitgehend – aus diesem Befund wenigstens für die spätjüdischen Stellen sogar den Schluß ziehen wollen, daß dieser Wortgebrauch (Jahwe als Vater zu bezeichnen) „aus der weithin verbreiteten griechischen Weltbildung . . . hereingekommen sei".

Schon BOUSSET (aaO. 356 ff., vgl. BAUDISSIN III 88 ff., GUNKEL RGG² II 1370) bietet eine lehrreiche Zusammenstellung der im alten Judentum mehr und mehr Platz greifenden Gottesbezeichnungen, die fast durchweg auf die Betonung seiner Macht und Höhe zielen (vgl. WECHSSLER 290): der Vatername findet sich nicht dabei. Aber auch die altangestammten, meist gemeinsemitischen Gottesbezeichnungen des AT deuten, soweit sie erklärbar sind, in dieselbe Richtung. Zu der ganz besonders häufigen „Bezeichnung Gottes als des Königs" wird an anderer Stelle sogar ausdrücklich angemerkt (BOUSSET 431), daß dieser Begriff „für den Orientalen eine ganz andere Bedeutung als für uns" besitzt. „In dem Wort klingt ein Klang mit von der Willkür des Tyrannen und der Unnahbarkeit des Despoten." Ja selbst in El und Elohim (nach EISSFELDT RGG² II 97 von ganz unsicherer Deutung) liege zum Teil „der Klang und Begriff von Herr" (BOUSSET 432, vgl. 357; BAUDISSIN III 6 ff.), jedenfalls nicht der des Vaters (s. EISSFELDT aaO.). Auch für den altsemitischen *Ilu, Ilāh* usw. habe ich nirgends eine Erklärung finden können, die ihn als ‚Vater‘ in Anspruch nimmt (Baudissin III 15 ff. ‚der zu Fürchtende‘ und andere Deutungen). Da, wo der Vatername für Gott, wie oben angemerkt, sich gelegentlich da und dort im Semitischen findet, muß wie im Fall des ‚Königs‘ beachtet werden, daß auch er von Haus aus „herrischere" Züge trägt, als wir unserer Art entsprechend mit ihm zu verbinden pflegen, indem im Semitischen „die Begriffe Vater und Herr ineinander überspielen" (BERTHOLET RGG² V 1443 mit Beispielen aus dem Sumerischen und dem Semitismus; BAUDISSIN III 309 ff.). Zu „El im ugaritischen Pantheon" vgl. a. O. EISSFELDT, Ber. Sächs. Ak., Ph.-hist. Kl. 98, 4. 1951 (monotheistische Grundtendenz des EN El). Umfassend jetzt die Monographie von M. H. POPE, El in the Ugaritic Texts 1955, bes. 16 ff. und 47 f. (El als ‚Vater der werden, woher Jesus diesen dem indogermanischen so weit entgegenkommenden Gottesbegriff hat[169], aber die Tatsache, daß er ihn vertritt, ist wichtig genug und etwa von H. St. CHAMBERLAIN klar und scharf herausgestellt worden[170]. Allenthalben im Evangelium ist der Vatergott lebendig[171].

Götter und Menschen' lediglich in Auswirkung seiner Macht als Stammvater und Herr). Über die durchwegs den ,Herrn' bedeutenden alttestamentl. Götternamen El, Eloah, Elohim, Jahve allgemein s. a. A. MURTONEN in den Studia Orientalia Fennica 18, 1. 1952, bes. 34 ff., 89 f. u. ö. Zum Verhältnis von Jahwe und El siehe jetzt HANS HEINR. SCHMID, Altorientalische Welt in der alttestamentlichen Theologie (1974) S. 38 f. m. Anm. 19.

Neuerdings erscheint durch JOACHIM JEREMIAS meine hier skizzierte und verteidigte Auffassung in allen wesentlichen Punkten als richtig erwiesen, wenn sie natürlich auch durch seine souveräne Kenntnis des vielschichtigen Problems im einzelnen modifiziert wird (ZNW 45, 1954, 131 f.; ausführlich in seinem Buch: Abba 1966, 15–67; speziell zum ,himmlischen Vater' 25 f. u. 41 ff.). Ich lasse meine Ausführungen gleichwohl unverändert stehen, umsomehr als JEREMIAS' Neuansatz die Forschungen von BOUSSET und BAUDISSIN nicht berücksichtigt. JEREMIAS findet im AT 15 mal das Wort Vater für Gott, in den Evangelien dagegen 170 mal im Munde Jesu (Abba, S. 15 f., 33). Im Judentum der vorneutestamentlichen Zeit sind die Belege ganz spärlich (S. 19 ff.), wobei der Erwählungsgedanke und die Verpflichtung zum Gehorsam stark im Vordergrund stehen, und in der Gottesanrufung das πάτερ bezeichnenderweise auf κύριε folgt (S. 32). Jesus scheint das Wort aus der alltäglichen Familiensprache geschöpft und in der aramäischen Lallwortform ,Abba' zwar nur selten und lediglich als ,Offenbarungswort" in der esoterischen Jüngerdidaché gebraucht zu haben. Aber die Einzigartigkeit und zentrale Bedeutung der Anrede hat dazu geführt, daß die Evangelien sie mit Recht immer mehr in den Vordergrund rückten, wobei das Johs.-Ev. mit insgesamt 109 Belegen den Gipfel bildet (S. 33 ff., 46, 56 ff.). – Siehe jetzt auch Jos. VOGT, Ecce ancilla domini . . . In: Vigiliae Christianae 23, 1969, 244 u. 247 f., wo die alttestamentliche Unterordnung unter den Herrn Jahwe und die „Befreiung vom Joch des alten Bundes", die „zur wahren Kindschaft Gottes führt", wirkungsvoll festgestellt und durch Quellenzitate belegt sind. Ähnlich auch schon L. ROST in der Zeitschr. f. Theol. u. Kirche 53. 1956, S. 4, wo festgestellt wird, daß die Völker und Stämme verschiedener geschichtlicher Herkunft, die in Davids Reich unter Jahwes Namen vereinigt wurden, alle „zu Untergebenen, zu Sklaven dieses Gottes Israels geworden" seien. Merkwürdig, daß G. BORNKAMM, Das Vaterbild im Neuen Testament (in dem Sammelband ,Das Vaterbild in Mythos und Geschichte' 1976, S. 136–154) ohne jeden Hinweis auf das Buch von J. Jeremias die das Thema betreffenden Grenzen zwischen dem Alten und dem Neuen Testament eher wieder verwischt (s. bes. S. 137 f.). Dagegen hat LOTHAR PERLITT in dem gleichen Band (S. 50–101 ,Der Vater im Alten Testament') S. 97 ff. mit wünschenswerter Deutlichkeit betont, daß die Religion des Alten Testaments keine Vaterreligion war, wie schon sprachstatistisch nachzuweisen sei (vgl. dazu auch meine Bemerkungen oben). Ja, er erkennt sogar den israelischen Gott allenfalls als einen ,Adoptivvater' seines Volkes an.

[169] Beachtenswert, wenn auch keineswegs beweisbar, ist der Versuch von DITLEF NIELSEN (Der dreieinige Gott II 1942, X., 15 f.), innerhalb des Semitischen zwischen der ursprünglichen „Zeugungs"- und „Vater"-Religion der alten Araber und einer „Schöpfungs"- und „Herren"-Religion zu unterscheiden, die aus jener erst sekundär die Babylonier entwickelt hätten. Dann hätte Jesus mit seiner Verkündigung gewissermaßen an die „altarabische" Komponente des israelitischen Glaubens angeknüpft und die „babylonische" vernachlässigt. Wir dürfen in dieser an sich hochwichtigen Unterscheidung wohl den ethnisch begründeten Abstand „wüstenländischer" von „vorderasiatischer" religiöser Haltung erblicken, um eine moderne Formulierung zu gebrauchen. Theologische Deutungsversuche zielen jedoch in ganz andere Richtung. So hat J. JEREMIAS (Abba 1966, 54) Jesu Vaterreligion auf eine Offenbarung zurückgeführt, die ihm als „eine konkrete einmalige Erfahrung" etwa bei der Taufe zuteil geworden sein mag.

[170] Mensch und Gott 1921; dazu W. HELLPACH aaO. Vgl. a. DITL. NIELSEN, Der geschichtl. Jesus, übers. v. H. HOMMEL 1928, 120 ff., 165 ff. H. SCHRADE aaO. 213.

Die Geschichte vom Verlorenen Sohn[172] zeugt ebenso von ihm wie das schöne Gleichnis vom Barmherzigen Vater: „So denn ihr, die ihr arg seid, wisset euren Kindern gute Gaben zu geben, wieviel mehr wird euer Vater im Himmel Gutes geben denen, die ihn bitten!"[173] Und die große Rolle, die| das Kindschaftsverhältnis für Jesus spielt, ist ja nichts anderes als die notwendige Ergänzung seines Glaubens an den Vatergott[174].

Noch wichtiger ist für uns, mit welcher unfehlbaren Sicherheit die abendländische Welt gerade diese Elemente aus Jesu Lehre aufgegriffen und an zentralen Stellen ihres Gebets- und Bekenntnisguts angesiedelt hat. Wir alle kennen die weit über Jesu ursprüngliche Absicht hinausweisende Bedeutung, die das Vaterunser[175] – übrigens gerade auch für das deutsche Glaubensleben – gewonnen hat, und wollen dabei nicht übersehen, daß Luther – zur gewohnten Heraushebung des Vatergedankens – wenigstens im Katechismus sogar die fürs Deutsche sprachlich schon damals ungewöhnliche Wortfolge beibehalten hat: *Vater unser, der du bist im Himmel*[176]. Dies christliche „Gebet des Herrn", wie es – in einer gerade hier wenig passenden Absonderung der Herrenverehrung Christi von seinem eigenen Vaterglauben – genannt wird, es umfaßt also mit seinem Eingang die beiden Hauptwesenszüge des alten indogermanischen Himmelsgottes.

Aber auch der oben von uns aus der Konzeption des Himmels[177] abgeleitete *Allbegriff* erhielt im christlichen Glauben der bekehrten Völker seinen

---

[171] Vgl. EMANUEL HIRSCH, Das Wesen des Christentums (1939) 38, wo es so ausgedrückt ist, daß das Evangelium „in jedem schlichten, einfachen Worte und Gleichnis Jesu vom Vater im Himmel ganz und vollständig enthalten" sei. Darüber jetzt differenzierter J. JEREMIAS, Abba 1966, 37 ff. unter Vorlage des vollständigen Materials.

[172] Ev. Luk. 15,11 ff.

[173] Ev. Matth. 7,9 ff.

[174] Vgl. a. Epist. Joh. I 3,1 „Sehet, welche Liebe hat uns der Vater erzeiget, daß wir Gottes Kinder sollen heißen".

[175] Ev. Matth. 6,9 ff. Luk. 11,2 ff. Vgl. schon die homerische Anrede an Vater Zeus ὦ πάτερ ἡμέτερε Κρονίδη, ὕπατε κρειόντων Il. Θ 31. Od. α 45 u. ö. Übrigens hat im Evangelium nur Matthäus die Fassung πάτερ ἡμῶν, während Lukas lediglich πάτερ bietet. Die kürzere lukanische Fassung des Vaterunsers hat J. JEREMIAS als die ältere erwiesen; näheres s. bei ihm, Abba 64 m. Anm. 59.

[176] Vgl. W. HELLPACH aaO. 9. Das scheinbare Kuriosum, mit dem Luther auf die *simplicitas idiotarum, qui ex Papatu ad nostras transeunt Ecclesias* Rücksicht nahm, hat man längst sogar in theologischen Disputationen erörtert, s. z. B. JOH. FÖRSTER, Problemata theologica ex oratione Dominica I 3, Wittenberg 1611. Sprachlich ist freilich Luthers Übersetzung dadurch gerechtfertigt, daß sein ‚Vater unser' das griechische πάτερ ἡμῶν der Fassung bei Matthäus wörtlich wiedergibt, also ‚unser' als Gen. des Personalpronomens, nicht als Nom. des Prossessivpronomens verstanden wissen will, was man in der Polemik meist übersehen hat.

[177] Ja, selbst die ihr im indogermanischen Glauben vorausgehende oder zugrundeliegende Auffassung vom Gott des Lichts (*di-uas* oben [S. 31 f.]) oder (in Verbindung mit dem Vaterglauben) vom „Vater des Lichts", fand sich im NT (Epist. Joh. I 1,5; Jac. 1,17) und mußte bei den Bekehrten an verwandte Saiten rühren. Verbindungen zwischen dem Zeusglauben und sogar bereits dem Glauben an den Gott Israels hatte schon zu Beginn des 18. Jhds. Giambattista Vico hergestellt (JOS. MAIER, Südwestfunk, 2. Programm, 21. 12. 1980).

entscheidenden Platz. Mit dem Apostolikum[178], dessen Gottvatersatz gegenüber der doch seit Paulus so in den Vordergrund gerückten Verehrung des Herren Christus sich die erste Stelle behauptet hat[179], wird | man kaum von ungefähr an neutestamentliche Formulierungen angeknüpft haben, in denen selbst Paulus seinem Christusbekenntnis dasjenige an den väterlichen Allgott voranstellt: „So haben wir doch nur einen Gott, den Vater, von welchem alle Dinge sind und wir zu ihm."[180] Einmal hat sogar derselbe Paulus in einer merkwürdigen Häufung von *παν*-Formeln[181] dem allwaltenden Vater den Sohn Christus völlig ein- und untergeordnet: „Wenn aber *alles* ihm untertan sein wird, dann wird auch der Sohn selbst untertan sein dem, der ihm *alles* untertänig gemacht hat, damit Gott sei *alles* in *allem*."[182] Von hier aus betrachtet scheint kein Zweifel zu sein, daß neben Christlichem auch Hellenisches in die überkommene Vorstellung von Gott dem Vater eingegangen ist, wie ja schon Jesu Gott, der Vater aller Menschen, mit dem hellenischen Gott sehr wohl vereinbar war[183]. Das „Alte Testament" der Hellenen, das Epos Homers, kennt die Begriffe Kyrios oder Despotes überhaupt noch nicht[184], geschweige denn einen Gott mit dieser Bezeichnung.

Wir dürfen nach all dem noch weiter gehen und sagen, daß die Kräfte des Indogermanentums, die im Abendlade trotz aller Vermischung noch lebendig waren, geradezu über die Reinerhaltung des Gottvaterbildes der christlichen Religion gewacht zu haben scheinen, so daß dann weiterhin der Christianisierung der Germanen in diesem Element die entscheidende Handhabe geboten war. Selbst der Christ hat die Wichtigkeit und Fruchtbarkeit des alten Vatergottglaubens empfunden oder doch rational erkannt, so wenn der Afrikaner Laktantius, der unter Diokletian und Konstantin wirkende

---

[178] Hier sei auf ein vom religionsgeschichtlichen Standpunkt aus gesehen höchst kurioses Buch verwiesen, das in engem Anschluß an den Wortlaut des Apostolischen Glaubensbekenntnisses an Hand einer Fülle wertvollen Materials in den antiken Religionen teils die Folie für das Christentum erblickt, vielfach aber auch die „anima naturaliter Christiana" aufzuspüren sucht: KARL PRÜMM S.J. Der christliche Glaube und die altheidnische Welt, 2 Bde. 1935; hier I 87ff. („Der Vatergott im antiken Heidentum"), bes. S. 95, vgl. schon oben Anm. 42.

[179] Bei Paulus ist die Reihenfolge an der berühmtesten Stelle: Christus – Gott – Heiliger Geist (2. Kor. 13,12), sonst auch: Hl. Geist – Christus – Gott (1. Kor. 12,4ff. Eph. 4,4ff.), niemals aber die später übliche: Vater – Sohn – Hl. Geist. Vgl. dazu auch SEEGER, RGG² V 1445: „Der spezifische Gebrauch des Vaternamens für die erste Person der Trinität . . . liegt dem NT noch fern" (besser wäre wohl zu sagen: „liegt Paulus noch fern").

[180] 1. Kor. 8,6; vgl. 1. Timoth. 6,13. 2. Tim. 4,1; zu der Bedeutung dieser Stellen für den ersten Glaubensartikel s. H. LIETZMANN, RGG²I (1927) 444f. Vgl. aber vor allem auch noch die wichtige Stelle Eph. 3,14/15 das Gebet πρὸς τὸν πατέρα, ἐξ οὗ πᾶσα πατριὰ ἐν οὐρανοῖς καὶ ἐπὶ γῆς ὀνομάζεται. Siehe dazu jetzt meine ausführlichen Darlegungen in dem Aufsatz ‚Pantokrator' unten [S. 127f., 132ff.].

[181] Dazu s. oben [S. 47].

[182] 1. Kor. 15,28 (vgl. a. die vorangehenden Verse); dazu W. HELLPACH aaO. 10.

[183] So nach der Formulierung von WILAMOWITZ, Glaube der Hellenen I 334.

[184] J. WACKERNAGEL, Sprachliche Untersuchungen zu Homer 1916, 209, Anm. 1. (vgl. oben Anm. 27).

„christliche Cicero", diesem Glauben in leicht durchschaubarer Absicht allgemeinmenschliche Verbindlichkeit zumißt[185] und in seinem Schwinden ein Hauptkennzeichen der religiösen Degeneration des Römervolkes erkennen will[186]. So hat etwa auch mit wohlgezielter Absicht Martin von Bracara, Missionar im Gebiet der Sueven Spaniens, in seiner Bekehrungs|predigt des ausgehenden 6. Jahrh. das Anfangszitat des *Credo in deum patrem omnipotentem* zusammen mit dem Vaterunserbeginn *Paternoster, qui es in coelis* an zentrale Stelle gerückt[187]. Dem Schöpfergott gegenüber nimmt die Verkündigung der Paulinischen Buß- und Versöhnungslehre in seinem Traktat überhaupt einen verhältnismäßig geringen Raum ein. Freilich mußten die Germanen, indem sie die Vatergottbotschaft Jesu als ihnen zutiefst gemäß – gleichsam als eine Art Erneuerung des alten, weithin von *Wodan* verdrängten Himmelgottglaubens[188] – willkommen hießen, auch seine Ausweitung ins Übervölkische und all die anderen Elemente christlich-paulinischer Verkündigung mit annehmen, die ihrer Art weit weniger entsprachen, deren Assimilierung ihren Nachfahren darum auch bis heute noch nicht gelungen ist; sie können deshalb auch nicht in die Tiefe vor allem der unverbildeten bäuerlichen Schichten des Volkes wirken, so sehr diese äußerlich ihnen anhängen mögen. „Ich bin sicher, daß sich der eigentliche Glaube der Bauern so gut wir gar nicht verändert hat", sagt HERMANN LÖNS einmal[189]; er fährt fort: „Heute ist Christentum der Titel des Buches, ganz was anderes steht aber darin."

Denken wir daran, wie die Griechen nach ihrer äußeren und inneren Seßhaftwerdung in der mittelmeerischen Welt ihren Zeus, den im Himmel waltenden Vater, als den einzigen Gott noch bewahrt haben, der mit Sicher-

---

[185] Lactant. div. inst. IV 3, 11 *omnem deum, qui ab homine colitur, necesse est . . . patrem nuncupari . . ., quod antiquior est homine et quod vitam, salutem, victum praestat ut pater.*

[186] Lactant. div. inst. V. 9,11 *nec enim potuerunt retinere pietatem, qui communem omnium patrem deum tamquam prodigi ac rebelles liberi denegassent.* Der frühchristliche Dichter des 5. (?) Jhds. Commodian, hat, wie EB. HECK nachweist (Vigiliae Christianae 30. 1976, 72 ff.), sogar den religiösen Vaternamen allein dem Christengott zuerkannt und dem Juppiter abgesprochen, den er daher fortan nur noch *Iovis* nannte.

[187] De correctione rusticorum, ed. C. P. CASPARI 1883, cap. 16 gg. Ende S. 35. Vgl. H. HOMMEL, ARW 37 (1941) 159f., Anm. 7 = unten S. 193 f., Anm. 77.

[188] Es ist durchaus richtig, wenn der Verf. des Artikels „Allvater" in Meyers Lexikon [8]I 1936 im *alfaðir Odin* der nordischen Quellen den von diesem verdrängten „alten indogermanischen Himmelsgott . . . unter anderem Namen" wiedererkennt. Völlig verkannt ist dieser Sachverhalt in dem sonst anregenden Aufsatz von FR. TSCHIRCH, Vom Wesen germanischen Glaubens, Geistige Arbeit 1940, Nr. 22, S. 2.

[189] H. KNOTTNERUS-MEYER, Der unbekannte Löns 1928, 99. Vgl. a. Js. STRZYGOWSKI, Das indogermanische Ahnenerbe . . . 1941, 78, wo von jenem „älteren Christentum" die Rede ist, das in gewissem Sinn als Heiltum im Norden Europas zu Hause und „unser alter indogermanischer Besitz ist". Feiner und differenzierter E. RÄTSCH in seiner Einführung zur deutschen Ausgabe des Buches von E. M. BUTLER, Deutsche im Banne Griechenlands 1948, S. 29; danach wirkte die Vorstellung von einem einigen und einzigen Gott auf die Barbaren der Völkerwanderungszeit viel überzeugender als das Erlösungsmotiv, weil sie „an die überlieferten Anschauungen anknüpfte, sie aber über ihre alten Grenzen hinaus erweiterte".

heit als indogermanisch angesprochen werden kann[190]; denn alle anderen
Gottheiten verraten ihre fremde Herkunft mehr oder weniger deutlich in
ihren Namen. So sehen wir jetzt mit verwundertem Staunen, daß bei den
Germanen eine ganz vergleichbare Situation vorliegt. Hier war es das zu
ihnen ins Land gekommene Christentum, das ihnen ihre alten Götter nahm
oder sie vergessen ließ; auch hier war es einzig und allein der alte Himmelsgott, der gewissermaßen als der *pater noster in coelis* des Vaterunsers oder als
der allwaltende Schöpfergott des 1. Glaubensartikels seine Auferstehung
feiern durfte. |

Daß die Annahme solcher Kontinuität keine vage Kombination ist, dafür
sind uns im unteren Elsaß[191] wie in Deutsch-Lothringen[192] einige merkwürdige Zeugen erhalten geblieben[193]. Es handelt sich um Gottvatersitzbilder
der Barockzeit, die auf steinernen Feldkruzifixen in der Weise angebracht
sind, daß sie die Stelle des den Querbalken senkrecht überragenden Kreuz-
teils vertreten[194]. Die Figur Gottvaters reicht jeweils bis in Oberschenkelhöhe und erinnert in unabweisbarer Deutlichkeit an den Typ des gerade in
jenen Gegenden heimisch gewesenen, vielfach durch Funde belegten heidnischen Iuppitergigantenreiters[195]. Wildwallendes Haupthaar, struppiger
Bart, kühner Schnurrbart oder aber Bartlosigkeit, drohende Haltung im
abwärts gewandten Blick, gelegentlich sogar noch der Brustpanzer als
Hauptbekleidungsstück kennzeichnen das absolut Unchristliche dieser Darstellung; der keineswegs segnend, sondern wie zum Wurf ausgereckte hocherhobene rechte Arm mit der zur Faust geballten Hand vervollständigt den
Eindruck von einem späten aber unverkennbaren Nachfahren des Gigantenreiters Iuppiter, der ja seinerseits mit großer Wahrscheinlichkeit den keltisch-germanischen Himmelsgott repräsentiert[196]. In der linken Hand trägt
der ungebärdige Gottvater auf jenen christlichen Denkmälern die Weltkugel[197], auf seiner Brust oder seinem Schoß ist die Heiliggeist-Taube ange-

[190] H. Krahe, Die Vorgeschichte des Griechentums . . . Antike 1939, 181.
[191] Fundort Epfig bei Schlettstadt; s. J. Walter in: L'Art populaire en France 2 (1930) 187f. m. Abb.
[192] Lützelburg, Hommartingen, St. Louis und Hültenhausen, im ganzen sechs Denkmäler in diesem zwischen Saarburg und Zabern gelegenen Gebiet am Westabhang der nördlichen Vogesen, s. E. Linckenheld, Annuaire Lorraine 38 (1929) 133f. R. Theuret in: L'Art pop. en France 2 (1930) 41ff. mit 4 Abb.
[193] Sonst vgl. vor allem das reichhaltige Buch von Erich Jung, Germanische Götter und Helden in christlicher Zeit. ²1939.
[194] Zu dieser Anordnung, die dem Typus der sog. „Gnadenstuhlbilder" ungefähr entspricht, vgl. etwa die aus Soest in Westfalen stammende Altarvorsatztafel des 13. Jahrh. im Dtsch. Mus. in Berlin (abgeb. bei Herm. Wiemann, Die Malerei der Gotik und Renaiss. 60), wo Gottvater, ebenfalls die Taube auf der Brust, den Crucifixus vor sich auf dem Schoß hält, ferner Dürers sog. Allerheiligenbild in Wien und zahlreiche Holz- und Metallschnitte des 15. Jahrh.
[195] Theuret aaO.; E. Linckenheld, L'Art pop. en Fr. 3 (1931) 183ff. mit Abb.
[196] S. dazu oben mit Anm. 128, unten [S. 162ff.].
[197] Wohl dem Radsymbol zahlreicher „Gigantenreiter" entsprechend, das auf einem der

bracht, so daß in Verbindung mit dem darunter befindlichen Gekreuzigten ein Dreifaltigkeitsbild zustandekommt, das dem christlichen Glauben Genüge tut. Aber die merkwürdige Art der Darstellung Gottvaters läßt den uralten, heimischen Himmelsgott in der dräuenden Haltung des Donnerers unschwer erkennen, als welchen ihn auch noch volkstümliche| Verse der gleichen Gegend forterhalten haben, die ihn als „Bumberhans" bezeichnen[198].

Den Gigantenreiter hatten seine gläubigen Verehrer in der Sprache ihrer römischen Herren als Iuppiter Optimus Maximus bezeichnet; es ist in diesem Zusammenhang bemerkenswert, daß auch in Italien, als dort der echte, altrömische Iuppiter vom Christengott abgelöst wurde, auf diesen der uralte Kultname des höchsten Himmelsgottes überging: der italienische Christ betet noch heute zu seinem Gott als dem „Dio ottimo massimo"[199]!

Man hat neuerdings an die Frage gerührt, wieso es vorstellbar sei, daß der heute noch im und trotz dem Christengott so lebendige *Gottvaterglaube* des natürlichen Gegenbildes einer *Muttergottheit* entbehren könne, und ob hier etwa eine neue Mutter-Erde-Vorstellung nottue[200]. Eine solche fehlt ja in der Tat in keiner Religion der alten indogermanischen Völker, die den Himmels- und Vatergott verehren[202]. Für die Griechen bezeugen es viel-

---

antiken Denkmäler ebenfalls als Kugel erscheint; s. über die ganze Frage ausführlicher H. Hommel, Die Hauptgottheiten der Germanen . . ., ARW 37 (1941) 164 ff. = unten S. 197 ff.

[198] Linckenheld aaO. H. Hommel aaO 167 f. = unten S. 200 f. A. Pellon, Dtsch. Wiss. Dienst 1941, Nr. 34, S. 7. Es ist immerhin bemerkenswert, daß noch Paul Gerhardt in der 4. Strophe seines Liedes „Ich weiß, mein Gott, daß all mein Tun . . ." den ‚himmlischen Vater' nicht nur mit den herkömmlichen Wendungen apostrophiert, sondern auch vom Himmelsthron spricht, auf dem er sitzt, und von wo er, Krone und Szepter tragend, „aus den Wolken blitzet".

[199] Vgl. dazu O. Kluge in: Das Gymnasium 52 (1941) 48: „Die übliche christliche Gottesbezeichnung *Deus Optimus Maximus* verrät deutlich heidnischen Ursprung."

[200] Hellpach aaO. 11.

[201] Dazu vgl. H. Hommel aaO. 168 ff. = unten S. 201 ff. (zur Muttergottheit im altgermanischen Bereich). – Aischylos etwa setzt ohne weiteres voraus, daß auch die Perser γαῖαν οὐρανόν τε als Götter ehren (Pers. 499), was Herodot I 131, 2 überdies bestätigt. IV 59 berichtet dieser dasselbe für Παπαῖος und 'Απί, das skythische Götterpaar, das er als Zeus und Ge interpretiert; vgl. dazu a. oben Anm. 53.

[202] Erinnert sei hier auch an das alte Götterpaar Zeus-Dia oder Zeus-Dione in Dodona, Iuppiter und Iuno vergleichbar. Vgl. Escher, RE V 299 f., 878 ff. A. Zinzow, Zschr. f. kirchl. Wiss. 3 (1882) 193 f. Jetzt auch Erika Simon, Die Götter der Griechen 1969, S. 16 u. 234 K. Kerényi, Zeus und Hera 1972, S. 51. Die Zeuspriesterinnen in Dodona sollen nach Pausan. X 12,10 die uralten Verse gesungen haben:

Ζεὺς ἦν, Ζεὺς ἔστιν, Ζεὺς ἔσσεται· ὦ μεγάλε Ζεῦ
Γᾶ καρποὺς ἀνίει, διὸ κλῄζετε μητέρα Γαῖαν.

(Γᾶ statt des überlieferten σα Camerarius); vgl. A. Dieterich, Mutter Erde 60₂. Ein besonders altes Zeugnis stellt wohl auch dar die Anrede an die Mutter Erde, die Gattin des Himmels, in Hymn. Homer 30,17 χαῖρε, θεῶν μήτηρ, ἄλοχ' Οὐρανοῦ ἀστερόεντος, wovon ein orphischer Zauberspruch aus einem unteritalischen Grab beeinflußt scheint: fr. 32 a K. (v. 6 f.) γῆς παῖς εἰμι καὶ οὐρανοῦ ἀστερόεντος.

leicht am ursprünglichsten und schönsten die großen Tragiker, so der alte Sophokles, wenn er schildert, wie der Athenerkönig Theseus angesichts der Entrückung des Oidipus sein ehrfürchtiges Gebet zur mütterlichen Erde sendet und sie küßt, bevor er den Götterberg Olympos, Zeus' alte Wohn- stätte, mit der gleichen Anbetung bedenkt[203]. Oder noch urtümlicher | und naturhafter ein halbes Jahrhundert früher der Vorgänger Aischylos, indem er in seinen „Danaiden" der Liebesgöttin Aphrodite selber ein Preislied auf die Heilige Hochzeit zwischen Himmel und Erde in den Mund legt[204]:

> Die Erde zu umfangen sehnt der Himmel sich,
> Der reine; der Vermählung Sehnsucht faßt auch sie:
> Vom stille ruh'nden Himmel strömt des Regens Guß,
> Die Erd' empfänget und gebiert den Sterblichen
> Der Lämmer Weide und Demeters milde Frucht;
> Des Waldes blüh'nden Frühling läßt die regnende
> Brautnacht erwachen, und ich bin's, die solches wirkt.

Daß die katholische Kirche im Marienkult diesem tiefen Bedürfnis der Mutterverehrung weithin Rechnung getragen hat, wissen wir[205]. Ob künf- tig neue Konzeptionen politisch-religiöser Art dem Allmächtigen im Glau- bensleben des Volkes eine mütterliche Potenz an die Seite stellen werden, das zu entscheiden, ist nicht Sache der Wissenschaft. Sie mag freilich anmerken, daß etwa Solons Weise, die „dunkle mütterliche Erde, der Götter größte" als unmittelbaren Gegenstand seiner Wirtschaftsreformen anzureden und auf- zurufen[206], ein überhöhtes Gegenstück besitzt in Hölderlins tiefblickender Ahnung, die im „Gesang der Deutschen" hinter der blasseren Vorstellung der mütterlichen Erde das Vaterland Deutschland sucht und findet:

> O heilig Herz der Völker, o Vaterland!
> Allduldend gleich der schweigenden Mutter Erd'
> . . . Du Land der Liebe.

---

[203] Oid. Kol. 1654 f.; vgl. Eurip. Medea 57 f. Hippol. 672 (ἰὼ γᾶ καὶ φῶς), um nur einige der unmittelbarsten Zeugnisse anzuführen; weitere Euripidesstellen bei Zinzow aaO. 221. Zahlrei- che Belege aus Pindar, Aischylos, Catull usw. sind ferner gesammelt bei C. C. Hense, Poetische Personification in griechischen Dichtungen . . . 1 (1868) 187 f., 216.

[204] Aischyl. fr. 44 N. aus Athen. XIII 600 B (vgl. Eurip. fr. 898, 9 f. ebd. 600 A); die Übersetzung nach J. G. Droysen. Ganz ähnlichen Geist atmet das Proömium des Lukrez. Erstaunlich ist die von Ad. Furtwängler, Meisterwerke der griech. Plastik 1893, S. 257 ff. ans Licht gebrachte Parallele eines antiken Siegelabdrucks aus dem 4./3. Jh., wo als Illustration zu dem von Pausan. I 24,3 beschriebenen, heute verlorenen Bildwerk, die Ge Karpophoros sich zum Himmel reckt, um Befruchtung durch den Regen zu erbitten. Vgl. dazu a. unt. Anm. 223.

[205] Wichtig ist in diesem Zusammenhang, daß Maria, wie die altgermanische Göttin Freya, in Süddeutschland „Frau" heißt (S. Gutenbrunner, Germanische Frühzeit in den Berichten der Antike 1939, S. 141). Conrad Celtis hatte die christliche Gottesmutter gar *magni genetrix tonantis* genannt (Oden II 8, zitiert nach O. Kluge aaO. 64; auch der Humanist Chelidonius spricht vom *Christus tonans*, wie mir Walther Köhler freundlich mitteilt).

[206] Solon fr. 24,4 ff. Diehl. Vgl. Werner Keuffel, Der Vaterlandsbegriff in der frühgriechi- schen Dichtung 1942, 27 ff.

Aber das ist eine vereinzelte Stimme. Ihm selbst, von dem sie kam, hat sich die hehre Muttervorstellung gelegentlich sozusagen ins Partikularistische, zum Symbol der Stammesheimat verengt, wenn er das Schwabenland besingt „Glückselig Suevien, meine Mutter!"[207], noch mehr, wenn er eine geliebte Stadt des Vaterlandes mit dem Mutternamen bedenkt| („Heidelberg"): „Lange lieb' ich dich schon, möchte dich, mir zur Lust, Mutter nennen . . ."

In seiner Zeit aber und bei ihren Dichtern, denen das Christentum eine selbstverständliche Lebensmacht war und denen andrerseits das Vaterland ins Weltbürgerliche verschwamm, sicherte sich der Mutterglaube neben der Gottvaterverehrung gemeinhin dadurch seinen Platz, daß er sich in die je und je als weiblich und mütterlich empfundene Erde[208] oder noch weiter gefaßt in die Natur versenkte.

Schon FRIEDRICH LOGAU hatte auf den Wonnemond das feine Epigramm gedichtet:

> Dieser Monat ist ein Kuß, den der *Himmel* gibt der *Erde*,
> Daß sie jetzund seine Braut, künftig eine *Mutter* werde[209].

Und JOHANN PETER UZ, der christliche Anakreontiker des 18. Jahrhunderts, besingt in seinem „Lob des Höchsten" den Allvater folgendermaßen:

> Dich preis' ich, der du an die *Erde*
> Mit *väterlicher* Güte denkst,
> Der du ihr in der Sonne leuchtest,
> Und im Regen sie befeuchtest,
> Sie mit kühlem Taue tränkst!
>
> Daß frisches Grün um ihre Glieder,
> Ihr Haupt mit jungen Blumen lacht,
> Und ihren *mütterlichen* Rücken
> Saat und milder Segen drücken
> Jährlich mit verneuter Pracht[210].

Das letzte Zeugnis, das wir in diesem Zusammenhang bemühen, ist um so wichtiger, als es im Munde eines geradezu pietistisch strengen Christen zugleich auch dem Vaterglauben genau den Ausdruck verleiht, den wir als Hauptsignum des alten indogermanischen Himmelsgottes erschließen durf-

---

[207] FR. HÖLDERLIN, Die Wanderung. Vgl. HENSE aaO. 187.

[208] Vgl. dazu für die hellenische Antike das schöne Buch von ALBR. DIETERICH, Mutter Erde 1905 (²1913) mit seinen zahlreichen volkskundlichen Parallelen. Reiches Material auch schon bei C. C. HENSE, Poet. Personification . . . 1 (1868) 185 ff., 215 f.

[209] Nach HENSE aaO. 187. Vgl. auch J. v. Eichendorffs bekanntes Gedicht ‚Mondnacht': „Es war, als hätt' die Erde Der Himmel still geküßt", . . .

[210] J. P. Uz, Sämmtl. poetische Werke I (1768) ²1776, 284; die Ähnlichkeit mit dem oben angeführten Aischylosfragment ist unverkennbar. Ein anderes, weit stärker rhetorisch gefärbtes Gedicht, das gleichfalls „Lob des Höchsten" überschrieben ist (ebd. 253 f.), leiht dem Preis des „Herrn" dagegen ausgesprochen jüdisch-alttestamentliche Züge.

ten, nämlich die Verbindung des Väterlichen mit dem Allbegriff. GOETHES Jugendfreund JOHANN HEINRICH JUNG-STILLING sagt von seinem Beruf, der Heilkunst, das schöne Wort: „die keusche Jungfer Medizin" verfügt nur über wenig Mittel, „das übrige alles hat meine| *Mutter Natur* unter der Hand, die heilt und tötet so, wie *Allvater* will."[211]

Mit diesem gläubigen Bekenntnis eines Christen zu den überdauernden Mächten alten heimischen Glaubens sollen diese Erörterungen schließen. Sie gingen auf weiter nichts aus, als den Gott unserem geschichtlichen Verständnis näher zu bringen, der wie kein anderer noch unter uns lebendig ist, weil er indogermanischem Wesen entspricht und von ihm einst gezeugt ward. Nicht von ungefähr gilt freilich von ihm auch, was einmal Wilamowitz im Blick auf den Zeus der Griechen gesagt hat[212]: „daß es keinen anderen Weg gibt, einen Gott zu verstehen, als daß man an ihn glaubt."

Inhaltsübersicht

Die einzige, allen großen indogermanischen Volksreligionen deutlich gemeinsame Göttergestalt ist der Gott, der seiner kosmischen Erscheinung nach durch den lichten Himmel repräsentiert wird, nach seinem sozialen Charakter eine Vatergottheit gewesen ist. Beides kommt fast durchgängig auch in seinem Namen zum Ausdruck: *Dyauṣ pitā* heißt er bei den Indoariern, *Ζεὺς πατήρ* bei den Griechen, *Δειπάτυρος* bei den Illyriern, *Diespiter* bei den Römern, *Tiwaz* bei den Westgermanen. Dem entsprechen die ältesten Zeugnisse, die uns sein Wesen künden, besonders greifbar bei den Griechen und Römern, wo der „König" Zeus oder der „Herrscher" Juppiter gegenüber dem Sippenvater oder Hausherrn deutlich als sekundär erscheint, seine Himmelseigenschaft nie ganz verblaßt.

Vom Himmelsgott spalten sich früh kosmische Gottheiten verwandter Art ab oder treten neben ihn und sichern sich ihren eigenen Bereich. So in Indien der Gewittergott *Indra*, der Himmelsgott *Varuṇa*, in Griechenland Uranos, Helios, Phoibos Apollon, in Rom Juppiter Caelestis, Pluvialis,

---

[211] Brief an FRANZ LERSÉ, Kaiserslautern 6. März 1780. Zur Sache vgl. Hippokrates, Epidemiai VI 5, 1 (V p. 314 Littré) *νούσων φύσιες ἰητροί.* Die tiefe Beziehung der nüchternen hippokratischen Weisheit auf muttergöttliches Wirken und Allvaters Walten bei JUNG-STILLING erwärmt doppelt, wenn man noch ein ebenfalls recht kühles Wort des Christen Tertullian (Ad nationes 2,5 p. 103,11) heranzieht, der dasselbe rhetorisch folgendermaßen ausdrückt: *natura honoranda sit in secundis, metuenda sit in adversis, domina scilicet iuvandi et nocendi.* – Die Verbindung von Vatereigenschaft und Allbegriff übrigens auch in dem oben angeführten Gedicht von UZ, vorletzte Strophe:

> Dir, großer *Vater aller* Wesen,
> Der *allen* wohltut, *alle* liebt,
> und will, daß *alle,* wenn sie wollen,
> *Alle* glücklich werden sollen,
> Denen er das Leben gibt . . .

(vgl. dazu a. das ‚Programm' des nur wenig späteren J. H. PESTALOZZI oben Anm. 54).
[212] Zeus aaO. 15; vgl. a. Platon [2]I 1920, 603.

Tonans, Fulgur oder Sol, bei den Germanen *Donar*, bei den Kelten *Taranis*. Vom Vater wandelt sich der Gott zum König und Herrscher da, wo staatliche Straffung und Festigung die Voraussetzungen zu solchem veränderten Glauben schuf: neben *Dyauṣ* tritt König *Indra*, Zeus wird Basileus, Iuppiter Optimus Maximus thront in | erhabener Ferne auf dem Kapitol, ungeachtet der Vaterbezeichnung, die er nach wie vor im Namen führt.

Daneben vertiefen und weiten sich die beiden Haupteigenschaften des Gottes, sein himmlischer Charakter und sein väterliches Walten. Der Himmelsgott wird in den Veden sowohl wie im Glauben der Orphik und in frührömischer Dichtung oder selbst bei den Germanen zum mehr oder weniger mystisch verstandenen Gott des Alls (*Varuna* der Allgegenwärtige; *Ζεὺς παντελής, παναίτιος, πάνταρχος, πανεργέτης* usw.; *Iuppiter omnipotens* oder *architectus omnibus; Tiwaz* als *regnator omnium deus* der Sueben, oder der Gott der *universalis columna*, der Irmin-Sul). Der Vatergott weitet sich vom Gott der Sippe und Familie zum Herrn von Geschlechterverband, Volksteil oder Staat (*Ζεὺς πατρῷος, Ζεὺς Λακεδαίμων* u. ä.; Stammesgott der Semnonen, Sueben, Herminonen), ohne dabei sein väterliches Wesen ganz abzustreifen.

Für diesen Himmelvater oder Allvater, um beide Seiten seines Wesens jeweils in einem zu bezeichnen, hat im indogermanischen Bereich, zumal bei den abendländischen Kulturvölkern, und wiederum besonders bei uns Deutschen je und je Glaubensbereitschaft bestanden, ohne daß dieser immer wieder hervorbrechende Glaube einer überlieferungsmäßigen Kontinuität bedurfte. Da aber gerade auch das Christentum in der selbst von Paulus nicht angetasteten im Semitischen ganz neuartigen Botschaft Jesu vom „Vater im Himmel", dem Gott des Vaterunsers wie des ersten Glaubensartikels, den gleichen Gott zu verkünden schien, so fand der alte Glaube neue Nahrung.

Auch die für indogermanisches Empfinden notwendige Ergänzung des Himmelvaters, die Mutter Erde, das heilige Heimatland oder die Mutter Natur hat sich ihres Anspruchs auf gläubige Verehrung bis heute nicht zu begeben brauchen.

Nachtrag 1974
(zu [S. 32] und [S. 40])

Zwei wichtige Beobachtungen und Neufunde, auf die ich durch ERIKA SIMON zuerst aufmerksam geworden bin, können – so scheint es – entscheidend dazu beitragen, unsere Überzeugung von einem gemeinindogermanischen Himmelsgott zu befestigen. Und zwar so, daß dessen Sonderausprägungen nicht wie bisher nur aus dem gemeinsamen Namen und den daher ableitbaren Wesenszügen erschließbar sind (s. dazu oben [S. 30 f.]).

Zunächst hat WERNER KRÄMER[213] die Spuren ‚Prähistorischer Brandopferplätze' gesammelt und durch Abbildungen sowie eine Verbreitungskarte

---

[213] Helvetia Antiqua. Festschrift Emil Vogt 1966, 111–122. Daher stammen unsere beiden Abbildungen 1 u. 2; vgl. a. E. SIMON, Die Götter der Griechen 1969, S. 17, Abb. 4 u. 5.

anschaulich gemacht[214] (Abb. 1). Nördlich und südlich der oberen Donau und im Alpengebiet mit einer Konzentration südlich des Bodensees, aber auch in Südtirol wurden seit mehr als 100 Jahren allmählich bis zu 25 Opferplätze von ziemlicher Größe festgestellt und mit zunehmender Intensität und Exaktheit auch untersucht, die einer Reihe von Kultstätten der Griechen in auffallender Weise ähneln: ein meist fundamentierter Bezirk, zu dem einige Stufen hinaufführen, und auf dem sich die Asche und die Knochen der verbrannten Opfertiere in einer festen Masse von kalziniertem Knochenschotter langsam zu beträchtlicher Höhe häuften[215], so daß schließlich auch hier Stufen eingehauen werden mußten, um den Zugang bis oben zu ermöglichen. Ein Berg oder Hügel befand sich häufig in der Nähe. Manchmal krönte jedoch der Altar selber eine Bergkuppe, wie auf der Hochfläche des Schlern oder im Südosten des Zeusheiligtums auf dem Gipfel des Lykaiongebirges[216]. Da die bekanntesten Beispiele dieser sogenannten ‚Aschenaltäre‘ im hellenischen Raum dem Zeuskult dienten – der erwähnte Altar des Zeus Lykaios, das Heiligtum des Zeus Ainesios auf dem Ainosgebirge von Kephallenia, und vor allem der ‚Aschenaltar‘ des Zeus in Olympia[217] (Abb. 2) –, so könnte man annehmen, auch in den Beispielen des Alpengebiets und in Süddeutschland in der Tat Heiligtümer eines indogermanischen ‚Zeus‘ gefunden zu haben[218]. Man hat zwar ähnliche Aschenschichten auch schon in kretischen Heiligtümern gefunden[219]. Aber hier sind die vergleichbaren Züge offensichtlich vager und allgemeiner, während die von KRÄMER einander gegenüber gestellten Beispiele von ‚Aschenaltären‘ eine so frappante Übereinstimmung zeigen, daß wir sie mit einigem

---

[214] Sie entstammen zumeist der späten Bronze- und der Urnenfelderkultur, also etwa der Zeit von 1250–750 v. Chr., und sie deuten, so möchte ich folgern, doch wohl auf indogermanisches Volkstum hin, das man als „illyrisch" oder gar als „keltisch" zu bezeichnen heute freilich nicht mehr bereit sein wird. Vgl. dazu etwa H. RIX im LAW 1965, Sp. 1375.

[215] Der Sinn dieser merkwürdigen Konservierung bestand darin, daß die Reste der geopferten Tiere als „Eigentum der Götter . . . heilig und unantastbar" waren; s. M. P. NILSSON, Gesch. d. griech. Religion I² 1955, 84 ff.

[216] W. KRÄMER aaO. 112, 117, 120. Vgl. zum Zeus auf dem Lykaion jetzt K. KERÉNYI, Zeus und Hera 1972, 23 f., 30 f., 33. Zu den griechischen ‚Aschenaltären‘ s. M. P. NILSSON aaO. 86–88 mit weiterer Literatur, und vgl. vor allem zum Zeusaltar in Olympia (den Pausanias V 13, 8 ff. genau beschreibt, der jedoch – vermutlich im 5. Jh. von den Christen – total zerstört wurde) L. ZIEHEN RE XVIII 1. 1942, Sp. 58–60 im Artikel ‚Olympia‘.

[217] Daneben kennt man entsprechende Altäre für andere zeusnahe Gottheiten, so für Hera auf Samos, für Apollon in Didyma, etc.; s. NILSSON 87. Daß ein von Pausanias V 13,8 zum Vergleich herangezogener ähnlicher Altar in Pergamon auf dem Unterbau des berühmten dortigen Zeusaltars aufgebaut habe, wie es KRÄMER S. 120 für möglich zu halten scheint, war von Nilsson 87₉ bestritten worden.

[218] So meint ERIKA SIMON aaO. 18: „Es ist sehr wahrscheinlich, daß diese Sitte des Zeuskults aus dem Norden nach Hellas kam." Vorsichtiger spricht KRÄMER 120 von ähnlichen religiösen Vorstellungen und verwandten Opferriten, betont jedoch mit Recht, daß „Beispiele dieser Art . . . sicher mehr bedeuten als bloße Konvergenzerscheinungen".

[219] NILSSON 86.

Vorbehalt doch als Belege für einen indogermanischen ‚Zeus' ansehen dürfen.

Die Zuversicht zu solchen Schlüssen wächst angesichts des zweiten Hinweises auf einen ‚Zeus'-Kult nördlich der Alpen, den neuere Forschung erbracht hat, und der eine noch größere Übereinstimmung in Einzelzügen zeigt.

Längst bekannt war der in der thessalischen Stadt Krannon geübte Regenzauber[220], den uns ein von Antigonos von Karystos überlieferter Bericht des Theopomp[221] und Bronzemünzen der Stadt[222] übereinstimmend bezeugen, die übrigens wie der Historiker dem 4. Jh. v. Chr. angehören. Die literarische Quelle besagt, daß ein eherner Kultwagen mit zwei darauf angebrachten Raben bei Trockenheit und Dürre in Bewegung versetzt wurde, um vom Gott den Regen zu erflehen. Die Münzen, die zum Teil auf der Vorderseite das Bild des Zeus tragen, ergänzen durch ihre Rückseitendarstellung den Bericht, indem sie auf dem vierrädrigen Wagen außer den beiden Raben einen Kessel oder eine Amphore zeigen, die man wohl gleich Schallbecken anzuschlagen pflegte, um durch Analogiezauber den Donner und damit auch den ersehnten Regen herbeizurufen[223] (s. Abb. 3).

Nun hat kürzlich CHRISTIAN PESCHECK in Acholshausen bei Ochsenfurt am Main in einem Kultwagengrab ein verkleinertes Bronzemodell eines solchen vierrädrigen Gefährts gefunden (s. die Abb. 4), das – außer je zwei Vögeln zwischen den Rädern – einen Kessel trägt, der einem der Münztypen

---

[220] Allgemein vergleichbar, wenn auch eine sublimere Form repräsentierend (die aber den begleitenden Zauberritus nicht ausschließt), ist das schon von Marc Aurel (*Εἰς ἑαυτόν* V 7) überlieferte und seiner Schlichtheit und Noblesse wegen von ihm gelobte attische Gebet an Zeus um Regen: *Εὐχὴ 'Αθηναίων. / ὗσον ὗσον, ὦ φίλε Ζεῦ, / κατὰ τῆς ἀρούρας / τῆς 'Αθηναίων / καί τῶν πεδίων* (v. 4 *καὶ τοῦ πεδίου* WILAMOWITZ).
Dazu die wichtigste Literatur: U. v. WILAMOWITZ, Griech. Lesebuch III 316 (Text). – Erläuterungen II 196 f. mit Hinweis auf das Regenwunder im Markomannenkrieg; nur hierzu vgl. a. WILH. WEBER, Sitzungsber. Heid. Ak. d. Wiss. 1910, 7,3 ff. und neuerdings W. JOBST, 11. Juni 172 n. Chr. Der Tag des Blitz- und Regenwunders im Quadenlande (Sitzber. d. Österr. Ak. d. Wiss., Ph.-hist. Kl. 335) 1978 mit weiterer Literatur auf S. 82. – ED. NORDEN, Ant. Kunstprosa I 1898 u. ö., (²1910) ³1923, 258. – FR. SCHWENN, Gebet und Opfer 1927, 5 (das *εὐχὴ 'Αθηναίων* weist auf ein offizielles Gebet, das *φίλε* eher auf ein persönliches Verhältnis zum Gott als auf magischen Zwang). – WILH. FIEDLER, Antiker Wetterzauber 1931, 42.
[221] Jetzt am besten zugänglich bei FEL. JACOBY, FrGrHist II 2 (1927) 115, 267, S. 593 (der Kommentar, S. 391 gibt nichts aus).
[222] B. v. HEAD, Historia Numorum ²1911 (Neudruck 1963), S. 293 f.
[223] Ich gebe die wichtigste altertumswissenschaftliche Literatur, wiederum in der Reihenfolge des Erscheinens: TH. BERGK, Kleine Philolog. Schriften II 1886, 295 f. – AD. FURTWÄNGLER, Meisterwerke der griech. Plastik 1892, 257–263 (F. ging von einem parallelen Denkmal aus, das – ebenfalls auf einem Kultwagen – den Oberkörper der weiblichen Erdgöttin zeigt, die den Himmel um Befruchtung durch den Regen anfleht; vgl. PAUSANIAS I 24,3, und s. a. ob. die Anm. 204). – FR. STÄHLIN, RE XI 1922, 1581. – W. FIEDLER aaO 52–55. – M. P. NILSSON aaO 117 m. Anm. 7. – FR. FOCKE, Tacitus über Germanien 1959 (unveröff. Ms., H. Hommel zum 60. Gbtg. gewidmet), S. 17 f. m. Anm. 38 auf S. 45. – CHR. PESCHECK an dem in der nächsten Anm. aaO. (dort auf S. 13 Abb. der Münzen von Krannon) mit weiterer Literatur.

von Krannon nicht unähnlich ist, wie denn die beiden Darstellungen auch sonst ganz zwingend aneinander erinnern[224]. Das Acholshausener Exemplar eines Kesselwagens gehört wie jene ‚Aschenaltäre' der Urnenfelderzeit an und wird ungefähr ins Jahr 1000 v. Ch. datiert. Als Ursprungszentrum von verwandten Kesselwagen (ohne Regenzauberattribute) sieht man den Ostalpen- oder Nordbalkanraum an. Von dorther mag auch derjenige aus Franken beeinflußt sein. Was uns hier beschäftigt, seine Ausgestaltung als Regenzaubergefährt ganz im Sinne und in der Form des Wagens von Krannon, läßt wiederum – und vielleicht noch deutlicher – auf einen ‚indogermanischen Zeus' schließen, der als Himmels- und Gewittergott über das kostbare Naß des Regens verfügt. Als er längst zusammen mit dem auf Erhörung zielenden Rezept und Instrumentarium nach Griechenland gewandert war, blieb seine Verehrung und die gleiche Art, ihn gnädig zu stimmen, auch nördlich der Alpen erhalten, ebenso wie sich das Ritual in Nordgriechenland durch die Jahrhunderte konserviert hat. Dabei ist es wiederum – wie im Fall der ‚Aschenaltäre' – erst von zweitrangiger Bedeutung, welches indogermanische Volk es war, das ihn dort repräsentiert hat[225].

Nachwort 1981

Von der in den letzten sieben Jahren erschienenen Literatur hebe ich nur das für mein Thema besonders Wichtige hervor. Vor allem bietet der große Artikel von HANS SCHWABL, ‚Zeus', Teil II in der RE S XV 1978, Sp. 993–999, 1009–1411 (mit den Nachträgen Sp. 1441–1481) zahlreiche Bestätigungen und Ergänzungen zu dem von mir Ausgeführten (ohne jedoch auf meine früheren Äußerungen zum Thema einzugehen), ganz besonders natürlich in den Abschnitten über den ‚Vater' Zeus, Sp. 1009–13 u. 1471 f. Vgl. auch den wertvollen Kurzartikel „Zeus" von D. Wachsmuth im Kleinen Pauly 5 1975, Sp. 1516 ff. Daneben ist auch noch zu erwähnen der Aufsatz von ILEANA CHIRASSI-COLOMBO, Morfologia di Zeus. In: Parola del Passato, fasc.

---

[224] Erstpublikation durch CHRISTIAN PESCHECK, Das Kultwagengrab von Acholshausen 1971 (15 S. mit 3 Abb. im Text und 4 Lichtdrucktafeln). Danach unsere Abbildung 3 u. 4. Nachträglich erhalte ich durch die Freundlichkeit des Verf. den Sonderdruck der ausführlichen wissenschaftl. Publikation des wichtigen Fundes: CHR. PESCHECK, Ein neuer Grabfund mit Kesselwagen aus Unterfranken. In: Germania 50. 1972, S. 29 ff.; s. hier bes. 29 f., 42 u. 50–56 mit den Abb. auf Taf. 3–5 und reichen Literaturangaben in den Anm. 77–125 (vor allem auch zu dem Fundbestand vergleichbarer Kesselwagen). Vgl. neuerdings auch den reich illustrierten Aufsatz des gleichen Verf. „Fürstengrab der späten Bronzezeit in Nordbayern" in: Antike Welt 5. 1974, H. 3, 15–20 (hier bes. 16–19 m. Abb. 2 u. 7), dort auf S. 20 Zusammenstellung der Literatur.

[225] Zu den Aschenaltären und zum Kesselwagen von Krannon mit seinen Parallelen s. jetzt auch ERIKA SIMON im Artikel ‚Zeus' (Teil III Archäologische Zeugnisse) RE XV 1978, Sp. 1413 u. 1414 f. mit dem lapidaren Schlußwort Sp. 1415: „Die Kesselwagen bestätigen, wie die Aschenaltäre, die nördliche Herkunft des Zeus."

163. 1975, S. 249–277, wo vor allem dem Wandel des Zeusbilds, auch seiner Epitheta, im Lauf der Zeit nachgegangen wird.

1978 erschien in einem von Hubertus Tellenbach herausgegebenen Sammelwerk, Das Vaterbild im Abendland I[226] auf S. 18–54 und 192–200 der wichtige Beitrag von Antonie Wlosok, Vater und Vatervorstellungen in der römischen Kultur (darin S. 37–42 über Juppiter und Pater Patriae. S. 48–54 über römische Vatervorstellung bei Laktanz) – auch diese Arbeit ohne Bezugnahme auf meine Forschungen, wie sie vor allem in dem Aufsatz ‚Domina Roma‘ (jetzt in meinen Symbola I 1976, 331 ff.) niedergelegt sind.

---

[226] Vorangegangen war, veranstaltet vom gleichen Herausgeber, der Sammelband ‚Das Vaterbild in Mythos und Geschichte . . .‘ 1976. Auf einzelnes darin bin ich oben ([S. 57], Anm. 168) zu sprechen gekommen.

Der allgegenwärtige Himmelsgott

Eine religions- und formengeschichtlichte Studie[*]

Eine der frühesten[1] Schriften des Plutarch von Chaironeia handelt
von der Gottesangst, wie Wilamowitz[2] den griechischen Begriff treffend
übersetzt, der damals mit der Bezeichnung „δεισιδαιμονία" verbunden
wurde. Plutarch stellt hier den ἄθεος und den δεισιδαίμων einander
gegenüber, und der Vergleich fällt sichtlich zu Gunsten des Gottlosen
aus. Das muß Wunder nehmen, wenn man an den sonst so häufig in
Plutarchs reichem Schrifttum hervortretenden deutlich „gottesfürchtigen"
Standpunkt denkt, wie er bei dem Priester des delphischen Apollo ja
auch vorauszusetzen ist. Man konnte darum den Charakter der Schrift
einerseits aus dem Bestreben Plutarchs erklären wollen, den Aberglauben
seiner Zeit dadurch besonders wirksam zu bekämpfen, daß er bare Gottlosigkeit noch als das kleinere Übel hinstellte. Andererseits nahm man
eine Entwicklung bei Plutarch an und ließ ihn in seiner Jugend mit
der Gottlosigkeit noch einigermaßen sympathisieren, während er sich
später gewandelt hätte. Beides mag bedingt seine Geltung haben, doch
ist es fast zu viel Ehre für den oft recht oberflächlich kompilieren-
den und fremdes literarisches Gut an sich raffenden Chaironeer. Der
Hauptgrund für den befremdenden Inhalt der Schrift ist nämlich der, daß
der Verfasser im wesentlichen eine kynische Diatribe ausgeschrieben
und die Verkleisterung mit seinen eigenen Anschauungen am Anfang
und Schluss und durch wenige eingestreute Partien[3] nur recht unzu-

---

[*] Der allgegenwärtige Himmelsgott ARW 23. 1926, S. 193–206.

[1] Nach R. Hirzel *Dialog* Leipzig 1895, II, S. 157₃.

[2] *Griech. Lesebuch* I 2, S. 330.

[3] So möglicherweise im 4. Kap. der Passus, der die Götter auch als Spender
des Reichtums bezeichnet; ferner im 5. Kap. die viell. von Plut. aus Platon
(*Tim.* 16 u. *Staat* III 17, 410 C) nach dem Gedächtnis zitierte Stelle über die
Musik, die man sich in einer kyn. Diatribe nicht wohl denken kann und die
auch mit dem Thema nur in sehr loser Verbindung steht.

änglich besorgt hat. Das hat W. Abernetty in seiner auf Wünschs
Anregung entstandenen Dissertation[1] bündig erwiesen, wenn ihm freilich
auch der Nachweis der Autorschaft Bions, die recht nahe liegt, nicht
gelingen konnte, da das Material dazu nicht ausreicht.[2]

Uns soll hier der Anfang des 4. Kapitels (166 D) beschäftigen. Die
ganze Partie (165 D — 167 E) ist, wie Hubert richtig bemerkt,
mehrerer Vorlagen verdächtig[3], da derselbe Gedanke einigemale parallel
abgewandelt ist. Doch weist die Stelle, auf die hier eingegangen werden
soll, deutlich auf die auch sonst benützte kynische Diatribe als Vorlage:
Es handelt sich um die Unmöglichkeit für den Abergläubischen, irgendwie und irgendwo der Gottheit, vor der er in beständiger Angst lebt,
auch nur für kurze Zeit zu entfliehen, da sie ihn in seiner erbarmungs-
würdigen Verfassung immer und überall drohend umgibt. In lebendigem
Diatribenton wird da an der Hand von wirksamen Gegensätzen dieser
Zustand ausgemalt. Es heißt, daß Herrscher wie Polykrates und
Periandros zwar furchtbare Tyrannen waren — eine gerade mit der
kynischen identische Auffassung[4] —, daß aber den, der sie zu fürchten
hat, der Wegzug in ein freies und demokratisch regiertes Land ohne
weiteres von allem Druck befreit. Dann wird in pathetischem Ton —
in der Form rhetorischer Frage — in Gegensatz dazu gestellt, daß der,
der die Herrschaft der Götter gleich als eine finstere und unerbittliche
Tyrannis fürchtet, auf keine Befreiung von diesem Zustand zu hoffen
hat. Es ist merkwürdig, daß der gehobene Ton dieser Stelle mit rhetorischer Frage, Anapher[5], Apostrophierung, mit poetischen Ausdrücken
und Wiederholung der gleichen Begriffe noch niemanden bisher veranlaßt hat, in ihr ein Zitat zu erblicken, was doch um so näher läge, als
die zunächst umrahmenden Sätze sich im Gegensatz dazu in ihrem Ton
durchaus „auf ebener Erde" halten. Was unmittelbar nachfolgt, ist ein
Hinweis auf das an sich traurige Sklavenlos, das aber doch wenigstens
gegebenenfalls durch das Recht des Herrenwechsels gemildert werden
könne[6] — wieder ein Vergleich aus einer Sphäre, die zu der Rede eines

---

[1] *De Plut. qui fertur de superstit. libello* Diss. Königsb. 1911.

[2] Darauf weist Hubert in seiner Bespr. der Arbeit i. d. *Wochenschr. f. Kl.
Philol.* 1912 hin.

[3] a. O. Sp. 1230; vgl. a. ob. Fußn. 3.

[4] Vgl. Abernetty a. O. p. 21 und Zeller *Die Philos. der Gr.* II 1 S. 324.

[5] einer gerade für die Diatribe typischen Figur, s. Seidel *Vestigia diatribae
in Plutarcho* Diss. Breslau 1906, p. 24.

[6] Lipsius *Das att. Recht u. Rechtsverf.* II 2 Leipzig 1912, S. 643 sucht
zwar zu zeigen, daß die Erfüllung eines solchen „πρᾶσιν αἰτεῖν" nicht durch
ein gerichtliches Verfahren habe erzwungen werden können; aber unsere Stelle,
die Lipsius nicht anführt, ist einer solchen Annahme doch sehr günstig, wenn
man nicht annehmen will, daß gerade das attische Recht hier eine Sonderstellung einnahm.

kynischen Philosophen an das niedere Volk am besten paßt. — Bedenkt
man, daß überhaupt der kynische Volksredner seine Beispiele, aber auch
seine Zitate, vorwiegend solchen Gebieten entnahm, die dem Volk ein-
leuchten mußten oder von vornherein geläufig waren, so ist klar, daß
da, wo es sich um religiöse Dinge handelte, die Volksreligion herhalten
mußte. Da bekanntlich zur Zeit Bions, des Schöpfers der Diatribe, und
noch geraume Zeit danach bis zum Eindringen orientalischer Kulte die
Orphik den Hauptbestandteil der griechischen Volksreligion ausmachte[1],
so ist also schon aus diesen allgemeinen Erwägungen heraus nahegelegt,
in der Diatribe verstreut orphisches Gut zu vermuten. Tatsächlich steht
sogar in der Umgebung unserer Stelle, vom Autor stets polemisch verwendet, manches, was eindeutig auf orphische Vorstellungen weist. Daher
gehört z. B. (166 A) die deutliche Anspielung auf die orphischen Reini-
gungszeremonien mit πηλώσεις, καταβορβορώσεις, βαπτισμοί usw. durch die
περιμάκτρια γραῦς, die dem Abergläubischen von Gauklern und Zauberern
— teilweise mit den Worten eines sonst unbekannten Tragikerverses (?)
— empfohlen werden;[2] ferner (167 A) die pythagoreisch-orphische Ausmalung der Schrecken des Hades, die an Lukians Parodie erinnert.[3]
Gleich nach unserer Stelle, wo wie gesagt der Gegensatz des noch einige
Ausblicke gewährenden Sklavenloses zu dem ganz hoffnungslosen Schicksal
des den Göttern verfallenen Abergläubischen ausgeführt wird — übrigens
wiederum ganz im Diatribenton mit Ausschmückung durch Dichter-
zitate —, da heißt es von dem δεισιδαίμων: φρίττων τοὺς σωτῆρας καὶ
τοὺς μειλιχίους τρέμων καὶ δεδοικώς. Die Bezeichnungen σωτῆρες und
μειλίχιοι, als Götterepitheta überaus häufig, finden sich doch als generelle
Götternamen nicht allzuoft.[4] Die meisten von den betr. Stellen weisen
auf Volkskulte hin, und μειλίχιοι finden wir sogar gerade in dem Proömium
zu den orphischen Hymnen wieder.

Es ist nun an der Zeit, die Stelle, in der wir bisher aus allgemeinen
Gründen ein Zitat des Diatribenschreibers vermuteten, für das dem

---

[1] Vgl. z. B. Samter *Die Rel. d. Griechen* 1914, S. 81 ff.

[2] Vgl. dafür bes. A. Dieterich *Nekyia*, S. 72 ff.; die andere zu dieser Stelle
einschlägige Literatur s. bei Abernetty a. O. p. 15 sq., von antiken Stellen vgl.
bes. Platon *Phaidon* 69 C u. 113 D, *Staat* 365 E u. 614 D.

[3] Luk. *Wahre Geschichten* II, 2; vgl. A. Dieterich a. O. S. 142 f.

[4] Für σωτῆρες s. die Stellen bei Höfer in Roschers *Myth. Lex.* s. v. Soter,
wozu unsere Stelle nachzutragen ist; für μειλίχιοι ebenda II, 2, Sp. 2558. —
Wenn Gruppe *Griech. Myth.*, S. 909 hinter der Bezeichn. μειλίχιοι stets Zeus
und Dionysos finden will, so spricht dagegen schon unsere Stelle, ebenso gerade
auch eine orphische Stelle *Orph. Hymn.* Prooem. 30, wo die μειλίχιοι θεοί mitten
unter anderen Göttern zweiten Ranges weit hinter Zeus (v. 3) und Dionysos
(v. 9) aufgeführt und also sicher generell zu fassen sind als irgendwelche chtho-
nische Gottheiten (vgl. Rohde *Psyche* I², S. 273₁). Die σωτῆρες bezeichnen ja
z. B. auch keineswegs immer die Dioskuren!

ganzen Zusammenhang nach orphisches Gut als Quelle möglich erschien,
im Wortlaut anzuführen. Es soll dies gleich im Zusammenhang mit
zwei anderen Stellen religiöser Poesie geschehen, von denen jede wieder
den Stempel einer ganz anderen Welt trägt; die gleichwohl vorhandene
frappante Ähnlichkeit soll das merkwürdige Dreigespann rechtfertigen,
zumal im folgenden ein Erklärungsversuch für diese Ähnlichkeit geboten
werden wird.

Atharvaveda IV 16, 1—5:	Plutarch. de superst. c. 4, 166 D:	Psalm 139, 7—10:[1]
a) Der große Herr dieser Welten [sieht als ob er nahe wäre ... die] Götter [wissen es all.]	[ὁ δὲ] τὴν τῶν θεῶν ἀρχὴν [ὡς τυραννίδα φοβούμενος σκυθρωπὴν καὶ ἀπαραίτητον],	
Ob einer gehe oder stehe [oder .. s. u. ...]	ποῦ μεταστῇ, ποῦ φύγῃ,	a) ποῦ πορευθῶ ... καὶ ποῦ φύγω;
f) Wenn einer auch fern hinweg flöhe,		
c) Auch diese Erde ist Varunas, des Königs,	ποίαν γῆν ἄθεον εὕρῃ,	
e) Die beiden Meere sind Varunas Hüften...	ποίαν θάλατταν,	c) ἐὰν...κατασκηνώσω εἰς τὰ ἔσχατα τῆς θαλάσσης,
g) jenseits des Himmels,	εἰς τί καταδὺς τοῦ κόσμου μέρος	b) ἐὰν ἀναβῶ εἰς τὸν οὐρανόν, σὺ εἶ ἐκεῖ· ἐὰν καταβῶ εἰς τὸν ᾅδην, πάρει·
d) und dieser weite Himmel samt seinen fernen Enden.		
i) König Varuna schaut alles dieses, was zwischen Himmel und Erde ist und was darüber hinaus liegt.		
b) oder sich verstecke...	καὶ ἀποκρύψας σεαυτόν,	
h) auch dann würde er nicht entrinnen Varuna unserm König...	ὦ ταλαίπωρε, πιστεύσεις, ὅτι τὸν θεὸν ἀποπέφευγας;	d) καὶ γὰρ ἐκεῖ ἡ χείρ σου ὁδηγήσει με, καὶ καθέξει με ἡ δεξιά σου.

---

[1] Für die Psalmstelle ist der Septuagintatext gewählt nur aus dem rein
praktischen Grund, die zu vergleichenden Stellen möglichst auf einen Nenner
zu bringen, um die Vergleichspunkte desto deutlicher in die Augen springen

Die Gleichheit des Gedankengehalts in den drei Stücken wird ohne
weiteres deutlich. Aber nichts dürfte uns verleiten, daraus allein einen
gemeinsamen Urquell für den vedischen Hymnus, den Psalm und die
Diatribenstelle bei Plutarch annehmen zu wollen; denn die Idee von der
Unentrinnbarkeit des allmächtigen Gottes liegt für das religiöse Gefühl
so nahe, daß sie an verschiedenen Stellen „spontan" entstanden sein und
ihre konvergente Form gefunden haben könnte. Ist nun aber der sinn-
fällige Ausdruck für die Form — die F o r m e l — hier wie dort in
wesentlichen Punkten derselbe, so gibt das schon zu denken; kehren
vollends hier und dort besonders originelle Prägungen wieder, wie in
unserem Fall das Meer, die Enden der Erde, das Entfliehen und sich
Verstecken, so hat man die Pflicht, ernstlich einen gemeinsamen Ursprung zu erwägen. Diesen Grundsatz haben die Männer der vergleichenden Religionswissenschaft immer wieder ausgesprochen, und
besonders Eduard Norden tritt in seinem letzten Buch[1], das selbst
einen Triumph dieser Methode darstellt, wieder ganz entschieden für
die Wichtigkeit der Formengeschichte zur Erforschung der Geschichte
der Ideen ein. Er nennt die Formelsprache das „Leitfossil", dessen
Wiederkehr in verschiedenem Boden — um hier den Vergleich fort-
zuspinnen — wirkliche Kontinuität der betreffenden Gedankenschicht
verbürgt. Machen wir uns nun daran, für unseren Fall die Konsequenz
zu ziehen, so ist zunächst zu bemerken, daß schon Hermann Brunnhofer, dessen Arbeit[2] ich durch Vermittlung meines Vaters die Kenntnis
der Vedenstelle verdanke, dem gemeinsamen Ursprung der Veden- und
der Psalmstelle bahnbrechend nachgegangen ist. Seine für die Plutarchstelle außer Betracht zu lassenden Darlegungen über die in den beiden
andern Stücken[3] verschiedentlich abgewandelte Formel „Gedanken—
Worte— Werke" haben diese durch eine Fülle von Beispielen als typisch

---

zu lassen, für die Vedenstelle ist natürlich die deutsche Übersetzung (nach
Brunnhofer a. d. unt. ang. O.) das Gegebene. Die kleinen Buchstaben am Rand
bezeichnen die Reihenfolge der Absätze im Original, von der der leichteren
Vergleichbarkeit halber abgegangen wurde. Punkte deuten Auslassungen von
Wendungen an, die für den Vergleich unwesentlich sind. Die bes. frappanten
Ähnlichkeiten sind durch gleichen Druck hervorgehoben.

[1] *Die Geburt des Kindes* (üb. Vergils 4. Ekl.) 1924, S. 165.

[2] *Iran und Turan* Lpzg. 1889, Kap. VIII 4, S. 188 ff. — Die Übersetzung
des Hymnus mit Parallelstellen auch schon bei Kaegi *Rigveda* 1881, S. 89—
91; vgl. a. Fr. Hommel *Ethn. u. Geogr. d. Alten Orients*, I, 1904, S. 228.

[3] Die betr. Partien des Psalms und des Vedenhymnus sind hier weggelassen
und können bei Brunnhofer nachgelesen werden. Eine übersichtliche Zusammenstellung der deutschen Übersetzung von Psalm, ved. Hymnus und den
bis jetzt gefundenen griech. Parallelstellen gebe ich demnächst an anderer Stelle
in einem Aufsatz über das Problem der Konvergenz. Dort finden sich weitere
Gesichtspunkte zur Stützung von Brunnhofers These.

indogermanisch erwiesen[1] und damit den Zusammenhang des Psalms
mit dem vedischen Hymnus noch gefestigt und indogermanischen Boden
als Heimat der Vorlage erwiesen. Besonders aus geographischen Erwägungen hat er (S. 195 f.) in der gemeinsamen Quelle eine medische
vermutet, da nur Medien ein Land sei, in dessen Poesie einerseits das
Meer (und zwar das Kaspische) eine Rolle spielen könne und das zugleich eine Berührung der Hebräer der Urzeit mit den Ariern der Urzeit möglich erscheinen ließe.[2] Wo die gemeinsame Quelle auch näher
zu lokalisieren sein mag, die Ähnlichkeit des Wortlauts berechtigt uns,
unsere aus Plutarch gewonnene Diatribenstelle zu solch fernen Zeiten
und Räumen in Beziehung zu setzen; und es wird jetzt klar werden,
warum wir vorhin Wert darauf legten, eine orphische Quelle für sie
als möglich hinzustellen. Denn soweit wir so große Entfernungen von
Raum und Zeit überhaupt mit Zwischenstationen ausfüllen können, ist
in unserem Fall nur an die Orphik zu denken. Sie war es, die im
Volksglauben und Volkskult auch sonst uraltes indogermanisches Gut
in aufgeklärte Zeiten hinüberrettete. Sie hat, mit Herm. Diels zu
reden, für die Griechen den „pantheistischen Glauben an den einen allumfassenden Zeus" geschaffen, „in dem alle Götter und Menschen,
Himmel, Erde und Meere einheitlich zusammengeschlossen werden".[3]

---

[1] In der Plutarchschen Schrift findet sich übrigens ihre Spur bald nach
unserer Stelle in der Umgebung der σωτῆρες und μειλίχιοι (s. o.) merkwürdigerweise ebenfalls: . . . παρ᾿ ὧν αἰτούμεθα . . . ὁμόνοιαν, ὄρθωσιν λόγων καὶ
ἔργων τῶν ἀρίστων.

[2] So schwankend diese Vermutung auch erscheinen mag, ganz so skeptisch
wie noch vor 20 oder 30 Jahren dürfen wir seit den aufschlußreichen Ausgrabungen von Boghaz-köj in diesen Dingen nicht mehr sein. Man denke nur
an das von Hugo Winckler entdeckte Vorkommen mehrerer altindischer Götternamen in den assyrischen Boghaz-köj-Texten (*Mitt. d. Deutschen Or.-Ges.* 35,
Dez. 1907, S. 51); die berühmte Stelle lautet in Übersetzung:

„Die Götter mit Mitra zusammen, die Götter mit Aruna zusammen,
Der Gott Indara, die Nâsatya-Götter."

Das höchstwahrscheinlich indogermanische Eroberervolk, um das es sich dabei
handelt, die Charri, saßen damals — im 14. Jahrh. v. Chr., also noch in der
„indopersischen Einheitsperiode", die auch für unseren Fall die Zeit der Beeinflussung darstellen mag — am Oberlauf des Euphrat und Tigris und nördlich davon, also nicht weit vom Kaspischen Meer und von dem von Brunnhofer
erschlossenen Ursprungsland unseres vedischen Hymnus. — Neuerdings hat
P. Jensen (*Sitz.-Ber. d. pr. Ak. d. Wiss.* 1919 S. 367 ff.) durch die Feststellung
„indischer Zahlwörter in keilschrifthittitischen Texten" (ebenfalls aus Boghaz-köj)
diesen Zusammenhang noch erweitert, ja an den Zahlwörtern dieselben Laut-
veränderungen wie bei jenen übernommenen indischen Götternamen nachweisen
können. (Die Kenntnis der Jensenschen Abhandlung verdanke ich einer freundl.
Mitteilung Robert Eislers).

[3] H. Diels *Zeus* in d. Archiv, XXII (1923/24), S. 11.

Die Orphik kommt ferner schon der alten Tradition nach[1] zu den Griechen aus dem indogermanischen Thrakien, dem Vermittlungsland zwischen
Vorderasien und Griechenland auch für den Dionysoskult[2], sie enthält
schließlich schon nach Adalbert Kuhns Forschungen Bestandteile, die
sich bereits in der alten indischen Religion finden; es sei hier nur an
den orphischen Zagreusmythos erinnert, den Kuhn bereits im Rigveda
vorgebildet fand.[3] So werden wir nicht fehlgehen, wenn wir unsere
Plutarchstelle, deren Formel uns die Verwandtschaft mit der Veden-
stelle verriet, über die kynische Diatribe und die orphische religiöse
Literatur, die nach dem indogermanischen Thrakien weist, einem gemeinsame arischen Ursprungsland in Vorderasien anzunähern suchen.
Wir dürien wohl auch für des kynischen Diatribenschreibers orphische
Quelle einen Hymnus auf den obersten Himmelsgott, also wohl auf
Zeus[4], vermuten, der ähnlich dem vedischen dessen Allgegenwart und
Unentrinnbarkeit pries; erst der Diatribenschreiber hat natürlich die
Umbiegung ins Abschreckende und Verächtliche vollzogen[5], wie er auch
anderes orphische Gut, dessen Spuren wir oben erkannten, tendenziös

---

[1] Z. B. Strabo X 3, 16. S. 470.

[2] Vgl. bes. Ad. Rapp *Die Beziehungen des Dionysoskultes zu Thrakien und
Kleinasien.* Stuttg. 1882; hier sind auch schon die Spuren aufgezeigt (bes.
S. 24 und 37), die in die Hochebene Kleinasiens und damit in einen weiteren
und größeren, freilich noch vielfach dunkeln Zusammenhang leiten. In neuerer
Zeit haben sich neben Rohde *Psyche* 2², S. 4 ff. u. ö. bes. Vürtheim *Mnemosyne*
29 (1901), S. 197—206, Perdrizet in seinem Aufsatz über *Cultes et Mythes du
Pangée* in den *Annales de l'Est* 24 (1910) S. 101 f. und Gruppe in Roschers
Lex. III, 1 Sp. 1078 ff. für Thrakien als Heimatland des Orpheus und seines
Kultes ausgesprochen.

[3] Kuhn *Die Herabkunft des Feuers und des Göttertrankes.* 1859. S. 166 ff.;
die interessante Parallele zwischen dem Διόννσος μηροϱϱαφής und dem in den
Schenkel des Indra eintretenden Soma schon *Zeitschr. f. vgl. Sprachf.* I (1852),
S. 192 unt.

[4] Über Zeus als die „Gottheit, die als gemeinsamer Glaube des indogermanischen Urvolkes in Anspruch genommen werden kann" s. zuletzt
H. Diels' nachgelassenen Zeusvortrag a. O., S. 2. Die gegen diese Auffassung
bes. von Gruppe erhobenen Einwände zerstreut L. v. Schroeder in seinen Ausführungen über „den altarischen Himmelsgott" in seinem Werk *Arische Religion* I 1914, S. 299 ff. — Über die Gleichung Varuna-Zeus s. a. unt.

[5] Derselbe hat wohl auch nicht mehr wörtlich zitiert, sondern schon —
freilich unter weitgehender Beibehaltung des Wortlauts — die gebundene Rede
verlassen; wie es ja überhaupt typisch für die Diatribe war, Poesie und Prosa
zu verquicken, vgl. Lukians Wort (δὶς κατηγ. 33): οὔτε πεζός εἰμι οὔτε ἐπὶ
τῶν μέτρων βέβηκα, zitiert bei W. Gemoll *Das Apophthegma.* Wien. Lpzg.
1924, der dort S. 105—111 trefflich über „die kynische Diatribe" handelt (so-
wenig auch sein Versuch überzeugen kann, die Diatribe wie den Roman, die
Memoirenliteratur und viele andere schöne Dinge samt und sonders auf die
Urform des Apophthegma zurückzuführen).

zur Karikierung des δεισιδαίμων verwandte. Irgendeine Spur eines orphischen Hymnus auf den allgegenwärtigen Himmelszeus besitzen wir nicht mehr, aber eine feine Parallele, die dies γένος religiöser Poesie veranschaulicht, ist der von Proklos und anderen[1] überlieferte Zeushymnus, der des Götterkönigs Allmacht in erhabenen Worten preist. Das geschärfte Auge wird in ihm und in unserer wer weiß wie stark entstellten Plutarchstelle, der das poetische Gewand abgestreift ist, doch noch gemeinsamen Geist erkennen.

Vielleicht mag es auf den ersten Blick wundernehmen, daß wir unbedenklich als Entsprechung für den Sang auf den indischen Gott Varuna in der orphischen Literatur einen Hymnus auf Zeus erschlossen haben, wo doch die durch die sprachliche Ähnlichkeit nahegelegte[2] und darum geläufige Gleichsetzung nicht Varuna-Zeus, sondern Varuna-Uranos und Dyâus-Zeus lautet. Es kann dafür auf die trefflichen, wenn auch im einzelnen noch vielfach hypothetischen Ausführungen Leopold von Schroeders über „den Himmelsgott bei den Indern und Persern" verwiesen werden[3], wo das Verhältnis von Dyâus und Varuna unter sich und zu den Himmelsgottheiten anderer großer Religionen, vor allem zu Ahuramazdâ eingehend behandelt wird. Danach ist Varuna der „Gott des Firmaments, des bedeckenden, die ganze Welt umfassenden, umschließenden Himmelsgewölbes" (S. 322), also ein Himmelsgott wie der in den Veden schon fast ganz von ihm verdrängte Dyâus. Der Unterschied in der Auffassung beider sei etwa so, „wie auch wir Himmel und Firmament unterscheiden" (S. 323). Da nun in allen Wesenszügen der persische höchste Gott Ahuramazdâ zweifellos mit Varuna nah verwandt ist[4] und nicht mit dem älteren Dyâus asura, auf den er wiederum dem Namen nach zurückgeht, so hat Schroeder eine sehr bestechende Vermutung aufgestellt und noch von anderen Seiten her zu begründen versucht; Dyâus und Varuna seien noch in der sogenannten „indopersischen Einheitsperiode"[5], die dem Sonderdasein der Inder und Perser vorangeht und in die möglicherweise schon eine Beeinflussung unseres Psalms durch das dem vedischen Hymnus zugrundeliegende Lied zu verlegen ist[6], identisch gewesen, und Varuna sei „eigentlich

---

[1] Kern *Orphic. Fragmenta* 168 (S. 201 f.).

[2] Die Etymologie οὐρανὸς — Varuna bestreitet allerdings u. a. Oldenberg *Die Religion des Veda* ²1917, S. 190₂ aus lautlichen Bedenken.

[3] In desselben *Arischer Religion* I 1914, S. 315 ff.; die frühere Literatur über Varuna daselbst S. 333₁ f.

[4] Vgl. a. H. Oldenberg an dem ob. a. O., S. 185f.

[5] S. S. 315f., von Spiegel „arische Periode" genannt, vgl. sein gleichnamiges Buch.

[6] Wobei natürlich nicht an den 139. Ps. in der uns vorliegenden Form, sondern an eine ihm zugrundeliegende Urform zu denken ist; denn so wie

nichts weiter als ein Beiname des alten Dyâus", von dem er sich „allmählich . . . als eine besondere Göttergestalt loslöste", indem er „immer
mehr Sonderleben und Selbständigkeit gewann — ein Prozeß, der sich
auf dem Gebiete der Religionsgeschichte oft genug wiederholt" (S. 331).
Damit wäre die Gleichsetzung von Varuna und Zeus, die übrigens — das sei
für den, der Schroeder nicht folgen kann, ganz bes. betont — dem Wesen
der beiden Gottheiten nach an sich ganz unbedenklich ist, doppelt gerechtfertigt. Daß Schroeder auf dem richtigen Weg ist mit seiner Hypothese von dem urarischen Himmelsgott Dyâus Varuna, aus dem sich auch
— freilich später durch Zarathustra gehoben und durchgeistigt — der
persische Himmelsgott entwickelt hat, dafür scheint eine interessante
Herodotstelle zu sprechen (I 131), die sich augenscheinlich auf die
— vielleicht noch zu Herodots Zeit in den westlichen Gegenden des
Landes erhaltene — vorzarathustrische Religion bezieht: οἱ δὲ νομί-
ζουσι Διὶ μὲν ἐπὶ τὰ ὑψηλότατα τῶν οὐρέων ἀναβαίνοντες θυσίας ἔρδειν, τὸν
κύκλον πάντα τοῦ οὐρανοῦ Δία καλέοντες, eine Auffassung, die sich
tatsächlich wörtlich auf den Varuna der Veden anwenden ließe, der,
wenn diese Gleichung richtig ist, also von Herodot hier mittelbar ebenfalls mit „Ζεύς" paraphrasiert wäre, wie wir es oben tun zu dürfen meinten.
— Die Übertragung von Zügen des Varuna auf den Gott der Juden, wie
sie im 139. Psalm stattfindet, darf um so weniger verwundern, als man
längst allein auf Grund der allgemeinen, in die Augen springenden
Wesensähnlichkeit der beiden Gottheiten den Varuna den „indischen
Jehova" nannte[1], ohne an eine Möglichkeit der gelegentlichen Übertragung von Einzelzügen zu denken, wie sie Brunnhofer erstmals nahegelegt hat.

   Erst vor kurzem ist von Ludw. Weniger in einem lehrreichen Aufsatz[2] der Sänger des 139. Psalms als Kronzeuge dafür angeführt worden,
daß im Gegensatz zu Griechenlands Göttern „der Gott Israels allenthalben anwesend sei". Wie wir gesehen haben, liegt die Auffassung
nahe, daß dieser Psalm dem Gott der Juden als ein zwar herrliches aber
doch aus fremdem Zeug gewirktes Gewand erst angepaßt worden sei.
Es müßte ja allein schon stutzig machen, daß Stimmen, die von der
Allgegenwart Gottes künden, im Alten Testament sonst nur ganz vereinzelt ertönen.[3] L. Weniger führt allerdings als Beleg für seine Auf-

---

wir ihn lesen, ist seine Sprache stark vom Aramäischen beeinflußt, so daß man
ihn sogar für nicht älter als etwa das Buch Hiob (also f. nachexilisch) gehalten
hat; s. R. Kittels *Psalmenkommentar.* Lpzg. 1914, S. 475 (zu Ps. 139). Vgl.
dazu auch meinen ob. angekündigten Aufsatz über das Problem der Konvergenz.
   [1] So Schroeder a. O. S. 117f. u. 321, vgl. a. S. 325.
   [2] *Theophanien, altgriech. Götteradvente* in d. *Archiv* XXII (1923/24), S. 16 ff.
   [3] Belege für diese Tatsache s. bei A. Dillmann *Handbuch der alttest. Theol.*
1895, S. 246.

fassung noch eine weitere Stelle an: „Bin ich denn Gott nur in der
Nähe Und Gott nicht in der Ferne auch? Bin ich's nicht, der allgegenwärtig Den Himmel und die Erde füllet?"[1] Es ist kein Zufall, daß
diese Worte aus dem Munde des Propheten Jeremia kommen; denn
dieser steht mit seiner Anschauung in seinem Volke ganz allein da[2]
und stellt sie in bewußten Gegensatz zu der der falschen Propheten,
die wohl an heilige Orte zu gehen pflegten, um d o r t Träume und Offen-
barungen zu empfangen (v. 25). Besonders aufschlußreich für Jeremias
ganz im Gegensatz zu seiner Zeit befindliche Gottesidee ist der Anfang
von Jer. 7. Dort (in v. 3 und 7) hat Luther, durch den Vulgatatext
verführt[3], allerdings das für Jeremia gerade typische Bild verzeichnet,
indem er übersetzte: „Ich (näml. Gott selbst) will bei euch wohnen an
diesem Ort" und damit dem Propheten die landläufige Terminologie
und die sie bedingende Gottesauffassung unterschiebt, während dieser
doch seiner Sonderstellung getreu auch hier Gott nur sagen läßt: „ich
will e u c h wohnen lassen an diesem Ort"! Und ganz folgerichtig predigt
er auch im selben Zusammenhang in scharfem Ton die Vergänglichkeit
„des Hauses, darauf ihr euch verlasset" (v. 14) und tut mit unzwei-
deutigen Worten kund, daß es auf den O r t, da man Gott suche, gar
nicht ankommt, sondern allein auf den Wandel; „Verlasset euch nicht
auf die Lügen, wenn sie sagen: Hie ist des Herrn Tempel, hie ist des
Herrn Tempel, hie ist des Herrn Tempel!" (v. 4). Wirkungsvoll ist
dieser Warnungsruf eingerahmt von der zwiefachen Mahnung, von deren
Befolgung nach des Propheten Überzeugung allein alles abhängt: „Bessert
euer Leben und Wesen!" Deutlich wird Jeremias ziemlich alleinstehende
Auffassung in unserer Frage[4] auch im Vergleich zu seinem großen Vor-

---

[1] *Jerem.* 23, 23 f. (nicht 33!), bei mir in J. Köberles Übersetzung. Ganz
anders übersetzt u. deutet übrigens diese Worte nach Duhms Vorgang Paul
Volz in seinem *Jeremiaskommentar*, Lpzg. Erl. 1922, S. 236 f. Danach kämen
sie als Zeugnis für Gottes Allgegenwart überhaupt nicht in Betracht.

[2] „Er konnte aus eigener Erfahrung sagen, das der Mensch selbst ‚der
Tempel Gottes' ist" sagt Volz (*Der Prophet Jeremia*[2] 1921 S. 42 f.) und betont
damit die andere Seite dieser Eigenart von Jeremias Gottesauffassung; ‚Allgegenwart' u. ‚Mensch als Tempel Gottes' schließen sich ja keineswegs gegenseitig aus, insofern die Menschenseele unendlich ist.

[3] Die Septuaginta übersetzt ganz richtig κατοικιῶ ὑμᾶς. Für die falsche
Übersetzung der Vulgata war vielleicht maßgebend, daß im hebr. Text das
Kausativum („wohnen l a s s e n") nicht wie gewöhnlich durch das Hiphʿîl, sondern
durch das dafür seltenere Piʿēl ausgedrückt ist.

[4] Als weitere vereinzelte Stimmen im Sinn des Propheten Jeremia ließen
sich noch anführen Worte wie *Prov.* 15, 3: „Die Augen des Herrn schauen an
allen Orten, beide, die Bösen und Frommen" u. ähnl. Stellen im Buch Hiob
u. in der Weisheitsliteratur sonst. Vgl. a. 1. *Kön.* 8, 27 (hier die Isoliertheit
der Auffassung im Ggs. zu v. 13, 16, 17, 23, 30 desselben Kapitels bes. deutlich!)

gänger Jesaia[1], wenn dieser etwa sagt: „Der Herr wird ausgehen von seinem Ort, heimzusuchen die Bosheit der Einwohner des Landes" (Jes. 26, 21). Das ist ganz die Anschauung des 103. Psalms[2], dessen Schlußverse in gewaltigen Worten den Herrn rühmen, der seine Wohnung, im Himmel hat, wo ihm sein Thron bereitet ist, und von wo er seine Engel und Heerscharen und Diener nach allen Orten seiner Herrschaft aussendet, daß sie seinen Befehl ausrichten und seinen Willen tun. Welch weltenweiter Unterschied der Gottesauffassung hier in dem einheimischen Liede und in jenem anderen Psalm fremder Herkunft, in dem ein vielleicht noch erhabenerer Gott, der keiner Engel als Befehlsvollzieher bedarf, überall zugleich waltet und uns „von allen Seiten umgibt" und „um uns ist, ob wir gehen oder liegen". Man hat es mit Recht betont, aber es vielleicht noch allzu schonend und den Unterschied verschleiernd so ausgedrückt, daß mit wenigen Ausnahmen „die alten Israeliten tatsächlich nicht viel über Begriffe wie Gottes Allgegenwart nachgedacht haben".[3] So mußte nach israelitischer Anschauung Gott erst vom Himmel herabfahren um den Babelturm zu besehen (Gen. 11, 5), mußte sich erst selbst nach Sodom begeben, um sich von der Einwohner sündigem Treiben zu überzeugen (Gen. 18, 21), und Jakob konnte in „Beth-El" verwundert und erschrocken ausrufen: „Gewißlich ist der Herr an diesem Ort, und ich wußte es nicht. Wie heilig ist diese Stätte!

---

u. *Deut.-Jes.* 66,1. *Amos* 9, 2 u. 3 scheint mir *Ps.* 139 als bekannt vorauszusetzen; s. dazu meinen öfters zitierten demnächst erscheinenden Aufsatz über Konvergenz. — So allgemein gehaltene Äußerungen wie *Gen.* 31, 50 besagen in unserem Zusammenhange nichts.

[1] Vgl. a. eines jeden der beiden Schilderung seiner Berufung zum Prophetenamt (*Jer.* 1 u. *Jes.* 6), wo die typischen Unterschiede in voller Deutlichkeit wiederzufinden sind. Zu Jeremia geschieht ganz schlicht und einfach des Herrn Wort, — (c. 1, v. 2, 4, 7, 11 u. ö.; die Worte des Herrn in v. 5 klingen merkwürdigerweise sogar ganz an *Ps.* 139 (v. 16) an!, vgl. dazu auch *Jer.* 23, 24 mit *Ps.* 139, 7 ff.) — dessen Gegenwart ohne weiteres vorausgesetzt wird, so daß er nur seine Hand nach dem Propheten auszurecken braucht (v. 9). — Jesaia dagegen sieht den Herrn, was ganz typisch ist, auf einem hohen u. erhabenen Stuhl im Tempel sitzen u. schildert seine Erscheinung u. Gegenwart als etwas ganz Seltenes u. Gewaltiges. (Vgl. dazu auch die Art, wie nach 1. *Kön.* 22, 19 Gott dem Micha erscheint.) Treffend kennzeichnet den Gegensatz P. Volz a. O. S. 5 mit den Worten: „Für Jesaia ist Gott die Majestät, für Jer. ist Gott der Herr der Seele".

[2] Vgl. a. *Jes.* 8, 18 und *Ps.* 74, 2, ferner *Ps.* 135, 21 und den „*Adventspsalm*" 24.

[3] Justus Köberle *Der Prophet Jeremia.* Calw u. Stuttg. 1908 (= Calwer Erläut. z. A. Test. II), S. 180. Hier auch einige der oben angeführten Belege aus der Genesis. Vgl. a. R. Kittels *Psalmenkommentar* Lpzg. 1914, S. 472 (zu *Ps.* 139).

Hie ist nichts anders denn Gottes Haus, und hie ist die Pforte des
Himmels" (Gen. 28, 16 f.; vgl. dazu a. 35, 13 f.).[1]

Vielsagender und zwingender noch als all diese Einzelbelege für das
Fehlen der Erkenntnis von Gottes Allgegenwart bei den Israeliten sind
zwei andere umfassendere Kennzeichen. Gerade zu der Zeit, in der
Jeremias als einsamer Rufer seine Stimme ertönen ließ, war eben in
durchgreifender Restauration das „zweite Gesetzbuch" (Deuteron. 11 ff.)
geschaffen worden, das fortan den Juden verbindlich blieb. Mit diesem
Akt des Jahres 621 v. Chr. ist der ganz bestimmt ausgeprägte, indi-
viduelle Typ des Gottes der Juden festgelegt, eines Gottes, der darin
besonders deutlich seinen konkreten, seßhaften Charakter anzeigt, daß
er im Tempel zu Jerusalem und nur an diesem einen Ort seine Wohnung hat. Die anderswo verehrte Gottheit ist eo ipso eine andere, ist
nicht der allein rechtmäßige Gott der Juden und darum verwerflich.
Nur im Tempel von Jerusalem kann darum auch dem Gotte geopfert
werden, und mit der Zerstörung dieses Tempels als der Gotteswohnung,
deren Wiederaufbau noch heute die wichtigste Angelegenheit jedes
gläubigen Juden ist, hört darum folgerichtig auch das Opfer auf, das
seit 621 von der gewöhnlichen Schlachtung getrennt ist, die im Gegensatz zu ihm überall stattfinden kann.[2]

Noch eine weitere allgemeine Erwägung verbietet uns anzunehmen,
daß der Gott Israels überall anwesend gedacht wurde. Die unbedingte
Überzeugung von Gottes Allgegenwart, wie sie in den Veden und in
der Orphik lebt, hätte wohl kaum den Boden abgegeben für die Hoffnung,
mit der das jüdische Prophetenzeitalter steht und fällt, die Hoffnung
auf die Herabkunft eines Gesalbten des Herrn, der berufen sein sollte,
die gottfernen Gefangenen Zions zu erlösen und dem Volk, das im
Finstern wandelt, das Licht Gottes zu bringen (Ps. 126, 1; Jes. 9, 2).
Denn wem Gott allgegenwärtig ist, dem ist auch „Finsternis nicht finster
bei Gott und die Nacht leuchtet wie der Tag, Finsternis ist wie das
Licht" (Ps. 139, 12), er ersehnt nicht die Herabkunft Gottes oder seines

---

[1] Vgl. a. *Exod.* 3,5 (= *Acta* 7, 33) Gottes Wort aus dem brennenden Dornbusch zu Mose: „Zeuch deine Schuhe aus von deinen Füßen; denn der Ort,
darauf du stehest, ist ein heilig Land". Ganz ähnlich in der Josuageschichte
Jos. 5, 15. — Vgl. ferner 1. *König.* 8, 13 u. ö.; *Exod.* 29, 31; *Num.* 18, 10 und
überh. die im A. T. landläufige Vorstellung vom Horeb als dem „Berg Gottes"
(z. B. *Exod.* 3, 1).

[2] S. bes. *Deuteron.* 12, v. 11—15; *Hesekiel* 43, 7: „Das ist der Ort meines
Throns (näml. der neue Tempel zu Jerusalem) und die Stätte meiner Fußsohlen,
darin ich ewiglich will wohnen unter den Kindern Israel". Auch in der Theologie des nachbibl. Judentums war kein Raum für die Anschauung von Gottes
Allgegenwart; s. dazu Ferd. Weber *System der altsynagogalen palästinens. Theol.*
[1] 1886, S. 157 ff.

Messias auf die Erde, weil er allezeit und überall die Nähe der Gottheit spürt, deren Augen ihn schon sahen, da er noch unbereitet war (Ps. 139, 16). —

Ludw. Weniger setzt ganz mit Recht zu der Überzeugung von Gottes Allgegenwart, die er — durch Psalm 139 und durch Jeremias Sonderstellung verführt — fälschlich in der israelitischen Religion eingewurzelt glaubt, die landläufige Auffassung der Hellenen in Gegensatz, die bei der bunten Vielgestaltigkeit ihrer anthropomorphisierten Gottheiten eine jede an ganz bestimmte Plätze und an ihren bestimmten Wirkungskreis gebunden glaubten. Seine stoffreiche Abhandlung[1] stellt dies im einzelnen in aller Ausführlichkeit vortrefflich klar. Aber er findet und zitiert doch einige Stellen, die zu diesem Tatbestand nicht recht passen wollen, ja die gerade das Gegenteil besagen und gleich unserer Plutarchstelle ganz im Geist des vedischen Hymnus und des 139. Psalms die Allgegenwart Gottes (teilw. auch in polytheistischer Einkleidung: der Götter) rühmen. Wir haben oben gesehen, daß diese hochstehende religiöse Erkenntnis, die sich wie gesagt im Gegensatz zu der gemeingriechischen Auffassung befindet, urindogermanisch ist und sich innerhalb der griechischen Welt in der orphischen Volksreligion, diesem „pantheistischen Glauben an eine allumfassende Gottheit"[2] manifestiert hat. Sehen wir uns die von L. Weniger angezogenen Stellen an, so liegt es auch bei ihnen nicht fern, den Einfluß volksreligiöser Strömungen anzunehmen. Es handelt sich um drei Xenophonstellen und zwar predigt an den ersten beiden Sokrates von der Gottheit Größe und Herrlichkeit, „die zugleich alles sieht und alles hört und überall zugegen ist und zugleich für alle sorgt" (Memor. I 4, 18). Denn Sokrates war überzeugt, „daß die Götter alles wüßten, Worte und Taten und die unausgesprochenen Gedanken, und daß sie überall zugegen seien und den Menschen über alle menschlichen Dinge Anzeichen gäben' (Memor. I 1, 19). Und an der dritten Stelle läßt Xenophon den Klearchos nach der Schlacht bei Kunaxa dem Perser Tissaphernes gegenüber die allüberall gleichermaßen wirkende Allmacht der Götter mit Worten rühmen, die wiederum lebhaft an unsre Psalmstelle und ihre indogermanischen Parallelen erinnern: „Im Kampfe mit den Göttern, wo ist da einer schnell genug, um zu entfliehen, und wohin soll er entkommen? In welcher Finsternis soll er sich bergen und an welch sicheren Ort kann er hingehen?" (Anab. II 5, 7).[3] Es ist durchaus möglich, daß auch

---

[1] An dem ob. angeg. Ort.

[2] Nach Diels' ob. zitiertem Wort.

[3] τὸν γὰρ θεῶν πόλεμον οὐκ οἶδα οὔτ' ἀπὸ ποίου ἂν τάχους φεύγων τις ἀποφύγοι, οὔτ' εἰς ποῖον ἂν σκότος ἀποδραίη, οὔθ' ὅπως ἂν εἰς ἐχυρὸν χωρίον ἀποσταίη. Vgl. a. noch die unmittelbar folgenden Worte!

in dieser sichtlich gehobenen Rede eine wenn auch vielleicht unbewußte
und stark verblaßte Erinnerung an das Stück orphischer religiöser
Hymnenpoesie lebt, das wir oben erschlossen haben und das letzten
Endes auf dieselbe Quelle führt wie der vedische Hymnus und der
139. Psalm. Bei Sokrates sowohl wie bei seinem Schüler Xenophon
nahe Wahlverwandtschaft mit orphischer Anschauungsweise anzunehmen,
liegt nicht fern nach allem, was wir von ihnen wissen; bei Sokrates
größerem Schüler Platon können wir's ja noch ganz deutlich greifen.[1]
Somit mag dieser Nebentrieb hellenischer Gottesauffassung, der zu den
herrschenden Ansichten griechischer Religion in Widerspruch steht, in
den wesentlichen Umrissen seine Erklärung gefunden haben. Seine
indogermanische Wurzel dürfte jedenfalls feststehen und ihn über
schwindelnde Räume hinweg mit des jüdischen Sängers Lied von Gottes
Allgegenwart verbinden.

Noch gilt freilich meines Vaters Wort, das er vor 20 Jahren im
Blick auf Brunnhofers Vergleich des vedischen Hymnus und des Psalms
aussprach[2], daß hier eine ähnliche Situation vorliege als wenn „man
hinter einem Vorhang zwar ganz deutliche Stimmen hört, aber die Gestalten, nur flüchtigen Schatten gleich und ohne ihre Züge zu erkennen,
vorüberschweben sieht". Der Vorhang, der diese Zusammenhänge ver-
hüllt, ist auch heute — trotz Wincklers interessanter Entdeckung in
Boghaz-köj[3] — noch nicht weggezogen; aber als eine Bestätigung der
Brunnhoferschen Ansicht von einer gemeinsamen indogermanischen
Quelle, gegen die man sich für einen biblischen Psalm zunächst un-
willkürlich sträubt, und damit als ein kleiner Fortschritt darf es wohl
gelten, wenn hier dem merkwürdigen Hymnenpaar weitere Glieder indogermanischer Provenienz beigefügt werden konnten. Aber auch für den,
der von dem hier unternommenen Versuch, eine gegenseitige Abhängigkeit der verschiedenen Zeugnisse von Gottes Allgegenwart nahezulegen,
nicht überzeugt sein kann, bleiben die aufgezeigten Parallelen wenigstens
eine frappante religionsgeschichtliche Erscheinung, an der man nicht
achtlos vorübergehen darf.

---

[1] Vgl. bes. Platon *Phaidr.* 246 ff.; *Phaid.* 113 D ff.; *Gorg.* 523 A ff. u. vgl.
dazu A. Dieterich *Nekyia*[1] S. 72 ff.

[2] F. Hommel a. d. ob. angeg. O., S. 228.

[3] S. dazu ob.

Nachträge 1981

[S. 195], Anm. 4.
Über Götter als σωτῆρες s. jetzt auch W. FOERSTER im ThWNT VII 1964,
1006.

[S. 197], Z. 8.
Zur Bedeutung der Formel als ,Leitfossil' hat sich inzwischen auch R.
Reitzenstein, Studien zum antiken Synkretismus 1926, S. 69ff. bekannt.
Siehe dazu auch unten [S. 111] und [S. 114] in dem Aufsatz über Ps. 139.

[S. 197], Anm. 2.
BRUNNHOFERS Buch ist so wenig wie meine einschlägigen Arbeiten in die
Bibliographie védique von L. RENOU 1931 eingegangen. Der Aufsatz von
HERM. LOMMEL, Das Varuṇa- und Fluchgedicht Atharva Veda IV 16 in
ZDMG 92. 1938, S. 452–463 bietet am Anfang ebenfalls eine Übersetzung,
geht aber seinerseits auf unsere Problematik nicht ein (sein Anliegen ist der
Nachweis der Einheit des Gedichts). – FRITZ HOMMELs Buch ist 1926 als
ganzes erschienen (ohne Bandeinteilung).

[S. 197], Anm. 3.
Eine Veröffentlichung meines Aufsatzes über das Problem der Konvergenz hat sich damals nicht ermöglichen lassen. Doch findet sich eine übersichtliche Zusammenstellung aller mir damals inzwischen bekanntgewordenen einschlägigen Texte unten in der Abhandlung über Ps. 139, ZAW, N. F.
6. 1929, S. 112f. Vgl. dort auch S. 111, Anm. 2.

[S. 198] mit Anm. 2.
Zu der Frage s. jetzt meinen veränderten Standpunkt unten im Nachwort
zu dem Aufsatz über Ps. 139.

[S. 200], Z. 4f.
Über den Zeushymnus, in dem für uns vor allem die Verse 17ff. von
Bedeutung sind, handelt jetzt ausführlich R. REITZENSTEIN aaO. 69–103.
Eine Rekonstruktion unter Zuziehung der Fragmente 21, 21a, 169 K. ver-
sucht (mit Übersetzung und kurzen Erläuterungen) MANFRED FORDERER in
der Festschrift für W. Marg (,Gnomosyne') 1981, S. 227–234.

[S. 200f.]
GEORGES DUMÉZIL, Ouranos-Varuṇa 1934, obwohl mit der Interpretation
griechischer Texte befaßt (bes. Hesiod, Apollodor, Orphik), geht auf unseren Fragenkomplex überhaupt nicht ein; offenbar ist ihm auch die einschlägige Literatur nicht bekannt geworden. Dasselbe gilt von des führenden
Indologen HEINR. LÜDERS nachgelassenem Werk Varuṇa 1,2. 1951–59, wo

zwar (1, S. 30 f.) unser Hymnus kurz behandelt, jedoch ganz einseitig als eine Art Wasserordal erklärt wird: „Das ganze Lied sind die Worte, mit denen der Richter vor Ablegung des Eides den Schwörenden ermahnt, die Wahrheit zu sagen" [!!] Vgl. S. 48 u. 53 und 2, 685, wo Varuṇa in Ath. Veda IV 16 als Wassergottheit interpretiert wird. Die Beziehung des Hymnus auf ein Ordal findet sich übrigens auch schon bei STEN KONOW in Chantepie de la Saussayes Lehrbuch der Religionsgeschichte II ⁴1925, S. 22.

[S. 201 f.] m. Anm. 1 auf S. 202
Ein ganz merkwürdiger Anklang an die Jeremias-Stelle findet sich bei Aischylos, Eumeniden 64 f., wo Apollon zu Orestes spricht διὰ τέλους δέ σοι φύλαξ (scil. εἰμί), ἐγγὺς παρεστὼς καὶ πρόσωθ'ἀποστατῶν („ob ich nah dir bin, ob weit entfernt", was in den gängigen Übersetzungen schlecht zum Ausdruck kommt, da die formelhafte Sprache nicht erkannt ist). Übrigens entspricht der Anfang von v. 64 οὔτοι προδώσω dem Gedanken nach Hebr. 13,5b οὐ μή σε ἀνῶ οὐδ' οὐ μή σε ἐγκαταλίπω. Auffallend auch, daß Eumenid. 294 τίθησιν ὀρθὸν ἢ κατηρεφῆ πόδα und 297 κλύει δὲ καὶ πρόσωθεν ὢν θεός an Ps. 139, 2/3 erinnert, auch wenn die Bezüge auf Mensch und Gott sich teilweise konträr verhalten.

[S. 202], Anm. 2.
Zum Menschen als ‚Tempel Gottes' und zu verwandten Vorstellungen s. jetzt meinen Aufsatz von 1972 ‚Kosmos und Menschenherz' unten Bd. II.

[S. 203], Anm. (Schluß der Anm. 4 zu [S. 202]).
Der Aufsatz über das Problem der Konvergenz ist nicht erschienen; vgl. dazu oben den Nachtrag zu [S. 197], Anm. 3. – Jetzt halte ich den Ps. 139 für jünger als Amos; s. dazu jetzt auch B. W. DOMBROWSKI, Theolog. Zeitschr. 22. 1966, S. 399 m. Anm. 7. S. 205 (vgl. [S. 201] m. Anm. 2).
Im folgenden führe ich einige Stellen an, wo die allgemeine Richtigkeit der von L. WENIGER aaO. vertretenen und mit einigen Beispielen belegten Anschauung von der Ortsgebundenheit der antiken Gottheiten bestätigt wird, wenn auch da und dort ein differenzierteres Bild entsteht (über Ciceros Bekenntnis zu dieser communis opinio De legg. II 26 s. unten den Nachtrag zum Aufsatz über Ps. 139, hier zu [S. 123 f.]). So bedarf der Gott i. a. eines Boten, um die Menschen zu beobachten. Jupiter sendet zu diesem Zweck nach Plautus, Rudens 9 ff. die Sterne aus (dazu M. P. NILSSON, Gesch. d. griech. Rel. II² 1961 S. 196 f., 276 f.). Wenn dagegen nach Herodot II 141,3 (um auch die ägyptische Religion nach griechischer Sicht ins Spiel zu bringen) der Priesterkönig beim Tempelschlaf eine göttliche Botschaft empfängt, so geschieht dies durch den Gott selber; aber Herodot wird es sich wohl doch so vorgestellt haben, daß der Gott dies tun kann, da er ja in seinem Tempel wohnt. Dagegen muß Venus nach Horaz c. I 19,9 ihre angestammte Heimat Cypern verlassen, um den Sterblichen ihre Macht zu

beweisen, wozu R. HEINZE in seinem Kommentar wichtige Parallelen aus Sappho, Alkman und Theognis beigebracht hat (vgl. a. denselben in seinen einleiteten Bemerkungen zu c. I 30 mit weiteren Hinweisen auf Menander Rhetoricus, Theokrit und Catull; dazu jetzt auch FR. CAIRNS, Am. Journal of Philol. 92. 1971, 444 ff.). Über die Wohnstätten nach homerischer Anschauung hat H. SCHRADE in 6 Kapiteln seines Buchs ‚Götter und Menschen Homers' 1952 ausführlich gehandelt; s. dazu die Rezension von W. MARG, Gnomon 28. 1956, 5 ff. („der konkreteste Teil des Buchs, dem Philologen willkommen“).

Was nun umgekehrt die doch nicht ganz seltenen Stellen betrifft, wo der antike Gott schlechthin oder jeweils eine bestimmte Gottheit im Gegensatz zu der landläufigen Vorstellung in gewissem Sinn allgegenwärtig ist, so haben uns oben im Text um des Vergleichs willen diejenigen Stellen interessiert, in denen das wiederkehrende Formelgut eine Zusammengehörigkeit verrät. Daneben gibt es jedoch Beispiele, wo ein solches Leitfossil fehlt, wo also eher eine Konvergenz der Anschauungen ohne genetischen Zusammenhang anzunehmen ist. Dazu einige Belege:

Die *Gottheiten* schlechthin

Xenophanes fr. B 26 (fr. 23 θεός) αἰεὶ δ᾽ἐν ταὐτῷ μίμνει κινούμενος οὐδέν / οὐδὲ μετέρχεσθαί μιν ἐπιπρέπει ἄλλοτε ἄλλῃ (vgl. B 24 οὖλος ὁρᾷ, οὖλος δὲ νοεῖ, οὖλος δέ τ᾽ἀκούει, eine Stelle, auf die auch J. GEFFCKEN ARW 27. 1929 aufmerksam macht, indem er die xenophontischen Allgegenwartspartien davon beeinflußt sein läßt).

Epicharm fr. B. 23

οὐδὲν ἐκφεύγει τὸ θεῖον· τοῦτο γιγνώσκειν σε δεῖ· / αὐτός ἐσθ᾽ ἁμῶν ἐπόπτης, ἀδυνατεῖ δ᾽οὐδὲν θεός. (dazu O. SEEL, Festschr. Frz. Dornseiff 1953, 318₁). Kritias fr. B 25 17 ff. (zu der Stelle und ihrer umstrittenen Verfasserschaft vgl. a. unten den Aufsatz in Bd. II über Religion und Moral) δαίμων . . . νόῳ τ᾽ἀκούων καὶ βλέπων, φρονῶν τ᾽ἄγαν / προσέχων τε ταῦτα, καὶ φύσιν θείαν φορῶν, / ὃς πᾶν τὸ λεχθὲν ἐν βροτοῖς ἀκούσεται, ⟨τὸ⟩ δρώμενον δὲ πᾶν ἰδεῖν δυνήσεται.

Euripides, Bakch. 392–394.

πόρσω γὰρ ὅμως αἰθέρα ναίοντες ὁρῶσιν τὰ βροτῶν οὐρανίδαι, vgl. a. 500–502; 562 wird übrigens Orpheus zitiert!

Menandri monosticha 698 Mein. = 688 Jäkel (= TrGrFr ²480 aus Stobaios)

πάντη πάρεστι πάντα τε βλέπει θεός

Plautus, Captivi 313

est profecto deus, qui quae nos gerimus auditque et videt.

Epiktet. Diatriben I 14. Das Kapitel trägt den Titel: ὅτι πάντας ἐφορᾷ τὸ θεῖον (dazu M. POHLENZ, Die Stoa I 1948, S. 338 – ³1971. Weitere Stellen aus Plotin und Proklos jetzt bei W. THEILER, Poseidonios. Die Fragmente 1982 II 278.)

Einzelne benannte Gottheiten
Aer-Zeus
Philemon com. Fr. 91 K., v. 1–10, bes. v. 5 (Aer-Zeus im Prolog)

ἐγὼ δ᾽, ὃ θεοῦ 'στιν ἔργον, εἰμὶ πανταχοῦ, . . .
8–10   οὐκ ἔστιν τόπος,
οὗ μή 'στιν Ἀήρ· ὁ δὲ παρὼν ἀπανταχοῦ
πάντ᾽ ἐξ ἀνάγκης οἶδε πανταχοῦ παρών.

Apollon
Pindar, Pyth. 3, 29
πάντα ἴσαντι νόῳ scil. den Treubruch seiner Geliebten Koronis, während bei
Hesiod, fr. 60 M.-W. der Gott durch einen Raben als Boten davon infor-
miert wird; über den Unterschied der zugrundeliegenden Gottesauffassung
hat bereits FR. THIERSCH in seiner Pindar-Ausgabe (mit Übersetzung) I 1820
z. d. St. das Nötige gesagt.

Musen
Homer, Ilias 2, 485
ὑμεῖς γὰρ θεαί ἐστε πάρεστέ τε ἴστε τε πάντα.

Asklepios
Lukian, Demonax 27
πάνυ . . . κωφὸν ἡγῇ τὸν Ἀσκληπιόν, εἰ μὴ δύναται κἀντεῦθεν ἡμῶν εὐχομένων
ἀκούειν;

Helios
Homer, Od. 11,109 u. 12,323 (vgl. Ilias 3, 277)
Ἥλιον, ὃς πάντ᾽ ἐφορᾷ καὶ πάντ᾽ ἐπακούει . . .
Vgl. Xenophon Ephes 395, 20f. und dazu FRZ. ZIMMERMANN, Würzb.
Jahrbchr. 4. 1949/50, 284[1]; ferner Boëthius, De consol. philos. V metr., v.
13–14 *quem, quia respicit omnia solus, / verum possis dicere solem.*
Aischyl., Agamemnon 632f.
οὐκ οἶδεν οὐδείς, ὥστ᾽ ἀπαγγεῖλαι τορῶς, / πλὴν τοῦ τρέφοντος Ἡλίου χθονὸς φύσιν.

Chronos
PEEK, Griech. Versinschriften I no. 27 (= Griech. Grabgedichte 15) Polyan-
drion von 338/37 v. 1–2
ὦ Χρόνε, παντοίων θνητοῖς πανεπίσκοπε δαῖμον,
    ἄγγελος ἡμετέρων πᾶσι γενοῦ παθέων
(dazu PEEK, Gr. Gr., S. 295).
Sophokles, Hippon., fr. 280 N.
πρὸς ταῦτα κρύπτε μηδέν, ὡς ὁ πάνθ᾽ ὁρῶν
καὶ πάντ᾽ ἀκούων πάντ᾽ ἀναπτύσσει Χρόνος.
(ähnlich OR 1213 und OC 1453f., so daß das fr. adesp. 510 N. doch wohl
auch dem Sophokles gehören dürfte:
. . . ὁ Χρόνος, ὃς τὰ πάνθ᾽ ὁρᾷ)

Amor
Properz II 30,1 f.
> . . . *nulla est fuga: tu licet usque*
> *ad Tanain fugias, usque sequetur Amor.*

In der weiteren Ausführung des Beispiels wird noch der Luftraum als hoffnungslose Fluchtmöglichkeit bemüht, wobei nach properzischer Art mythische Beispiele ins Spiel kommen (Pegasus, Perseus, Mercurs Flügelschuhe).

Abstrakte Begriffe wie δημόσιον κακόν
Solon fr. 3 D. (Eunomia), 26 ff.
> . . . ηὗρε δὲ πάντως, / εἰ καί τις φεύγων ἐν μυχῷ ᾖ θαλάμου.

Über die breit ausgeführte Parodie eines wohl orphischen Allgegenwartshymnus in den ‚Rittern' des Aristophanes v. 74 ff., wo Kleon an die Stelle der Gottheit tritt, soll weiter unten in den Nachträgen zu dem Aufsatz über den 139. Psalm gehandelt werden.

[S. 205 f.]
Die hier angegebenen Xenophon-Stellen zur göttlichen Allgegenwart können inzwischen um weitere vermehrt werden, darunter eine besonders wichtige, da sie ebenfalls dem sokratischen Kreis entstammt:
Platon, Gesetze X 905 A (s. JOHS. GEFFCKEN, Zum allgegenwärtigen Himmelsgott. Eine Berichtigung. ARW 27. 1929, S. 346–349; etwa gleichzeitig datiert ein freundlicher Hinweis von WILH. NESTLE)
> οὐχ οὕτω σμικρὸς ὢν δύσῃ κατὰ τὸ τῆς γῆς βύθος οὐδ' ὑψηλὸς γενόμενος εἰς τὸν οὐρανὸν ἀναπτήσῃ, τείσεις δὲ αὐτῶν τὴν προσήκουσαν τιμωρίαν εἴτ' ἐνθάδε μένων εἴτε καὶ ἐν Ἅιδου διαπορευθεὶς εἴτε καὶ τούτων εἰς ἀγριώτερον ἔτι διαπορευθεὶς τόπον.

Hierzu bietet und begründet E. DES PLACES S. J. (übrigens ohne Kenntnis meiner Aufsätze und desjenigen von J. GEFFCKEN, wie es scheint), W. Stud. 70. 1957, S. 256 ff. aus Arethas von Kappadokien eine neue und bessere Lesart: ἀπώτερον statt ἀγριώτερον, womit sich die Platonstelle noch näher zum Atharvaveda-Hymnus stellt (s. ob. [S. 196] unter i). Des Places 257 m. Anm. 14 deckt außerdem mit Scharfsinn die Tatsache auf, daß außer und nach Euseb., Praep. Ev. XII 52,32 auch ein Scholiast des 15. Jhds. zu unserer Platonstelle auf ihre Ähnlichkeit mit Ps. 139,8–10a, dessen LXX-Text er frei zitiert, hingewiesen hat.

Zum Abschluß stelle ich einige weitere antike Belege zusammen, in denen der Topos des Nichtentfliehenkönnens unter Aufzählung sozusagen geographischer Alternativen erscheint, im Blick auf Atharvaveda IV 16 zweifellos ein altes indogermanisches Erbgut.
Herodot IV 132,3
ἢν μὴ ὄρνιθες γενόμενοι ἀναπτῆσθε ἐς τὸν οὐρανόν, . . . ἢ μύες γενόμενοι κατὰ τῆς γῆς καταδύητε, ἢ βάτραχοι γενόμενοι ἐς τὰς λίμνας ἐσπηδήσητε, οὐκ ἀπονοστήσετε (3-teilig)

Dieselbe Formulierung bei Clem. Alex., Strom. V 8,44 (= fr. 174 Jacoby).
Aischylos, Eumeniden 175
ὑπό τε γᾶν φυγὼν οὔποτ' ἐλευθεροῦται (1-teilig)
Vgl. die zweiteilige, jedoch nicht formelhafte Erwägung über Orestes'
Fluchtweg v. 74–77.
Geradezu virulent wird die Formel bei Euripides (die Stellen zum geringen Teil schon bei GEFFCKEN aaO., reich ergänzt durch meine Schülerin
MARIA AßFAHL)
Euripides., Ion 796 f.
ἀν' ὑγρὸν ἀμπταίην ἀιθέρα πόρσω γαίας Ἑλλανίας, / ἀστέρας ἑσπέρους (1-teilig –
ähnlich wie bei Aischylos aaO., jedoch dort die Unterwelt, hier das Luftreich).
Die meisten euripideischen Beispiele sind zweigliedrig, wobei ‚Unter-
welt' und ‚Aither' o.ä. dominieren (einmal ‚Aither' und ‚Meer': Or.
1376ff., vgl. a. Androm. 862ff. und Properz II 30, 1ff., dazu s. oben S. 62).
    Euripides, Med. 1296–1298 (‚Unterwelt' und ‚Aither')
              Hippol. 1290–93 (‚Unterwelt' und ‚Luftreich')
              Hekabe 1099–1106 (‚Gestirnwelt' und ‚Hades')
              Herakles 1157 f. (‚Luft' und ‚Unterwelt')
              Orestes 1376–79 (‚Aither' und ‚Meer' – s. ob.).
Ein dreigliedriges Exempel fehlt, dagegen bietet Euripides zwei viergliedri-
ge Beispiele:
Euripid., Ion 1238–1243 (‚Luftreich', ‚Erdinneres', ‚Weite der Erde', ‚Seefahrt'). Hier ist – wohl zufällig – einmal die ziemlich genaue Entsprechung
zu der viergliedrigen Aufzählung in Atharvaveda IV 16 gegeben, wo die
Reihenfolge lautet: ‚Erde', ‚Himmel', ‚Meer', ‚Jenseits'.
Eurip., Andromache 846–849 (4-gliedrig)
Der Fluchtweg ist hier verwirrt, indem er spielerisch auf die Bereiche der
vier Elemente aufgeteilt ist: ‚Feuer', ‚Luft', ‚Wasser', ‚Erde', wobei ‚Luft'
und ‚Meer' noch einmal v. 862ff. aufgenommen werden.
    Ganz streng dreigliedrig wie bei dem oben zitierten Herodotbeispiel läßt
sich Aristophanes vernehmen:
Aristoph., Vögel (354.) 349–351
(ποῖ φύγω δύστηνος;) οὔτε γὰρ ὄρος σκιερὸν / οὔτε νέφος αἰθέριον οὔτε πολιὸν πέλαγος
ἔστιν / ὅτι δέξεται τώδ' ἀποφυγόντε με (‚wenn sie mir entflohen wären').
    Die hier gesammelten Zeugnisse variieren also sämtlich den uns aus
Atharvaveda IV 16 und Ps. 139 bekannten Topos, ohne daß es möglich ist,
aus ihnen irgend ein chronologisch verbindliches Entwicklungsstemma zu
gewinnen. Vielmehr scheint schon sehr früh eine freie Handhabung des
Schemas begonnen zu haben. Am Anfang dürfte wohl die von der Natur
suggerierte Trias ‚Erde – Himmel – Meer' (s. Atharvaveda IV 16) gestanden
haben, wobei dann, wie schon der Zusatz im Atharvaveda-Hymnus nahe-
legt, die Erde früh durch die Unterwelt ersetzt (Ps. 139) oder doch ergänzt
wurde (Euripid., Ion 1238ff.). Die später dann – besonders bei Euripides –

so beliebte Verkürzung[1] auf die zwei Glieder (meist ‚Hades' und ‚Luftreich')
war zweifellos durch den Reiz der so beliebten ‚polaren' Ausdrucksweise
gefördert, ohne daß dann gleich religionsgeschichtliche Schlüsse daraus
gezogen werden dürften. Daß freilich auf die Verkürzung der Formel im
Bereich der klassischen Antike der Parsismus eingewirkt haben mag, ist eine
Vermutung, die WILHELM NESTLE auf den Spuren von RICHARD REITZEN-
STEIN und anderen mir gegenüber brieflich bereits 1930 ausgesprochen hat.
Über parsistische Einflüsse in größerem Zusammenhang wird iter unten
noch im Nachwort zu meiner hier folgenden Abhandlung über den 139.
Psalm ein Wort zu sprechen sein.

---

[1] Der Kuriosität halber sei angemerkt, daß die verkürzte Formel (in eingliedriger Variante)
noch bis in unsere Zeit profaniert ihr Wesen treibt: in der Münchener Illustrierten Presse 1936,
Nr. 1 auf S. 28 war folgende Zigarettenreklame zu lesen: „Wo immer Du auch bist, da ist Gold-
Dollar. Fahre um die Welt, und Du wirst kaum ein Land finden, in dem Du nicht Deine
Lieblings-Zigarette erhältst."

Das religionsgeschichtliche Problem des 139. Psalms*

Meinem Vater, Prof. D. Dr. Fritz Hommel, zum 75. Geburtstag am 31. Juli 1929.

Es ist fast ein halbes Jahrhundert her, da hat man zuerst das Augenmerk auf die frappante Ähnlichkeit gerichtet[1], die zwischen einem vedischen Hymnus (Atharvaveda IV 16)[2] und dem berühmten Allgegenwartspsalm besteht. Es ist wohl kein Zufall, daß dieser Hinweis in einer Zeit, wo die ATliche Exegese erst begann, sich aus ihrer heute überwundenen geistigen Isoliertheit zu befreien, von indologischer Seite kam. Aber in der Folge hat das einmal aufgewiesene Problem nicht nur die Indologen weiter beschäftigt[3], auch Orientalisten und Theologen, letztere freilich am behutsamsten, haben seither von Zeit zu Zeit auf jenen merkwürdigen, und wie es ·scheint, einzigartigen und keineswegs durchsichtigen Zusammenhang hingewiesen[4]. Bei der Plutarchlektüre durch eine Stelle der Schrift über die

---

* Zeitschrift für die alttestamentliche Wissenschaft N.F. 6. 1929, 110–124.

[1] KAEGI, Rigveda (2. Aufl. 1881) S. 90 f. Frühere — ganz allgemein gehaltene — Hinweise (vor allem von MAX MÜLLER) waren nicht bestimmt und deutlich genug, um Widerhall finden zu können.

[2] Jetzt am bequemsten in deutscher Übersetzung zugänglich in LEHMANN-HAAS, Textbuch zur Religionsgeschichte (2. Aufl. 1922) S. 95; vgl. auch BERTHOLET, Religionsgeschichtl. Lesebuch, 1908, S. 109 f. und die RÜCKERTsche Übersetzung in 'Kulturen der Erde', Atharvaveda, Kleine Ausgabe, 1923, S. 38.

[3] Vor allem HERMANN BRUNNHOFER ('Iran und Turan' 1889 S. 188 ff.), der erstmals eine Lösung versuchte und der, wie man wohl sagen darf, im Wesentlichen auch die Zusammenhänge richtig gesehen hat.

[4] FR. HOMMEL, Grundriß der Geogr. u. Gesch. des Alten Or. I 1904 = Ethnologie und Geogr. des A. Or. 1926 S. 228; ALFR. JEREMIAS, Das AT im Lichte des Alten Orients (3. Aufl. 1916) S. 582 f.; JOH. HEMPEL, Gott und Mensch im AT, 1926 S. 168. In letzter Stunde werde ich durch die Freundlichkeit von K. KILGERT-Würzburg noch

„Gottesangst" unmittelbar an Ps 139 erinnert, bin ich vor einigen Jahren in einer gesonderten Abhandlung dem Problem von einer am Plutarch vorgenommenen Quellenanalyse her nachgegangen [1] und meine, BRUNNHOFERS vielleicht niemals strikt zu beweisende These von einer Abhängigkeit des Psalms vom Vedenhymnus doch durch eine Reihe weiterer Gesichtspunkte gestützt zu haben. War dabei das abseits jener Hauptfrage liegende Ergebnis zunächst und in erster Linie, die Plutarchstelle durch kynische und des weiteren durch orphisch-thrakische Vermittlung mit Wahrscheinlichkeit der Sphäre des Vedenhymnus annähern zu können, so konnte und mußte dabei doch schon auf diejenigen Fragen eingegangen werden, die der 139. Psalm in diesem Zusammenhang aufgibt. Bevor ich hieran anknüpfend als klassischer Philologe vor Theologen das religionsgeschichtliche Problem dieses Psalms tastend zu erörtern wage, sei im Anschluß an BRUNNHOFER — aber darüber hinaus auch an Hand eigener Beobachtungen — noch einmal dargelegt, was uns überhaupt ein Recht gibt, eine irgendwie geartete gegenseitige Abhängigkeit von Psalm und Vedenhymnus zu postulieren. Diese Aufgabe mir und dem Leser zu erleichtern, ist hier in deutscher Übersetzung eine Zusammenstellung der evidentesten Parallelen zu Atharvaveda IV 16 in Tabellenform beigegeben, die hoffentlich geeignet ist, die folgenden Ausführungen auch weiterhin zu verdeutlichen (s. S. 112 f.).

Solch frappante Ähnlichkeit — ja hier und dort geradezu gegenseitige Übereinstimmung —, wie sie schon dem oberflächlichen Betrachter unserer Zusammenstellung Psalm und Vedenhymnus kundtun, hat man lange Zeit gern mit Schlagworten wie „Zufall", „Völkergedanke", „Konvergenz" [2] abtun zu können geglaubt. Doch nun hat uns in prinzipiell hochwichtigen Äußerungen neben und nach anderen vor allem EDUARD NORDEN [3] ein besonders brauchbares Kriterium an die Hand gegeben — es ist freilich nicht das einzige —, nach welchem bei Ähnlichkeiten geistiger Kulturerzeugnisse untereinander genetischer Zusammenhang gefordert werden muß: das ist die Übereinstimmung in der F o r m e l s p r a c h e, der bis ins einzelne mehr oder weniger genau wiederkehrende Ausdruck eines „Gedankens", dessen Auftauchen bei verschiedenen „Völkern" und zu verschiedener Zeit

---

aufmerksam auf H. HAAS, 'Der Varunahymnus Atharvaveda IV 16 und Psalm 139' (= Beilage V zu seinem 'Scherflein der Witwe', Leipzig 1922, S. 99—105). Danach hat auch H. GUNKEL in der 3. Aufl. seiner Psalmenauswahl, 1911, S. 274 f. die Parallele erwähnt. Vgl. jetzt auch desselben Handkommentar zu den Psalmen, Göttingen 1926, S. 590.

[1] 'Der allgegenwärtige Himmelsgott' im Archiv für Relig.-Wiss. 23 (1925/26, im Folgenden zitiert als ARW 23) S. 193—206.

[2] Eine methodologische Behandlung dieser Fragen, die ich schon ARW 23 S. 197 3 versprach, soll nun in einem der nächsten Hefte der Blätter zur bayrischen Volkskunde erscheinen. Eine neue Behandlung dieser Probleme, soweit sie den 139. Psalm und den Vedenhymnus angehen, war als Bestandteil dieser Arbeit versprochen. Da sie mir schließlich jenen Rahmen zu sprengen schien, ist sie abgetrennt und fast neu in Angriff genommen worden und liegt nun in veränderter und wesentlich erweiterter Gestalt hier vor.

[3] 'Die Geburt des Kindes' 1924 S. 165 u. ö.; vgl. auch die durchaus positive Einstellung zu diesen methodischen Problemen bei J. HEMPEL im Palästinajahrbuch 23 (1927) S. 89 f.; ferner RICH. REITZENSTEIN, Studien zum antiken Synkretismus, 1926, S. 69 f.

Religiöse Stimmen zu

Atharvaveda IV, 16 (Übersetzung nach MAX MÜLLER.)	Psalm 139
I. (v. 1): Der große Herr dieser Welten sieht, als ob er nahe wäre. Wenn einer auch d e n k t, er wandle verstohlen, die Götter wissen es all. (v. 2): Ob einer g e h e oder s t e h e oder sich verstecke, ob einer g e h e, niederzuliegen oder aufzustehen, was zwei zusammensitzend m i t - e i n a n d e r b e r a t e n — König Varuna weiß es, er ist als dritter mitten unter ihnen.	1. Herr, du erforschest mich und kennest mich. 2. Ich sitze oder stehe auf, so weißt du es; du verstehest meine G e d a n k e n von ferne. 3. Ich g e h e oder liege, so bist du um mich, und siehest alle meine W e g e. 4. Denn siehe, es ist kein W o r t auf meiner Z u n g e, das du Herr nicht alles wissest.
Ia. (v. 3): Auch diese Erde ist Varunas, des Königs, und dieser weite Himmel samt seinen fernen Enden. Die beiden M e e r e sind Varunas Hüften, so auch ist er enthalten in diesem Wasser- tröpflein.	[9. Nähme ich Flügel der Morgenröte und bliebe am äußersten Meer, . . .]
II. (v. 4): Wenn einer auch fern hinwegflöhe, jenseits des Himmels, auch dann würde er nicht ent- rinnen Varuna, unserm König. Seine Späher gehen aus vom Himmel hernieder zur Erde ; mit tausend Augen forschen sie über die Welt dahin. (v. 5): König Varuna schaut alles dieses, was zwischen Himmel und Erde ist und was darüber hinaus- liegt. Er hat gezählt die Blicke der Augen der Menschen. Wie ein Spieler die Würfel wirft, so ordnet er alle Dinge.	8. Führe ich gen Himmel, so bist du da, bettete ich mir in die Hölle, siehe, so bist du auch da. 9. Nähme ich Flügel der Morgenröte und bliebe am äußersten Meer, 10. so würde mich doch deine Hand daselbst führen und deine Rechte mich halten. [vgl. v. 5 : Von allen Seiten umgibst du mich und hältst deine Hand über mir. Und v. 16 : Deine Augen sahen mich, . . .] 15. Es war dir mein Gebein nicht verhohlen, da ich im Verborgnen gemacht ward, da ich ge- bildet ward unten in der Erde. 16. Deine Augen sahen mich, da ich noch unbereitet war, und waren alle Tage auf dein Buch geschrieben, . . .
[zum „ordnen" vgl. auch Ps 139 13/14]	
III. (v. 6): Mögen alle deine bösen Fallstricke, die da stehen, sieben- fach und dreifach ausgeworfen, den Menschen fassen, der eine Lüge redet, mögen sie den ver- schonen, der da die Wahrheit spricht. [Folgen noch Beschwö- rungsformeln.]	19. Ach Gott, daß du tötetest die Gottlosen, und die Blutgierigen von mir weichen müßten! 20. Denn sie reden von dir lästerlich, und deine Feinde sprechen lügnerisch [1]). [Beachte links in v. 6 die Kontrastierung von Lüge und Wahrheit, eine echt eranische An- schauung, von der sich auch sonst im Psalm noch eine Spur erhalten hat, z. B. in v. 23 : „prüfe mich und erfahre, wie ich's meine" (d. h. ob ich die Wahrheit spreche!)]

Gottes Allgegenwart

Griechische Zeugnisse	Nichtbiblische semitische Zeugnisse
Xenophon läßt den Sokrates (Memor. I 1, 19) überzeugt sein, „daß die Götter alles wüßten, Worte und Taten und die unausgesprochenen Gedanken, und daß sie überall zugegen seien und den Menschen über alle menschlichen Dinge Anzeichen gäben" und Buch I 4, 18 läßt er ihn von der Gottheit sprechen, „die zugleich alles sieht und alles hört und überall zugegen ist und zugleich für alle sorgt."	Koran, Sure 58,8 (übers. v. Rückert): O siehst du nicht, daß Gott weiß, was im Himmel ist und was auf Erden? — Nicht wird ein heimliches Gespräch geführt von dreien, daß er nicht ist ihr vierter, und nicht von fünfen, daß er nicht ihr sechster . . . [cf. Ev. Matth. 18,20!]
Plutarch, Vom Abergl. 4,166 D: Wer die Herrschaft der Götter . . . fürchtet, wohin soll der auswandern, wohin soll er fliehen, wo wird er ein Land oder ein Meer finden, in dem Gott nicht ist? In welchen Winkel der Welt wolltest du, Unglücklicher, hinabtauchen um dich zu verbergen und sicher zu sein, daß du der Gottheit entronnen bist? Xenophon, Anab. II 5, 7, 2: Im Kampfe mit den Göttern, wo ist einer da schnell genug zu entfliehen, und wohin soll er entkommen? In welcher Finsternis soll er sich bergen und an welch sichern Ort kann er hingehen?	El-Amarna, Taf. 264, 15 ff. (KNUDT-ZON): Ob wir aufsteigen gen Himmel, ob wir niederfahren zur Hölle, so ist unser Haupt in deinen Händen. [Vgl. S. 121.]

---

¹) So vermutlich die richtige Übersetzung der zweifellos korrupten Stelle oder mit OLSHAUSENs Konjektur שְׁמֶךָ: „die in Lüge deinen Namen ausgesprochen haben" (vgl. FRANZ DELITZSCHs Psalmenkommentar ⁴ 1883, S. 840 und BAETHGENs Psalmenkommentar ³ 1904, S. 411). Aber auch ohne Konjektur ließe sich nebenstehender Wortlaut rechtfertigen; s. dazu GESENIUS' Wörterbuch unter den betr. Artikeln. Den Hinweis auf die hier gegebene Übersetzung dieser Stelle sowie manch andere Hilfe zu dieser Zusammenstellung in den ersten beiden Kolumnen verdanke ich den wertvollen Randnotizen meines Vaters (mit dessen freundlicher Erlaubnis) in seinem Exemplar von BRUNNHOFERs „Iran und Turan".

allein noch nichts besagen würde. Sollte für unseren Fall das bei Betrachtung der Tabelle und gleichzeitiger Anwendung dieses Kriteriums unschwer zu gewinnende Formelmaterial [1] noch nicht genügen, so lassen sich außerdem noch weitere Beziehungen zwischen den beiden Untersuchungsobjekten aufweisen, die uns davor warnen, an bloßes Zufallsspiel oder an das Wirken eines „Völkergedankens" zu denken, die uns sogar einen Schritt weiter führen, indem sie erkennen lassen, welcher der durch die beiden Stücke verkörperten Welten offenbar die Priorität der eigenartigen Gedankenprägung zukommt.

Wir gehen bei der Vergleichung aus praktischen Gründen zunächst von dem vedischen Hymnus aus, den wir in unserer Zusammenstellung mit Ausnahme der letzten beiden, die Beschwörung am Schluß noch fortführenden Verse vollständig wiedergegeben haben. Wir sehen, wie gesagt, von all den in die Augen springenden, auffallenden Übereinstimmungen und Ähnlichkeiten mit dem Formelgut der anderen Stücke einmal ab und betrachten die D i s p o s i t i o n des Hymnus. Teil I (v. 1 u. 2) spricht von des Gottes Allwissenheit; Teil I a (v. 3), der im Psalm (wie auch in den anderen von uns zum Vergleich angezogenen Stellen) keine rechte Entsprechung hat, rühmt mit pantheistischem Ausklang Varunas Allmacht. Teil II (v. 4 u. 5) kündet in jenem anschaulichen Bilde von der „Unentrinnbarkeit" des allmächtigen Gottes, das uns allen aus der Psalmstelle von Jugend an geläufig ist, von Gottes Allgegenwart und führt dies Motiv mit einem Hinweis auf Gottes Augen, denen in Zeit und Raum nichts verborgen ist, noch weiter aus. Der letzte Teil (III = v. 6 ff.) schließlich leitet mit überaus kühner Wendung — so will uns heute scheinen — zu einer Verfluchung des Feindes der Gottheit über, der in echt eranischer Weise als Lügner charakterisiert ist. Diese drei Hauptteile des Hymnus haben — zum Teil bis in Einzelheiten hinein — ihre Entsprechung in Partien des 139. Psalms, mit Ausnahme des letzten Teiles auch in den aus Plutarch und Xenophon sowie aus dem Koran herangezogenen Stellen jüngerer Herkunft. Von jeher hat sich nun jedem unvoreingenommenen Erklärer des 139. Psalms mit Recht das völlig Unvermittelte des Schlusses (von v. 19 ab) aufgedrängt, und man hat für diese Schwierigkeit meist eine Lösung in der Richtung gesucht, daß man den kühnen Bruch aus der jüdischen Mentalität hat erklären wollen, die in ihrem heiligen Fanatismus für Recht und Gerechtigkeit wie sonst so oft auch hier ohne rechten Zusammenhang Gott um Bestrafung des Übeltäters anging [2]. Daß dieser Exkurs in der Tat dem Israeliten nicht so unorganisch angefügt schien wie uns und daß er deshalb selbst in einem solch erhabenen Lied nicht störte, muß man wohl zugeben, zumal diese Erscheinung nicht ohne Parallelen ist [3]; aber eine glattere Erklärung bietet doch wohl der Vergleich mit unserem

---

[1] Es ist ARW 23 S. 196 f. zusammengestellt.

[2] Man denke an die sogen. „Rachepsalmen" und vgl. z. B. auch R. KITTELS Psalmenkommentar, 1914 S. 474 f.; H. GUNKEL, Einleitung in die Psalmen, I 1928, S. 9 u. 172 ff. Ebenda auf S. 32 u. 87 bucht G. unsern Psalm als 'Mischgedicht', nachdem er in seinem großen Psalmenkommentar 1926, S. 589 die merkwürdige Kontamination als 'echt israelitisch' bezeichnet hat.

[3] Z. B. Ps 63 10 f.; Ps 104 35; vgl. H. GUNKEL a. a. O.

vedischen Hymnus. Man wird es wohl kaum als Zufall bezeichnen dürfen,
daß zwei in ihrem religiösen Denken und Fühlen völlig verschiedene Völker,
jedes für sich, einen Hymnus auf Gottes Allgegenwart hervorbringen, der
im wesentlichen Aufbau sowohl wie in zahlreichen „Formeln" mit dem
anderen übereinstimmt und hier wie dort den Preis der göttlichen Allgegenwart mit einer Verfluchung von Gottes Feinden beschließt [1]. Und
dies alles, wenn für die scheinbare Unlogik in dem einen der beiden Fälle,
im vedischen Hymnus, eine auf der Hand liegende Erklärung gefunden
werden kann? Der Atharva-Veda nämlich, das „Wissen von den Zaubersprüchen", setzt sich ja größtenteils überhaupt nur eben aus Zaubersprüchen und Beschwörungsformeln — Segen oder Fluch spendenden —
zusammen; da ist es denn nicht verwunderlich, wenn auch in den wenigen
Fällen, wo Hymnen eingestreut sind, dem Ganzen zuliebe der Charakter
des Beschwörungsliedes oder wie hier die regelrechte Beschwörungsformel
selber nicht fehlt, die sich in unserem Falle eben nur dem Schlusse des
Liedes anfügen ließ; oder wenn, wie es die noch ansprechendere Ansicht
des Altmeisters Roth ist, u. a. auch in unserm Fall „vorhandene Bruch-
stücke alter Hymnen dazu benutzt wurden, Zauberformeln aufzuputzen" [2].

Einen anderen Gesichtspunkt, der Psalm und Vedenhymnus zu ver-
knüpfen scheint [3], hat BRUNNHOFER [4] des Näheren ausgeführt. Im Teil I
(Atharvav. IV, 16, v. 1 u. 2: Ps 139 2—4) findet sich, wie auch in unserer
Zusammenstellung durch gleichen Druck hervorgehoben ist, hier wie dort
in einiger Deutlichkeit [5] der Gebrauch der Formel „G e d a n k e n — W e g e —
W o r t e ". Diese Formel nun begleitet BRUNNHOFER auf ihrem in mannigfachen Wendungen zu belegenden Weg durch die Sprachen und Literaturen
der Indogermanen und zeigt in diesem Zusammenhang an zahlreichen Bei-

---

[1] Daß die letzten beiden schönen Verse von Ps 139 wie so manches andere Motiv
des Psalms Eigengut des auch als Umschöpfer noch überaus hochstehenden Dichters sein
mögen, wird man dabei gerne zugeben wollen. Ich denke dabei etwa an die von H. GUNKEL
a. a. O. S. 588 f. und schon Ausgewählte Psalmen [1] 1904, S. 226 f. fein ans Licht gestellten Einzelzüge.

[2] Abhandlung über den Atharva Veda, 1856, S. 30; s. bei J. GRILL, Atharvav., 1888
S. 127, und vgl. H. HAAS a. a. O. S. 99 f., der dort die ganze bis 1922 zu unserer Frage
erschienene Literatur zusammenstellt.

[3] Die Einzigartigkeit beider Lieder innerhalb ihrer Literatur wurde übrigens vielfach
hervorgehoben, so schon von R. ROTH (a. a. O.) für den vedischen Hymnus: „Es gibt kein
anderes Lied in der ganzen vedischen Literatur, welches die göttliche Allwissenheit in so
nachdrücklichen Worten ausspräche" (s. bei GRILL a. a. O. S. 126 f.); — für den anderen
Fall u. a. von KITTEL, der a. a. O. S. 471 von dem „einzigartigen Psalm" 139 spricht.

[4] a. a. O. S. 189 ff.

[5] Im Anschluß an STEINTHAL hat H. HAAS a. a. O., S. 103 gegen BRUNNHOFER
zeigen wollen, „daß in dem Atharvaveda-Hymnus diese ethische Trias tatsächlich n i c h t
vorliegt". Doch läßt sich unter dem 'zusammensitzend miteinander beraten', woran HAAS
vor allem Anstoß zu nehmen scheint, im Zusammenhang unseres Hymnus nicht wohl etwas
anderes als 'zusammen sprechen' verstehen; dazu kommt jetzt, daß die Plutarch-Parallele
(s. die Tabelle) die Formel auch hat. Gleichwohl ist für mich das Entscheidende und
Beweisende nicht sowohl dieser gemeinsame Formelbesitz in Psalm und Hymnus, als die
hier wie dort sich findende auffallende Disposition.

spielen, daß sie ihrem Vorkommen nach typisch indogermanisch, nicht aber semitisch ist. Im Avesta und im Buddhismus haben sich, wie BRUNNHOFER zeigt, die drei Glieder allmählich in leichter Umwandlung[1] zu der stereotypen Formel „G e d a n k e n — W o r t e — W e r k e " krystallisiert. Als solche kehrt sie in der griechischen Literatur (z. B. Aischylos, Prom. 528 ff.; Sophokles, Oid. Tyr. 510) wieder, und noch heute ist sie ein nicht unwesentlicher Bestandteil des kirchlichen Liedes und kirchlicher Liturgie[2].

Nach all dem wird es wohl kaum als vermessen gelten, wenn man den 139. Psalm aus isolierter Betrachtung loslöst und der Frage einer Abhängigkeit von Atharvaveda IV, 16 oder doch gemeinsamen indogermanischen Quellgutes offen ins Auge schaut, wie dies von theologischer Seite erstmals durch den Herausgeber dieser Zeitschrift geschehen ist[3], der „einen indirekten (iranisch? 'hettitisch'?) vermittelten Einfluß des Atharvaveda auf den Psalm für möglich" hält. Nun hat bereits BRUNNHOFER (a. a. O., S. 189 ff.) — hauptsächlich auf Grund des oben zuletzt Berichteten — angenommen, daß Psalm und Vedenhymnus einer gemeinsamen indogermanischen Quelle entstammen, und zwar nimmt er als Beeinflussungsdatum — ganz einleuchtend, wenn auch einstweilen noch unbeweisbar — eine Berührung der Arier der Urzeit mit den Hebräern der Urzeit an, die auf medischem Kulturboden stattgefunden haben müsse. Wie dem im einzelnen auch sei, wir können hier auch heute trotz reich-

---

[1] Übrigens ist 'Stehen und Sitzen' auch im Hebräischen und im Ägyptischen (ERMAN, Lit. d. Ägypter, S. 100) geradezu eine Umschreibung für 'Tun', wie HERM. GUNKEL zu Ps 139 2/3 anmerkt (Psalmenkomm. 1926, S. 587).

[2] Ich erinnere z. B. an M. RINCKARTs bekanntes Kirchenlied „Nun danket alle Gott Mit H e r z e n, M u n d und H ä n d e n", (worauf auch H. HAAS a. a. O. S. 103 hinweist), oder an das evangel. Sünden- oder Beichtbekenntnis: „ . . . ich armer sündiger Mensch bekenne vor Dir, daß ich leider wider alle Deine Gebote mit G e d a n k e n, W o r t e n und W e r k e n gesündigt habe, . . ." (Ev.-luth. Agende, hrsg. v. BOECKH, Bd. II, S. 69 Nürnberg 1870 und ähnlich in fast allen evangel. Agenden). — Es ist wohl auch kein „Zufall", wenn in der von uns beigebrachten griechischen Parallele gerade zu der betr. gleichen Partie vom Psalm und Vedenhymnus die Wendung (in ihrer weiter entwickelten Form) wiederkehrt: „Worte und Taten und die unausgesprochenen Gedanken" (s. dazu S. 115 Anm. 5.).

[3] JOH. HEMPEL (Gott u. Mensch, S. 168), der BRUNNHOFERs Ausführungen nur durch ein kurzes Zitat von A. JEREMIAS kannte, hat sich — trotz A. JEREMIAS — durch die sehr allgemein gehaltenen Äußerungen v. GLASENAPPs über das Alter der Veden (Handb. d. Lit.-Wiss., Lief. 63, S. 25 f.) davon abhalten lassen, an Priorität des Psalms zu denken; ich möchte bei der Unsicherheit der Datierung der Veden hierauf allein nicht allzuviel Wert legen — aus der inzwischen erschienenen Lief. 66, wo GLASENAPP nochmals auf das Alter der Veden (S. 46 ff.) und auch kurz auf unseren Vedenhymnus eingeht (S. 61), ist auch nicht mehr zu gewinnen —, hoffe aber durch die oben im Text gegebenen Erwägungen HEMPEL in seiner Ansicht zu bestärken. Auf A. JEREMIAS' nicht weiter begründete gegenteilige Auffassung (Das AT im Lichte des A. Or., 3 A. 1916 S. 583) einzugehen, erübrigt sich mir, ich hoffe sie schon implicite durch meinen Aufsatz im ARW 23 widerlegt zu haben. Übrigens handelt es sich an einer Stelle von JEREMIAS' Buch (S. 219), auf die er zur Stützung seiner Ansicht verweist, gerade um „sehr frühen Einfluß arischer Völker auf Vorderasien", nicht umgekehrt etwa um semitischen Einfluß auf die alten Inder!

licher neuer Erkenntnisse, die vornehmlich von Boghazköi ausgingen, nur
Vermutungen äußern; aber die ganz allgemeine Richtigkeit von BRUNN-
HOFERS Hypothese scheint mir doch festzustehen.

Das habe ich einmal durch den Hinweis auf die inzwischen — eben
in Boghazköi — zutagegetretenen Spuren altindischer Götternamen und
Zahlwörter in semitischen Texten aus dem XIV. vorchristl. Jh. wahrscheinlich zu machen gesucht[1]. Weit wichtiger erscheint mir aber in diesem
Zusammenhang die bisher theologischerseits nur zögernd gemachte Feststellung[2], daß im allgemeinen das AT in Gott durchaus nicht den Allgegenwärtigen sieht, vielmehr ihn gern an bestimmten Orten lokalisiert,
während jene für uns zweifellos höher stehende Auffassung von Gottes
Allgegenwart mit Ps 139 nur wenige andere ATliche Stimmen ganz individuellen Charakters teilen, so besonders der Prophet Jeremia[3]. Ich muß
hier wieder, um nicht schon Gesagtes zu wiederholen, auf meinen Aufsatz
„Der allgegenwärtige Himmelsgott" (ARW 23, besonders S. 201 ff.) verweisen, halte es aber gerade in dieser Zeitschrift als Laie für angebracht,
zur Stütze meiner dort dargelegten Auffassung noch einiges Material reden
zu lassen, das ich neueren Arbeiten zünftiger Alttestamentler entnehme[4].

---

[1] a. a. O. S. 198; s. dazu auch JEREMIAS a. a. O. S. 219 und GG. BEER, Die Bedeutung des Ariertums für die israelitisch-jüdische Kultur, 1922 S. 3 u. 27; vgl. außerdem
die Vermutung FR. HOMMELs, Grundriß, S. 221, wonach die babylonischen, von der kas-
sitischen Zeit an auftauchenden Monatsnamen Tišrit und Addar aus dem Eranischen
(Tištrija und Athar) entlehnt sind; weitere in die gleiche Richtung weisende Vermutungen
daselbst S. 221 ff. Ferner erinnere ich an die anscheinend von GEMOLL 1911 zuerst
empfohlene Gleichung von Aravna (II Sam 24 16 ff.) und Aruna (= Varuna); s. dazu
FR. HOMMEL a. a. O., S. 1011 und R. EISLER (Amer. Journ. of Oriental Res. 1927,
p. 39), der noch eine weitere hier einzureihende Vermutung EBERH. HOMMELs anführt,
wonach der Name der besonders gern in Höhlen verehrten Großen Mutter, der kleinasiatische Göttername Ma-Kybela in der Bezeichnung für die Höhle Ephrons, des Hethiters, הַמַּכְפֵּלָה Gen 23 9 u. ö. wiederzuerkennen wäre. Eine Reihe weiterer interessanter
Hypothesen, die hier einschlägig sind, s. bei BEER a. a. O., S. 8 ff. Davon sei besonders
erwähnt die bereits von MAX MÜLLER vertretene Ansicht (Indien in seiner welt-
geschichtlichen Bedeutung, 1884, S. 8 f.), daß die Erzählung von Salomos Urteil I Reg
3 16 ff. aus der altindischen Literatur entlehnt sei; vgl. dazu auch G. A. VAN DEN BERGH
VAN EYSINGA, Indische Einflüsse auf europäische Erzählungen, 1904, S. 81.; H. OLDEN-
BERG, Die Literatur des alten Indien, 1903, S. 114 f. u. 291; F. V. DER LEYEN, Das
Märchen[2] 1917, S. 102; H. GUNKEL, Das Märchen im AT, Tübingen 1917, S. 144 ff.
(mit der dort zitierten Literatur); JOH. HERTEL, Geist des Ostens, Jg. 1, 1914, S. 189—192
(Arbeiten bzw. Stellen, auf die mich K. KILGERT, F. R. SCHRÖDER und H. HAAS frdl. hinweisen); vgl. auch den Niederschlag, den dieses alte Märchen in der ostasiatischen Literatur gefunden hat: die jüngste Fassung stellt der in Zehntausenden von Exemplaren verbreitete 'Kreidekreis' von KLABUND dar (Berlin 1925 u. ö).

[2] Z. B. JUSTUS KÖBERLE, Der Prophet Jeremia, 1908, S. 180 und dazu ARW 23
S. 203.

[3] Ich habe die Eigenart seiner Gottesauffassung von diesem Punkte aus im Gegensatz zu derjenigen des Jesaja (ARW 23 S. 202 f.) kurz zu skizzieren versucht.

[4] Auf einschlägige Stellen in DILLMANNs Handb. d. ATlichen Theol., P. VOLZs
Jerem.-Komm., 1922 u. a. m. habe ich bereits a. a. O. verwiesen. Vgl. ferner J. HEHN,

So hat Friedrich Nötscher in seiner Habilitationsschrift gezeigt[1], daß der Israelite in seiner Vorstellung keinen sachlichen Unterschied macht zwischen „Gottes Angesicht sehen" und „die Kultstätte besuchen" (bzw. „sich im Tempel befinden"), so daß man beide Ausdrücke promiscue gebrauchen kann, was an Hand von zahlreichen Beispielen belegt wird. Erst die Masoreten und die griechischen Übersetzer des AT nahmen in der Folge an jener grob sinnlichen — nach Nötscher (S. 93) unter fremdem, babylonischem Einfluß entstandenen — Vorstellungsweise Anstoß und änderten jeweils den Text (N., S. 90 ff.). Vergleichen wir diese Anschauungsweise mit der im 139. Psalm zutage tretenden, so wird ohne weiteres der weltenweite Unterschied klar. Zu der landläufigen israelitischen Gottesvorstellung, die eines bestimmten Ortes oder doch eines kultischen Aktes bedurfte, um sich Gott zu vergegenwärtigen, der den Gläubigen keineswegs ohne weiteres „von allen Seiten umgab" (so Ps 139 5) paßt es auch, daß eine wichtige Funktion des Opfers der Israeliten „die Vergegenwärtigung Jahwes" zu bestimmten Zwecken war, wie zuletzt ausführlich Adolf Wendel dargetan hat[2].

Schließlich möchte ich auf Hans Duhms aufschlußreiche Monographie über den „Verkehr Gottes mit den Menschen im AT" (Tübingen 1926) hinweisen, die natürlich für unser Problem eine Menge Materials beibringt. Duhm stellt — wenigstens für die ältere Zeit[3] — „als Grundbedingung des Verkehrs mit dem Unsichtbaren" wörtlich fest (S. 10 f.), daß „der Mensch . . . nur Verkehr mit dem Gott hat, dessen Ort er kennt und aufsuchen kann. Das Göttliche hat . . . nicht . . . Allgegenwart!" Ganz entsprechend besteht auch der Inhalt der ersten Vision, deren Gott einen Menschen würdigt, „i. A. darin, daß der Gott seinen Wohnsitz und seinen Eigennamen kundgibt. Beides ist nötig, daß man ihn aufsuchen und anrufen kann"[4].

Die bibl. u. die babylon. Gottesidee, 1913, S. 288 f., wo Beispiele von augenfälligen Erscheinungen Jahwes in menschlicher Gestalt durch zahlreiche ATliche Stellen belegt sind.

[1] 'Das Angesicht Gottes schauen' nach bibl. und babylon. Auffassung, Würzburg 1924 S. 88 ff.

[2] Das Opfer in der altisraelit. Religion, Leipzig 1927 S. 111—124 (= Das Opfer bei Vertragsschluß, Eid, Segen, Fluch und Gottesurteil).

[3] Als deutlichen Beleg für eine dem Allgegenwartsglauben durchaus zuwiderlaufende Vorstellung aus ganz später ATlicher Zeit erinnere ich an Mi 4 1—4 = Jes 2 2—4, eine Doppelstelle, der Budde jüngst (ZDMG 1927, S. 152—158) überzeugend am Ende des Buches Joel ihren ursprünglichen Platz zugewiesen hat, sie damit also wohl ins 2. vorchristl. Jh. setzend (s. dazu z. B. B. Duhm, Israels Propheten, 2. A. 1922, S. 398). Vgl. dort bes. „laßt uns hinauf zum Berge des Herrn gehen und zum Hause des Gottes Jakobs, daß er uns lehre . . ." und den vorangehenden Vers. — Hierher gehört ferner eine Stelle wie Hi 22, 13/14, bes. Vers 14 „Die Wolken sind seine Vordecke, und siehet nicht, und wandelt im Umgang des Himmels"; „die hier charakterisierte Skepsis muß zu der Zeit des Dichters sehr im Schwange gewesen sein", sagt B. Duhm (1897) S. 116. Neuerdings hat A. H. Kroppe, Rev. des Et. grecques 39 (1926) S. 351 ff. diese Stelle als epikureisch beeinflußt und dem 2. vorchristl. Jh. entstammend erweisen wollen.

[4] H. Duhm a. a. O. S. 212 f. Vgl. auch J. Hempel, Gott und Mensch . . . S. 168, der dort für die andere aus dieser Anschauung resultierende Möglichkeit, daß Gott näm-

Ich will mich mit Anrufung dieser Zeugen begnügen; sie alle scheinen mir einmütig meine Auffassung zu bestätigen, daß vorsichtig ausgedrückt „Stimmen, die von der Allgegenwart Gottes künden, im AT nur ganz vereinzelt ertönen" (ARW 23, S. 201). Daß die damit angedeuteten, schon oben berührten Ausnahmen, zu denen besonders der Prophet Jeremia gehört, auch gerade in diesem Punkt in deutlicheren Kontrast zu der landläufigen israelitischen Gottesauffassung gestellt werden sollten, als es bisher geschehen ist, möchte eine Hauptanregung dieser Arbeit sein. Demgegenüber hat es für die Wissenschaft vom AT wohl erst eine Frage zweiten Ranges zu sein, ob die Ausnahmestellung jener individuellen Stücke durchwegs an Hand immanenter Kriterien auf psychologischem Wege — wie es doch jedenfalls vorwiegend bei Jeremia geschehen muß [1] — oder auch einmal von außen her — historisch — zu erklären sei. Daß letzterer Weg für den 139. Psalm der g a n g b a r s t e sei, hoffe ich im Anschluß an Brunnhofers Vermutung durch die tabellarische Zusammenstellung ähnlicher Texte und durch die daran angeschlossene Erörterung empfohlen zu haben. Freilich, wenn dieser Weg sich der ATlichen Forschung künftig darüber hinaus auch als der r i c h t i g e erweisen sollte, dann wird wohl der sehr späte Ansatz des Psalms [2], den man meist findet, einer starken Verschiebung nach oben bedürfen. An und für sich schon, so sollte man meinen, läßt sich das Wort des im 8. Jh. lebenden Amos (9, v. 2. 3.) „Und wenn sie sich gleich in die Hölle vergrüben, soll sie doch meine Hand von dannen holen" doch auch am einleuchtendsten als ein bewußter oder unbewußter Anklang an den dem Propheten bekannten Psalm auffassen und auch in Jer 23 24 meint man eine Erinnerung

---

lich selber in jedem Einzelfall zu den Menschen „herabsteigt", Gen 11 5 (gleich mir ARW 23 S. 203) anführt. Vgl. dazu auch Gg. Beer, Welches war die älteste Religion Israels? (1927) S. 28. Derselbe führt — auf S. 27, 29 und 36 f. — in unserem Zusammenhang besonders charakteristische Züge der israelitischen Gottesvorstellung an (z. B. Gen 3 10 das Erschrecken des Menschen bei der Begegnung mit Jahwe), weist vor allem auch (S. 37) auf das Fehlen der Mystik in der echten semitischen Religion hin.

[1] Vgl. H. Gunkel, Psalmenkomm. 1926, S. 586 (= Ausgew. Psalmen [1] 1904, S. 223): 'Nicht sowohl die Reflexion, als vielmehr der Enthusiasmus ist es . . . gewesen, der die Gottesidee ins Schrankenlose erhoben hat', nur daß ich eben diese von Gunkel auf die Prophetie schlechthin bezogene Schrankenlosigkeit der Gottesvorstellung speziell für Jeremia in Anspruch nehmen möchte, wie ich andernorts im Anschluß an ARW 23, S. 201 f. noch näher auszuführen hoffe.

[2] „kaum vor der nachexilischen Zeit" nach W. Stärk in: Die Schr. d. AT von H. Gunkel, 1. Aufl. 1911, III 1 S. 243. — „kaum vor dem Buch Hiob" nach R. Kittel, Die Psalmen Lpzg. 1914, S. 475. Für beide sind zu diesem Ansatz in der Hauptsache sprachliche Indizien maßgebend, die jedoch bereits Baethgen in seinem Psalmenkomm. (3. Aufl. 1904, S. 407) zu entkräften meint. Neuerdings scheint übrigens E. König, Die Psalmen 1927, S. 139 f. den Psalm vor oder in die Zeit des Propheten Jeremia setzen zu wollen, während H. Gunkel (Psalmenkomm. 1926, S. 590 u. ö.) sich auch für eine späte Entstehung des Psalms erklärt. Aber auch, wenn die dafür beigebrachten Argumente entscheidend sein sollten, könnte Ps 139, wie er uns vorliegt, denn nicht die jüngere Fassung eines weit älteren Liedes darstellen?

an unseren Psalm anklingen zu hören: „Meinst du, daß sich jemand so heimlich verbergen könne, daß ich ihn nicht sehe, spricht der Herr"[1].

Wenn wir nach allem Bisherigen dazu neigen dürfen, irgendwelche Abhängigkeit des 139. Psalms von einer indogermanischen mit Atharvaveda IV, 16 verwandten Quelle gelten zu lassen, so bleibt dabei noch manches Problem zu lösen. Ich habe bisher aus dem Vedenhymnus den freilich voreiligen Schluß ziehen zu können geglaubt, daß der Allgegenwartsglaube Gemeingut der alten indischen Religion gewesen sei; freilich hätte mich schon zur Vorsicht mahnen müssen, daß in anderen indogermanischen Religionen — wie der griechischen — die offizielle Anschauung tieferen Allgegenwartsglauben nicht kennt[2]. Nun hat mich der Indologe GUNTHER IPSEN[3], der die Parallele zwischen Psalm, Vedenhymnus und den anderen von mir aufgezeigten Stücken für schlagend hält, darüber belehrt, daß die Allgegenwart Gottes im allgemeinen auch der alten indogermanischen Auffassung widerspreche. Sofort erhebt sich da die Frage, wie dann dort jenes mehr oder weniger isolierte Zeugnis für einen relativ schon so vergeistigten, sich an einen persönlichen Gott wendenden Allgegenwartsglauben möglich war. Ja, man könnte mit dem Einwand kommen, daß bei dieser Sachlage die Isoliertheit des 139. Psalms innerhalb der ATlichen Schriften nicht mehr — wie wir es oben taten — für seine Abhängigkeit von indogermanischer Anschauung ins Feld geführt werden dürfe, wenn dort bei den alten Indern ebenso der Allgegenwartsglaube nur vereinzelt sich finde. Aber abgesehen davon, daß jene Erwägung keineswegs die einzige Begründung für unsere These abgab, dürfte doch solchem Einwand auch auf andere Art zu begegnen sein. Wir versuchen das, indem wir gleichzeitig im Sinne der vorhin gestellten Frage den — nach IPSEN fremden — Wurzeln der Allgegenwartsanschauung in Atharvaveda IV 16 nachspüren. Die nächstliegenden fremden Beeinflussungsmöglichkeiten, denen das Land der Veden im 2. vorchristl. Jahrtausend ausgesetzt war, dürften bei den semitischen Nachbarn zu suchen sein. Und wir haben ja oben bereits auf Spuren babylonisch-indoiranischer Wechselbeziehungen hingewiesen[4]. In diesem Zusammenhang ist nun die dem 14. vorchristl. Jh. entstammende poetische Stelle eines El-Amarna-Briefes wichtig (Nr. 264, 15 ff. KNUDTZON 1915 I S. 827), auf die ich durch J. HEMPEL (a. a. O., S. 168) aufmerksam werde. Der Kananäer Tagi redet dort seinen Pharao, den personifizierten Sonnengott, folgendermaßen

---

[1] Man denke dabei auch an die Ähnlichkeit von Jer 1 5 („Ich kannte dich, ehedenn ich dich im Mutterleibe bereitete, . . .") mit Ps 139 16 („Deine Augen sahen mich, da ich noch unbereitet war, . . .").

[2] S. dazu ARW 23, S. 201 (im Anschluß an L. WENIGER, ARW 22 [1923/24] S. 16 ff.).

[3] In einer kurzen Besprechung meines Aufsatzes über „den allgegenw. Himmelsgott", Indogerman. Jahrb. 11 (1926/27) S. 93.

[4] Ich erinnere hier ferner an die ostarabisch-chaldäischen Einflüsse auf den indischen Kalender (Mondstationen usw.), die man vermutet hat (s. dazu FR. HOMMEL a. a. O. S. 221 ff.), vor allem aber an die ganz frappanten Entlehnungen des Weltschöpfungshymnus Rigveda X 120 aus dem Anfang des uralten babylonischen „enûma eliš" (Textbuch z. Rel.-Gesch. 2. A. 1922, S. 281), wie sie BRUNNHOFER a. a. O. S. 185 ff. aufgezeigt hat.

an (in Böhls Übersetzung, Theol. Lit. Bl. 36, 1914, Sp. 337): „Ob wir aufsteigen gen Himmel, ob wir niederfahren zur Hölle, so ist unser Haupt in deinen Händen."

Auf die in die Augen springende Ähnlichkeit mit Psalm 139 8 hat schon Otto Weber (bei Knudtzon, El Amarna-Tafeln II 1915, S. 1323) aufmerksam gemacht, allerdings ohne daraus irgendwelche Schlußfolgerungen zu ziehen. Dagegen hat Franz Böhl (a. a. O. Sp. 337—340)[1] die Frage aufgegriffen[2], indem er auch bei anderen Tell-El-Amarna-Briefen teilweise aus ganz banalem Zusammenhang kleinere Partien ausscheiden konnte, die deutlich das Gepräge gehobener religiöser Rede tragen[3]. Er hat in diesem Zusammenhang — vor allem an Hand sprachlicher Indizien, die geradezu zu Rückübersetzung aus dem unbeholfenen Babylonisch ins Hebräische auffordern — wahrscheinlich gemacht, daß die betreffenden Briefschreiber (meist Kananäer, genauer palästinensische Stadtfürsten) vielfach aus kluger Berechnung und Schmeichelei ihnen gerade geläufige Stellen aus heimischen Hymnen (oder wenn man will Psalmen) in die Briefe an den Pharao-Sonnengott einflochten.

Auf unseren Fall angewandt will Böhls interessantes Ergebnis besagen, daß jenes Allgegenwartsglauben verratende Stück aus dem Amarna-Brief des Tagi, ins Hebräische rückübersetzt, sozusagen eine Art Urfassung von Ps 139 8 oder die Variante einer solchen darstellen dürfte. Werfen wir nun einen Blick auf unsere Tabelle, so muß auffallen, daß gerade hier nähere Übereinstimmung der Formelsprache mit der betreffenden Partie des Vedenhymnus fehlt, so frappant auch hier die Ähnlichkeit der Disposition zur Geltung kommt. Man kann das als Zufall betrachten, und ich will keineswegs e silentio behaupten, daß n u r diesen einen Vers der Psalmsänger aus der alten vorisraelitischen Hymnenliteratur seines Landes geschöpft haben müsse, während er sonst im Wesentlichen Formelgut und vor allem Aufbau seines Liedes der indogermanischen Quelle verdankt. Aber ich darf in diesem Zusammenhang doch auf etwas hinweisen, was mir wichtiger erscheint: daß nämlich in jenem El-Amarna-Text der solare Hintergrund des Allgegenwartsglaubens noch deutlich zu fassen ist, während im Psalm sowohl wie im Vedenhymnus dieser Glaube an einem rein persönlichen Gott haftet, dem von etwaiger astraler Herkunft keine Spur anzumerken ist[4]. In dieser Beziehung stellt sich vielmehr der angeführte El-Amarna-Passus durchaus zu einer anderen Kategorie religiöser Äußerungen, von der wiederum J. Hempel (a. a. O. S. 171) ein typisches Beispiel angeführt hat: „Du überschreitest das Meer, das breite, weite, Dessen innerstes Innere auch die Igigi nicht kennen, Deine [gewaltigen] Strahlen steigen selbst in den „Abgrund" hinab. [Die Un]geheuer des Meeres schauen dein Licht" (s. jetzt bei Gressmann, Altorientalische Texte

---

[1] Vgl. a. A. Jirku, Altorient. Komm. z. AT, 1923, S. 233.

[2] Die betreffenden Partien von Knudtzon, El-Amarna-Tafeln und von O. Webers Komm. dazu lag ihm damals bereits in Lieferungen vor.

[3] Mit Hilfe des gleichen Prinzips konnte ich ARW 23 S. 194 aus jener Plutarchstelle (s. oben und die Tabelle) ein wichtiges Allgegenwartszeugnis ausheben.

[4] Daß man in der Tat für Varuna sowohl (Oldenberg) wie auch für Jahwe (jüngst vor allem Ditl. Nielsen; R. Eisler) astrale Vorstufen angenommen hat, indem man jede der beiden Gestalten auf eine frühere Mondgottheit zurückzuführen versucht, tut hier gar nichts zur Sache.

. . . 2. A. I, 1926, S. 245). Diese Worte entstammen einem Šamašhymnus, sind also geradezu an die alles mit ihren Strahlen erreichende Sonne gerichtet, und HEMPEL hat mit Recht entschieden betont, daß „diese, den Gedanken des Wissens der Gottheit ja geradezu fordernde Naturgrundlage der entsprechende israelitische Glaube entbehrt". Nun ist in der Tat bei aller Grundverwandtschaft der persönliche Allgegenwartsglaube des Propheten Jeremia oder des 139. Psalms wie auch unseres Vedenhymnus etwas gänzlich anderes als solch primitive, an ein Gestirn oder an den Himmel sich anheftende Unentrinnbarkeitsvorstellung, wie wir sie sogar schon bei den meisten p r i m i t i v e n Völkern finden. Beispiele für diesen naturhaften Glauben hat R. PETTAZZONI in Menge gesammelt [1], und ganz neuerdings kennzeichnet ALFRED FORKE [2] die Allgegenwart des Himmelsgottes der alten Chinesen „Schangti" — der in der ältesten Zeit (im wesentlichen bis ins 1. vorchristl. Jahrtausend [3]) noch nicht einmal personifiziert wird — ganz im gleichen Sinne: Er ist, wie alle seine zahlreichen Entsprechungen bei anderen Völkern, allgegenwärtig nur insoweit, als er selbst der Himmel ist (bzw. den Himmel bewohnt) und der Naturmensch dem Blick des Himmels nicht entfliehen kann.

Nun wird man für möglich halten müssen, daß dieser bei Primitiven beinahe selbstverständliche Allgegenwartsglaube, der freilich bei den meisten Völkern mit steigender Kultur allmählich ganz verschwand [4], eine Vorstufe zu jener vollendeten Form darstellt, die uns hier beschäftigt und die irgendwo einmal durch schöpferische Weiterbildung, keineswegs durch selbsttätige Entwicklung, aus jener hervorgegangen sein wird. So konzentriert sich unser Problem auf die Frage, wo das einst geschehen ist — wenn schon gegenseitige Abhängigkeit von Vedenhymnus und Psalm angenommen werden muß —: auf indogermanischem oder semitischem Boden? Wäre letzteres der Fall, so müßte in Kauf genommen werden, daß der Vedenhymnus — dann also abhängig von Ps 139 — mit zu den jüngsten Stücken vedischer Poesie zu rechnen wäre, wogegen sich mit Recht energischer Einspruch der Indologen erheben dürfte [5]. Ferner würde in diesem Fall eine bedenklich große Lücke klaffen zwischen unserem Psalm mit seinem vollendeten, bis heute unübertroffen tiefen Ausdruck eines vergeistigten Allgegenwartsglaubens und zwischen den oben erwähnten durchwegs der Mitte des 2. Jahrtaus. angehörenden Zeugnissen primitiver solarer Allgegenwartsvorstellung.

In diese Lücke hinein paßt rein chronologisch der Vedenhymnus sehr wohl; aber weit wichtiger und als inneres Kriterium entscheidend scheint mir, daß man durch Annahme seiner Priorität nicht gezwungen ist, dem

---

[1] Dio . . . Vol. 1 1922, p. 70, 120, 257 u. ö., zusammenfassend darüber p. 358 f.

[2] Gesch. d. alt. chines. Philosophie. Hamburg 1927, S. 19, 29 u. ö.

[3] S. dazu A. FORKE a. a. O. S. 223.

[4] So haben wir — von der israelit. Religion gar nicht zu reden — in der herrschenden griech. Religion wenig Spuren mehr von ihm (eine Ausnahme bildet wohl die Unterströmung der fremd beeinflußten Orphik; s. dazu ARW 23, S. 198 ff. und 206), während er sich z. B. bei den Chinesen nach FORKE verhältnismäßig lange erhalten hat.

[5] Vgl. dazu die allgemeine Bemerkung bei v. GLASENAPP a. a. O. S. 62 ob; vgl. ferner schon — im Anschluß an R. ROTH — ALBR. WEBER, Indische Studien 18, 1898, S. 66. Nur J. HERTEL tritt (soweit ich sehe) neuerdings für jüngeres Alter der Veden ein, ohne die Zustimmung seiner Fachgenossen zu finden.

Israeliten der Prophetenzeit[1] die Umbildung der ihm verhaßten solaren und materiell gefaßten Allgegenwartsvorstellung zuzuschieben, was doch immerhin vorherige innere Vertrautheit mit ihr voraussetzen würde. Noch weniger wird man wohl den semitischen Šamašverehrern, etwa den Babyloniern oder Kananäern, die Loslösung des Allgegenwartsglaubens von meteorischen Vorstellungen zutrauen dürfen.

Doch wir brauchen uns glücklicherweise durchaus nicht gerade die Inder oder besser Indoiranier, die in der Mitte des 2. Jahrtausends — der sogenannten indoiranischen Einheitsperiode — bekanntlich noch ungetrennt waren, als Vollzieher dieser bedeutenden Entwicklung vorzustellen, wobei wir, aus der Skylla in die Charybdis geratend, in Konflikt mit jenem oben erwähnten Einwand von indologischer Seite kämen, daß ja auch dort der Allgegenwartsglaube sonst keineswegs verbreitet gewesen sei; wir können vielmehr, von da nach rückwärts gesehen, noch eine weitere Zwischenstufe in Umrissen erschließen. Dabei handelt es sich um eine Allgegenwartsvorstellung, die zwar noch allenthalben Spuren einer primitiven, die Götter grob personifizierenden Denkart aufweist, aber im ganzen doch schon weit über jene oben erwähnten Zeugnisse materieller Allgegenwartsvorstellungen hinausgewachsen ist. Und dabei handelt es sich um ein Volk, das in mehrfacher Hinsicht gewissermaßen auf der Grenzscheide semitischen und indogermanischen Wesens steht[2], um die H e t h i t e r. Ich denke an die von Götze herausgegebene Selbstbiographie des ca. 1298—1260 regierenden Königs Ḫattušiliš (Leipzig 1925), die in eigenartiger Weise durchtränkt ist von dem innigen Glauben an ein „die Lebensbahn des Menschen dauernd lenkendes Walten"[3]. Diese Grundstimmung, die das Ganze durchzieht, scheint mir dabei das Wesentliche zu sein. Aber auch — ähnlich öfters wiederkehrende — Einzelwendungen sind in unserem Zusammenhang von Wichtigkeit, so etwa wenn Ḫattušiliš dankbar und gläubig vertrauend bekennt: „Istar, meine Herrin,

---

[1] Und daß eine solche Vergeistigung des Allgegenwartsglaubens schon lange vorher stattgefunden haben könnte, dagegen spricht doch wohl die oben und ARW 23 S. 201 ff. skizzierte herrschende Gottesauffassung gerade der älteren Teile des AT. In dieser älteren Zeit finden wir Spuren eines Allgegenwartsglaubens wohl gerade deshalb überhaupt nicht, weil dessen höhere Form noch nicht bekannt war, die primitiv-solare aber bei der Eigenart der israelitischen Religion dort keinen Raum hatte.

[2] Vgl. dazu z. B. Georg Beer, Welches war die älteste Religion Israels? 1927, S. 8; derselbe, Die Bedeutung des Ariertums für die israelitisch-jüdische Kultur, 1922, S. 4, wo er — vgl. bes. auch S. 2 — freilich sich die Arbeit allzuleicht macht, indem er Philister und Hethiter rundweg als arische Völker erklärt, was bekanntlich keine ausgemachte Sache ist, jedenfalls einer Einschränkung bedarf (s. dazu unten die vorletzte Fußnote dieses Aufsatzes und vgl. J. Hempel, Westliche Kultureinflüsse auf das älteste Palästina, im Palästinajahrbuch 1927, S. 52 ff,; Viktor Christian, Das erste Auftreten der Indogermanen in Vorderasien, Mitt. d. Anthr. Ges. in Wien 58 [1928] S. 210 ff.).

[3] So Wilh. Weber, Die Staatenwelt des Mittelmeers . : . 1925 S. 39, nur daß W. unzutreffend und verallgemeinernd solche Gottesauffassung als allgemein „orientalisch" — ein vieldeutiger Begriff! — dem „plötzlichen, wie Zufall anmutenden Erscheinen der griechischen Gottheiten" (letzteres durchaus richtig gesehen) gegenüberstellt. Wieder eine andere Problemstellung wendet die in ihrer Verallgemeinerung ebenfalls schiefe Gegenüberstellung bei Beer (Welches war . . .? 1927 S. 36) an. B. spricht von der breiten Kluft, die den Semiten von seinen Göttern trennt und läßt bei den Indogermanen den Abstand zwischen Gott und Mensch durch Gefühl und Intuition aufgehoben sein.

errettete mich immer bei jeder Gelegenheit; wenn es mir einmal schlecht
ging, sah ich — gerade krank — das Walten der Gottheit deutlich. Die
Gottheit, meine Herrin, hatte mich bei all und jeder Gelegenheit bei der
Hand. Weil ich aber ein (von der Gottheit) betreuter Mann war, weil
ich im Walten der Götter wandelte, handelte ich niemals nach der bösen
Handlungsweise der (gewöhnlichen) Menschheit." (§ 4, 43—49 Götze, S. 11).
Es liegt mir fern, diesen Ausdruck eines offensichtlich vom Materiellen los-
gelösten — freilich noch ganz individualisierenden [1] — schlichten Allgegenwartsglaubens irgendwie mit Vedenhymnus oder Psalm in nähere Beziehung
setzen zu wollen. Aber die religiöse Grundstimmung des Hethiters scheint
mir doch als Zwischenstufe zwischen grob astraler Unentrinnbarkeitsvorstellung und dem vergeistigten Allgegenwartsglauben von Psalm und
Vedenhymnus verwendbar.

So möchte ich den letzten Teil meiner Erörterungen rekapitulierend
etwa folgendermaßen zusammenfassen, nicht ohne ausdrücklich noch einmal
betont zu haben, wie sehr ich mir bewußt bin, bei der Lückenhaftigkeit
des Materials und dem Außenseiterstandpunkt des Bearbeiters besten-
falls die zurzeit wahrscheinlichste, keinesfalls eine auch nur in
einem Punkte abschließende Lösung der verwickelten Probleme vorgelegt
zu haben:

Die Hethiter mögen es gewesen sein, die — wenn auch vielleicht nur
in ihrer Oberschicht [2] und in langsamer Entwicklung — die Loslösung des
Allgegenwartsglaubens vom Substrat rein naturhafter Gottheiten vollzogen
haben; die Vollendung dieses schöpferischen Prozesses liegt uns erst in
einem rein indogermanischen Erzeugnis, in Atharvaveda IV 16 vor; der
Sänger des 139. Psalms hat in solcher Gottesauffassung Geist von seinem
Geist gespürt und daraus in genialer Neuschöpfung, die doch das Vorbild
nicht verleugnen kann, Eigenes geschaffen.

Für uns ist sein Lied bis heute der vollkommenste Ausdruck einer
Gewißheit geblieben, die — vielleicht an einem Funken der gleichen
Flamme entzündet — hier und dort auch in der Seele anderer antiker
Menschen aufleuchtete [3], und die zu den kostbarsten Gütern gehört, deren
Vermittlung das Christentum dem AT verdankt.

---

[1] Der Sänger des 139. Psalms spricht allerdings auch in der ersten Person — wie
Ḫattušiliš! Über diese 'Ichform' beim Psalmisten vgl. H. GUNKEL, a. a. O. (1926) S. 587
und schon Ausgewählte Psalmen [1] 1904, S. 225.

[2] Vielleicht darf es in unserem Zusammenhang als bezeichnend angesehen werden,
daß nach den bahnbrechenden Forschungen HROZNÝs das indogermanische Element im
Hethiterreich gerade in seiner Herrenschicht zu suchen ist (vgl. darüber zuletzt LEOP.
WENGER, Der heutige Stand der röm. Rechtswissensch. 1927, S. 48; ALBR. GÖTZE, Das
Hethiter-Reich [= Der Alte Or. 27, 2] 1928, S. 7.)

[3] Ich gehe, um den Rahmen dieser Arbeit nicht zu sprengen, hier nicht weiter auf
die Erörterung der Probleme ein, die diese anderen unserer Tabelle eingereihten Stücke
griechischer bzw. islamischer Provenienz aufgeben. Für erstere verweise ich einstweilen
auf meinen mehrfach zitierten Aufsatz im ARW 23, für die Koranstelle, an die sich auch
ein interessantes neutestamentliches Problem knüpft, auf die Ausführungen ihres „Ent-
deckers" PETTAZZONI in Studi e Materiali della Storia delle Religioni I (1925), p. 133 ff.,
sowie auf meine kurze Bemerkung in der Philol. Wochenschrift 1927, Sp. 1593.

[Abgeschlossen am 25. Mai 1928.]

Nachträge und Nachwort 1981

[S. 111] Anm. 1.
Jetzt s. ob. S. 44 ff.

[S. 111], Anm. 2.
Eine Veröffentlichung meines ‚Konvergenz'-Aufsatzes ist bisher nicht erfolgt. Siehe dazu auch oben ‚Der allgegenwärtige Himmelsgott', Nachtrag zu [S. 197], Anm. 3. Übrigens hat sich J. Geffcken, ARW 27. 1929, 346 ff. im Blick auf meine Forschungen (denen er einleitend einiges Lob zollt) dahin geäußert, daß für ihn die Frage ‚Spontaneität oder Kontinuität' nach wie vor offen bleibe, sofern nicht im Einzelfall eine Vermischung von beidem vorliege (!).

[S. 113] linke Spalte.
Hier ist jetzt vor allem noch Platon, Gesetze X 905 A zu ergänzen; s. dazu oben aaO. im Nachtrag zu S. 205 f. mit weiteren antiken Parallelen zum Flucht- bzw. Unentrinnbarkeits-Topos. Weniger um der Einzelanklänge halber als vielmehr deshalb, weil es sich doch wohl um die Persiflage eines dem Genos nach verwandten orphischen Allgegenwartshymnus handeln dürfte, sei auf Aristophanes, Ritter 74–80 hingewiesen, wo der Demagoge Kleon verspottet wird:

'Αλλ' οὐχ οἷόν τε τὸν Παφλαγόν' οὐδὲν λαθεῖν·
ἐφορᾷ γὰρ αὐτὸς πάντ'.Ἔχει γὰρ τὸ σκέλος
τὸ μὲν ἐν Πύλῳ, τὸ δ' ἕτερον ἐν τἠκκλησίᾳ.
Τοσόνδε δ' αὐτοῦ βῆμα διαβεβηκότος
ὁ πρωκτός ἐστιν αὐτόχρημ' ἐν Χάοσιν,
τὼ χεῖρ' ἐν Αἰτωλοῖς, ὁ νοῦς δ' ἐν Κλωπιδῶν.
Κράτιστον οὖν νῷν ἀποθανεῖν.

(eine ähnliche Vorstellung bei Kallimachos [Dem.-] Hymn. 6,58 ἴδματα μὲν χέρσω, κεφαλὰ δέ οἱ ἅψατ' Ὀλύμπῳ – ‚ihre Füße reichten zur Erde, das Haupt zum Olympos'; vgl. a. Deut.-Jesaja 66,1. „So spricht der Herr: Der Himmel ist mein Stuhl und die Erde meine Fußbank").

> ‚Unmöglich ist's, vor dem Paphlagonier irgendwie
> Sich zu verbergen. Alles sieht er. Das eine Bein
> Hat er in Pylos, das andre in der Ekklesie.
> Und schreitet er so gewaltig aus, dann ist von ihm
> Das Hinterteil in Forzyra, seine Hände sind
> In Pressalien, aber in Klaunasien wirkt sein Geist.
> Bleibt uns nichts übrig, als in den Hades geh'n!'
> (Übstzg. von H. H., ‚Forzyra' und ‚Pressalien' stammen von J. G. Droysen).

Immerhin erinnern die Verse 75 ff. ‚Rechtes und linkes Bein – Hinterteil – Hände – Geist' parodierend an Ps. 139, 7 u. 10 ‚Geist – Angesicht – Hand – Rechte', sowie v. 76, 78 f. ‚Pylos – Volksversammlung – Chaonien – Aito-

lien – Klopidai' an Ps. 139,8ff. Himmel – Hölle (vgl. a. Ritter, v. 80) – Meer
– Nacht'. Zur religionsgeschichtlichen Beurteilung der Aristophanesverse
vgl. H. KLEINKNECHT, ARW 34. 1937, 310ff.

[S. 113] rechte Spalte unten.
Dem Zitat entspricht jetzt ob. S. 76.

[S. 114] Anm. 1.
Jetzt s. ob. S. 47.

[S. 117] Z. 4 v. unt. sowie Anm. 1, Anfg. u. Anm. 3.
Die Zitate beziehen sich jetzt auf ob. S. 52ff.

[S. 117] Anm. 1.
Dazu s. a. unten das Nachwort.

[S. 117] Anm. 3.
Zur Gottesvorstellung des Jeremia s. a. HUB. SCHRADE, Der verborgene
Gott . . . 1949, S. 197ff.

[S. 118] Anm. 4 (auf [S. 119]).
Vgl. a. den Mose-Segen Deut. 33,2, wo Gott sich von seinem Sitz auf dem
Berge zu den Menschen begibt.

[S. 119] Z. 4 sowie unter dem Text Z. 2 und Anm. 1 gg. E.
Die Zitate beziehen sich auf oben S. 52ff.
S. 119f. Siehe dazu jetzt aber gleich unten das Nachwort über die Datie-
rung des Psalms.
S. 120, Anm. 2, S. 121, Anm. 3 und S. 122, Anm. 4.
Die Zitate beziehen sich auf oben S. 45. 49ff. 57.

[S. 121] Z. 4ff.
Dazu jetzt auch H.-J. KRAUS, Psalmenkommentar [5]1978, S. 1098f.

[S. 122] Anm. 1.
Vgl. a. RAFF. PETTAZZONIS populärwissenschaftliches Buch, L'omni-
scienza di Dio 1955 (engl. 1956, deutsch 1960 in der Fischerbücherei 319),
wo auf S. 139ff. auch eine gekürzte Übersetzung des 139. Ps. geboten wird,
dazu eine ganz kurze Analyse auf S. 140f. mit weiteren Psalmstellen zu
Gottes Allgegenwart. Literatur wird nicht zitiert, auf die von uns behandelte
Problematik wird mit keinem Wort eingegangen.

[S. 124] Anm. 2.
Zum indogermanischen Charakter der hethitischen Herrenschicht und

über Einflüsse auf die hethitische Kultur von Osten her s. WALTER OTTO, Kulturgeschichte der Antike . . . 1925, S. 34 f., 42 f.

Nachwort 1981

Nach mehr als einem halben Jahrhundert und mehrfachem gründlichem Durchdenken des Problems im Lauf der Jahrzehnte halte ich an meiner These fest, daß der 139. Psalm in einer im Blick auf die Zwischenglieder freilich schwer durchschaubaren Abhängigkeit von dem Hymnus Atharvaveda IV 16 entstanden ist. Auf der Hethiterhypothese, die mit einem sehr frühen Zeitansatz für den Psalm steht und fällt, möchte ich freilich nicht mehr bestehen. Dagegen hat mich schon 1929 WILHELM NESTLE (gest. 1959) und 1951 mein Bruder EBERHARD HOMMEL (gest. 1964) auf die Möglichkeit einer parsistischen Einwirkung hingewiesen. Die in diesem Fall notwendig vorauszusetzende weit jüngere Entstehungszeit des Psalms findet eine sehr bemerkenswerte Stütze in der alten Überlieferung einer Autorschaft des Propheten Sacharja, wie sie der Codex Alexandrinus der LXX behauptet (und noch in frühchristlicher Zeit Athanasius von Alexandria übernimmt): Ζαχαρίου ἐν τῇ διασπορᾷ (RAHLFS II S. 152).

Damit kommen wir nicht nur in die Zeit des Kyros und Dareios, sondern auch in deren parsistische Umwelt, da der Prophet bis zur Rückführung der jüdischen Oberschicht nach Jerusalem ganz unmittelbar persischen Einflüssen ausgesetzt war. In dem nach allgemeinem Urteil von ihm selber verfaßten ersten Teil des Buches Sacharja (c. 1–8) hatte man schon früher Einflüsse zarathustrischer Theologie festgestellt, so in der Lehre von den Mittelwesen guter und schlimmer Natur (‚Engel' und ‚Satan') und in der Darstellung geistiger und sittlicher Mächte durch solche Gestalten (s. M. HALLER, RGG [2]V 1931, Sp. 11 und vgl. etwa Sach. 3, 1 f., 4,3 f. – in dem entsprechenden Artikel ‚Sacharja' ein Menschenalter später von J. BRIGHT, RGG [3]V 1961, Sp. 1264 ist entsprechend dem schwindenden Interesse der theologischen Forschung an historischer Fragestellung jener Tatbestand nur ganz vage angedeutet). So fügt sich denn der von uns behauptete indoarische Einfluß auf den Ps. 139 vortrefflich zu Sacharjas Verfasserschaft, die ihrerseits den Sachverhalt zu erklären imstande wäre. Es fehlt als letztes Beweisstück bisher lediglich noch der Nachweis, daß die persische Religion den Allgegenwartsglauben eingeschlossen hat, der dann sei es auf indische Beeinflussung sei es auf Urverwandtschaft der Anschauungen zurückzuführen wäre und eine Übernahme und Weitergabe des Atharvavedahymnus IV 16 begreiflich machen würde.

In der Tat ist uns dieser Glaube bei den Persern bezeugt und zwar durch eine wichtige Äußerung von Cicero, De legibus II 26, wo es heißt:

Delubra esse in urbibus censeo, nec sequor magos Persarum, quibus auctoribus Xerses inflammasse templa Graeciae dicitur, quod parietibus includerent deos, quibus omnia deberent esse patentia ac libera, quorumque hic mundus omnis templum esset et domus. Melius Grai atque nostri, qui ut augerent pietatem in deos, easdem illos urbis quas nos incolere voluerunt. Ganz ähnlich Cic., De re publ. III 14. Das besagt also, den Persern sei es zu einer Zeit, die der des Sacharja ganz nahestand, als strafwürdiger Greuel erschienen, die Götter in feste Häuser einschließen zu wollen, wo diesen doch vielmehr alles frei und offen stehe, da ihr Tempel und Haus die ganze Welt sei (zu dieser Anschauung s. a. unten die Abhandlung ‚Kosmos und Menschenherz‘ Bd. II). Herodot I 131, 1 f. bezeugt jenen persischen Glauben für die frühe Achämenidenzeit ganz im selben Sinn, wenn auch mit allgemeineren Wendungen.

Nehmen wir hinzu, daß man im Ps. 139 auch die Stelle (v. 16), wo es heißt, daß alle Tage der Menschen von Anfang an in Gottes Buch eingeschrieben seien, auf parsistische Einflüsse hat zurückführen wollen (H. PREISKER, ThWzNT II 1935, S. 515[5] im Artikel ἐλλογεῖν), so schließt sich der Kreis vollends.

Von den mir bekanntgewordenen neueren Psalmenkommentaren erwägt keiner die Möglichkeit einer Verfasserschaft des Sacharja für Ps. 139. Auch in seiner Datierung hält man sich auffallend zurück (so A. WEISER, Die Psalmen II [8]1973, S. 554; H.-J. KRAUS, Psalmen [5]1978, S. 1097 neigt eher zu einem Frühansatz). Ebenso stehen auch die neueren Ausleger von Ps. 139 seiner etwaigen Abhängigkeit von fremden Vorlagen wie Atharvaveda IV 16 noch immer mit größter Skepsis gegenüber (WEISER aaO.). Ja etwa H.-J. KRAUS aaO. 1101, der auf das Problem des Verhältnisses zu dem vedischen Hymnus etwas näher eingeht, erklärt die „erstaunlichen Übereinstimmungen durch den gemeinsamen ‚Sitz im Leben‘“ und allenfalls „auch durch eine gemeinsame Urvorstellung vom universalen Richteramt des ‚höchsten Gottes‘“. Hier wird also wiederum – freilich recht kurzschlüssig – das Problem der Konvergenz berührt (ohne daß eine wirkliche Auseinandersetzung damit versucht würde). Was jenen angedeuteten gemeinsamen Sitz im Leben anlangt, so bewegt sich KRAUS auf den Spuren der Arbeit von E. WÜRTHWEIN, Erwägungen zu Psalm 139 (Vetus Testamentum 7. 1957, 165 ff., hier 181 f.; jetzt auch in des Verf. Aufsatzsammlung ‚Wort und Existenz‘ 1970, 179 ff., hier 195 f.). Dieser beruft sich seinerseits auf STEN KONOW in Chantepie de la Saussayes Lehrbuch der Religionsgeschichte II [4]1925, S. 22, wo der vedische Hymnus „in engem Zusammenhang mit einem Ordal“ gesehen wird, was WÜRTHWEIN also auch für Ps. 139 anzunehmen scheint (s. dazu, was den vedischen Hymnus betrifft, auch oben den Nachtrag zu [S. 200 f.] meines Allgegenwartsaufsatzes).

All solchen Spekulationen gegenüber scheint mir doch die BRUNNHOFERsche, von mir im einzelnen erhärtete These von der engen und genetischen Beziehung des Psalms 139 zum Hymnus Atharvaveda IV 16 entschieden den Vorzug zu verdienen. Wie sehr es allerdings dem jüdischen Sänger gelungen ist, das fremde Gut den Vorstellungen seines Volkes anzuverwandeln, und welch großartiges, das indische Vorbild weit übertreffendes Erzeugnis religiöser Rede dabei entstanden ist, das bleibt davon unberührt.

Die Satorformel und ihr Ursprung*

Das Satorquadrat

Das zu magischen und abergläubischen Zwecken, aber auch zu bloßer erregender Spielerei so vielfältig verwendete Quadrat aus 25 Buchstaben[1], das uns hier beschäftigen soll, schien den Satz zu enthalten: *sator arepo tenet opera rotas*. Um seine Deutung haben sich nun schon Generationen von Gelehrten und fast noch mehr von Laien lebhaft bemüht. Die im Abendland gebräuchliche Form des Buchstabenquadrats ist die folgende:|

S	A	T	O	R
A	R	E	P	O
T	E	N	E	T
O	P	E	R	A
R	O	T	A	S

Sei es, daß man von der vielleicht nächstliegenden Übersetzung ausging „Der Sämann Arepo hält mit Mühe(leistung) die Räder" oder anderes hineinzugeheimnissen bestrebt war – das Rätsel, das uns eine alte und an Beispielen reiche Überlieferung aufgab, bewies ja vor allem deshalb seine magische Anziehungskraft, weil das Quadrat von allen seinen vier Ecken her gelesen in waagrechter wie in senkrechter Richtung achtmal jeweils die gleiche Aussage ergibt, in der Hälfte der möglichen Fälle in der erwähnten Form, in der anderen Hälfte mit seiner Umkehrung: *rotas opera tenet arepo sator*, die nichts anderes meinen kann als jene. Es liegt also ein Palindrom in vierter Potenz vor[2], das für den Fall, daß sein Wortlaut einen sich gleich bleibenden und guten Sinn ergibt, einzig in seiner Art dasteht[3].

Die Sichtung des Materials[4] hat ergeben, daß die ältesten bisher bekannt-

---

* Theologia Viatorum. Jahrbuch der Kirchl. Hochschule Berlin 4. 1952 (1953), 133–180. = H. HOMMEL, Schöpfer und Erhalter 1956, 32–79 u. Nachträge 141–146.

[1] 3 Vokale, 5 Konsonanten, und zwar a, e, o, r, t je viermal, p und s je zweimal, n einmal (C. WENDEL, Zeitschr. f. Neutestamentl. Wiss. 40. 1942, S. 140).

[2] HANS FRIEDENTHAL, Kieler Neueste Nachrichten v. 2. 3. 1930.

[3] Denn die anderen vergleichbaren Palindrome, die FR. FOCKE (S. 392f. – s. die nächste Anm.) verzeichnet, entsprechen dieser Forderung nicht.

[4] Eine bequeme Übersicht bieten FRIEDR. FOCKE, Sator arepo. Abenteuer eines magischen

gewordenen antiken Beispiele des Quadrats – eines davon mit griechischen
Buchstaben geschrieben – jene zweite mögliche Reihenfolge aufweisen:

R   O   T   A   S

O   P   E   R   A

T   E   N   E   T

A   R   E   P   O

S   A   T   O   R |

Davon seien zunächst genannt die um das Jahr 1930 aufgefundenen vier
Wandritzungen (drei mit lateinischen Buchstaben, eine mit griechischen) im
Tempel einer semitischen Artemis auf dem Boden der berühmten helleni-
sierten Stadt Dura-Europos am mittleren Euphrat, wohl aus der ersten
Hälfte des 3. nachchristlichen Jahrhunderts stammend, und ein schon länger
bekanntes Beispiel aus dem 4. Jahrhundert, eingeritzt in den Verputz eines
römischen Hauses in Corinium Dobunorum, heute vielleicht Cirencester[5]
in der westenglischen Grafschaft Gloucester.

Das bisher älteste Quadrat mit dem Sator-Beginn, den dann alle folgenden bis auf den heutigen Tag festhalten, dürfte dem 6. Jahrhundert angehören; es ist ein kleinasiatisches Bronzeamulett des Berliner Museums und
weist wiederum griechische Buchstaben auf, ebenso wie die sich zeitlich
anschließenden koptischen Beispiele aus dem 8. und den folgenden Jahrhunderten[6]. Neuerdings darf ein Ostrakon aus Ägypten, wohl aus dem Ende des

---

Quadrats. In: Würzburger Jahrbücher für die Altertumswissenschaft 3. 1948, S. 366–401 mit 4
Tafeln Abb., und vor allem HARALD FUCHS, Die Herkunft der Satorformel. In: Schweiz. Archiv
für Volkskunde 47. 1951, S. 28–54. Für weitere Literatur sei auf das Nachwort unten S. 124 ff.
verwiesen.

    [5] HÜBNER, RE IV 1232. V 1861. CARCOPINO, Mus. Helv. 5. 1948, S. 56, 170 (vgl. unt. Anm.
36). Jetzt reiht sich ein weiterer Fund an, ein i. J. 1952 in Aquincum (Ungarn) gefundener Ziegel
mit Cohortenstempel aus dem Anfang des 2. Jhs. (H. SZILAGYI, Acta Antiqua Academiae
Scientiarum Hungaricae 2. 1953/54, 305 ff.; weiterführend vor allem HEINZ HOFMANN,
Zeitschr. f. Papyrologie und Epigraphik 13. 1974. 79 ff.). Hier findet sich von zwei verschiedenen Händen eingeritzt der Anfang des pentametrischen Palindroms *Roma tibi subito motibus ibit
amor* und – gleichsam übertrumpfend – das vollständige Rotasquadrat. – Eine genaue Dokumentation der einschlägigen Funde bei Hz. HOFMANN RE S. XV 1978, Sp. 480 ff. Dazu treten
neuerdings noch zwei weitere Beispiele, die E. DINKLER in einem postum erschienenen Aufsatz
bekanntgemacht hat (Theol. Rundschau N. F., Jg. 46. 1981, 219 ff. – den genauen Titel s. unt.
im ,Nachwort'): ein bereits 1971 in Conimbriga/Portugal gefundenerer Ziegel mit dem Rotas-
Palindrom, den D. um die Wende des 2./3. Jh.s datiert, während der Entdecker an eine Zeit
mindestens 100 Jahre früher (!) gedacht hatte (R. ETIENNE, Fouilles de Conimbriga, p. 168). Der
andere Fund wurde in der ,Sunday Times' vom 9. 7. 1978 veröffentlicht und von D. auf S. 222
in Nachzeichnung abgebildet. Er entstammt der 2. Hälfte des 2. Jh.s und war zunächst für
christlich gehalten worden, was dann zurückgenommen wurde und von D. ebenfalls mit Recht
bezweifelt wird.

    [6] Dazu vgl. a. FOCKE 389. CARCOPINO aaO. 21 ff.

4. Jh. (W. Beltz, Arch. f. Papyrusforschung 24. 1974), wiederum mit griechischen Buchstaben geschrieben und durch ein vorangestelltes Kreuz als christliches Amulett gekennzeichnet, für das älteste Beispiel mit dem Sator-Beginn gelten. Daran reiht sich die Fülle der mittelalterlichen und vor allem neuzeitlichen Verwendungen des Quadrats mit lateinischen Buchstaben in der uns geläufigen Form: als Abwehrzauber zum Schutz vor Blitzschlag, Feuer, Diebstahl[7], Krankheit, Liebeskummer, überhaupt als Amulett oder Talisman[8], aber auch in Gotteshäusern, oft in Verbindung mit anderen Symbolen, und schließlich als Geschäftsmarke und zu Reklamezwecken[9], wie etwa auf Packungen von Nestles Kindermehl und Kondensmilch[10].

Die *Deutungsversuche* der rätselhaften Inschrift gehen ins Ungemessene und umfassen eine Fülle von Spielarten vom nüchternen Versuch einer philologischen Interpretation bis zur wüstesten Phantasterei. Sie lassen sich in drei Gruppen sondern: 1. einfache Übersetzungen, die sich vor allem mit dem spröden, einem vernünftigen Sinn widerstreitenden *rotas* und dem noch schwierigeren *arepo* herzumzuschlagen haben und darum vielfach zu recht kühner allegorischer Aus- und Umdeutung ihre Zuflucht nehmen[10a]; 2. Annahme von Verschlüsselung ähnlich lautender Wörter (*sator = sa[lva] tor| oder soter; arepo = aratro* u. dgl.) oder Ergänzung der einzelnen Buchstaben zu Wörtern (z. B. *arepo = **a** + **rex et p**ater + **o**[11]); 3. Deutung des Ganzen als

---

[7] Handwörterbuch des Aberglaubens II 205. VIII 1197. Einritzen des Spruches mit einer Nadel erhöht seine Wirksamkeit, ebenda VI 947. IX Nachtr. 330.

[8] Eines der neuesten Beispiele (1971), auf das mich Gottfr. Kiefner hinweist: Das Satorquadrat in Metallbuchstaben auf dem Heck eines Volkswagens aus Rothenburg o. d. Tauber, Kennzeichen ROT C 759; der Besitzer und Veranlasser hat sich, wie festgestellt werden konnte, über einen möglichen Sinn der als Talisman verwendeten magischen Zeichen keine Gedanken gemacht. Im Jahr 1980 wurde von der Firma Heine in Karlsruhe für 158,– DM ein doppelseitiges Amulett angeboten, das auf der einen Seite das ROTAS(!)-Quadrat, auf der anderen das Paternosterkreuz (dazu [S. 38 ff.]) trägt und als Glaubenssymbol frühchristlicher Zeit gepriesen wird!

[9] Focke 370. Fuchs 291.

[10] Ed. v. Welz, Sator arepo. In: Societas Latina 5. 1937, S. 55–61. 6. 1938, S. 24–26. Hier: 1937, S. 57. Focke, 370 f. Carcopino aaO. 59.

[10a] Hier ist vor allem die von Cumont und De Jerphanion zuerst vorgeschlagene Erklärung der Satorformel aus der Vision des Ezechiel 1, 9 ff. zu nennen, die H. Fuchs, Schweiz. Arch. für Volkskunde 47. 1951, S. 41 f. mit guten Gründen zurückgewiesen hat, die jedoch weiterhin von Seb. Euringer, Hist. Jbch. 71. 1952, S. 343 und von Frz. Dornseiff, Rhein. Mus. f. Philol. 96. 1953, S. 376 ff. verfochten wird.

[11] So einer der jüngsten Versuche, von Fritz Henke, Theol. Zeitschr. 5. 1949, S. 316 f. und ein Privatdruck „Das große Palindrom" (s. Fuchs 35¹³), neuerdings vom Verf. Fr. H. ergänzt in der Berliner Zeitung „Der Kurier" v. 20. 10. 51, S. 7 (frdl. zur Verfügung gestellt von meinem Schüler Arno Neumann). Vgl. ferner David Daube, The Expository Times 1951 S. 316. Einen sehr originellen Deutungsversuch macht Paul Grosjean S.J., Sat orare poten? In: Journ. of Theological Studies N.S. 3. 1952, S. 97 f., der sich aber nicht auf Ev. Luc. 18, 1. II Thess. 5,17 stützen durfte, da der Wortlaut *„sat orare poten?"* (= *„potesne satis orare?"*) dort keine formelhafte Stütze findet. Über Vorläufer von Grosjean berichtet Carcopino, Mus. Helvet. 5. 1948, S. 31 (jetzt ist durchwegs auch Carcopinos Darstellung in Buchform heranzuziehen; vgl. unt. Anm.

sogenanntes Anagramm, indem man aus Vertauschung der Zeichen bzw. Mischung des Buchstabenbestandes einen neuen Satz glaubte gewinnen zu müssen, der den eigentlichen Sinn des Ganzen verriete (eines der hübschesten Beispiele bietet den Wortlaut: *oro te pater, oro te pater, sanas*[12]); über dieses gar nicht so abwegige Prinzip, aber auch über seine Gefahren wird noch ausführlicher zu reden sein.

Alles in allem brachte die Fülle der vielfach leichtfertigen und willkürlichen Deutungen die Arbeit an dem Problem in Mißkredit. Es hatten sozusagen zu viele meist unberufene Hände an dem Mechanismus gedreht, so daß er nicht mehr vernünftig in Gang zu bringen schien, und einer gar seine wissenschaftliche Reputation in Gefahr brachte, wenn er die Spielerei mit dem Quadrat überhaupt noch ernster Erforschung für wert hielt. So war es kein Wunder, wenn FRIEDRICH FOCKE gleichsam abschließend in sehr gründlicher Untersuchung, nach dem Vorgang von ALBRECHT DIETERICH und anderen, das Fazit aus allen bisherigen so entmutigenden Bemühungen zog: das Quadrat sei nichts mehr als ein hübsches mechanisches Zauberspiel, von dem man zuviel verlangte, wollte man ihm irgendeinen tieferen Sinn abgewinnen als den einer höchst gewandt konstruierten magischen Formel, die gerade durch ihre nasführende Rätselhaftigkeit ihren eigentlichen Zweck befördern wollte und, wie ihre bisherige Geschichte zeigt, auch befördert hat, den Zweck des Magischen und ewig Rätselhaften[13].

Da war ein besonderes Maß von Mut und Unvoreingenommenheit vonnöten, wenn es nicht lange nach dieser verführerischen Warnung dennoch unternommen wurde, das ganze Problem auf Grund umfassender Verwertung der so verstreuten und ungleichwertigen| Literatur noch einmal in seinem vollen Umfang aufzurollen und nüchtern und kritisch Zug um Zug auf seine Lösbarkeit zu befragen, ohne nach der positiven oder negativen Seite die Antwort vorwegzunehmen. Diese Aufgabe hat HARALD FUCHS geleistet[14], und wir müssen es ihm danken, daß er sich der mühseligen

---

36). Eine der GROSJEANschen methodisch vergleichbare Gewaltlösung hat auch schon S. EITREM, The Sator-Arepo-Formula once more. In: Eranos 48. 1950, S. 73f. versucht.

[12] FUCHS 36 m. Anm. 14. FOCKE 375. Nach ihnen verdankt das Quadrat dieser Deutung (. . . *sanas!*) seine Verwendung als Reklame für NESTLES Kindermehl. – Vgl. a. unten Anm. 28.

[13] FOCKE 394ff.; er korrigiert mich brieflich dahin, daß er eine irreführende Absicht des Satorquadrats, an der er festhält, eher auf die damit abzuwehrenden „Schadegeister" gezielt annehmen möchte als auf spätere Leser. Ausführliche Literatur bei FUCHS 39₁₈. Dazu noch A. MOSZKOWSKI in: *Fürst* und *Moszkowski*, Das Buch der 1000 Wunder 1916, S. 373f. HANS WEIS, Jocosa. Lat. Sprachspielereien 1938, S. 44–48. F. GROSSER, Artikel ‚Sator arepo' RGG[2] V 1931, Sp. 118. HANS KÜNKEL, Schicksal und Liebe des Niklas von Cues, S. 45ff. ERICH JUNG, Germanische Götter und Helden in christlicher Zeit. [2]1939, S. 148. HANS WEIS, Bella Bulla. Lateinische Sprachspielereien. [2]1952, S. 57–62 (mit Hinweis auf weitere Deutungen). K. BURKARDT, Industriekurier v. 8. u. 15. 8. 1953. Eine neuere Arbeit zum Thema J. OREIBAL, „Dei agricultura": Le carrée magique Sator arepo, sa valeur et son origine. In: Revue de l'hist. des relig. 146. 1954, S. 51–66 folgt i. a. den Spuren v. J. CARCOPINO (ob. Anm. 11 u. ö.).

[14] AaO. (ob. Anm. 4).

Arbeit unterzogen hat. Denn indem er durch das Gestrüpp der Ansichten und Meinungen, Einfälle und Hypothesen einen sauberen Weg bahnte[15], zeigte sich, daß doch einige solide Ergebnisse gewonnen waren, die einer gesunden Kritik standhalten dürften, und daß damit ein erheblicher Fortschritt erzielt war, der nun erst richtig zur Geltung kommt und uns neue Zuversicht gibt zur Anerkennung der Lösbarkeit des durch das Satorquadrat gestellten Problems im Ganzen.

Hier soll zunächst versucht werden, die Hauptlinien der von Fuchs mit Recht als gesichert anerkannten Entdeckungen in Kürze nachzuzeichnen, um anschließend das Wagnis zu unternehmen, die dann allein noch offene Frage zu klären, wobei freilich die von Fuchs vorgeschlagene Endlösung zugunsten einer anderen wird preisgegeben werden müssen.

Es kennzeichnet die sehr reizvolle Geschichte der Erforschung des Problems, daß die entscheidenden Fortschritte in einer eigenartigen Multiplizität[16] jeweils von mehreren verschiedenen Seiten unabhängig erfolgten.

Schon 1854 war in einer französischen Zeitschrift[17] der anonyme Vorschlag gemacht worden, der dann von 1917 an mehrfach von neuem in Tageszeitungen und Zeitschriften auftauchte[18], nämlich die Inschrift des Quadrats „bustrophedon", d. h. „stierwendig" oder|„pflugwendig" zu lesen, also die einzelnen Zeilen nach der Art zahlreicher antiker Inschriften so zu verfolgen, wie der vom Stier gezogene Pflug beim Pflügen die Furchen aufreißt[19]. Und zwar beginnt dieser Zickzackweg in der antiken ROTAS-Fassung oben rechts und in zentrisch-symmetrischer Entsprechung unten links[20], in der jüngeren SATOR-Fassung oben links und unten rechts. Die

---

[15] Der zuverlässigen Sammelarbeit von Focke und Fuchs, z. T. a. von v. Welz aaO. (ob. Anm. 10) ist es auch zu danken, daß heute in vielen Einzelfragen einfach auf die Quellen- und Literaturangaben ihrer Monographien verwiesen werden kann, wovon der Verf. dieser Studie dankbar Gebrauch macht.

[16] Vgl. a. Focke 372.

[17] Magasin Pittoresque 1854, S. 348.

[18] N. J. Schlögl in: Wiener Reichspost 1917 Nr. 224 v. 16. Mai. – Anonym im Berliner „Tag" 1926 Nr. 103 vom 30. April. – Hs. Friedenthal in den Kieler Neuesten Nachrichten 1930 v. 2. März (derselbe offenbar schon kurz vorher in der Deutschen Allgemeinen Zeitung). – Brunner in: Zeit im Querschnitt 5. 1937, S. 365. – L. Diehl in: Frftr. Ztg. 1943 Nr. 246 v. 16. Mai. – L. Wagner, ebenda 1943 Nr. 420/21 v. 19. August (vgl. E. v. Welz aaO. 6. 1938, S. 24. Focke 391 ff. Fuchs 432₈). Man darf annehmen, daß mindestens einige dieser Arbeiten den Weg selbständig gefunden haben.

[19] Sehr hübsch die Bemerkung von H. Friedenthal aaO., daß schon das Anfangs- und Stichwort SATOR diese Lesung anzuregen geeignet ist, indem auch „der Säemann so über den Acker zu gehen pflegt, um seine Saaten zu streuen". (Ich verdanke die Kenntnis des Friedenthalschen Aufsatzes der Güte von Hermann Haakh.) – Zur Bustrophedon-Lesung antiker Inschriften vgl. Pausanias V 17,6 (J. Leipoldt, Ev.-luth. Kirchenzeitung 1952, S. 73,9).

[20] Die Variabilität des Ausgangspunktes bei Betrachtung einer Gruppe von Zeichen hat ihre Entsprechung im System der antiken Mnemotechnik, wie es uns vom Auctor ad Herennium III 30 geschildert wird: *quoto quoque loco libebit, vel ab superiore vel ab inferiore parte* (scil. *orti) imagines sequi* und *si in ordine stantes notos complures viderimus, nihil nostra intersit, utrum ab summo an ab imo an ab medio nomina eorum dicere incipiamus.* (Zu dem hier entwickelten System vgl. H. Hommel,

Mittelzeile TENET, die ja von rechts und links gelesen dasselbe ergibt, dient jeweils beiden Lesarten, der oben wie der unten beginnenden, als gemeinsames Ziel und Ende, steht also sozusagen für beide Lesungen ἀπὸ κοινοῦ. Der so gewonnene Text lautet klar und einfach

sator opera tenet.

Er besagt entweder „Der Schöpfer (Sämann) hält seine Werke (fest)", oder „er erhält sie", vielleicht auch „er enthält sie (in sich)", was zunächst offen bleiben mag[21]. Daß diese Art der Lesung einem verbreiteten antiken Gebrauch entspricht und daher naheliegt, hat Fuchs erschöpfend dargetan[22]; sie erweist sich besonders aber auch dadurch als richtig, daß so mit einemmal die lästige Notwendigkeit entfällt, die beiden sich einer vernünftigen Deutung bisher am hartnäckigsten entziehenden Wörter *arepo* und *rotas*[23] |zu interpretieren: sie sind so gelesen lediglich formale Nebenprodukte des aus der Zickzacklesung der Zeilen sich ergebenden Schaubildes; und die Bustrophedonanordnung ihrerseits mußte gewählt werden, damit das Quadrat seine ‚magische' Eigenschaft erhielt, von allen Ecken her und nach allen Richtungen hin gelesen das gleiche auszusagen.

Aber wir verstehen jetzt auch, wieso man gegen Ende des Altertums den bisher offenbar allein üblichen (scheinbaren) ROTAS-Beginn zugunsten des SATOR-Beginnes aufgab: nachdem durch die rasche Verbreitung des Quadrats der Schlüssel zu seiner richtigen Lektüre, nämlich der Zickzacklesung, verloren zu gehen drohte, wohl auch da und dort schon verloren war, mag man daran gedacht haben, dem uneingeweihten Leser, der daran gewöhnt war, eine Inschrift von oben links beginnend zu lesen, wenigstens eine Hilfe zu geben[24]. Sie wird nicht allzu lange vorgehalten haben; jedenfalls findet sich um die Wende des 13./14. Jahrhunderts in einer Pariser Bibelhandschrift der Versuch einer griechischen Übersetzung der Sator-Inschrift, der lautet ὀ σπείρων ἄροτρον ἔχει ἔργα τροχούς[25], wo also das richtige Rezept der pflugwendigen Lesung bereits in Vergessenheit geraten war.

Die Bildkunst des Tacitus 1936, S. 27 ff. – aus: Hosius-Festschrift = H. H., Symbola I S. 385 ff.; ferner H. BLUM, Die antike Mnemotechnik 1969).

[21] Die von H. FRIEDENTHAL aaO. vorgeschlagene sozusagen profane Deutung des Spruches ‚Der Säemann erhält das Menschenwerk' im Sinne einer „Ehrfurcht vor dem täglichen Brot" hoffe ich weiter unten implicite zu entkräften.

[22] FUCHS 42 ff., vgl. a. FOCKE 393.

[23] S. ob. [S. 34] unter 1. Dem mysteriösen *arepo* ist sogar die Ehre widerfahren, in den Thes. linguae Latinae (II 506) aufgenommen zu werden (vgl. C. WENDEL ZNT 40. 1942, S. 145).

[24] Dies gegen andere Versuche, jenen Wechsel zu erklären, die von C. WENDEL aaO., S. 150, FOCKE 389 f., 395 und FUCHS 46[32] vorgebracht wurden.

[25] Cod. graec. 2511. FOCKE 369[1]. FUCHS 302. Weitere Indizien, z. T. bereits aus älterer Zeit, nach denen das Quadrat nicht mehr verstanden, sondern allegorisch umgedeutet erscheint, s. bei HUGH LAST, The Rotas-Sator Square: present position & future prospects. In: Journ. of Theological Studies N. S. 3. 1952, S. 92–97, hier S. 94. Vgl. a. unt. Anm. 163.

Das Paternosterkreuz

Die zweite, freilich noch umstrittenere Entdeckung, die einen bedeuten-den Fortschritt in der Enträtselung des Quadrates erbrachte, gelang wieder-um drei verschiedenen Forschern unabhängig voneinander, und zwar erst in neuerer Zeit[26]. Wir sprachen bereits[27] von den an sich äußerst variablen Versuchen, den Sinn der Inschrift durch Annahme eines Anagramms zu gewinnen. Dieses Vorgehen ist insofern gefährlich, als ein Text von 25 Buchstaben eine astro|nomische Zahl von Möglichkeiten der Platzvertau-schung seiner Bestandteile in sich birgt, von denen immer noch eine Un-menge einen deutbaren neuen Sinn ergibt. So hat man denn auch für unser Quadrat durch Anagramm oder Rösselsprung bisher bereits einige Dutzend mehr oder weniger sinnvolle lateinische Sätze entwickeln können[28], was gewiß für keinen einzigen dieser Lösungsversuche glaubhaft macht, daß gerade er dem Erfinder vorgeschwebt haben soll.

Die erwähnte Entdeckung läuft zwar auch auf ein Anagramm hinaus; dieses ist jedoch von der Art, daß es vielleicht einen reinen Zufall ausschließt.

Unser Quadrat enthält als formales Stützgerippe das Kreuz

```
                T

                E

    T   E   N   E   T

                E

                T
```

Das TENET hat außerdem die Eigenschaft, daß es als Zielwort der Lesun-gen des Satzes von oben und von unten, wie von rechts und links auch inhaltlich, ja sogar nach seinem eigentlichen Wortsinn, das Ganze sozusagen „hält". Außerdem bringt es seine spezifische Anordnung, eben die Kreuz-form, mit sich, daß der Mittelbuchstabe N bloß *ein*mal gesetzt zu werden braucht. Das N steht also innerhalb des TENET-Kreuzes in ähnlicher Weise ἀπὸ κοινοῦ wie das TENET im Kontext des jeweils zweimal, von oben und von unten bzw. von rechts und links, zu lesenden Satzes SATOR OPERA TENET. Jene Entdeckung nun besteht darin, daß durch Anagramm aus den

---

[26] Anonym (?) in der „Deutschen Warte" ca. 1920 (nach CHRSTN. FRANK in seiner Zeitschrift „Deutsche Gaue" 25. 1924, S. 76). – FELIX GROSSER, Arch. f. Rel.-Wiss. 24. 1926, S. 165–169. – SIGURD AGRELL, Skrifter utgivna av Vetenskaps-Societeten i Lund 6. 1927, S. 31 f., vom Verf. bereits Nov. 1925 in Lund mündlich vorgetragen. (FOCKE 371 f. FUCHS 37₁₅, der GROSSERS Aufsatz fälschlich als in der ZNW erschienen angibt.)

[27] Ob. [S. 35] unter 3).

[28] WEIS aaO. (ob. Anm. 87) 45 f. FOCKE 375 f. FUCHS 35 ff. m. Anm. 14. Vgl. a. ob. [S. 35] m. Anm. 12. Ich füge etwa hinzu den Dialog zwischen Bacchusjünger und Philister: *Pereant osores – Areat potator.* Die Reihe ließe sich noch erheblich vermehren.

Buchstaben des Quadrats wiederum ein Buchstabenkreuz gewonnen werden kann, das mit dem Quadrat bzw. mit dem darin enthaltenen | TENET-
Kreuz die Eigenschaft teilt, daß es den ἀπὸ κοινοῦ gebrauchten Buchstaben N
als Mittelpunkt der beiden Kreuzbalken verwendet. Dieses Buchstabenkreuz, das zugleich das Anfangs- und Schluß-T von TENET noch einmal
symmetrisch in der Kreuzform einprägt, ist ein Paternosterkreuz[29].

```
                              P

                              A

                              T

                              E

                              R

        P   A   T   E   R   N   O   S   T   E   R

                              O

                              S

                              T

                              E

                              R
```

Dabei bleiben je zwei A und O übrig, die also zum doppelten PATER
NOSTER noch hinzutreten müssen, so daß sich zu dem schon bisher
gewonnenen *sator opera tenet* zwei neue Aussagen ergeben, die sich unzweideutig als christliche Symbola zu verraten scheinen und in ihrer gegenseitigen Zuordnung durchaus einen Sinn enthalten: der Hinweis auf das „Gebet
des Herrn"[30] und auf das bekannte in der Johannesapokalypse in vielsagender Symbolik gerade am Anfang und am Schluß sich findende Selbstzeugnis
Gottes und Christi[31]: „ich bin das A und das O . . . der Anfang und das
Ende". |

 Dafür, daß hier nicht wie bei den anderen erwähnten Anagrammen reiner
Zufall vorliegt, könnte – neben der Tatsache des Zusammengehaltenseins
von Quadrat und Kreuz durch das N als gemeinsamer Mittelpunkt – weiterhin, aber auch damit zusammenhängend, der klare Befund zu sprechen
scheinen, daß in beiden Fällen das zweimal wiederholte Buchstabendutzend
getrennt für sich erscheint, jedesmal für sich ein und dieselbe Sinngruppe

---

[29] Fuchs 40 m. Anm. 22 (auf S. 40 f.), vgl. schon O. Weinreich, Gnomon 6. 1930, S. 365 ff.
[30] Ev. Matth. 6, 9.
[31] Apocal. Johs. 1,8. 21,6. 22,13.

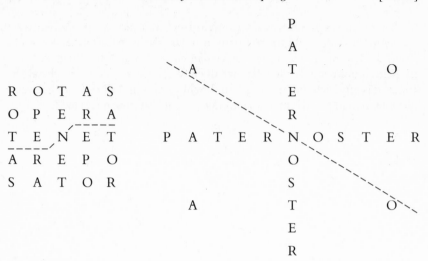

bildend (hier *sator opera ten[et]*[32], dort *pater noster A O),* dies aber eben nur
mit Hilfe des hier wie dort die beiden Gruppen scheidenden und zugleich
verbindenden N als Mittelpunkt. In der oben gegebenen Zeichnung ist dies
durch die jeweils das N schneidenden und zugleich punktierten Halbie-
rungslinien angedeutet. Ein solches nur durch das im Mittelpunkt stehende
N und seine gemeinsame Verwendung ermöglichte Spezialanagramm | ist
aber eindeutig und kann nicht leicht auf Zufall beruhen, wie das denn auch
Experten der Wahrscheinlichkeitsrechnung bestätigen wollen[33].

Es versteht sich ohne weiteres, daß seit der Entdeckung des im Satorquadrat verschlüsselten Paternosterkreuzes der christliche Ursprung des Ganzen evident schien. Seine drei Elemente: das Paternoster, das A und O, die
Kreuzform, so glaubte man zuversichtlich, sprachen eine zu deutliche Sym-
bolsprache, als daß überhaupt ein Zweifel gestattet sein konnte, und auch
der Spruch des Quadrats *sator opera tenet*[34], der die spezifisch christliche

---

[32] Daß im Quadrat im Gegensatz zum Kreuz zur Sinngewinnung jeweils noch der Rest des
Wortes TEN(ET) dazugenommen werden muß, hängt damit zusammen, daß hier das ganze
Wort TENET ἀπὸ κοινοῦ steht, nicht wie im Kreuz nur der mittlere Buchstabe N. Das scheint
mir neben anderem dafür zu sprechen, daß nicht das Kreuz, sondern eher das Quadrat zuerst
gefunden wurde; s. dazu unten [S. 71].

[33] Nach D. ATKINSON, Bulletin of the John Rylands Library 22. 1938, S. 421; s. FUCHS 315,
4021 gegen FOCKE 374. Mehr zu der Frage bei H. LAST aaO. 96f. J. OREIBAL aaO., S. 60ff.

[34] Übrigens ist es bezeichnend für die bis zum Erscheinen von FUCHS' klärenden Ausführungen so verwirrte Lage der Forschung, daß keineswegs alle, die das Paternosterkreuz als Chiffre
des Satorquadrats anerkannten, auch von der gebotenen Bustrophedonlesung der Zeilen des
Quadrates überzeugt, ja auch nur unterrichtet waren, so z. B. F. GROSSER, ARW 24. 1926, S.
165ff. H. WEIS aaO. (ob. Anm. 13) 44ff. C. WENDEL ZNW 40. 1942, S. 143ff. Dazu vgl. a.
FUCHS 41f., bes. 4226, und neuerdings JOHS. LEIPOLDT, Ev.-Luth. Kirchenzeitung 1952, S. 70
(frdlr. Hinweis von MTN. SCHMIDT). Die Bustrophedonlesung wird mit unzulänglichen Argu-

Symbolik so gut zu tarnen schien, trug zwar nicht den Stempel christlicher Herkunft an der Stirn, aber war doch christlicher Deutung ebenfalls durchaus zugänglich, ließ sich überdies in Sinnzusammenhang mit den Aussagen des Paternosterkreuzes bringen[35]. Man durfte also annehmen, daß im frühen Christentum des Westens der Ort gefunden war, wo Satorquadrat und Paternosterkreuz als ein genial erdachtes, durch die Verschlüsselung im Quadrat vor Unbefugten und Verfolgern geschütztes Symbolum des neuen Glaubens entstanden war.

Aber dieses ganze scheinbar so sichere Gebäude geriet durch neue Funde ins Wanken, kaum daß es errichtet war und die Forschung sich anschickte, sich wohnlich in ihm einzurichten[36].

In den Jahren 1925 und 1936 fanden sich in *Pompeji* an zwei ganz verschiedenen Stellen zwei Belege des ROTAS-Quadrats, nach Art der bekannten pompejanischen Inschriften jeweils spontan und kunstlos in die Wand geritzt. Sie wurden von MATTEO DELLA CORTE in den Notizie degli Scavi 1929 und 1939 veröffentlicht[37] und reihen|sich also den oben[38] besprochenen jüngeren antiken Belegen aus Dura-Europos und England an. Das zuerst zutage getretene Beispiel, ein lediglich unsicher ergänzbares Fragment, stammt aus dem Peristyl des Hauses eines vornehmen, auch sonst bekannten pompejanischen Duumvirn, P. Paquius Proculus, und weist, wenn auch nicht mit Sicherheit, auf neronische Zeit (54–68)[39]. Das andere ist vollständig erhalten und steht an einer der Säulen der westlichen Porticus in der aus augusteischer Zeit stammenden sogenannten Großen Palästra, die der vornehmen pompejanischen Jugend als Sport- und Badeanlage diente (Taf. 1)[40]. Wohl von gleicher Hand ist darunter gekritzelt SAVTRAN(e)[41] VALE, so

---

menten entschieden bekämpft von CARCOPINO aaO. (s. Anm. 36) 27, vgl. 54 u. ö., ebenso von FRZ. DORNSEIFF, Rh. Mus. 96. 1953, S. 376 f.

[35] FUCHS 45 ff.

[36] Man hätte ja jetzt vor allem daran gehen müssen, die genaueren Umstände der (christlichen) Entstehung des Quadrates und Kreuzes nach Ort, Zeit, theologischem Gepräge und sachlichen Anregungen zu ergründen. Einen Versuch in dieser Richtung, der freilich jetzt nicht mehr überzeugen kann, bedeutet die umfassend angelegte Abhandlung von JERÔME CARCOPINO, Le Christianisme secret du ‚carré magique‘. In: Mus. Helevet. 5. 1948, S. 16–59, nunmehr sogar ausgebaut zu einem eigenen Buch: Études d'histoire Chrétienne. 1953 (eine äußerst kritische Rezension bietet H. LAST, Journ. Rom. St. 44. 1954, 112–114).

[37] Die genauen Belege bei FOCKE 367 m. Anm. 2 u. 3; vgl. a. FUCHS 31 m. Anm. 4.

[38] Oben [S. 34].

[39] FOCKE 380.

[40] FOCKE 377 ff. m. Abb. auf Taf. 1 nach S. 400. Vgl. die vortreffliche Beschreibung der Örtlichkeit bei FUHRMANN, Archäol. Anz. 1940, Sp. 514–519 m. Abb. 46 und 47.

[41] *Sautrane* für *Saturane* nach DELLA CORTES Vermutung; FOCKE 379‰. Verschreibungen in Form von Buchstabenvertauschung begegnen auch sonst, z. B. auf einer 1946 in Heidelberg gefundenen Tonschale des 1. oder 2. Jhs. Q. VILIVS statt Q. IVLIVS (frdle. Mitteilung von G. HAFNER). Wenn das auch hier zutrifft, der mit der Inschrift Bedachte also *Saturanus* hieß, dann mag das Quadrat zu seiner Ehrung oder zu seinem Wohle vor allem auch deshalb gewählt sein, weil der Beginn der im Quadrat enthaltenen Aussage *Sator . . .* an seinen Namen erinnerte. Das würde besagen, daß man damals die für den Augenschein ja mit ROTAS beginnende

daß sich vermuten ließ, das Ganze diente der durch die magische Formel glückwünschend unterstützten Verabschiedung eines Sportkameraden[42]. Das über diesem Abschiedsgruß unmittelbar unter der ROTAS-Inschrift stehende ANO wird uns später zu beschäftigen haben[43]. Über die Zeit der Ritzung läßt sich nichts Sicheres ausmachen; nach vorsichtiger Abwägung der Möglichkeiten ist frühestens spätaugusteische, spätestens vespasianische Zeit anzunehmen, wobei den Jahren oder Jahrzehnten nach der Jahrhundertmitte die größere Wahrscheinlichkeit zukommt[44].

Diesem vielsagenden Befund zum Trotz haben sich manche, zum| Teil höchst sachkundige Forscher nicht von der Annahme christlicher Herkunft des Rotasquadrates abbringen lassen, so DELLA CORTE und LIETZMANN[45]; andere wie CUMONT, DE JERPHANION und FOCKE[46] hielten dagegen auf Grund der pompejanischen Funde christlichen Ursprung für ausgeschlossen und glaubten damit auch die Paternosterdeutung als erledigt ansehen zu dürfen. Wieder andere aber, vor allem DORNSEIFF[47] und FUCHS[48], folgten zwar der Auffassung, daß eine christliche Deutung des Quadrats fortan auszuschließen sei, hielten aber an der Paternosterverschlüsselung fest. Bevor wir darüber eingehender zu sprechen haben werden, seien kurz die Hauptgründe genannt, die in der Tat den christlichen Ursprung des also schon in Pompeji mehrfach belegten Quadrats unmöglich machen. Für die ausführliche Darlegung der Beweispunkte kann auf die sorgfältigen und in dieser besonderen Frage wohl schwer widerlegbaren Erörterungen von FOCKE[49] hingewiesen werden. Folgendes scheint danach, zumal durch die Häufung der für sich einzeln betrachtet nicht durchwegs zwingenden Argumente, mit Recht christlichen Ursprung auszuschließen:

1. Das Quadrat muß, wenn es spätestens in den 70er Jahren des 1. nachchristlichen Jahrhunderts in Pompeji mehrfach angebracht wurde[50], bei

---

Inschrift noch richtig bustrophedon rechts oben beginnend zu lesen verstand. – Freilich läßt sich auch SAUTRANUS verstehen, und zwar als sonst nicht belegte Weiterbildung des etruskischen, in und um Perusia sich findenden Familiennamens der SAUTRI (SPECHT bei C. WENDEL, ZNW 40. 1942, S. 139s).   [42] FOCKE 379f.   [43] Siehe unten [S. 67f.].

[44] Nach FOCKE 377f.

[45] FUCHS 4837. FOCKE 372. Neuerdings auch JOHS. LEIPOLDT (ob. Anm. 34) aaO.

[46] Siehe FOCKE aaO. und 380. FUCHS 4736. H. LAST aaO. 95ff. – CUMONT vertritt den ob. im Text referierten Standpunkt nur mit gewissen Einschränkungen.

[47] Siehe bei FOCKE 372f.   [48] FUCHS 47ff.

[49] FOCKE 377ff. Ferner H. LAST aaO. 95f. (in der Nachfolge von DE JERPHANION).

[50] Die von J. CARCOPINO, Mus. Helvet. 5. 1948, S. 45ff. vermutete Anbringung der Quadrate nach dem Vesuvausbruch des Jahres 79 (etwa im 3. Jh.) durch Schatzgräber ist mit Recht von FUCHS 48f. zurückgewiesen worden; vgl. auch FUCHS 51f. mit weiterer Literatur. Ähnlich wie CARCOPINO bemüht W. LEPPMANN, Pompeji … 1966, S. 47ff. die Tätigkeit von ‚Buddlern' am Ende des 2. Jhs., um den christlichen Ursprung der pompejanischen Satorinschriften zu retten. CARCOPINO (aaO. 55ff. bes. 58f., u. vgl. S. 55ff., bes. 58f., u. schon Bulletin de la Soc. nat. des Antiquaires de France 1934, S. 7) zieht nämlich den Schluß, das Quadrat sei während der Verfolgung des Jahres 177 unter den Christen von Lyon in der Umgebung des Irenäus entstanden.

der Anlaufzeit, mit der man von der Erfindung bis zur Verbreitung in die Provinz wird zu rechnen haben, spätestens ungefähr um die Jahrhundertmitte erfunden sein[51]. Damals aber hatte sich »ein selbständiges lateinisches Christentum noch nicht herausgebildet«[52]. Die Sprache des Gebets und der Liturgie während der ersten beiden Jahrhunderte des Christentums in Italien|war das Griechische und nicht das Lateinische[53]. Eine lateinische christliche Literatur, auch christliches Inschriftengut, das sich der lateinischen Sprache bedient, wird uns erst frühestens seit der Mitte des 2. Jahrhunderts greifbar.

2. Der Ort der Anbringung der Rotas-Inschriften, im einen Fall die vornehme Villa einer offiziellen pompejanischen Persönlichkeit[54], im anderen ein verkehrswichtiger Treffpunkt der pompejanischen Sportjugend, ist der Annahme christlicher Herkunft nicht günstig[55].

3. Die Verwendung christlicher Symbole, etwa als Zeichen der gegenseitigen Erkennung oder des Einverständnisses, würde einen gemeindeartigen Zusammenschluß der pompejanischen Christen in dieser frühen Zeit nahelegen, wogegen eine Äußerung des Tertullian spricht: *sed nec Tuscia iam tunc atque Campania de Christianis querebantur, cum Volsinios de caelo, Pompeios de suo monte perfudit ignis*[56]. Zu deutsch: »Aber weder Etrurien noch Campanien erhoben damals schon Klagen gegen die Christen (als die Schuldigen), als Volsinii vom Himmel, Pompeji vom Vesuv herab durch Feuer zerstört wurden.«

4. Die in der klassischen Antike als Ornament vorkommende Form des griechischen Kreuzes, die sogen. *crux quadrata*, die dem Paternosterkreuz zugrundeliegt, wird nach unserer Kenntnis von Christen erst viel später verwendet[57]. Der Form der strafrechtlichen Wirklichkeit entsprach das T-Kreuz *(crux commissa)* oder das lateinische Kreuz mit nur wenig über das Querholz hinausragendem senkrechten Pfosten *(crux immissa)*[58], wie sie

---

[51] FOCKE 378. Man wird ja nicht ausgerechnet Pompeji als Entstehungsort des Quadrates annehmen wollen. Siehe dazu auch unten [S. 45] unter 3 mit Anm. 56.

[52] FUCHS 47 f.

[53] FOCKE 386 f. CARCOPINO aaO. 53 u. ö. Eine andere Auffassung vertritt LAST 96, dort weitere Literatur. Vgl. ferner P. GROSJEAN aaO. 98.

[54] Focke 380.

[55] Focke 378 ff.

[56] Tertullian, Apologeticus 40,8 (vgl. Ad nationes 1,9) FOCKE 381, 378. Einschränkend LAST aaO. 96. Die umstrittene Interpretation hat jetzt in einer gründlichen Untersuchung HEINZ HOFMANN dahin entschieden, daß Tertullian in der Tat sagen wollte, es habe in (Etrurien und) Campanien damals noch keine Christen gegeben („Tertullians Aussage über die Christen in Pompeji", Wiener Studien 1974, 160 ff.).

[57] FOCKE 381 mit Anm. 1 u. 2. 385. FUCHS 49 42. Focke läßt erst das 4./5. Jh. als Beginn für christliche Darstellungen des griechischen Kreuzes gelten; vgl. aber die Rufina-Inschrift aus den Lucina-Krypten der Via Appia aus der 1. Hälfte des 3. Jhs. bei PAUL STYGER, Die römischen Katakomben 1933, S. 11 mit Taf. 5 neben S. 32. Vgl. a. CARCOPINO aaO. 19 f., 38, 51 m. Anm. 140. FOCKE in: Festgabe für Alois Fuchs 1950, S. 384 140.

[58] K. KÜNSTLE, Ikonographie der christl. Kunst I 1928, S. 468.

etwa das 1938 aufgefundene ,Kreuz von Herculaneum' bietet, das in seiner anspruchslosen Schlichtheit ein vereinzeltes Bekenntnis seines Verfertigers zum Christentum darstellen mag[59].|

5. Die früheste christliche Verwendung der AO-Symbolik, in der Johannesapokalypse, entstammt erst den 90er Jahren des 1. Jahrhunderts, natürlich wiederum in der hier zu erwartenden ursprünglichen griechischen Form $A\Omega$[60].

Wer diese Argumente in ihrer Gesamtheit auf sich wirken läßt, wird sich also dem Schluß nicht entziehen können, daß die christliche Herkunft des ROTAS-Quadrates so gut wie ausgeschlossen ist.

Wer aber an der unlöslichen und nicht zufälligen Verflechtung des Quadrates mit dem PATERNOSTER-Kreuz und dem AO-Symbol festhält, dem scheint sich ein beinahe hoffnungsloses Dilemma aufzutun. Verschiedene Gelehrte, nämlich FRANZ DORNSEIFT[61], MARCEL SIMON[62] und am entschiedensten HARALD FUCHS[63], haben es so zu beseitigen versucht, daß sie jüdische Entstehung des Quadrates für möglich hielten.

Diese bestechende Hypothese, die einer Verzweiflungsauskunft gleichkommt, kann – so wenig sie strikt beweisbar ist – durch Gegenargumente nicht bündig widerlegt werden. Fuchs meint[64], das Quadrat sei vom Judentum des lateinischen Westens bereits gegen Ende des 1. vorchristlichen Jahrhunderts erfunden worden. Daß man in diesen Kreisen zur magischen Verschlüsselung religiöser Aussagen sich nicht wie noch viel später in der Kabbala[65], des Hebräischen, oder allenfalls des Griechischen bedient haben sollte, sondern ausgerechnet des Lateinischen, das selbst noch nach Jahrhunderten nur in verschwindenden Ausnahmen und nur im Geleise nichtssagender hergebrachter Formeln auf jüdischen Grabmonumenten etwa Roms erscheint[66], müßte von vornherein als merkwürdig|isolierter Fall höchst

---

[59] FOCKE 381 ff. mit Abb. 3 u. 4 auf Taf. III und IV vor S. 401. JOHS. LEIPOLDT, Ev.-Luth. Kirchenzeitung 1952, S. 70. Zum ,Kreuz von Herculaneum' mit beachtlichen Indizien für nichtchristliche (viell. jüdische?) Herkunft s. ERICH DINKLER, Zur Gesch. des Kreuzsymbols. In: Zeitschr. f. Theol. u. Kirche 48. 1951, S. 148 ff. (hier S. 158 f.).

[60] FOCKE 387 ff.   [61] FRZ. DORNSEIFF, ZNW 36. 1937, S. 223 (FOCKE 372 f.).

[62] M. SIMON, Verus Israel. Bibl. Ecole Fr. d'Ath. et de Rome 166. 1948, S. 411 f. (FUCHS Anm. 13, 23, 25, 34).

[63] FUCHS 49 ff., unabhängig von Simon.

[64] FUCHS 51 (mündlich stimmt ihm im Grundsätzlichen zu FRITZ MAASS, dem ich für einige Hinweise zu Dank verpflichtet bin).

[65] Darüber A. WÜNSCHE in Herzog und Haucks RE ³IX 1901, S. 680 ff.

[66] So in den Grabinschriften der „Jüdischen Katakombe der Villa Torlonia in Rom", die von H. W. BEYER und H. LIETZMANN (Jüdische Denkmäler I = Studien zur spätantiken Kunstgesch. 4) 1930 publiziert ist (S. 28 ff. Die Inschriften) – frdl. Hinweis von L. ROST. Unter 68 Inschriften 4 lateinische, 1 zweisprachige (lat. und griech.), in einigen anderen Inschriften der und jener Latinismus. Zahlreiche griech. Inschriften enthalten in gräzisierter Form rein römische Namen. Zeit: 2./3. Jh. Eine der ältesten lat. Grabinschriften jüdischer Herkunft ist die der römischen Jüdin Regina v. Anfg. ds.2. Jhs.; s. Text u. Abb. bei A. DEISSMANN, Licht vom Osten⁴1923, S. 387 ff. Das ganze Material ist zu finden bei J.-B. FREY, Corpus Inscr. Jud. I–II. 1936–52.

seltsam anmuten. Auch hat FUCHS zwar den »Unser Vater-Anruf« in (hebräischen!) jüdischen Gebeten bis in vorchristliche Zeit zurückreichend nachweisen können[67], wie denn auch in seinen Beispielen diese Anrede vielfach und typisch mit dem Anruf »Unser König« gekoppelt ist. Aber wie gesagt, bindend sind diese Einwände nicht, zumal für die frühe Verwendung des AO-Symbols bisher zugegeben werden durfte und auch schon ausdrücklich festgestellt war[68], daß es vielleicht dem Diasporajudentum, natürlich dem griechischen, seine Entstehung verdanken könnte.

Der einzige gangbare Weg, die Ansicht von der jüdischen Herkunft des ROTAS-Quadrates und des PATERNOSTER-Kreuzes zu widerlegen, bestünde somit darin, nachzuweisen, daß alle darin enthaltenen Aussagen – *sator opera tenet, pater noster, A O* – bei Annahme nichtjüdischer wie nichtchristlicher Entstehung eine sinnvolle und befriedigende Erklärung finden. Dieser Weg soll im folgenden beschritten werden.

Pater noster

Um zunächst bei der Paternosterformel anzusetzen, so wird niemand bestreiten können, daß sie antik, ja sogar althellenisch ist[70]. ὦ πάτερ ἡμέτερε Κρονίδη, mit dieser feierlichen Anrede wendet sich an vier Stellen der homerischen Gedichte[71] Athena an ihren Vater Zeus. Freilich fehlt hier nicht die namentliche Bestimmung der mit dem Anruf gemeinten Gottheit, und man muß in der Tat fragen, ob in der griechisch-römischen Welt die einfache *pater-noster-*| Anrede ohne den Namenszusatz möglich ist[72]. Sofort denkt man an die *Stoa*, deren Gott zwar der logoserfüllte Kosmos, die *prima omnium causa*, war[73], der also grundsätzlich Gott als Geist galt, als πνεῦμα

---

[67] FUCHS 50₄₃.

[68] Darüber habe ich Arch. f. Rel.-Wiss. 38, S. 56 f. mit Anm. 1 in anderem Zusammenhang gehandelt. Da der betr. Band unmittelbar vor Erscheinen am 4. 12. 1943 dem schweren über Leipzig niedergegangenen Luftangriff zum Opfer gefallen ist und die geplante Ergänzung und Neuveröffentlichung meines Aufsatzes „Der Himmelvater" noch nicht wieder erfolgt ist, muß ich einstweilen auf den kurzen Vorbericht H. HOMMEL, Forschgn. u. Fortschritte 19. 1943. S. 97 mit Anm. 29 verweisen. Siehe aber jetzt den Abdruck jenes Aufsatzes oben [S. 3 ff] (hier S. 28 ff.).

[69] H. LIETZMANN, Archäol. Anz. 1937, S. 480 (FOCKE 387₁).

[70] Vgl. dazu auch H. CHERNISS, Gnomon 22. 1950, S. 213₁ (gegen eine Bemerkung von A. J. FESTUGIÈRE, Le dieu cosmique 1949 zu Kleanthes fr. 537, 3 ff.).

[71] Homer, Ilias 8,31. Odyssee 1,45.81. 24,473. Livius Andronicus, der römische Übersetzer der Odyssee des 3. Jh. v. Chr., übersetzt den Spruch in der Tat mit: *pater noster, Saturni filie* (fr. 2 Morel; freundlicher Hinweis von HEINZ HOFMANN). Wie verbreitet die Wendung war und wie stereotyp sie geworden ist, zeigt Aristophanes, Wesp. 652, wo auf ihr wörtliches ‚Zitat‘ der respektlose Einwurf erfolgt: παῦσαι καὶ μὴ πατέριζε ‚hör‘ auf und bet‘ kein Vaterunser!‘.

[72] Brieflicher Einwand von H. FUCHS (vom 30. 9. 51), der diese Bestimmung „in jedem Falle für unentbehrlich halten möchte".

[73] z. B. Plutarch, De facie . . . 15, p. 928 A. κόσμον . . . λόγῳ διακεκοσμημένον, Zenon, St. Vet. Fr. I 111, 113. Weitere Belege bei M. POHLENZ, Die Stoa II 1949, S. 54 dazu I 1948, S. 93 ff., 108 ff.

διῆκον δι' ὅλου τοῦ κόσμου, die sich aber, zumal seit Kleanthes, gern an den Vater Zeus wandte, wenn sie sich der dem antiken Menschen nun einmal eingewurzelten Personifizierung bediente, um ihre Allgottheit dem persönlichen religiösen Empfinden näher zu rücken[74]. Bezeichnend dafür, daß dann auch wiederum einmal der Gottesname wegbleiben konnte, selbst wenn eigentlich jener mit Zeus' Namen belegte persönlich-unpersönliche Gott gemeint war[75], ist die Art und Weise, wie Seneca einen Kleanthesvers übersetzt[76] ἄγου δέ μ', ὦ Ζεῦ, καὶ σύ γ' ἡ πεπρωμένη duc, o parens celsique dominator poli, also unter Weglassung des im Original stehenden Zeusnamens, ja unter Ersatz dieses Namens durch die reine Vaterepiklese *o parens*. Fehlt dabei der Zusatz *noster*, so wäre etwa darauf hinzuweisen, daß in der feierlichen Schlußwendung von Kleanthes' berühmten Zeushymnos zunächst zwar Zeus noch einmal mit Namen angeredet erscheint, dann aber ein paar Verse später ohne Namenswiederholung als Vater der Menschen angerufen wird, worauf dann der Dichter in einem von der Wirform | beherrschten Nebensatz deutlich zu erkennen gibt, daß die *paternoster*-Konzeption zugrundeliegt[77]. Dem. hat denn auch etwa Pohlenz in seiner Übersetzung mit richtigem Gefühl Rechnung getragen[78]:

---

[74] POHLENZ, Stoa I 98. Vgl. etwa St.Vet.Fr. II 1070, dazu J. AMANN, Die Zeusrede des Ailios Aristeides 1931, S. 101 mit Anm. 2. Siehe bes. auch die grundsätzlichen Bemerkungen bei W. SCHMID, Philol. 95. 1942, S. 112. Dazu auch G. BORNKAMM, Gott und Mensch in der griech. Antike 1950, S. 32.

[75] Hier ordnet sich auch die Vorliebe der Stoiker ein, die im Grunde ja alle gleichwertigen, vielmehr gleich unwichtigen Zeusprädikationen aufzählend zu häufen. Über solche Serien von Epikleseis in der Stoa s. J. AMANN aaO., S. 101 f. mit Quellen- und Literaturangaben. Weiteres bei H. STROHM, Mus. Helvet. 9. 1952, S. 169 f. – Schon der Anfang des kleanthischen Zeushymnos ruft den Gott mit dem Epitheton πολυώνυμε an (St.Vet.Fr. I 537,1).

[76] St.Vet.Fr. I 527. Kleanthes bei Epictet, Man. c. 53, v. 1. Seneca, Epist. 107,10; den Hinweis verdanke ich meinem Schüler ARNO NEUMANN. FR. ZUCKER läßt (brieflich) in der Wendung Seneca, Epist. 107, 10 *o parens celsique dominator poli* das *celsi poli* auch von *parens* abhängen, also sozusagen in ‚Versparung' (eine Abart des ἀπὸ κοινοῦ) stehen, was ich für möglich aber nicht für zwingend halte. Zum Grundsätzliche vgl. Seneca, Qu. II 45. De benef. IV 7. Im letzten Augenblick vor der Drucklegung kommt mir der Versuch zu Gesicht, das Rotas-Quadrat dem Seneca als Verfasser zuzuschreiben: TH. VALENTINER in: Geistige Welt 4. 1950–51, S. 135–142. Wenn auch das Gefühl für die Stoische Herkunft der Formel wohl richtig ist, so kann ich dem Verfasser, der Seneca selber für den Schreiber der einen vollständig erhaltenen pompejanischen Wandinschrift hält, in keinem Punkte seiner äußerst schwachen Beweisführung folgen, so wenn er den Adressaten Sautranus mit Senecas Freund Lucilius identifiziert usw. – Eine Anrede des röm. Senats und Volks an Augustus im Sinn von *parens conservator noster* läßt sich aus Silberdenaren der Jahre 18–17 v. Chr. erschließen, wo die Vorderseite neben den Triumphalinsignien die Legende trägt S.P.Q.R. PAREN[ti] CONS[ervatori] SVO (COHEN ²I no. 77 ff. . MATTINGLY-SYDENHAM I no. 296 f., jeweils mit Abb.); vgl. dazu A. ALFÖDLI, Mus. Helvet. 9. 1952, S. 212 f. (mit weiterer Literatur) 221 ff., 233 ff.. – 10. 1953, S. 115 f. – 11. 1954, S. 166 m. Taf. VII 1. (Vgl. a. unt. Anm. 180.)

[77] Kleanthes fr. 537, v. 28 ff. ἀλλὰ Ζεῦ πάνδωρε . . . (29) ἀνθρώπους ⟨μὲν⟩ ῥύου ἀπειροσύνης ἀπὸ λυγρῆς, (30) ἣν σύ, πάτερ, σκέδασον ψυχῆς ἄπο, . . . (32) ὄφρ' ἂν τιμηθέντες ἀ μειβώμεσθά σε τιμῇ, κτλ.

[78] POHLENZ, Stoa I 110. Über die geradezu „johanneische Christlichkeit" des Kleanthes nach

. . . sei gnädig *uns* Menschenkindern!
Nimm auch das Dunkel der Torheit, *o Vater* von *unserer* Seele!

So dürfte es denn nahegelegt sein, daß eine Gebetsanrufung wie ὦ πάτερ ἡμέτερε oder *pater noster* im Raume der Stoa von Kleanthes bis Seneca möglich war, auch ohne daß der Gottesname ausdrücklich zugefügt zu werden brauchte.

Ein Weg zu Poseidonios

Aber damit allein ist es ja nicht getan. Diese Beweisbasis wäre zu schmal. Betrachten wir nun, bevor wir die dem Paternosterkreuz gesellte A O-Formel sowie die Kreuzform des Ganzen prüfen, die Hauptaussage des Palindroms: *sator opera tenet.*

Es versteht sich, daß wir zur Feststellung des möglichen Orts für die Entstehung der Formel schon aus methodischen Gründen bei ihrem seltensten Wort ansetzen, nämlich beim *sator.* Wiederum hat HARALD FUCHS hier den Weg gebahnt und an Hand zahlreicher Fundstellen Wesentliches herausgearbeitet[79]. Danach ist *sator,* das in korrekter Bildung den „Sämann" (oder „Pflanzer") bezeichnet, eine Metapher der religiösen Sprache für den „Erzeuger, Urheber und Schöpfer"[80], die meist von Jupiter, gelegentlich auch von Janus[81] und anderen Göttern, später auch von Gottvater und Christus gebraucht wird, und die aus der römischen Dichtersprache, | wo sie uns zuerst belegt ist, seit Cicero auch in die Prosa Eingang gefunden hat. Das Wort kann also den Gott sowohl als Vater wie als Schöpfer charakterisieren; für beides gibt es Beispiele, natürlicherweise sind die Grenzen da und dort fließend, so daß *sator* auch den Vater- und Schöpfergott in Einem bezeichnen kann. Vergil übersetzt das homerische πατὴρ ἀνδρῶν τε θεῶν τε geradezu mit *hominum sator atque deorum*[82], während Phädrus dafür umständlicher *deorum genitor atque hominum sator* sagt[83]. Die Wendung *caelestum sator* scheint als Variante des ebenfalls früh belegten *caelestum pater*[84] eine feste Formel darzu-

---

der Ansicht amerikanischer Aufklärer um 1800 vgl. F. M. WASSERMANN, Class. Journal 47. 1952, S. 191.

[79] FUCHS 4633 f. mit Quellen- und Literaturangaben.

[80] Servius zu Vergil, Georgica I 21 kennt sogar einen vergöttlichten und verselbständigten *Sator,* Hesych einen Φύτιος = ἥλιος oder Ζεύς. Zu *Sator* = φυτεύσας s. unten [S. 55]. Aber daß der *Sator* auch eine genuin römische Wurzel hat, lehrt ein Blick auf die uralten römischen Fruchtbarkeitsdämonen Semo (Sancus), Seia, Segetia (Macrob. Saturnal. I 16,8); dazu vgl. W. ALY, ARW 33. 1936, S. 65.

[81] Septimius Serenus (Fr. poet. Latin. ed. Morel, p. 148,23 sqq.) *Iane pater, Iane tuens . . . rerum sator.* Martial. X 28,1 *annorum nitidique sator pulcherrime mundi.* Zu Janus s. auch unten [S. 64]. Vgl. allgemein Clm 16 086 (Münchener Hs. des 12./13. Jhdts.), fol. 73 v.: *credo deum patrem caeli terraeque satorem,* zitiert nach FR. WIEGAND, Das apostolische Symbol im Mittelalter 1904, S. 161, weiteres bei H. FUCHS 4633.

[82] Verg., Aen. I 254. XI 725.

[83] Phaedrus III 17,10.   [84] Accius, Atreus fr. 8 = trag. 209 Ribbeck. FUCHS 4633.

stellen, da Cicero eine Stelle aus den Trachiniererinnen des Sophokles, wo Herakles seinen Vater, den Donnerer Zeus, mit ὧναξ ... πάτερ anruft, poetisch frei durch *caelestum sator* wiedergibt[85].

Steht in allen diesen Fällen *sator* deutlich für *pater*, so gebraucht Cicero an einer anderen und zwar prosaischen Stelle das Wort *sator* offenbar mehr im Sinn von Schöpfer, indem er es ausdrücklich durch die Zufügung von *parens* = Vater ergänzt, und diese Cicerostelle ist es, die, wie mir scheint, dazu angetan ist, das Rätsel der Herkunft unseres magischen Quadrats und seiner Paternoster-Verschlüsselung vollends zu lösen. Gerade diesen entscheidenden *sator*-Beleg aber hat FUCHS in seiner Sammlung beiseite gelassen.

Cicero, De natura deorum II 86 am Anfang des 34. Kapitels lesen wir: *omnium autem rerum, quae natura administrantur, seminator et s a t o r et p a r e n s , ut ita dicam, atque educator et altor est mundus o m n i a q u e sicut membra et partes suas nutricatur et c o n t i n e t.*

„Aber aller der Natur unterstehenden Dinge Sämann und Pflanzer und sozusagen Vater sowie Förderer und Ernährer ist der Kosmos, und er nährt und erhält sie alle, gleich als seine Glieder und Teile. "

Eines fällt dabei sofort auf: wie gut würde der *pater* in der Paternoster-Formel hiernach zum *sator* des Quadrates ergänzend passen, da der *sator* auch bei Cicero mit dem *parens* gekoppelt ist, um den Doppelbegriff des Schöpfers und Vaters auszudrücken.

Aber ein anderes ist noch wesentlicher: wir gewinnen aus dem Satz Ciceros ohne Umstellung seiner Bestandteile sozusagen als Gerippe des Ganzen die Formel *sator. . .omnia. . .continet,* von| der das *sator opera tenet* lediglich eine Variante zu sein scheint. Nehmen wir das einstweilen nur als Hypothese und versuchen wir, von verschiedenen Seiten her die Probe anzustellen.

Zunächst ist klar, daß auch der ciceronianische Satz stoisch ist; schon das Subjekt zum Prädikat *sator est,* nämlich *mundus,* zeigt es uns unzweideutig an: es ist der Kosmosgott, der hier (im Sinn von Schöpfer und Erzeuger) gleich doppelt als Sämann charakterisiert ist (*seminator et sator,* „Samenstreuer und Pflanzer"), dazu als Vater, Ernährer und Erzieher[86] des ganzen Schöpfungs- und Naturbereichs, den er dann auch als seine eigenen Glieder nährt und erhält. Es klingt wie eine erweiterte Paraphrase, wie ein Kommentar zu unserer kurzen Sator-Formel, an dem nichts auszusetzen ist und nichts vermißt wird, ein Kommentar also, der sie eindeutig als stoisch kennzeichnet, wie wir ja auch schon als möglichen Ort der Paternoster-Epiklese die Stoa feststellen konnten.

Die stoische Aussage steht bei Cicero aufs Ganze gesehen gut an ihrem

---

[85] Sophokles, Trachin. 1087f. Cicero, Tuscul. II 21. FUCHS aaO.

[86] Ähnlich Euripides, Hippolytos 628/30 vom menschlichen Vater und seiner verderblichen Aufzucht ὁ σπείρας τε καὶ θρέψας πατὴρ ... ἀτηρὸν ... φυτόν. Vgl. dazu unten Anm. 110 gg. E. Zum Bewahren und Restaurieren vgl. a. Platon, Ges. VI 768 C ff. und dazu O. LUSCHNAT, Theol. Viatorum 6. 1954/58 (1959), S. 92.

Platz; enthält doch das 2. Buch seines im Winter 45/44, kurz vor Cäsars Tod, entstandenen Gesprächs „über die Natur der Götter" einen Abriß der stoischen Theologie. Cicero dürfte dabei ein nicht viel älteres stoisches Handbuch benützt haben, das auf der Grundlage der Lehre des Panaitios auch poseidonisches Gut eingearbeitet hatte, oder das er selber aus anderen stoischen Quellen ergänzt hat[87].

Die feinere Diagnose allerdings ist außerordentlich schwierig[88]. Hier hat eine teilweise sehr leidenschaftlich geführte Polemik der Fachgelehrten zwar positive Ergebnisse gezeigt, im Einzelnen aber doch manches mehr kompliziert als erhellt. Es sei der Versuch gestattet, die Problemlage, wie sie sich im Blick auf unser Anliegen darstellt, in aller Kürze vorsichtig aufzuweisen.

Der von De natura deorum II 73–153 reichende Hauptteil der schulmäßigen Darstellung dient dem Nachweis, daß der Kosmos| durch göttliche Vorsehung regiert werde[89]. Sein zweiter Unterabschnitt II 81–94, in dem unser Satz (II 86) mitten inne steht, will aufzeigen, „daß alle Dinge in der Welt einem beseelten geistigen Wesen, einer *natura sentiens*, unterworfen seien"[90]. Hier schiebt sich aber, wie KARL REINHARDT unwiderleglich gezeigt hat[91], von II 82 bis 85 Mitte ein nachweislich poseidonisches „Fragment" ein, das den Zusammenhang unterbricht, indem hier ein Physiker keineswegs die Natur als vernunftbegabt (*natura sentiens!*) hinstellt[92], sondern eindringlich entwickelt, daß sie einen organischen Zusammenhang, eine einheitliche organische Struktur darstellt, die von einer *vis vitalis*, einer lebendigen Kraft, und von einer *vis seminis*, einer δύναμις σπερματική, gespeist

---

[87] Am bequemsten ist dazu zu vergleichen R. PHILIPPSON RE VII A 1151. 1154f. – Zu Ciceros vielschichtiger Arbeitsweise vgl. auch unten Anm. 99.

[88] Vgl. den die neuere Forschung verarbeitenden Bericht von M. POHLENZ RE XVIII 2, 1949, Sp. 429ff. (Art. „Panaitios"). Ferner POHLENZ, Die Stoa II 99.

[89] *Deorum providentia mundum administrari* Cic., De nat. deor. II 73 (–153); K. REINHARDT, Poseidonios 1921, S. 216ı, 234ff. Vgl. hier und zum Folgenden jetzt K. REINHARDTs ausgezeichnet zusammenfassenden, ausführlichen Artikel „Poseidonios" in der RE XXII (1953), Sp. 558ff., hier bes. 698, 704, 706f., 713 (auch als Buch erschienen).

[90] K. REINHARDT aaO. (Poseid. 1921) und S. 219.

[91] K. REINHARDT, Kosmos und Sympathie. Neue Untersuchungen über Poseidonios 1926, S. 92ff., 154ff. Dazu W. THEILER, Die Vorbereitung des Neuplatonismus 1930, S. 713f.

[92] REINHARDT, Poseidonios 236. Kosmos . . . 94; an beiden Stellen ist auch auf unseren Satz kurz hingewiesen. W. THEILER, Poseidonios. Die Fragmente 1982 I F 361 (S. 275–277) gibt sogar die ganze Partie Cic. n. d. 2, 81–88 dem Poseidonios und spricht Bd. II 269 lediglich von „einem trivialstoischen Zusatz §85". Vgl. dazu a. unten Anm. 94. – Poseidonios, der letzte große universale Geist der Antike, stammte aus dem syrischen Apameia, lehrte vornehmlich in Rhodos, wo Cicero i. J. 78 sein Schüler wurde, und lebte von etwa 135–50. K. REINHARDT hat uns seine Bedeutung imponierend aufgeschlossen. Die Einseitigkeiten seines Poseidoniosbildes sind seither von der Forschung richtiggestellt. Zur allgemeinen Orientierung vgl. etwa ED. SCHWARTZ, Charakterköpfe aus der antiken Literatur I ³1910, S. 91ff. W. KRANZ, Gesch. d. griech. Literatur 1939, S. 419ff. WILH. NESTLE, Griech. Geistesgesch. 1944, S. 382ff. M. POHLENZ, Gestalten aus Hellas 1950, S. 610ff. Wichtig zu Poseidonios auch U. v. WILAMOWITZ, Griech. Lesebuch I 2³ 1906, S. 185f.

ist[93]. Mitte II 85 mündet die Darstellung zurückgreifend auf II 81 wieder in den Nachweis der alles verwaltenden vernünftigen *natura sentiens*.

Daß aber unser Satz II 86 vom Kosmos als Schöpfer- und Vatergott gleich im Folgenden den Zusammenhang von neuem zerreißt, hat man noch nicht gesehen[94]. Denn wenn die Natur allenthalben vernünftig waltet und, wie es wiederholt heißt (II 85 f.), gerade auch den Kosmos verwaltet und regiert, dann verträgt sie doch gerade hier, wo das so nachdrücklich betont wird, nur schlecht eben diesen Kosmos als Schöpfer und Vater über sich, der alles schafft und | erzeugt, nährt und erhält gleich wie ein Körper seine Glieder und Teile. Vielmehr bedeutet dieser Satz, da, wo er bei Cicero steht, eine merkwürdige theologische Überhöhung der Lehre von der alles regierenden *natura sentiens*. Das wird durch die Zufügung (zu *omnium autem rerum*), *quae natura administrantur*[95] nur recht notdürftig mit dem Übrigen verbunden. Denn eigentlich ist es geradezu ein logischer Widerspruch, wenn der Allerzeuger und Allerhalter Kosmos die Verwaltung dieses seines Alls an die Natur abtreten muß, was dann in dem an unsere Stelle anschließenden Satz (II 86 gg. E.) gleich wieder, dem Zusammenhang getreu, aufgenommen wird durch die Wendung *quodsi mundi partes natura administrantur, necesse est mundum ipsum natura administrari*. So war denn Heinemann zweifellos auf der richtigen Spur[96], wenn er jene gewaltsame Bemerkung *quae natura administrantur* für einen harmonisierenden Einschub Ciceros erklärt hat[97]. Macht man aber damit Ernst und folgt man unseren eben aufgezeigten Bedenken, dann kann kein Zweifel sein, daß unser Satz aus einer anderen stoischen Quelle und mit jenem plumpen Zusatz hier gewaltsam genug eingefügt ist. Von dieser Zufügung gereinigt lautet er dann:

omnium autem rerum seminator et sator et parens, ut ita dicam, atque educator et altor est mundus, omniaque sicut membra et partes suas nutricatur et continet.

Ich hege schon hier den Verdacht, daß auch das *sicut membra et partes suas* erst um des Zusammenhangs willen zugefügt ist; da die Worte aber gut stoisch, ja sogar poseidonisch sind[98] und | der nächsten Umgebung nicht so

---

[93] REINHARDT, Poseidonios 242 ff.

[94] W. THEILER (1930) aaO. hat zwar bereits die poseidonische Herkunft von Cic., De nat. deor. II 86 erkannt, aber eine unmittelbare Verbindung mit 82–85 Mitte nachweisen wollen. Unstimmigkeiten der Beweisführung merkt bereits an DIETRICH TIEDEMANN, System der Stoischen Philosophie II 1776, S. 206 f.

[95] διοικεῖσθαι Diogen. Laert. VII 138. Sextus, Adv. mathematicos IX 85. διακρατεῖσθαι Sextus 81.84 (Hinweis von O. LUSCHNAT – vgl. auch unten Anm. 97 u. 98). διοίκησις τῶν ὅλων schon bei Heraklit fr. 64 D., vgl. Sap. Salom. 8,1 διοικεῖ τὰ παντα, ähnlich (gekoppelt mit συνέχειν) Galen XIV 6,98. Weiteres unten, Pantokrator [S. 87 ff.].

[96] L. HEINEMANN, Poseidonios' metaphysische Schriften II 1928, S. 1912. Frdl. Hinweis von O. LUSCHNAT, dessen Kennerschaft ich auch sonst manche freundliche Hilfe zu danken habe.

[97] An sich ist die Aussage gut poseidonisch; denn das REINHARDTsche Poseidonios-„Fragment" II 82–85 Mitte schließt mit den Worten *sequitur natura mundum administrari*. Vgl. ferner Sextus IX 84 f. und dazu oben Anm. 95.

[98] LUSCHNAT verweist auf Sextus IX 79, 80 μέρη τῆς θαλάσσης . . . οὐ συμπάσχει τὰ μέρη ἀλλήλοις – die μέρη kehren in dem bei M. POHLENZ, Stoa und Stoiker 1. 1950, S. 286 ff. teilweise

radikal widerstreiten wie das eben Besprochene, so ist von hier aus noch kein absolutes Verdikt möglich[99]. Der ganze Satz enthält so und so durchwegs gut stoisch-poseidonische Vokabeln und Gedanken. So findet sich das *omnia alere* und *vicissim ali a superis* . . . *naturis* von der Natur gerade in dem vorangehenden, von KARL REINHARDT ausgehobenen Poseidonios-Fragment (II 83) gesagt.

Entscheidend aber für die ursprüngliche Fassung unseres Satzes wie für seine Herkunft ist das Folgende: der *seminator et sator* mit allem Drum und Dran erscheint in der um 100 n. Chr. gehaltenen Olympischen Rede des *Dion Chrysostomos* von Prusa[100] in einem hymnenähnlichen, den Geist hellenischer Mysterien atmenden Stück gehobener Rede, das sogar REINHARDT, der dem Poseidonios den Rang eines religiösen Denkers nicht zubilligt, als poseidonisch anerkennen muß[101]. Der Zusammenhang dient dem Nachweis, daß Gotteserkenntnis und Religion zum geistigen Urbesitz aller| Menschen gehören[102]. Es heißt da Dion Chrysost. XII 29 πῶς οὐκ ἀγνῶτες εἶναι ἔμελλον καὶ μηδεμίαν ἕξειν ὑπόνοιαν τοῦ σπείραντος καὶ φυτεύσαντος καὶ σώζοντος καὶ τρέφοντος; „Wie sollten sie (die Menschen) da ohne Erkenntnis

---

übersetzten, mit Recht für Poseidonios in Anspruch genommenen Sextus-Abschnitt IX 78 ff. noch mehrfach wieder (THEILER F 354 mit Kommentar). Vgl. auch POHLENZ, Grundfragen der stoischen Philosophie 1940, S. 43, 7, 28 mit weiteren Beispielen für μέρη. Ferner Diogen. Laert. VII 138 f. (μέρη). Plut., De facie c. 14 f. Seneca, Epist. 113,4 *(pars-membrum)* 9 *(partes ac membra)*. Marcus, Ad se ipsum 7,13 (μέλη und μέρη); dazu W. THEILER, Die Vorbereitung des Neuplatonismus 1930, S. 116 f. Weiteres bei THEILER aaO. und THEILER, Kaiser Marc Aurel. Wege zu sich selbst 1951, S. 20, 303, 326.

[99] Aber zu Ciceros vielschichtiger Arbeitsweise gerade in diesem Abschnitt vgl. I. HEINEMANN aaO. (Anm. 96) II 191 f. mit Anm. 1 u. die treffenden Bemerkungen von H. CHERNISS, Gnomon 22. 1950, S. 214ı (gegen REINHARDT u. FESTUGIÈRE).

[100] Der wichtige Hinweis wird O. LUSCHNAT verdankt: Dion, Olymp. (XII) 29 = THEILER F 368, dazu K. REINHARDT, Poseid. 411 ff. POHLENZ, Stoa I 233 f., 366. II 119, 179. Der Zusammenhang mit unserer Cicerostelle wurde auch schon erkannt von W. THEILER, Vorbereitg. d. Neuplatonismus, S. 713 f., wo auch noch auf Dion XII 74 verwiesen ist (s. a. die nächste Anm.). Vgl. jetzt durchwegs den Poseidonios-Art. von K. REINHARDT RE XXII, hier bes. Sp. 810 f..

[101] Für REINHARDT ist Poseidonios nur der Physiker, nicht der Theologe. Reinhardt hilft sich (Poseid., S. 413) mit der Erklärung, „der Gedanke an den Ursprung, das Mysterium, das über den Anfängen gebreitet liegt, drängt . . . zur Idealisierung". Zu den „rauschenden Perioden" poseidonischen Hymnenstils vgl. schon ED. SCHWARTZ aaO. (Anm. 92) I³ 97. – Die Abhängigkeit der Darlegungen Dions von Poseidonios ist nachgewiesen bei H. BINDER, Dio Chrysostomus und Poseidonius. Tüb. Diss. 1905, S. 13–46; vgl. dazu auch WILH. SCHMID, Philologus 95. 1942, S. 82, 87. Daß ein fester theologischer Topos („Schöpfung und Erhaltung") vorliegt, beweisen andere Stellen der gleichen Rede, vor allem Dion XII 42 (von Zeus πατρῷος· τὸ γεννῆσαι καὶ τρέφον καὶ στέργον); 74 (τὸν βίου καὶ ζωῆς καὶ ξυμπάντων δοτῆρα τῶν ἀγαθῶν, κοινὸν ἀνθρώπων καὶ πατέρα καὶ σωτῆρα καὶ φύλακα, und dazu PAUL GERHARDT „dem Schöpfer aller Dinge, dem Geber aller Güter, dem frommen Menschenhüter"). Neben W. SCHMIDT aaO. vgl. a. M. POHLENZ, ZNTW 42. 1949, S. 91 f., hier auch kurze Analyse der ganzen Rede. – Die stoische Formel, daß die Götter ἀγαθῶν εἶναι δοτῆρες, auch zitiert von Plutarch, De communibus notitiis adv. Stoicos c. 32 (1075 E).

[102] POHLENZ, Stoa und Stoiker 1. 1950, S. 343; ebda. S. 342 auch die deutsche Übersetzung der ob. im Text ausgehobenen Stelle.

und ohne Vorstellung bleiben von dem, der sie erzeugt[103], ausgesät und ausgepflanzt hatte (σπείραντος καὶ φυτεύσαντος[104]), der sie erhielt und ernährte (σώζοντος καὶ τρέφοντος)?" Da ist alles Wesentliche aus unserer Cicerostelle beisammen, und wir gewinnen vor allem die griechischen Urbilder des _seminator_ = σπείρας, _sator_ = φυτεύσας[105], _altor_ = τρέφων, _continere_ bzw. _tenere_[106] = σώζειν. |

Sogar der göttliche Urvater (προπάτωρ θεός) erscheint gleich darauf. Wir verstehen nun auch ohne weiteres, daß Cicero das bei Dion und wohl auch in seiner Quelle an dieser Stelle fehlende _et parens (ut ita dicam)_ dem σπείρας καὶ

---

[103] Dazu s. unt. Anm. 107.

[104] Vgl. zu der Ausdrucksweise auch schon die ob. Anm. 86 ausgehobene Euripidesstelle Hippol. 628/30.

[105] Vgl. auch den Ζεὺς Φύτιος ob. Anm. 80.

[106] _continere_ und _tenere_ in diesem Sinne wechseln auch bei Cicero ab: _continere_ z. B. De off. II 24 _(nulla res vehementius rem publicam continet quam fides)_. Brut. 332 _(tu contine te in tuis perennibus studiis); tenere_ De nat. deorum II 83 _(si terra natura tenetur et viget)_. II 134. De or. III 178. Die Satorformel durfte also ohne weiteres _continet_ durch _tenet_ ersetzen. – An sich ist es überraschend, worauf auch O. LUSCHNAT und PAUL MORAUX mit Recht hinweisen, als Äquivalent für _tenere–continere_ hier σώζειν zu finden, und nicht das von der Stoa gewohnte _continere–συνέχειν_ (vgl. z. B. Kleomedes I 1, 4 p. 8 Ziegler. Sextus IX 81–84. REINHARDT, Kosmos . . . 103 ff. POHLENZ RE, Art. Panaitios Sp. 430, 36 ff., und s. auch schon in dem xenophontischen Abschnitt über den kosmischen Gott Memorabil. IV 3, 13 ὁ τὸν ὅλον κόσμον συνιάττων καὶ συνέχων, allerdings nicht in unmittelbarem Zusammenhang mit dem auch dort schon IV 3,6 sich findenden stereotypen συμφύειν τε καὶ συναύξειν . . ., συντρέφειν δέ . . .). Aber daß in unserer Formel das so vieldeutige _continere (tenere)_ in der Tat = σώζειν ist, wird sich uns weiterhin bestätigen. Vgl. zunächst zum stoischen Grundgedanken, daß Gott sein Werk schafft und fürsorgend erhält, POHLENZ, Die Stoa I 94, 303 u. ö. DERSELBE, Grundfragen der stoischen Philos. 1940, S. 8, 28 (σωτηρία = _conservatio_ als notwendige Bestandteile der stoischen Oikeiosislehre). Ferner Sextus IX 81–84/6 die Götter als σωτῆρες und φύλακες (Zitate aus lyrischer Dichtung – BETHE RE V 1097, 27 ff. – und aus Hesiod) in unmittelbarem Anschluß an das wiederholte συνέχειν. Ähnlich Dion XII 74, dazu THEILER, Vorbertg. 72, Anm. Das heißt wohl doch, daß der hymnenartige Stil einen Ersatz des philosophischen Terminus συνέχειν durch σώζειν verlangt hat; _continere–tenere_ dient zur Übersetzung für beides. Sehr bemerkenswert, daß sich der Verf. von Ps.-Aristot., De mundo p. 399b 23 ff. das gehobene σώζειν wieder in philosophische Terminologie zurückübersetzt hat, indem er unser Poseidonioszitat so paraphrasiert: ἅπαντα . . . θεοῦ λέγοι' ἂν ὄντως ἔργα εἶναι τοῦ τὸν κόσμον ἐπέχοντος. – ἐπέχειν hier wohl wie Platon, Theait. 165 E 1 ἐπέχων καὶ οὐκ ἀνιείς, merkwürdig freilich der transitive Gebrauch des Verbums in dieser Bedeutung. An anderer Stelle gebraucht dieselbe Schrift aber auch συνέχειν sowohl wie σώζειν und σωτηρία (397b 9 ff., 399b 17, 400a 4 u. ö.); vgl. dazu unten Anm. 110. Zu συνέχειν ,erhalten, aushalten, versorgen, leistungsfähig erhalten' etc. vgl. AD. WILHELM in: Symbolae Osloenses 27. 1949, S. 36 ff. συνέχειν neben περιέχειν (dieses wohl im Sinn von σώζειν, φυλάττειν – vgl. Plutarch, Agis 12 gg. E. Caesar 16) bei Marcus, Ad se ipsum X 1,3: τοῦ τελείου ζῴου (= κόσμου, darüber THEILER zu der Stelle in seiner Ausgabe 1951, S. 336) . . . γεννῶντος πάντα καὶ συνέχοντος καὶ περιέχοντος (frdlr. Hinweis von W. THEILER). – Zu der Xenophonstelle Memor. IV 3,13 vgl. H. STROHM, Mus. Helvet. 9. 1952, S. 162 m. Anm. 87. – _auctor_ und _custos_ (σωτήρ) _universi_ heißt Gott bei Seneca, Nat. quaest. I, praefatio. – Über eine bisher verkannte Wendung _secum tenere_ c. accus. ,in der Verbindung mit sich erhalten' s. H. HOMMEL, Hermes 82. 1954, S. 375 ff. Zu _continere_ ist nachzutragen das Wort des Poseidonios bei Cicero, De divin. I 118 _esse quandam vim divinam hominum, vitam continentem,_ u. dazu REINHARDT RE XXII 644, allgemein auch K. DEICHGRÄBER, Natura varie ludens 1954, S. 171.

φυτεύσας aus dem Folgenden erklärend zugefügt hat[107]. Überhaupt weist der Text Dions auf einen auch von den anderen ciceronianischen Zusätzen gereinigten Kern, aus dem dann vielleicht letztlich sogar der *κόσμος (mundus)* eliminiert werden darf[108], so daß sich die Aussage eben auf den stoischen Allgott schlechthin bezöge. Dazu ermutigt uns die Tatsache, daß die Stelle bei Dion, wie bereits angedeutet, in einen ganz geschlossenen Gedankenkreis organisch eingefügt erscheint, während wir sie bei Cicero in seinen Zusammenhang schlecht genug eingepaßt fanden.

Danach erhalten wir für Cicero einen von seinen Zufügungen befreiten Wortlaut, der sich von der Formulierung bei Dion nur noch unwesentlich unterscheidet und etwa so aussieht:

omnium autem rerum seminator (et parens ut ita dicam) atque educator et altor omnia quoque nutricatur et continet.

Das ergäbe als ungefähre griechische Vorlage:

ὁ δὲ πάντα σπείρας καὶ φυτεύσας καὶ αὔξων καὶ τροφὴν διδοὺς[109] ὁ αὐτὸς καὶ τρέφει πάντα καὶ σώζει.

Verkürzt erscheint diese Formel, wiederum in einem längst auf Poseidonios zurückgeführten Zusammenhang, in der um Christi|Geburt verfaßten pseudo-aristotelischen Schrift *περὶ κόσμου* (De mundo) wo sie so lautet[110]: *ἅπαντα. . .θεοῦ λέγοιτ' ἂν ὄντως ἔργα εἶναι τοῦ τὸν κόσμον ἐπέχοντος.*

„Alles dürftet ihr wohl wahrhaftig *Werke Gottes* nennen, der den *Kosmos* erhält."

Erinnern all diese Aussagen nach Sinngehalt und Begriffsapparat mehr oder weniger genau an unsere Satorformel, so kommt ihr fast bis zur Identität nahe der mir von SIEGFRIED RAEDER nachgewiesene Vers aus einem

---

[107] Ganz ebenso hat POHLENZ die Wendung bei Dion durch das eingeschobene „der sie erzeugt" richtig kommentiert; s. dazu ob. im Text m. Anm. 102f.

[108] Zumal der *mundus* nicht trennbar ist von jenem Topos seiner Glieder und Teile (z. B. De nat. deorum II 75 *mundum et omnes mundi partes*).

[109] *γεννᾶτε τροφήν τε διδόντες αὐξάνετε* Platon, Tim. 41 D; s. dazu gleich unten im Text. Dieselbe Verbindung spöttisch im Sinn von „hätscheln und großpäppeln" Platon, Staat VIII 565 C *τοῦτον τρέφειν τε καὶ αὔξειν μέγαν*. Vgl. auch ob. Anm. 106.

[110] Ps.-Aristot., De mundo 399b 23ff., dazu ob. Anm. 106 gg. E., unt. Anm. 168. Vgl. auch 397b 20ff. *σωτὴρ μὲν γὰρ ὄντως ἁπάντων ἐστὶ καὶ γενέτωρ. . . ὁ θεός.* 440a 3f. *ὁ θεὸς ἐν κόσμῳ συνέχων τήν τῶν ὅλων ἁρμονίαν τε καὶ σωτηρίαν . . .,* dazu M. P. NILSSON, Griechischer Glaube 1950, S. 134. *alere opus* bei Manilius, Astr. II 80. H. STROHM aaO. 137ff., bes. 170, 174 hat in scharfsinnigen Ausführungen als Entstehungszeit der ps.-aristotel. Schrift das Ende des 1. nachchristl. Jh.s nachgewiesen (vgl. a. unten [S. 106f.]). Dort auf S. 143, 148 ob.u.ö. weitere in unserem Zusammenhang wichtige Stellen aus Ps.-Aristot., De mundo. Dazu S. 169115 eine Plutarchstelle, Sept. sap. conv. 21, 163 E *πῦρ . . . καὶ πνεῦμα καὶ ὕδωρ καὶ νέφη καὶ ὄμβροι, δι᾽ ὧν πολλὰ μὲν σώζει καὶ τρέφει, . . .* Vgl. wiederum a. unten [S. 106f.]. – Andere Elemente der Formel: das Pflanzen (Hervorbringen) und Ernähren begegnen in ganz anderem Zusammenhang noch bei Origenes, Comment. in Epist. ad. Roman. lib. VII 597, 89 (Migne, Patrol. gr. 14, 1110) *ut seritur suboles, ut editur ut nutritur;* vgl. dazu auch ob. Anm. 86, unten Anm. 180.

fälschlich dem Prosper von Aquitanien zugeschriebenen ca. 416 abgefaßten *Carmen* de providentia divina 132 (Migne, Patr. Lat. 51, 620 B – zum Erweis der vollendeten Untadeligkeit des göttlichen Schöpfungswerks):

cum sator ille operum teneat momenta suorum

Das ist nichts anderes als ein zu einem Hexameter gedehntes Zitat der Satorformel „sator opera tenet", wobei das *ille* wie die Wendung *(operum) momenta suorum* als rein rhetorisches Füllsel dienen. Also war, so darf man wohl schließen, der Sinn des Rotasquadrats zu Augustins Zeit noch da und dort bekannt. Vor allem aber wird durch den Vers, falls es noch eines weiteren Arguments bedürfte, überhaupt die Richtigkeit der Bustrophedonlesung des Buchstabenquadrats und zugleich auch ihr theologischer Gehalt vollends erwiesen[110a].

Aber wir sind damit noch nicht am Ende, vielmehr besser gesagt noch nicht am Beginn der Ahnenreihe des Gedankens und seiner Formulierung. Denn in *Platons „Timaios"*, der die Stoa und besonders auch Poseidonios immer wieder angeregt hat[111], lesen wir im 13. Kapitel in breiterer Darstellung der Weltschöpfung durch den Demiurgos, unter ausdrücklicher Beziehung auf alte, von Götternachfahren stammende Überlieferung, die bisher in diesem Zusammenhang übersehenen Worte:

Tim. 41 A λέγει . . . ὁ τόδε τὸ πᾶν γεννήσας τάδε· θεοὶ θεῶν, ὧν ἐγὼ δημιουργὸς πατήρ τε ἔργων [ἃ δι ἐμοῦ γενόμενα][112] ἄλυτα ἐμοῦ γε μὴ ἐθέλοντος.

„Es spricht der *Erzeuger des Alls (omnium rerum parens)*[113] folgendes: ihr hohen Götter, was ich als *Werk*meister und *Vater* an *Werken* geschaffen, ist *unauflösbar, wenn ich es nicht will (omnia continet).*"[114]

Und weiter zu den Untergöttern und Helfern gewendet

Tim. 41 C/D (es handelt sich um die Erzeugung weiterer Geschlechter von lebenden Wesen): σπείρας καὶ ὑπαρξάμενος ἐγὼ παραδώσω, | τὸ δὲ λοιπὸν ὑμεῖς . . . ἀπεργάζεσθε ζῷα καὶ γεννᾶτε, τροφήν τε διδόντες αὐξάνετε[115] καὶ φθίνοντα πάλιν δέχεσθε[116]. „Ich will euch die *Aussat* und den Anfang darbieten, aber im übrigen müßt ihr . . . die Lebewesen ins *Werk* setzen und *erzeugen*, ihnen *Nahrung geben*, sie damit *aufziehen (educare)* und wenn sie dahinschwinden, wieder aufnehmen."

[110a] MICHAEL P. McHUGH, The Carmen de Providentia Dei . . . Diss. Washington, D.C. 1964 hat von meinen Forschungen keine Kenntnis genommen. Zur Datierung des Gedichts s. ihn S. 24.

[111] Vgl. dazu etwa JOH. STELZENBERGER, Die Beziehungen der frühchristl. Sittenlehre zur Ethik der Stoa 1933, S. 40₄₃. J. H. KÜHN, ΥΨΟΣ . . . 1941, S. 108 ff. M. POHLENZ, Die Stoa I 256. II 133. Sextus IX 105 ff.

[112] Wohl mit Recht getilgt von BERNAYS, auch in Ciceros Übersetzung des Tim. 40 nicht zu finden: *quorum operum ego parens effectorque sum, haec sunt indissoluta me invito.*

[113] Der schon am Anfang von c. 10 (37 C) als ὁ γεννήσας πατήρ bezeichnet war.

[114] S. dazu ob. Anm. 106 (σῴζειν).

[115] Dem entspricht der *educator* bei Cic., De nat. deor. 86; s. oben [S. 56].

[116] Cicero, Tim. 41 übersetzt: *quorum vobis initium satusque, tradetur a me, vos autem . . .; ita orientur animantes, quos et vivos alatis et consumptos sinu recipiatis.*

Es fällt sofort ins Auge, daß hier alle wesentlichen Elemente unseres stoischen Satzes nach Gedanken und Wort vorgebildet sind. Von dem bisher, in der Fassung Dions nämlich, noch vermißten Formelgut gewinnen wir durch den platonischen „Timaios" vor allem die Nennung des γεννήσας πατήρ (= *parens*) in unmittelbarem Zusammenhang, sowie das von Cicero durch *educator* frei wiedergegebene αὐξάνειν, während das *nutricatur* Ciceros in τροφὴν διδόντες seine Entsprechung hat[117]. Das σώζειν = *continere* bzw. *tenere* ist dagegen im „Timaios" platonisch gewendet mit jenem ἄλντα ἐμοῦ γε ἐθέλοντος[118].

Vor allem aber findet sich die ja auch bei Ps.-Aristoteles begegnende Variante der Satorformel, *opera* für *omnia*, im „Timaios" mehrfach, in der Form δημιο-εργός, ἔργα und ἀπ-εργάζεσθαι[119]. Hier wird also deutlich, daß weder die poseidonische Fassung der religiösen Formel, wie sie uns bei Dion vorliegt, noch die platonische im „Timaios" das für Cicero vorauszusetzende Vorbild ganz rein erhalten hat, daß wir vielmehr *beide* Quellen zur Gewinnung des Wortlauts der ciceronianischen Vorlage heranziehen müssen.

Platon beruft sich im „Timaios", wie wir schon andeuteten, ausdrücklich auf eine noch ältere Überlieferung von Göttersöhnen (Tim. 40 D πειστέον δὲ τοῖς εἰρηκόσιν ἔμπροσθεν, ἐκγόνοις μὲν | θεῶν οὖσιν, ὡς ἔφασαν); dabei erinnern wir uns daran[120], daß man in der poseidonischen Fassung des Satzes bei Dion Chrysostomos hymnisch-mystische Züge aufgespürt hat. Und schließlich ist von Pohlenz mit Recht festgestellt worden, daß es der Allgott der griechischen Tragiker, „der alles Einzelne belebt, gestaltet, nährt, schafft und wieder in sich zurücknimmt und begräbt", gewesen ist, welcher der Stoa das Modell für ihren verstandesmäßigen Pantheismus geliefert hat – wir dürfen jetzt wohl hinzufügen: durch Platons Vermittlung –, was dann Poseidonios „aus seinem persönlichen wie dem althellenischen Empfinden heraus mit Leben" zu erfüllen wußte[121].

Dies alles ermutigt uns, noch weiter zu spüren und auch die griechische Tragödie nach Vorstufen zu unserem Satz vom *Sator* zu befragen. Und siehe da, in der urtümlichsten der uns erhaltenen Tragödien steht in einem Chorlied, dessen Mysteriengehalt sich vielfältig nachweisen ließe[122], die gesuchte

---

[117] In seiner Tim.-Übersetzung freilich hat er dies einfach mit *alere* wiedergegeben; aber in De nat. deorum hatte er offenbar im gleichen Satz zwischen τρέφειν (*alere*) und τροφὴν διδόναι (*nutricare*) zu unterscheiden.

[119] S. oben [S. 57] und vgl. Tim. 41 D καὶ φθίνοντα πάλιν δέχεσθε. Dazu vgl. auch unten [S. 61].

[119] Vgl. auch Platon, Staat X 596 C 7 ff. *opera* auch häufig bei Cic. selber in ähnlichem Zusammenhang, z. B. De nat. deor. II 76, 90, 138. Vgl. außerdem oben Anm. 112. Ferner Seneca, Nat. quaest. I praefatio: *deus . . . solus est omnia, opus suum . . . tenet* (frdlr. Hinweis von H. KLEINKNECHT).

[120] Oben [S. 54].

[121] POHLENZ, Die Stoa I 233 und dazu II 118.

[122] Ich hoffe, in anderem Zusammenhang darauf zurückzukommen.

Charakterisierung des Allgottes, des *πᾶν μῆχαρ*, des alles bewerkstelligenden Zeus. Die ganze Stelle aus den *aischyleischen "Hiketiden"* lautet:

v. 592–594 ⟨*πᾶσιν ὁ*⟩ [123] *πατὴρ φυτουργὸς αὐ-*
τόχειρ ἄναξ γένους[124] *παλαι-*
όφρων μέγας τέκτων, τὸ πᾶν
μῆχαρ οὔριος Ζεύς.

(3 iamb. Dimeter und 1 Ithyphallicus)|

„Der allen Dingen Vater ist, pflanzt sein Werk mit eigener Hand, der urgewaltige verständige Erbauer unseres Geschlechts, Allbewirker und Erhalter[125] Zeus."

Das A und das O.

Damit wäre also die Satorformel und ihre Paternoster-Hieroglyphe hinreichend als antik gesichert. Wie steht es aber nun mit dem ebenfalls auf den

---

[123] So meine Ergänzung der durch Responsion erschließbaren auf Grund von Haplographie entstandenen Lücke *(nä-σιν ὁ πα-τήρ)*. Vgl. Soph., Oid. Tyr. 8 *ὁ πᾶσι κλεινὸς Οἰδίπους καλούμενος 40 ὦ κράτιστον πᾶσιν Οἰδίπου κάρα 1482 τοῦ φυτουργοῦ πατρὸς ὑμῖν . . . προυξένησαν* (zum *φυτουργός* vgl. auch noch Julian, Or. 2, 83 A *πατέρα καὶ φυτουργόν*). Der fast allgemein akzeptierte Vorschlag von HEIMSOETH ⟨*αὐτὸς ὁ*⟩ *πατήρ* beruft sich zu Unrecht auf das Scholion, wo das *αὐτὸς ὁ πατὴρ φυτουργὸς τοῦ γένους* vielmehr das aischyleische *αὐτόχειρ* bzw. die ganze Wendung *πατὴρ φυτουργὸς αὐτόχειρ ἄναξ γένους* zu paraphrasieren scheint. Zu der Aischylosstelle vgl. a. W. KIEFNER, Der religiöse Allbegriff des Aisch. 1965, S. 119 f.

[124] *ἄναξ γένους* eine vortreffliche Erweiterung des bloßen *πατήρ* zum Sippenvater, Oikosvorsteher (vgl. das homerische *οἴκοιο ἄναξ*) und Großfamilienhaupt. (G. M. Calhoun, Tr. & Proc. of the Am. Philol. Assoc. 56. 1935, 3 ff.). *γένους* steht *ἀπὸ κοινοῦ* zu *ἄναξ* und *τέκτων*. *τέκτων* = „Erzeuger" wie v. 283. Vgl. a. die Bezeichnung des Erhaltergottes bei Aischylos, Hiketid. 26 als *Ζεὺς Σωτὴρ . . . οἰκοφύλαξ*.

[125] Hier unter dem Bilde dessen, der den günstigen Wind für die Fahrt schafft, *οὔριος*, und damit den im Sturme ringenden Schiffer „erhält" und ans Ziel bringt. Nicht von ungefähr zieht auch Sextus IX 86 in ähnlichem Zusammenhang die von einem lyrischen Dichter (vgl. oben Anm. 106) *σωτῆρας εὐσέλμων νεῶν* genannten Dioskuren heran. Und die Metapher des günstigen Fahrwinds für Bewahrung und Erhaltung kehrt wieder in Melinnos Romhymnus v. 15 f. *σοὶ μόνᾳ πλησίστιον οὖρον ἀρχᾶς οὐ μεταβάλλει.* Auch die unten [S. 74] erwähnte Mörike-Stelle bringt übrigens das Motto des Schöpfers und Erhalters mit der Lebensreise in Verbindung. Plut., De tranqu. animi 9,469 E. Marius 46,2 heißt es ferner: der Stoiker Antipatros von Tarsos gedenkt vor seinem Tode mit Dank gegen die Gottheit unter den *ἀγαθά* seiner Lebensführungen auch des günstigen Fahrwinds *(εὔπλοια)*, der ihn einst von Kilikien nach Athen geführt, als einer *δόσις τῆς τύχης* (vgl. BRZOSKA RE I 2515, 28 ff.). Die Schiffahrtsmetapher behauptet sich auch in der Erörterung unseres Topos durch die Kirchenväter; vgl. etwa Johannes Chrysost., Ad populum Antiochenum Homilia X 3, Migne PGr 49, Sp. 114. Vgl. jetzt auch allgemein O. WEINREICH, Inveni portum, . . . In: O. W., So nah ist die Antike (1970), 97 ff., und Ausgewählte Schriften 3, 1979, 528 ff. – Aischylos Eumenid. 759 f. findet sich eine Kennzeichnung des Schöpfers und Erhalters Zeus als *τὸν πάντα κραίνοντος σωτῆρος*. Ebenda v. 658 ff. wird in „sophistischer" Argumentation vor dem Areopag durch Apollon sozusagen Schöpfung und Erhaltung auseinandergelegt, indem der Vater ausschließlich als Erzeuger *(τοκεύς)* charakterisiert ist, die Mutter lediglich als Ernährerin *(τρόφος)*; vgl. weiterhin bes. 660 f. *τίκτει δ' ὁ θρώσκων, ἡ δ' . . . ἔσωσεν ἔρνος.*

ersten Blick so rein christlich anmutenden[126] A und O? Daß diese Chiffre nur bei Annahme griechischen Ursprungs einen Sinn hat, ist klar. Denn nur da heißt der erste Buchstabe des Alphabets A und zugleich der letzte O = Ω, nur daher erklärt sich also die der Formel immer und überhall anhaftende Symbolik ἀρχὴ καὶ τέλος „Anfang und Ende", so auch in den ältesten Zeugnissen für ihre christliche Verwendung mit Beziehung auf Gott bzw. Christus, in der Apokalypse des Johannes aus den 90er Jahren des 1. Jahrhundert[127]. Daß der Verfasser dieser Schrift die Metapher von irgendwoher übernommen hat, wird ziemlich allgemein angenommen. Das Worher ist bisher ungeklärt[128].

Nun muß es auffallen, daß eine Spekulation, die Anfang und Ende des Kosmos oder des Alls oder auch der in ihm verkörperten Gottheit in eins sieht, in fast allen eben von uns herangezogenen entscheidenden Belegen für die Herkunft der Satorformel wiederkehrt[129]:|

Bei Aischylos preist der Hymnos auf Zeus, in dem die Formel sich findet, den Gott als τελέων τελειότατον κράτος „Vollender letzter Macht" (Hiket. 525f.), der δι' αἰῶνος ἀπαύστου oder μακροῦ „durch unendlich lange Zeit" (574, 582) πατὴρ φυτουργὸς ... κρατύνει „als Vater und Schöpfer von Urbeginn herrscht" (592ff.) – Formulierungen, die an die Zeusanrufungen orphischer Hymnen erinnern wie Ζεὺς πρῶτος γένετο, Ζεὺς ὕστατος ἀργικέραυνος[130].

Der platonische „Timaios" läßt an unserer Stelle (41 C/D) den Weltschöpfer das Werk der Erschaffung beginnen (ὑπαρξάμενος) und übergibt seinen Helfern Fortsetzung und Vollendung, wobei er nicht hinzuzufügen vergißt, daß sie ihre Geschöpfe, wenn sie am Ende vergehen, wieder in sich aufnehmen sollen (φθίνοντα πάλιν δέχεσθε). Das ist ein Gedanke, den die lerneifrigen Stoiker ähnlich auch sonst bei Platon als alte Weisheit finden konnten, so in den „Gesetzen" IV 715 E[131], wo es heißt ὁ ... θεός, ὥσπερ καὶ ὁ παλαιὸς λόγος, ἀρχήν τε καὶ τελευτὴν καὶ μέσα τῶν ὄντων ἁπάντων ἔχων „Gott, der nach einem alten Wort Anfang, Ende und Mitte alles Seienden (in sich) enthält."[132]

Im zweiten Buch von Ciceros ‚De natura deorum' ist es nicht gerade die

---

[126] H. LIETZMANN, Archäol. Anzeiger 1937, S. 478. Dazu FOCKE 372, 387ff.

[127] Apocal. Johs. 1, 8 ἐγώ εἰμι τὸ ἄλφα καὶ τὸ ὦ ... ὁ ὢν καὶ ὁ ἦν καὶ ὁ ἐρχόμενος. 21,6 ἐγώ εἰμι τὸ ἄλφα καὶ τὸ ὦ, ἡ ἀρχὴ καὶ τὸ τέλος 22, 13 ἐγὼ τὸ ἄλφα καὶ τὸ ὦ, πρῶτος καὶ ἔσχατος, ἡ ἀρχὴ καὶ τὸ τέλος.

[128] Literatur bei FUCHS 5044, 45f. Vgl. auch oben [S. 47] mit Anm. 69.

[129] Für die nahe Zuordnung des Zusammenfalls von Anfang und Ende zum Schöpfer aller Dinge vgl. auch den späten sibyllinischen Vers *principium sine fine deus, deus omnibus auctor,* den BERNH. BISCHOFF jüngst ans Licht gezogen hat (Prophetia Sibyllae magae v. 10. In: Mélanges Joseph de Ghellenck S.J. Gembloux 1951, S. 138 – frdl. Hinweis von A. KURFESS); dazu die griech. Fassung Or-Sib. VIII 375, siehe auch unten Anm. 173.

[130] O. KERN, Orphicorum Fragmenta 1922, no. 21a, 1 = 168, 1. Vgl. auch schon Hesiod, Theogonie 47ff. Pindar fr. 137. Weiteres am Schluß von Ps.-Aristot., De mundo 401a 29ff. und bei J. AMANN, Die Zeusrede des Ailios Aristeides 1931, S. 109.

[131] Dazu das Schol. p. 451 Bekker. VI p. 379 C. F. Hermann. Siehe O. KERN aaO., S. 90f. und vgl. W. THEILER, Schweiz. Arch. f. Volkskde. 47. 1951, S. 198.

[132] Vgl. dazu Apocal. Johs. 1, 8 oben Anm. 127. Ferner unten Anm. 143 und [S. 69].

zentrale Stelle § 86, die hieran anknüpft; aber aus ihrer Umgebung z. T. in sicher poseidonischem Gedankengut, lassen sich deutliche Beispiele gewinnen. Dabei tritt ein wichtiges neues Moment hinzu, das Symbol des Kreises, das die ἀρχή-τέλος-Konzeption nicht etwa wie in ihrer christlichen Verwendung als ein vom Anfang her linear ans Ende der Zeiten projiziertes Eschaton, sondern – echt antik – als ein kyklisches Insichzurückkehren und Immerwiederneubeginnen und -enden zu begreifen lehrt[133]. |

Einwandfrei auf Poseidonios zurück geht nach K. REINHARDTs Darlegung[134] Cicero, De natura deorum II 84. Da heißt es, daß die kreisrunde Umdrehung der untersten wie der obersten Enden der Welt um ihren Mittelpunkt zugleich ihren Zusammenhalt und die Einheit der Natur bewirke. Oder II 47, daß alle Teile der hervorragendsten Formen, nämlich der Kugel wie des Kreises (also auch ihr „Anfang" und „Ende"), sich absolut ähnlich seien. Daß hier der Kosmosgott gemeint ist, geht aus dem Zusammenhang klar hervor; unmittelbar vorher (II 46) waren Epikurs scherzhafte Einwände gegen den „kugelrunden" Gott der Stoiker zurückgewiesen worden. An einer Anzahl weiterer Stellen[135] ist von Anfang und Ende der Natur, der Planetenbahnen, des Alls in einem Sinn die Rede, daß die Beziehung auf das stoische Hauptsymbol – Himmelsgewölbe, Kugel oder Kreis – jeweils mehr oder weniger deutlich zutagetritt. In einer dieser Aussagen (II 67) wird die kardinale Bedeutung von Anfang und Ende mit dem Gott Janus in Verbindung gebracht, der uns bereits in seiner Eigenschaft als *sator* begegnet ist[136]. Aber das Symbol des Kreises steht fast überall im Hintergrund, so daß man sich an die Urformel des Gedankens erinnert fühlt, wie sie bei Heraklit fr. 103 ausgesprochen ist: ξυνὸν γὰρ ἀρχὴ καὶ πέρας ἐπὶ κύκλου περιφερείας, „beim Kreisumfang ist Anfang und Ende gemeinsam".

Wenn wir uns außerdem die Bedeutung vergegenwärtigen, die man in der Stoa schon seit ihrem Begründer Zenon den Buchstaben als „Elementen des Logos" beimaß[137], so ist mit alledem die stoisch-poseidonische Verwendung der A Ω-Chiffre für die den Stoikern geläufige ἀρχή-τέλος-Symbolik doch recht nahegelegt. Darin ist aber für stoische Anschauung unabdingbar

---

[133] Bemerkenswert, daß aber auch die Stelle, die man meist für den Ursprung des A und Ω in der Johs.-Apokalypse heranzieht (Clemens Al., Stromateis IV 25, z. B. bei WILH. MÜLLER, Herzog u. Haucks RE ³I 1) ganz klar den kyklischen Charakter der AΩ-Symbolik hervortreten läßt. Vgl. allgemein W. STAERK, Soter . . . 1. 1953, S. 134 „die A- und Ω-Formel . . . entspringt dem . . . typischen kreisläufigen Denken" (dort auch weitere Literatur).

[134] S. oben Anm. 91.

[135] Cic., De nat. deor. II 33 (Natur). 51, 56, 103 (Planetenbahnen). 66f. (All). Vgl. ferner die wichtigen Stellen über das gegenseitige Verhältnis *(σχέσις)* von ἄνω, κάτω und μέσον des kugelförmigen Kosmos St.Vet.Fr. II 527 (p. 169, 9ff.), 556 und 557 (p. 176, 6ff.). Wichtig auch Markus Aurel. 8, 20; vgl. 5, 32, 2 und 14, 2 (O. LUSCHNAT). Vgl. ferner K. GRONAU, Poseidonios und die jüd.-christliche Genesisexegese 1913, S. 37. Zur Divinierung der Kugelform s. a. H. HERTER, Rhein. Mus. f. Phil. 96. 1953, S. 107.

[136] Oben [S. 49] mit Anm. 81. Siehe auch unten [S. 64].

[137] τοῦ λόγου στοιχεῖα Chrysipp, St.Vet.Fragm. II 148. M. POHLENZ Die Stoa I 43, II 25.

die kyklische Vorstellung enthalten, daß das Zusammenfallen von Anfang und Ende | in der Gottheit nur an deren Kreis- oder Kugelgestalt anschaulich gemacht werden kann. Also hätten wir auch in der Verbindung mit dem Paternosterkreuz die Buchstabenpaare A und O[138] so anzuordnen, daß sie an der Peripherie eines um das Kreuz beschriebenen Kreises erscheinen. Zugleich ist damit die Einheit des ganzen, aus dem doppelten Paternoster bestehenden Kreuzes im Kreis hergestellt, indem jeweils das A des einen AO-Paares dem O des anderen in polarer Anordnung genau antithetisch entspricht. Der Kugelgott wäre dann in der Figur durch das jeweils doppelte Paternoster und das zweifache A und O, vom Kreis umschlossen, eindringlich, gültig und aufschlußreich dargestellt.

Wir könnten uns für unsern Zweck bei der erschlossenen Verbindung der A O-Chiffre mit stoischen Spekulationen beruhigen. Aber da die Frage auch im Blick auf die Johannesapokalypse und überhaupt die christliche A O-Symbolik von einiger Wichtigkeit ist, so muß angemerkt werden, daß die letzte Herkunft des A O-Zeichens zweifellos über die Stoa hinausweist. Das wird uns nicht verwundern; denn im Grunde fügt sich ja die letzten Endes lineare, nicht kyklische Alphabetmetapher (A = Anfang, Ω = Ende) | nicht so zwingend der stoischen Auffassung vom Kreis- oder Kugelgott ein, daß man dort ihren Ursprung suchen möchte[139]. Aber wohin sonst weisen die Spuren für die Herkunft des A O-Symbols?

Die soeben angedeutete Verbindung des Zusammenfalls von Anfang und Ende mit dem Gott Janus[140] zeigt uns den Weg. Es liegt nämlich nahe, anzunehmen, daß gerade Janus deshalb in die stoische Theologie Eingang

---

[138] Die Verbindung von Kreuz und A O in der Form *a†ω* u. ä. später auch vielfach christlich, natürlich mit neuer Inhaltserfüllung; so z. B. Pap. gr. mag. ed. C. Preisendanz II (1931) 5a 17 (4. Jh.) und 3, 11 (4./5. Jh.) – frdl. Hinweis von C. Preisendanz.

[139] Ich verdanke diese wichtige Bemerkung einem Diskussionsbeitrag von Erwin Metzke.

[140] Cic., De nat. deor. II 67 *cumque in omnibus rebus vim haberent maximam prima et extrema, principem in sacrificando Ianum esse voluerunt* (der eben beides, Anfang und Ende, in einem verkörpert). Vgl. oben [S. 62] mit Anm. 136.

gefunden hat, weil er auf Grund einer kühnen Etymologie als Übersetzung des griechischen Aion galt[141], an den der Gott des zeitlosen Zusammenfalls von Ein- und Ausgang auch sonst erinnern mochte[142].

Daß aber die aus der persischen Zervan-Lehre erwachsene platonisch-hellenistische Aionvorstellung, die jene Konzeption von einem Urbild der Zeit, das war, ist und sein wird, das Anfang, Mitte und Ende darstellt und zugleich auch darüber erhaben ist[143], – daß diese Vorstellung sich mit der stoischen vom Zusammenfall von Anfang, Mitte und Ende auf der Oberfläche des Kugelgottes verbinden konnte, verstehen wir gut. Vielleicht hat hier wiederum (und möglicherweise gar wieder zuerst für Poseidonios) der platonische „Timaios" den Anstoß gegeben, wo im 10. Kapitel[144] der γεννή-σας πατήρ in der Welt des Gewordenen ein bewegtes Abbild des Aion herzustellen[145] beschließt, das die Menschen Chronos nennen. | Im folgenden nimmt Platon deutlich auf den gleichen παλαιὸς λόγος Bezug, der uns in etwas anderer Formulierung schon aus den „Gesetzen" IV 715 E bekannt ist[146]; aber er erklärt das „war" und „wird sein" nur als trügerische Formen des Gewordenen, die beim Urbild Aion im ewig Seienden aufgehoben sind. Daß hier, in der Aion-Spekulation, wahrscheinlich im Hellenismus geraume Zeit nach Platon, der Ursprung der A Ω-Symbolik zu suchen ist, hat man schon bisher vermutet[147]. Poseidonios oder die auf ihm ruhende Tradition der folgenden Zeit mag das in die Stoa übernommen haben, da es uns durch die Verbindung mit dem Satorquadrat bzw. dem daraus möglicherweise abzuleitenden Paternosterkreuz bereits fest mit stoisch-poseidonischem Gut verwachsen erscheint. Aber wir können uns auch hier noch einen Schritt weiter vortasten.

---

[141] Unser ältester Beleg stammt etwa aus der gleichen Zeit wie Ciceros De natura deorum, nämlich von dem Neffen des Hortensius, dem Cäsarianer M. Valerius Messalla, Consul des Jahres 53 und Augur, bei Macrob., Saturnal. I 9, 14, dazu Johs. Lydus IV 1. Vgl. bes. R. Reitzenstein, Poimandres 1904, S. 383. 274ff., 283¹. W. F. Otto, RE Suppl.-Bd. III (1918) 1188. Herm. Sasse, Reallex. f. Antike u. Christentum I 197f. C. Koch in: Gymnasium 59. 1952, S. 137.

[142] Macrob. Saturn. I 11. Hier auch die für die Stoa verlockende Identifikation von Janus und *mundus*, die uns erstmals durch Varro bezeugt ist: s. Otto aaO. Das Aion-Fest wurde zu Beginn des Janusmonats gefeiert (5./6. Januar): Sasse aaO. I 196.

[143] So schon Platon, Timaios 37 E/38 A, vgl. Ges. IV 715 E und dazu oben [S. 61] mit Anm. 131. – Inschrift des Aionbildes in Eleusis v. J. 74/73 Dittenberger, Syll. ³1125, 8ff. Vgl. Reitzenstein aaO. 274f. Lackeit RE Suppl. III 64ff. Sasse aaO. I 197f. G. Stadtmüller, Aion. In: Saeculum 2. 1951, S. 315f.

[144] Platon, Tim. 37 Cff., vgl. die vorige Anm.

[145] Plat., Tim. 37 D ποιῆσαι, 37 C ἀπεργάσασθαι (!).

[146] Beide Aussageformen nebeneinander Apocal. Johs. 1,8 ἐγώ εἰμι (τὸ ἄλφα καὶ τὸ ὦ) . . . ὁ ὢν καὶ ὁ ἦν καὶ ὁ ἐρχόμενος und 17 ἐγώ εἰμι ὁ πρῶτος καὶ ὁ ἔσχατος καὶ ὁ ζῶν (dieses Letzte heißt doch wohl: der – jetzt und ewig – Lebende). In Vers 8 also Reihenfolge b a c, in Vers 17 a c b. Zu der Formel in der Apokal. vgl. Blass-Debrunner, Anhang S. 143, und Fr. Büchsel ThWNT II 1935, S. 397,8ff.

[147] Siehe Frz. Dornseiff, Das Alphabet in Mystik und Magie ²1925, S. 122ff. G. Kittel im ThWNT I 1 (1932), S. 1f. mit weiterer Literatur.

Eine vom 3. nachchristlichen Jahrhundert an nachweisbare, jedoch als älter angesprochene rabbinische Spekulation[148] findet in dem hebräischen   אמת ('emet) „Wahrheit" die Trias „Anfang, Mitte, Ende" verschlüsselt, da א ('Aleph) der erste, מ (Mem) der mittelste, ת (Taw) der letzte Buchstabe des Alphabets sei. Nun ist zwar Taw nur im hebräischen Alphabet der letzte Buchstabe, aber die Mitte nimmt dort im hebräischen nicht M, sondern L ל ein, während man bei den 24 Buchstaben des griechischen Alphabets immerhin M als Mitte ansprechen kann. Also ist, wie man gesehen hat, eine ältere griechische Buchstabenspekulation aufs Hebräische schlecht und recht übertragen, um durch Kontamination die gewünschte Deutung zu erhalten. Wenn hier also im Griechischen der 12. Buchstabe M als Mitte ausersehen ist, so konnte mit dem gleichen Recht auch der 13. der 24 Buchstaben, nämlich N gewählt werden[149]. | Eben dieses Zeichen aber fanden wir als tragendes Element des TENET-Kreuzes im ROTAS-Quadrat wie des PA-TERNOSTER-Kreuzes im Kreis. Es steht in beiden Fällen nicht nur in der „Mitte" der ganzen Konstruktion, sondern hält auch durch seine ἀπὸ κοινοῦ-Funktion, an die wir uns erinnern[150], die beiden Gebilde eindeutig zusammen. Werfen wir einen Blick auf das Paternosterkreuz im Kreis, so steht das N dort außerdem jeweils genau zwischen den beiden A- und O-Polen mitten inne.

 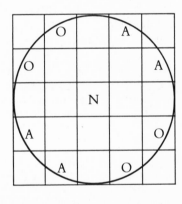

Aber auch im ROTAS-Quadrat sind die Buchstaben A und O paarweise symmetrisch um das N so angeordnet, daß dem Kenner des Bandes, das gerade die Buchstaben A, N und O verknüpft, die kreisförmige Gruppie-

[148] KITTEL aaO 2f., vgl. DORNSEIFF 125². ferner unten Anm. 156.

[149] Auch wenn man mathematisch exakt die Verbindung von M und N, also MN als Mitte nimmt, ergibt sich wiederum als Mittelstück dieses Zeichens MW das N (A + N + V). Schließlich endet, worauf C. WENDEL ZNW 40. 1942, S. 141 hinweist, in hellenisch-antiken magischen Formeln die erste Alphabethälfte bald mit M, bald mit N (bei FRZ. DORNSEIFF aaO. die Beispiele I 6, II 12, 14, III 6, IV). Auf die Bedeutung des N als mittleren Buchstabens im Alphabet hat bereits G. MARESCH hingewiesen (Commentationes Vindobonenses I 1935, S. 96).

[150] Oben [S. 39 f.].

rung der beiden A- und der beiden O-Paare um die „Mitte" N nicht verborgen bleiben konnte. Damit wäre nunmehr auch im Quadrat der stoische Kugelgott mit seinen Attributen „Anfang, Mitte und Ende"[151] unzweideutig verschlüsselt und eine| weitere enge Verbindung zwischen (Kreis im) ROTAS-Quadrat[152] und PATERNOSTER-Kreuz (im Kreis)[153] hergestellt.

Eine letzte Bestätigung bietet uns der älteste Beleg des ROTAS-Quadrats, jene oben besprochene Wandkritzelei[154] in der großen Palästra von Pompeji. Da stehen zwischen der Rotasformel und dem Abschiedsgruß an Saturanus oder Sautranus – nach der Versicherung des ersten Herausgebers von der gleichen Hand geschrieben[155] – die drei Buchstaben A N O (Taf. 1). Man hat im ersten und letzten Glied dieser Trias schon früher das A O-Symbol wiedererkannt, aber das Mittelstück N zunächst als N(azarenus) gedeutet, da man sich des christlichen Ursprungs des Ganzen versichert glaubte[156]. Jetzt dürfen wir wohl annehmen, daß die Chiffre A N O vielmehr „Anfang, Mitt' und Ende" als Abbreviatur der Diagonalen im Kreisrund des Paternosterkreuzes (s. die Abb. oben S. 113 links) bezeichnen sollte. Der Schreiber hat damit, sei es aus Zeit- oder Raummangel, sei es aus Scheu vor der öffentlichen Entschlüsselung des magischen Quadrats, anstatt des ganzen Paternosterkreuzes mit den beiden AO-Paaren, nur eine seiner wesentlichen| Aussagen, daß der Gott Anfang, Mitt' und Ende verkörpert, formelhaft herausgehoben und mag damit vielleicht bereits einem auch sonst üblichen Brauch gefolgt sein. Denn das so entstehende Wort *ano* konnte, in

---

[151] Vgl. etwa Cic., De nat deor. II 47 *contingit . . ., ut omnes earum* (i. e. *formarum globi et circuli) partes sint inter se simillumae a medioque tantundem undique absit extremum* II 84 *quaeque in medium locum mundi, qui est infimus, et quae a medio in supremum quaeque conversione rotunda circum medium feruntur, ea continentem mundi efficiunt unamque naturam* (Poseidonios); vgl. auch oben [S. 62].

[152] Die Figur des Kreises im Quadrat (wie umgekehrt des Quadrats im Kreise) ist ornamental im späten Altertum und frühen Mittelalter mehrfach belegt und mag eine lange Vorgeschichte haben, die uns nicht mehr greifbar ist. Eines der hübschesten Beispiele von Quadraten im Kreis ist das Titelblatt des Wiener Dioskorides vom Ende des 5. Jhs. mit der Darstellung der Juliana Anicia, der Tochter eines der letzten weströmischen Kaiser, in der Mitte des Ornaments; s. Jos. STRZYGOWSKI, Spuren indogermanischen Glaubens in der bildenden Kunst. 1936, Abb. 89 auf S. 108 mit Text auf S. 110, vgl. auch Abb. 307 (Quadrat im Kreis, umrahmt von Bandgeflechten, aus der langobardischen Basilika S. Abbondio des 8. Jhs.), Abb. 93 (Kreis im Rhombus, aus Lawra, Athos), Abb. 91 und 92 (Kreis im Quadrat, Brüstungsplatten aus Venedig, San Marco, und aus der Mitropolis von Mistra).

[153] Zum Kreuz im Kreis s. unten [S. 70] und Abb. auf Taf. 2.

[154] Oben [S. 42 f.].

[155] M. DELLA CORTE, Notizie degli Scavi 1939, S. 263, angezweifelt u. a. auch von FOCKE 388 f.

[156] H. WEHLING-SCHÜCKING bei DELLA CORTE aaO., unter dessen Zustimmung. Dagegen FOCKE aaO. Nachträglich sehe ich mit Befriedigung, daß C. WENDEL, ZNW 40. 1942, S. 141 aus dem ANO der pompejanischen Inschrift denselben Schluß gezogen hat wie oben im Text geschehen, nur daß er das Ganze nach wie vor für christlich hält. Wendel hat auch bereits die אמא-Symbolik herangezogen, ferner das N als Alphabetmitte erkannt und daher die WEHLING-SCHÜCKINGsche Deutung als N(azarenus) mit Recht abgelehnt. Vgl. auch oben Anm. 149.

einer jenem   אמת-Symbol vergleichbaren Sprachmischung, griechisch verstanden werden und lautete dann ἄνω = *sursum,* „oben". Daß darin ein sowohl antik wie christlich zu verstehendes religiöses Kennwort erblickt werden konnte, wird sich jedenfalls nicht bestreiten lassen. Denn in den Schlußworten von Platons „Staat" wird mit berühmt gewordener Wendung im Blick auf Jenseits und Unsterblichkeit das Verfolgen der ἄνω ὁδός, des „Weges nach oben", empfohlen. Und in stoischen Quellen (vielleicht schon bei Chrysipp) spielt das ἄνω des kugelförmigen Kosmos in motivischer Wiederholung da und dort eine gewisse Rolle[157]. Ein poseidonischer Topos ist es geradezu, daß die ersten Menschen im Aufblick zur Höhe des Himmels und zu den Lichtern des Kosmos die Gewißheit empfingen, daß sie von einer höheren Macht geschaffen, ernährt und erhalten würden[158], womit denn von neuem die Verbindung zur Grundaussage des Satorquadrats hergestellt wäre.

Aber auch christlich begegnet die ἄνω-Chiffre in so bekannten Formulierungen wie Ev. Johs. 8,23 ὑμεῖς ἐκ τῶν κάτω ἐστέ, ἐγὼ ἐκ τοῦ ἄνω εἰμί, „Ihr seid von unten her, ich bin von oben her", oder Epist. ad Col. 3,1/2 τὰ ἄνω ζητεῖτε . . . τὰ ἄνω φρονεῖτε, „Suchet was droben ist . . . trachtet nach dem was droben ist!"

Es ist nach alledem natürlich nicht strikt beweisbar, aber doch höchst wahrscheinlich, daß im Paternosterkreuz der geheimnisvolle N-Mittelpunkt als mittlerer Buchstabe des griechischen Alphabets mit dem AO-Symbol wesenhaft verbunden zu denken ist, indem er sich mit A und O zu jener Dreiheit von ἀρχή, μέσον und τέλος,⎪ Vergangenheit, Gegenwart und Zukunft zusammenschließt, die selbst in der Formulierung des 1. Kapitels der Johannesapokalypse (v. 8) noch ihre deutliche Spur hinterlassen hat[159]: „Ich bin das A und das O . . ., der ist und der war und der kommt."

---

[157] Die Belege s. oben Anm. 135 gg. Ende: Weitere wichtige Platonstellen (neben Staat X 621 C) s. bei Jos. H. Kühn, *ΥΨΟΣ*. Eine Untersuchung zur Entwicklungsgeschichte des Aufschwunggedankens von Platon bis Poseidonios 1941, S. 81 ff., wo freilich dem ἄνω-Topos keine besondere Beachtung geschenkt ist. Einiges Material auch bei Kurt Goldammer, „Wege aufwärts" und „Wege abwärts" . . . In: Eine heilige Kirche 22. 1941, S. 25 ff. Weitere, meist hellenistische Stellen zum ἄνω-Topos s. bei H. Strohm, Mus. Helvet. 9. 1952, S. 144 f., 159 f. Vgl. übrigens schon Aristophan., Vögel 50 f., dazu Platon, Phaidr. 249 D. Zum ntl. Vorkommen vgl. a. Gal. 4,26 ἡ ἄνω Ἱερουσαλήμ und Byzantinische Hymne des 6. Jhs. (Kontakion auf die Hl. Väter b. P. Maas, Frühbyzantinische Kirchenpoesie I² 1931, S. 24) ἡ ἄνω θεολογία und τὸ ὑψηλὸν κήρυγμα. Vgl. jetzt zu all diesen Fragen meine Abhandlung ‚Der Weg nach oben', Studium Generale 13. 1960, S. 296 ff., abgedruckt Symbola I 1976, S. 274 ff.

[158] An der uns schon bekannten zentralen Stelle Dion. Chrys. XII 28 f., vgl. Sextus IX 27 (οἱ πρῶτον εἰς οὐρανὸν ἀναβλέψαντες καὶ θεασάμενοι ἥλιον und schon Sophokles, Philoktet 815 τὸν ἄνω λεύσσεις κύκλον); dazu Polnez, Grundfragen der stoischen Philosophie 1940, S. 101 f. Ferner Ps.-Aristot., De mundo 400 a 15 ff. Vgl. a. Kühn aaO. 32 ff. u. ö. K. Gronau, Poseidonios . . . 1914, S. 265₁.

[159] Siehe dazu oben Anm. 146. – Weitere Forschungen haben mich inzwischen die Überzeugung gewinnen lassen, daß nicht die AO-Symbolik zur Trias von Anfang, Mitt' und Ende ergänzt wurde, sondern daß diese den Ausgangspunkt gebildet haben muß, und daß aus ihr die ἀρχή – τέλος-Konzeption durch Verkürzung entstanden ist; s. darüber jetzt unten [S. 128 f.].

Die Umsetzung ins lateinische Gewand war umso unbedenklicher, als das N ja hier ebenso lautet und aussieht wie im Griechischen, also bei Herübernahme von dort nicht wie das Ω (zu O) erst umgeformt zu werden brauchte[160]. Sind unsere Schlüsse richtig, so verliert nun vollends die Verbindung von Paternosterkreuz und AO-Symbol in der Verschlüsselung unseres Quadrates alles Befremdende, indem der Mittelpunkt des Paternosterkreuzes in feste und sinnvolle Beziehung zur AO-Chiffre gebracht ist, ja sie zu jener alten Trias ergänzt, die schon im orphischen Hymnos steht[161], und aus der Platon nach Ausweis des antiken Scholions geschöpft hat, wenn er (Ges. IV 715 E) von dem Gott spricht, „der nach einem alten Wort Anfang, Ende und Mitte alles Seienden in sich enthält"[162].

Kreuz und Buchstabenspiel

Nun noch ein Wort zur Kreuzform des Paternoster. Sie hat sich, wie wir früher sahen, durch die Anordnung des doppelten Paternoster um den gemeinsamen N-Mittelpunkt sozusagen automatisch ergeben. Dabei entstand die Figur des Kreuzes im Kreis, die zwar für unsere bisherige Kenntnis nicht typisch stoisch ist, die aber antiker| Ornamentik, vielleicht sogar Symbolik, seit uralter Zeit vertraut gewesen ist: schon auf altkretischen Denkmälern aus Knossos und Palaikastro erscheint mehrfach das Kreuz im Kreis, sei es als reines Ornament, sei es als gegliederte Sonnenscheibe[163].

---

[160] Daß gegen Ende des 1. nachchristl. Jh.s die Umsetzung der AO-Formel ins Lateinische auch sonst schon ganz geläufig war, ergibt sich unzweideutig aus dem Epigramm des Martial IX 95 *Alphius ante fuit, coepit nunc Olphius esse, uxorem postquam duxit Athenagoras.* Vgl. FUCHS 41₄₅. Doch ziehe ich der Interpretation von J. MUSSEHL, Hermes 58. 1923, S. 238f., 465 diejenige von O. CRUSIUS vor (Philologus 65. 1906, S. 159f.): „Vor der Hochzeit spielt Athenagoras die erste Violine, nach seiner Heirat die letzte."

[161] O. KERN, Orph. Fragm. 21 und 21a Ζεὺς ἀρχή, Ζεὺς μέσσα, Διὸς δ'ἐκ πάντα τελεῖται (vulgo τέτυκται; die leichte Änderung, wie sie schon antike Nebenüberlieferung und ein Vorschlag von H. DIELS bieten, ist im Blick auf die davon abhängige Platonstelle, aber auch auf den Gedankengang des Verses absolut geboten. Die Korruptel, die eine lectio facilior zu ergeben schien, entstand wohl aus Scheu vor der seltenen Konstruktion τελεῖσθαι ἐκ „vollendet werden durch jemanden", wozu aber etwa Sophokles, Oid. Tyr. 225 κάτοιδεν, ἀνδρὸς ἐκ τίνος διώλετο zu vergleichen ist). Noch schlagender Hom., Ilias 18, 74f. τὰ μὲν δή τοι τετέλεσται ἐκ Διός, worauf U. FISCHER, Der Telosgedanke in den Dramen des Aischylos 1965, S. 126₃₃ hinweist. Die Lesung πάντα τελεῖται in dem orphischen Hymnos und dessen hohes Alter sind jetzt durch einen Papyrusfund aus der Zeit Platons vollends gesichert. Das für unseren Zusammenhang Wichtige s. bei W. KIEFNER, Der religiöse Allbegriff . . . 1965. S. 135 (mit neuerer Lit.). Zum Papyrusfund allgemein jetzt W. BURKERT, Ant. u. Abendld. 14, 1968, S. 93ff.

[162] s. oben [S. 61] (mit Anm. 131); dort auch der griechische Wortlaut.

[163] M. P. NILSSON, Gesch. d. Griech. Religion I 1941, S. 280 mit Anm. 2 und Abb. auf Taf. 23, 1. Auch findet sich Kreuz im Kreis, mehrfach ornamental wiederholt, auf zwei protogeometrischen Bauchhenkelamphoren des 9. Jhs. vom Kerameikos in Athen: K. KÜBLER, Kerameikos. Ergebnisse der Ausgrabungen V I. 1954. Die Nekropole des 10./8. Jhs. Taf. 46, 48. Inv.-Nr. 2146 und 1256, die erste auch schon abgebildet von K. KÜBLER in: Das Neue Bild der Antike

Freilich, aus hellenistisch-römischer Kunst scheinen bisher Beispiele zu fehlen, aber in der Spätantike taucht das Gebilde wieder auf, und zwar auf einer Hochformatfüllung der i. J. 431 eingesetzten Holztür der Basilika Sta. Sabina in Rom[164] (Taf. 2). Da strecken nach einer einleuchtenden neueren Deutung[165] einige Gläubige am jüngsten Tag akklamierend die Hände nach dem durch das Kreuz gegliederten Nimbus[166] aus, der im kreisförmig

---

I 1942, Abb. 65 mit Text auf S. 47 (Einzelnachweise von P. HOMMEL). – Über die Verselbständigung des Kreuzeszeichens im Christentum handelt vortreffflich JOHS. LEIPOLDT, Kreuzesverehrung. In: Ev.-Luther. Kirchenzeitung 1952, S. 70. Kreuz im Kreis auch im Apsismosaik von S. Apollinare in Classe in Ravenna (6. Jh.). Kreuz, flankiert von A und Ω, im Kreis auch schon dortselbst auf dem Sarkophag des Erzbischofs Theodorus. Zahlreiche Beispiele ähnlicher Art auch bei WERNER STIEF, Heidnische Sinnbilder an christlichen Kirchen . . . 1938. – Kreuz im Kreis, ohne weitere oder bloß mit ornamentaler Zutat, ist in der byzantinischen Kunst, besonders im Relief, ganz geläufig, wie mir ein Besuch des Byzantin. Museums in Athen deutlich macht. Bemerkenswert auch E. LITTMANN in: The Muslim World 40. 1950, S. 16 ff. über einen frühen christlichen Graffito aus Nordarabien nebst Kreuz im Kreis und mit dem Jesus-Namen, in Form eines magischen Buchstabenzirkels. – Auf die Bedeutung der Figur des Kreuzes im Kreis für das Satorquadrat ist, wie ich nachträglich sehe, von anderen Voraussetzungen her, auch schon HERM. WEHLING-SCHÜCKING gestoßen (The famous Sator Inscription, Privatdruck Mettingen, Westf. 1945, vgl. a. schon den Bericht über eine frühere Veröff. von H. W.-Sch. bei H. FUCHS aaO., S. 4837). Seinem Versuch, das Ganze als ein von einem pythagoreisierenden Christen entworfenes Symbolum Trinitatis auszulegen, kann ich ebenso wie Fuchs nicht folgen. Doch mag man es später da und dort so gedeutet haben, wofür W.-SCH.'s Material zu sprechen scheint. – Auch an die vom Augur mit seinem Stab mittels eines *Kreuzes* am *runden* Himmelsgewölbe abgesteckten Schaufelder mag übrigens erinnert werden; vgl. dazu FR. FOCKE, Festgabe für Alois Fuchs 1950, 365 und schon WERNER MÜLLER, Kreis und Kreuz. Untersuchungen zur sakralen Siedlung . . . 1938, bes. S. 24 ff. Zu dem Fragenkomplex ganz allgemein vgl. jetzt MANFR. LURKER, Der Kreis als Symbol im Denken, Glauben und künstlerischen Gestalten der Menschheit 1980.

[164] Vgl. auch FRIEDRICH GERKE, Christus in der spätantiken Plastik ³1948, Abb. 97 mit Text auf S. 69 und 101.

[165] E. H. KANTOROWICZ in: The Art Bulletin 26. 1944, S. 207 ff. Zustimmend R. DELBRÜCK, ebda. 31. 1949, S. 217 (frdl. Hinweis meines Schülers P. LEO EIZENHÖFER O.S.B.). Zum Gestus der Kreuzanbetung allgemein s. J. LEIPOLDT aaO. S. 71. Ohne Kenntnis KANTOROWICZs und DELBRÜCKs lenkt KL. WESSEL, Archäolog. Anz. 1950/51 (1952), Sp. 318 f., 323 wieder zu der Deutung ein, die FR. GERKE aaO., S. 70 f. dem Bild hat zuteil werden lassen (frdlr. Hinweis von P. HOMMEL): im oberen Himmel Christus, im unteren unter dem Stern von Bethlehem seine Ecclesia zwischen Petrus und Paulus, über ihrem Haupte das unbesiegte Kreuz. Neuerdings hat sich im wesentlichen (mit Einschränkungen vor allem im Blick auf die Bemühung bestimmter Bibelstellen wie I Thessalon. 4,15 ff.) der Deutung von KANTOROWICZ angeschlossen und untermauert mit starken Argumenten GISELA JEREMIAS, Die Holztür der Basilika Sta. Sabina . . . 1980, S. 82 ff., 151 ff. mit Taf. 68 f. (zum ‚Kreuz im Kreis' ebd. Anm. 348 auf S. 152), durchwegs auch unter Anführung und Verwertung weiterer Literatur.

[166] Zum Kreuznimbus und zu seiner bis ins 4. Jh. zurückverfolgbaren Geschichte vgl. A. KRÜCKE, ZNW 30. 1931, S. 268 ff. Nach K. KÜNSTLE, Ikonographie der christl. Kunst I 1928, S. 26 dient der – selten, so noch im Presbyterium von San Vitale in Ravenna, allein abgebildete – Kreuznimbus dazu, um die Hoheit des Herrn von der seiner Jünger und Heiligen auszeichnend zu unterscheiden. So wie der Nimbus sicher der heidnischen Antike entstammt (K. KEYẞNER RE XVII 623), so könnte auch der Kreuznimbus sich an die von uns erschlossene stoische Symbolform des (Paternoster-)Kreuzes im Kreis angelehnt haben; Sicherheit ist hier nicht zu

angedeuteten Kosmos mit Sonne, Mond und 5 Planetensternen erscheint und der Parusie Christi unmittelbar vorausgeht. Die Szene soll nach I Thessalon. 4,15–17 zu verstehen sein. Darüber erscheint Christus selber in dem von den vier Evangelistensymbolen umgebenen Kreisrund des Lorbeerkranzes, an dessen Innenrändern, die Peripherie berührend, die Buchstaben A und Ω zu sehen sind. Also eine Darstellung, die den Eindruck erwecken könnte, als seien hier Paternosterkreuz im Kreis und A O-Symbol, gleichsam in zurückhaltender Andeutung und auf zwei Bildgruppen verteilt, vom stoischen Allgott und seinem | Kosmos auf den wiederkommenden Christus übertragen. Beweisen läßt sich derlei freilich nicht.

Schließlich ist auch noch über das zeitliche Verhältnis von Satorquadrat und Paternosterkreuz eine Betrachtung anzustellen. Die Doppelung der Aussage hat auf dem Satorquadrat in viel stärkerem Maße konstitutiven Wert als beim Paternosterkreuz. Denn nur durch das wiederholte *Sator opera tenet* in entsprechender Bustrophedonanordnung kommt das Palindrom überhaupt zustande, während das Paternosterkreuz nur *eine* der besonderen Eigenschaften des Quadrats, nämlich die ἀπὸ κοινοῦ-Rolle des Mittelpunkt-N im TENET-Kreuz, zu übernehmen brauchte, nicht aber die durch die Doppelung ermöglichte komplizierte Anordnung. Daher möchte ich im Gegensatz zu der herkömmlichen Auffassung[167] eher annehmen, zuerst sei das Quadrat erfunden, und das Paternosterkreuz sei aus ihm erst entwickelt. Überdies enthält die Satorformel doch noch augenfälliger als das um die AO-Chiffre bereicherte Paternosterkreuz einen einheitlichen, verdichteten und in sich geschlossenen Gedanken[168]. Aber man wird sich wohl überhaupt die Entdeckung einer so genialen, sowohl sinnvoll aussagereichen wie formal frappierenden Konstruktion nur in *einem* Zuge vorstellen dürfen, so daß die Frage nach der Priorität des einen oder des anderen lieber gar nicht gestellt werden sollte.

Das Spielen mit Buchstaben, oder besser das Problem der künstlichen Aneinanderreihung von Buchstaben zu sinnvollen Gebilden, ist wiederum eine echt stoische Fragestellung, die in Cicero, De natura deorum (II 93) ebenfalls angeschnitten ist. Da wird als Beweis gegen die Auffassung von der zufälligen Entstehung des *mundus ornatissimus et pulcherrimus,* der „so

---

gewinnen. Jos. STRZYGOWSKI, Orient oder Rom? 1906, S. 56 u. ö. sucht den Ursprung des Kreuznimbus im Orient. Dagegen KÜNSTLE aaO., S. 26.

[167] FUCHS 40 f. mit Anm. 22. Vgl. schon ob. Anm. 32. Die Auffassung, daß das Paternosterkreuz zuerst entstanden sei, und sich dann daraus das Satorquadrat entwickelt habe, hat seinerzeit H. LIETZMANN mit Nachdruck vertreten; s. bei K. ALAND an dem unten im Nachwort aaO., S. 300 u. ö.

[168] Immerhin ist auch in der oben Anm. 106 gg. E. u. 110 bereits erwähnten auf Poseidonios zurückgehenden Fassung unserer Formel, die Ps.-Aristot., De mundo 399b, 23 ff. (um Christi Geb.) bietet, eine Anfang, Mitt' und End-Symbolik unmittelbar angeschlossen: ἅπαντα . . . θεοῦ . . . ἔργα . . . τοῦ τὸν κόσμον ἐπέχοντος· ἐξ οὗ κατὰ τὸν φυσικὸν Ἐμπεδοκλέα πάνθ'ὅσα τ'ἦν ὅσα τ'ἐστὶν ⟨νῦν⟩ ὅσα τ'ἔσται ὀπίσσω (deutsche Übersetzung bei W. KRANZ, Gesch. der griech. Literatur S. 425).

ziervoll geordneten und schönen Welt", der Vergleich mit einem kunstvollen Epos[169] | bemüht, das *auch* nicht durch rein zufälliges Ausschütten von Buchstaben zustandegebracht werden könne, sondern nur durch sehr überlegte Aneinanderreihung, Mischung und Verteilung der *litterae*. Auch hier ordnet sich demnach die Bemühung des Verfertigers unseres Quadrats und des Paternosterkreuzes sinnvoll ein.

Schöpfer und Erhalter

Die Satorformel ist also stoische Arbeit, wie wir jetzt wohl mit einiger Zuversicht sagen dürfen. Dem römischen oder italischen Erfinder des Palindroms und seiner genialen Verschlüsselung, der gegen Ende des 1. vorchristlichen oder in der ersten Hälfte des 1. nachchristlichen Jahrhunderts am Werk gewesen sein dürfte[170], stand die gleiche stoische Schultradition[171] zur Verfügung wie dem Cicero bei Abfassung des zweiten Buches seiner Schrift über die Natur der Götter. In dieser Tradition war er zu Hause, in ihr lebte er. Darüber hinaus liegt der Verdacht nahe, daß er mit voller Absicht in seiner Hieroglyphe die Hauptgedanken und Kernworte jenes hymnenartigen Preises der stoischen Allvatergottheit verewigen wollte, den wir aus der Cicerostelle wie vor allem aus dem Olympikos des Dion von Prusa erschließen konnten. Hier in diesem schlichten Lob der Gottheit war ganz deutlich der universale Geist des großen Poseidonios am Werke, der auf den platonischen „Timaios" zurückgriff und damit aus einem Erbe schöpfte, das seinerseits alter religiöser Mysterienweisheit verpflichtet war, wie sie schon in dem aischyleischen Chorlied der „Hiketiden" erstmals in dichterische Form gegossen wurde.

Die gedrängteste Formulierung von allen hat freilich der Schöpfer unseres Palindroms und des Paternosterkreuzes gefunden, indem er alte Weisheit aufs kunstvollste in ein Gehäuse verschloß, in dem sie Jahrtausende ruhte, zur unverstandenen magischen Formel herabsank und auf ihr Wiederlesbarwerden wartete:

---

[169] Bei Cicero wird mit den „Annalen" des Ennius argumentiert, in seiner stoischen Quelle zweifellos mit Homers „Ilias": K. Reinhardt, Kosmos und Sympathie S. 97₁. Pohlenz, Stoa I 95. II 54. Vgl. a. W. Kranz in: Convivium (Konr. Ziegler-Festschrift) 1954, S. 251₈. Die Cicerostelle n. d. II 93 jetzt auch bei Theiler, Poseidonios F 362, Bd. I 278 mit Erläuterung II 270.

[170] Für die Indizien der Datierung vgl. oben [S. 62 ff.]. Noch i. J. 1949 hatte K. Preisendanz (RE Hlbbd. 36,2, Sp. 138 s. v. ‚Palindrom') gewagt, das Aufkommen der Satorformel ins 6. nachchristl. Jhdt. zu datieren!

[171] Von einem „Dogma des Heidentums" möchte ich lieber nicht reden, wie dies A. J. Festugière S. J., Le Dieu cosmique 1949 und ihm folgend H. Cherniss, Gnomon 22. 1950, S. 213 f. in sonst vorzüglichen Ausführungen tun.

SATOR OPERA TENET – PATERNOSTER   AO,

ὁ φυτεύσας τὰ ἔργα σώζει – ὦ πάτερ ἡμέτερε, ἄλφα σὺ καὶ ὦ |

Suchen wir im Bereich der deutschen Muttersprache nach einer zureichenden und verbindlichen Formulierung dieser in hymnische Gebetsform gekleideten und aufs knappste verdichteten Glaubenswahrheit, so bietet sie sich uns leicht in vertrauten Klängen. Wir entdecken nämlich mit einigem Staunen, daß wir nur in den Schatz unseres evangelischen Kirchenliedes zu greifen brauchen, um dort wieder auf sie zu treffen.

Ein Dichter aus der Frühzeit des Pietismus, Joh. Jak. Schütz, hat im Jahre 1675 seinem Schöpfer das Ruhm- und Danklied gesungen „Sei Lob und Ehr' dem höchsten Gut, dem *Vater* aller Güte . . .". Da heißt es in der 3. Strophe:

> Was *unser Gott geschaffen* hat,
> Das will er auch *erhalten,*
> Darüber will er *früh und spat*
> Mit seiner Gnade walten[172].

In dem *Gott,* der *erschafft* und *erhält,* der *unser Vater ist* und *früh und spät* mit seiner Gnade waltet, erkennen wir unschwer den *Sator,* der seine *opera tenet* und zugleich *Pater noster* ist und A und O[173].

Ein paar Generationen später läßt sich in einem ebenfalls bekannten und uns vertrauten Lied Ph. Friedrich Hiller vernehmen von dem

> Schutzgott, dessen starke Rechte
> Zuflucht, Schirm und Schatten gibt,
> Der das menschliche Geschlechte
> Wie ein treuer *Vater* liebt,
> Der in dieser großen *Welt*
> *Alles,* was er *schuf, erhält,*
> Der als Herr der Engelscharen
> *Alles* kann und will *bewahren.* |

Es ist der Preis des Schöpfers und Erhalters, mit dem wiederum hundert Jahre später noch der schwäbische Pfarrherr Eduard Mörike in der „Fußreise" seinem „alten Adam" mildernde Umstände zubilligt:

---

[172] Wertvoller Hinweis meiner Frau Lotte Hommel, der den Weg zu dem im folgenden skizzierten Problem der Herkunft des christlichen Topos einer nahen gegenseitigen Zuordnung von Schöpfung und Erhaltung eröffnet hat. Vgl. dazu auch Paul Gerhardt, oben Anm. 101 gg. E. Ferner schon 1575 Ludw. Helmbold (Nun laßt uns Gott dem Herren Dank sagen und ihn ehren . . . Str. 2/3): Den Leib, die Seel, das Leben Hat er allein uns geben; Dieselben zu bewahren, Tut er nie etwas sparen. – Nahrung gibt er dem Leibe. . .

[173] Die enge Verbindung des Schöpfergottes mit dem AO-Gedanken scheint da und dort noch heute lebendig zu sein: in einer Trauerdanksagung (Rhein-Neckar-Zeitung, Heidelberg 15. 3. 1952) heißt es, die Nachrufe folgten dem Verstorbenen „zu seinem Schöpfer, der ihm Anfang und Ende war". Vgl. a. ob. Anm. 129.

> Also bist du nicht so schlimm, o alter
> Adam, wie die strengen Lehrer sagen;
> Liebst und lobst du immer doch,
> Singst und preisest immer noch,
> Wie an ewig neuen Schöpfungstagen,
> Deinen lieben *Schöpfer und Erhalter.*

Gewiß sind solche Lobpreisungen christlich, und auch wenn wir vom Vaterunser als dem Gebet des Herrn aus der Bergpredigt und vom johanneischen A und O absehen, hat der Glaube an Gott den Schöpfer und Erhalter in der Bibel seinen festen Grund, nicht von ungefähr speziell im Alten Testament.

So ringt sich selbst der Dulder Hiob (10,12) zu dem Lobpreis Gottes durch:

> *Leben* und Erbarmen hast du an mich gesetzt,
> Und deine *Fürsorge* hat meinen Odem *bewahrt,*

und schon der Sänger des 146. Psalms (6. 7.9) spricht von dem Herrn,

> der Himmel, Erde, Meer und *alles*, was darinnen ist, *geschaffen* hat,
> der Wahrheit *bewahrt ewiglich* . . .
> der den Hungrigen *Nahrung gibt* . . .
> und die Fremdlinge *behütet.*

Oder Psalm 104 (5.31), wo es heißt:

> *Du hast die Erde gegründet* auf ihren sicheren Grund,
> *Sie wird nicht stürzen* in alle Ewigkeit . . .
> Die Ehre des Herrn soll *in Ewigkeit bestehen,*
> Der Herr wird sich erfreuen an seinen *Werken*[174].

Aber es ist unverkennbar, daß an all diesen biblischen Stellen zwar ein jenem anderen ähnlicher Gedanke vorliegt, an den sich anknüpfen | ließ, daß er hier jedoch überall ohne feste Prägung bleibt und jeweils spontan seine eigene Form findet[175].

Die „Schöpfung und Erhaltung" unseres Kirchenliedes dagegen verrät in ihrem klaren Aufeinanderbezogensein und in ihrem knappen gleichsam gehämmerten Ausdruck die überlieferte Formel.

Woher haben diese Dichter jene doppelte Aussage übernommen, die – einem zu Gottes Lob geprägten Ehrentaler gleich – auf der einen Seite von der Schöpfung, auf der anderen von der Erhaltung alles Geschaffenen kün-

---

[174] Frdl. Hinweis meines Schülers P. Leo Eizenhöfer O.S.B.

[175] So vgl. vielleicht auch LXX Jes. 46,4 ἐγὼ ἀνέχομαι ὑμῶν, ἐγὼ ἐποίησα καὶ ἐγὼ ἀνήσω, ἐγὼ ἀναλήμψομαι καὶ σώσω ὑμᾶς. Frdl. Hinweis meines Schülers S. Raeder. Ferner etwa Jes. 40,28. Nehemia 9,6 (LXX 19,6) – frdl. Hinweis von A. Aschermann.

det? Eine weitere Liedstrophe weist uns den Weg. Martin Luther selber beginnt seine dreigeteilte Umsetzung des Glaubensbekenntnisses in Gemeindegesang folgendermaßen:

> Wir glauben all an einen Gott,
> *Schöpfer* Himmels und der Erden,
> Der sich zum *Vater* geben hat,
> Daß wir seine Kinder werden.
> Er will uns allzeit *ernähren,*
> Leib und Seel' auch wohl *bewahren;*
> Allem Unfall will er wehren,
> Kein Leid soll uns widerfahren,
> Er *sorget* für uns, *hüt't* und wacht,
> Es steht *alles* in seiner Macht.

Damit knüpft Luther offensichtlich an seine im Kleinen Katechismus gegebene Auslegung des ersten Glaubensartikels an, in der die Grundtatsachen der „Schöpfung und Erhaltung" eine so eindrucksvolle Formulierung finden:

> Ich glaube, daß mich *Gott geschaffen* hat samt *allen* Kreaturen . . . und noch *erhält* . . ., mit aller Notdurft und *Nahrung* des Leibes und Lebens reichlich und täglich *versorget,* wider alle Fährlichkeit beschirmet, *behütet* und *bewahret;* und das alles aus lauter *väterlicher* . . . Güte . . .

Die Forschung hat ermittelt, daß der Reformator hier mittelalterliches Quellgut verwendet, das es gerade für die Formel von | der „Schöpfung und Erhaltung" freilich erst noch im einzelnen aufzuspüren gilt[176].
Die Ähnlichkeit der ausgehobenen Lutherworte mit der von uns unter-

---

[176] J. BAUER RGG ²III 655; vor allem JOHANNES MEYER, Historischer Kommentar zu Luthers Kleinem Katechismus 1929, S. 72 ff., 98, 119, 277, 284 oben. – „starke Häufung des Wortes ‚all'" – 286 f., 289 (frdl. Hinweis meines Kollegen MARTIN SCHMIDT). Gleichsinnige Äußerungen bei LUTHER finden sich häufig, so Weim. Ausg. 19, 422 (v. J. 1526) „Gott ist's, der alle Dinge schafft, nährt und erhält durch seine allmächtige Gewalt" und im folgenden mehrfach ähnlich (wiederabgedruckt von HEINZ ZAHRNT im ‚Sonntagsblatt' Hamburg v. 21. 12. 1952). Die nahe und formelhafte Zuordnung von „Schöpfung und Erhaltung" scheint merkwürdigerweise bisher die dogmengeschichtliche Forschung noch nicht veranlaßt zu haben, die doch unzweifelhaft vorliegende Korrelation nach Sinn und Ursprung zu untersuchen. So bietet die RE von Herzog und Hauck ³XVII 1906 zwar einen von OTTO ZÖCKLER verfaßten Artikel „Schöpfung und Erhaltung", aber der Verf. weiß bezeichnenderweise (S. 701 ff.) keine Bibelstelle zu nennen, in der Schöpfung und Erhaltung klar aufeinander bezogen sind, und geht so der Sache auch nicht weiter nach. Und die RGG² bringt gar die beiden Artikel „Schöpfung" und „Erhaltung" voneinander getrennt, jeden für sich. In RGG³ ist dann unter „Erhaltung" bloß noch auf den Art. „Schöpfung" verwiesen; dort aber (Bd. V 1961, Sp. 1476 f. u. 1486 f.) finden sich nur spärliche Bemerkungen zur *creatio continua,* ohne ein Eingehen auf die gegenseitige Zuordnung von Schöpfung und Erhaltung, auch ohne eine Erwähnung der vorliegenden Abhandlung oder gar eine Stellungnahme zu diesen Ausführungen.

suchten Aussage des Poseidonios und damit letzten Endes auch mit unserer aufs äußerste konzentrierten Satorformel erscheint so zwingend, daß man wird versuchen müssen, hier einen Traditionsweg aufzuweisen, der über die mittelalterliche Kirche zu den Vätern und von da auf einer auch sonst nachweisbaren Spur über spätantike stoische Weisheit zurück bis zu Poseidonios führt[177].

Einige feste Punkte lassen sich bereits gewinnen, so der Anfang eines offenbar traditionellen Beichtgebets im Anhang zum katholischen Meßbuch:

Du hast mich *erschaffen*, du *erhältst* mich im Dasein, so das theologische Verskompendium eines rheinfränkischen mittelhochdeutschen Dichters des 12. Jahrhunderts, der Gottvater als den *Schöpfer* aller guten Dinge preist, der oben im Himmel herrscht und die Welt unten *erhält*[178], oder einige gleichsinnige gestraffte Aussagen des Hl. Augustin wie des Bischofs von Cäsarea in Kappadozien Basilius' des Großen[179], oder von Origenes, wo die | Leitform in die gesuchte unzweideutig stoische Formulierung vom Auspflanzen *(serere)* und ernähren *(nutrire)* einmündet[180]. Ich hoffe, in einem weiteren Beitrag („Pantokrator", unten [S. 84ff.]) einige wesentliche Bausteine zum Beweis des vermuteten Zusammenhangs zu liefern. Die Aufgabe ist wichtig genug; denn wenn der Beweis glückt, dann ergibt sich eine neue feste Klammer, die Christentum und Antike, diese beiden Grundpfeiler der abendländischen Kultur, die so oft gegeneinander ausgespielt werden, miteinander verbindet.

---

[177] Vgl. etwa Johs. Stelzenberger, Die Beziehungen der frühchristlichen Sittenlehre zur Ethik der Stoa 1933. – Übrigens ist schon in der altrömischen Religion dem *Semo* Sancus (oben Anm. 80) an der Porta Sancualis die „Erhalterin" *Salus* Semonia an der Porta Salutaris gesellt, den Saatdämonen Seia und Segetia die „Schützerin" Tutilina; vgl. oben Anm. 80 und W. Aly aaO. Sogar das Kreissymbol ist dem Semo Sancus eigen, Aly 71 und Link RE IA 2253.

[178] Summa Theologiae = Waag, Kl. Dichter des 12. Jhs., Nr. 2; frdl. Hinweis meines Kollegen Erich Henschel.

[179] Augustin, De Trinitate III 9, 16. – Brief des hl. Basilius d. Gr. an Gregor von Nazianz nach J. M. Sailer, Briefe aus allen Jahrhunderten I 1800, S. 174ff. Hinweis meines Sohnes Peter Hommel. Aus dem reichen inzwischen gesammelten Material meines Schülers Siegfried Raeder erwähne ich nur einige der älteren Stellen: Ps.-Justinus, Quaest. gentil. ad Christianos IV ἐποίησεν ὁ θεὸς. . . τὴν κτίσιν . . ., ἣν . . . ἐν τῷ εἶναι διατηρεῖ. Irenäus, Adv. haeres. V 18,3 *mundi factor* . . . *continet quae facta sunt*. Weiteres s. unten [S. 83ff.]. Vgl. daraus besonders die entscheidend wichtige Stelle aus dem ,Carmen de providentia divina' des Ps.-Prosper von Aquitanien aus dem Anfg. des 5. Jh.s, v. 132 *cum sator ille operum teneat momenta suorum,* worüber oben [S. 57] bereits das Nötige gesagt ist.

[180] Die Stelle ist oben Anm. 110 gg. E. ausgeschrieben. – Auch Goethe, Faust II, 2. Akt 8435ff. Thales: „Alles ist aus dem Wasser *entsprungen!* Alles wird durch Wasser *erhalten* . . . Du bist's, der das Leben *erhält*" (Hinweis von P. Hommel) dürfte letztlich auf Poseidonios zurückgehen; s. dazu allgemein K. Reinhardt, Die klass. Walpurgisnacht. In: Von Werken und Formen 1948, S. 317 u. ö. – Außerhalb unserer festen Formel findet sich der Gedanke vom Schöpfer und Erhalter natürlich auch anderwärts und schafft sich jeweils seine Form; so wurden Camillus und Marius im 1. Jh. v. Chr. als *conservator et parens rei publicae* gepriesen (vgl. dazu C. Koch, Zs. f. Rel.- u. Geistesgeschichte 5. 1953, S. 21 = C. K., Religio 1960, S. 36), ein Topos,

Nachwort 1973/1981/1983

Seit dem Erscheinen dieser Abhandlung (Theol. Viatorum 4. 1952/53, S. 133–180) und dem mit Nachträgen versehenen Wiederabdruck in meinem Buch ‚Schöpfer und Erhalter‘ 1956 (S. 32–79, 141–146) ist eine Fülle von Literatur zu der Frage erschienen, wovon ich hier nur einiges zu nennen brauche, da vor allem die Arbeiten von ERICH DINKLER (1967), CH. D. GUNN und HEINZ HOFMANN eine sorgfältige Dokumentation des urkundlichen Befundes, und diejenigen von GUNN und HOFMANN außerdem einen ausführlichen Bericht über das neuere Schrifttum geben[181]. Ich beschränke

---

der – auf Augustus bezogen – auf Denaren der Jahre 18–17 v. Chr. fast wörtlich wiederkehrt (s. dazu ob. Anm. 76). Ferner gehören hierher eine Reihe von Cicerostellen, wie De re publ. II 64 *rem publicam . . . moribus aut legibus constituere vel conservare,* und schon Catil. 3,2, wo es von Romulus heißt *qui hanc urbem condidit . . . qui eandem hanc urbem conditam amplificatamque servavit* (der ganze Abschnitt steht zudem unter dem Thema des *nasci* und *conservari*). Eine vergleichbare Äußerung des Properz über die Mauern Roms führt dagegen bereits wieder auf unsere religiöse Formel zurück und läßt stoischen Einfluß vermuten: III 11,65 *haec di condiderant, haec di quoque moenia servant* (ἔκτισαν . . . σῴζουσιν).

Der vom Religiösen losgelöste Topos bewahrt übrigens auch bis heute seine Kraft; vgl. in dem Gedicht von INA SEIDEL ‚Gewißheit‘ den Passus: „Mich an deinen Busen schmiegend, Der mich *nährt* und *hält,* Fühl ich mich ins Ewige *gerettet* . . .“. Oder auf eine ganz andere Ebene übertragen bei GOETHE (Röm. Elegien 21, v. 11 vom Gott Amor) „*Alles verschafft* er mir da, hilft alles und *alles erhalten*“!

[181] Vollständigkeit war auch an diesen beiden Stellen nicht beabsichtigt; sie ist bei der Ungleichwertigkeit der Beiträge zum Thema und bei dem durch Ignorierung der Vorgänger so häufig sich einstellenden Leerlauf gar nicht anzustreben. Meinerseits mache ich hier noch auf ein kurioses Zeugnis aufmerksam, das aus der Zeit um 1400 stammt und sozusagen auf der Schwelle von Dokumentation und interpretierender Literatur steht, da es Dutzende von hebräischen und hebraisierenden Variationen des Satorquadrats mitteilt, denen je ein besonderer Sinn unterlegt wird:
Abra-Melin the Mage, The Book of the Sacred Magic, as delivered by Abraham the Jew unto his son Lamech, a. d. 1458, London 1889, Neudruck 1956, bes. S. 161 ff..
(Der weitgereiste Jude Abraham, geb. 1362, stammte aus Worms und lebte lang in Würzburg; s. M. ZOBEL in: Encyclopaedia Judaica 1. 1928, Sp. 544 f.). – Ein neueres Buch zum Problem des Satorquadrats, das an prominenter Stelle erschien (Études préliminaires aux Religions Orientales dans l'Empire Romain, t. 38. 1973), WALTER O. MOELLER, The Mithraic origin and meanings of the Rotas-Sator Square (VIII, 53 S. m. Abb., 6 Taf.) deutet den SATOR als Saturn und operiert mit Zahlenspekulationen, was nur in eine Sackgasse führen kann. An neueren Versuchen minderen Gewichts erwähne ich außerdem: RODERICH FELDES, Das Wort als Werkzeug 1976 (Germanist. Diss. Frankfurt a. M. 1974); s. bes. S. 43, 131, 144 (die Formel habe keinen rechten Sinn). 172, 212 (die Formel enthalte möglicherweise einen Hinweis auf die äthiopischen Namen der Kreuznägel Christi!) 233. – HERM. V. BARAVALLE, Rechenunterricht und der Waldorfschul-Plan (ca. 1962). Der Verf. handelt S. 28–39 von den sogen. magischen Zahlenquadraten, die strukturell mit dem Satorquadrat verwandt sind, da ihre Rubriken addiert jeweils die gleichen Zahlen ergeben (ein solches – vierstelliges – Zahlenquadrat auf Albr. Dürers berühmtem Holzschnitt ‚Melancholia I‘, welche Aufschrift übrigens vom Verf. gedeutet wird als: ‚Melancholie, geh fort!‘ – eine erwägenswerte Hypothese). – Der Darmstädter nahmhafte Graphiker HERM. ZAPF hat 1976 ein fünfstelliges Zahlenquadrat (dessen Quersumme jeweils 65 ergibt) mit einem farbigen Siebdruck des Satorquadrats von höchster künstlerischer Qualität kombiniert (Format 65 mal 50 cm).

mich auf die Anführung einiger orientierender oder weiterführender Beiträge (in chronologischer Reihenfolge):

ERICH DINKLER, Artikel ‚Sator arepo‘. In: RGG³ V 1961, Sp. 1373f.

MARGHERITA GUARDUCCI, Il misterioso ‚Quadrato magico‘. In: Archeologia
Classica 17. 1965, S. 219–270.

HILDEBRECHT HOMMEL, Artikel ‚Satorformel‘. In: Lex. d. Alten Welt 1965,
Sp. 2705.

ERICH DINKLER, Das Rotas-Quadrat. In: E. D., Signum Crucis . . . 1967, S.
160–173 m. Taf. XIV (= Abschn. II eines bisher unveröffentlichten
Aufsatzes ‚Älteste christliche Denkmäler – Bestand und Chronologie‘).

CHARLES DOUGLAS GUNN, The Sator-Arepo-Palindrome: a new inquiry . . .
Diss. Yale Univ. 1969, 314 S. (Mikrofilm 1970).

JOHANN BAPTIST BAUER, Die SATOR-Formel und ihr „Sitz im Leben“. In:
ADEVA-Mitteilungen, Graz (Akademische Druck- und Verlags-An-
stalt), H. 31. Juni 1972, S. 7–14.

KURT ALAND, Der Rotas-Sator-Rebus. Seine Diskussion in der Korrespon-
denz Franz Cumont / Hans Lietzmann [1937–38] und in der Zeit danach.
In: Festschrift für E. Dekkers O.S.B. II (= Instrumenta Patristica XI)
1975, S. 285–343.

HEINZ HOFMANN, Das Satorquadrat. Zur Geschichte und Deutung eines
antiken Wortquadrats (= Bielefelder Papiere zur Linguistik und Literaturwissenschaft, Nr. 6) 2° 1977 (52 S.).

HEINZ HOFMANN, Artikel ‚Satorquadrat‘. In: P.-W.’s RE S. XV 1978, Sp.
477–565.

ERICH DINKLER, Zwei Sator-Arepo-Neufunde. In: E. D., Miscellanea Ar-
chaeologiae Christianae. Theol. Rundschau, N. F. 46. Jg. 1981, S. 219–
236, hier S. 219–224.

Im folgenden skizziere ich meine jetzige Stellung zu dem viel umstrittenen
und immer wieder neu untersuchten Problem. Neben eigenem Nachdenken
und Experimentieren haben mich vor allem die Arbeiten von DINKLER,
GUNN und HOFMANN zu einer gewissen Revision meines Standpunkts geführt.

Zwar halte ich an meiner ‚stoischen‘ Deutung des Inhalts der Formel fest,
die auch HEINZ HOFMANN fast ohne Einschränkung übernommen hat. Doch
hat mich nach und mit anderen[182] E. DINKLER und der sich ihm eng anschlie-
ßende CH. D. GUNN davon überzeugt, daß man grundsätzlich zu solchen
potentzierten Palindromen, wie das Satorquadrat sie repräsentiert, nur
durch Experimentieren mit dem geeigneten Wortmaterial gelangt (hier
Wörter mit 5 Buchstaben), ohne vorher bereits ein festes Ergebnis im Sinn
zu haben, so daß also vor allem der Entwurf des Paternosterkreuzes mit
doppeltem AO nicht in der Absicht des Ersterfinders gelegen haben kann.

---

[182] Z. B. H. LAST, Journ. of Roman Studies 44. 1954, S. 112; M. GUARDUCCI, aaO. 266f. u.
ö. Vgl. a. schon meine Bemerkungen oben [S. 71].

Die beiden Gelehrten haben daraus freilich den voreiligen Schluß gezogen (zu dem andere wie z. B. FOCKE auch schon vor ihnen auf anderem Wege gelangt waren), es sei verlorne Liebesmüh', überhaupt irgend einen ursprünglichen Sinn in dem Buchstabenspiel finden zu wollen. Vielmehr seien alle Versuche dieser Art von vornherein reine Zufallsprodukte und daher nur als sekundäre und abgeleitete Eigenschaften des Satorquadrats zu werten.

GUNN hat sich der sehr verdienstlichen Aufgabe unterzogen, mit Hilfe eines Computers das lateinische Wortmaterial zu ermitteln, das zur Bildung von satorähnlichen Quadraten zur Verfügung steht, und die entsprechenden Palindrome zu entwerfen. Dabei zeigt sich, daß die Zahl der auch nur einen bescheidenen Sinn ergebenden Quadrate äußerst gering ist, so daß schon von da her der Zufallscharakter der Satorformel nahegelegt wird.

Hierzu sind freilich einige kritische Anmerkungen nötig. Zunächst bestreiten weder DINKLER noch GUNN, daß die dem Quadrat zugrundeliegenden Wörter irgend eine Bedeutung haben sollten, womit sie implicite zugeben, daß die Frage nach dem Sinn wenigstens im Ansatz mit im Spiel ist, es sei denn man beabsichtigte damit lediglich die Artikulierbarkeit und Klangwirkung der betreffenden Lautgruppen, oder man wollte solchermaßen dem Zauberspruch das Aussehen einer quasisinnvollen Fügung geben, um das dem Erfinder vorschwebende Publikum – oder gar die zu beschwichtigenden Geister – zur Entschlüsselung zu reizen (und damit letztlich auf eine falsche Fährte zu führen!) oder um ihnen einfach mit solchem Abrakadabra zu imponieren.

Der andere Einwand gegen DINKLER und GUNN ist der, daß sie jenen schon 1854 erzielten fundamentalen Fortschritt in der Lösung des Problems sich nicht zunutze machen, die Erkenntnis nämlich, daß das Palindrom ‚bustrophedon' zu lesen sei[183], so daß sich im vorliegenden Fall die beiden Wörter Arepo und Rotas als reine Nebenprodukte herausstellen, auf die im Gegensatz zu den anderen dreien keine Deutungsversuche verschwendet zu werden brauchen. Das übrigbleibende *Sator opera tenet* ist aber unbestreitbar ein Kernsatz stoischer Lehre, der durch die Jahrhunderte weitergegeben und auch ins Christentum integriert worden ist (was übrigens auch DINKLER zugeben muß).

Befolgt man die beherzigenswerte Empfehlung von DINKLER und GUNN, dem antiken Rotasquadrat von den technischen Möglichkeiten und Wahrscheinlichkeiten seiner Konstruktion her auf die Spur zu kommen, so ergeben sich (wie mir zahlreiche Versuche mit deutschem und lateinischem Sprachmaterial gezeigt haben) folgende Arbeitsgänge, wobei freilich von

---

[183] Der Überblick über die neuere Literatur zeigt, daß überhaupt die meisten Forscher sich durch Ignorierung oder Nichtanerkennung dieses Prinzips den Weg verbauen; rühmliche Ausnahmen sind J. B. BAUER und Hz. HOFMANN.

Anfang an die Busrophedonlesung in den Blick zu nehmen ist, deren sich zweifellos auch der antike Verfertiger bewußt war[184].

Ganz eindeutig ist jeweils der Ausgangspunkt vom Mittelkreuz des Quadrats zu nehmen, d. h. es ist die bewußte Entscheidung zu treffen, welches derjenigen fünfbuchstabigen Wörter, die vor- und rückwärts gelesen gleich lauten[185], als Stützgerippe des Quadrats zu wählen sei[186]. Und gerade diese Entscheidung engt die weiteren Zufallsmöglichkeiten bereits ganz erheblich ein und lenkt die Gedanken des Konstrukteurs auf einen gewissen Sinnbereich, wobei natürlich naheliegende Assoziationen mitwirken. In unserem Falle wird das Schlüsselwort TENET ,er hält‘, ,er erhält‘ einem mit dem Gedankengut der Stoa vertrauten Entwerfer die Möglichkeit eines Experimentierens in dieser Richtung empfohlen haben[187], wobei ihm dann in der Folge natürlich auch wieder der Zufall zuhilfe kam[188]. Er hat also im zweiten Arbeitsgang die erste und letzte Zeile nicht etwa mit MUTEM und ME-TUM ausgefüllt und so im weiteren Verlauf das Palindrom MUTEM-UBERE-TENET-EREBU-METUM (Bustrophedon-Lesung ,*metum ubere tenet*‘) o. ä. erhalten (s. GUNN, S. 196), sondern vielmehr bewußt, wenn auch durch den Zufall begünstigt, den SATOR als Subjekt zu TENET gewählt, wodurch mit dem zwangsweise sich ergebenden Stadium SATOR/O E A/TENET usw. der Weg zum ,sator opera tenet‘ bereits weithin gebahnt war.

---

[184] Damit vergrößert sich übrigens über das GUNNsche Ergebnis hinaus die Zahl einigermaßen sinnvoller Palindrome nach Art des Rotasquadrats erheblich. Aber keines erreicht die präzise Einfachheit und Klarheit des ,*sator opera tenet*‘, wie schon ein Blick in die Sammlungen von GUNN (aaO., S. 75–205) lehren kann. – Es verdient Erwähnung, daß nur die von Anfang an ins Auge gefaßte Bustrophedon-Lesung einer ,Sator . . .‘-Formel es auch verbürgt, daß von allen Seiten des Quadrats her gelesen sich die gleichen Lesungen ergeben. Wollte man nämlich gleich ,stoichedon‘ aufs Ziel zugehen und die entsprechende Anordnung wählen (SATOR-OPERA-TENET-AREPO-ROTAS), so erhielte man ein ,geschütteltes‘ Quadrat, dessen senkrechte Lesarten (natürlich mit Ausnahme der Mittelsäule TENET) nicht mehr stimmen.

[185] z. B. *nihil, sucus, senes, sanas, inani, sitis, sivis, taxat, rogor* etc. (s. GUNN S. 75ff.).

[186] GUNN (aaO. 206ff.) kam, ausgehend von dem richtigen Gedanken DINKLERS, daß Palindrome wie ROMA-OLIM-MILO-AMOR zur Ahnenreihe auch der sator-ähnlichen Quadrate gehören, auf die unglückliche Idee, den Erfinder des ROTAS-Quadrats von *Ro*ma ausgehen und daher mit *Ro*tas beginnen zu lassen, woran sich das Stützwort *tenet* erst angeschlossen hätte.

[187] J. B. BAUER aaO., 10ff. möchte annehmen, daß das ,*tenet*‘ neben dem Sinn der göttlichen Erhaltertätigkeit als „mitgemeinte Aussage“ von Anfang an auch auf einen ,Binde‘-Zauber hin ausgerichtet gewesen sei.

[188] So hat sich mir z. B. (um die Sache an einem meiner vielen Versuche zu erläutern) aus dem Schlüsselwort REGER schrittweise der Gedanke und die Möglichkeit ergeben, einem jungen Musikbeflissenen namens Ferdinand die Pflege des Regerschen Schaffens ans Herz zu legen und ihm das so entstandene ,Satorquadrat‘ zu widmen: FERDI – ENEID – REGER – DIENE – IDREF, was ,bustrophedon‘ zu lesen ist: ,Ferdi, diene Reger!‘. Auch eines der ganz seltenen lateinischen ,Satorquadrate‘ mit leidlichem Sinngehalt sei noch angefügt, wie es sich mir nach langen Versuchen ergab (natürlich ebenfalls ,bustrophedon‘ zu lesen): TIMES – IDULE – MULUM – ELUDI – SEMIT (*times eludi mulum* = ,du scheust dich verspottet zu werden mit dem Maulesel‘).

Dem Erfinder des Quadrats hat sich also durch Probieren, Nachdenken und Zufall schrittweise ein besonders geglücktes Ergebnis eingestellt, dessen präziser Sinn *‚sator opera tenet'*, wie ich oben ausführlich und schlüssig gezeigt zu haben hoffe, und wie es etwa auch J. B. BAUER und HEINZ HOFMANN übernommen haben, in dem Erfinder einen mit der stoischen Gedankenwelt vertrauten Buchstabenmystiker erkennen läßt. Wenn ich dafür mit allem Vorbehalt und rein vermutungsweise (LAW 1965, Sp. 2705) einen Mann wie Ciceros Freund, den *Pythagoricus et magus* Nigidius Figulus, den ‚Magus des Südens', wie man ihn nennen könnte, in Vorschlag gebracht habe (er lebte ca. 98–45 v. Chr.), so wäre nach Person und Zeit damit der aus anderen Erwägungen anzunehmende Rahmen für die Entstehung des Rotasquadrats wohl ungefähr richtig bestimmt[189].

In seiner nachgelassenen Arbeit von 1981 (s. a. ob. Anm. 5) hat E. DINKLER noch einmal seinen Standpunkt zur Interpretation des Satorquadrats präzisiert und dabei (S. 223) meine und H. HOFMANNS stoische Deutung mit dem Argument abgelehnt, sie setze einen Beginn des Quadrats mit SATOR und nicht mit ROTAS voraus (da ein Beginnen mit Von rechts nach links-Lesung „gegen allen Brauch" sei), während ja alle antiken Beispiele des Quadrats bis zum 6. Jh. mit ROTAS begännen.

Dazu ist zu sagen, daß der Erfinder das Satorquadrats, nachdem sich ihm einmal die ‚stoische' Formel *sator opera tenet* ergeben hatte, mit Absicht den Rechtslinksbeginn gewählt haben mochte (wie er bei alten Bustrophedon-Inschriften ja häufig zu finden war), um von Anfang an dem Ganzen eine rein esoterische Wirkung zu sichern, was ihm dann auch vortrefflich gelungen wäre. Der schlichte Leser und Benützer des Quadrats sollte ruhig sich mit dem magischen Charakter des Rätsels bescheiden; nur dem ‚Eingeweihten' sollte der tiefere Sinn sich erschließen. Zu dem von uns als Erfinder vermuteten Nigidius Figulus würde ein solches geheimnisvolles Verfahren vortrefflich passen. Erst als dann in der Spätantike durch Paraphrasen wie jene des Ps.-Prosper von Aquitanien (ca. 416 n. Chr., s. o. [S. 57]) der Sinn des Quadrats weiteren Kreisen ins Bewußtsein drang, wäre man zur Erleichterung des Zugangs zum SATOR-Beginn übergegangen. Mit diesem meinem Erklärungsversuch, der hier zum Schluß als Vermutung ausgesprochen sei, wäre dann zugleich auch jene Umstellung vom ROTAS- zum SATOR-Beginn begreiflich gemacht.

Daß sich von den beinahe unzähligen Möglichkeiten lateinischer Palindrome dieser Art, von deren Fülle die Tabellen bei CH. D. GUNN einen Begriff geben, und von denen manche zweifellos schon den antiken Buchstabenspielern sich erschlossen haben, daß von ihnen allen keines tradiert wurde und sich eingebürgert hat – außer eben unser Rotasquadrat –, das muß wohl seinen Grund darin haben, daß gerade nur dieses – vollends in der

---

[189] Die Wahrscheinlichkeit dieser These wird anerkannt von HEINZ HOFMANN RE S XV 560f.

Bustrophedonlesung – einen präzisen und klaren Sinn, noch dazu von einiger theologischer Relevanz ergibt, was wiederum für den von Anfang an gefundenen und erkannten Sinn der Formel spricht. Daß dieser dann, dank der mit der Bustrophedonlesung gegebenen Verschlüsselung solcher Quadrate, die dem Nichtkenner unenträtselt bleiben mußte, alsbald wieder verlorenging[190] und damit dem magischen Gebrauch des Spruches sowie einer Fülle von Deutungsmöglichkeiten Tür und Tor öffnete, das steht auf einem anderen Blatt.

Unter diesen Versuchen und Versuchungen nimmt das Anagramm eine beherrschende Stellung ein, wobei ihm der Buchstabenbestand des Quadrats bereitwillig entgegenkommt, bis hin zu jenem verführerischen Paternosterkreuz mit doppeltem AO. Da es, wie angedeutet, kaum anzunehmen ist, daß – bei der Schwierigkeit des Entwerfens sinnvoller Palindrome in quadratischer Anordnung – der Erfinder eines solchen neben dem im Glücksfall allmählich erarbeiteten Sinn der Formel auch gleich noch ihre möglichen Anagramme im Blick haben konnte, so habe ich jetzt meine frühere Ansicht aufgegeben, daß der Konstrukteur der Satorformel auch das Paternoster plus AO-Anagramm mitberücksichtigt hat, ja überhaupt darauf aufmerksam geworden ist. Darin ist mir HEINZ HOFMANN – bei sonstiger Anerkennung eines stoischen Ursprungs der Satorformel – vorangegangen und hat mich so zu nochmaligem Durchdenken des Problems veranlaßt, wobei mir immer hin die Arbeiten von DINKLER und GUNN ebenfalls von Nutzen waren. Wenn ich oben beim Abdruck meines Aufsatzes trotzdem die betreffenden Abschnitte mit all ihren Konsequenzen nicht eliminiert habe, so deshalb, weil ich das dabei zusammengetragene und erörterte Material in mancher Hinsicht für förderlich ansehe und also jene Paternoster- und AO-Hypothesen vielleicht in gewissem Sinn den fruchtbaren Irrtümern zurechnen darf.

Anhangsweise sei noch auf eine eben erschienene bemerkenswerte Arbeit hingewiesen, die in origineller Weise einen neuen Weg zur Deutung des Satorquadrats beschreitet und sich dabei auch mit H. Hofmann und mir auseinandersetzt:

M. MARCOVICH, Sator arepo = γεωργὸς Ἄρπον (Κνοῦφι), Ἄρπως, Arpo(cra), Harpo(crates). In: Zeitschr. f. Papyrologie und Epigraphik 50.1983, 155–171 (englisch). Der Verfasser lehnt die Bustrophedon-Lesung als unwahrscheinlich ab (vgl. ob. Anm. 183), worin ihn der in der Antike herrschende ROTAS-Beginn bestärkt. Dazu verweise ich auf meine oben S. 128 gegen Dinkler gerichtete Argumentation. Was die von mir betonte inhaltliche Übereinstimmung der bustrophedon gelesenen Inschrift des Satorquadrats mit Cicero, De natura deorum II 86 und mit Pseudo-Prosper Aquitan.,

---

[190] Daß er da und dort im Bewußtsein Einzelner sich noch bis ins 5. Jh. n. Chr. erhalten haben muß, haben wir oben S. [57] aus einem Hexameter des Ps.-Prosper von Aquitanien entnehmen können.

Carmen de providentia divina 232 (ob. S. 100 u. 105 f.) anlangt, so sucht M. krampfhaft nach Verschiedenheiten des Sinnes hier und dort, wie sie sich in geringfügigem Umfang bei der Einordnung gleicher Elemente in jeweils verschiedenen Zusammenhang zu ergeben pflegen. Doch scheint mir der Ursinn der Formel allen drei Stellen zugrundezuliegen; Cicero hat sie breit paraphrasiert, und der christliche Dichter hat sie zerdehnt, um mit ihr den Hexameter auszufüllen, wobei man seinem Füllsel *operum momenta* statt *opera* nicht mit M. einen eigenen und abweichenden Sinn wird unterlegen dürfen.

M.'s neue Interpretation will in AREPO eine Kurzform von HARPO-CRATES erkennen. Diese in der Spätantike verbreitete Gestalt läßt sich, weil auch Vegetationsgottheit, zwar zur Not als SATOR = Säemann begreifen. Aber ihre postulierte Kurzform AREPO ist nirgends belegt[191]. OPERA und ROTAS werden als ‚Plackerei und Folterqualen‘ in Anspruch genommen, TENET mit ‚bindet‘ im Sinn von ‚hemmt‘ übersetzt (vgl. ob. Anm. 187). So ergibt sich für M. die Übertragung (wobei er den ROTAS-Beginn zugrundelegt): „The Sower Harpocrates checks (‚binds‘) torture and toils". Die Entstehungszeit wird in den Raum von 30 v. Chr. bis 50 n. Chr. gesetzt (wogegen nichts einzuwenden wäre). Indem M. unter Hinweis auf Hesiods Erga auch die Übersetzung zur Wahl stellt „The Sower Harpocrates keeps (protectus) the carriage and agricultural labor and crop", stellt er selber die Eindeutigkeit seines Erklärungsversuchs in Frage. Denn ‚Folter und Mühsal‘ einerseits, ‚Wagen und Ernte‘ andrerseits für die im Quadrat gar nicht durch ET verbundenen Begriffe ROTAS und OPERA macht ja doch einen gewaltigen Unterschied. Dazu wird im einen Fall TENET als ‚bindet, hemmt‘, im anderen als ‚hält, beschützt‘ in Anspruch genommen.

Wieder einmal also scheint mir ein Versuch, ohne Bustrophedon-Lesung das Ganze zu verstehen, bei allem aufgewandtem Scharfsinn mißglückt zu sein. Das fragwürdige Latein, das M. dem Verfasser der Formel zumutet, dürfte in den vergangenen 2000 Jahren wohl von keinem Leser oder Abschreiber beansprucht worden sein, um ihn zu der von M. in erster Linie vorgeschlagenen Übersetzung zu verführen. Man sieht aber, daß die Bemühung um eine definitive Entschlüsselung des Satorquadrats noch immer nicht zur Ruhe kommt.

---

[191] Daß in griechischen Zauberpapyri gelegentlich ein Ἅρπον Κνοῦφι als Name des Agathos Daimon erscheint, besagt ebenso wenig, wie man das E in AREPO deswegen als bloße Anaptyxe eliminieren kann, weil u. a. der Hermes-Name vereinzelt in der Form Ἐρεμῆς vorkommt.

Pantokrator*

Schöpfer und Erhalter

Die Formel von Gott dem ‚Schöpfer und Erhalter' der Welt (des gesamten Alls oder auch einfach ‚seiner Werke') ist ein Urwort antiker Glaubensüberlieferung, das besonders die Stoa in die Mitte ihrer Verkündung rückt und fleißig weitergibt, das aber schon bei Platon im ‚Timaios', deutlich auf noch ältere Tradition zurückweisend, seine Ausprägung erfahren hat (41 A): „Es spricht der *Erzeuger* des Alls: . . . was ich als Werkmeister und *Vater* an *Werken* geschaffen, ist *unauflösbar, wenn ich es nicht will.*" Poseidonios vor allem, der Verehrer Platons, hat die Formel aufgegriffen und – inhaltlich etwas verkümmert[1] – auf den stoischen Kosmosgott übertragen, so wenn er bei Cicero (De natura deorum II 86) sich vernehmen läßt: „Aller Dinge *Sämann* und *Pflanzer*[2] und sozusagen *Vater* sowie Förderer und Ernährer[2] ist der Kosmos, und er nährt und *erhält (continet)* sie alle", oder wenn Ps.-Aristoteles, De mundo das Wort an mehreren Stellen variiert, etwa (399b 23ff.): „alles dürftet ihr wahrhaftig *Werke* Gottes nennen, der den Kosmos *erhält*". Ähnlich bei Dion Chrysostomos (Olympikos = XII 29), wo die poseidonische Formel dem Nachweis dient, daß Gotteserkenntnis und Religion zum geistigen Urbesitz aller Menschen gehöre; denn „wie sollten sie ohne Erkenntnis und ohne Vorstellung bleiben von dem, der sie *erzeugt, ausgesät und angepflanzt hatte, der sie erhielt* | und ernährte?" Schon vorher hatte ein gewandter Jünger stoischer Lehre den Satz des Poseidonios in das magische Gehäuse der sogenannten Satorformel gebannt, die uns – bustrophedon gelesen – die knappe Formulierung bietet: SATOR OPERA TENET, „der *Sämann* (d. i. der Schöpfer) *erhält* seine *Werke.*"

Der Gedanke, daß Gott die Werke seiner Schöpfung erhalte, ist freilich auch biblisch. Aber ein Blick auf die nicht allzu zahlreichen (vor allem alttestamentlichen) Stellen, an denen Schöpfung und Erhaltung nicht ge-

---

* Theologia Viatorum 5. 1953/54 (1954), 322–378 = H. Hommel,Schöpfer und Erhalter 1956, 81–137 u. Nachträge 146f.

[1] Das ‚wenn ich es nicht will' Platons mußte fehlen, weil es dem mittelstoischen Dogma von der Ewigkeit des Kosmos widersprach. Zu dieser Lehre vgl. zuletzt O. Luschnat DLZ 1952, Sp. 529 und s. a. unt. Anm. 27 u. [S. 104f.]. Die Cicerostelle jetzt bei Theiler Poseidonios. Die Fragmente 1982, F 361.

[2] Auch diese Metaper stammt letztlich aus dem platonischen Timaios (41 C/D). Die Cicerostelle jetzt bei W. Theiler, Poseidonios. Die Fragmente 1982, F 361.

trennt für sich erscheinen, sondern zu einem Begriffspaar gekoppelt sind, zeigt sofort, daß die typischen Elemente der stoischen Prägung (Sämann, Pflanzer = Schöpfer, Vater – Förderer, Ernährer, Erhalter) entweder ganz fehlen oder jedenfalls nicht wie dort formelhaft wiederkehren[3]. So etwa Ps. 146 (145), 6.7.9 „Gott, der Himmel und Erde geschaffen hat, das Meer und alles was darinnen ist, der Wahrheit bewahrt ewiglich . . ., der den Hungrigen Nahrung gibt . . . und die Fremdlinge behütet" oder Ps. 104 (103), 5.31 „Du hast die Erde gegründet auf ihren sicheren Grund, sie wird nicht stürzen in alle Ewigkeit . . ., die Ehre des Herrn soll in Ewigkeit bestehen, der Herr wird sich erfreuen an seinen Werken"[4]; Nehemia 9,6 (LXX 19,6) „Herr . . ., du hast geschaffen den Himmel . . ., die Erde und alles . . ., du erhältst alles am Leben"[5]; Hiob 10,12 „Leben und Erbarmen hast du an mich gesetzt, und deine Fürsorge hat meinen Odem bewahrt"; Jes. 40,28 „ein ewiger Gott ist der Gott, der die Enden der Erde geschaffen hat, er wird nicht müde noch matt | werden"[6]; Ecclesiastes 3,14 „ich erkannte, daß alles, was Gott geschaffen hat, das wird in Ewigkeit bestehen"[7].

Und auf Gott den Sohn übertragen Hebr. 1,2f. „Gott . . . hat zu uns geredet durch den Sohn, den er zum Erben über alles gesetzt hat, durch den er auch die Zeitlichkeit geschaffen hat *(ἐποίησεν)*, welcher . . . trägt *(φέρων)* alle Dinge *(τὰ πάντα)* durch das Wort seiner Kraft *(ῥήματι τῆς δυνάμεως αὐτοῦ)* . . .".

Der Formelcharakter der Aussage tritt dagegen sogleich an den Stellen hervor, wo platonisch-stoischer Einfluß nicht auszuschließen ist, wie Sap. Salom. 11,24ff.; denn da heißt es „du hassest nichts, was du *geschaffen* hast . . ., wie könnte etwas dauern, wenn du es nicht gewollt hättest[8], oder . . . von dir *erhalten* werden"? Vollends dann bei den frühen Vätern: da wird der

---

[3]Siegfried Raeder bemerkt auf Grund von Anregungen, die er durch L. Köhler erhalten hat, mit Recht (brieflich), das dürfe nicht verwundern, stelle sich doch dem Griechen die Welt als geordneter Kosmos dar, in dem der Fortbestand denknotwendig sei, also zum Ausdruck durch eine stereotype Formel tendiere, während die Bibel, voran das AT, die Welt und den Menschen ständig vom Untergang bedroht sehe, so daß die Zeugnisse von Erhaltungen, die jeweils als ‚Errettungen' gewertet würden, sich von Fall zu Fall ihre eigene Terminologie zu schaffen hätten. Zu den Voraussetzungen dieser einleuchtenden Schlüsse siehe jetzt L. Köhler, Der hebräische Mensch. 1953, S. 111ff., bes. 117ff.

[4] Vgl. a. Ps. 66,5.9. 119,90 und ähnliche Beispiele, die sich häufen ließen, ohne daß sie in der dogmatischen Tradition zum Kapitel ‚Schöpfung und Erhaltung' je herangezogen würden, was seinerseits zu denken geben muß. Vgl. aber unt. Anm. 7.

[5] Nach der Züricher Bibelübersetzung.

[6] Über das bis hierher Zusammengefaßte s. ausführlich oben in ‚Die Satorformel . . .' [S. 49ff., 72ff.] Auch für das Folgende sind diese Ausführungen mehrfach zu vergleichen. Nachzutragen ist Hiob 34,12ff., wobei ein Blick auf Gen. 3,19 u. Ps. 104,29 die alttestamentliche Tradition deutlich macht.

[7] Diese Stelle gehört zu den wenigen, die Thomas Aqu., Summa theol. I 104,4,3 zur biblischen Begründung der Lehre von der Schöpfung und Erhaltung heranzieht. Auch Hebr. 1,2f. spielt in der betr. dogmatischen Tradition eine Rolle, wovon noch zu handeln sein wird.

[8] *εἰ μὴ σὺ ἠθέλησας*, vgl. dazu Plat., Tim. 12, 41A *ἄλυτα ἐμοῦ γε μὴ ἐθέλοντος* (oben [S. 81]).

Topos vom ‚Schöpfer und Erhalter' unermüdlich eingeprägt und läßt in nur
gering variierter Formelhaftigkeit den Zusammenhang mit jener stoischen
Prägung unzweideutig erkennen.

Eine Auswahl, für deren Sammlung ich meinem Schüler Siegfried Raeder
zu Dank verpflichtet bin, soll das zunächst im Großen bestätigen[9]:

Ps.-Iustinus Martyr, Quaestt. gentilium ad Christianos IV
  ἐποίησε . . . τὴν κτίσιν[10] . . ., ἣν . . . ἐν τῷ εἶναι διατηρεῖ. |

Athenagoras, Legatio pro Christianis 13
  τὸν δημιουργὸν θεὸν συνέχοντα . . . τὰ πάντα.

Irenaeus, Adv. haereses V 18,3
  mundi factor . . . continet quae facta sunt.

Clemens Alexandrinus, Stromateis VI 16
  τὴν τάξιν τῶν γενομένων . . . φυλάσσεσθαι.

Origenes, De principiis II 9,1 (zu Sap. 11,21)
  universa condidit deus . . ., ut (creaturae) . . . contineri possint.

Hilarius Pictav., Tractatus in LXIV. psalmum
  mundi creatorem . . . omnia continentem.

Cyrillus Hierosolym., De decem dogmat. 7
  ὁ . . . θεὸς . . . πατὴρ . . . ποιητής . . . τὴν γῆν κατέχων.

Ambrosius, Hymnus ad sextam
  tenet . . . mundi fabricam . . . haec . . . condita manent.

Augustinus, De trinit. V 1
  creatorem . . . omnia continentem.

Ps.-Prosper Aquitan., Carmen de providentia divina (ca. 416 n. Chr.)
  v. 132 cum sator ille operum teneat momenta suorum.

Nilus, Epist I 19
  θεοῦ τὰ πάντα οὐσιώσαντος καὶ συνέχοντος . . . τὸ ποιητικὸν . . . καὶ
  τηροῦν τὰ πεποιημένα.

---

[9] Ein Teil der Stellen ist unten [S. 108 ff.] ausführlicher wiedergegeben. – Es ist bemerkenswert, daß ein spätantiker Christ und Philosoph, der sich unter Ablehnung stoischer Lehre zur
platonischen Nachfolge bekennt, da wo er von Ursprung, Regierung und Erhaltung der Welt
spricht, vom allgemeinsten abgesehen die ‚stoische' Formelsprache im Gegensatz zur herrschenden Tradition vermeidet, nämlich Boëthius, De consolatione philosophiae I, Prosa 6 in
einer eindrucksvollen Katechese. Doch hat sich auch bei ihm (IV, Gedicht 6) unsere Formel
eingeschlichen; s. dazu unten [S. 111].

[10] Zu κτίσις vgl. a. das letzte der hier gegebenen Beispiele. Daß als Verbum für ‚erschaffen'
nirgends das alttestamentl. κτίζειν der LXX gebraucht wird, liegt wohl in unserer Formel
begründet, die es fast nie anwendet (Ausnahme nicht von ungefähr die Aristeasepistel 185,
unten [S. 97] u. ö.), mag aber auch dadurch hervorgerufen sein, daß die Gen. es auch in den
LXX nicht gebraucht, vielmehr fast stets ποιεῖν verwendet; s. FOERSTER, ThWzNT III 1938, S.
1025. Übrigens ist für den Gebrauch von κτίζειν im Sinne von ποιεῖν bereits Aischylos bahnbrechend gewesen, vgl. das Schol. zu Eumenid. 17 ἰδίωμα δὲ τοῦτο Αἰσχύλου u. dazu GROENEBOOM,
Aischyl. Choephoren 1949, S. 180₃ (danach zu ergänzen FOERSTER aaO. 1024).

Ps.-Clemens Romanus, Liturgie (Migne PGr 2, 606)[11]
 *benedicimus te factorem . . . et creatorem naturarum . . . a te susten-
tantur.*|

Johannes Damascenus, De fide orthodoxa I 1
 πᾶσιν . . . ἡ γνῶσις τοῦ εἶναι θεὸν ὑπ' αὐτοῦ φυσικῶς ἐγκατέσπαρται. καὶ αὐτὴ δὲ ἡ
κτίσις καὶ ἡ ταύτης συνοχή τε καὶ κυβέρνησις τὸ μεγαλεῖον τῆς θείας ἀνακηρύττει
φύσεως[12].

Hier bei dem großen Dogmatiker des 8. Jhdts., der in seinem Werk die
Gedankenarbeit der griechischen Patristik zusammenfaßt[13], halten wir
einstweilen inne.

Für die Darstellung der Formel, nach der Gott der Vater, der Schöpfer
aller Dinge, sein Werk erhält, hatte sich also längst eine feste, nur leicht
abgewandelte Terminologie herausgebildet. Dabei scheiden sich seit alter
Zeit zwei Überlieferungsstränge, deren Elemente freilich auch gelegentlich
austauschbar sind, indem sie sich durchdringen und überschneiden, was
besonders bei Poseidonios und seiner Nachfolge deutlich wird. Ihm standen
sie offenbar alle beide zur Verfügung. Der eine Strang bedient sich einer
gehobeneren, mystisch-poetischen Sprache, der andere drückt sich nüchter-
ner, gewissermaßen wissenschaftlich-philosophisch aus.

 ὁ πάντα σπείρας καὶ φυτεύσας πατὴρ τὰ ἔργα σώζει, so etwa lautet die eine
Formel[14], ὁ ποιητὴς τῶν ὅλων, ὁ τοῦ κόσμου πατήρ, τὰ πάντα συνέχει καὶ διακρατεῖ
die andere[15].|

Der Römer vereinfacht insofern, als er σώζειν wie συνέχειν[16] durch *tenere*
bzw. *continere* wiedergibt, im übrigen aber in der Nachfolge des Poseidonios

---

[11] In Wahrheit wohl nach einem griech. Original des 6./7. Jhdts.: A. BAUMSTARK, Gesch. d.
syr. Lit. 260 ff. HERM. FUCHS in: Liturgiegesch. Quellen 9. 1926 S. XLIV ff. (frdlr. Hinweis
meines Schülers P. LEO EIZENHÖFER O.S.B.).

[12] Über diesen Grundgedanken der stoischen Theologia naturalis, der hier aus Röm. 1
stammt, s. unten Bd. II: Das Harren der Kreatur, [S. 7 f.]. Vgl. a. unt. Anm. 63. Weitere
einschlägige Zeugnisse des Damasceners s. unten [S. 111 f.] und bei FRZ. DÖLGER, Der griech.
Barlaam-Roman ein Werk des H. Johs. v. Damaskos 1953, Schlußteil unter Nr. 23, 59, 61, 87 =
S. 75 f., 95 u. ö.

[13] G. STADTMÜLLER in: Saeculum 2. 1951, S. 319. Den ‚Systematiker des östlichen Dogmas'
nennt ihn FRZ. DÖLGER, Die byzantin. Dichtung in der Reinsprache 1948, S. 12, wo ferner
betont ist, daß Johs. Damasc. durch die Übersetzung des Burgundio von Pisa und durch Petrus
Lombardus weiterhin auch auf die Theologie des Westens gewirkt hat.

[14] Gewonnen aus Platon, Timaios 41 A. C/D. Dion Chrysost. XII 29. Vgl. oben [S. 81] u.
oben Satorformel [S. 54 ff., 57 ff].

[15] Am reinsten erhalten bei Philon, Vita Mos. III 31, 238 (über die stoische Grundhaltung der
Schrift s. H. LEISEGANG, Pauly-Wiss. RE XX 31), dazu Xenoph., Memorab. IV 3, 13. Ps.-
Aristot., De mundo 399b 23 ff., vgl. 400a 3 f. u. ö. Die Philonstelle lautet wörtlich ὁ δὲ ποιητὴς
τῶν ὅλων, ὁ τοῦ κόσμου πατήρ, γῆν καὶ οὐρανὸν ὕδωρ τε καὶ ἀέρα καὶ ὅσα ἐκ τούτων ἑκάστου συνέχων καὶ
διακρατῶν, aber schon die Catene in Num. 27,7 (Caten. Lips. I p. 1361) paraphrasiert das γῆν καὶ
. . . kürzend mit καὶ τὰ πάντα συνέχων.

[16] Zu der nahen Zuordnung von σώζειν und συνέχειν vgl. etwa schon Euripid., Hiketid. 312 f.
τὸ γάρ τοι συνέχον ἀνθρώπων πόλεις/τοῦτ' ἔσθ', ὅταν τις τοὺς νόμους σώζῃ καλῶς. Siehe zu der Frage a.
oben Satorformel, [S. 55, Anm. 106].

aus beiden Fassungen schöpft, also etwa *omnium rerum seminator et sator et parens omnia continet,* so Cicero, De natura deorum II 86 (gekürzt); oder in prägnantester Form *sator opera tenet,* so die Satorformel, die noch aus dem ca. 416 n. Chr. entstandenen, fälschlich unter dem Namen des Augustinusschülers Prosper von Aquitanien überlieferten Carmen de providentia divina v. 132 voll und rein ertönt: *cum sator ille operum teneat momenta suorum* „denn jener Schöpfer erhält ja seine bedeutenden Werke".

Κρατεῖν c. Acc. = ‚ERHALTEN‘

In der ‚prosaischen‘ Fassung jener stoischen Formel ist uns, zum erstenmal bei Philon von Alexandria, für die erhaltende Funktion des Schöpfergottes neben dem traditionellen συνέχειν der Terminus διακρατεῖν in der gleichen Akkusativkonstruktion begegnet. Ihm und seiner Geschichte müssen wir uns jetzt zuwenden.

κρατεῖν c. acc. im Gegensatz zu der gewöhnlichen Genitivkonstruktion wird von den Grammatikern bisher i. a. nur im Sinne des sogenannten ‚totalen Akkusativs‘ registriert: ‚*devincere,* ganz und gar bewältigen; völlig innehaben‘[17]. Diese letzte Nuance bildet wohl die Brücke zu einer weiteren, doch im Grunde neuartigen Bedeutung von καρατεῖν c. acc., ‚erhalten, bewahren‘, von der die Grammatiken merkwürdigerweise schweigen, obwohl sie lexikalisch leicht belegbar ist[17a]. Zunächst aber| noch ein Übergang, der uns die Bedeutungsverschiebung klarmacht: Apocal. Johs. 2,1 ὁ κρατῶν τοὺς ἑπτὰ ἀστέρας ἐν τῇ δεξιᾷ αὐτοῦ ,der die sieben Sterne in seiner Rechten hält, bewahrt‘. Ähnlich σκῆπτρα κρατεῖν (dies wohl die richtige Lesart gegenüber σκήπτρων) Euripid., Phoiniss. 591; σκῆπτρον κρατεῖν Hegesandros (Anekdotensammler des 2. vorchristlichen Jhdts.) b. Athen. VII 289 C, κέρατα ὄρους κρατεῖν Xenoph. Anabas. V 6,7, etc. – also ‚halten‘ im Sinne von *tenere,* ἔχειν[18].

---

[17] Kühner-Gerth I 368f. Schwyzer-Debrunner II 108, 110 mit zahlreichen Beispielen wie Isocr. IV 35 πολέμῳ κρατήσαντες τοὺς βαρβάρους. Platon, Sympos. 220 A πάντας ἐκράτει (Sokrates trank alle unter den Tisch). Soph., Oid. Kol. 1380f. τὸ σὸν θάκημα καὶ τοὺς σοὺς θρόνους κρατοῦσιν (haben vollgültig inne). Vgl. a. Thuk. II 39,2. Für κατακρατεῖν mit der gleichen Konstruktion (neben dem gewöhnlichen Genitiv) vgl. a. Edw. Mayser, Gramm. d. griech. Papyri . . . II 2. 1934, S. 217 (Zen. pap. 59225, 8 vom Bespringen einer Stute durch den Hengst).

[17a] Z. B. Soph. Antig. 348f. κρατεῖ (er ‚hält‘) . . . ἀγραύλους θῆρας ὀρεσσιβάτας, falls die von Kraemer RE S VIII 1166 vertretene Konjektur richtig ist. Vgl. a. Soph., OK 1380f. τὸ σὸν θάκημα καὶ τοὺς σοὺς θρόνους κρατοῦσιν (wozu Radermacher meint, diese Konstruktion werde „üblich erst in hellenistischer Zeit"!).

[18] Vgl. Blass-Debrunner, Gramm. des ntl. Griech. [8]1949, S. 81 m. Anhang [8]1950, S. 30, wo κρατεῖν c. acc. ‚fassen, halten‘ auch nur im Sinne des totalen Akkusativs registriert ist (aus dem sich diese Bedeutung freilich herleiten mag). Für den ntl. Sprachgebrauch in dem in dieser und der vorigen Anm. belegten Sinn vgl. durchwegs auch das Bauersche Wrtrbch. z. NT s. v. κρατεῖν (συγκρατεῖν und διακρατεῖν sind im NT nicht belegbar), z. B. κρατεῖν c. acc. ‚festhalten‘ Apocal. 2,25. 3,11. Gutes Material auch bei W. Michaelis im ThWzNT III 1938, 910f. Vgl. ferner etwa aus dem 6. Jhdt. den akrostichischen Hymnos auf die Väter, Str. 4, v. 2 (P. Maas,

Noch einen Schritt weiter führen Stellen wie Dionys. Hal., Ant. Rom. IV 38 gg. E. ἀπήει στένων, κρατούντων καὶ παραπεμπόντων αὐτὸν ὀλίγων, . . . , wobei ihn einige stützten[19] (scil. daß er nicht fiel) und geleiteten'. So heißt denn auch κράτημα bei Galen t. 12, p. 232, das ,Festhalten durch einen (Stütz-) Verband'.

Poseidonios bei Sextus Empiricus, Adv. math. IX 81 ff. (Theiler F 354) bemächtigt sich des Verbums κρατεῖν eindeutig und ausgesprochenermaßen im Sinne von συνέχειν (ähnlich auch περιέχειν), διοικεῖν ,verwalten, regieren, erhalten'[20] und gebraucht dafür auch wiederholt das Kompositum διακρατεῖν, von dessen Auftauchen bei Philon, ebenfalls in Verbindung mit συνέχειν, unsere Betrachtung ausging. Bereits stoische Beeinflussung könnte auch – der Zeit nach sowohl (2. Hälfte des 3. Jhdts. v. Chr.) wie nach dem Gedankengehalt und der Formelsprache – die| Wendung des Historikers Phylarch verraten, der bei Athen. XV 693 F[21] den Kosmosgott kennzeichnet als τὸν τὰ ὅλα συνέχοντα καὶ διακρατοῦντα θεὸν καὶ ἀεὶ περιπολοῦντα τὸν κόσμον. Hier liegt also beim Gebrauch der Formel συνέχειν καὶ διακρατεῖν überall die Bedeutung ,Erhaltung und Regierung' fest, wie sie sich (was schon jetzt angemerkt sei) später in der christlichen Dogmatik terminologisch durchgesetzt hat[22].

Wir kommen aber in Verfolgung unserer Formel noch über den Beginn der stoischen Philosophie hinaus, wenn wir in den Fragmenten des Milesiers Anaximenes lesen (fr. 2 FVS I 13, S. 95, 17 f.) ἡ ψυχή, φησίν, ἡ ἡμετέρα ἀὴρ οὖσα συγκρατεῖ ἡμᾶς, καὶ ὅλον τὸν κόσμον πνεῦμα καὶ ἀὴρ περιέχει[23]. Hier ist das Subjekt also noch nicht der Kosmosgott schlechthin, sondern der anaximenische Urstoff, die Luft, die den Kosmos und seine Glieder beseelt,

---

Lietzm. Kl. Texte 52/53 ²1931, S. 26) κρατεῖ τὰς παραδόσεις ἡ ἁγία ἐκκλησία ,hält fest, bewahrt die Überlieferungen', und weiter, bereits das Ende der Bedeutungsentwicklung anzeigend, Str. 12, v. 9 f. (MAAS, S. 30) τὸν κύριον τὸν τὴν πνοὴν ἡμῶν κρατοῦντα ,der unser Leben erhält'.

[19] Die Bedeutungsentwicklung mag gefördert worden sein im Blick auf κρατύνειν = ,stärken, stützen, erhalten', z. B. Soph. El. 175 Ζεὺς, ὃς ἐφορᾷ πάντα καὶ κρατύνει.

[20] Zum poseidonianischen Ursprung des Abschnitts vgl. ob. Satorformel, Anm. 95 u. [S. 97 f.] M. POHLENZ, Stoa und Stoiker 1. 1950, S. 286 ff.

[21] Ebenso Eustath., Od κ 519 = Phylarch fr. 25 Jacoby (FrGrH A 81, Bd. II 1a, S. 168).

[22] Johs. Chrysostom., In Epist. ad Hebr. Homil II c. 3 (zu Hebr. 1,3) = M PGr 63, Sp. 23 φέρων . . . τὰ πάντα, τουτέστι κυβερνῶν, τὰ διαπίπτοντα συγκρατῶν, wofür kurz danach auch συνέχειν gebraucht ist. Sehr bemerkenswert, daß hier neben das συγκρατεῖν bzw. συνέχειν (,Erhaltung') auch das κυβερνᾶν (,Regierung') tritt. Beide Begriffe sind keineswegs identisch, aber sie gehören zusammen und interpretieren sich gegenseitig, was uns weiterhin noch wird beschäftigen müssen. Ihre nahe Verbindung begegnet immer wieder. Vgl. dazu unten [S. 90 f.] u. [S. 108 ff.]. Das Endstadium scheint deutlich durch in der Summa Theologica des Thomas v. Aquin, Vollständige lat.-dte. Ausg. Bd. 8. 1951 „Erhaltung und Regierung der Welt", wo zwar Thomas (Qu. I 103, 1) der creatio rerum nur ihre gubernatio gegenüberstellt, aber da und dort, auf den Spuren seiner Vorgänger, mit dem Terminus gubernare [κυβερνᾶν, διακρατεῖν oder συγκρατεῖν] auch den Ausdruck continere [συνέχειν] und conservare [σώζειν] abwechseln läßt (so Qu. I 103, 4, 3. 104, 1, 2. 104, 1,4. 104, 3, 1. 104, 3; aaO., S. 13, 29, 31, 41, u. ö.).

[23] Die Stelle ist bei BLASS-DEBRUNNER aaO. Anhang S. 30 im Sinn von ,zusammenhalten' vermerkt. Das συγκρατεῖ ἡμᾶς hat man vielfach (so auch H. STROHM brieflich) dem Anaximenes nicht zugetraut. KARIN ALT im Hermes 101. 1973, S. 159 f. will es durch das ,gut vorsokratische' κρατεῖ ersetzen, was für unsere Fragestellung nicht viel ausmacht. Dagegen verkennt die

indem sie ihn ‚verwaltet und erhält'. Somit lernen wir als den Ahnherrn der ‚prosaischen' Fassung unserer Formel einen der großen Milesier kennen, wie wir in Platons Timaios den Prototyp der ‚poetischen' Formulierung fanden[24]. | Das Allgemeinste des Gedankens, daß nämlich der Archeget der Schöpfung dieses sein Werk verwaltet[25], indem er es erhält, ist beiden Überlieferungssträngen gemeinsam.

Ja wir werden sogar noch über Anaximenes hinausgeführt, mit Sicherheit für den Gedanken, wahrscheinlich aber auch für seine formelhafte Prägung. Der bedeutendste Geist der frühen milesischen Philosophie, *Anaximander*, hat sich nach dem übereinstimmenden Referat des Hippolytos, des Aëtius wie bereits des Aristoteles (die bekanntlich alle gegen ihn polemisierten) folgendermaßen vernehmen lassen[26]:

Hippolyt., Refut. I 6,1 ff. Ἀναξίμανδρος . . . ἀρχὴν ἔφη τῶν ὄντων φύσιν τινὰ τοῦ ἀπείρου. ἐξ ἧς γίνεσθαι . . . τὸν . . . κόσμον. ταύτην δὲ . . . καὶ πάντας περιέχειν τοὺς κόσμους . . ., τὴν δὲ γῆν εἶναι μετέωρον ὑπὸ μηδενὸς κρατουμένην, μένουσαν δὲ τὴν ὁμοίαν πάντων ἀπόστασιν (d. h. also wohl: sie ‚erhält' sich selber vermöge des im ἄπειρον herrschenden Gleichgewichtszustandes).

Aëtius, De placit. I 3,3 Ἀναξίμανδρός . . . φησι τῶν ὄντων ἀρχὴν εἶναι τὸ ἄπειρον. ἐκ γὰρ τούτου πάντα γίγνεσθαι, καὶ εἰς τοῦτο πάντα φθείρεσθαι[27] . . .

Aristoteles, Phys. Γ 4,203b 7ff. τοῦ δὲ ἀπείρου οὐκ ἔστιν ἀρχή . . . ἀρχὴ . . . αὕτη τῶν ἄλλων εἶναι δοκεῖ καί περιέχειν ἅπαντα καὶ πάντα κυβερνᾶν, ὥς φασιν, ὅσοι μὴ ποιοῦσι παρὰ τὸ ἄπειρον ἄλλας αἰτίας . . . καὶ τοῦτ' εἶναι τὸ θεῖον.

Phys. Γ 7,208a 3f. ἄτοπον τὸ περιέχειν ποιεῖν αὐτὸ (scil. τὸ ἄπειρον) ἄλλα, μὴ περιεχόμενον.

Phys. Γ 8,208a 8 ἵνα ἡ γένεσις μὴ ἐπιλείπῃ . . .[28]. |

Lesung von W. KRANZ in seinem Buch ‚Kosmos' 1955, S. 22₃₀ κρατεῖ ἡμῶν das von Anaximenes Gemeinte völlig.

[24] Es sei nicht verschwiegen, daß auch Plat., Tim. 41 A. C/D, der sich ausdrücklich auf ältere Überlieferung beruft, hier noch seine erkennbaren Vorgänger hat, etwa Aisch., Hiket. 592ff.; dazu s. oben Satorformel, [S. 58ff.]. Andrerseits sind auch in der Ausdrucksweise der Milesier Spuren ‚hymnischen', also poetischen Stils unverkennbar; s. dazu W. JAEGER, Die Theologie der frühen griech. Denker 1953, S. 42, 184, 233.

[25] Auch Cic., De nat. deor. II 86 (THEILER F 361) findet sich (oben nicht ausgeschrieben) die Wendung *(omnium autem rerum), quae natura administrantur.* Dazu s. oben Satorformel [S. 52f.].

[26] Diels-Kranz, FVS I⁶ 12 A 11, 14, 15 = S. 83ff. Dazu jetzt die im Grundsätzlichen vorzügliche Interpretation des Wichtigsten von W. JAEGER aaO., S. 41ff. 232f., 236. H.-W. STRITZINGER, Untersuchungen zu Anaximander. Masch.-schr. Diss. Mainz 1952, S. 12f. über περιέχειν καὶ κυβερνᾶν bei Anaximander zurückhaltend und unergiebig, da neben Aristoteles die anderen Testimonia hier nicht herangezogen werden.

[27] Die Authentizität bestätigt sich durch die Ähnlichkeit mit dem berühmten fr. 1, der einzigen von Anaximander wörtlich erhaltenen wesentlichen Aussage. Man vergleiche hierzu, daß auch Platon im Tim. 41 A. C/D. den Schöpfer seine Schöpfung wieder in sich zurücknehmen läßt; das haben Stoiker wie Poseidonios, da sie von vornherein die Identität des Kosmos mit dem Schöpfer und daher konsequenterweise die Ewigkeit der Welt lehrten, aufgeben müssen. Vgl. dazu ob. Anm. 1, unten [S. 104f.].

[28] Diese prägnante Formulierung des Begriffs der ‚Schöpfung und Erhaltung' stammt

Es ist bereits von W. KRANZ mit Recht festgestellt worden²⁹, daß die Ausdrücke περιέχειν und κυβερνᾶν echt anaximandrisch sein dürften; dasselbe mag wohl auch von κρατεῖν (oder συγκρατεῖν, wie Anaximenes sagt) gelten, womit die wesentlichen Elemente unserer Formel auf die alten Milesier zurückgeführt wären.

Von größter Bedeutung ist dabei, daß bereits Anaximander, der Urvater der europäischen Philosophie, nicht nur die später in der Form συνέχειν ~ διακρατεῖν so fruchtbare Gleichung περιέχειν = κρατεῖν ,erhalten' aufgestellt zu haben scheint²⁹ᵃ, sondern daß er dieser erhaltenden Eigenschaft seines göttlichen Prinzips (τὸ θεῖον) auch schon das κυβερνᾶν zugesellt, dem wir weiterhin immer wieder begegnen werden³⁰. Dieses ,Steuern, Leiten, Regieren' darf als interpretierende Ergänzung zu περιέχειν ~ συνέχειν bzw. (συν-, δια-) κρατεῖν gelten, die sich um so leichter empfahl, als aus dem κρατεῖν (c. acc.) ,erhalten' ja immer auch das κρατεῖν (c. gen.) ,beherrschen' mit herausgehört werden konnte.

Umgekehrt aber empfängt das κυβερνᾶν von der durch περιέχειν ~ κρατεῖν bezeichneten ,Erhaltung' her seinen Sinn. Das | heißt, es will unter Anwendung einer fortan ganz geläufigen Metapher ein Regime bedeuten, das nichts mit autokratischer Tyrannis zu tun hat, sondern vielmehr auf eine patriarchalische Fürsorge, auf ein Erhalten und Bewahren oder Verwalten ab-

---

freilich vielleicht von Aristoteles, ist aber dann doch wohl von ihm aus der anaximandrischen Fragestellung übernommen. Die ganze dreigliedrige Formel begegnet übrigens andeutungsweise auch schon, auf Athena übertragen, bei Euripides, Heraclid. 770 ff. ὦ πότνια, σὸν . . . καὶ πόλις, ᾶς σὺ μάτηρ, δέσποινά τε καὶ φύλαξ (= γεννῶσα – κρατοῦσα – φυλάττουσα bzw. συνέχουσα). Danach ist v. WILAMOWITZ, Hermes 17. 1882, S. 356 ff. zu berichtigen und zu ergänzen.

²⁹ Diels-Kranz, FVS ⁶I S. 84 f., 90. Desgleichen jetzt mit Nachdruck W. JAEGER aaO.

²⁹ᵃ περιέχειν und κυβερνᾶν ist ,erhalten' und ,regieren'. JAEGER aaO. 41 f. übersetzt es mit ,umfassen' und ,steuern' (S. 184 besser ,zusammenhalten' und ,lenken') und denkt S. 233 bei dem ersten offenbar zunächst nur an ein Ganzheitsprädikat (τὸ ὅλον [= τὰ πάντα] περιέχειν). Daß aber dem περιέχειν daneben bereits der Sinn des Bewahrens und Erhaltens innegewohnt haben muß, bestätigen uns aufs glücklichste homerische Stellen wie Il. 1,393 und Od. 9,199 (οὕνεκά μιν . . . περιοχόμεθα ,weil wir ihn bewahrt hatten') vgl. späterhin Plutarch, Agis 12 gg. E. Caesar 16 (περιέχειν = σώζειν, φυλάττειν). Sicherlich unrichtig ist die Ausdeutung von περιέχειν als ,übertreffen' bei U. HÖLSCHER, Hermes 81. 1953, S. 418. Daß auch das Simplex ἔχειν schon früh als „erhalten, bewahren, beschützen" aufgefaßt wurde, beweist die bei Homer wiederholt angedeutete Namensetymologie von ,Hektor' = ,(Er)halter und Hüter' Il. 5,473. 6,403. 24,730; vgl. a. 22,322.

³⁰ Vgl. dazu auch schon ob. Anm. 22. Dazu die bekannte Stelle Cic., De leg. II 9 über die *vis caelestis legis . . ., quae . . . non modo senior est quam aetas populorum et civitatum, sed aequalis illius caelum atque terram tuentis atque regentis dei* (= θεοῦ οὐρανόν τε καὶ γῆν σῴζοντος καὶ κυβερνῶντος?); dazu jetzt H. STROHM, Mus. Helvet. 9. 1952, S. 174 f. m. Anm. 132. Vgl. übrigens auch Cic. De re publ. II 51 *tutor – procurator – rector – gubernator*. Die erhaltende, bewahrende Funktion des Herrschers vor seiner lenkenden, steuernden (σῴζειν καὶ κυβερνᾶν) kommt auch schon klar zum Ausdruck in Aischyl., Septem 2f. ὅστις φυλάσσει πρᾶγος (= *rem publicam*) ἐν πρύμνῃ πόλεως οἴακα νωμῶν.

zielt³¹. Das entspricht ganz dem Inhalt eines Führertums, wie es die Griechen, zumal die kleinasiatischen Ioner dieser Zeit, am Gegenbild der persischen ‚Tyrannis' entwickelt haben, indem sie dabei überdies die Herkunft ihres Königtums aus den alten patriarchalischen Ordnungen nicht verleugnen konnten³². Obendrein ist dieses Königsbild im Blick auf die Welt des Göttlichen geschaffen, zu der auch das κυβερνᾶν des Anaximander hier zurücklenkt: der Ζεὺς πατήρ, der sich nachhomerisch zum Ζεὺς βασιλεύς gewandelt hat, muß hier Pate gestanden haben. Das aus der Seefahrt, vom Steuermann, dem κυβερνήτης, her genommene Bild scheint freilich dem Anaximander zu gehören, wenn es nicht etwa verlorener zeitgenössischer Dichtung entstammt. Heraklit hat es übernommen und auf die alles verwaltende Vernunft übertragen³³. Bald hat auch Aischylos für die erhaltende Funktion des Zeus eine vergleichbare Metapher gewählt³⁴.

Die Stoa hat die ganze anaximandrische Formel aufgenommen³⁵, mit platonischen Anregungen vermengt und, wie wir zuversichtlich behaupten dürfen, den Kirchenvätern überliefert. Sehen wir zu, wie dieser Vorgang sich im einzelnen abespielt hat. |

Dabei erinnern wir uns, daß *Poseidonios* bei Sextus Empiricus κρατεῖν, διακρατεῖν, διοικεῖν, περιέχειν, συνέχειν unwiderleglich synonym gebraucht im Sinn von ‚regierend verwalten, umfassen, erhalten'³⁶. Da heißt es Sext., Adv. mathematicos IX 84 f. von der ἀρίστη ψύσις ἣ τὸν κόσμον διοικοῦσα, daß sie

---

[31] Nicht von ungefähr wird mit dem gleichen Ausdruck *government* noch heute in der englischen Demokratie sowohl ‚Regierung' wie ‚Verwaltung' bezeichnet.

[32] Siehe dazu H. HOMMEL in: Antike 18. 1942, S. 132f. (abgedruckt auch in desselben Symbola I 1976, S. 336f. und in: Wege der Forschung, Bd. 528. 1979, S. 279f.); DERS. in: Forschungen und Fortschritte 1943, S. 95ff.; danach zu korrigieren H. STROHM in: Mus. Helvet. 9. 1952, S. 163f. m. Anm. 97. Vgl. a. Platon, Ges. VI 768 Cff. und dazu O. LUSCHNAT in: Theologia Viatorum 6. 1954/58 (1959), S. 92 u. ö.

[33] Heraklit, fr. 41 ἓν γὰρ τὸ σοφόν, ἐπίστασθαι γνώμην, ὁτέη ἐκυβέρνησε πάντα διὰ πάντων. Danach auch Hippocr., De victu 10 τοῦτο πάντα διὰ παντὸς κυβερνᾷ, vgl. Parmenides, fr. 12,3 δαίμων, ἣ πάντα κυβερνᾷ. Ebenso von Zeus: Pindar, Pyth. 5, 122 κυβερνᾷ δαίμον' ἀνδρῶν. Vgl. a. W. JAEGER aaO., S. 145f., 277.

[34] Aischyl., Hiket 594 οὔριος Ζεύς, ‚der den günstigen Fahrwind sendet', vgl. ob. Anm. 24 und bes. ob. Satorformel, Anm. 125.

[35] Auf die Abhängigkeit des Poseidonios und Philon gerade von Anaximander (die natürlich keine unmittelbare zu sein braucht) hat v. WILAMOWITZ, Griech. Lesebuch I (2. Hlbbd.) ⁴1912, S. 187f. mit Nachdruck hingewiesen. Es ist eine erwünschte Bestätigung seiner wichtigen Ausführungen, daß sich dies jetzt bis ins Formelgut erweisen läßt.

[36] Sext. Adv. mathem. IX 81 ff. prägt die Synonymität der genannten Begriffe nachdrücklich ein. Dabei wird aus 81 συνέχειν ‚erhalten' als durchgängiger Oberbegriff deutlich; vgl. dazu a. ob. Satorformel, Anm. 106. Zum Nebeneinander von περιέχειν und συνέχειν vgl. GOETHES stoisierende Wendung „Der Allumfasser, der Allerhalter", im Faust I. Besonders rein erhalten ist diese stoische Formel etwa bei Johannes Damascenus, De fide orthodoxa I 8 (M PGr 94, 808 C) πιστεύομεν ... εἰς ... δύναμιν οὐδενὶ μέτρῳ γνωριζομένην ... περιέχουσαν τὰ σύμπαντα καὶ συνέχουσαν ... Für die Substantivierung ‚Allerhalter' findet sich bei Johannes Damascenus ebenfalls schon häufig der Terminus τοῦ παντὸς συνοχεύς (gelegentlich dafür auch παροχεύς), siehe die Sammlung einiger Stellen bei FRZ. DÖLGER, Der griech. Barlaam-Roman . . . 1953, S. 76, u. vgl. a. unten [S. 111 f.]

νοερά τε ἔσται καὶ σπουδαία καὶ ἀθάνατος. τοιαύτη δὲ τυγχάνουσα θεός ἐστιν. D. h. also, daß die beste (oberste) Natur, die den Kosmos verwaltend erhält, auf Grund ihrer göttlichen Eigenschaften selber als Gottheit zu gelten hat. Sie umfasse und erhalte aber, wie zweimal mit Nachdruck betont wird, als die beste Natur aller anderen Dinge Naturen *(περιέχει τὰς πάντων φύσεις· ἡ δέ γε τὰς πάντων περιέχουσα φύσεις . . .),* woraus eben zu schließen sei, daß sie den Kosmos insgesamt verwalte und erhalte. Wir dürfen also, um dies nochmals zu unterstreichen, aus der Ausdrucksweise des Poseidonios erschließen, daß die oberste Natur, das heißt die *Gottheit,* da sie *aller* untergeordneten *Dinge* Naturen umfasse und *erhalte (τὰς πάντων περιέχουσα φύσεις),* auch den Kosmos selber verwalte und erhalte *(ἀρίστη ἐστὶ φύσις ἡ τὸν κόσμον διοικοῦσα)*[37].

Damit wird vollends evident, was wir oben schon vermuteten, daß bereits die Wendung des *Phylarch* (fr. 25 Jacoby) genau dasselbe in gedrängterer Formulierung ausdrückt, indem sie *τὸν τὰ ὅλα συνέχοντα καὶ διακρατοῦντα θεόν,* den allerhaltenden und -verwaltenden Gott ständig den Kosmos fürsorgend umkreisen läßt *(ἀεὶ περιπολοῦντα τὸν κόσμον).* Daß dieser Satz, der über Poseidonios' Zeit um mehr als ein Jahrhundert hinaufweist,| stoisches Gepräge trägt, haben wir ebenfalls bereits angemerkt. Doch war nach dem dort ausgebreiteten Befund auch unmittelbare Abhängigkeit von den alten Milesiern nicht ausgeschlossen, bei denen wir jene Terminologie zuerst verwendet fanden. Das kann nicht energisch genug betont werden. Denn wenn wir auch berechtigt sind, unsere Formel vom Schöpfer- und Erhalter-Gott schlechthin als ,stoisch' zu bezeichnen, weil die Stoa sie befestigt, eingeprägt und allenthalben verarbeitet hat, so darf doch dabei nicht vergessen werden, daß Gedanke und erste Prägung zeitlich der Stoa weit vorauf liegen[38] und dieses Urwort mit den Vätern griechischer Philosophie verbinden.

Die Bedeutung der Stoa für die selbständige Handhabung speziell der *κρατεῖν*-Formel läßt sich übrigens noch deutlicher machen. Denn die Charakterisierung des höchsten Gottes als des ,ständig alles Erhaltenden' *(τὰ ὅλα συνέχοντα καὶ διακρατοῦντα . . . ἀεί,* wie Phylarch sich ausdrückt) finden wir bereits in der älteren Stoa, bei *Kleanthes,* dem wenig älteren Zeitgenossen des Phylarch, in gedrängtester Formulierung. Sein berühmter Zeushymnos nämlich beginnt mit den Versen[39]

> *κύδιστ' ἀθανάτων, πολυώνυμε, παγκρατὲς αἰεί,*
> *Ζεῦ φύσεως ἀρχηγέ, νόμου μέτα πάντα κυβερνῶν*

und nimmt gegen Ende (v. 35) diese letzte Wendung mit

> *δίκης μέτα πάντα κυβερνᾷς*

noch einmal leicht variierend auf.

---

[37] Vgl. dazu oben [S. 84]. Ps.-Clemens Romanus (M PGr 2, 606) *benedicimus te actorem et creatorem* natura rum *. . . atque a te sustentantur.*

[38] Dies ist bereits oben Satorformel [S. 57 ff.] u. ö. mit Nachdruck betont. Schon Aristophanes, Vögel 1753 gebraucht die tradierte Wendung *διὰ σὲ τὰ πάντα κρατῆσας,* versteht sie freilich offenbar bereits falsch im landläufigen Sinne von *παγκρατὴς = παντὸς κρατῶν.*

[39] Fr. 536 Arnim = StVetFr I S. 121 ff.

Der Gott, hier mit einem Zugeständnis an den überlieferten Volksglauben Zeus genannt, der Herr der obersten Natur *(φύσεως ἀρχηγέ)*, der alles lenkt *(πάντα κυβερνῶν)* und alles ständig erhält *(παγ-κρατὲς αἰεί)*, ist da mit Worten charakterisiert, die alles Wesentliche aus dem oben ausgehobenen milesisch-stoischen Vokabular bereits enthalten: das *(πάντα κυβερνᾶν* des Anaximander (nach Aristoteles' Bericht), den Gott als Inbegriff der obersten Natur wie später bei Poseidonios,| den ‚ständig alles Erhaltenden' in Variierung der Ausdrucksweise des Phylarch.

Gerade diese letzte Parallele, die sich bis auf das zugefügte *ἀεί* erstreckt, ergibt zwingend, daß Kleanthes eine alte Zeusepiklese, *παγκρατής* – im Blick auf das durch die Milesier geläufige *κρατεῖν* c. acc. = ‚erhalten' – mit neuem Sinn erfüllt und der stoischen Theologie dienstbar gemacht hat. Alle in der älteren griechischen Poesie sich zahlreich findenden Belege für *παγκρατής* als Epitheton des Zeus oder anderer Götter und Mächte zeigen klar, daß dort das geläufige *κρατεῖν* c. gen. zugrunde lag; denn das Wort heißt da überall ‚Allherrscher' oder ‚allgewaltig', nirgends ‚Allerhalter'[40].

Die neue und verbindliche Deutung eines Gottesnamens vom Nebensinn des den Akkusativ regierenden Verbums *κρατεῖν* her, wie wir sie hier für den *παγκρατής* in der älteren Stoa feststellen[41], begegnet uns nun auch noch einmal beim *παντοκράτωρ* im frühen Christentum. In beiden Fällen hat sich die neue Bedeutung jedoch nicht auf die Dauer halten können, wenn auch ihre Spuren halbverweht dem scharfen Auge noch verfolgbar sind. |

---

[40] *παγκρατής* von Zeus (Aischylos, Hepta 255. Prom. 389 θακοῦντι παγκρατεῖς ἕδρας. Eumen. 918, hier allenfalls mit dem Nebensinn des Allerhalters. Eurip., fr. 431,4), von Hera (Bacchyl. 11, 44), Athena (Aristoph. Thesm. 317), Apollon ([Euripid.] Rhes. 239, immerhin in Verbindung mit σωτήριος, vgl. Aischyl., Choeph. 1f. κράτη neben σωτήρ), Moira (Bacchylid. 17,24), Orestes (Aischyl., Agam. 1648), ferner von πῦρ und κεραυνός (Pindar), von σέλας, ὕπνος und χρόνος (Sophokles, Oid. Kol. 609 ganz besonders deutlich von der ‚allmächtigen' Zeit). Ältester Beleg jetzt im Themistokles-Psephisma von Troizen aus dem Jahr 480, Z. 38f. (M. H. JAMESON in: Hesperia 29. 1960, 198ff. und 31. 1962, 310ff.), falls man an die Echtheit glauben darf: θύσαντας ἀρεστήριον τῷ Διὶ τῷ παγκρατεῖ (hier vielleicht doch schon ‚allerhaltend'; vgl. gleich unten Anm. 41 den ganz ähnlichen Beleg). Eine Materialsammlung zum Vorkommen von *παγκρατής* bietet ORSOLINA MONTEVECCHI, Pantokrator, in der Festschrift Studi in onore di Aristide Calderini . . . 1957 II S. 402. Zum *Ζεὺς Παγκρατής* s. H. SCHWABL, Art. Zeus, RE S XV 1978, Sp. 1072 (bes. zum Themistokles-Dekret) u. 1469f.

[41] Der einzige, aus den LXX stammende Beleg, der *παγκρατής* weiterhin noch in der Bedeutung ‚allerhaltend' zu bieten scheint, findet sich im 2. vorchristl. Jhdt. bei Iason von Kyrene, II Maccab. 3, 22, wo es um die Erhaltung des durch den Syrer bedrohten, dem Hohenpriester anvertrauten Tempelschatzes geht: οἱ μὲν οὖν ἐπεκαλοῦντο τὸν παγκρατῆ κύριον (gemeint ist Gott) τὰ πεπιστευμένα . . . σῶα διαφυλάσσειν μετὰ πάσης ἀσφαλείας, wobei die fünf letzten Worte wie eine erläuternde Paraphrase der Gottesepiklese *παγκρατής* klingen. Der Begriff des ‚Allmächtigen' dagegen wird gleich darauf v. 24 ausgedrückt durch πάσης ἐξουσίας δυνάστης (8, 18 übrigens auch durch das übliche *παντοκράτωρ θεός*).

Auch Philon, Vita Mos. I 55, 304 könnte das ἅπαξ λεγόμενον ‚παγκρατησία' von *παγκρατής* = ‚Allerhalter' ausgehen. Da heißt es von Gott im Blick auf Mose: πρὸς δὲ τῇ εἰρήνῃ καὶ παγκρατησίαν ἱερωσύνης αὐτῷ (ἔδωκεν), was TURNEBUS so übersetzt: pacemque commodat perpetua propriaque sacerdotii possessione – also ‚allseitige Besitzerhaltung seines Priestertums'?

Pantokrator

Es kann kein Zweifel sein, daß der Gottesbeiname παντοκράτωρ gemeinhin Gott als den ‚Allmächtigen' bezeichnet. Wilhelm Michaelis hat das Material dafür auf Grund der Lexika gut zusammengestellt[42]. Nach Debrunners Vorgang erklärt er das Wort ähnlich wie andere späte -κράτωρ-Bildungen (z. B. αὐτοκράτωρ von αὐτοκρατής[43]), als von einem freilich unbelegten *παντο- κρατής in barbarischer Analogie abgeleitet, und zwar durch äußerliche An- gleichung an sakral- bzw. staatsrechtliche Bezeichnungen wie πράκτωρ, ῥήτωρ, ἡγήτωρ u. dgl.[44]. Das Modell für παντοκράτωρ wird freilich, da παντο- κρατής wohl nicht zufällig unbelegt ist, unser παγκρατής in dem oben nachge- wiesenen ursprünglichen und vorherrschenden Sinn ‚allmächtig' (πᾶν κράτος ἔχων, παντὸς κρατῶν, also zu κρατεῖν c. gen.) gewesen sein[45]. Daß die Neubil- dung gleichwohl παντοκράτωρ anstatt παγκράτωρ lautete[46], dürfte sich aus der gesuchten oder spontan sich einstellenden klanglichen Anlehnung an das| ältere αὐτοκράτωρ erklären, das schon seit dem 5. Jhdt. vorkommt (vielleicht auch an κοσμοκράτωρ). παντοκράτωρ dagegen scheint erst im 3. vorchristl. Jhdt. aufzukommen; außerbiblisch begegnet es zunächst nur ganz selten, als Attri- but von Gottheiten wie Mandulis (ägyptischer Sonnengott), Hermes, Kybe- le, Attis (für Isis auch παντοκράτειρα), wobei nirgends jüdischer oder gar christlicher Einfluß mit Sicherheit auszuschließen ist. Denn der eigentliche Ort der neuen Prägung ist durch die LXX gegeben. Dort scheint sie als

---

[42] Michaelis in Kittels ThWzNT III 1938, 913 f. Einiges auch bei C. H. Dodd, The Bible and the Greeks (1954) S. 19. Vgl. a. O. Montevecchi aaO., S. 403 ff., wo auch das papyrologische und epigraphische Material gesammelt ist.

[43] Ähnlich jetzt auch Ed. Schwyzer, Griech. Grammat. I 1939, S. 263, 531[11], wo die haplologische Entstehung aus dem eigentlich vorauszusetzenden *αὐτοκρατήτωρ mit Recht abgewiesen wird; sie täte dem Sprachgewissen der Schöpfer jener Bildung wohl zu viel Ehre an. Vgl. a. schon Ernst Fraenkel, Geschichte der griech. Nomina agentis auf -τήρ, -τωρ, -της (-τ-) 1. 1910, S. 128 m. Anm. 1 u. 2, u.s.a. die nächste Anm. Vgl. im einzelnen Debrunner, Idg. Forschgn. 54. 1936, S. 272 gegen Hjalmar Frisk, Göteborgs kungl. Vetenskaps- och Vitter- hets-Samhälles Handlingar V A 4, no. 4. 1934, S. 68 f., der haplologische Bildung von αὐτοκράτωρ aus *αὐτοκρατήτωρ angenommen hatte. Frdlr. Hinweis von H. Krahe. Wie Frisk auch Boisacq, Dict. étymol. de la langue grecque 510[2]. Besser jetzt auch Hj. Frisk, Griech. etymolog. Wörterbuch I 1960, S. 190 f. und P. Chantraine, Dict. étymolog. de la langue gr. 1968 ff., S. 143.

[44] Hier überall liegt die sprachgeschichtlich gerechtfertigte Ableitung von Verbalstämmen vor, während die -κράτωρ - Bildungen nicht zum Stamm κρατο-, sondern in willkürlicher Gleichklanganalogie zu -κρατής gehören; vgl. dazu auch die vorige Anm.

[45] Schon Hesych paraphrasiert παντοκράτωρ· ὁ θεός, πάντων κρατῶν. Vgl. a. Suda παντοκρατορία· πανταρχία. – Späterhin können wir noch einmal mit einiger Sicherheit feststellen, daß sich der Gebrauch sogar von παντοκρατικός (Dionys. Areopag.) an ein klassisches παγκρατής (Aischylos) anschließt; s. dazu unt. Anm. 107.

[46] παγκράτωρ ist uns immerhin einmal aus dem 1. nachchristl. Jhdt. inschriftlich belegt (s. Liddell-Scott s. v.). Vgl. Aischyl., Agam. 221. 1237 παντότολμος neben Sept. 671 παντόλμῳ, wo sich umgekehrt (haplologisch?) die kürzere Form dann durchgesetzt hat: Choeph. 430, 597, Euripides etc.

neugeschaffene Bezeichnung für die so häufigen hebräischen Gottesnamen *Zebaoth* und *Schaddai* eingeführt zu sein und fand sofort reiche Anwendung[46a]. Aus dem griechischen Alten Testament übernahmen das Wort Philon (nur zweimal), die jüdischen Sibyllinen und die frühen Christen, voran das Neue Testament. Freilich erscheint es hier nur II Kor. 6,18 λέγει κύριος παντοκράτωρ (als Abschluß einer alttestamentlichen Zitatenkollektion) und daneben neunmal in der Apokalypse des Johannes, wobei sechs von diesen Stellen (15,3. 16,7. 14. 19,6. 15. 21,22) wiederum durch alttestamentliche Reminiszenzen ausgelöst scheinen; man denkt dabei vor allem ganz allgemein an Amos 4,13 *(κύριος ὁ θεὸς ὁ παντοκράτωρ[47] ὄνομα αὐτῷ)*.

Übrig bleiben drei unter sich verwandte Stellen, die eine genauere Betrachtung erfordern:

A. Apocal. Johs. 1,8 ἐγώ εἰμι τὸ ἄλφα καὶ τὸ ὦ, λέγει κύριος ὁ θεός, ὁ ὢν καὶ ὅς[48] ἦν καὶ ὁ ἐρχόμενος, ὁ παντοκράτωρ.

Apocal. Johs. 4,8 ἅγιος ἅγιος κύριος ὁ θεὸς ὁ παντοκράτωρ, ὃς ἦν καὶ ὁ ὢν καὶ ὁ ἐρχόμενος.

Apocal. Johs. 11,17 εὐχαριστοῦμέν σοι, κύριε ὁ θεὸς ὁ παντοκράτωρ, ὁ ὢν καὶ ὃς ἦν, ὅτι εἴληφας τὴν δύναμίν σου τὴν μεγάλην καὶ ἐβασίλευσας.

Auch hier prägt sich zunächst – an der zweiten Stelle 4,8 besonders deutlich – die Übersetzung des atl. ‚Zebaoth‘ im| παντοκράτωρ ein, und der Gedankengehalt der Formel „der war und der ist und der sein wird" ist nach verbreiteter Ansicht aus Exod 3,14 *(ἐγώ εἰμι ὁ ὤν)* und Jes. 41,4 *(ἐγὼ θεὸς πρῶτος, καὶ εἰς τὰ ἐπερχόμενα ἐγώ εἰμι* – vgl. a. 44,6. 48,12) entwickelt, wiewohl wir schon hier anmerken müssen, daß erst eine freie Kombination der beiden atl. Zitate die volle Formel ὃς ἦν καὶ ὁ ὢν καὶ ὁ ἐρχόμενος ergäbe. Michaelis hat[49] darüber hinaus für die παντοκράτωρ-Stellen der Apokalypse die Einwirkung eines liturgischen Sprachgebrauchs feststellen wollen, wie er in der wohl aus dem Anfang des 1. vorchristl. Jhdts. stammenden sogen. *Aristease-pistel* 185 vorliege: πλήρωσαί σε, βασιλεῦ, πάντων τῶν ἀγαθῶν, ὧν ἔκτισεν ὁ παντο-κράτωρ θεός. Lassen wir die Frage zunächst einmal offen.

Die Aristeastelle verrät deutlich stoische Einflüsse, wie wir mit einiger Zuversicht sagen dürfen: der *πάντα κρατῶν* neben dem *πάντα κτίσας* der zugleich der ‚Geber aller Güter‘ ist, enthält in Anlehnung an alttestamentliche Formulierungen *(ἔκτισεν, παντοκράτωρ)* eine auf Poseidonios zurückgehende stoische Wendung, die ihrerseits die uns bekannte stoische Formel vom Schöpfer- und Erhaltergott variiert:

[46a] Wieso WOLFG. TRILLHAAS, Das apostol. Glaubensbekenntnis 1953, S. 38 zu der Meinung kommt, die Vokabel entstamme „dem antiken Herrscherzeremoniell" und bezeichne einen „ursprünglich politischen Begriff", ist mir unerfindlich.

[47] Auch hier Übersetzung von hebr. ‚Zebaoth‘.

[48] Ich führe hier und weiterhin den Passus in der syntaktisch ‚richtigen‘ Lesart ὃς ἦν an, obwohl der Verfasser nach der Vulgatüberlieferung sehr wohl ὁ ἦν geschrieben haben mag; vgl. dazu etwa ED. NORDEN, Agnostos Theos 1913, S. 382f.

[49] aaO. 914.

Dion Chrysostom., Olympikos (12), 74 τὸν βίου καὶ ζωῆς καὶ ξυμπάντων δοτῆρα τῶν ἀγαθῶν, κοινὸν ἀνθρώπων καὶ πατέρα καὶ σωτῆρα καὶ φύλακα[50], verkürzt zitiert bei Plutarch, De communibus notitiis adv. Stoicos 32 (1075 E) in der Form, daß die Götter ἀγαθῶν εἶναι δοτῆρες. Der παντοκράτωρ = der ‚Allmächtige' der LXX scheint also hier im Aristeasbrief, wo er sich dem ‚Schöpfer aller Güter' gesellt, bereits stoisch umgedeutet zum πάντα κρατῶν = παγκρατής[51] = ‚Allerhalter'. Wir halten diesen wichtigen Erstbeleg einstweilen fest, notieren aber schon hier die Fortsetzung, die er in einer Wendung der *Epistula ad Diognetum* (aus der Zeit um 200 n. Chr.) findet, wo sich der ‚Allschöpfer' παντοκτίστης dem ‚Allerhalter' παντοκράτωρ verbindet (ähnlich auch schon Theophilus ad Autolycum I 6).

Wie steht es nun aber mit dem παντοκράτωρ in unseren drei Versen aus der Johs.-Apokalypse (1,8. 4,8. 11,17)? Die| Gottesepiklese ist hier, abgesehen von ihrer schon erörterten Herkunft aus der Sphäre des atl. Zebaoth, durchwegs mit einer jeweils leicht variierten Ausdeutung verbunden, deren reinste Form die ‚chronologische' Anordnung in Apc. 4,8 aufweist ὃς ἦν καὶ ὁ ὢν καὶ ὁ ἐρχόμενος (verkürzt ὃς ἦν καὶ ὁ ὢν 11,17, vgl. 16,5) ‚der war und ist und sein wird'[52], und die Gott sozusagen als „Anfang, Mitt' und Ende" bezeichnet, wie es ähnlich formelhaft in einer alten orphischen Epiklese des Zeus niedergelegt ist, die von Platon und dann auch von der Stoa aufgegriffen wurde[53]: Ζεὺς ἀρχή, ζεὺς μέσσα, Διὸς δ' ἐκ πάντα τελεῖται.

An der ersten der drei παντοκράτωρ-Stellen der Apokalypse 1,8 ist die Formel mit dem AO-Symbol verknüpft, das seinerseits jene alte „Anfang, Mitt' und Ende'"-Konzeption in verkürzter Form – „Anfang und Ende" – verschlüsselt[54]; denn an zwei anderen Stellen der Apc 21,6 und 22,13 wird das A und O mit (πρῶτος καὶ ἔσχατος,) ἡ ἀρχὴ καὶ τὸ τέλος ausdrücklich interpretiert. Erst jüngst konnte ausführlich dargelegt werden, daß auch jene AO-Symbolik früh in die Stoa Eingang gefunden hat[55]. Wir erhalten also

---

[50] Vgl. oben Satorformel, Anm. 101.

[51] Dazu s. oben [S. 92ff.].

[52] Vgl. A. DEBRUNNER, Gramm. des ntl. Griech., Anhang [8]1950, S. 25 (§ 143) mit weiterer Literatur. W. STAERK, Soter . . . 1. 1933, S. 134, 149f. bemerkt mit Recht die Nuance, daß Apc. 1, 4.8 ὁ ἐρχόμενος statt des nichtchristlich geläufigen ἐσόμενος der Wendung einen für christliches Denken bezeichnenden eschatologischen Akzent verleiht.

[53] O. KERN, Orph. Fragm. 21 u. 21a, vgl. (auch zur Textform und zum hohen Alter des Spruches) oben Satorformel, [S. 69] m. Anm. 161. Dazu auch FR. DORNSEIFF ZNTW 36. 1937, S. 223, wo noch Hes., Theog. 34. Theogn. I 3 verglichen wird. – Platon, Ges. IV 715 E ὁ . . . θεός, ὥσπερ καὶ ὁ παλαιὸς λόγος, ἀρχήν τε καὶ τελευτὴν καὶ μέσα τῶν ὄντων ἁπάντων ἔχων „Gott, der nach einem alten Wort Anfang, Ende und Mitte alles Seienden (in sich) enthält" (auch hier schon die Vertauschung der Glieder in Abweichung von der ‚chronologischen' Ordnung!), vgl. a. das Schol. p. 451 BEKKER, VI p. 379 C. F. HERMANN, und dazu oben Satorformel, [S. 61] m. Anm. 131. – Schließlich auch das stoische Zitat bei Plutarch, De comm. not. adv. Stoicos 31, 1074 E Ζεὺς ἀρχή, Ζεὺς μέσσα, κτλ.

[54] Auch in der Orphik findet sich bereits die gleiche Verkürzung: KERN, Orph. Fragm. 21a = 168, 1 Ζεὺς πρῶτος γένετο, Ζεὺς ὕστατος ἀργικέραυνος s. oben Satorformel, [S. 61] m. Anm. 130.

[55] Satorformel [S.60ff., 63ff.].

von zwei Seiten her *(ἀρχή, μέσον, τέλος*-Formel und AO-Symbol) als Wahrscheinlichkeit nahegelegt, daß die drei zuletzt besprochenen παντοκράτωρ-
Stellen der Johs.-Apokalypse stoischen Geist atmen, der sich alttestamentli-
cher Überlieferung| vermählt hat, ohne daß ein Zusammenhang mit jener
Stelle des Aristeasbriefes angenommen werden müßte[56], für die jedoch in
anderer Weise dasselbe gilt.

Somit wäre also auch für die drei Verse der Apc der Schluß nahegelegt,
daß der παντοκράτωρ hier neben der herkömmlichen aus den LXX stammenden Bedeutung Zebaoth = ,Allmächtiger' bereits den Nebensinn des ,Aller-
halters' birgt, wofür freilich wiederum die Stelle aus dem Aristeasbrief, für
die wir ein gleiches annehmen durften, eine gewisse Stütze bietet.

„ Von ihm und durch ihn und zu ihm sind alle Dinge"

Aber der stoische Einfluß auf die Anfang, Mitt' und End'-Symbolik in der
Apokalypse, und damit implicite die Wahrscheinlichkeit für die Gleichung
παντοκράτωρ = ,Allerhalter' an den betreffenden Stellen, läßt sich noch von
anderer Seite her erhärten. Es geht dabei um eine weitere vielerörterte
neutestamentliche Formel, deren innerer Zusammenhang mit jenen Versen
der Apokalypse freilich noch nicht beachtet zu sein scheint:

B. Röm. 11,36 ἐξ αὐτοῦ καὶ δι᾽ αὐτοῦ καὶ εἰς αὐτὸν τὰ πάντα.

I Kor. 8,6 ἡμῖν εἷς θεὸς ὁ πατήρ, ἐξ οὗ τὰ πάντα, καὶ ἡμεῖς εἰς αὐτόν.

Kol. 1,16 (von Christus) ἐν αὐτῷ ἐκτίσθη τὰ πάντα . . . τὰ ὁρατὰ καὶ τὰ ἀόρατα
. . . · τὰ πάντα δι᾽ αὐτοῦ καὶ εἰς αὐτὸν ἔκτισται.

Hebr. 2,10 αὐτῷ, δι᾽ ὃν τὰ πάντα καὶ δι᾽ οὗ τὰ πάντα[57].

Die Topik der auf den ersten Blick als untereinander verwandt erscheinenden Aussagen tritt klar zutage und erweist sich vollends durch ihr Vorkom-
men bei verschiedenen Autoren (Paulus und Hebräerbrief[58]). |

Der gedankliche Zusammenhang unserer Stellen (B) mit den im vorigen
Abschnitt besprochenen Versen der Apokalypse (A) ist dadurch gegeben,
daß in der eschatologischen Schrift (A) allein von Gott (bzw. Christus) und
seinem Verhältnis zu den menschlich erfahrbaren Zeitbezügen Anfang,
Mitt' und Ende die Rede ist, während in den Episteln (B) das Verhältnis des
Alls der Schöpfung zu Gott (bzw. Christus) – in einem Falle auch der
Menschen zu Gott (I Kor. 8,6 καὶ ἡμεῖς εἰς αὐτόν) – in den drei Zeitstadien
Anfang, Mitt' und Ende ausgedrückt wird. Die Verbindung zwischen A

---

[56] So MICHAELIS, s. dazu oben [s. 97] m. Anm. 49.

[57] Die in diesem Zusammenhang von ED. NORDEN, Agnostos Theos 241 mit Recht auch
herangezogene Fassung Ephes. 4, 6 εἷς θεὸς καὶ πατὴρ πάντων, ὁ ἐπὶ πάντων καὶ διὰ πάντων καὶ ἐν πᾶσι
mit ihrer Umkehrung der Beziehung von θεός und πάντα lasse ich hier nur deshalb beiseite, weil
sie typologisch die Formel eigenwillig variiert und umgedeutet hat (vgl. aber auch schon
Heraklit, fr. 41 oben [S. 91] m. Anm. 33). Zu nennen wäre auch noch Hebr. 13,8; vgl. dazu auch
HEINR. VOGEL, Theol. Viatorum V 1953–54, S. 395.

[58] Die Frage der Verfasserschaft des Kolosserbriefs bleibe hier außer Betracht.

und B ergibt sich, sobald wir die Aussage A zu interpretieren versuchen, indem wir fragen, wessen Anfang, Mitt' und Ende denn Gott sei, worauf die Antwort doch wohl nur wird lauten können: seiner Schöpfung oder aller Dinge u. dgl. (B). Wir bemerken schon hier, daß gerade die Stoa es ist, für die Gott und seine Schöpfung, das All (der Kosmos) in Eins zusammenfallen[59], und daß in den einschlägigen auf die Stoa einwirkenden Orphikerversen an einer Stelle folgerichtig auch der Übergang zwischen den zwei Betrachtungsweisen A und B vollzogen ist:

A Ζεὺς ἀρχή, Ζεὺς μέσσα, – B Διὸς δ'ἐκ πάντα τελεῖται[60].

Dasselbe Ineinander beider Vorstellungen, der von Gott als Anfang, Mitt' und Ende und der von der Schöpfung als in ihrem einstigen Ursprung, ihrer gegenwärtigen Dauer und ihrer künftigen Vollendung von Gott abhängig, findet sich aber auch in der Umgebung einer der aufschlußreichsten Stellen der Gruppe B, Kol. 1, 15–20[60a]. Da wird Christus in v. 15 als *πρωτότοκος πάσης κτίσεως* bezeichnet (B), was dann in v. 16 näher ausgeführt wird *(ὅτι ἐν αὐτῷ ἐκτίσθη τὰ πάντα κτλ.)* und in der Aussage Ergänzung findet, daß die Schöpfung auch durch ihn *(δι'αὐτοῦ)* erhalten werde und ihn zum Endziel ihrer Vollendung habe *(εἰς αὐτὸν ἔκτισται)*. Dann aber werden auch | hier die Aussagekategorien A u d B verknüpft, indem es heißt 17 *καὶ αὐτός ἐστιν πρὸ πάντων* (A) *καὶ τὰ πάντα ἐ αὐτῷ συνέστηκεν* (B) und 18 . . . *ὅς ἐστιν ἀρχή* (A) . . ., *ἵνα γένηται ἐν πᾶσιν αὐτὸς πρωτεύων* (B), und ähnlich im folgenden, wo das „alles durch ihn und zu ihm hin" (B) vielleicht im Sinne einer „Wiederbringung aller" erläutert wird.

Als ein weiteres, diesmal ein rein äußeres Indiz, das beide Formelgruppen A und B miteinander verbindet, darf gelten, daß hier wie dort die Aussage gern durch Umstellung ihrer Glieder und durch Kürzung variiert wird. So zeigt, wenn wir ‚Anfang' mit a, ‚Mitte' mit b, ‚Ende' mit c bezeichnen, im ersten Falle (A) Apocal. 4,8 das Schema a b c; 1,8 b a c; 11,17 b a; das AO-Symbol in 1,8 wiederum bietet – unter Weglassung des Mittelglieds – eine Verkürzung zu a c[61]. Im anderen Fall (B) sieht die Gliederung so aus: Röm. 11,36 a b c; ebenso Kol. 1,16 *(ἐν αὐτῷ* = a, *δι'αὐτοῦ* = b, *εἰς αὐτόν* = c); I Kor. 8,6 a c; Hebr. 2,10 a b.

---

[59] Z. B. Cic., De nat. deor. II 86, dazu oben [S. 81], ausführlicher oben Satorformel [S. 50ff.]. Ferner vgl. allgemein M. Pohlenz, Die Stoa I 1948, S. 95, 233f. u. ö. (s. das Register unter ‚Pantheismus') mit den Belegen in Bd. II 1949, bes. S. 54, 118.

[60] Siehe oben [S. 98] m. Anm. 53. Zum hymnischen Stil dieser Verse und seiner Einwirkung auf ähnliche Prosa-Formulierungen vgl. K. Deichgräber, Philologus 88, 1933, S. 359.

[60a] Aus den Forschungen von E. Käsemann, Eine urchristl. Taufliturgie (Kol. 1, 13–20). In: Festschr. Rud. Bultmann 1949, S. 133–148 (vgl. a. unten [S. 135], Anm. 165) ergibt sich, daß die (von K. nicht beachtete) stoische Formel in Kol. 1, 16f. bereits durch einen gnostischen Hymnos hindurchgegangen sein dürfte, aus dem der Verf. des Kolosserbriefs bzw. seine Quelle die „Taufliturgie" entwickelt habe.

[61] Über anderwärts (vor allem im Satorquadrat bzw. im Paternosterkreuz) erhaltene Spuren der auch hier am Anfang stehenden vollen Reihe a b c siehe oben Satorformel [S. 65ff.].

Wir haben oben für die Anfang, Mitt' und End'-Symbolik in der Apokalypse (A) bisher nur mit einiger Zurückhaltung stoische Anregungen zu behaupten gewagt, nunmehr aber ihre nahe Verwandtschaft mit der Formel *ἐξ αὐτοῦ* (bzw. *ἐν αὐτῷ* bzw. *δι'αὐτόν) – δι'αὐτοῦ – εἰς αὐτὸν τὰ πάντα* (B) dartun können. Diese Formel aber hat man längst einwandfrei als stoisch erkannt, womit sich der Kreis schließt und nun auch für die Gruppe A der stoische Einfluß zuversichtlich behauptet werden darf.

Eduard Norden ist es gewesen, der den Nachweis geführt hat[62], daß unsere Formel B ihre genauen stoischen Parallelen besitzt, und die neutestamentliche Theologie hat sich dieser Erkenntnis nicht verschlossen[63]. Die entscheidende Parallele | bietet der Stoiker auf dem Kaiserthron Marcus, Ad se ipsum IV 23 *ὦ φύσις*[64], *ἐκ σοῦ πάντα, ἐν σοὶ πάντα, εἰς σὲ πάντα*[65], „o Natur, von

---

[62] Ed. Norden, Agnostos Theos 1913 (²1926) S. 240 ff.

[63] Ich nenne nur R. BULTMANN RGG² IV s. v. Paulus, Sp. 1029; Paulus hat „Röm. 11,36 I Kor 8,6 eine stoische Allmachtsformel variiert". Dabei geht es uns hier nicht um die jeweils sehr feine und überlegte Eingliederung des Fremdgutes in den christlichen Gedankengang (schon NORDEN aaO. hat z. B. für Röm. 11,36 den speziellen Bezug auf v. 32 betont), wie sie bes. auch in Kol. 1 gegeben ist; s. dazu die Kommentare. Übrigens wird bereits die Übersetzung der Vulgata dem stoischen Ursinn der Wendung nicht mehr gerecht, indem sie das 3. Glied mißversteht; nur I Kor. 8,6 übersetzt sie das *εἰς αὐτόν* richtig mit *in illum* und Kol. 1,20 *τὰ πάντα εἰς αὐτόν = omnia in ipsum)*, während sie Röm. 11,36 und Kol. 1,16, das *εἰς αὐτόν* falsch mit *in ipso* wiedergibt. Ebenso dann die Formel am Schluß des Messe-Kanons: *per ipsum et cum ipso et in ipso*. Eine aufschlußreiche Geschichte dieser „Quellformel mystischer Gotteserkenntnis" hat ALFONS (= P. Albert O.S.B.) AUER zu geben versucht (in seinem Buch ‚Theologisches Denken als Deutung der Zeit' 1946, S. 77–102 – frdlr. Hinweis von J. B. BAUER). Er bietet eine weit ausgreifende Dokumentation, schließt dabei (S. 82–84) antike Quellen mit ein und verfolgt den Gebrauch des Satzes im Christentums nach Form und Ideengehalt, ohne freilich die stoische Komponente zu beachten.

Auffallend ist, daß der Philologe M. POHLENZ, der in seinem gelehrten und besonnenen Aufsatz „Paulus und die Stoa" (ZNTW 42. 1949, S. 69–104) zwar die stoischen Einflüsse auf die einleitenden Partien des Römerbriefs und auf Acta 17 (Areopagrede) ausführlich behandelt und erhellt, dabei den bereits allseits anerkannten stoischen Gehalt unserer Formel B anscheinend ganz übersehen hat, obwohl er S. 90 (vgl. seine Stoa I 383) eine Variante der Formel zitiert, die sich in dem hermetischen Traktat wohl des 3. Jhdts. Ps.-Apuleius, Asclepius 34 p. 74,18 findet: *omnia enim deus . . ., omnia enim ab eo et in ipso et per ipsum*. Hinweis auf die stoische Herkunft der Formel fehlt auch bei W. THEILER, Porphyrios und Augustin 1933, S. 33 f. (wo Röm. 11,36 aus dem ob. im Text angeg. Grund besser nicht in der Vulgata-Fassung hätte zitiert werden sollen); vgl. a. schon ders., Vorbereitung des Neuplatonismus 1930, S. 130 (frdle. Hinweise von HARALD FUCHS).

[64] Zur faktischen Identität von *φύσις* und *θεός*, einer von Platon vorgebildeten, der Stoa seit ihrem Begründer Zenon eignenden Anschauung s. POHLENZ, Die Stoa I 65–68, bes. 68 und die Belege II 38 f..

[65] Vgl. daneben vor allem die ähnlich formulierten stoischen Aussagen Philon, De spec. legg. I 208, p. 242 M., p. 50 Cohn . . . *ὡς ἓν τὰ πάντα* [= Herakl., fr. 50] *ἢ ὅτι ἐξ ἑνός τε καὶ εἰς ἕν*, . . . Ps.-Aristot., De mundo 6, 397b, 13 ff. *ἀρχαῖος μὲν οὖν τις λόγος καὶ πάτριός ἐστι πᾶσιν ἀνθρώποις, ὡς ἐκ θεοῦ πάντα καὶ διὰ θεοῦ ἡμῖν συνέστηκεν, κτλ.* (= a b; ausführlicher zu der Stelle s. unt. [S. 106 f.]) – näheres in M. DIBELIUS Komm. zum Kol.-Brief, 3. Aufl. v. H. GREEVEN 1953, S. 13 f. –, 399a 13 *ἐξ ἑνός . . . καὶ εἰς ἕν* (a c).

dir stammt alles, auf dir ruht alles, zu dir hin strebt alles", und das heißt eben doch soviel wie: du bist Anfang, Mitt' und Ende.

Das zweite Glied mit seinem an sich sinnvollen ἐν σοί variiert das sonst durchgängig sich findende δι'αὐτοῦ genau so, wie es in dem ebenfalls späten Beleg Ps.-Apuleius, Asclepius 34[66] an dieser Stelle *in ipso* heißt, wo übrigens das dritte Glied zu *per ipsum* (anstatt etwa *in* oder *ad ipsum*) verballhornt ist. In den ntl. Belegen lautet dieses durchwegs εἰς αὐτόν, während da für das erste Glied neben ἐξ αὐτοῦ (so auch entsprechend beim Kaiser Marcus ἐκ σοῦ) die Variante ἐν αὐτῷ Kol. 1, 16[67] (aber eindeutig als auf die Schöpfung, also auf Anfang bzw. Ursprung bezüglich erwiesen durch das zugefügte ἐκτίσθη) und| δι'αὐτόν (Hebr. 2,10 – auch dies sinnentsprechend[68]), zu lesen ist. Wir gewinnen also als Prototyp der Formel die in Röm. 11,36 rein erhaltenen Wendungen ἐξ αὐτοῦ – δι'αὐτοῦ – εἰς αὐτόν.

Daß sich das erste Glied auf die anfängliche Schöpfung, das zweite auf die gegenwärtige Forterhaltung, das dritte auf die künftige Vollendung des Alls bezieht, haben wir vor allem dem 1. Kapitel des Kolosserbriefs (15–20) entnommen[69], wo die Formel innerhalb der ntl. Stellen am ausführlichsten erörtert ist.

Die erste Aussage des dreigliedrigen Satzes, die Gott als den *Schöpfer* aller Dinge kennzeichnet *(ἐξ αὐτοῦ τὰ πάντα),* ist für alt- und neutestamentlichen Glauben wie für die Auffassung der Stoa ohne weiteres klar, ist es doch auch eben derjenige Artikel, den Paulus im 1. Kap. des Römerbriefs (v. 18 ff.) als auch den Heiden evident voraussetzt, wobei er sich wiederum eines stoischen Gedankengangs bedient[70].

Das dritte Glied, nach dem alles letztlich auf *Gott* hinzielt *(εἰς αὐτὸν τὰ πάντα),* ist von der christlichen *Eschatologie* mit ganz neuem Inhalt erfüllt worden, daher auch Kol. 1,16.20 ff. folgerichtig auf Christus übertragen, der einst „alles zu ihm selbst hin wieder aussöhnen werde", sei es auf Erden (bei seiner Wiederkunft) oder im Himmel. Wie wir schon sahen, ließ sich dieser Gedanke, seiner spezifisch christlichen Anwendung entkleidet, zwar

---

[66] Ob. Anm. 63. Ebenso Kol. 17 καὶ τὰ πάντα ἐν αὐτῷ συνέστηκεν, dazu vgl. a. die folgende Anm.

[67] Anders zu verstehen ist Kol. I, 17 *(αὐτός ἐστιν πρὸ πάντων καὶ)* τὰ πάντα ἐν αὐτῷ συνέστηκεν, s. Anm. 66 u. vgl. dazu a. oben [S. 100 f.], unten [S. 106 f.].

[68] Nicht klar erkannt von ED. NORDEN, aaO. 347 f. in sonst nützlichen Ausführungen.

[69] Vgl. aber auch (für die beiden ersten Glieder) die Anm. 65 – vgl. unten Anm. 79 – ausgeschriebene und unten [S. 106] im Zusammenhang wiedergegebene Stelle aus Ps.-Aristot., De mundo 6. Übrigens haben auch verschiedene Symbolfassungen des 4. Jhdts. dem sog. 1. Glaubensartikel zur Erläuterung der Schöpfung das ἐξ οὗ τὰ πάντα logisch richtig beigefügt, während sie im zweiten ein δι' οὗ τὰ πάντα zusetzen, was zu dem im σωτήρ Christus beschlossenen Erhaltungsbegriff ebenso treffend paßt. Vgl. dazu H. LIETZMANN, Symbolstudien in: ZNTW 21. 1922, S. 8. – PAUL FEINE, Die Gestalt des apostol. Glaubensbekenntnisses in der Zeit des NT 1925, S. 95 f.

[70] Darüber ausführlich M. POHLENZ, ZNTW 42. 1949,; vgl. a. unten Bd. II: Das Harren der Kreatur, [7 f.]

wohl mit der Philosophie des Milesiers Anaximander in Einklang bringen, ja vielleicht bis in die Formulierung auf sie zurückführen[71], und auch Platon konnte im| ‚Timaios' den Erzeuger des Alls seinen Helfern den Auftrag geben lassen, daß sie die Geschöpfe erhalten und, wenn sie einst dahinschwänden, wieder aufnehmen sollten (. . . καὶ φθίνοντα πάλιν δέχεσθε)[72]. Aber daß die Stoa gerade dieses Schlußglied mit übernehmen, ja sich durch all ihre Lehrstadien bewahren konnte, wundert uns. Denn wir mußten schon mehrfach feststellen[73], daß die Lehre von der Ewigkeit der Welt sich schlechthin nicht mit dem Wiederhinzielen der Schöpfung auf den Schöpfer und ihr Wiedereingehen in ihn (εἰς αὐτὸν τὰ πάντα) verträgt. Erträglich gemacht war dies freilich durch die Weltperiodenlehre mindestens der älteren Stoa[74], nach welcher doch wenigstens am Ende jedes dieser Umläufe der Schöpfer sein Werk wieder in sich zurücknimmt[75]. Sogar von einer Apokatastasis, der Wiederherstellung des einstigen Zustands, weiß die antike Überlieferung in diesem Zusammenhang zu berichten[76], und es darf nicht unerwähnt bleiben, daß gerade auch der Kolosserbrief an unserer Stelle 1,20ff. mit dem| τὰ πάντα εἰς αὐτόν (1,16) die freilich christologisch zur Wiederversöhnung gewandelte Wiederherstellung aller verbindet, auch dies wohl nicht unbeeinflußt durch das stoische Vorbild.

So finden wir denn auch (und haben das bereits angemerkt), daß die stoischen Aussagen über das Verhältnis des Schöpfers zu seinem Werk im Umkreis des Poseidonios sich i. a. auf Schöpfung und Erhaltung beschränken, also das dritte, von dem Wiedereingehen der Schöpfung in die Gottheit

---

[71] Aëtius, De placit. I 3, 3 (ἐκ γὰρ τούτου πάντα γίγνεσθαι) καὶ εἰς τοῦτο πάντα φθείρεσθαι, oben [S. 89.]

[72] Platon, Tim. 41 C/D 3, vgl. 41 A, oben [S. 81] und Anm. 27.

[73] Ob. Anm. 1 und 27.

[74] POHLENZ, Stoa I 78 f. u. ö. II 44 ff. u. ö.

[75] So ist wohl auch noch die Stelle Marcus, Ad se ipsum X 1,3 zu verstehen, wo es vom κόσμος heißt γεννῶντος πάντα καὶ συνέχοντος καὶ περιέχοντος (= gignentis omnia et continentis – vgl. Cic., Lael. 20 – et conservantis, zu περιέχειν s. schon oben [S. 88 ff.]), καὶ περιλαμβάνοντος (= δεχομένου, recipientis) διαλυόμενα εἰς γένεσιν ἑτέρων ὁμοίων, vgl. wiederum Platon, Tim. 41 D ἀπεργάζεσθε ζῷα καὶ γεννᾶτε τροφήν τε διδόντες αὐξάνετε καὶ φθίνοντα πάλιν δέχεσθε und dazu oben Satorformel [S. 58]; oben Anm. 72; ferner Thom. Aqu., Comm. in Aristot. Phys. VIII 6,12 nihilominus tamen oportet esse aliquid super omnia, quod sua virtute contineat omnia, quae praedicto modo generantur et corrumpuntur (frdrl. Hinweis von S. RAEDER).
Eine andere Aporie – neben der stoischen, daß der ewige und mit der Gottheit identische Kosmos der Wiederzurücknahme in die Gottheit gar nicht bedürfe – sei hier wenigstens angemerkt. Sie besteht darin, daß die Erfahrung so vielfältig auch schon der erhaltenden Kraft Gottes zu widersprechen scheine. Man begegnet ihr gern mit der Auskunft, daß die Zerstörung des einen Individuums der Erhaltung anderer oder des Ganzen diene. Dieser Lösungsversuch hat seinen klassischen Ausdruck gefunden in H. v. KLEISTS Abhandlung „Wissen, Schaffen, Zerstören, Erhalten" (Erzählungen Bd. 3. 1924, S. 158–165, bes. 165 – frdlr. Hinweis von P. HOMMEL). Auch an Gottes Freiheit der Erwählung, die noch über seiner erhaltenden Macht walte, hat man sich zur Lösung der Aporie gern gehalten. Vgl. a. GOETHE, Dichtg. u. Wahrh. I 1 über das Erdbeben in Lissabon 1755.

[76] POHLENZ, Stoa I 80 f. II 47.

handelnde Glied eliminieren[77]. Sie mußten dies tun, sofern sie mit der Lehre von der Ewigkeit des mit dem Schöpfer identifizierten Kosmos wirklich ernst machten; und eben diese Konsequenz, die notwendigerweise zur Ablehnung der Weltperiodenlehre führen mußte, hat nach neuerer Forschung Poseidonios auf den Spuren seines Lehrers Panaitios wahrscheinlich gezogen[78]. Wenn sich trotzdem, speziell im Bereich unserer dreigliedrigen Formel, das εἰς αὐτὸν τὰ πάντα auch bei und nach Poseidonios forterhielt, so bedeutet das ein Mitschleppen überwundener Lehre und zeugt zugleich von der zähen Beständigkeit einmal eingebürgerter und fest geprägter Münze[79]. Das Christentum konnte gerade dieses Lehrstück gern und gut übernehmen und mit neuem Leben füllen, weil es zu seinem, im Grunde viel mehr dem platonischen Timaios als der stoischen Theologie verwandten Glauben vortrefflich paßte[80]. |

Noch zu erörtern bleibt das *Mittelglied* unserer Formel, das δι'αὐτοῦ τὰ πάντα, das gegenwärtige *Erhaltenwerden* der Schöpfung „durch den Schöpfer"[81], das uns hier vornehmlich zu beschäftigen hat. Die Erkenntnis, daß Gottes Werk nicht einem beim Schöpfungsakt sozusagen aufgezogenen und in Betrieb gesetzten Mechanismus gleicht, der sich dann selber in Gang hält, sondern daß es weiterhin der erhaltenden und bewahrenden Kraft des Schöpfers bedarf, um in Funktion zu bleiben, ist wohl wiederum weniger das Ergebnis logischer Spekulation[82] als vielmehr Frucht alter gläubiger

---

[77] Oben [S. 81 ff.].

[78] W. THEILER, Kaiser Marc Aurel. Wege zu sich selbst 1951 (zu V 13,4). O. LUSCHNAT, Dt. Lit.-Ztg. 1952, Sp. 529; vgl. ob. Anm. 1, 27 u. ö.

[79] Besonders aufschlußreich ist Ps.-Aristot., De mundo 6, wo der Verf. in Konsequenz der Lehren des Poseidonios 397b 13 ff. des langen und breiten nur die ersten beiden Glieder der Formel ἐκ θεοῦ πάντα καὶ διὰ θεοῦ ἡμῖν συνέστηκεν gelten läßt, wo sich aber dann 399a in etwas anderem Zusammenhang doch auch das dritte Glied dem ersten gesellt, μία ἐκ πάντων ἁρμονία . . . ἐξ ἑνός τε γίνεται καὶ εἰς ἓν ἀπολήγει. Beide Stellen ergeben kombiniert die volle dreigliedrige Formel. Die zweite, nur B a und c enthaltende Formulierung, die hier also die vorangehende B a b ergänzt, ist an sich auch isoliert weitergegeben worden; s. Philon, De spec. legg. I 208, ob. Anm. 65, und I Kor. 8,6 oben [S. 99 ff.].

[80] Das blieb auch der abendländischen Philosophie unverloren; s. etwa HEGEL, Begr. d. Rel. (nach seinen Vorlesungen), S. 1 f. „Gott ist der Ausgangspunkt von allem und das Ende von allem; von ihm nimmt alles seinen Anfang, und in ihn geht alles zurück. Er ist das Beseelende aller dieser Gestalten in ihrer Existenz, die erhaltende Mitte, die alles belebt, begeistert" (frdl. Mittlg. von SIEGFR. RAEDER); vgl. a. HERZOG und HAUCKS RE³ XVI 1905, S. 617 unten.

[81] Für Kol. 1,17 richtig erkannt von WERNER BIEDER, Der Kolosserbrief ausgelegt. 1943, S. 61 f.; nur andeutungsweise äußert sich M. DIBELIUS, aaO. (ob. Anm. 65).

[82] Um es so hinzustellen, spricht die mittelalterliche Theologie – wohl im Anschluß an Augustin, De genesi ad litt. IV 12,7, der sich auf Ev. Joh. 5,17 beruft (s. unten [S. 118], vgl. aber auch schon Clemens Al., Stromat. VI 16) – gern von einer *creatio continua*, einer ‚fortgesetzten Schöpfung', und Thomas Aquin. wendet auf den Spuren Augustins (aaO. = M PL 34, 304 C) allen Scharfsinn auf einen regelrechten Beweis für die erhaltende Tätigkeit Gottes (Summa Theologica, Deutsch-latein. Ausg., Bd. 8, 1951, Qu. I 104, S. 33 f. mit Kommentar S. 422 ff.), wobei die Analogie zum Sonnenlicht bemüht wird, bei dessen Verschwinden sich ebenfalls die Luft sogleich wieder verfinstere. Über Luthers Stellung zur *creatio continua* s. die kurzen

Erfahrung und fortgeerbter Überlieferung. So hat der nach HANS STROHMS tiefdringenden Forschungen[83] um die 1. Jahrhundertwende n. Chr. lebende Verfasser der *pseudoaristotelischen Schrift über die Welt* mit Worten, auf die schon mehrfach hinzuweisen war[84], sich in klassischer Formulierung auf ein altes, allen Menschen von den Vätern ererbtes Wort berufen. Die Stelle ist wichtig genug, um hier im Auszug des für uns Wesentlichen wiedergegeben zu werden. c. 6, 397b 13 ff. *ἀρχαῖος μὲν οὖν τις λόγος καὶ πάτριός ἐστι πᾶσιν ἀνθρώποις, ὡς ἐκ θεοῦ πάντα καὶ διὰ θεοῦ ἡμῖν συνέστηκεν, οὐδεμία δὲ φύσις αὐτὴ καθ'ἑαυτήν ἐστιν αὐτάρκης, ἐρημωθεῖσα τῆς ἐκ τούτου* (scil. *θεοῦ) σωτηρίας* 20 ff. *σωτὴρ μὲν γὰρ ὄντως ἁπάντων ἐστὶ καὶ γενέτωρ τῶν ὁπωσδήποτε κατὰ τόνδε τὸν κόσμον συντελουμένων ὁ θεός . . .*|

Die ‚stoische‘, sich unserer Formel bedienende Terminologie springt sofort in die Augen, und die genaue Entsprechung zwischen *γενέτωρ* (Schöpfer) und *ἐκ θεοῦ* einerseits, zwischen *σωτήρ* (Erhalter) und *διὰ θεοῦ* andrerseits stützt nicht nur unsere Interpretation der paulinischen Wendung (B *ἐξ αὐτοῦ, δι'αὐτοῦ . . .*), sondern bekräftigt auch ihre ‚stoische‘ Herkunft. Freilich hat STROHM[85] jetzt nachgewiesen, daß die Tendenz des sich stoischer Sprache bedienenden Abschnitts der ps.-aristotelischen Schrift wie diese überhaupt „Wort für Wort vom Willen zur Abgrenzung, genauer: von der Auseinandersetzung mit der Stoa geprägt ist".

Für uns ist dabei wichtig der bei diesem Platoniker sich findende „ausdrückliche Widerspruch gegen die stoische Immanenzlehre", mit dem klaren Gefühl für Gottes Distanz von seiner Schöpfung (*ἀπόστασις* 397b 30). Dabei wird ohne weiteres klar, daß auch den Gedanken der *Erhaltung* der Welt die Stoa nicht von sich aus fassen konnte, da er ihrer Immanenzlehre und ihrem Kosmosgott von Haus aus völlig unangemessen ist. Warum sie, die auch sonst vielfach zu Kompromissen mit dem Väterglauben neigte, ihn trotzdem aufgriff, ist hier nicht zu untersuchen, aber daß sie die geprägte Formel von den Alten übernahm und treu bewahrte, zeigt wiederum die werbende Kraft dieses Urworts und des in ihm beschlossenen Gedankens. Es sollte seine Macht in einem neuen Bunde, diesmal mit dem Christentum, noch weiterhin durch die Jahrtausende bewähren. Daß dies geschah, haben wir bereits einleitend aufgezeigt und haben es nun für ein wichtiges Teilglied der Formel, den *παγκρατής-παντοκράτωρ*, zu dem wir damit wieder zurückkehren, im einzelnen nachzuweisen.

Bemerkungen bei E. SCHLINK, Theologie der lutherischen Bekenntnisschriften [2]1946, S. 69. Mißverständlich WOLFG. TRILLHAAS, Das apostol. Glaubensbekenntnis 1953, 103.

[83] HANS STROHM, Studien zur Schrift von der Welt. Museum Helveticum 9. 1952, S. 137–175.

[84] Oben Anm. 65 u. 79.

[85] aaO., S. 158 ff.

Der Pantokrator bei den christlichen Vätern

Wenn es wahr ist, was wir oben[86] – zunächst noch mit einigem Vorbehalt – behaupteten, daß von den zehn παντοκράτωρ-|Belegen im Neuen Testament dreien neben dem herkömmlichen Sinn des ‚Allmächtigen', in dem die LXX das Wort eingebürgert haben, auch der ‚stoische' Nebensinn des ‚Allerhalters' zukommt, dann müßte es bei der Nähe der älteren christlichen Literatur zur stoischen Popularphilosophie verwundern, wenn diese Nebenbedeutung dort nicht ihre Spuren hinterlassen hätte. Ja, wir müssen zur Bestätigung unserer These das Sichtbarwerden solcher Spuren geradezu fordern.

Wir gehen dabei so vor, daß wir die Quellen zunächst nach dem Vorhandensein der Vorstufe des παντοκράτωρ in der verlangten Bedeutung, d. h. nach dem Gebrauch von κρατεῖν, διακρατεῖν, συγκρατεῖν im Sinne von ‚erhalten' befragen[87], möglichst mit Accusativ konstruiert und im Rahmen unserer Formel von „Schöpfung und Erhaltung" verwendet. Das Ergebnis ist in der Tat ermutigend[88]:

Aristides, Apologie, bei Johannes Damascenus, Vita Barlaam et Joasaph 26 (M PGr 96, 1107 f.)[89].

. . . *αὐτὸν οὖν λέγω εἶναι θεὸν τὸν συστησάμενον τὰ πάντα καὶ διακρατοῦντα,*
. . .

. . . *quocirca ipsum deum esse dico, qui omnia procreavit atque conservat,*
. . .

Athanasius, Epist. ad Serapionem III 4 (M PGr 26, 629)
πάντα γὰρ κρατεῖ καὶ συνέχει (scil. *ὁ υἱός, ἐν πατρὶ γὰρ ὤν, καὶ τοῦ πατρὸς ὄντος ἐν αὐτῷ*).

Basilius Magnus, Homil. quod deus non est auctor malorum 3
ποίημα ὄντες τοῦ ἀγαθοῦ θεοῦ καὶ ὑπ'αὐτοῦ συγκρατούμενοι . . . οὔτε πάθοιμεν ἄν τι μὴ βουλομένου θεοῦ[90]. |

Macarius Magnus fr. 2
κρατεῖ τῶν κτισμάτων (θεός).

---

[86] Oben [S. 98 f.], vgl. [S. 96].

[87] Vgl. oben [S. 87 ff.].

[88] Wiederum bin ich für die Sammlung zahlreicher Belege meinem Schüler Siegfried Raeder zu großem Dank verpflichtet. Eine Auswertung des ganzen ungeheuren patristischen Materials war unmöglich; doch hoffe ich, daß die wesentlichen Stimmen zu Wort gekommen sind.

[89] Der Barlaam-Roman, obgleich in der griechischen Fassung erst von Johannes Damascenus stammend (der Nachweis der lang angezweifelten Autorschaft ist jetzt erbracht durch Frz.Dölger, Der griech. Barlaam-Roman, ein Werk des H. Johs. v. Dam. 1953), enthält bekanntlich u. a. ein Stück der Apol. des Aristides aus der Mitte des 2. Jhdts., für das der ursprüngliche Wortlaut zwar nicht verbürgt, aber wahrscheinlich ist. Ich füge oben den Text der lateinischen Fassung bei. Zu Aristides aus Athen vgl. H. Lietzmann, Gesch. d. alten Kirche II ³1961, S. 176 f.

[90] Vgl. Platon, Tim. 41 A *ὧν ἐγὼ δημιουργὸς πατήρ τε ἔργων, ἃ . . . ἄλυτα ἐμοῦγε μὴ ἐθέλοντος* und dazu oben Satorformel [S. 57], ferner in dieser Abhandlung oben passim.

Johannes Chrysostomus, Ad populum Antiochenum homil. X 2 (M PGr 49, 113)

τίς δὲ αὐτὰ (τὰ στοιχεῖα) συνήγαγεν ἀπ'ἀρχῆς; . . . τίς ἐχαλίνωσε, τίς ἐπὶ τοσοῦτον διακρατεῖ χρόνον;

In epist. ad Hebr. homil. II 3, zu c. 1,3 (M PGr 63,23)

φέρων τε γάρ, φησί, τὰ πάντα τουτέστι κυβερνῶν, τὰ διαπίπτοντα συγκρατῶν. τοῦ γὰρ ποιῆσαι τὸν κόσμον οὐχ' ἧττόν ἐστι τὸ συγκρατεῖν, ἀλλ' εἰ δεῖ τι καὶ θαυμαστὸν εἰπεῖν, καὶ μεῖζον. τὸ μὲν γὰρ ἐξ οὐκ ὄντων ἐστί τι παράγειν. τὸ δέ, τὰ γεγονότα εἰς τὸ μὴ εἶναι μέλλοντα ἀναχωρεῖν συνέχειν . . . τοῦτό ἐστι . . . πολλῆς δυνάμεως τεκμήριον.

Wir sehen, alle geforderten Bedingungen sind in diesen Zeugnissen erfüllt, nur daß im Fragment des Makarios sich bei κρατεῖ die gewohnte Genitivkonstruktion durchgesetzt hat, was aber, von den anderen Stellen abgesehen, in der Evidenz der auch hier sich findenden Formel (κτίζειν und κρατεῖν = ‚erschaffen und erhalten') seinen Ausgleich findet.

Zuversichtlicher befragen wir demnach die frühchristlichen Quellen nach dem Vorkommen von παντοκράτωρ u. ä. im Sinne oder doch Nebensinne des ‚Allerhalters'. Wir ziehen dabei die Stellen mit heran, an denen die ‚Leitung' und ‚Erhaltung'[91] des Alls oder aller Dinge verbal ausgedrückt ist. Als Ordnungsprinzip diene wie bisher die chronologische Reihenfolge, zunächst ohne Rücksicht auf die Verschiedenheit der Sprache (griechisch bzw. lateinisch):

Athenagoras, Legatio pro Christianis 13

τὸν δημιουργὸν θεὸν συνέχοντα καὶ ἐποπτεύοντα ἐπιστήμῃ καὶ τέχνῃ, καθ'ἢν ἄγει τὰ πάντα[92].

Theophilus, Ad Autolycum I 6

δημιουργός τε καὶ ποιητής, διὰ τὸ αὐτὸν εἶναι κτίστην καὶ ποιητὴν τῶν ὅλων . . . παντοκράτωρ δέ (λέγεται), ὅτι αὐτὸς τὰ πάντα | κρατεῖ καὶ ἐμπεριέχει

(vorher ist auch vom τρέφειν und κυβερνᾶν Gottes die Rede).

Irenaeus, Adv. haereses V 18,3

mundi factor . . . continet quae facta sunt . . . gubernans et disponens omnia (= κυβερνῶν καὶ διοικῶν τὰ πάντα).

Epistula ad Diognetum 7,2

αὐτὸς ἀληθῶς ὁ παντοκράτωρ καὶ παντοκτίστης[93] καὶ ἀόρατος θεός.

---

[91] Zur nahen gegenseitigen Zuordnung der beiden Begriffe vgl. oben [S. 90 ff.], zum κυβερνᾶν auch schon das zweite der aus Joh. Chrysost. soeben angeführten Beispiele.

[92] Natürlich ist hier τὰ πάντα als ‚ἀπὸ κοινοῦ' zu den Partizipien und zum verbum finitum zu fassen.

[93] Die auffallende Tatsache, daß hier der Allerhalter dem Allschöpfer vorangestellt ist, erklärt sich vielleicht daraus, daß der ganze Abschnitt stark vom Erhaltungsgedanken bestimmt ist; auch nachher begegnet neben und vor δημιουργὸς τῶν ὅλων, ἔκτισεν usw. mehrfach φυλάσσειν, διοικήσεις usw. Außerdem schwingt für den Christen im παντοκράτωρ immer ja auch der aus den LXX geläufige Begriff des ‚Allmächtigen' mit. Schließlich ist die Umstellung nicht ohne Parallele; sie begegnet auch in vorchristlichen Zeugnissen gleicher Art, so in einer Notiz des Juden Aristobulos (Zeitgenosse des Poseidonios) über Orpheus, bei Euseb., Praep. evangel.

Origenes, De principiis II 9,1

universa condidit deus . . . creaturis . . ., quantae a providentia dei dispensari, regi et contineri possint.

Athanasius, Epist. ad Afros episcopos 8,72 (M PGr 26, 1044)

τὰ δὲ γενητὰ οὐ δύναται ἔχειν τὸ δημιουργεῖν, κτιστὰ γάρ ἐστιν . . . οὐδὲ τὸ παντοκράτωρ . . ., κρατούμενα γάρ . . . ἐστιν.

Hilarius Pictav., Tractatus in LXIV. psalmum

mundi creatorem . . . omnia moderantem . . . omnia continentem.

Gregorius Nyssen., Orat. II contra Eunomium (M PGr 45, 524 B ff.)

τὸ τοῦ παντοκράτορος ὄνομα . . . μὴ ἄλλο τι σημαῖνον ἐπὶ τῆς θείας δυνάμεως ἢ τὸ . . . ἔχειν τὴν κρατητικὴν τῶν ἐν τῇ κτίσει θεωρουμένων ἐνέργειαν . . . οὕτως οὐδὲ παντοκράτωρ, εἰ μὴ πᾶσα ἡ κτίσις τοῦ περικρατοῦντος αὐτήν, καὶ ἐν τῷ εἶναι συντηροῦντος ἐδέετο· . . . (dazu vgl. oben [S. 83] Ps.-Justinus Martyr, unten [S. 112] Johannes Damascenus). οὐκοῦν ὅταν τῆς παντοκράτωρ φωνῆς ἀκούσωμεν, τοῦτο νοοῦμεν, τὸ πάντα τὸν θεὸν ἐν τῷ εἶναι συνέχειν, . . .[93a]

Ambrosius, Hymnus ad sextam

Haec namque, Christe, condita Manent tua potentia

Johannes Chrysostomus (s. die beiden auf [S. 109] ausgeschriebene Stellen[94]).

Augustinus, De trinitate V 1

creatorem sine situ praesidentem, sine habitu omnia continentem.

Ps.-Prosper Aquitanus, Carmen de providentia divina 153/4 (M PL 51, 620 D)

omnem autem hanc molem mundi qui condidit, ipse/et regit.

Paulinus Nolanus, Epist. 16,3

mundum deo auctore confectum . . . omnia . . . quae intra mundum . . . non ad alterius regimen esse referenda . . . neque regi continerique . . . nisi a . . . deo uno, omnium conditore, a quo fieri ordinarique potuerunt.

Chrysologus Ravennas, Sermo 62

qui fecit omnia, instituit universa, cuncta moderatur, de te (scil. *Christo) nasci, de te regi voluit, instituit nutriri, ut te parente viveret.*

Dracontius, Carmen de Deo 684 ff.

credamus virtute dei, qua cuncta creavit,
et generata vigent sub nutritore tonante:
qui cum regna poli teneat stellantis et alti . . .
et totum capit una manus, quod sermo creavit[95].

13,12 (Kern, Orph. fragm. 247): διακρατεῖσθαι θείᾳ δυνάμει τὰ πάντα καὶ γενητὰ ὑπάρχειν, καὶ ἐπὶ πάντα εἶναι τόν θεόν (frdl. Hinweis von HELGA KUHNKE).

[93a] Das Folgende bemüht sich eine Brücke zu schlagen zwischen Gott als Allerhalter und Gott als Allumfasser! Dazu vgl. ob. Anm. 36 u. ö.

[94] Besonders die Schlußwendung der zweiten Stelle ist aufschlußreich, da sie die erhaltende Funktion Gottes als Beweis (τεκμήριον) für seine πολλὴ δύναμις nimmt, womit deutlich auf den παντοκράτωρ-Namen angespielt ist. So hat es auch Petrus Lombardus verstanden; s. dazu unten Anm. 112 und [S. 120 f.]. – Vgl. auch ob. Anm. 91.

[95] Zu den beiden letztaufgeführten Zeugnissen vgl. auch unten [S. 365] m. Anm. 123.

Boëthius, De consolatione philos. 1. IV metr. 6,34f. 42

conditor altus/rerumque regens . . . quae nunc stabilis continet ordo . . .

I. IV metr. 9 1f. (13f.)

O qui perpetua mundum ratione gubernas, terrarumque caelique sator, . . .

(und auch vorher pr. 9 gg. E.)

Johannes Damascenus, De fide orthodoxa I 1 (M PGr 94, 789)

ἡ κτίσις καὶ ἡ ταύτης συνοχή τε καὶ κυβέρνησις τὸ μεγαλεῖον τῆς θείας ἀνακηρύττει φύσεως[96]. |

I 5 (M PGr 94, 801 B) τοῦ παντὸς ποιητὴς συνοχεύς τε καὶ κυβερνήτης[97].

Vita Barlaam et Joasaph 17 (M PGr 96, 1001 f.)[98]

τὴν εὐάρμοστον κατασκευὴν καὶ συντήρησιν τῆς κτίσεως ἁπάσης ἐννοῶν . . . κηρύττουσι . . . ὑπὸ τοῦ (θεοῦ) . . . γεγενῆσθαι συνέχεσθαί τε καὶ συντηρεῖσθαι καὶ ἀεὶ προνοεῖσθαι.

aptissimam rerum omnium conditarum structuram atque conservationem consideravi . . . praedicant se a deo creatore . . . procreata esse atque contineri semperque gubernari.

Dialogus contra Manichaeos 76 (M PGr 94, 1573 D)

ὑμεῖς δὲ εἴπατε ἡμῖν, τί ἐστι παντοκράτωρ; πάντως ὁ πάντα κρατῶν[99] . . . ἢ πῶς δημιουργὸς μὴ δημιουργήσας τὴν ὕλην;

Hugo de St. Vict., Allegoriae in Nov. Test., lib. V (M PL 175, 857f.)

est quidem (deus) in omnibus creaturis . . . eas regendo et in esse conservando.

Diese Auswahl aus einem noch viel reicheren Material mag fürs erste genügen. Sie zeigt, daß Gottes πάντα κρατεῖν oder κυβερνᾶν, *omnia gubernari, regere, moderari* etc. allenthalben in enger Verbindung zu seiner Schöpferei-genschaft gesehen wird und ihn damit nicht nur als παντοκράτωρ-*omnipotens* im Sinne des ‚Allmächigen' charakterisiert, sondern daß durch die häufige Zufügung von συνέχειν, συντηρεῖν, *continere, conservare* u. ä. betont wird, wie sehr zugleich auch seine ‚Allerhalter'-Eigenschaft hervorgehoben werden will.

Aber es gibt außerdem eine Anzahl wichtiger Stellen, die uns noch deut-licher erkennen lassen, daß die christlichen Väter | sich mit dem Problem der

---

[96] Die ganze Stelle, besonders auch das Vorausgehende, klingt unverkennbar an Acta 14,17. Röm. 1,19f. an.

[97] Vgl. FRZ. DÖLGER, Der griech. Barlaam-Roman . . . 1953, S. 76; danach stammt die Stelle aus Ps.-Kyrill. Vgl. auch unt. [S. 114].

[98] FRZ. DÖLGER, Der griech. Barlaam-Roman . . . 1953, S. 75f., 95 (vgl. ob. Anm. 12).

[99] Das darauf zunächst Folgende zeigt, daß der Sinn des κρατεῖν c. acc. hier schon nicht mehr verstanden ist, wie denn vom Verfasser weiterhin auch mit κρατεῖν c. gen. operiert wird (ähnl. vielfach bei Joh. Damasc., s. z. B. die bei FRZ. DÖLGER aaO. 95 abgedruckten Stellen, so Barlaam 24 – M PGr 96, 1077 – ποιητὴν συνέχοντά τε πάντα καὶ συντηροῦντα . . . κρατοῦντά τε πάντων). Um so wichtiger aber scheint die hier noch erhaltene, offenbar seit Theophilus (s. ob.) tradierte Definition, wie sie oben im Text wiedergegeben ist. Ich verdanke den Hinweis auf diese und die unt. Anm. 102 angeführte Stelle der Freundlichkeit von FRZ. DÖLGER und von LENE REICHHOLD vom Byzantinischen Institut Scheyern.

Doppelgesichtigkeit des παντοκράτωρ bewußt auseinandersetzen und das Ergebnis dieses Bemühens weitervererben, bis es schließlich langsam verblaßt, um als unerkannte Formel zwar mit der solchen Elementen eigenen Zähigkeit immer noch tradiert zu werden, aber nicht mehr ins helle Bewußtsein zu dringen[100]. Diese Zeugnisse gilt es jetzt zu untersuchen.

Ps.-Tertullian, Carmen adv. Marcionem V 9,4 ff. (M PL 2, 1089) heißt es von Christus, offensichtlich in freier Anlehnung an Hebr. 1,2/3:

> *cum patre semper erat, unitus gloria et aevo;*
> *omnitenentis enim solus qui verba ministrat,*
> *quem capit (scil. omnitenens) in terris, et per quem cuncta creavit.*

Hier wird also Gott, der (durch Christus, Hebr. 1,2) alle Dinge geschaffen hat, zugleich als *omnitenens* bezeichnet. Das kann nur eine, den ‚stoischen‘ Nebensinn von παντο-κράτωρ, nämlich πάντα κρατῶν = πάντα συνέχων (‚Allerhalter‘) noch im Blickfeld habende korrekte Übersetzung dieser wesentlichen Nuance von παντοκράτωρ sein[101], die uns hier erstmals belegt, aber wer weiß von wem eigens dazu geschaffen ist, den verdeckten Sinn des Allerhalters aus dem παντοκράτωρ herauszuholen.

Der verständige Übersetzer des zwiegesichtigen griechischen παντοκράτωρ fand sich ja in der schwierigen Lage, entweder, wie es meist geschah, die verbreitete römische Jupiterepiklese *omnipotens* zu wählen (der streng genommen παντο-δύναμος entspräche, nicht παντο-κράτωρ[102]), wobei die zweite Bedeu|tung *omnitenens* mit herauszuhören war, oder aber *omnitenens*, wodurch die alte dem παντοκράτωρ von den LXX zugedachte genuin biblische Bedeutung des ‚Allmächtigen‘ (Zebaoth, Schaddai) zu kurz kam. So verwundert uns nicht, daß *omnipotens* die Oberhand gewann, womit dann freilich, wie bei παντοκράτωρ selber, der wichtige Nebensinn verloren zu gehen drohte, ja in der Tat allmählich verloren ging.

Bezeichnenderweise hat auch *Cyrillus* von Jerusalem ungefähr gleichzeitig mit dem Erstbeleg von *omnitenens* in seiner 8. Katechese εἰς τὸ παντοκράτωρ cap. 2 diesen Gottesnamen mit der so aufschlußreichen ‚stoischen‘ Accusativkonstruktion von κρατεῖν paraphrasiert, die uns die deutliche Spur seines

---

[100] Vgl. dazu schon die vorige Anm.

[101] Daß *omnitenens* Übersetzung von παντοκράτωρ ist, merkt richtig an FORCELLINI, Lex. tot. Latinit. s. v. III 1940, S. 489. Zu dem Mangel an neuschöpferischer Sprachkraft beim Verf. des ps.-tertullianischen Gedichts s. ERNST HÜCKSTÄDT, Üb. d. ps.-tertullianische Gedicht adv. Marcionem. Diss. Leipzig 1875, S. 11. – Vgl. allgemein auch schon Jo. PEARSON, Expositio symboli apostolici 1691, S. 74, Anm. 2, bei einer auch sonst wichtigen Erörterung des παντοκράτωρ-Namens.

[102] Noch Dionysius Areopagita, De divinis nominibus 8, macht sich über die Abgrenzung des in den LXX neben dem παντοκράτωρ erscheinenden παντοδύναμος von παντοκράτωρ seine Gedanken. Bei Joh. Damasc., De fide orthodoxa I 2, bietet der Herausgeber bei Migne (P Gr 94, 791 f.) als Übersetzung von πάντων κτισμάτων δημιουργὸς παντοδύναμος παντοκράτωρ richtig *creatorum omnium opifex, omnia potens, omnia continens*. Zu *omnipotens* ~ παντοδύναμος vgl. a. FERD. KATTENBUSCH, Das apostolische Symbol II 1900, S. 533 f. (Neudruck 1962). Vgl. a. unten Anm. 126.

Wissens vom ‚Allerhalter‘ verrät: ὁ τὰ (ὑψηλότερα καὶ) κατώτερα κρατῶν (im Anschluß an Ps. 139,8), und gleich darauf gibt er in cap. 3 dem παντοκράτωρ die absolut korrekte doppelte Interpretation, die den beiden in dem Wort enthaltenen Bedeutungen des ‚Allerhalters‘ und des ‚Allmächtigen‘ gerecht wird[103]: παντοκράτωρ γάρ ἐστιν ὁ πάντα[104] κρατῶν, ὁ πάντων ἐξουσιάζων κτλ.

Auch *Augustinus*, der sich die uns bei Ps.-Tertullian zuerst begegnende Wortneuprägung *omnitenens* zu eigen macht, hat das richtige Verständnis dafür besessen, daß immer da, wo der παντοκράτωρ neben dem Schöpfer des Alls erscheint, die Bedeutung ‚Allerhalter‘ im Vordergrund zu stehen hat, so wenig auch er die dem Wort von den LXX her anhaftende ‚biblische‘ Konzeption des ‚Allmächtigen‘ unterdrücken konnte. | Wie Cyrill an der zuletzt besprochenen Stelle sieht auch er den einzigen Weg, dies verständlich zu machen, in der doppelgliedrigen Paraphrase, wobei ihm eben die schon geprägte Neubildung *omnitenens* zu Hilfe kommt. Aber als neuer Zug findet sich bei ihm der geistreich eigenwillige Versuch, den *omnipotens* dem Schöpfer- und Erhaltergott überzuordnen, während er historisch gesehen den *omnipotens* als Erhaltergott mit der ‚biblischen‘ Nebenbedeutung ‚Allmächtiger‘ hätte interpretieren sollen. Der logische Gewinn ist freilich groß; denn nur so bleibt das Doppelgesicht des ja auch biblisch belegbaren[105] ‚stoischen‘ Schöpfer- und Erhaltergotts rein erhalten, während der παντοκράτωρ-*omnipotens* im Sinne der LXX in neuer übergeordneter Bedeutung erscheint: Confessiones XI 13, 1

te deum omnipotentem, et omnicreantem et omnitenentem coeli et terrae artificem.
Vollends entscheidend ist in diesem Zusammenhang Tractatus in Joh. CVI 5[105a]:

Ac per hoc sicut pater aeternus omnipotens, ita filius aeternus omnipotens; et si omnipotens, utique omnitenens. Id enim potius verbum e verbo interpretaremur, si proprie volumus dicere, quod a Graecis dicitur παντοκράτωρ, *quod nostri non sic interpretarentur, ut omnipotens dicerent, cum sit* παντοκράτωρ *omnitenens, nisi tantundem valere sentirent.*

Auf deutsch: „Und damit ist, gleichwie der ewige Vater allmächtig, so

---

[103] Als Abfassungszeit des ps.-tertullianischen Gedichts erschließt Hückstädt aaO., S. 51 f., etwa das Jahr 363, als Verfasser Victorinus Afer.

[104] So (πάντα) die besseren Codices (denen C. Capizzi S. J., *ΠΑΝΤΟΚΡΑΤΩΡ* 1964, S. 58 m. Anm. 24 folgt), während die neueren Ausgaben der Lesart πάντων folgen (so auch F. Kattenbusch aaO. 540). πάντα ist geschützt durch die Stelle in cap. 2 (s. ob. im Text) und durch das unterscheidend im Genitiv wiederholte πάντων bei ἐξουσιάζων, wo diese Konstruktion am Platze ist. Der Herausgeber (M PGr 33, 628 zu der Stelle) durfte also nicht (in Verkennung der hier vorliegenden spezifischen Bedeutung von κρατεῖν c. acc.) die Richtigkeit der Lesart πάντων zu begründen suchen, indem er sagt: „At Cyrillus in hac catechesi et alibi passim verbum κρατεῖν cum gignendi casu fere semper coniungit.“ Vergröbernd und der falschen Lesart folgend auch der späte Pachymeres, p. 665, λέγεται παντοκράτωρ, ὅτι πάντων (!) κρατεῖ καὶ ἐξουσιάζει. Vgl. auch Anm. 108.

[105] Dazu s. oben [S. 82 f.].

[105a] Mir freundlich nachgewiesen von meinem Schüler und Kollegen W. Werbeck.

auch der ewige Sohn allmächtig; und wenn er allmächtig ist, so ist er ganz gewiß (gleichzeitig) allerhaltend. So nämlich müßten wir vielmehr wort-wörtlich übersetzen, wenn wir eigentlich ausdrücken wollen, was von den Griechen gemeint ist mit *n.*, was die Unseren nicht so übersetzen würden – daß sie nämlich ‚allmächtig‘ sagten, das ja *n.* ‚allerhaltend‘ bedeutet –, wenn sie nicht empfänden, daß es ebensoviel bedeute. “

Der Anklang an den ersten Artikel des Apostolicums, der uns in diesem Zusammenhang noch beschäftigen wird, ist evident. Der verbindlichen Kraft des damals längst geprägten Symbolums ist es vielleicht auch zuzu-schreiben, daß der scharfsinnige Versuch des Augustinus keine Nachfolge mehr hat finden können. Denn mit dem Wortlaut des Apostolicums war bereits entschieden, daß die sinnerhellende Neubildung *omnitenens* sich ne-ben dem schon aus der römischen Religion vertrauten *omnipotens* nicht würde durchsetzen können, zumal das Griechische kein allgemein verständ-liches Äquivalent bot.

Augustinus selber hat sozusagen resigniert, indem er das *omnipotens* aus seiner dem Begriff von ihm zugewiesenen übergeordneten Stellung wieder herausnahm und es historisch richtig der die Schöpfung ergänzenden Erhal-tung zuordnete, freilich dabei wiederum durch *omnitenens* aufhellend inter-pretierte:

De genesi ad litt. IV 12,7

> *creatoris namque potentia et omnipotentis atque omnitenentis virtus*[106] *causa subsistendi est omni creaturae.* |

Hier steht also die Macht *(potentia)* des Schöpfers vor und neben seiner allmächtigen und allerhaltenden Kraft *(virtus)*, und beide zusammen werden unter Verwendung eines leise angedeuteten Chiasmus als Grundursache für das Fortbestehenkönnen der Schöpfung gedeutet. Diese Stelle sollte, wie sich gleich zeigen wird, ihre besondere Bedeutung für die Weitergabe der Lehre von Gott dem Schöpfer und Erhalter gewinnen. Freilich ist der hier ansetzende Überlieferungsstrang, so gut er verfolgbar ist, nur dünn, und zahlreiche maßgebliche Äußerungen späterer Dogmatiker begnügen sich bei der Erläuterung des Wortes *omnipotens* mit einer oberflächlichen, kaum auch nur der ‚biblischen‘ Komponente des Begriffs gerecht werdenden Ausdeutung, so z. B.

Alcuin, Disputatio puerorum, cap. 11 de fide (M PL 101,1097)

> *omnipotens dicitur, quia omnia potest.*

Oder in der gleichen Tradition

Bruno Herbipolensis, Comm. in orationem dominicam, symbolum aposto-lorum et fidem Athanasii (M PL 142, 557) *omnipotens dicitur, quia omnia potest, quaecumque vult.*

Der letzte griechisch schreibende Kirchenvater, der – im Sinne des Cyril-

---

[106] Nachgeahmt von Augustinus’ treuem Schüler Prosper Aquit., Epigr. 39,5 (M PL 51, 510 B), *nam deus, omnipotens simul omnitenensque potestas.*

lus von Jerusalem einerseits, des Ps.-Tertullian und Augustin andrerseits –
noch eine Spur von der vollen Erkenntnis der im Pantokratornamen beschlossenen Doppelbedeutung bewahrt hat, scheint der meist um 500
n. Chr. angesetzte sogen. *Dionysius Areopagita* gewesen zu sein. Er äußert
sich zu dem Gottesnamen παντοκράτωρ

De divinis nominibus 10,1

     τὸ μὲν γὰρ λέγεται („einerseits nämlich wird Gott so genannt") διὰ τὸ πάντων
αὐτὸν εἶναι παντοκρατορικὴν ἕδραν[107] συνέχουσαν καὶ περιέχουσαν τὰ ὅλα – das
verrät eine klare Erkenntnis des ‚Allerhaltenden' im Begriff des Namens
–, aber er fährt kurz darauf fort: |

     λέγεται δὲ παντοκράτωρ ἡ θεαρχία καὶ („es wird aber die Gottesherrschaft
andrerseits als παντοκράτωρ bezeichnet auch") ὡς πάντων κρατοῦσα . . . καὶ
ἐπάρχουσα.

Die Kenntnis des κρατεῖν c. acc. scheint also bereits geschwunden – denn
diese Konstruktion ist vermieden –, aber der Doppelsinn von παντοκράτωρ ist
noch treu bewahrt.

Dann aber hat das griechisch sprechende Christentum der östlichen Kirche die beidseitig ausgewogene Interpretation des Pantokratornamens verloren[108]. Wir verstehen das; denn einmal hat hier die durch den Anfang des
Hebräerbriefs begünstigste Übertragung der Epiklese des Schöpfergotts auf
Christus[109] in Liturgie und bildender Kunst besonders Wurzel geschlagen
und den Glauben mehr und mehr bestimmt. Und eben dieser *Χριστὸς Παντοκράτωρ*, der aus den Apsidenmosaiken der byzantinischen Kirchen leuchtet,
hat dann auch die herrscherlichen, weltregierenden Züge des oströmischen
Kaisertums angenommen, vor der Gottes allerhaltende Funktion in den
Hintergrund treten mußte. Mit kurzen Worten, der Christus der Ostkirche
ist ein *κύριος βασιλεὺς πάντων κρατῶν*, kein *πατὴρ πάντα κρατῶν*[109a].

---

[107] Eine kühne, bei diesem Autor aber nicht verwunderliche Metonymie, daß Gott selber
‚der Thron der allerhaltenden Macht aller Dinge' sei; sie scheint entwickelt aus einer aischyleischen Wendung, nicht von ungefähr aus einem bis ins späte Altertum gelesenen Drama,
Prometh. 389 (von Zeus) θακοῦντι παγκρατεῖς ἕδρας – hier natürlich παγκρατής im Sinne von
‚allmächtig' gebraucht (ob. Anm. 40 u. 45) –, übrigens im Zusammenhang einer ‚Verleug-
nungs'-Szene 375 ff., die den christlichen Leser an Ev. Joh. 18,11,17,25 ff. erinnern mochte.

[108] Und zwar auch da, wo die richtige Erklärung noch einmal aufleuchtet; s. dazu oben, bes.
[S. 122] m. Anm. 99. Vgl. a. Anm. 104.

[109] Natürlich kommen auch andere ntl. Stellen in Betracht, wie Ev. Joh. 1,3, Ephes. 3,9 v. l.
und vor allem Kol. 1,16 f. (dazu oben [S. 99 ff.]); s. den Exkurs von Mtn. Dibelius zu Kol. 1,17
„Die Vorstellung von Christus als Weltseele und Weltschöpfer" S. 9 ff. und RGG [2]I 1927, Sp.
1601 f. Aber der παντοκράτωρ ließ sich hieraus offenbar nicht entwickeln, wie denn auch in der
betr. Tradition Kol. 1 keine Rolle spielt, immer wieder aber Hebr. 1; s. dazu unten [S. 119 ff.].

[109a] Das bekannteste Beispiel für den Christos Pantokrator mit ausdrücklicher Beischrift ist
das Apsidenmosaik in der Kirche von Monreale bei Palermo. Auf dem Kuppelmosaik der
Capella Palatina in Palermo ist der Pantokrator von einem Spruchband umgeben, das die
Ausdeutung der Gestalt als Repräsentation der göttlichen Allmacht unterstreicht: Jes. 66,1 (=
Acta 7,49) ὁ οὐρανός μοι θρόνος κτλ. „Der Himmel ist mein Stuhl und die Erde meiner Füße
Schemel." Aber der Beisatz lautet nicht wie beim Propheten (LXX) οὕτως λέγει κύριος, sondern

Anders und behutsamer verlief, wie schon angedeutet, die Entwicklung im lateinischen Westen, befördert durch jene fruchtbare Wortneuschöpfung des *omnitenens*.

Schon *Clemens Alexandrinus* hatte bei Erörterung der Sonntagsruhe Gottes am siebten Schöpfungstage gegen andere Auffassungen den Standpunkt vertreten, daß diese Ruhe als ein Übergang von der schöpferischen zur erhaltenden Tätigkeit zu verstehen sei, andernfalls Gott aufhören würde, Gott zu sein: Stromat. VI 16

ἔστι δ᾽ οὖν καταπεπαυκέναι τὸ τὴν τάξιν τῶν γενομένων εἰς πάντα χρόνον ἀπαραβάτως φυλάσσεσθαι. |

Augustinus hat diesen Gedanken und seine Begründung De genes. ad litt. IV 12,7 (oben [S. 115]) aufgegriffen, ja Confessiones XI 13,1 (oben [S. 115]) sogar kühn auf das Verhalten Gottes vor der eigentlichen Schöpfung auszudehnen versucht. Die erste dieser beiden Äußerungen wird von Augustinus' Schüler *Prosper Aquitanus*, Liber sententiarum ex operibus S. Augustini delibatarum Nr. 278 sive 277 „De providentia dei operantis" (M PL 51, 467) folgendermaßen paraphrasiert:

creatoris omnitenentis omnipotentia causa est subsistendi omni creaturae; quae virtus si ab eis quae condidit regendis aliquando cessaret, simul omnium rerum species et natura concideret. proinde quod dominus ait „pater meus usque nunc operatur" (Ev. Johs. 5,17) continuationem quamdam operis eius, qua simul omnia continet atque administrat, ostendit.

Dabei fällt auf, daß die Anfangsworte eine Kürzung des augustinischen Textes darstellen, aber immerhin noch das wichtige *omnitenentis* bewahren[110].

An all diesen Stellen, die also an Probleme des alttestamentlichen Schöpfungsberichtes der Genesis anknüpfen, wird mit dem stoischen Topos von Gott dem Schöpfer und Erhalter operiert. Das ist der eine, wir können sagen, der ‚alttestamentliche‘ Überlieferungsstrang, an Hand dessen die stoische Formel sich forterbt.

Der andere, sozusagen ‚neutestamentliche‘, knüpft, wie wir bereits mehr-

---

die Allmachtinterpretation in bemerkenswerter Weise unterstreichend: λέγει κύριος παντοκράτωρ! – Gegen diese meine Interpretation, wie sie oben im Text in etwas pointierter Weise geboten ist, hat C. Capizzi S. J., *ΠΑΝΤΟΚΡΑΤΩΡ* 1964, S. 124 m. Anm. 27 energisch Stellung genommen. Er beruft sich auf einige wenige, von ihm S. 122 gesammelte liturgische Zeugnisse („non molto numerosi", wie er ausdrücklich zugibt) aus byzantinischen Hymnen, wo Christus als *πάντα περιέχων* o. ä. apostrophiert wird, und schließt daraus auf Ausgewogenheit des *omnitenens* und des *omnidominans* im byzantinischen Pantokrator, womit er mich keinesfalls überzeugen kann (vgl. dazu auch die vorige Anm.) – Zum Pantokrator in der christlichen Kunst vgl. jetzt auch Kl. Wessel, Das Bild des Pantokrator. In: Polychronion. Festschr. Frz. Dölger . . . 1966, S. 521–535, mit Ergänzungen zu Capizzi und mit weiterer Literatur.

[110] Dieses fehlt bei Gregorius Magnus, Moral. XVI 37 (M PL 75, 1143 C), bereits völlig, wo Augustin – ebenfalls in atl. Zusammenhang – ganz frei variiert erscheint mit Wendungen wie *omnia gubernantis manu tenentur; cuncta in illo subsistunt, a quo creata sunt; cuncta . . . auctor omnium regiminis manu retinet;* usw.

fach aus dem vorgelegten Material entnehmen konnten, an den Anfang des *Hebräerbriefs* (1,2 ff.) an, wo in eindringlicher Weise Schöpferkraft und Majestät Gottes des Vaters auf den Sohn Christus übertragen erscheint[111] und wo man die von diesem gebrauchte Wendung 1,3 φέρων τε τὰ πάντα τῷ ῥήματι τῆς δυνάμεως αὐτοῦ auf die ‚Erhaltung' des Alls bezog[112], um die stoische Formel mit ihrer doppelten Aussage | vom Schöpfer *und* Erhalter in vollem Umfang auf Christus übertragen zu können und so das altererbte Gut heidnischer Philosophie wie vorher dem alten, so nun auch dem neuen Bunde zu vermählen. Wer diesen entscheidenden Schritt getan hat, wissen wir nicht. Der früheste Beleg scheint in den oben besprochenen Versen des ps.-tertullianischen Carmen adversus Marcionem V 9,4 ff. zu stehen[113]. Ausdrücklich Bezug genommen auf Hebr. 1,2/3 wird jedoch, soviel ich sehe, erst bald danach bei *Johannes Chrysostomus, In* Epist. ad Hebr. Homil. II 3 (oben [S. 109]).

An der folgenden Stelle, die wiederum der Erklärung von Hebr. 1,2/3 gewidmet ist (sie dürfte kaum die älteste dieser Art sein), läßt es sich zeigen, daß sich mit dem ‚neutestamentlichen' Überlieferungsstrang bereits jener ‚alttestamentliche', von Gottes unaufhörlicher Schöpfertätigkeit handelnde, verbunden hat:

Walafrid Strabo, Comm. in epist. ad Hebr. (zu 1,3 *portansque omnia* etc.)

per ipsum fecit omnia. hic ei nunc summam auctoritatis attribuit, ex eo quod cum auctoritate cuncta gubernat et continet. sicut enim ab eo creata sunt omnia, ita per eum immutabilem conservantur.

Bis hierher werden die üblichen Topoi variiert, sichtlich ganz in den Geleisen der Hebräerbriefexegese; denn das κυβερνᾶν und συνέχειν *(gubernare* und *continere)* findet sich auch in der soeben zitierten Stelle des Johannes Chrysostomus.

Was aber unmittelbar folgt und also ebenfalls der Auslegung der neutestamentlichen Stelle dienstbar gemacht wird, ist eine gegenüber Prosper (oben [S. 118]) wiederum verkürzte, dennoch teilweise wörtliche Paraphrase der uns bekannten Stelle Augustinus, De genesi ad litt. IV 12,7 (oben [S. 115], vgl. [S. 118]), also einer Erörterung des atl. Problems von Gottes Ruhe am | siebten Schöpfungstage. Dabei ist besonders wichtig und als Bestätigung unserer oben ([S. 116]) getroffenen Feststellung zu werten, daß der Exzerp-

---

[111] Siehe oben [S. 83] u. ö.

[112] Ein eigenwilliges, nur vom allgemeinen Gedanken her zu verstehendes Unterfangen, da φέρειν für ‚erhalten' in keiner der vielen Varianten der stoischen Formel vorzukommen scheint. Immerhin klingt die Wendung des Hebräerbriefs an den παντοδύναμος an, der die Vorstellung vom *omnipotens-παντοκράτωρ* leicht erwecken konnte. Vgl. dazu ob. Anm. 94.

[113] Oben [S. 113 f.]. Vgl. aber auch schon so frühe Stellen wie Irenaeus, Adv. haereses V 18,3 (oben [S. 84, 110]), wo es heißt: *mundi factor vere verbum dei est, hic autem est dominus noster, qui in novissimis temporibus homo factus est, in hoc mundo exsistens, et secundum invisibilitatem continet quae facta sunt . . .* Weiterhin Ambrosius, Hymnus ad sextam (oben [S. 111]). Die Frage bedürfte einer eingehenden Untersuchung.

tor des 9. Jhdts. das bei Augustin sich noch findende *potentia et omnipotentis atque omnitenentis virtus,* das Prosper zu *omnitenentis omnipotentia* verkürzt hat, durch das bloße *omnipotentia* ersetzt, also nunmehr auch das *omnitenentis* ausgemerzt hat, wohl weil ihm dessen die ,Erhaltung' des Alls erläuternde Funktion nicht mehr deutlich wurde, überhaupt weil das Wort allgemach aus dem Vokabular der Dogmatik verschwunden war. Folgendermaßen fährt *Walafrid* fort:

> *creatoris enim o m n i p o t e n t i a causa est subsistendi omni creaturae, quae virtus si ab eis quae condidit regendis aliquando cessaret, simul omnium rerum species et natura concideret.*

Mit dem gleichen Material, wiederum unter Vereinigung beider Überlieferungsstränge, des ,alt'- und des ,neutestamentlichen', arbeitet schließlich der ,Magister Sententiarum' des 12. Jhdts., der von Luther so hoch geschätzte und oft zu Rate gezogene[114] *Petrus Lombardus,* der für den Westen in ähnlicher Weise das Sammelbecken der überlieferten theologischen Lehren darstellt wie im Osten der ältere Johannes Damascenus, den er übrigens übersetzt und fleißig benützt hat[115].

Allerdings äußert sich Petrus Lombardus in seinem berühmten Hauptwerk nur kurz zum Thema „Schöpfung und Erhaltung", und zwar in freier Anlehnung an die oben ([S. 118]) in der kaum veränderten Fassung Prospers von Aquitanien wiedergegebene Augustinstelle (De gen. ad litt. IV 12,7), also in der Nachfolge des ,alttestamentlichen' Überlieferungsstrangs. Da heißt es *Petrus Lombardus,* Sententiarum lib. II 15,6 (M PL 192, 683)

> . . . *usque nunc operatur* (Ev. Johs. 5,17), *ut quod condidit, continere et gubernare non cesset.* |

Aber an einer anderen Stelle seines Werks, Collectanea in epist. D. Pauli. In epist. ad Hebr. (zu 1,3) M PL 192,405 schließt er sich ganz eng der von Johannes Chrysostomus begonnenen, von Walafrid Strabo fortgesetzten Tradition der Hebräerbriefexegese an, wiederum jedoch wie Walafrid die beiden Überlieferungsstränge, den alt- und neutestamentlichen, miteinander verbindend. Ja, die Anlehnung an den Vorgänger ist beinahe wörtlich, so daß es genügt, die geringen Varianten von dem oben [S. 119 f.] gegebenen Text Walafrids zu vermerken:

> *Portansque:* . . . *gubernat et continet* Walafr.; hier bietet Migne *gubernat. Et continua,* was natürlich nach Walafrid zu ändern ist. Ebenso ist nachher mit Walafrid *creatoris enim* (Augustinus: *creatoris namque*) zu lesen, nicht mit dem Migneschen Lombardustext *creatoris autem.* Der Herausgeber des Petrus Lombardus hat nämlich dessen unmittelbare Vorlage nicht erkannt, merkt stattdessen als Vorbild für den ersten Teil den Johannes Chrysostomus an, für den zweiten (von *creatoris* ab) den Prosper Aquitanus. Das ist, wie wir

---

114 M. Luther, Erl. Ausg. 25, 258; vgl. R. Seeberg, Herzog u. Haucks RE ³XI 1902, S. 642.
115 Frz. Dölger, Die byzantinische Dichtung in der Reinsprache 1948, S. 12.

sahen, nur im weiteren, mittelbaren Sinne richtig; durch die Feststellung der Zwischenquelle Walafrid vereinfacht sich die Sache ganz wesentlich.

Das ergänzte Bild zeigt also, daß wir für den Wortlaut des ersten Teils nunmehr eine feste Tradition von Johannes Chrysostomus über Walafrid zu Lombardus, für den des zweiten Teils von Augustinus über Prosper und Walafrid zu Lombardus aufweisen können, und das ist bei der Bedeutung, die der Magister Sententiarum für alle Folgezeit besitzt, von größter Wichtigkeit für die Rekonstruktion einer Geschichte der Lehre von Gottes Schöpfung und Erhaltung überhaupt. Dabei darf nicht vergessen werden, daß sowohl für Johannes Chrysostomus wie für Augustin, die beiden Anfangsglieder dieser Reihen, durch den Charakter der von ihnen gebrauchten Formeln letztlich, wie oben gezeigt, die Abhängigkeit vom stoisch-milesischen Schöpfer- und Erhalter-Satz gesichert ist und daß hinter beider Aussagen zudem deutlich der πάντα κρατῶν – *omnitenens* steht, der die eine der beiden Wurzeln des in diesem Zusammenhang so oft erscheinenden *παντοκράτωρ* darstellt. Bis zu Petrus Lombardus also hat sich, nach unseren bisherigen Feststellungen, eine Spur von der Einsicht in das spezifische Wesen dieses allerhaltenden Pantokrator bewahrt: *creatoris enim (omni|tenentis) omnipotentia causa est subsistendi omni creaturae,* so lautet der immer wieder tradierte Satz des Augustinus. Dann verlief die Spur im Sande einer ständig dürrer werdenden Tradition, und niemand mehr scheint schließlich noch im ‚Allmächtigen' zugleich den ‚Allerhalter' zu erspüren.

Gewiß hat in der Folge etwa, um den größten der mittelalterlichen Dogmatiker zu nennen, *Thomas von Aquin* Gott dem Schöpfer und Erhalter seine volle Aufmerksamkeit geschenkt, wofür hier auf die bereits früher beigebrachten Belege (Anm. 22, 75, 82) verwiesen werden kann. Ein besonders bezeichnendes Zeugnis sei noch ausgehoben:

Thomas Aquinas, Summa theologica. Qu. I 104,2,1

> *Videtur quod deus immediate omnem creaturam conservat. eadem enim actione deus est conservator rerum, qua est creator, ut dictum est. sed deus immediate est creator omnium. ergo immediate est etiam conservator.*

Aber aus vielen seiner Äußerungen wird deutlich: Der spekulative Denker und Systematiker schaltet ohne historisches Interesse frei mit dem überkommenen Gut, stellt etwa dem Herkommen gemäß seine entscheidenden Ausführungen zu dem Thema unter das Wort Hebr. 1,3 (Qu. I 104, 1,4 aaO. S. 30), zitiert aber für die spezifischen Formeln, die auch er seinen Argumentationen zugrundelegt, einmal richtig den großen Augustin (Qu. I 104, 1,4 aaO. S. 34f.), ein andermal Gregor I. (aaO., S. 31, vgl. ob. Anm. 110), offenbar ohne zu beachten, daß dieser Popularisator nur den großen Vorgänger variierend ausschreibt.

Alles in allem drängt sich das Ergebnis auf, daß der *παντοκράτωρ – omnitenens,* wo es um die immer noch beachtete erhaltende Funktion des Schöpfergottes geht, seine Rolle ausgespielt zu haben scheint.

Der Pantokrator des Apostolikums

Aber wie steht es mit dem Pantokrator des ersten Glaubensartikels?
Martin *Luther* hat in seinem Kleinen Katechismus von 1529 das „Ich glaube
an Gott, den Vater, allmächtigen Schöpfer Himmels und der Erden" für alle
künftige evan|gelische Unterweisung verbindlich[116] so ausgelegt, daß der
Schöpfergott zugleich eindringlich als Erhalter erscheint:

> Ich glaube, daß mich Gott *geschaffen* hat samt *allen* Kreaturen . . . und
> noch *erhält* . . ., mit aller Notdurft und *Nahrung* des Leibes und Lebens
> reichlich und täglich *versorget,* wider alle Fährlichkeit beschirmet, *behütet*
> und *bewahret*; und das alles aus lauter *väterlicher . . . Güte . . .*

Angesichts der dabei zugrundegelegten Übersetzung des Apostolikums
hätte sich die Dogmengeschichte eigentlich zu fragen, was Luther berechtigt, den ‚Vater' und ‚allmächtigen Schöpfer' so ohne weiteres in dieser
Weise als Erhalter zu interpretieren[117], ohne daß ihn der Text dazu irgendwie zu ermächtigen scheint. Wir wissen freilich, daß seine Auslegungen
älteren Erklärungen des späten Mittelalters folgen[118], aber es scheint bisher
nicht ernsthaft versucht worden zu sein, diese Quellen für unseren besonderen Fall genauer nachzuweisen. Doch auch wenn das gelingt, verschiebt sich
das Problem nur auf diese seine Gewährsmänner: wie kamen *sie* dazu, den
Begriff der Erhaltung von Gottes Schöpfung aus dem ersten Glaubensartikel
herauszulesen? Der Sachverhalt wird sofort deutlicher, wenn wir uns den
lateinischen und griechischen Urtext des Nicaenums vor Augen halten:

> *credo in unum deum, patrem omnipotentem, factorem coeli et terrae.* |
> πιστεύομεν εἰς ἕνα θεόν, πατέρα παντοκράτορα, ποιητὴν οὐρανοῦ καὶ γῆς[119].

Die Auslegung des 1. Glaubensartikels hat, dieser Schluß scheint zwingend, neben dem uns auch aus der deutschen Übersetzung evidenten Schöpfergott, in dem παντο-κράτωρ-*omnipotens (= omnitenens)* den *Erhalter* erkannt
und mit Worten und Wendungen interpretiert, die ihrerseits die Spuren der
‚stoischen' Schöpfer- und Erhalter-Terminologie unzweideutig verraten[120].

---

[116] Zur Nachwirkung im evangelischen Kirchenlied seit Luther s. ob. Satorformel [S. 73 ff.].
Dieses Fortleben bietet einen wirksamen Ausgleich gegenüber der ‚Vernachlässigung der Lehre
von der Schöpfung [und Erhaltung!] in den lutherischen Bekenntnisschriften', die EDM.
SCHLINK, Theol. der lutherischen Bekenntnisschriften ²1946, S.67 f., sogar als eine echt evangelische Tugend anzusehen geneigt ist.

[117] Der Systematiker freilich hat darauf eine aus seiner Sicht berechtigte Antwort bereit, so
FR. BRUNSTÄD, Theologie der lutherischen Bekenntnisschriften 1951, S. 30 ff. SCHLINK, aaO.
69 ff., belegt u. a. auch aus dem Großen Katechismus, daß für Luther das Wissen um Gottes gar
nicht selbstverständliche, aber seine ‚väterliche, göttliche Güte und Barmherzigkeit' anzeigende Erhaltertätigkeit doch bereits im Schöpfungsbegriff enthalten sei. Für Luther möchte dies in
der Tat zutreffen, kaum aber für seine Anreger.

[118] Die Belege s. oben Satorformel [S. 75 f.] m. Anm. 176 (J. BAUER RGG ²III 655, usw.).

[119] A. HAHN, Bibliothek der Symbole und Glaubensregeln . . . ³1897, § 144. H. LIETZMANN,
Symbole der alten Kirche ²1914, S. 36 f. Vgl. dazu auch unten [S. 127] m. Anm. 134.

[120] Siehe dazu oben Satorformel [S. 75 ff.]. Von der deutlich spürbaren, unmittelbar anspre-
chenden Verpersönlichung der alten nüchternen Formelsprache durch Luther soll hier nicht die

Ob Luther selber sich dabei der Erhalter-Komponente gerade des *παντο-κράτωρ* noch klar bewußt war, wage ich nicht zu entscheiden[121]. Im weiteren Sinne ruht er wie seine Vorlage dabei natürlich auf jener Tradition, die wir im vorigen Abschnitt von den frühen, der Stoa verpflichteten Vätern bis auf den vom Reformator so geschätzten Petrus Lombardus verfolgen konnten, wo ebenfalls des Schöpfers *omnipotentia* noch als Ursache der Erhaltung aller Kreatur lebendig ist (vgl. besonders Petrus Lombardus und seine Vorgänger: *omni creaturae,* oben [S. 120] Luther: „samt allen Kreaturen"). Aber im einzelnen weist Luthers Ausdrucksweise auf einen anderen, bisher in seinen vermittelnden Zwischengliedern noch nicht aufgedeckten Überlieferungs-strang, der vor allem das in den antiken Formulierungen wichtige[122], auch in christlichen Zeugnissen da und dort begegnende[123] Motiv der *Ernährung* als Einzelmoment der Erhaltung noch bewahrt hat, das bei Petrus Lombardus und seinen Vorgängern nicht mehr begegnet. |

Bleibt hier also noch manches zu erhellen[124], so wiegt das bisher gewon-nene Ergebnis doch schwer genug: Luthers Auslegung des 1. Glaubensarti-kels auf dem Boden einer bis in die Antike reichenden Tradition! Noch mehr aber muß uns erregen, daß der *παντοκράτωρ – omnipotens* im ersten Artikel des

---

Rede sein. – W. Bornemann, Zur katechetischen Behandlung des ersten Artikels im Lu-therischen Katechismus (Jahrbch. des Pädagogiums zum Kloster Unser lieben Frauen in Magdeburg, H. 57. 1893), S. 10 ff. scheint typisch für die Stellung der ev. Theologie des 19. Jhdts. zu Luthers Erklärung des 1. Artikels. Danach schöpfe diese Auslegung im wesentlichen aus dem Gesamtbereich der menschlichen Erfahrung. Das von uns weiterhin im Text aufge-zeigte Anknüpfen an die Tradition der alten Kirche ist dagegen völlig aus dem Blickfeld geschwunden.

[121] Dagegen sprechen Wendungen aus den Katechismuspredigten und dem Großen Kate-chismus wie Weimarer Ausg. 30,1 (1910), S. 88 ob. 184 u. ö. Vgl. dazu a. ob. Anm. 117. Hinzuweisen wäre außerdem auf „Luthers Gespräch mit den Bauern über das Wörtchen ‚allmächtig' und sein Geständnis, daß er als gelehrter Mann und Doktor der Theologie diese göttliche Eigenschaft ebenso wenig begreifen und erklären könne wie der schlichte Mann aus dem Volke" (nach Bornemann aaO., S. 10). Daß aber im geistigen Umkreis der Reformatoren das Wissen um den *παντοκράτωρ = omnitenens* noch da und dort lebendig war, ergibt sich aus einer mir von meinem Schüler und Kollegen Siegfried Raeder frd. mitgeteilten Stelle aus Joh. Reuchlin, De verbo mirifico 1494 (Facs. Neudruck 1964, [S. 51]): *Deum namque omnipotentem, et ut Graeci dicunt omnitenentem, quis dubitabit virtutibus verba decorare posse?* Kein Zweifel, daß Reuchlin sich hier mit Nennung des *omnitenens* auf das griechische Wort *παντοκράτωρ* bezieht, das er selber einige Seiten vorher (Facs., [S. 38]) genannt hat. Dies ist auch die Meinung von S. Raeder (brieflich 19. 1. 1980).

[122] Z. B. Cic., De nat. deorum II 86, oben [S. 81] m. Anm. 2. Weiteres oben Satorformel [S. 50 f., 53 ff.].

[123] Z. B. Theophilus, Ad Autolycum I 6. Chrysologus Ravennas, Sermo 62. Dracontius, Carmen de deo 685. Oben [S. 109 ff.].

[124] Nicht sehr ermutigend ist, was Friedr. Wiegand, Das apostolische Symbol im Mittelal-ter 1904, S. 50 f., über die Dürre der zahllosen spätmittelalterlichen Symbolauslegungen zu berichten weiß. Auch das von Ferd. Cohrs, Die evangel. Katechismusversuche vor Luthers Enchiridion (s. vor allem Bd. 5, Register 1907 = Mon. Germ. Paedagogica 39, S. 11 f.), gesammelte Material, in dem natürlich unsere Formel immer wieder begegnet, ergibt noch keine deutliche Spur.

Apostolikums selber dadurch zugleich ein Gesicht erhält, das ihn aus der bisher üblichen rein biblischen Erklärung herausnimmt und im Lichte einer antik beeinflußten Überlieferung erscheinen läßt.

Wie dieser all-erhaltende *παντο-κράτωρ* ins Credo kam, ist freilich im einzelnen schwierig festzustellen. Nicht so sehr angesichts der Fülle verschiedener Fassungen des Wortlauts der Symbole – denn diese bleiben beim 1. Artikel noch einigermaßen überschaubar und ordnen sich leicht in bestimmte Gruppen –, als vielmehr im Blick auf die verschiedenen einander entgegengesetzten Theorien ihres wechselseitigen Verhältnisses. So muß auch der hier vorzutragende Lösungsversuch notwendig als Arbeitshypothese gewertet werden. Auch ist es nicht angängig, freilich wohl auch nicht notwendig, alle Einzelvarianten heranzuziehen und auf die ungeheuer verzweigte Literatur zu der Frage der Entstehung des Apostolikums einzugehen[125].

Zunächst bedarf es nach dem früher Ausgeführten wohl kaum noch der Begründung dafür, daß der *παντοκράτωρ* im 1. Glaubensartikel den Allerhalter, also den *πάντα κρατῶν* meint[126] und | daß der *παντοκράτωρ* = *πάντων κρατῶν*, der Allmächtige im Sinne der LXX, hier wirklich nur als Nebensinn erscheint, der freilich auch hier die Verwendung der Epiklese christlicherseits rechtfertigen mußte und bald nur allein noch verstanden wurde. HANS LIETZMANN hat die bestechende Vermutung aufgestellt[127], daß die in Rom um 150 von Herm. Mand. 1,1 fixierte Fassung[128]

πρῶτον πάντων πίστευσον ὅτι εἷς ἐστιν ὁ θεὸς τὰ πάντα κτίσας καὶ καταρτίσας καὶ

---

[125] Ich nenne hier außer den ob. Anm. 119 angeführten Quellensammlungen nur: AD. HARNACK, Das Apostolische Glaubensbekenntnis. Ein geschichtlicher Bericht . . . [17]1892. H. LIETZMANN, Apostolicum. RGG [2]I 1927, Sp. 443ff., mit Angabe weiterer Literatur, und insbesondere LIETZMANN, Symbolstudien ZNTW 21. 1922; 22. 1923; 24. 1925; 26. 1927. LIETZMANN, Gesch. d. Alten Kirche 2. 1936, S. 100–119. OSCAR CULLMANN, Die ersten christlichen Glaubensbekenntnisse [2]1949. H. v. CAMPENHAUSEN, Das Bekenntnis im Urchristentum, ZNW 63. 1972, S. 210–253.

[126] Vgl. schon die alte eindeutige Definition, die sich noch bis auf Johannes Damascenus erhalten hat (Dialogus contra Manichaeos 76, oben [S. 112], *παντοκράτωρ ὁ πάντα κρατῶν*. Die neuere Forschung kommt diesem Ergebnis allenfalls gelegentlich einmal gefühlsmäßig oder vielleicht auch durch den Rückschluß aus Luthers Auslegung nahe, so wenn HERM. DÖRRIES, Das Bekenntnis in der Geschichte der Kirche 1946, S. 24f., *παντοκράτωρ* mit ‚allwaltend' übersetzt und dabei wenigstens den Gott, ‚der das Schicksal der Welt in Händen hält', mit in den Begriff einbezieht. FERD. KATTENBUSCH, Das apostol. Symbol II 1900 (Neudruck 1962), der S. 520ff. eine Sammlung altchristlicher Belege für *(πατὴρ) παντοκράτωρ* bietet, nähert sich S. 534 durch Aufspüren der Paraphrase von *παντοκράτωρ* = *qui omnia continet* einen Augenblick lang der richtigen Deutung, verläßt sie aber wieder zugunsten der blassen Übersetzung „allwaltend".

[127] LIETZMANN, Symbolstudien aaO. 1922, S. 8f. Vgl. aaO. 1923, 274f. Im wesentlichen zustimmend CULLMANN aaO. 41.

[128] Daß schon damals, entsprechend dem liturgischen Charakter dieser Gebilde und bei der herrschenden liturgischen Freiheit, zahlreiche Formeln konkurrierend nebeneinander bestanden, hat LIETZMANN später mit zunehmender Nachdrücklichkeit betont, so Symbolstudien aaO. 1927, S. 85 u. ö.

ποιήσας ἐκ τοῦ μὴ ὄντος εἰς τὸ εἶναι τὰ πάντα καὶ πάντα χωρῶν, μόνος δὲ ἀχώρητος ὤν[129]

dem Römischen Symbol (HAHN § 17–23, LIETZMANN, Symbole S. 10)

πιστεύω εἰς θεὸν πατέρα παντοκράτορα[130]

credo in patrem omnipotentem

selbständig und ungefähr gleichzeitig gegenübersteht, und daß durch Hinzutreten des letztgenannten zu jener ersten, mit leichter Kürzung und Veränderung, die Formel des Morgenlands entstand, die sich „aus den zahlreichen morgenländischen Formeln des 4. Jhs.[131] als Urtypus herausschälen läßt"[132]:

πιστεύω εἰς ἕνα θεόν, πατέρα παντοκράτορα, ποιητὴν τῶν πάντων[133]. Daraus wäre dann lediglich noch durch Umformung des| ‚stoischen' *τῶν πάντων* in das ‚biblische' *οὐρανοῦ καὶ γῆς* (Gen. 1,1) die Fassung des Nicaeno-Constantinopolitanum entstanden, die Luther seiner Auslegung zugrunde legte:

πιστεύω εἰς ἕνα θεόν, πατέρα παντοκράτορα, ποιητὴν οὐρανοῦ καὶ γῆς[134].

Ist diese aus LIETZMANNS überzeugender Hypothese entwickelte Auffassung richtig, dann ergibt sich im Lichte unserer Fragestellung folgendes.

Die in der Hermasfassung vorliegende Wurzel der späteren orientalischen Gemeinformel hat den *einen Gott als Schöpfer des Alls* für den Glauben verbindlich gemacht, ohne seiner erhaltenden Funktion zu gedenken. Die Schöpfer des abendländischen Symbols *πιστεύω εἰς θεὸν πατέρα παντοκράτορα, credo in deum patrem omnipotentem,* das uns in zahlreichen Belegen gleichlautender Fassung überliefert ist[135], haben im Besitze hellenistischer Bildung und stoisierenden Weltgefühls dem Gottesbekenntnis (*πιστεύω εἰς θεόν, credo in deum*) den altüberlieferten Glauben an den Schöpfer und Erhalter um so getroster hinzugefügt, als er sich auch biblisch begründen ließ[136]. Das ihnen dafür zur Verfügung stehende Traditionsgut verdichtete sich – übrigens eine geniale Leistung – zu der in ihrer Gedrängtheit und Prägnanz jenem SATOR

---

[129] Origenes, Comm. in Joh. 32, 16, 187 ff. LIETZMANN, Symbole . . . ²1914, S. 8.

[130] Dies die originale Fassung, die lateinische die Übersetzung, nicht umgekehrt: LIETZMANN, Symbolstudien aaO. 1933, S. 4. – Ich notiere die frühe Variante Novatians, De trin. 1 *regula exigit veritatis, ut primo credamus in deum patrem et dominum omnipotentem,* weil hier das wichtige, zugleich die Weltregierung anzeigende *dominus* hinzugefügt ist (vgl. LIETZMANN, Symbolstudien aaO. 1927, S. 90).

[131] Bequem zusammengestellt bei LIETZMANN, Symbolstudien aaO. 1922, S. 6 f.

[132] LIETZMANN, Apostolicum aaO. 445.

[133] Am nächsten stehen die Fassungen des 4. antiochenischen Symbols von 341 (HAHN § 156, LIETZMANN, Symbole S. 30) und der Synode von Sirmium 359 (HAHN § 163, LIETZMANN 31) Vgl. bes. LIETZMANN, Symbolstudien aaO. 1923, S. 284 f. Gesch. d. Alten Kirche 2, S. 108.

[134] Ich übergehe als für unser Problem unwesentlich die auch schon früh begegnende Weglassung des *ἕνα-unum* und den Verzicht auf das *ὁρατῶν τε πάντων καὶ ἀοράτων-visibilium omnium et invisibilium* durch Luther gegenüber der vollen Fassung des Nicaeno-Constantinopolitanums. Vgl. dazu auch unten [S. 129] mit Anm. 150.

[135] HAHN § 17 ff., 33 ff. LIETZMANN, Symbole S. 10 ff.

[136] Oben [S. 82 f.].

OPERA TENET vergleichbaren alliterierenden Formulierung πατὴρ παντο-κράτωρ – *pater omnipotens*.

Es ist längst bemerkt worden, daß in dieser kurzen Formel, deren strenges Insichgeschlossensein jetzt feststehen dürfte[137], die Bezeichnung πατήρ nicht dem ‚vollen evangelischen Verständnis des Vaternamens' entspricht und daher nicht im Sinne von Ev. Matth. 11,25 ff.; Röm. 8,15 oder Luthers (‚und das alles aus lauter väterlicher, göttlicher Güte und Barmherzig|keit') gedeutet werden darf[138]; LIETZMANN denkt richtiger, aber auch noch im Bann einer ‚spezifisch christlichen' Deutung an Veranlassung durch 1. Kor. 8,6 oder Ev. Matth. 28,19[139]. Die erste dieser beiden Stellen, das stoisch beeinflußte εἷς θεὸς ὁ πατήρ, ἐξ οὗ τὰ πάντα κτλ.[140], wird man gelten lassen dürfen, ja man darf die ebenfalls stoische Anregung verratende Formel[141] Ephes. 4,6 εἷς θεὸς καὶ πατὴρ πάντων κτλ. hinzufügen[142]. Vollends der Vergleich mit dem ältesten uns erhaltenen Taufsymbol, *Justinus,* Apol. I 61 (HAHN § 3; LIETZMANN, Symbole S. 5), wo die Verpflichtung im ersten Gliede auf den Namen τοῦ πατρὸς τῶν ὅλων δεσπότου θεοῦ erfolgt, lehrt uns deutlich, was gemeint ist. Es ist der πατὴρ τῶν πάντων, der Schöpfer des Kosmos, im Sinn eines *creator omnium rerum,* wie er uns etwa in dem stoischen ‚Schöpfer- und Erhalter'-Modell Cicero, De nat. deorum II 86 als *omnium rerum seminator et sator et parens* begegnet ist[143]. Wenn es dort weiter heißt *omniaque continet,* so entspricht dem im abendländischen Symbol genau der παντοκράτωρ = πάντα κρατῶν, der ‚All-erhalter'. Daraus ergibt sich, daß in dem so gedrängten πατὴρ παντοκράτωρ das παντο-gleichsam ‘ἀπὸ κοινοῦ' zu πατήρ und -κράτωρ (= κρατῶν) zu fassen ist, also gewissermaßen verkürzt aus

πατὴρ πάντων καὶ πάντα κρατῶν

‚Vater des Alls und Allerhalter'. |

Immer wieder muß betont werden, daß sich dies, so hellenisch es empfun-

---

[137] Noch LIETZMANN, Symbolstudien aaO. 1923, S. 275, interpungiert falsch πατέρα, παντο-κράτορα. Dabei ist früher schon mehrfach nachdrücklich auf die richtige Abteilung hingewiesen worden, so von BORNEMANN aaO. 9f. Diese Arbeit ist wegen der Verarbeitung einer Masse von einschlägiger Literatur, die sorgfältig vermerkt wird, heute noch wichtig (vgl. auch mehrfach oben).

[138] HARNACK aaO. 20, der freilich noch der Meinung sein durfte, der Verfasser des Artikels ‚trete doch einer solchen Deutung nicht in den Weg'. Vgl. zu der Frage jetzt auch WOLFG. TRILLHAAS, Das apostolische Glaubensbekenntnis 1953, S. 37f.

[139] LIETZMANN, Symbolstudien aaO. 1923, 274. Vgl. jedoch Gesch. d. Alt. Kirche 2, S. 112, wo die hellenistische Tradition stärker berücksichtigt ist.

[140] Dazu oben [S. 99 ff.].

[141] Oben Anm. 57.

[142] So auch O. CULLMANN aaO. 27, 37f. Siehe hierzu den Exkurs am Schluß dieser Arbeit.

[143] Oben [S. 81] u. ö.; oben Satorformel [S. 50 ff.]. Wiederum ist Platon der Ahnherr des Gedankens: Tim. 5,28 C τὸν μὲν οὖν ποιητὴν καὶ πατέρα τοῦδε τοῦ παντός – ‚schwer ist es, ihn zu ergründen, und unmöglich, ihn der Menge mitzuteilen', wie es dann weiter heißt; erst der 1. Artikel des Apostolikums hat eigentlich diese Aufgabe zu leisten unternommen. Wir wundern uns nicht, der Timaiosstelle einen Ehrenplatz in der apologetischen Literatur des frühen Christentums eingeräumt zu sehen (E. BENZ, ZNTW 43. 1952, S. 207 mit den Belegen).

den war, doch jüdisch-christlichem Empfinden und Glauben aufs innigste verband, wie denn παντοκράτωρ (im Sinn von πάντων κρατῶν freilich) eine jüdische Wortprägung ist[144], und wie wir ja auch sahen[145], daß der älteste mutmaßliche Beleg für den stoisch umgedeuteten παντοκράτωρ (= πάντα κρατῶν) jüdischer Umwelt entstammt:

Aristeasepistel 185

πλήρωσαί σε, βασιλεῦ, πάντων τῶν ἀγαθῶν, ὧν ἔκτισεν ὁ παντοκράτωρ θεός.

Zeitlich bedeutend später, aber der nächsten, aus Theophilus stammenden Bezeugung (oben [S. 109 f.]) etwa gleichzeitig fällt nun das knappe abend- ländische Symbol[146], das ohne seine jüdische Vorgeschichte zwar also nicht zu denken ist, das aber doch – eben wegen seines stoischen Gehalts, im Sinn einer Betonung der kosmischen Schöpfermacht des Allerhalters – mit Fug als Produkt des philosophierenden Hellenismus angesprochen werden darf[147]. Das morgenländische Symbol dagegen mit dem tiefer greifenden monotheistischen Verständnis des εἷς[148], schließlich mit der Umformung des τῶν πάντων in das biblische οὐρανοῦ καὶ γῆς[149] und ebenso mit der Zufü- gung des ὁρατῶν τε πάντων καὶ ἀοράτων[150] atmet jüdisch-christlichen Geist κατ' ἐξοχήν[151].

Beide Formeln haben sich zu einer vermählt und lassen damit die Ge- schichte des jungen Christentums in jenen Jahrhunderten wie in einem Brennspiegel erkennen. Dabei ist es wiederum als Abbild des im Großen sich vollziehenden historischen Ab|laufs zu verstehen, daß die fremden Elemente allmählich bis zur Unkenntlichkeit eingeschmolzen werden; denn die neue, jene beiden älteren vereinigende Formel erfuhr bald mühelos eine rein jüdisch-christliche Deutung: in dem πιστεύομεν εἰς ἕνα θεόν, πατέρα παντο- κράτορα, ποιητὴν οὐρανοῦ καὶ γῆς erschien jetzt, lebhaft unterstützt durch die lateinische Fassung *(omnipotentem)*, das παντοκράτορα wieder ganz als die Gottesepiklese des Alten Testaments, mit der sich das πατήρ, im Sinne der neutestamentlichen Verkündigung Jesu verstanden, zum biblischen Voll- klang des ‚allmächtigen Vaters' einte, so auch in dem jüngeren Zusatz *omnipotentis* zu der Wendung des 2. Artikels *sedet ad dextram patris*. Wir verstehen, wie schwer, ja wie unmöglich es letzten Endes für die klarsichtige Deutung der Väter war, sich auf die Dauer durchzusetzen, indem sie neben

---

[144] Oben [S. 96].

[145] Oben [S. 97 f., 108].

[146] Die früheste Bezeugung des παντοκράτωρ im Rahmen eines (Tauf-)Symbols bietet Ire- naeus I 2 (HAHN § 5, LIETZMANN, Symbole S. 5) εἰς ἕνα θεὸν πατέρα παντοκράτορα.

[147] Ähnlich übrigens schon LIETZMANN, Symbolstudien aaO. 1923, S. 268, 274.

[148] LIETZMANN aaO. 274.

[149] Oben [S. 126 f.].

[150] Nach Kol. 1, 16.

[151] Für die Sonderung von Christlich-Jüdischem und Hellenistisch-Stoischem im einzelnen nach dem Gesichtspunkt der Formgebung ist noch heute wichtig ED. NORDEN, Agnostos Theos 263 ff., 237 ff., wenngleich die aus dem Material gezogenen Folgerungen vielfach der Überprüfung bedürftig sind.

dem *omnipotens* im παντοκράτωρ den *omnitenens* wieder aufgespürt oder noch bewahrt hatte.

Der hier vorgelegte Versuch einer neuen Erklärung des ersten Glaubensartikels und seiner Auslegung ist sich bewußt, daß er der bisher herrschenden Auffassung Beträchtliches zumutet. Doch hofft er, mit der gegebenen Begründung manche schon von der Forschung vergangener Generationen aufgewiesenen Linien weiter verfolgt und schärfer gezogen zu haben und an keinem Punkte Ehrfurcht und Dankbarkeit gegenüber ihrer Leistung versäumt, nirgends das Bewährte ihrer Methoden außer acht gelassen zu haben. Freilich konnte in dem gegebenen Rahmen und innerhalb der Grenzen, die dem Philologen gezogen sind, mehreres, das gründlicher Untersuchung bedürfte, nur eben angedeutet und zur Diskussion gestellt werden, so daß von neu ansetzenden und weiterführenden Bemühungen noch in vielem Klärung, in manchem wohl auch Korrektur erwartet werden darf.

Nur auf einen Gesichtspunkt sei zum Schluß noch hingewiesen, unter dem das hier Vorgetragene vielleicht gar nicht so revolutionär erscheinen möchte. EDMUND SCHLINK hat kürzlich in einem Vortrag über ‚Gerechtigkeit und Gnade‘[152] ein Gebot | Gottes des Erhalters und ein Gebot Gottes des Erlösers unterschieden. Jenes verpflichte Glaubende wie Nichtglaubende[152a], dieses nur die neue Gemeinschaft der Glaubenden; jenes begründe das normative weltliche Recht, dieses die für jeden einzelnen neu im Glauben zu empfangende Rechtfertigung durch Gnade.

Ist das richtig, dann gewinnt der erste Artikel des Symbols und seine Auslegung, die von Gott dem Schöpfer und Erhalter zeugen, gerade dadurch erst ein klares Relief, daß sich nunmehr zeigen läßt, sie seien von Gedanken und Formeln getragen, die, von ‚Nichtglaubenden‘ entwickelt, an ‚Glaubende‘ weitergegeben wurden, um für beide zu gelten.

Dabei ist nicht ohne Bedeutung, daß ein von den antiken Formeln immer wieder gebrauchtes Kennwort der göttlichen *Erhaltung*, σώζειν (σωτήρ, σωτηρία) im Sinn von ‚bewahren‘[153], nunmehr auf die *Erlösertat* Christi übertragen wird[154] und in zahlreichen Fassungen des 2. Glaubensartikels

---

[152] Nach einem Bericht von W. KRUSCHE, Gespräch über Gnade und Recht. In: Ruperto-Carola. Mitteilungen der Vereinigung der Freunde der Studentenschaft der Universität Heidelberg Nr. 6, Juni 1952, S. 38 f.

[152a] Vgl. übrigens auch GOETHE, Wilh. Meisters Wanderjahre II 2: der erste Artikel ist ethisch und gehört allen Völkern.

[153] Oben [S. 85] m. Anm. 14 und [S. 107]. Die Beispiele ließen sich vermehren (vgl. etwa Menestor FVS ⁶I 32, 5 S. 375, 30 ff. Ps.-Philolaos FVS aaO. 44 B 21, S. 418, 7 ff.). Die christlichen Väter lassen das Wort, das inzwischen (s. ob. im Text) einen neuen, christologischen Sinn erhalten hat, zugunsten von φυλάσσειν u. ä. zurücktreten, ohne daß es als Prädikation des Schöpfers und Erhalters damit ganz verschwände. Vgl. z. B. Germanus Constantinopolitanus, Epist. II (M PGr 98) θεὸν . . . τὰ πάντα περιέχοντα, ποιητήν τε ἡμῶν καὶ πάσης κτίσεως, καὶ ἀληθῶς σωτῆρα.

[154] Siehe W. BAUERS Griech.-dts. Wörterbuch z. NT s. v. mit Literaturangaben. Bes. wichtig sind Stellen wie I Johs. 4,14 ὁ πατὴρ ἀπέσταλκεν τὸν υἱὸν σωτῆρα τοῦ κόσμου, und dazu die

erscheint[155], auch in Luthers Auslegung deutlich durchschimmert („der mich verlornen und verdammten Menschen *erlöset* hat'). Auch hier hat das ganz andere der neuen Botschaft das alte Vokabular übernommen, aber grundlegend in seinem Sinn verwandelt. Aus dem σῴζειν ‚bewahren, erhalten', ist also ein σῴζειν ‚erretten, erlösen', geworden. Im ersten Artikel aber geht es| nicht um die Erlösung des Sünders, sondern um die kreatürliche Erhaltung des Geschöpfes. Freilich hat fortan auch der erste Artikel vom zweiten sein Licht bekommen und ist gleichsam durch ihn verwandelt worden[155a]. Wie jedoch das ererbte Gut auch in der Verwandlung noch sein Wesen treibt und damit die alte Klammer zwischen Antike und Christentum dem Sehenden neu befestigt, das zu zeigen war die Absicht auch dieser Untersuchung.

Exkurs
(zu [S. 128] m. Anm. 142)

Die Stellung des 1. Artikels im Bekenntnis

Es darf heute als feststehend gelten[156], daß die beiden ntl. Stellen I Kor. 8,6 εἷς θεὸς ὁ πατήρ, ἐξ οὗ τὰ πάντα κτλ. und Ephes. 4,6 εἷς θεὸς καὶ πατὴρ πάντων κτλ. als Keimzellen des 1. Artikels, ja in ihrem vollen Wortlaut als Vorläufer des Apostolikums überhaupt anzusehen sind. Da aber die soeben ausgehobenen

---

Bemerkungen von HERB. BRAUN, Zs. f. Theol. u. Kirche 48. 1951, S. 280, 287. Doch ist in der Geschichte des Worts allenthalben die Grundbedeutung ‚erhalten, bewahren' zu wenig berücksichtigt gegenüber der erst abgeleiteten ‚retten, heilen, erlösen'. Sie müßte daher unter diesem bisher vernachlässigten Gesichtspunkt neu geschrieben werden. Der materialreiche Artikel σῴζειν etc. im ThWNT VII 1964, S. 966ff. von W. FOERSTER hat von dieser meiner Anregung noch keinerlei Gebrauch gemacht (s. bes. S. 967ff., 939, 1022, wo σῴζειν = ‚erhalten' durchwegs als sekundäre Bedeutung von σῴζειν = ‚retten' in Anspruch genommen wird). Meine Ausführungen scheinen dem Verf. überhaupt nicht bekannt geworden zu sein. Von philologischer Seite hebt K. KERÉNYI (in dem Sammelband Types of Redemption 1970, S. 26ff., hier S. 31) wenigstens hervor, daß den Griechen der „Erlösungskomplex" wie das „Gefangenschaftsbewußtsein" abgegangen sei; aber von einer Untersuchung des Sprachmaterials (*sotér* etc.) sieht er ausdrücklich ab. Übrigens ist auch beim lateinischen *servare* die Grundbedeutung ‚erhalten', wogegen für ‚erlösen' die Christen seit der Itala das klassisch kaum belegte *salvare* einführen. Vgl. dazu die Mainzer (althistorische) Diss. von HELM. KASPER, Griech. Soter-Vorstellungen . . . 1961, S. 77ff.

[155] Schon im Taufsymbol des Justinus (HAHN § 3, LIETZMANN, Symbole S. 5) καὶ τοῦ σωτῆρος ἡμῶν Ἰησοῦ Χριστοῦ, und noch im Nicaeno-Constantinopolitanum (HAHN § 14, LIETZMANN S. 36) διὰ τὴν ἡμετέραν σωτηρίαν.

[155a] So hört der gläubige Christ aus dem ersten Artikel eine „entscheidende Beteiligung" Christi „an der Schöpfung" heraus, ja kann in ihm schlechthin „den Herrn der Schöpfung" sehen (s. etwa G. MAY, Schöpfung aus dem Nichts . . . 1978, S. 28f.; W. FAUTH, Art. ‚Kyrios' im Kleinen Pauly III 1975, Sp. 416 unten). Ausgeprägte Vertreter dieser Betrachtungsweise sind O. A. DILSCHNEIDER, Christus Pantokrator 1962 (s. bes. S. 34 m. Anm. 2 auf S. 229 und 42f.); FRITZ BURI, Der Pantokrator. Ontologie und Eschatologie als Grundlage der Lehre von Gott 1968 (s. bes. S. 18–64; S. 53ff. zur *creatio continua*).

[156] Vgl. oben [S. 128] mit Anm. 139 und 142 (LIETZMANN; CULLMANN).

Formeln, die diesen Stellen ihr Gepräge geben, unzweideutig stoische Beeinflussung verraten[157], so bestätigt sich auch von hier aus unsere oben entwickelte Auffassung, daß das sog. Römische Symbol in seinem ersten Bestandteil πιστεύω εἰς θεὸν πατέρα παντοκράτορα in stoischer Tradition steht und hellenistischen Anregungen seine Form verdankt. Das darf uns gerade im Blick auf das 2. Jh., in dem das Symbol entstand, nicht verwundern; denn auch für den gleichzeitigen Clemens von Alexandria war ja die griechische Philosophie „eine unmittelbare Heilsveranstaltung Gottes, die für die Griechen dieselbe Funktion besaß wie für die Juden das Alte Testament"[158].

So führt der erste Artikel des Apostolikums als mächtiges Eingangstor, über dem die Lettern griechischer Gottesweisheit stehen, in die zentraleren Bezirke christlichen Glaubens. Man | hat es diesem Artikel dabei neuerdings schwer verdacht, daß er sich an die erste Stelle des Bekenntnisses gedrängt und damit „die Auslegung des Wesens des Christentums verfälscht" habe[159]; damit wäre also in einer nicht gerade trinitarischen Denkweise ein Rangstreit der drei Artikel des Apostolikums eröffnet. Oscar Cullmann, der sich zum Sprecher dieses Anliegens gemacht hat, verfolgt in seiner in vieler Hinsicht förderlichen Untersuchung über die ersten christlichen Glaubensbekenntnisse dementsprechend die Absicht, als letzterreichbare Urzelle des Bekenntnisses allenthalben eingliedrige Formeln aufzuspüren, die rein christologisches Gepräge tragen[160]. Ja, er versteigt sich zu der Behauptung, daß „sogar dort, wo zweiteilige Formeln verwendet werden, . . . in einem *christlichen* Glaubensbekenntnis der Glaube an Gott in Wirklichkeit eine Funktion des Glaubens an Christus ist"[161]. „Nicht die Gottessohnschaft dient zur Erklärung der Erhöhung des auferstandenen Kyrios, sondern von der Würde Christi als des auferstandenen Kyrios ausgehend, spricht der Christ des 1. Jahrhunderts von Christi göttlichem Ursprung."[162]

Damit sind, wie zunächst festgestellt werden muß, so eindeutige Aussagen Christi wie sein Vaterunser-Gebet, wie Matth. 11,27 („alle Dinge sind mir übergeben von meinem Vater"), 23,9 („einer ist euer Vater, der im

---

[157] Oben [S. 128] m. Anm. 140 und 141.

[158] Nach der Formulierung von ERNST BENZ, Christus und Sokrates in der alten Kirche. ZNTW 43. 1952, S. 210f., dort auch die Belegstellen.

[159] O. CULLMANN, Die ersten christl. Glaubensbekenntnisse ²1949, S. 45. Dagegen LUTHER (1523) Weim. Ausg. 11, 50f. *hic primus articulus . . . summus est . . . Quicquid est in tota scriptura, huc referri potest, etc.*

[160] CULLMANN, aaO., S. 33 u.ö. Vgl. dagegen schon die eindringliche Mahnung von K. BARTH, Credo. Die Hauptprobleme der Dogmatik . . . 1935, S. 27, zum Thema ‚Opera trinitatis ad extra sunt indivisa'.

[161] AaO. 34, ganz ähnlich 52f., vgl. a. 47ff. Weit vorsichtiger H. LIETZMANN, Gesch. d. alten Kirche 2, S. 101ff., bes. 106 m. Anm. 4. H. v. CAMPENHAUSEN aaO. (ob. Anm. 125), S. 234f. Die CULLMANNsche Position ist nicht neu; so hat bereits GUSTAV V. ROHDEN (u. a. in der Zeitschr. f. d. ev. Religionsunterricht 1893, S. 57ff.) eine „christozentrische Behandlung des Lutherschen Katechismus" gerade im Blick auf den ersten Glaubensartikel verfochten, und WILH. BORNEMANN aaO. 53f. hat ihm mit guten Gründen entgegnet.

[162] CULLMANN aaO., 52.

Himmel ist"), Joh. 14,28 („der Vater ist größer als ich"), 16,28 („ich bin vom Vater ausgegangen . . . und gehe zum Vater") einfach übergangen. Aber sehen wir zu, wie es mit den ein- und mehrgliedrigen Urzellen des Bekenntnisses bestellt ist:

1. Von den von Cullmann als *eingliedrig* angeführten Zeugnissen[163] trifft eigentlich nur auf eines diese Kennzeich|nung wirklich ganz zu, auf I Kor. 15,3–8, und dieses Bekenntnis des Paulus vertritt ein ganz besonderes Anliegen, indem es gegen die Auferstehungsleugner vom Schlage der Matth. 28,13 Genannten gerichtet ist.

Alle anderen Belege verraten deutlich, ja meistens ausdrücklich, daß Gott der Vater vor und neben Jesus mit ins Blickfeld gerückt sein will:

Mc. 3,11 (‚du bist Gottes Sohn'). Mc. 5,7 (‚o Jesu, du Sohn Gottes des Allerhöchsten, ich beschwöre dich bei Gott'). Acta 3,6 (‚im Namen Jesu Christi von Nazareth') ergänzt durch 4,10 (‚im Namen Jesu Christi von Nazareth, den Gott . . . auferweckt hat'). Acta 8,37 (‚Jesus Christus Gottes Sohn'). Röm. 10,9 (‚Jesus . . . der Herr . . ., daß ihn Gott . . . auferweckt hat'). Phil. 2,5–11 (‚Jesus Christus . . .', dazu bes. v. 6. 9. 11 ‚. . . zur Ehre Gottes des Vaters')[164]. I Petr. 3,18–22 (‚Christus . . .' v. 18 ‚auf daß er uns zu Gott führte', vgl. v. 20–22)[164]. I Johs. 4,2f. (s. dazu a. unten unter 3).

Dazu treten die auf den Gebrauch bei der Taufe hinweisenden christologischen Formeln:

Gal. 13,26f. (26 ‚Gottes Kinder'), darunter vor allem die in der Apostelgeschichte sich findenden

Acta 2,38 (‚so werdet ihr empfangen die Gabe des heiligen Geistes').

8,16f. (17 ‚und sie empfingen den heiligen Geist').

10,47f. (47 ‚die den heiligen Geist empfangen haben gleichwie auch wir').

19,5f. (6 ‚kam der heilige Geist auf sie, . . .').

Wird hier durchwegs neben der Anrufung von Christi Namen auch auf den Empfang der Gabe des heiligen Geistes hingewiesen, so schwebt deutlich Christi eigene Taufe vor, damit aber sogleich auch unausgesprochen der Gedanke an Gott den Vater, der dort nach dem übereinstimmenden Bericht der Evangelien (Mt. 3, Mk. 1, Luk. 3, vgl. Johs. 1,34) vom Himmel für seinen Sohn gezeugt hat, womit denn also das Taufsymbol der ersten Christengemeinden schon den Keim der drei Artikel in sich| trägt, wie sie im folgenden Jahrhundert – wiederum zuerst als Taufsymbol – bei Justin erscheinen[165].

---

[163] AaO. 14f., 17f., 19f., 23, 27f., 31, 38.

[164] Hierzu vgl. a. LIETZMANN aaO. 2, S. 102f.

[165] LIETZMANN, Symbole der alten Kirche, S. 5; HAHN, S. 4f. Vgl. vielleicht auch bereits die urchristliche ‚Taufliturgie' Kol. 1,15–20 (15 ‚welcher ist das Ebenbild des unsichtbaren Gottes') nach KÄSEMANNs Vermutung (Bultmann-Festschrift 1949). Zur stoischen Färbung dieser Stelle s. oben [S. 100ff.].

2. Den „eingliedrigen" reihen sich ganz folgerichtig die ausdrücklich *zweigliedrigen* Bekenntnisse an[166]:

Acta 3,13–16 (‚Gott unserer Väter – Knecht Jesus, Heiliger und Gesalbter, Fürst des Lebens; den hat Gott auferwecket von den Toten‘). I Kor. 8,6 (‚einen Gott, den Vater . . . einen Herrn, Jesus Christus . . .‘). I Tim. 2,5 (‚ein Gott und ein Mittler . . . der Mensch Christus Jesus‘). I Tim. 6,12–16 (13 ‚von Gott, der alle Dinge lebendig macht[167], und von Christo Jesu, . . .‘)[168]. II Tim. 4,1 (‚von Gott und dem Herrn Jesus Christus, . . .‘).

3. Schließlich die *dreigliedrigen* Formeln, die bereits die drei Artikel des Apostolikums präformieren oder doch ahnen lassen:

Matth. 28,19 (‚im Namen des Vaters und des Sohnes und des heiligen Geistes‘)[169]. Röm. 1,3–4 (4 ‚Sohn Gottes nach dem heiligen Geist . . . Jesus Christus unser Herr‘)[170]. I Kor. 12,3–6 (‚ ein Geist . . ., ein Herr . . ., ein Gott, der da wirket alles in allem‘). II Kor. 13,13 (‚die Gnade des Herrn Jesus Christus und die Liebe Gottes und die Gemeinschaft des heiligen Geistes‘)[171]. Eph. 4,4–6 (‚ein Geist . . .,| ein Herr . . ., ein Gott und Vater unser aller‘), vgl. I Johs. 4,2f. (‚Geist . . . Jesus Christus . . . Gott‘)[172].

So läßt sich denn die für das Apostolikum von Anfang an integrierende Bedeutung des Gottvaterbekenntnisses unschwer aufzeigen. Daß es an den Anfang zu stehen kam, erscheint danach geradezu als selbstverständlich. Damit ist die eigentlich zentrale Bedeutung des zweiten Artikels für den christlichen Glauben keineswegs in Frage gezogen. Ja, wenn ‚zentral‘ heißt ‚die Mitte bildend‘, so entspricht gerade der Wichtigkeit des christologischen Bekenntnisses seine ‚zentrale‘ Stellung in der Mitte zwischen dem Gottvater- und dem Hl. Geist-Artikel. So mußte es der spätantike Mensch auch ohne weiteres auffassen, dem die rhetorische Dreigliederung in der Darstellung eines Gedankengangs – Prooimion, Logos, Epilogos[173] –

---

[166] CULLMANN aaO. 20ff., 27, 37; Acta 3,13–16 beansprucht C. ebenfalls als eingliedrig.

[167] τοῦ θεοῦ τοῦ ζωογονοῦντος, vgl. dazu Aischyl., Hiketiden 584f. ψυοίζοον Ζηνός. Zu I Tim. 6,15f., vgl. Aisch., Hik. 524f. mit frappanter Ähnlichkeit der Formelsprache.

[168] Hierzu bei CULLMANN 21f. wichtige Bemerkungen über die Entstehung der Formel ‚gelitten unter Pontio Pilato‘.

[169] Diese in ihrem Ursprung so umstrittene Stelle ist die einzige, die CULLMANN aaO. 31 als dreigliedrig gelten läßt. Die übrigen Stellen ebenda S. 15, 23f., 27, 31, 37f. Vgl. a. LIETZMANN, Gesch. d. Alt. Kirche 2, S. 105.

[170] LIETZMANN aaO. 102.

[171] Für CULLMANN, der S. 31 m. Anm. 62 mit Recht betont, daß derartige Formeln liturgisch geprägt sind, ohne eigentlichen Bekenntnischarakter zu besitzen, ist diese Fassung mit ihrer Voranstellung Jesu Christi bezeichnenderweise die einzige, die als ‚der Gesamtheit des neutestamentlichen Zeugnisses gemäß‘ Gnade findet, während Ephes. 4,5f. ebenfalls eine relativ gute Zensur erhält, da dieses ‚Bekenntnis‘ wenigstens ‚vom Kyrios spricht, bevor es von Gott spricht‘ (S. 45f.). Auch an Röm. 1,3–4 (s. ob.) hätte er dabei denken können.

[172] Vom ‚comma Johanneum‘ I Johs. 5,7f., sehe ich wie Cullmann ab, da es nicht in das NT gehört (vgl. M. DIBELIUS RGG ²I 2017).

[173] Daß uns zufällig bloß die Dreiteilung ‚Prooimion – Agon – Epilogos‘ überliefert zu sein

durchaus geläufig war, wobei das Mittelstück wie im Apostolikum folgerichtig seine zentrale Bedeutung durch den relativ größten Umfang zu
unterstreichen pflegte.

Cullmann läßt die Voranstellung des ‚Glaubens an Gott' vor dem ‚Glauben an Christus' allenfalls im Sinn eines missionarisch-pädagogischen Anlie-
gens gelten[174], indem dadurch in Übereinstimmung mit dem jüdischen
Bekenntnis den Heiden die Einheit Gottes erst einmal eingeprägt werden
sollte. Viel eher mag es aber so gewesen sein, daß nach einem bewährten
missio|narischen Grundsatz[175] an etwas dem Heiden Bekanntes und Geläu-
figes angeknüpft, sozusagen eine gemeinsame Basis hergestellt werden sollte; denn daß im Hellenismus der Glaube an ‚Gott den Vater, Schöpfer und
Erhalter aller Dinge' als vorsokratisch-platonisch-stoisches Erbe lebendig
war und daß sich der erste Artikel hieran sogar in seiner Formulierung
angeschlossen hat, möchte als Ergebnis der vorliegenden Untersuchung zu
buchen sein. Erst dann folgte in nicht zu überhörender Eindringlichkeit als
das eigentlich christliche Spezifikum der freilich fortan auch auf den ersten
Artikel zurückstrahlende zweite, worauf das Bekenntnis zum Heiligen Geist
und zur Kirche den Epilogos bildete.

Allerdings schuf der Dreiklang des Bekenntnisses der christlichen Gemeinde zugleich eine ganz neue und komplexe Einheit ihrer Glaubensfor-
mel, die – fest in sich geschlossen – von nun an im Grunde für den Gläubigen
nicht mehr analysierbar war[176], und für die sich im Trinitätsdogma bald ein
gemäßes Symbol finden sollte. Von hier aus betrachtet entfällt vollends die
Berechtigung zur Diskussion eines Rangstreits unter den drei Artikeln.
Freilich mag zugegeben werden, daß der Hörer und Bekenner des Apostolikums bis auf den heutigen Tag immer wieder der Versuchung ausgesetzt ist,
den ersten Artikel als ihm besonders oder gar allein zusagend abzulösen und
sich damit, wie wir jetzt sagen dürfen, mehr oder weniger eindeutig auf die
Gottesanschauung des gebildeten spätantiken Heidentums zurückzuziehen.

---

scheint (Doxopatres, Rhet. Gr. VI 13 W.), versteht sich daher, daß in der rhetorischen Theorie
die Gerichtsrede stark im Vordergrund stand. Aber die logisch zu postulierende Dreiheit
‚Prooimion – *Logos* – Epilogos' liegt implicite doch etwa schon bei Aristoteles vor, Rhetor. III
13, 1414 a 30; b 12, wo den zwei Hauptteilen des λόγος (τοῦ λόγου δύο μέρη) προοίμιον und ἐπίλογος
gegenübergestellt sind. Vgl. a. Aisch., Prom. 740 (λόγους – προοιμίοις). Apsines, Rhetor. I² 2,
297 Sp. nennt das Mittelstück πραγματικὸν εἶδος, Cicero, De part. orat. 4 spricht von der *res
docenda* (R. Volkmann, Rhetorik der Griechen und Römer ³1901, S. 26 m. Anm. 2 u. 3). – Vgl.
allgemein auch W. Stählin, Zusage an die Wahrheit. Das Bekenntnis der Kirche, 1952, S. 94.
[174] Cullmann aaO. 36f. Vgl. Lietzmann aaO. 104.
[175] Dazu vgl. H. Hommel, Arch. f. Rel.-Wiss. 37. 1941/42, S. 160 Anm. (unten S. 194,
Anm. 77). Forschungen und Fortschritte 1943, S. 96. Auch an die Areopagrede Acta 17,22ff.
darf erinnert werden.
[176] Vgl. dazu etwa W. Stählin, Zusage an die Wahrheit . . . 1952, S. 49. 108ff. u. ö. Für die
Teilfrage von Jesu Einheit mit dem Vater in johanneischer Sicht hat neuerdings R. Bultmann
in seiner Theologie des Neuen Testaments 1953, S. 379ff. treffende Formulierungen gefunden;
vgl. den knappen Bericht über die von ihm gegebene Charakterisierung dieses Paradoxons bei
Herb. Braun in: Verkündigung und Forschung 1953, S. 29.

Aber damit, daß man die einzelnen Artikel des Apostolikums nach Wert und Gewicht gegeneinander ausspielt, ist dieser Haltung nicht zu begegnen. Eher darf vielleicht darauf vertraut werden, daß auch auf solche Glaubenseklektiker, zu denen sich der Verfasser zählt, vom unteilbaren Logos des Bekenntnisses ein Licht fällt, von dessen Strahlen sie getroffen werden, ob sie es wahrhaben wollen oder nicht. |

Nachwort 1981

Der 1954 erstmals vorgelegte und 1956 mit Nachträgen in mein Buch ‚Schöpfer und Erhalter‘ übernommene Aufsatz (dazu Frz. Dölger, Byzantin. Zeitschrift 48, 223), zu dessen Ergebnissen ich im wesentlichen heute noch stehe, erscheint hier wiederum um einige Zusätze vermehrt, die jeweils suo loco – meist in die Anmerkungen – eingefügt sind. Die Arbeit, die immerhin auf eine neue Deutung des ersten Artikels im christlichen Glaubensbekenntnis hinausläuft, hat wenig Beachtung gefunden. Von den drei mir bekannt gewordenen Rezensionen der Buchausgabe stimmt die von J. G. Préaux (Latomus 17. 1958, 573 f.) im großen und ganzen zu, während diejenige von Carl Schneider (Zeitschrift für Rel.- u. Geistesgesch. 1958, 179–181) in ihrem spöttischen Grundton (er hielt mich für einen Theologie-Dozenten, der lieber nicht den Philologen ins Handwerk hätte pfuschen sollen) und ihrer oberflächlichen Berichterstattung kaum ernst zu nehmen ist, wenn auch meine dem ‚Pantokrator‘ gewidmeten Ausführungen als dankenswert und von einigem Mut zeugend bei ihm eine relativ freundliche Beurteilung erfuhren.

Die sorgfältige Besprechung von Ilona Opelt (Jahrbuch für Antike und Christentum 4. 1961, 163 f.) dagegen sieht in dem Versuch, dem christlichen Pantokrator eine mit dem ‚Allmächtigen‘ ursprünglich gleichrangig konkurrierende ‚Allerhalter‘-Funktion zuzuschreiben und in dieser (wie ausdrücklich von mir betont, cum grano salis) eine stoische, ja letztlich vorsokratische Wurzel zu erkennen, als ein zweifaches, wenn auch „fruchtbares Mißverständnis". Denn damit sei die Lehre vom stoischen Kosmosgott mit der von ihr vertretenen immanenten Ewigkeit der Weltsubstanz ignoriert bzw. theistisch umgedeutet. Auch sei „die Bedeutung Gottes als ‚Erhalter‘ in der christlichen Theologie" ja doch nur „sekundär". Daß sie dies aber von vornherein nicht war, sondern mit jener anderen geradezu Ebenbürtigkeit beanspruchte, wollte ich eben doch aufzeigen und habe dies auch reichlich aus den Quellen belegt. Zu jenem anderen ‚Mißverständnis‘ darf ich auf meine Bemerkungen [S. 104 f.] und [107] verweisen und auf die knappe, aber treffende Verteidigung meiner Position gegenüber I. Opelt durch Gerhard May, Schöpfung aus dem Nichts 1978, S. 3 mit Anm. 7, wo die theistische Umdeutung stoischer theologischer Sätze mit Recht als etwas ganz Gewöhnliches bezeichnet wird. Auch Heinz Hofmann hat in seinem großen Artikel ‚Satorquadrat' in der RE S XV 1978, Sp. 563 mit neuen Argumenten meinen Standpunkt in dieser Frage gutgeheißen.

Eingehend befaßt hat sich mit meinen Thesen der Jesuitenpater CARMELO CAPIZZI in seinem Buch *ΠΑΝΤΟΚΡΑΤΩΡ* (Saggio d'esegesi letterario-iconografica) 1964, das sich freilich (in seinem zweiten Hauptteil) vorwiegend mit den bildlichen Darstellungen des Pantokrator in der christlichen, insbesondere der byzantinischen Kunst befaßt. Einleitend versucht der Verfasser jedoch auch dem literarischen Befund gerecht zu werden, vermag aber für meine Position, über die er dankenswerterweise ausführlich berichtet, kein Verständnis aufzubringen. Er bietet statt eines Versuchs der Widerlegung eine freilich in vornehme Form gekleidete pauschale Ablehnung (siehe besonders S. 46 mit den Anmerkungen, und vergleiche im übrigen die ausgezeichneten Indices). Stattdessen erhält bei ihm eine andere dem Thema neuerdings gewidmete Arbeit von ORSOLINA MONTEVECCHI (Pantokrator, in: Studi in onore di Aristide Calderini e Roberto Paribeni 1957 II 401–432) mehrfaches Lob (z. B. S. 70 f.). Diese Arbeit nimmt von meinen vorangegangenen Bemühungen keine Notiz, hat aber das Verdienst, auch das papyrologische und epigraphische Material für das Vorkommen von παντοκράτωρ gesammelt zu haben. Den von Augustin und anderen doch so ernstgenommenen *omnitenens* tut sie jedoch mit wenigen Worten als „raro e tardo" und als eine „evidentamente parola dotta" ab (S. 431). Auch wenn Capizzi (s. vor allem S. 174 unten) einem solchen Kurzschluß keineswegs folgt, vielmehr (S. 155 ff.) interessante Zeugnisse dafür beibringt, daß vor allem jesuitische Forscher des 17. Jahrhunderts eine gewisse Einsicht in den ‚omnitenens'-Charakter des παντοκράτωρ besessen haben, so kehrt er doch immer wieder zur Anerkennung der absoluten Prävalenz des ‚omnipotens' im παντοκράτωρ zurück, womit er die seit langem erstarrte communis opinio sanktioniert oder doch gelten läßt.

So hat die Forschung denn im wesentlichen bis heute am Pantokrator als dem schlechthin ‚Allmächtigen' festgehalten, so daß sich die Wiedervorlage meiner diese Meinung modifizierenden kleinen Monographie rechtfertigen dürfte, um so mehr als mein Buch ‚Schöpfer und Erhalter' im Buchhandel nicht mehr greifbar ist.

Die Hauptgottheiten der Germanen
bei Tacitus*

Friedrich Panzer zum siebzigsten, Eugen
Fehrle zum sechzigsten Geburtstag

Deorum maxime Mercurium colunt, cui certis diebus humanis quoque hostiis litare fas habent. Martem concessis animalibus placant.

Über dieses Anfangssätzchen des 9. Kapitels von Tacitus' Germania ist schon viel geschrieben und gestritten worden, und die Erörterung der in ihm liegenden Probleme kommt noch immer nicht zur Ruhe[1]. Kein Wunder: hängt doch von der Interpretation der zu unserm Schmerz so knapp gehaltenen Angaben viel ab für die Erkentis der altgermanischen Religion. Den Philologen bewegt zu allererst, daß nicht einmal über den Text Einigkeit herrscht, obwohl die Überlieferung zwar nicht eindeutig, aber doch völlig durchsichtig ist. Gudeman[2], der sich wie Ed. Norden[3] und jetzt auch der Neuherausgeber des Teubnertextes Koestermann nach Festlegung des Sachverhaltes durch Franz Ritter[4] in der philologisch einzig möglichen Weise für den oben gegebenen Text entschieden hat, rechnet es mit vollem Recht zu „jenen ‚philologischen Unverständlichkeiten', . . . daß man ungeachtet der sehr verdächtigen Überlieferung dennoch unentwegt" an der einmal eingewurzelten falschen Lesung festhält „und wohl auch in Zukunft festhalten wird"[5].

Es handelt sich um die in den meisten Ausgaben stehende, den meisten Behandlungen der Stelle zugrundegelegte Fassung des zweiten Sätzchens: *Herculem et Martem concessis animalibus placant.* Dabei bietet von den drei Handschriftengruppen X (B = Vat. 1862 und b = Leid. Perizonianus), Y (C = Vat. 1518 und c = Neap. IV c. 21) und E (Aesinus lat. 8) nur der Aesinus diese Lesart, Y hat *Herculem ac . . .*, und in X findet sich die Wendung: *Martem concessis animalibus placant et Herculem.* Das ist ein Schulbeispiel für eine in den Text eingedrungene Glosse, wie man es besser nicht erfinden könnte; Ritter hat das vor bald 80 Jahren richtig gesehen, bevor der ja erst in

---

* Archiv für Religionswissenschaft 37. 1941, 144–173.

[1] Wir bringen die Literaturbelege, soweit nötig, jeweils da, wo sie für unsere Untersuchung wichtig werden.

[2] Tacitus Germania, erklärende Ausgabe 1916, 32₄, 89, 241.

[3] Die germanische Urgeschichte . . . 1920, 173.

[4] In seiner Tacitus-Ausgabe von 1864. FR. KRITZ in seiner Neuaufl. der Hauptschen Ausg. 1869 hat sich ihm ebenfalls angeschlossen. Vgl. a. A. KURFESS PhW. 1928, 349f.

[5] AaO. 241.

unserm Jahrhundert aufgetauchte Aesinus | mit einer weiteren Variante die volle Bestätigung lieferte. Ein gelehrter Leser wahrscheinlich der Karolingerzeit hat offenbar in dem Bericht des Tacitus das dritte Glied in der damals geläufig gewordenen und bekannten Götterdreiheit Wodan – Ziu – Donar vermißt und mit der für Tacitus' Zeit ganz unmöglichen[6] interpretatio Donar = Hercules *&* *Herculem* oder *Herculem &* an den Rand geschrieben. So stand es wohl im Hersfeldensis, und die Nachfolger hielten das für einen zum originalen Text gehörigen Einschub; aber jeder der drei uns in den drei Gruppen X, Y und E erkennbaren Abschreiber hat die Glosse in anderer Form seinem Texte einverleibt. Wenn wir daraus nicht die angegebene Konsequenz der Streichung ziehen, dann müssen wir wohl auch in anderen Fällen mit unserer textkritischen Weisheit einpacken, dürfen uns also auch sonst nicht auf sie verlassen. Als freilich recht unwahrscheinlicher Ausweg bliebe lediglich, daß der Hersfeldensis tatsächlich ein echtes *et Herculem* o. ä. in seiner Vorlage gefunden, zunächst versehentlich weggelassen und dann in so unzulänglicher, ja irreführender Form wieder zugefügt hätte. Wir müssen also immerhin versuchen, das, was die Textkritik aus formalen Erwägungen fordert, auch vom Sachlich-Inhaltlichen her zu stützen. In negativem Sinne hat dies bereits Gudeman (s. u. die Anm.) getan, indem er das für Tacitus Befremdliche der Überlieferung aufzeigte – und dies alles könnte, mit dem formalen Befund zusammengehalten, genügen, um die von Ritter gewonnene Lesart als original zu sichern. Wir hoffen, im folgenden zeigen zu können, daß auch im Positiven der von jenem Glossem gereinigte Text sich sachlich voll bewährt.

In der landläufigen Fassung *Herculem et Martem concessis animalibus placant* hat das *concessis* erhebliche Schwierigkeit bereitet, so daß man sogar zu Änderungen schritt; so hat Reifferscheid dafür *consuetis* vorgeschlagen. Ich übergehe die Mehrzahl der gezwungenen Versuche, eine brauchbare Deutung der *concessa animalia* zu finden. Allenfalls vertretbar scheint mir die da und dort begegnende Erklärung zu sein[7], daß | man – den Vulgatatext

---

[6] „Denn Herakles-Hercules hat in dem antiken Götterpantheon keine so hervorragende Stelle, daß man ihn unter Ausschluß des Zeus-Juppiter, der obendrein bedeutsamere Attribute mit Donar teilte als der Halbgott, mit diesem identifiziert hätte." Gudemann 324. Für Tacitus ist folgerichtig Hercules auch nicht Gott, sondern Heros: ann. IV 38,5 und sogar wiederholt in der Germania selbst c. 3,1, 34,2. Gudemann 324. 89 hält demgemäß konsequentermaßen auch die ann. II 12,1 genannte germanische *silvam Herculi sacram* unweit der Weser für eine einem Stammheros, nicht einer Gottheit geweihte Stätte. – Die oben im Text aus dem hsl. Befund gezogenen Schlüsse werden implicite abgelehnt von R. P. Robinson, The Germania of Tacitus. A Critical Edition 1935, 284. Ausdrücklich hält meine Argumente für nicht überzeugend, freilich gerade mit der Einschränkung „Sieht man von den textkritischen Erwägungen ab, . . ."(!), Helmut Birkhan, Germanen und Kelten . . . 1970, S. 315, Anm. 713.

[7] Siehe z. B. R. Helm, zuletzt in Nollaus Germanischer Wiedererstehung 1926, 312, ferner etwa den wertvollen Schulkommentar von Ed. Wolff [3]1915, der diese Auffassung durch den Hinweis auf hist. V 4,3 zu stützen sucht (*sacra . . . concessa apud illos* – scil. *Iudaeos* – *quae nobis incesta*). – Abzulehnen ist auch die 1937 von R. Much in seinem Kommentar 124 (= [3]1967, 176 ff.) wieder aufgegriffene Erklärung von Schweizer-Sidler (ebenso a. Gerber-Greef, Lex.

vorausgesetzt – Herkules und Mars im Gegensatz zu dem mit Menschenopfern geehrten Merkur mit der Schlachtung der „als Opfer zulässigen"
Tiere[8] zu versöhnen suchte. Wenn das auch durch den Sprachgebrauch des
Tacitus einigermaßen zu rechtfertigen wäre, was soll aber an einer Stelle, wo
unbedenklich und wie selbstverständlich den Germanen Menschenopfer
schlechthin[9] zugeschrieben werden, die Bemerkung, daß von Tieropfern für
gewisse Götter nur bestimmte Kategorien erlaubt waren? Das wäre – so sehr
es der Wirklichkeit entsprach[10] – angesichts der durchgängigen Praxis des
Tacitus, den römischen Lesern vorwiegend das an den Germanen Fremde
und Andersartige vor Augen zu führen[11], um so überflüssiger gewesen, als
die herkömmliche Auswahl bestimmter Tiergattungen zu Opferzwecken
für den Römer gar nichts Besonderes an sich haben konnte[12]. Sehen wir also
zu, ob die merkwürdige Ausdrucksweise bei Weglassung der Glosse *Herculem et* nicht einen besseren Sinn gibt.

„Von den Göttern verehren sie ganz besonders den Merkurius, dem sie an
bestimmten Tagen sogar mit Menschenopfern Genüge zu tun pflegen. Den
Mars beschwichtigen sie dadurch, daß sie ihm (wenigstens) Tieropfer zugestehen." Mercurius wäre demnach also damals der höchste Gott gewesen,
was sich in dem Besonderen gelegentlicher Menschenopfer manifestiert hat.
Mars mußte beschwichtigt werden, indem man ihm wenigstens Tieropfer
noch zugestand. Dieses „wenigstens" und etwa auch ein „noch" in der
deutschen Wiedergabe einzuschieben, sind wir bei Tacitus' notorisch knapper Ausdrucksweise berechtigt; das *saltem* oder gar ein zugefügtes *adhuc*
o. ä. konnte mit Fug wegbleiben. So käme ein Sinn heraus, nach dem *Mars
dem Mercurius in scharfer Antithese gegenübergestellt* ist, wofür nicht nur bei
Tacitus die asyndetische Anknüpfung *(Martem . . .)* bezeichnend ist[13]. Und
es wäre weiterhin zwar nicht ausdrücklich gesagt, aber für den Wissenden
un|schwer zwischen den Zeilen zu lesen, daß ein etwaiger Anspruch des

---

Taciteum 198b), *concessa* beziehe sich auf Opfertiere, die – im Gegensatz zu den vorher
genannten Menschenopfern – nach der damaligen *römischen* Anschauung erlaubt gewesen seien.

[8] Ahd. *zebar* im Gegensatz zum „Ungeziefer", den nicht opferbaren Tieren, KL. DÜWEL,
Germanische Opferriten . . . In: Vorgeschichtliche Heiligtümer . . . 1970, S. 227.

[9] Das fällt insofern auf, als wir sonst – auch bei Tacitus – meist nur von geopferten
Kriegsgefangenen oder Sklaven hören; die Belege bei DE VRIES, Altgermanische Religionsgeschichte 1935, I 251f.; vgl. auch G. TRATHNIGG, ARW 34 (1937) 240. Jetzt umfassend die
Abhandlung von HEINR. BECK, Germanische Menschenopfer in der literarischen Überlieferung. In: Vorgeschichtliche Heiligtümer . . . Hsg. v. H. Jankuhn. 1970, S. 240ff., hier bes. S.
251.

[10] DE VRIES I 253, der übrigens unsere Tacitusstelle nicht in diesem Sinne verwertet, bietet
dafür die Belege.

[11] Darüber vgl. vor allem die treffenden Bemerkungen von FR. DIRLMEIER (in: Die Alten
Sprachen 1937, 44ff.), der (46) „das ‚Anderssein' als Aussageform in der Germania" feststellt.

[12] WISSOWA, Religion u. Kult. d. Römer [2]1912, 413ff. (Pferdeopfer ausschließlich dem Mars
vorbehalten 144f.).

[13] STOLZ-SCHMALZ(-HOFMANN), Lateinische Grammatik [5]1928, 846. DRAEGER, Über Syntax
und Stil des Tactius [2]1874, 53.

Mars auf den Rang des *deorum maxime cultus* als einstmals bestehenden Verhältnissen entsprechend für diskutabel erachtet, für jetzt aber ausdrücklich abgelehnt wird, Mars vielmehr als aus dieser Rolle verdrängt und mit minderen Ehren „abgespeist" oder „beschwichtigt" angesehen wird.

Auch sonst ist sprachlich gegen diese Übersetzung sicherlich nichts einzuwenden. Ein Blick ins Lexicon Taciteum lehrt, daß sich sowohl für *concedere* wie für *placare* – und auf die Wiedergabe dieser beiden Verba kommt es hier außerdem an – bei Tacitus selber Parallelen für den von uns untergelegten, ja auch gar nicht ungewöhnlichen Sinn reichlich darbieten.

a) *concedere* im Sinne von „zubilligen" Agr. 42,2 *salarium proconsulare . . . quibusdam a se ipso concessum Agricolae non dedit.* ann. XII 42,2 *honos sacerdotibus et sacris antiquitus concessus;* 60,2 *alias per provincias et in urbe pleraque concessa sunt, quae olim a praetoribus noscebantur,* XIV 55,2. hist. IV 51,2. Germ. 21,2 *abeunti si quid poposcerit concedere moris.* 40,3 *vehiculum . . . attingere uni sacerdoti concessum;* ganz besonders nah vergleichbar aber, weil es sich ebenfalls um den Ersatz der versagten Ehre durch eine andere minderen Grades handelt, ohne daß auch da das hier sogar eindeutig vorauszusetzende „wenigstens" im Lateinischen ausgedrückt wäre, scheint mir zu sein Dial. de or. 11,1 *concedendo iis, qui causas agere non possunt, ut versus facerent.*

b) *placare* im Sinne von „beschwichtigen" hist. III, 75,3. ann. I 29,1. XIV 4,1 *illuc matrem elicit, ferendas parentium iracundias et placandum animum dictitans.*

Sollte die hier vorgetragene, sprachlich wohlbegründete Übersetzung dennoch als gesucht erscheinen, so wollen einige sachliche Erwägungen ihr vollends Bestätigung sichern.

Daß Mercurius dem altgermanischen Wodan (nordisch *Oðin*) entspricht, ist gut bezeugt[14] und allgemein anerkannt, ebenso daß sich hinter Mars die germanische Gottheit **Tīwaz* (ahd. *Zîo,* an. *Týr*) verbirgt[15]. Als fast ebenso sicher darf gelten, daß Mercurius-Wodan den alten germanischen Haupt- und Himmelsgott Mars-Tiu, dessen Name ihn in einen uralten gemeinindogermanischen Vorstellungskreis rückt (altindoar. *Djauṣ,* gr. *Zεύς,* lat. *Diespiter*), erst sekundär aus seiner beherrschenden| Rolle verdrängt hat[16]. Daß

---

[14] Paulus Diacon., Hist. Langobard. I 9; Vita S. Columbani I 27. Vgl. ferner die Wochentagsgleichung: *dies Mercurii*-Wodanstag (fortlebend im engl. *Wednesday,* schwed. *Onsdag,* mnd. *Gudens-* und *Gons-tag*); s. R. Muchs Kommentar zu Tac. Germ. 121 f. (⁹67, 171 f.), ferner A. Closs in Koppers' Sammelwerk „Die Indogermanen- und Germanenfrage" 1936, 659. Einschränkend H. Krahe, Beitr. zur Namenforschung 7. 1956, 97.

[15] Hauptbeweis wiederum die Wochentagsbenennung für den *dies Martis,* die mhd. *Ziestag,* ags. *Tíwesdæg,* an. *Týsdagr,* im Alemannischen heute noch *Ziischdig* lautet; Much 123 f. (= ³176). Fehrles Kommentar zur Germania ³1939, 76.

[16] Vgl. darüber R. Much in der Festgabe für Heinzel 1898 ff.., bes. 229 f., Germania-Kommentar 120 f., 123 f. (= ³171, 176); Mogk, Germanische Mythologie (Pauls Grundriß ²III) 314; Helm aaO. 317; A. Heusler, RGG ²II (1928) 1066; Closs aaO. 589 m. Anm. 89, 652 f. m. Anm. 13. H. Birkhan, Germanen und Kelten, 251 ff. in seinem bedeutsamen Kapitel „Der Himmelsgott bei Germanen und Kelten". – Daß übrigens der Totengott (Seelenführer) Wodan

diese Entwicklung zeitlich nur allmählich und räumlich ungleichmäßig vor sich ging, hat man aus mancherlei Anzeichen erschlossen[17]. Wir werden nachher selber noch auf diese Frage zurückzukommen haben. Unsere Tacitusstelle aber sagt uns jedenfalls das Eine ganz deutlich, daß sich dem Verfasser der Germania oder seiner hier benutzten Quelle das Gesamtbild im 1. Jahrh. so darstellte, daß er, aufs Ganze gesehen, dem Mercurius-Wodan bereits das Übergewicht über den auf den zweiten Platz verdrängten Nebenbuhler Mars zumaß. Das Kriterium für dieses Überwiegen waren ihm die dem Gott zu bestimmten Zeiten geweihten Menschenopfer[18], die damals offenbar, wo ihnen die Römer begegneten, vornehmlich auf Wodan zu beziehen waren, während Mars-Tīwaz mit Tieropfern vorliebnehmen mußte. Aber Spuren des Übergangs und der noch nicht abgeschlossenen Entwicklung finden wir bei Tacitus selber.

Bei den Tencterern am Niederrhein östlich von Köln galt noch nach hist. IV 64,1 als *praecipuus deorum M a r s ,* was ohne Zweifel dem alten Zustand der Prävalenz des Himmelsgottes entspricht. Und aus einer weiteren Stelle läßt sich, wie mir scheint, bei einem anderen Germanenstamm der Übergang zur neuen Religion so deutlich greifen, daß dem noch nicht völlig entthronten Tīwaz gegenüber bereits der Prätendent Wodan seine | Ansprüche anmeldet: ann. XIII 57,2 wird uns diese Wende dadurch kenntlich, daß anläßlich einer Fehde zwischen Hermunduren und Chatten zu Neros Zeit die siegreichen Hermunduren auf Grund eines Gelübdes *diversam aciem Marti ac Mercurio sacravere,* also die gesamte feindliche Beute diesen *beiden* selber im Kampf miteinander liegenden Hauptgöttern weihten[19]. Vielleicht ist es nicht Zufall, daß dabei Mars, der ältere Hauptgott, noch an erster Stelle genannt wird. Mit dieser Auffassung läßt sich sehr wohl die bestechende Vermutung

---

den Himmelsgott ablöste, hat wohl auch seine weltanschauliche Bedeutung und verrät vielleicht einen geistig-religiösen Umschwung innerhalb des Germanentums, der die Empfänglichkeit zur Aufnahme des jenseitsbetonten Christentums mit vorbereitet haben mag. Zum „Gespenstischen" des Wodansglaubens vgl. Otto Höfler, Kultische Geheimbünde der Germanen I 1934, passim; s. auch Closs 663[56], dazu 679[72].

[17] Much aaO.; Helm aaO.; Closs 661f., 672 u. ö.; G. Trathnigg, ARW 34 (1937) 248f. Birkhan aaO. 283, Anm. 606.

[18] Daß die Menschenopfer gerade und wohl ziemlich ausschließlich dem höchsten Gott zukamen, liegt in der Natur der Sache und bestätigt sich durch des Tacitus Notiz c. 39, wonach bei den Semnonen der *regnator omnium deus* solche Opfer erhielt. Daß nach c. 40,4 auch die Nerthus ebenso geehrt wurde, scheint sie mir in nächste Nähe des höchsten Gottes zu rücken; s. dazu ausführlicher unt. [S. 171f.]. – Vgl. a. helm 315 u. 318; Cloß 608 u. 672. Anders Müllenhoff, Die Germ. des Tac. 214f. Gero Zenker in seinem in Tacitus den Orientalen witternden Buch „Germanischer Volksglaube in fränkischen Missionsberichten" 1929, 107ff. 175 erklärt die Menschenopfer der Germanen nach wie vor als östlich beeinflußte „Greuellügen", erkennt dagegen (111) gern an, daß es bei den Galliern „nach einwandfreien römischen Zeugnissen tatsächlich Menschenopfer gegeben haben muß". Von dorther, wohin schon früh orientalische Vorstellungen gelangt sein müßten, sei die Sache in die „Germania" eingeflossen! – Zum Menschenopfer für den Zeus der Hellenen vgl. M. P. Nilsson, ARW 35 (1938) 158.

[19] Dazu vgl. auch Closs 662.

R. Helms vereinbaren[20], daß es sich bei dem Gelübde um eine „evocatio" Wodans durch die Hermunduren gehandelt habe, um eine Anrufung des bei den feindlichen Chatten damals etwa schon als Hauptgott verehrten Nebenbuhlers des Tīwaz um seine Hilfe, mit dem Versprechen, ihm im Fall des Sieges zwar noch nicht als alleinigem Herrn, aber doch neben dem bisherigen Herrschergott ebenfalls zu opfern. Zurückhaltendere und in ihrer religiösen Haltung gegenüber der einschneidenden Neuerung noch schwankende Stämme mögen vor der Abkehr von dem angestammten Hauptgott durch derartige Proben sich den neuen Gott haben bewähren lassen, wie wir sie dann später vielfach auch dem Christengott gegenüber angewendet finden[21].

Sind unsere Schlüsse richtig und liegt kein Zufall vor, so repräsentieren also die drei besprochenen Tacitusstellen – hist. IV 64; ann. XIII 57; Germ. 9,1 – in dieser Reihenfolge eine Entwicklung[22], die die Germanen insgesamt, wenn auch in ungleichmäßigem Rhythmus, durchgemacht haben, und deren Abschluß Tacitus an der wichtigen Germaniastelle verallgemeinernd vorwegnimmt[23]. Das ist immerhin so geschehen, daß der Leser, dem etwa das bisherige Dominieren der Tīwaz-Verehrung geläufig war, die Verdrängung dieses alten Himmelsgottes aus seiner Position angedeutet fand. Es ist also durchaus möglich, ja nach den anderen be|sprochenen Stellen sogar wahrscheinlich, daß Tacitus um diesen Kampf der Götter auf germanischem Boden wußte[24], aber um seinen Lesern ein möglichst klares

---

[20] AaO. 318.

[21] Am bekanntesten das Beispiel Chlodwigs des Frankenkönigs i. J. 496; dazu vgl. R. HELM 385. Vergleichbar sind auch die Umstände beim Übertritt des arianischen Königs der spanischen Sueven Chararich zum Katholizismus Mitte des 6. Jahrh.: Gregor von Tours, De miraculis S. Martini I 11.

[22] Vgl. übrigens hierzu auch schon die richtige Zusammenstellung von REIS in REEBS Germania-Kommentar 1930, 146f.

[23] Vgl. dazu a. HELM 317f. und jetzt auch WERNER MÜLLER, Die Jupitergigantensäulen . . . 1975, S. 92, der mir zustimmt, nur daß er für die Entwicklung ganz allgemein längere Zeit annimmt. – Der Eingangssatz des Kapitels *Deorum maxime Mercurium colunt* ist, wie bekannt, wortwörtlich aus Caesar b. G. VI 17,1 übernommen, wo er von den Kelten gesagt ist; (bei den Kelten entsprechen sich wohl Mercurius/Esus, Mars/Teutates, Iuppiter/Taranis? – vgl. W. GÖBER, RE V A 1934, Sp. 1155; anders jetzt J.-J. HATT, Kelten und Galloromanen 1970, S. 300 u. 304, der zwar an Juppiter/Taranis festhält, aber dem Mercurius den Teutates zuordnet und in Esus den Erdgott und Gatten der Muttergöttin erblickt; ähnlich K. BITTEL in: Die Kelten in Baden-Württemberg 1981, 86, der angesichts der Divergenz der Quellen in dieser Frage an wechselnde theologische Systeme in der Interpretatio Romana denkt. Vgl. Herodot V 7 σέβονται Ἑρμέην μάλιστα θεῶν von den thrakischen Fürsten. Bei beiden Autoren ist hier daneben an hervorragender Stelle von Mars bzw. Ἄρης die Rede. Mit Recht wird heute fast allgemein anerkannt, daß Tacitus sich solcher „Topoi nur dann bediente, wenn sie wirklich paßten" (E. BICKEL in Festgabe . . . zur 58. Versammlung deutscher Philologen . . . zu Trier 1934, Sonderdruck aus dem Bonner Jahrb. 139, 1f.). Aber bei der Unsicherheit über den höchsten Gott, die Tacitus bei den Germanen offenbar vorfand, mag der Topos den Ausschlag gegeben haben, hier den Mercurius(-Wodan) an die erste Stelle zu rücken.

[24] Dies hatte MUCH 123f. (= ³176) ausdrücklich bestritten. – Die 3. Aufl. von MUCHS

und einfaches Bild von den germanischen Verhältnissen zu zeichnen, die Problematik der Entwicklung nur eben hat anklingen lassen, so daß der Durchschnittsleser sie ruhig übersehen mochte, der Eingeweihte dagegen den Hinweis nicht zu vermissen brauchte.

Von hier aus fällt nun aber auch auf jenen anderen, wichtigen und zu unserm Glück viel ausführlicheren Abschnitt der Germania über germanische Religion, wie ich glaube, neues Licht, auf des Tacitus Bericht über den Kult der suebischen Semnonen c. 39. Eine kurze Erörterung einiger seiner Probleme wird hier um so lieber angeschlossen, als auch da eine scharfe philologische Interpretation über die bisherigen Ergebnisse hinausführen kann.

Nachdem am Beginn des 38. Kapitels die Besonderheit des zahlreiche Unterstämme *(nationes = populi* c. 39,1) umfassenden Stammes *(gens)* der Sueben hervorgehoben war, charakterisiert das folgende c. 39 die Semnonen als den unbestritten überragendsten Stamm der Suebengruppe *(Sueborum caput,* und vorher schon: *vetustissimi – nobilissimi – antiqua religio – fortuna – centum pagi – magna corpora).* Daß mit den 39,1 genannten *omnes eiusdem sanguinis populi,* die zu dem Fest des höchsten Gottes durch Gesandtschaften zusammenkommen, die Stämme der Sueben (= den *nationibus* c. 38,1) zu verstehen sind und nicht etwa bloß Untergliederungen des Semnonenstammes, legt der ganze Zusammenhang nahe, es erweist sich vollends dadurch, daß die Semnonen ja gleich nachher ausdrücklich als in *pagi* (nicht etwa ihrerseits in *populi* oder *nationes)* eingeteilt erscheinen.

Das geschilderte Fest hat ganz allgemein in manchen Zügen gewisse Ähnlichkeit mit uns sonst bekannten Stammeskulten am Ort des Heiligtums einer Zentralgottheit, so etwa des Juppiter Latiaris auf dem mons Albanus[25]. Näher kommen wir dem Charakter des von den Sueben verehrten Gottes durch die Kennzeichnung seiner Eigenart als *regnator omnium deus* durch den Römer Tacitus. Es muß auffallen, daß dieser hier die ihm sonst so geläufige „interpretatio Romana" zu vermeiden scheint. Aber man hat bisher nicht gesehen, daß das tatsächlich nur scheinbar der Fall ist. Denn die Umschreibung des göttlichen Wesens durch| *regnator omnium deus* mußte beim römischen Leser eine ganz bestimmte eindeutige Vergleichsvorstellung von der

---

Kommentar 1967, S. 188f. von W. Lange, und die 5., von R. Hünnerkopf besorgte Aufl. von E. Fehrles Germania-Kommentar 1959, S. 89 erwähnen zwar R. v. Kienles und meine Arbeiten zu dem Problem, ohne sie jedoch im geringsten auszuwerten. Dazu vgl. a. unt. Anm. 26 u. 48 gg. E.

[25] Kurze Aufzählung der Hauptzüge der alljährlichen Festfeier durch Thulin in der RE X 1134f. Die dem Gott aufgehängten Puppen sind zweifellos als Ersatzopfer für ehemalige Menschenopfer zu fassen, eine Deutung, die auch für das im Mittelpunkt stehende Stieropfer zutreffen mag (Dion., Ant. Rom. IV 49; Plin. n. h. III 69, der auch die an der Feier beteiligten *populi* aufzählt); vgl. a. W. Aly, ARW 33 (1936) 59, 64. Zu dem Menschenopfern H. Beck aaO. (Anm. 9), hier bes. S. 241 ff.

Eigenart des Gottes erwecken. Bereits Gudeman hat – freilich ohne irgendwelche Folgerungen daraus zu ziehen – zu der Verwendung des Wortes
regnator für den höchsten Gott die entscheidenden Stellen gesammelt[26].
Regnator ist ein bis auf Tacitus ausschließlich von Dichtern gebrauchtes Wort
der gehobenen Sprache, das in bestimmten, an unserer Germaniastelle anklingenden Verbindungen der kultischen Sphäre zugehört und fast durchgängig den höchsten Gott der Römer, den Iuppiter Capitolinus, zu bezeichnen scheint, der uns sonst bekanntlich in der Formel *Iuppiter Optimus
Maximus* begegnet[27]. Bei der Häufigkeit der stets in den gleichen Zusammenhang weisenden und stark aneinander anklingenden *regnator*-Epitheta
des höchsten römischen Gottes könnte man im Gegensatz zur offiziellen
Bezeichnung *I.O.M.* an immer wiederholte und schließlich typisch gewordene Versuche denken, den Charakter des Gottes in seinem religiösen Gehalt
tiefer und wesentlicher darzustellen oder ihm wichtige Züge des alten „vor-

---

[26] Komm. 1916, 203³. Vgl. aber auch eine Wendung wie *imperator omnium deus* bei Cic., De re
publ. III 33. Dazu auch VI 13 *illi principi deo qui omnem mundum regit*. – Geradezu kurios ist es,
wenn der Ethnologe CLOSS aaO. 635 ff. Parallelen zum *regnator omnium deus* aus allen Weltge-
genden, von Finnen, Magyaren, Innerasiaten, Chinesen, Sudannegern herholt, das nächstlie-
gende – römische – Vergleichsgebiet aber völlig ignoriert. Eine „interpretatio Romana" lehnt
(mit für mich nicht überzeugenden Gründen) strikt ab R. PETTAZONI, Regnator omnium deus.
In: StMatStRel 19/20. 1943–46, 2 ff., s. dann auch die englische Ausgabe in: R. P., Essays on the
History of Religions . . . 1954, 136 ff. PETTAZZONI bezieht die Ausführungen des Tacitus,
Germ. 39 zwar auf Ziu-Irmin (dazu s. hier weiter unten), will aber in dem geschilderten
Vorgang ein typisches Gottesurteil erblicken. – Weitere Literatur zum *regnator omnium deus* s.
jetzt bei R. HÜNNERKOPF in der 5. Aufl. von E. FEHRLES Germania-Kommentar 1959, 122 f. und
bei W. LANGE in der 3. Aufl. von R. MUCHS Kommentar 1967, 446 u. 440. Beide Autoren
erwähnen meine und R. v. KIENLES Arbeiten hier überhaupt nicht.

[27] Auch die von Tacitus mit dem allwaltenden Semnonengott in Verbindung gebrachten
initia gentis haben eine gewisse Entsprechung im Iuppiterkult. Nach Liv. I 10,6 stand der
älteste Tempel des römischen Staatskults, der des Iuppiter Feretrius, auf dem Capitol an der
gleichen Stelle, wo später der von den Etruskern in die „kapitolinische Trias" gezwungene
I.O.M. seine Kultstätte bekam (vgl. THULIN, RE X 1127 f.). Suchen wir durch die etruskische
Umformung hindurchzusehen, so war zweifellos für römisches religiöses Empfinden der
Iuppiter O. M. trotz aller Wandlung der legitime Nachfolger des alten Feretrius, dessen Kult
durch die Sitte der „spolia opima" mit dem „Menschenopfer" des geschlagenen Feindes in
engster Verbindung stand (Liv. I 10,5 ff. – auch ein heiliger Baum spielt hier sogar eine Rolle –,
Properz IV 10). Für den Römer bedeutete überdies der dort verehrte Iuppiter dasselbe wie für
den Latinerbund der oben verglichene Iuppiter Latiaris. Das Jahresfest der „ludi Romani" weist
u. a., als den „feriae Latinae" vom Mons Albanus ungefähr entsprechend, in diese Richtung;
auch für das Fest des höchsten Semnonengottes hat man Kultspiele erschlossen, s. darüber
zuletzt G. TRATHNIGG, ARW 34, 241 u. 246. Der Züge ließen sich noch mehr finden, die den
Tacitus oder seine Quelle bei der Schilderung des Semnonenkultes gerade an einen Vergleich
mit dem römischen Iuppiter denken lassen konnten, mit jenem „vorkapitolinischen", stam-
mesgebundene Züge tragenden Himmelsgott Iuppiter, den C. KOCH, Der römische Iuppiter
1937 überzeugend als Vediovis u. ä. vom Staatsgott des Kapitols geschieden hat, der aber doch
auch in späterer Zeit noch neben und in diesem weiterlebt (weshalb mir KOCHS Ausführungen
125 u. ö. etwas überspitzt erscheinen); vgl. dazu a. V. NIEBERGALL, Griechische Religion u.
Mythologie in der ältesten Literatur der Römer. Diss. Gießen 1937, 23 f.

kapitolinischen" Himmelsgottes zu erhalten[28]: *Nae|vius* fr. 15 *summe deum regnator; Plautus* Amphitr. 44 f. (in Mercurs Mund) *meus, pater, deorum regnator, architectus*[29] *omnibus;* vgl. Rudens 9 *imperator divum atque hominum Iuppiter* (was als Umschreibung unseres *regnator omnium deus* gelten kann); *Accius* fr. 33 (= Clutemestra fr. 3) *deum regnator nocte caeca caelum e conspectu abstulit;* Valerius Soranus fr. 4 Baehr. (Fr. Poet. Rom. p. 273) *Iuppiter omnipotens, regum rex ipse deusque* (so nach Burmans Wiederherstellungsversuch; überliefert ist *reum rerumque deumque* bzw. *rerum regumque repertor*); Vergil Aen. I 65 (= II 648. X 2) *divom pater atque hominum rex*; IV 268 *ipse deum . . . regnator;* VII 558 *pater . . . summi regnator Olympi.* In den weiteren Zusammenhang dieser Wendungen gehört auch der unter unseren Belegen soeben schon aufgetauchte, seit Ennius begegnende *Iuppiter omnipotens*[30].

Es ist, wie hier die römische[31], so dort im Tacitusbericht die germanische *Sonderform des uralten indogermanischen Himmelsgottes,* dessen Verselbständigungen noch in den Namen *Iovis (Dies-piter)* und *Tīwaz*[32] ihre Zusammengehörigkeit erweisen. So liegt es denn von hier aus ganz nahe, in dem suebischen Stammesgott, dessen Kult Tacitus schildert, keinen anderen als den alten germanischen Himmelsgott Tīwaz wiederzuerkennen[33]. Wenn schon Müllenhoff in seinem Germaniakommentar (460), ohne an eine bei Tacitus zugrundeliegende genaue römische Parallele zu denken, die Gleichung *regnator omnium deus* = *Ziu (Tiu)* aufgestellt hat und man ihm darin bis heute meist gefolgt| ist[34], so dürfen wir in unserem auf anderem Wege

---

[28] Dazu s. den Schluß der vorigen Anm.

[29] Zu dieser Metapher vgl. den breit ausgeführten Vergleich des Menschen mit dem neuerbauten Haus Plautus, Mostell. 91 ff., zum *regnator* ferner Menaechmi 643 *dum regnum optinebit Iuppiter.*

[30] Die *omnipotens*-Epiklesen und verwandte Iuppiterprädikationen aus der Äneis hat Antonie Wlosok, Die Göttin Venus in Vergils Äneis 1967, 29₁₄ gesammelt. Vgl. a. fürs Griechische die *nav*-Beinamenbildungen und -Epitheta beim Himmelsherrscher Zeus der Orphik und des Aischylos (z. B. Agam. 1486 ναναίτιος und νανεργέτης; Orph. fr. 21ᵃ Kern, v. 7 Ζεὺς βασιλεύς, Ζεὺς ἀρχὸς ἁπάντων; fr. 167, 5, 7, 10, 18, 26; fr. 170 *[ναvόπτης]*; fr. 245, 16; 297ᵇ, 1 *[Ζεὺς δέ τε πάντων ἐστὶ θεὸς πάντων τε κεράσιης]*; 298), und bei uns noch Goethe im Faust I „Der Allumfasser, der Allerhalter . . . Wölbt sich der Himmel nicht da droben?", eine späte, aus tiefer Ahnung geschöpfte Konzeption des gleichen Himmelsgottes. Vgl. jetzt zu der ganzen Frage Wolfg. Kiefner, Der religiöse Allbegriff des Aischylos . . . 1965. – Zum Himmelsgottcharakter des Semnonengottes s. gleich unt. im Text.

[31] Besonders wichtig in diesem Zusammenhang der Beiname *Caelestis* des I.O.M., der CIL III 1948 für Salona, VI 404 (in der Form Caelestinus) für Rom selbst bezeugt ist (vgl. a. Hor. epist. I 17,34 *attingit solium Iovis et caelestia tentat).*

[32] Dazu ai. *Djauṣ,* griech. Ζεύς, s. ob. [S. 147].

[33] Die Instanzen von Gero Zenker aaO. 93, 175 u. ö. gegen einen indogermanischen oder gar germanischen Himmelsgott zu erörtern, lohnt nicht, da sie auf der vorgefaßten Meinung beruhen, alle nichtgermanischen Quellen über die germanische Religion, bes. Tacitus, seien orientalisch infiziert, und da sie zudem sprachlichen Indizien von vornherein keine Bedeutung zumessen.

[34] Dazu Trathnigg aaO. 245 f.; vgl. a. ob. Anm. 26.

gewonnenen damit übereinstimmenden Ergebnis eine willkommene Bestätigung seiner Ansicht finden.

Weniger Übereinstimmung herrscht darüber, ob man berechtigt ist, in dem aus dem Stammnamen der Herminonen (Tac. Germ. 2,2) – zu denen ja auch die suebischen Stämme gehören[35] – erschließbaren Gotte *Erminaz* die von Tacitus gemeinte, mit dem Tīwaz identische bzw. eine seiner Sonderformen darstellende oder mit ihm verschmolzene Gottheit zu erblicken[36], was ich für in hohem Grade wahrscheinlich halten möchte. So viel steht jedenfalls fest, daß Tacitus, ob nun bewußt oder unbewußt (das erste möchte wohl näher liegen), die Sueben noch als Tīwaz-Verehrer kennzeichnet, während er, aufs Ganze gesehen, bei den Germanen bereits den Wandel als vollzogen anerkennt, nach dem der Wodankult sich allmählich an die Stelle der Tīwaz-Verehrung zu setzen im Begriff ist[37]. |

---

[35] Plin. n. h. IV 99.

[36] So F. HERTLEIN, Die Iuppitergigantensäulen 1910, passim (NB.: die inschriftliche Götterbezeichnung dieser Denkmäler lautet meist *I.O.M.*!); MUCH, Germania-Kommentar 340 (= ³436); A. CLOSS aaO. 590 ff. u. ö.; TRATHNIGG aaO. 245 f.; R. v. KIENLE, ARW 35 (1938) 278 f.; bes. DE VRIES I 214 f., 239. Danach scheint die Appellativbedeutung des Wortes *irmin* = „groß, erhaben" der Annahme eines Gottes nicht zu widersprechen, der diesen Namen oder Beinamen gehabt hat; auch H. GÜNTERTS davon abweichende Erklärung von *irmin* als ἄρμενος = „eng verbündet" (Der arische Weltkönig . . ., 1923, 82 ff.) ließe sich damit in Übereinstimmung bringen. In unserem Zusammenhang sind für das Festhalten an einem alten Himmelsgott Tīwaz = Erminaz oder Tīwaz Erminaz mit G. NECKEL als besonders ermutigend anzusprechen die von R. MEISSNER in einer überscharfen Behandlung (Bonner Jahrb. 139, 1934, Trierer Festgabe 34 ff.) nicht entkräfteten Zeugnisse: Widukind von Corvey, res gestae Saxon. I 12 *(nomine Martem . . . quia Hirmin . . . Mars dicitur,* was der üblichen Gleichung Tiu = Mars entspräche); Rudolf von Fulda, translatio S. Alexandri *(irminsul . . . quod Latine dicitur universalis columna, quasi sustinens omnia* – vgl. damit den *regnator omnium* des Tacitus!); Annales Laurissenses (Mon. Germ. SS I 150 ad ann. 772) *ad Ermensul usque pervenit et ipsum fanum destruxit* – also doch wohl das Heiligtum der betr. Gottheit, von dessen Gold- und Silberschätzen weiterhin die Rede ist und dessen Zerstörung mehrere Tage in Anspruch nahm, wie es ausdrücklich heißt!). Und das Hildebrandslied v. 30 bringt – ähnlich wie wir es oben für den römischen *deum regnator* in einem Fragment des Tragikers Accius und für den Allerhalter in Goethes Faust beobachten konnten – den *irmingot* sogar in ausdrücklichen Zusammenhang mit dem Himmel *(wettu irmingot obana ab hevane);* vgl. E. MOGK, German. Mythol.² (PAULS Grundriß III) 1898, 315 f. E. JUNG, Germanische Götter u. Helden in christlicher Zeit ²1939, 118 ff. Von GERO ZENKER freilich (aaO. 93) werden alle, die „im Namen Irminsûl einen germanischen Gott Irmin" sehen, mit der Zensur bedacht, daß sie „geschult an mittelmeerländisch-orientalischer Religiosität germanische Frömmigkeit nur vom Süden her betrachten", arme Opfer „der mythologischen Phantasterei des Mönches Widukind von Korvey". Weit vorsichtigere Kritik bzw. Modifizierung bei H. BIRKHAN, Germanen und Kelten 283, Anm. 609. Zu *Erminaz auch 285 f., zur Gleichung *Tīwaz-Irmin positiv 288 m. Anm. 624.

[37] c. 9,1. Wie dieser Wandel auch sonst historisch faßbar und aus Tacitus selber zu belegen ist, haben wir oben [S. 147 ff.] gesehen. Die Sueben im weiteren Sinne (also auch die Alemannen) haben in der Tat am längsten den alten Ziu-Glauben bewahrt. Auch wenn man die frühmittelalterlich überlieferten Namen Ciesburc für Augsburg und Ciuuari für die Schwaben nicht mehr auf Ziu deuten will (die Literatur s. bei DE VRIES I 181; ferner vgl. CLOSS aaO. 653 m. Anm. 14 nach dem Vorgang von J. MIEDEL, Bayr. Bl. f. d. Gymnasialschulwes. 52 [1916] 253 ff., dagegen neuerdings wieder v. KIENLE aaO 278), so bleiben die Anzeichen, die uns die

Wenn die Gleichung „*regnator omnium deus*" = *Tīwaz* richtig ist, so erhebt sich die Frage, warum Tacitus nicht entweder die landläufige Tīwaz-Mars-Interpretatio (wie in c. 9 der Germania) angewandt hat oder warum er nicht angesichts der oben festgestellten Nähe seiner Umschreibung zum Wesen des römischen *Iuppiter diesen* Gottesnamen auf den Semnonengott übertrug. Ohne Zwang lassen sich da, wie es scheint, Gründe genug finden, aus denen begreiflich wird, warum er sich so allgemein ausdrückt.

Um zunächst das Einfachere abzumachen, so stand die übliche Heranziehung des *Mars* dem Tacitus im Semnonenkapitel keinesfalls zur Interpretatio des Gottes Tīwaz zur Verfügung; denn diese Namenswahl hätte der Charakterisierung als *regnator omnium deus* klar widersprochen, die durch das offenbare Wesen der germanischen Gottheit nahegelegt war. Auch wäre zugleich ein unliebsamer Widerspruch zu c. 9,1 entstanden, wo ja der germanische Mars gerade nicht als oberster, beherrschender Gott angeführt wird, sondern, wie wir sahen, bereits an zweite Stelle gerückt ist. Ein ähnlicher Widerspruch mit c. 9,1 hätte sich aber durch Benennung des Semnonengottes mit dem *Iuppiter*namen ergeben, da ja dann Tacitus den gleichen Gott einmal mit Mars (c. 9,1), ein anderes Mal mit Iuppiter (Opt. Max.) wiedergegeben hätte[38]. Aber selbst wenn man mit v. Kienle[39] annimmt, daß dem Tacitus die Identität des ihm oder| seinem Gewährsmann am Niederrhein begegneten, in c. 9 erwähnten Mars mit dem *regnator omnium deus* der weitab wohnenden Sueben nicht aufgegangen war, wenn also von hier aus sich keine Hemmungen ergaben, den *regnator*-Gott Iuppiter zu nennen, auch dann wird leicht begreiflich, warum er dennoch vor dieser Bezeichnung zurückscheuen mußte: einmal könnte man daran denken, daß vielleicht damals bereits die Iuppiterinterpretatio an den germanischen Donar verge-

---

Wochentagsnamen liefern: alem. *Ziesdich* für Dienstag (vgl. oben Anm. 15), vor allem aber die im Ostschwäbischen forterhaltene Bezeichnung Aftermontag für *Ziesdag,* den Tag des Ziu, die im Prinzip völlig der gemeindeutschen Benennung Mittwoch für den Wodanstag entspricht: hier wie dort der aus christlicher Tendenz erfolgte Ersatz nur und gerade des jeweils höchsten Gottesnamens – hier Wodan, dort Ziu – durch eine nichtssagende neutrale Bezeichnung! (Zum ostschwäbischen Aftermontag vgl. GRIMM, Deutsches Wörterbuch I 187; H. FISCHER, Schwäbisches Wörterbuch I 112, wo freilich der Sinn dieser Bezeichnung nicht erkannt ist.) – Daß daneben auch die Schwaben der Wodan- und Donarverehrung Raum gaben, beweist die Inschrift der bekannten, bei Augsburg gefundenen Nordendorfer Runenspange etwa des 6.–8. Jahrh.; aber das ist für „Sueben" eben in besonderem Maße als sekundär zu erachten (vgl. HELM aaO. 318).

[38] Außerhalb der Sphäre eines literarisch geformten Kunstwerks brauchte solches Schwanken in der Benennung nicht zu stören. So lebt der Irmin-Gott der Niedersachsen sowohl als Mars wie als Iuppiter in der Überlieferung fort; s. ER. JUNG, Germanische Götter und Helden [2]1939, 126 f. u. 130.

[39] AaO. 279; er denkt an istväonische Stämme, die in der Tat ihrem Gesamtnamen nach, wie auch nach den Inschriften vornehmlich Merkur-, also Wodanverehrer gewesen sein dürften, bei denen also Ziu-Mars nicht Stammesgott war, aber offenbar noch kriegerische Züge getragen hat. Die Möglichkeit, daß Tacitus die Identität des istväonischen Tīwaz und des suebischen *regnator* verschlossen blieb, wächst, wenn wir annehmen, daß dieser Gott bei den herminonischen Sueben „Erminaz" geheißen hat; s. dazu o. im Text [S. 153 f.] m. Anm. 36.

ben war, wie ja dann der *þonaresdag dem *dies Iovis* entspricht[40]. Aber wahrscheinlicher ist, daß Tacitus vor der interpretatio des höchsten Semnonengottes durch Iuppiter einfach deshalb zurückschreckte, weil dieser Gott als römischer Staatsgott κατ' ἐξοχήν[41] „viel zu stark mit Römischem behaftet" schien, als daß eine solche Übersetzung in Betracht kam[42]. Daß im 39. Kapitel von Tacitus' Germania der als Iuppiter empfundene Suebengott unter der alten dichterischen Umschreibung für den römischen Iuppiter, eben als *regnator omnium deus* erscheint, hat also seine guten Gründe[43].

Much hat gelegentlich an die wichtige Tatsache gerührt[44], daß es von vornherein ein großer Unterschied sein mußte, ob die „interpretatio Romana" eines germanischen Götternamens von römischer Seite erfolgte oder von seiten romanisierter Germanen. Bei diesen mußten, auf unseren Fall angewandt, natürlich eine ganze Reihe von Hemmungen wegfallen, die dem Römer im Wege waren, den Iuppiternamen zur Bezeichnung einer fremden Gottheit herzugeben. Wir dürften also sozusagen als Probe aufs Exempel unserer Interpretation des 39. Germaniakapitels erwarten, daß irgendwo einmal auf romanisiertem suebischem Gebiet der Hauptgott dieses Volkes als Iuppiter oder gar als I.O.M. erscheine; dies letztere um so mehr, als gerade der I.O.M. draußen an den bedrohten Rändern des Reichs naturgemäß die kriegerischen Züge aufwies, die der germanische Stammesgott allezeit trug[45], – als er ferner im menschlichen Abbild des triumphierenden Feldherrn sich bei eindrucksvollster Gelegenheit zu zeigen pflegte[46], was den im römischen Heer dienenden Germanen, aber| auch den Kriegsgefangenen, nicht verborgen bleiben konnte, – und als schließlich das capitolinische Heiligtum des I.O.M. und seiner Trias vielerorts im römischen Reich, beispielsweise wahrscheinlich in Trier und Köln, treulich nachgebildet wurde[47].

Diese „Probe aufs Exempel" läßt sich nun in der Tat mit vollem Erfolg anstellen. Richard von Kienle hat in zwei beachtenswerten Arbeiten, deren wichtigere und neueste kürzlich in dieser Zeitschrift erschienen ist[48], auf

---

[40] Much aaO. 123 (= ³175).   [41] Carl Koch aaO., passim.

[42] v. Kienle aaO. – Auch an die taciteische Sucht nach ungewöhnlichen Ausdrücken könnte man ganz allgemein bei Verwendung von regnator omnium deus statt Iuppiter denken.

[43] Die Wahl des an sich grammatisch nicht erforderten *tamquam* in dem entscheidenden Satz *(eoque omnis superstitio respicit, tamquam inde initia gentis, ibi regnator omnium deus, cetera subiecta atque parentia)* sollte vielleicht dazu dienen, den für den aufmerksamen römischen Leser deutlichen Vergleich noch besser als solchen zu kennzeichnen.

[44] AaO.

[45] v. Kienle aaO.

[46] Aust in Roschers Lexikon II 725 ff. Thulin, RE X 1137. C. Koch aaO. 124 f.

[47] Aust aaO. 743. Thulin aaO. 1136. – Auch schwur man seit Traian statt beim *genius* des Herrschers vielmehr beim *numen I.O.M.* (Plinius paneg. I 8; s. Aust 750, Thulin 1139). Cassius Dio XLIV 11,3 nennt einmal den I.O.M. τῶν Ῥωμαίων βασιλεύς (vgl. *regnator omnium deus* für den „Iuppiter" der Semnonen bei Tacitus), dazu Wissowa, Religion u. Kultus der Römer ²125, Anm. 9.

[48] IOM und JReg., ein Götterpaar aus der Germania Superior = Abhdlgn. z. saarpfälz.

Grund sorgfältiger Sichtung der römischen Weihinschriften der Kaiserzeit folgende frappante Feststellung gemacht: In der Germania Superior mit dem Kerngebiet um Neckar- und Mainmündung, aber auch mainaufwärts sowie im Bereich der germanischen Vangionen, Nemeter und Triboker am linken Rheinufer, häufen sich in ganz auffallender Weise Weihungen an I.O.M., meist allein, sehr häufig aber auch verbunden mit Juno Regina. Diese Widmungen haben an anderen Orten römischen oder romanisierten Gebietes keinerlei Entsprechungen in auch nur annähernder Häufigkeit, weder auf rein keltischem Boden, noch in Untergermanien, noch in anderen Provinzen des Reiches, noch auch auf italischem Gebiet oder in Rom selbst, wo I.O.M. und Juno Regina so gut wie stets Minerva bei sich haben[49], also im Rahmen der altüberlieferten kapitolinischen Trias verehrt werden[50]. Der Schluß, den v. Kienle im einzelnen erhärten konnte[51], war zwingend, daß hier in römischem Gewand der heimische Kult[52] eines nichtkeltischen, auch von den nieder|rheinischen, also istväonischen Stämmen unterschiedenen Volkstums vorliegt. In diesem Element erblickt er mit großer Wahrscheinlichkeit die *obergermanischen Sueben* am unteren Main und Neckar und am nördlichen Oberrhein, einschließlich der linksrheinischen *Triboker, Nemeter* und *Vangionen,* also jene Suebenstämme, die nach der Besiegung des Ariovist durch Caesar (58 v. Chr.) und weiterhin nach der Abwanderung der

---

Landeskunde 1 (1937) 23 ff. (vgl. Pfister, ARW 35 [1938] 186). – Das Auftreten keltischer und germanischer Gottheiten zwischen Oberrhein und Limes = ARW 35 (1938) 252–287, hier 270 ff.; vgl. bes. die übersichtliche Tabelle 274 und die Kartenskizze 286. Von der neueren Forschung (vgl. dazu a. ob. Anm. 24 u. 26) äußert sich R. Nierhaus, Das swebische Gräberfeld von Diersheim . . . 1966, S. 9, Anm. 56 in einer kaum zu verantwortenden nichtssagendlapidaren Kürze zu v. Kienles Forschungen, dessen Versuch, „in den Weihungen für *Iuppiter Optimus Maximus* und *Iuno Regina* Reste germanischen Glaubens aufzuzeigen, . . . wohl als gescheitert anzusehen" sei. Meine hier wieder abgedruckten, zur Stützung von Kienles These geeigneten Ausführungen scheint Nierhaus überhaupt nicht zu kennen oder nicht für der Rede wert zu halten. H. Birkhan, Germanen und Kelten, 298 ff. geht zwar auf meine Forschungen ein, nicht jedoch – zum Schaden seiner Darstellung – auf R. v. Kienles einschlägige Arbeiten (besonders nachteilige Auswirkung S. 299, Anm. 667). So gut wie ganz ignoriert ist die deutsche Forschung in dem sonst wichtigen Buch von J.-J. Hatt, Kelten und Galloromanen 1970. Dagegen setzt sich W. Müller, Die Jupitergigantensäulen . . . 1975, S. 74, Anm. 25 und S. 90 ff. i. a. positiv mit Kienles Forschungen auseinander.

[49] Haugs Diagnose einer „echt italischen aber besonders in den Rheinlanden üblich gewordenen Bezeichnung" (RE Suppl. IV [1924] 690) war also voreilig, trotz der richtigen in ihr enthaltenen Beobachtung, von der ja dann auch v. Kienle ausgegangen ist. Ähnlich wie Haug auch F. Drexel, Die Götterverehrung im römischen Germanien 1923 = 14. Ber. d. Röm.-germ. Kommiss. 48 f. u. 55, vorsichtiger 58 ff., bes. 60.

[50] Die genauen zahlenmäßigen Belege siehe bei v. Kienle, bes. 270 f., 273 (vgl. 276).

[51] Vor allem das Namenmaterial und der Berufsstand der Widmer lieferten ihm wichtige Anhaltspunkte; s. aaO. 272 ff.

[52] Daß keine römische Gottesvorstellung vorliegt, hätte nach der sog. „Dragendorffschen Regel" schon bisher vorausgesetzt werden sollen; s. darüber E. Bickel, Bonner Jahrb. 139, 1934 = Trierer Festgabe 8 f., Anm. 2; vgl. a. schon F. Koepp, Germania Romana 4, 6 f.

Markomannen (8 v. Chr.)[53] in diesen Gegenden in beträchtlicher Stärke verblieben sind, wie man bisher annahm[54]. Die uns in ihrer Stammeszugehörigkeit Geläufigsten unter ihnen – weil allein auch in ihrem Namen als Sueben Faßbaren – sind die *Suebi Nicretes*, die *Neckarsueben* um Ladenburg[55]. Aber auch an der Zugehörigkeit der übrigen zum Suebenstamm kann kein Zweifel bestehen; vor allem die für uns nicht näher benennbaren *„Mainsueben"*, besser Untermainsueben, die sich nördlich an die *Suebi Nicretes* anschlossen und bis in die Gegend der Wetterau nachweisbar sind, gehören mit dazu.

v. Kienle hat bereits kurz darauf hingewiesen[56], daß diese Stämme auch nach Ausweis der *Bodenfunde* dem mittleren Elbgebiet entstammen, also ihrer Herkunft nach ins semnonische Kerngebiet der Sueben weisen.

Ich gebe hier kurz die wichtigsten Belege; die meisten Literaturhinweise[57] verdanke ich der Freundlichkeit von Ernst Wahle, der mit Recht betont, daß eindeutig elbgermanisches Fundgut am Oberrhein verhältnismäßig selten ist[58], daß aber in Anbetracht der deutlichen Sprache der antiken Quellen aus dem Überwiegen kel-

---

[53] Vgl. die treffliche, in großem Zusammenhang gegebene Darstellung von FRANKE, RE XIV (1930) 1610ff. in seinem ausführlichen Artikel „Marcomanni".

[54] Vgl. MUCH aaO. 279, 331 (³373, 425f.). SCHÖNFELD, RE IV A, 564ff. – Seitdem hat H. NESSELHAUF in: Badische Fundberichte 10. Jg. 19. 1951, 78f. den Nachweis erbracht, daß „die germanischen Stämme der Triboker, Nemeter und Vangionen erst nach Caesar, die Triboker spätestens in augusteischer, die Nemeter und Vangionen spätestens in klaudischer Zeit auf dem linken Rheinufer seßhaft wurden" (S. 79 ob.). Siehe dazu jetzt auch R. NIERHAUS, Das swebische Gräberfeld von Diersheim . . . 1966, 9. 219f., 231f., der übrigens 221f. u. 228 (z. Tl. auch wegen der keltischen Namen der ersten beiden Stämme) ihren ursprünglich germanisch-suebischen Charakter bestritten. Für unsere Fragestellung spielt ja nur die Anwesenheit der drei Stämme auf dem linken Rheinufer in der Zeit etwa von Tacitus an eine Rolle. Und ihre starke Verflizung mit Keltischem ist mir von Anfang an bewußt gewesen, wie weiter unten im Text noch mehrfach deutlich werden wird. Vgl. jetzt auch H. BIRKHAN, Germanen und Kelten, S. 298f. u. Anm. 667, S. 302, Anm. 681.

[55] Vgl. A. FRANKE, RE XVII 174; v. KIENLE aaO. 277. – Zu den *Suebi Nicretes* vgl. jetzt NIERHAUS aaO. 1ff. 183. 185. 233f., zu den sogen. *Suebi Moenani* ebda. 4. 224.

[56] AaO. 277

[57] RAFAEL V. USLAR, zu dessen Werk „Westgermanische Bodenfunde des 1. bis 3. Jahrh. n. Chr. . . ." 1938 man zunächst greifen möchte, behandelt nur die nichtsuebischen Fundgruppen (vgl. z. B. 181f.); s. aber die wichtigen Bemerkungen bei K. SCHUMACHER, Prähistor. Zs. 3 (1911) 171ff., und Siedlungs- und Kulturgesch. d. Rhlde. II 303. H. GROPENGIESSER, Das Mannheimer Schloß und seine Sammlungen 1940, 80f. (Funde aus Feudenheim, Schwetzingen und Seckenheim). – Meine im Folgenden gegebene Übersicht der „elbgermanischen" Funde vom Oberrhein lasse ich als Zeugnis des damaligen Kenntnisstandes im Neudruck unverändert stehen, obwohl sie inzwischen teils modifiziert, teils erweitert werden muß. Ich kann dafür auf das wichtige Werk von ROLF NIERHAUS verweisen, Das swebische Gräberfeld von Diersheim. Studien zur Geschichte der Germanen am Oberrhein vom Gallischen Krieg bis zur alamannischen Landnahme. 1966, passim, bes. S. 184ff. Dort auch reiche weitere Literatur. Vgl. die Zusammenfassung auf S. 206f., und neuerdings auch H.-J. ENGELS im Arch. Korr.-Bl. 2. 1972, 183–189. Für wertvolle Literaturhinweise in diesem Zusammenhang (bes. NESSELHAUF, NIERHAUS, ENGELS) bin ich meinen Tübinger Kollegen W. KIMMIG und FRZ. FISCHER zu Dank verbunden.

[58] WAHLE, Badische Fundberichte 1925, 78. GROPENGIESSER aaO. 81.

tisch bestimmter Ware deswegen nicht geschlossen werden darf, daß die Bevölkerung dieser Gegenden in den ersten Jahrhunderten unserer Zeitrechnung maßgebend
keltisch gewesen sei. Vielmehr hätten, wie es ganz natürlich war, noch geraume Zeit
lang „wohnengebliebene Kelten und linksrheinische Werkstätten" die germanischen
Neuankömmlinge beliefert[59]. Daß diese suebi|scher Herkunft waren, wird uns, wie
gesagt, durch einzelne wertvolle Leitfunde bestätigt, die vom Tribokergebiet im
Süden bis in die Wetterau im Norden zutage getreten sind[60], also in dem ganzen für
uns in Frage kommenden Gebiet. Das Wichtigste ist folgendes:

1. Bronzene Fibel von *Niedermodern b. Hagenau* i. Elsaß, also im Tribokergebiet,
veröffentlicht und abgebildet 1888 von Bleicher[61], seitdem leider verschollen. Das
wohl dem frühen 1. Jahrh. v. Chr. entstammende Schmuckstück besteht aus zwei
miteinander verbundenen Bronzeknöpfen mit „Malteserkreuzen" als Vertiefungen,
die mit rotem Email gefüllt sind. Den germanisch-suebischen Charakter der Gattung
hat an Hand von zahlreichen Parallelen Gustav Kossinna nachgewiesen[62], so daß er
zu dem Schluß kommt, die Fibel weise deutlich auf die „Urheimat des Stammes an
der mittleren Elbe und Havel"[63]. Unser Gewährsmann hält ebenfalls für möglich[64],
daß die Fibel noch in den alten Wohnsitzen der Sueben entstanden sei: „Rein germanisch und vielleicht gar noch ein unmittelbares Mitbringsel aus der alten Heimat
zwischen Elbe und unterer Oder"[65].

2.–6. Grabfunde aus der Gegend von *Trebur* (hess. Prov. Starkenburg) 1. Jahrh. n.
Chr.; also etwa im Grenzgebiet der *Suebi Nicretes* und der Mainsueben[66].

2. Zwei Bronzefibeln[67], die Oscar Almgren in einer in unserem Zusammenhang
hochwichtigen Arbeit „Zur Bedeutung des Markomannenreiches in Böhmen . . ."[68] als „elbgermanisch" nachgewiesen hat; zugleich kann er – wie auch in
den meisten folgenden Beispielen – schlagende Parallelen in Funden aus dem Gebiet

---

[59] WAHLE i. d. Zs. Deutsches Bildungswesen 3 (1935) 774. Diese Erscheinung hat ihre
Parallelen, so z. B. im Verhältnis der Jahr 2000 v. Chr. in die Argolis einwandernden
Griechen zu der Vorbevölkerung, nachgewiesen etwa in Asine; s. GG. WEICKER, Die Antike 15
(1939) 267 f.; ganz ähnlich im 2. Jahrtausend im nördlichen Messenien, wo ebenfalls die am Ort
verbleibenden Ureinwohner als „Heloten der griechischen Herrenschicht . . . die Tradition der
keramischen Technik durch Jahrhunderte bewahrten" (E. KIRSTEN ebd. 344).

[60] Danach sind die zu enge Grenzen steckenden Angaben bei ULR. KAHRSTEDT, Mittlgn. d.
prähistor. Kommiss. d. Ak. d. Wiss. Wien III 4 (1938) 168 zu berichtigen.

[61] BLEICHER, Bull. de la Soc. d'hist. nat. de Colmar 29, 211 table IX, 1.2. Siehe jetzt R.
NIERHAUS aaO. 200 u. 220, der den Fund vermutungsweise auf einen „Angehörigen des
Heereszugs Ariovists" bezieht, oder auf „andere wandernde Germanen derselben Zeit".

[62] G. KOSSINNA, Korrespondenzblatt d. Dtn. Ges. f. Anthropol. 1907, 59 ff. (Abb. auf S. 60).

[63] AaO. 62.

[64] WAHLE aaO. Hier (zwischen 772 u. 773) ebenfalls eine Abb.

[65] Vgl. zu Nr. 1 auch unten Nr. 7.

[66] Dazu allgemein K. SCHUMACHER in: Altertümer unserer heidnischen Vorzeit 5 (1911) 376.
F. BEHN, Urgeschichte von Starkenburg ²1936, 29 f. Einen guten Gesamtüberblick über die
Funde der Gegend aus suebischer Zeit bietet an Hand reichen Materials A. KOCH, Vor- und
Frühgesch. der Provinz Starkenburg 1937, 55 ff. mit Taf. 32–38; doch kann hier das meiste nicht
als typisch elbgermanisch angesprochen werden.

[67] Veröffentlicht von SCHUMACHER in: Altertümer unserer heidnischen Vorzeit 5, 411 f., Nr.
1331 a u. 1332 b mit Abb. 2 auf S. 412 und auf Taf. 70.

[68] Mannus 5 (1913) 265 ff., bes. 270 ff., hier 271, Anm. 1.

der damals ja bereits nach Böhmen abgewanderten, ebenfalls suebischen Markomannen aufzeigen.

3. Gürtelschnalle aus Bronze, und zwar eine im Osthavelland und wiederum auch bei den Markomannen belegte Form[69].

4. Bronzebeschlag eines Trinkhorns (vgl. Caes. b. G. VI 28,6)[70]. |

5. Zwei Schildgriffe, einer aus Bronze, der andere aus Eisen[71].

6. Aschennapf (aus einem Frauengrab?) aus weißgrauem Ton mit schwarzem Überzug, dazu als Deckel eine *terra nigra*-Schüssel[72].

7. Zwei Bronzegürtelhaken mit Emailgruben bzw. -furchen nach Art der Niedermoderner Fibel (o. Nr. 1). Sie stammen aus den in der Hauptsache Ende der 70er Jahre durch G. Dieffenbach geborgenen, jetzt in den Museen von Frankfurt und Darmstadt befindlichen reichen germanischen Siedelungsresten von *Bad Nauheim*[73]. Die Datierung auf die Zeitenwende ist durch Münzen des Augustus und Agrippa nahegelegt[74]. Auf den „suebischen" Charakter der Funde hat wiederum Kossinna hingewiesen, indem er die Technik der beiden Haken in nahe Verbindung zu der Herstellungsart der Niedermoderner Fibel (o. Nr. 1) bringen konnte[75].

Wir kehren nach dieser notwendigen Abschweifung zu unserem religionsgeschichtlichen Thema zurück.

Diese uns nach dem eben Ausgeführten auch aus den prähistorischen Funden greifbaren Rhein-, Neckar- und Mainsueben haben offenbar – das ergibt sich aus den Forschungen v. Kienles ebenso wie wir es ja für die letzten Abwanderer der Semnonen, für Schwaben und Alemannen bis in noch viel spätere Zeit verfolgen können[76] – den Gott Tīwaz-Irmin als Hauptgottheit bewahrt und verehrt[77] und unter dem Namen des I.O.M. | auf römisch

---

[69] Schumacher aaO. 374, Nr. 1197 m. Abb. auf Taf. 64; dazu Almgren aaO. 273 m. Abb. 14.

[70] Schumacher aaO. 371, Nr. 1175 m. Abb. 2 und auf Taf. 64; die böhmischen und elbgermanischen Parallelen bei Almgren aaO. 274 ff.

[71] Schumacher aaO. 373, Nr. 1189 u. 1190, abgeb. Taf. 64; dazu Almgren 278.

[72] Schumacher aaO. 411, Nr. 1327 a u. b mit Abb. auf Taf. 70. Wahle aaO.: „Verwendung einer Schüssel als Deckel durchaus elbgermanisch".

[73] F. Quilling, Die Nauheimer Funde 1903. Taf. XVI, Nr. 118 u. 205, Text auf S. 51 u. 65.

[74] AaO. 57.

[75] Kossinna aaO. 60. – Über den Zusammenhang der Bad Nauheimer Fibeln mit denjenigen vom Hradischt bei Stradonic in Böhmen (vgl. J. L. Pič, Le Hradischt de Stradonic en Bohême 1906) s. Quilling aaO. 102.

[76] v. Kienle 278. – Wodan ist bei den Alemannen im ganzen gar nicht durchgedrungen, erst spät unter fränkischem Einfluß da und dort: Mogk, Germ Mythol.[2] (Pauls Grundriß III 1898) 329 (vgl. jetzt a. R. Christlein, Die Alamannen 1978, 113). Bei dem gleichen Stamm der Alemannen zeigt sich im 6. Jahrh. auch dem Christentum gegenüber im Verhältnis zu den biegsameren Franken ganz deutlich die alte Zähigkeit der Sueben im Festhalten an der angestammten Religion; vgl. Agathias, hist. I 7, II 1, weiteres bei P. Goessler, ARW 35 (1938) 67.

[77] v. Kienle aaO. – Gern erführen wir ähnliches für die Anfg. des 5. Jahrh. zusammen mit Alanen und Vandalen in den NW der Pyrenäenhalbinsel abgewanderten suebischen Quaden Mährens, deren heidnische Bräuche uns ihr endgültiger Bekehrer Martin von Bracara in seiner etwa 573 verfaßten Missionspredigt *De correctione rusticorum* schildert (Ausgabe von C. P. Caspari, Christiania 1883; freundlicher Hinweis meines Bruders Eberhard Hommel; s. jetzt die neue Ausgabe: S. Martinus Bracar, Opera omnia ed. C. W. Barlow. Papers & Monographs

eingekleideten Weihungen verewigt. Sie hätten damit in der Zeit von ca. 150–250 n. Chr. [78] – so dürfen wir nach unseren Untersuchungen hinzufügen – den altgermanischen Hauptgott, der ihr Stammesgott geblieben war, in der gleichen Weise charakterisiert, wie dies Tacitus 100 Jahre früher dem suebisch-semnonischen *regnator omnium deus* gegenüber mit genialer Treffsicherheit, wenn auch in zurückhaltender Form getan hat: als dem römischen Iuppiter Optimus Maximus im Wesen weithin vergleichbar. [79] |

---

of the Amer. Acad. in Rome XII. New Haven, Yale Univ. 1950). FEDOR SCHNEIDER, ARW 20 (1920) 116 f., will die Schrift ausschließlich als auf romanische Heiden bezogen und daher „nur gegen die griechisch-römischen Götter, nicht gegen die germanischen" gerichtet ansehen. Ich kann an eine so scharfe völkische Trennung des Hörerkreises einer christlichen Predigt nicht glauben und befinde mich dabei in Übereinstimmung mit M. P. NILSSON, ARW 19 (1916) 62$_2$, 109 f. u. 124. Aber immerhin war entweder die Kelto-Romanisierung dieser sog. „Sueven" in den eineinhalb Jahrhunderten ihres neuen Aufenthalts schon zu weit fortgeschritten (so Caspari XC ff.), oder aber – was wahrscheinlicher ist – der eifernde Bischof hat sich wenig Mühe um die Kenntnis des ihm verhaßten Götzendienstes gegeben und sich darum mit seiner Predigt in den ausgetretenen Geleisen überkommener Polemik bewegt (vgl. die wichtigen allgemeinen Bemerkungen bei R. HELM, Altgerm. Religionsgesch. 1 [1913] 91 f.; SCHNEIDER aaO. 82 f., 121, Anm.) § 8 z. B. verwendet MARTIN dieselben Topoi wie vor ihm und gegenüber ganz anderem Volkstum schon Ps.-Augustin, Serm. 130 n. 4 (Caspari 11, Anm. 9), eine Predigt, als deren Verfasser jetzt Caesarius von Arles feststeht (s. SCHNEIDER aaO. 88 f.). So darf wohl das Gewicht, das auf die Bekämpfung der Wochengötterverehrung gelegt wird (§ 7 ff.), nicht als einwandfreier Reflex suebischen Glaubens gelten (vgl. aber den öfters wiederholten Ausdruck *adiuvanti nos* § 8, 11, 16, ferner § 9 *sub specie nominum istorum . . . veneratio et honor daemonibus exhibetur*). Immerhin mögen manche Züge doch auf germanisch-suebische Vorstellungen weisen und uns an das erinnern, was schon Tacitus von der Religion der Germanen berichtet: so der Wald als Stätte des Gottesdienstes (§ 7 f., 16) oder die Tier- und Menschenopfer (§ 8). Daß die Sitte des *pedem observare* (§ 16, dazu auch SCHNEIDER aaO. 119$_5$) auf die im Fesselhain der Semnonen zu wahrende Vorsicht (Tac. Germ. 39,2) Licht werfen könnte, ist bei der Knappheit des Ausdrucks leider zu verneinen. Ganz allgemein bemerkenswert erscheint mir die Tatsache, daß der Prediger (§ 16 gegen Ende) als wirksame *incantationes* den heidnischen Zaubersprüchen gerade die beiden Anfänge christlicher Symbola entgegenstellt *Credo in deum patrem omnipotentem* und *Pater noster, qui es in coelis*. Denn diese beiden Formeln schließen gerade in ihrer Verbindung all das zusammen, was den Heiden, ob sie germanisch oder keltisch oder römisch fühlten, auch an ihrem gemeinindogermanisch überkommenen Himmels- und Vatergott universeller Prägung wert und teuer sein mußte, was daher also für den christlichen Bekehrer die günstigste Anknüpfung an seine Botschaft ergab (vgl. dazu meine Studie über den Himmelvater, oben [S. 3 ff. 25 ff.]).

[78] Soweit datierbar, belegen die Inschriften die Zeit von 167–248 n. Chr.

[79] Daß der germanische Iuppiter-Erminaz Stammgott war *(inde initia gentis* Tac. Germ. 39,2), der römische I.O.M. ausschließlich Staatsgott (C. KOCH, Der römische Iuppiter 121 ff., bes. 126), braucht dabei nicht zu stören. Der naive Beobachter fremden Volkstums pflegt mit den eigenen Maßstäben zu messen, so daß der Germane im römischen Iuppiter den heimischen Verhältnissen entsprechend den Stammesgott, der Römer im germanischen Stammesgott den Staatsgott erblicken konnte. Um so höher ist des Tacitus treffsichere Charaktersisierung des Stammescharakters der fremden Gottheit anzuschlagen, wenn er angesichts des Vergleichs mit dem *regnator omnium deus* – also Iuppiter O.M. – doch den Zusammenhang mit den *initia gentis* betont. Freilich hat man dies Gentilizische eben selbst zu Tacitus' Zeit im I.O.M. wohl noch mit anklingen hören (vgl. dazu auch o. Anm. 27 gegen Ende), hieß er ja doch auch nach wie vor IUPPITER. Ovid met. XV 860 kann jedenfalls von Iuppiter (und Augustus) noch sagen *pater est et rector uterque*.

In Kürze muß hier wenigstens auch auf das sehr verwickelte Problem der sog. *Iuppiter-Gigantensäulen* hingewiesen werden[80]. Denn wenn da durch die Verbindung mit den „Viergöttersteinen" auch meist mehrere Götter kombiniert erscheinen, so trägt doch die Hauptgestalt, der über dem schlangenfüßigen Giganten reitende, die Säule bekrönende Gott regelmäßig die Bezeichnung I.O.M., häufig in Verbindung mit Juno Regina. Und *die Verteilung dieser Denkmäler entspricht ebenso wie ihre Datierung weithin derjenigen der I.O.M.-Inschriften*, die uns hier beschäftigen[81]. So liegt der Schluß nahe, in dieser vielerörterten Iuppiterdarstellung als willkommene Ergänzung zu den *inschriftlichen* Weihungsformeln das *Bild* des germanisch-suebischen Himmelsgottes Tīwaz-Erminaz zu erkennen. In der Tat hat schon vor geraumer Zeit und von anderen Erwägungen ausgehend F. Hertlein einen in diese Richtung weisenden Schluß gezogen[82], freilich nicht ohne lebhaftesten Widerspruch zu finden[83]. Gegen seine Auffassung scheint mir vor allem zu sprechen, daß einmal die Gigantensäulen nicht nur auf germanischem Siedlungsboden, sondern bis weit hinein in keltisches Gebiet gefunden sind[84],

---

[80] Vgl. dazu a. v. KIENLE, aaO. 283 und unsere folgenden Anmerkungen. Ausführlicher F. KOEPP, Germania Romana H. 4 (1928) 5 ff. mit zahlreichen Abb. im Tafelbd., Taf. VI u. ff., dazu jetzt der beachtenswerte Aufsatz von FRIEDR. SPRATER, Die Iupiter-Gigantensäulen und ihre Bedeutung in: Unsere Heimat. Blätter für saarländisch-pfälzisches Volkstum. Neustadt a. d. Weinstr. Jg. 1936/37 (August 1937) 321 ff. (freundlicher Hinweis von stud. KAISER). Seine These vom Substrat einer gemeinsamen germanisch-keltischen Naturreligion ist sicherlich falsch, richtig daran aber, daß den Denkmälern je nach ihren Stiftern keltische oder germanische Vorstellungen verwandter Art zugrundeliegen; s. dazu u. im Text.

[81] Zu ihrer Verbreitung vgl. bes. K. SCHUMACHER, Siedlungs- und Kulturgeschichte der Rheinlande II (1923) 302 f.

[82] F. HERTLEIN, Die Iuppitergigantensäulen. 1910, 70 ff.; er knüpft dabei an die Irminsul der Sachsen an; vgl. dazu o. Anm. 36.

[83] Besonders durch F. KOEPP, WKlPh. 1912, 623 ff., und F. HAUG, BPhW. 1912, 117 ff.; vgl. desselben Artikel „Gigantensäulen" in der RE Suppl.-Bd. IV (1924) 691 ff.

[84] Z. B. ESPÉRANDIEU, Rec. gén. 2999, 3036 ff., 3227; s. HAUG aaO. 693 f. Im ganzen zählt HERTLEIN 107 Gigantenreiter; inzwischen hat sich die Zahl noch weiter vermehrt. LINCKEN-HELD, RE VI A (1936) 2412 hat im (germanischen) Tribokergebiet, also im Unterelsaß, 41 Exemplare festgestellt, die gleiche Zahl bei den (keltischen) Mediomatrikern zwischen Mosel und Wasgenwald. – Zu den Iuppiter-Giganten-Säulen s. jetzt auch JAN DE VRIES, Keltische Religion 1961, 31 ff., der sie durchwegs als keltisch ansieht. Er zählt bereits ungefähr 150 Exemplare. Über die neueren Funde vgl. a. die wertvollen Ausführungen von H. BIRKHAN, Germanen und Kelten 1970, S. 290 ff. (Anm. 634, weitere Literatur). Die wichtigsten Neufunde stammen von Hausen an der Zaber bei Heilbronn (Landesmuseum Stuttgart) und von Steinsfurt bei Sinsheim (Landesmus. Karlsruhe). Heranzuziehen ist jetzt auch das Buch von WERNER MÜLLER, Die Jupitergigantensäulen und ihre Verwandten 1975, mit dem Versuch einer Deutung der Denkmälergruppe (einschl. Irminsul u. ä.) als Zeugnisse germanischer Religion, freilich mit Betonung einer Urverwandtschaft zu Italikern und Kelten (s. S. 95 u. ö.). Einer keltischen Interpretation neigen ganz neuerdings entschieden die Verfasser zweier in einem Band vereinigten Monographien zu, die den Gesamtbestand der Iupitergigantensäulen und Viergöttersteine registrieren und deuten (Germ. Inf.: 221 Nummern): G. BAUCHHENSS, Die Iuppitergigantensäulen in der röm. Provinz Germ. sup., und P. NOELKE, Die Iupitersäulen und -pfeiler in der röm. Provinz Germ. inf. (mit Seitendurchzählung) 1981 (ursprünglich Dissertationen von Würzburg und Erlangen).

zum andern, daß Hertleins Erklärung des in so nahem Zusammenhang mit der Iuppitergestalt stehenden schlangenfüßigen Unholds unbefriedigend bleibt (er faßt ihn als einen mit dem Himmelsgott verbündeten germanischen Erdriesen), drittens die vom Germanischen | her unerklärbare Verbindung mit den zahlreichen anderen Gottheiten dieser Denkmäler[85].

Weil nun aber – trotz so schwerwiegender Bedenken – für das germanische Vorkommen der Gigantenreiter die frappante Ähnlichkeit des Befundes mit unseren Inschriften bestehen bleibt, so möchte ich mir – vorbehaltlich einer eingehenden neuen Untersuchung des Problems, die dringend nötig wäre – den Sachverhalt etwa so denken:

Da der Iuppitertyp des Gigantenreiters auf keltischem Boden auch außerhalb dieser Denkmälergruppe mit der gleichen Beischrift I.O.M. und in unverkennbarer ikonographischer Ähnlichkeit vielfach als „Radgott" vorkommt und als solcher mit dem keltischen Himmels- und Gewittergott *Taranis* identifiziert werden darf[86], so liegt der Schluß nahe, daß auch der Typus des germanisch wie römisch[87] nicht einwandfrei erklärbaren Gigantenreiters von *keltischer Herkunft* ist[88]. Hierfür könnte außerdem auf die

---

[85] Die Erklärung F. Drexels (Die Götterverehrung im römischen Germanien 1923, 59), daß die Buntheit dieser Gestalten die persönlichen Verhältnisse der Stifter widerspiegle und auf eine Art von beruflichen Schutzpatronen hinweise (dazu Sprater aaO. 322, 325), befriedigt nicht, weil sie das Problem nur verschiebt: auch solche Schutzgötter müssen doch volksgebundenen religiösen Vorstellungen unterworfen sein!

[86] Drexel aaO. 23 f. Heichelheim, RE IV A (1932) 2274 ff., wo die von ihm gesammelten 85 Belege (darunter auch eine Anzahl von Gigantenreitern) übersichtlich zusammengestellt sind; dort auch weitere Literatur. Für die Pfalz bietet eine ganze Anzahl wichtiger Nachträge, darunter Neuerwerbungen des Speyerer Museums sowie der Hinweis auf die Raddarstellungen des sog. Brunholdisstuhls bei Bad Dürkheim, Fr. Sprater in: Unsere Heimat. Blätter f. saarl.-pf. Volkst. Jg. 1936/37 (Dez. 1936) 70 ff. – Gegen die Identifizierung des Radgottes mit Taranis tritt ohne überzeugende Gründe ein J. de Vries, Kelt. Religion 1961, 34 ff., 63 f. (ebenda auch zur Etymologie von Taranis: zu kelt. *taran* „Donner" vgl. aber auch den germanischen Gott *Donar*). Positiv dagegen W. Müller aaO. 47 ff. (mit Deutung des Vierspeichenrads als Jahressymbol).

[87] In eine Widerlegung des Versuches, gleichwohl eine „römische" Erklärung zu wagen (s. F. Haug aaO. 693 f.), kann hier nicht eingetreten werden. Haug denkt unter Hinweis auf die Reliefs des pergamenischen Altars an eine Symbolisierung des Kampfes der höheren Kultur gegen die niedere Bildungsstufe der Barbaren. Vgl. dagegen z. B. B. Schumacher, Siedl.- und Kulturgeschichte der Rheinlande II 303. Linckenheld, Ann. Lorr. 1929, 127.

[88] Hettner, Westdte. Ztschr. 4 (1885) 380 hat zuerst zögernd an einen „vielleicht celtischen Mythenkreis" gedacht; viel zuversichtlicher die französischen bzw. elsässischen Gelehrten, zuletzt bes. Emil Linckenheld, Etudes de Mythologie celtique en Lorraine = Annuaire Lorraine 38 (1929) 128 ff. mit weiteren Literaturangaben. Vgl. a. W. Krause, Bilder-Atlas zur Religions-Geschichte Lief. 17 (1933) VIII. – Ganz eindeutig für keltische Herkunft des Gigantenreiters tritt ein Fr. Heichelheim RE VI A 1937, 925 f. und S. VII 1940, 220 ff. (aufgrund neuer Funde in England). Vgl. a. ob. Anm. 84 gg.E. Ebenso vertritt die keltische Deutung J.-J. Hatt, Kelten und Galloromanen 1970, S. 304 (mit den Abb. 137, 140–147, 149). Derselbe S. 278 u. 299 ff. über die „Interpretatio Romana" (wobei Germanisches völlig außer Betracht bleibt). Für keltische Herkunft jetzt auch G. Bauchhenss aaO.; s. bes. seine Zusammenfassung S. 83 f. – Einfließen keltischer Vorstellungen in orientalische Symbolik will Drexel aaO. 57 ff. annehmen.

frappante Ähnlichkeit des schlangenfüßigen Gigantentyps mit dem des pergamenischen Altars verwiesen werden, dessen Ursprungsland ja stark von
keltischem Blut durchtränkt ist[89]. Und die Coralli am Fuß des Hämus, deren
Feldzeichen nach Valerius| Flaccus[90] mit Radzeichen und Iuppitersäulen
geschmückt waren, sind wohl ein keltischer Stamm[91].

Freilich heißt das nicht, daß die suebischen Germanen um den Rhein einen
Gott der Kelten einfach übernommen und, wie diese, I.O.M. benannt
hätten. Vielmehr dürfen wir nach dem früher Festgestellten vermuten – und
das könnte der Hertleinschen Hypothese einen wahren Kern sichern –, daß
sie in die keltische Gottheit mit all ihren Symbolen[92] den eigenen Stammesgott Tīwaz-Erminaz hineingedeutet haben[93]. Das konnte mit um so ge-
ringeren Schwierigkeiten vor sich gehen, als in allen drei Gestalten – Taranis, Tīwaz und I.O.M. – der alte indogermanische Himmelsgott fortgelebt
und nur jeweils seine verschiedene völkische Ausprägung erfahren hat[94].

In diesem Sinne hat man mit Recht von einer keltischen und einer germa-
nischen Komponente des Taranis gesprochen[95], und selbst die fran|zösisch

---

[89] Hier sind die Giganten bekanntlich häufig ebenfalls mit Schlangenbeinen dargestellt,
durchaus „im Gegensatz zu der ältesten griechischen Kunst, die sie immer als ganz menschlich
gebildete gerüstete Krieger erscheinen läßt" (PUCHSTEIN-WINNEFELD-LÜBKE, Beschreibung der
Skulpturen aus Pergamon I, Gigantomachie[4] [1910] 14; etwas vorsichtiger WASER, RE Suppl-
Bd. III [1918] 735f., dort heißt es: daß „diese Mischbildung gerade den pergamenischen
Künstlern besonders zusagen" mußte, sei nicht etwa aus ihrem Volkstum, vielmehr aus der
Vorliebe der Barockkunst aller Zeiten für die Schlange herzuleiten!). Ähnlich zurückhaltend H.
BIRKHAN, Germanen und Kelten S. 299, Anm. 669. – Die Verwandtschaft der Sprache von
Trierern und Galatern hat noch Hieronymus bemerkt (praef. comm. Gal. II), vgl. dazu SOFER,
Wiener Stud. 55 (1937) 148; W. Süss, Gießener Beiträge zur dtn. Philol. 60 (1939) 214.

[90] Argonautica 6, 89ff. *levant vexilla Coralli, barbaricae quis signa rotae ferrataque dorso forma
suum truncaeque Iovis simulacra columnae.*

[91] C. JULLIAN bei G. GASSIES, in: Rev. des Et. Anc. 4 (1902) 290; HERTLEIN aaO. 78₃f., der in
v. 90 *serrataque* vorschlägt und an die „am Rücken sägeförmige Form von Ebern" auf gallischen
und germanischen Münzen erinnert. Vgl. ferner ER. JUNG, German. Götter und Helden
. . .²1939, 104; H. PHILIPP, PhW. 1939, 1106f.; G. BAUCHHENSS aaO., S. 32, Anm. 183.

[92] In etwa einem halben Dutzend Fällen ist auch der Gigantenreiter – sowohl auf keltischem
wie germanischem Boden – als Radgott gekennzeichnet (HEICHELHEIM aaO. 2277ff., vgl. a. C.
CLEMEN im Arch. f. Rel.-Wiss. 37. 1941/42, 122 m. Anm. 9, dort auch weitere Literatur); daß
dieses Symbol den meisten Gigantenreitern fehlt, mag aus der Angleichung an I.O.M. erklärbar sein. Wo es die Germanen mit übernahmen, lag ihnen wohl die Deutung als Sonnenrad
nahe, die schon für die Kelten nicht ganz ausgeschlossen scheint (vgl. HEICHELHEIM RE IVA, nr.
31, 67, 77 und Sp. 2280; besonders nachdrücklich SPRATER aaO. 73, 324; DREXEL aaO. 23f.;
HERTLEIN aaO. 47f.; E. JUNG aaO. 21f., 117f. und jetzt nachdrücklich auch J. DE VRIES aaO. 36).
Wie die Germanen den Giganten in ihre Mythologie einfügten, können wir nicht wissen.
Dasselbe gilt für das Pferd des Gottes; an Wodan ist gerade bei den Sueben kaum zu denken (vgl.
dazu o. [S. 159f.]).

[93] Vergleichbar ist die Übernahme des keltischen (?) Matronenkultes durch die Germanen
am Niederrhein, die ebenfalls ohne schon vorhandene assimilierbare heimische Glaubensvor-
stellungen undenkbar wäre; DREXEL, Götterverehrung 42.

[94] SCHRADER-NEHRING, Reallex. d. idg. Altertumskde. II 235f. Vgl. a. F. SPRATER aaO. 75
und 324f.; K. SCHUMACHER aaO. II 302; LINCKENHELD aaO. 128.; BIRKHAN aaO. 301, Anm.
674. 303, Anm. 683.   [95] HEICHELHEIM aaO. 2282.

orientierte elsässische Forschung, die stets dazu geneigt hat, allein die keltische Komponente gelten zu lassen, gibt für den so häufigen Iuppiter des auch
von ihr als germanisch anerkannten Tribokergebiets im unteren Elsaß einen
„einheimischen Himmelsgott" zu[96]. Den entscheidenden Einfluß der keltischen Göttergestalt lassen wir gern gelten; selbst die Iuppiter-interpretatio
der germanischen Tīwaz-Erminaz-Weihungen mag von dorther mitbe-
stimmt sein. Aber daß die oberrheinischen Sueben in dieser doppelt fremden
Gestalt, unter teilweise keltisch bestimmtem Abbild und in römischem
Sprachgewand, ihren eigenen germanischen Stammgott verehrten, das
scheint mir durch v. Kienles Forschungen und durch das, was wir aus
Tacitus dazu erschließen konnten, doch in sehr hohem Maße wahrscheinlich
gemacht.

Es ist nicht ohne tiefe Bedeutung für die nachhaltige Wirkung dieser Göttergestalt,
daß man ·nach tastenden und unsicheren Versuchen Früherer[97] nunmehr diesen
keltisch-germanischen Himmelsgott in der Ausprägung des Gigantenreiters wie des
„Taranis" mit großer Wahrscheinlichkeit bis weit in christliche Zeit hinein hat
verfolgen können.

René Theuret hat vor einiger Zeit sechs nah zusammengehörige, ja fast gleicharti-
ge, ganz und gar den Rahmen christlicher Typologie sprengende Gottvaterdarstel-
lungen der Barockzeit – 5 Steinskulpuren und 1 Relief – bekanntgemacht, die sich auf
Feldkreuzen in der Gegend zwischen Saarburg und Zabern, am lothringischen
Westabhang des nördlichen Wasgenwaldes finden[98]; J. Walter hat, was für uns nicht
unwichtig ist, auch aus dem Unterelsaß, aus Epfig bei Schlettstadt – also südsüdost-
wärts über die Vogesen hinweg in fast 50km Entfernung – ein ganz ähnliches, jetzt
nicht mehr *in situ* befindliches Stück hinzufügen können[99]; erst E. Linckenheld[100] hat

---

[96] Linckenheld, RE VI A 2411. Der Zusatz freilich „Weder Germanen noch Römer konnten
ihn da entwurzeln" rückt wieder von der so naheliegenden Auffassung ab, nach der die Sueben
den keltischen Gott als verwandt empfunden und ihrem eigenen Glauben assimiliert hätten.

[97] Erich Jung, Germanische Götter und Helden in christlicher Zeit 1922, ²1939, 144ff.;
danach weiterhin P. Goessler, Germanisch-Christliches an Kirchen und Friedhöfen Südwestdeutschlands = ARW 35 (1938) 70, 72f. u. ö. – Für nicht ausgeschlossen möchte ich halten, daß
im Typus des den Drachen tötenden deutschen Volksheiligen Michael, den man mit Recht als
Tīwaz-Nachfolger erklärt hat (s. Goessler aaO.), etwa ein Nachhall des Gigantenbezwingers
zu erblicken ist, nicht eine bloße Anknüpfung an Apocal. Ioh. 12,7. Ähnliches ist für den später
zum englischen Nationalheiligen gewordenen Ritter Georg zu vermuten, dessen Darstellungen
ja dem Gigantenreitertyp noch weit näherkommen.

[98] Zwei in Lützelburg, zwei in Hommartingen, eines in St. Louis, eines in Hültenhausen:
René Theuret, Survivances païennes sur des croix en Lorraine, „Le Cavalier au Géant" = L'Art
populaire en France 2 (1930) 41ff., mit 4 Abb. Ohne Abbildungen auch schon E. Linckenheld,
Ann. Lorr. 1929, 133f. im gleichen Sinne.

[99] Es wird im Elsässischen Museum in Straßburg aufbewahrt: J. Walter, Une figure de
Dieu le Père en pierre sculptée (Alsace). L'Art pop. . . . 2, 187f., mit Abb.

[100] La figure de Dieu le Père d'Epfig (Alsace), ebd. 3 (1931) 183ff., m. Abb. Obwohl G.
Bauchhenss aaO. im Literaturverzeichnis S. 254 einige Arbeiten von E. Linckenheld nennt
und S. 25 ob. auf das Problem des „christlichen Nachlebens" wenigstens der Viergöttersteine
kurz eingeht, hat er dem von uns hier behandelten Fragenkomplex keinerlei Beachtung geschenkt.

auch hier den von ihm und Theuret| für die lothringischen Beispiele bereits gebote-
nen unabweislichen Schluß gezogen, daß es sich um deutliches Fortleben des Gigantenreitertyps handelt. Die Figur Gottvaters reicht jeweils bis in Oberschenkelhöhe,
gerade als sei sie gewaltsam vom Pferd getrennt; wildwallendes Haupthaar, struppiger Bart, aber auch nur Schnurrbart oder völlige Bartlosigkeit, drohende Haltung im
abwärts gewandten Blick, gelegentlich sogar noch der Brustpanzer als Hauptbekleidungsstück kennzeichnen das absolut Unchristliche dieser Darstellung[101]; der keineswegs segnend[102], sondern wie zum Wurf ausgereckte hocherhobene rechte Arm
mit der zur Faust geballten Hand[103] vervollständigt den Eindruck von einem| späten,
aber unverkennbaren Nachfahren des Gigantenreiters Iuppiter[104], dessen heidnische
Abbilder ja im gleichen örtlichen Bereich eines ihrer Hauptzentren hatten[105]. In der

---

[101] Vgl. die Gigantenreiter-Denkmäler Espérandieu 4505. 4530, dazu Theuret 42; in Germania Romana ²IV etwa die Abb. VI 3, 5. VIII 5, 7. XIV 1.

[102] Wie etwa der Gottvater zu Häupten der Kölner Madonna im Rosenhag des Stephan
Lochner, wo ebenfalls die Taube auf der Brust erscheint (freundlicher Hinweis meines Sohnes
Peter Hommel). Lehrend hält Gottvater (mit dem Buch in der Linken) die rechte Hand etwas
erhoben auf dem „Gnadenstuhlbild" von Albertinelli in Florenz (s. K. Künstle, Ikonographie
der christl. Kunst I [1928] 233, Abb. 83), ebenso auf dem Zwölfapostelbild im Gebetbuch
Philipps des Guten (1455) i. d. Kgl. Bibliothek in Brüssel (ein der Plastik zugehörendes Beispiel
auf dem Bordesholmer Altar in Schleswig des Meisters Hans Brüggemann von 1521, Abb.
Insel-Bücherei 495, Nr. 10) und vielfach sonst; doch ist ein bedeutender Unterschied zwischen
dieser milden Geste und der dräuenden Gebärde Gottvaters auf unseren Lothringer Feldkreuzen. Wo sonst Gottvater in christlicher Kunst als der Zürnende und Vernichtende erscheint, wie
etwa auf einigen Pestblättern des 15. Jahrh. (Schreiber, Hdbch. d. Holz- u. Metallschnitte Bd.
2 [1926] Nr. 751/2 mit Nachweis der Abbildungen), da weist das dargestellte Motiv des
Bogenschützen auf ganz andere Sphäre ('Aπόλλων ἐκηβόλος? vgl. Hom. Il. A 44 ff.).

[103] Wir wüßten gern, was sie gehalten hat, oder ob man sich an der bloßen Faust genügen
ließ; aber in allen 7 Fällen ist ein Teil der Hand oder gar des Armes abgebrochen. An einen Speer
oder an einen Blitz nach dem keltisch-germanischen Vorbild (Heichelheim 37. 50a. 58. 68.
Espérandieu 4505. 5940. 7201) darf man ja wohl nicht mehr denken. Immerhin muß hier daran
erinnert werden, daß gerade Blitz und Rad in ihrer Verbindung in christlicher Symbolik
vielfältig fortleben (Bernoulli, RGG ²V 938), so als Attribute der Hl. Katharina von Alexand-
rien, während die Hl. Donatus mit Rad und Schwert oder Beil erscheint (R. Pfleiderer, Die
Attribute der Heiligen 1898, s. v. Blitz und Rad). Katharina wird bekanntlich besonders in Paris
und in Frankreich überhaupt verehrt, Donatus im Rheinland, besonders in der Eifel und in
Luxemburg als Patron gegen Ungewitter und Feuer (J. P. Kirsch in: Lexikon für Theol. u.
Kirche III [1931] 409); das würde zu Übernahmen aus dem Kult des keltischen Himmelgottes
oder besser zu Angleichungen der Märtyrersymbole an seine Sphäre vorzüglich passen. Katha-
rina hat zudem das Rad noch nicht aus dem Osten mitgebracht, selbst in Italien fehlt es ihr noch
im 13. Jahrh. (E. Weigand in: Pisciculi, Dölger-Festschr. 1939, 290). Auch St. Georg (s. dazu o.
Anm. 97) kommt mit dem Rad vor. Hierher gehören vielleicht auch die von Er. Jung aaO.
Abb. 42, 231 u. 232 wiedergegebenen heidnisch-christlich-mittelalterlichen Denkmäler (aus
Konstanz, Burgerroth im württemberg. Franken und Brambach im Rheinland), wo Teufel,
Heilige oder Sternbilder mit Rad, Ring oder Dreiflamm abgebildet sind; dieser erinnert in der
Form stark an stilisierte antike Blitzdarstellungen. Bisherige Deutungen s. bei Jung 481 ff. – Zu
Darstellungen des Taranis mit Keule oder Blitz und Rad s. Heichelheim RE VI A 1937, 925 f.

[104] Vgl. Espérandieu 4505. 4551. 4557. 4694. 4768. 5233. 5246. Theuret aaO. Germania
Romana ²IV Abb. VI 5. XIII 5. XIV 1.

[105] E. Linckenheld, Ann. Lorr. (1929) 134 will sogar Anzeichen dafür finden, daß diese
Feldkreuze genau auf dem Platz früherer Iuppiter-Gigantensäulen errichtet wurden. Vgl. dazu
allgemein E. Linckenheld i. d. Zeitschrift Elsaßland 8 (1928), 7 ff. – Vgl. jetzt auch H.

linken Hand trägt der ungebärdige Gottvater die Weltkugel, manchmal mit dem Kreuzessymbol geschmückt; aber auch dieses scheinbar christliche Attribut, das ja übrigens sonst besonders häufig Christus, nicht dem Vater zukommt[106], mag hier – so scheint mir – vorchristliche Beeinflussung verraten: erinnert es an sich schon an das Rad, das der keltische „Taranis" als Gigantenreiter und auch sonst häufig in der linken Hand trägt[107], so ist uns in einem Fall in einer verstümmelten Darstellung aus Aliso der keltische Iuppiter ebenfalls ganz deutlich mit einer Kugel in der Hand bezeugt[108]. Ja selbst das deutlich christliche Symbol der Heiliggeist-Taube, das fast alle diese Steinbilder auf der Brust von Gottvater oder vor ihm angebracht zeigen, hat einen, wenn nicht inhaltlichen, so doch formalen Anklang in Tiersymbolen der keltischen Darstellungen, deren mehrere einen Adler, eine einen Fisch an der gleichen Stelle bieten[109]. |

Diese Gottvater-Sitzbilder ruhen sämtlich[110] oben auf steinernen Feldkruzifixen,

---

BIRKHAN, Germanen u. Kelten, 302 m. Anm. 678, ferner W. MÜLLER aaO. (ob. Anm. 84), S. 63–66 mit 2 Abb. auf S. 65, durchwegs im Anschluß an LINCKENHELD. Er vermutet hinter den Feldkreuzen die Aussage: „Seht her, der alte Gott war der gleiche wie der heutige"(!).

[106] A. SCHLACHTER, Der Globus . . . in der Antike 1927, 105; doch vgl. STUHLFAUTH, RGG ²V 939 und z. B. die Gottvaterdarstellung auf der Münchener Madonna im Rosenhag von einem Schüler Stephan Lochners oder auf Dürers Holzschnitt „Die Hl. Familie bei der Arbeit" (jeweils zugleich auch mit Taube) und zahlreiche andere Beispiele; vgl. allgemein K. KÜNSTLE, Ikonogr. d. christl. Kunst I (1928) 222.

[107] ESPÉRANDIEU 6077. 5935. 5940 usw.; HEICHELHEIM RE IV A, nr. 67 ff. usw.; dazu der „Radgott von Odernheim" aus dem nördlichen Vangionengebiet in ziemlich guterhaltener Hochreliefarbeit, eine Neuerwerbung des Jahres 1936 im Historischen Museum der Pfalz in Speier, eine Darstellung, die ganz allgemein das in unserem Zusammenhang zu fordernde heidnische Vorbild gut repräsentiert: stehender Gott, nackt mit Rad und Speer, abgebildet bei SPRATER aaO. 74.

[108] ESPÉRANDIEU 2375 (t. III 304 f.); HEICHELHEIM nr. 34. Der Gott trägt die Kugel in der rechten Hand, die von ihm allein noch leidlich erhalten ist; vor ihm ein Adler, an den Seiten seines Thrones je ein Rad.

[109] ESPÉRANDIEU 2375 (s. die vor. Anm.). 5116. HEICHELHEIM nr. 34. 56. 70. Vielleicht darf auch an den Vogel erinnert werden, der auf einem merkwürdigen Felsbild bei Hirschhorn a. Neckar der dargestellten, die Hände wohl zum Segen erhebenden Gottheit auf der Schulter sitzt. Gerade dieses primitive Götterbild, das man nach gewissen Anzeichen auf den keltischen Cernunnos hat deuten wollen (FR. BEHN, Urgeschichte von Starkenburg ²1936, 25, m. Taf. 41; A. KOCH, Vor- u. Frühgesch. Starkenburgs 1937, 54 m. Abb. 138 auf Taf. 28; vgl. über diesen Gott a. SCHUMACHER aaO. II 300 u. HEICHELHEIM RE VI A, 923, jetzt auch J. DE VRIES, Keltische Religion 1961, 104 ff. u. ö.), findet sich in neckarsuebischem Gebiet, mag also wie die Gigantenreiter keltogermanische Vorstellungen repräsentieren (E. JUNG aaO. 12, 362 f., 366 ff. will ihn geradezu als „Himmelsgott der Neckarsueben" in Anspruch nehmen). Aber man könnte hier in der Nähe nachweislicher germanischer Merkurweihungen (Mercurius Cimbrianus auf dem Heiligenberg bei Heidelberg; Toutonenstein in Miltenberg) ebensogut auch an Wodan mit dem Raben denken (vgl. JUNG selbst aaO. 439); H. PHILIPP, PhW. [1939] 1108).

[110] Bei dem elsässischen Stück des Straßburger Museums, das nur für sich allein erhalten ist, darf man es mit Sicherheit nach dem Beispiel der übrigen, _in situ_ erhaltenen schließen. Es allein von den durch Abbildungen bekannt gemachten Stücken ist so weit verchristlicht, daß den milden Gesichtszügen keinerlei drohende Haltung abzulesen ist. Daraus etwa auf einen „sanfteren" Charakter des Tribokerjuppiters gegenüber dem der Mediomatriker zu schließen, sind wir weder aus diesem vereinzelten späten Beispiel noch auch aus dem Befunde der tribokischen Gigantenreiter berechtigt. Immerhin verdient es angemerkt zu werden, daß in den antiken Denkmälern besonders aus dem Verhalten des Giganten gegenüber dem reitenden Gott sich

in der Weise, daß sie statt des den Querbalken senkrecht überragenden Kreuzteiles aufgesetzt sind oder reliefartig an ihm angebracht erscheinen. Es begreift sich ohne weiteres, daß damit christlicher Auffassung Genüge getan ist, indem das Gesamtdenkmal die Dreieinigkeit in der etwas abgewandelten Form des sog. „Gnadenstuhles" symbolisiert[111]: Gott Vater durch den „Gigantenreiter" ohne Pferd, Gott Sohn durch den Gekreuzigten, und den Heiligen Geist durch die dem Vater beigefügte Taube. Aber für den nichtchristlichen *Ursprung* der Darstellung scheint in unserem Falle die Tatsache zu sprechen, daß die Bevölkerung das merkwürdige „Gottvater"-Bild vielfach gar nicht mehr zu deuten weiß[112].

Linckenheld hat daher sehr scharfsinnig vermutet, daß die Verwendung des Gigantenreitertyps im Dienst der Ausgestaltung von Kruzifixen zu Dreieinigkeitssymbolen nicht die ursprüngliche gewesen sei[113]. Er geht dabei aus von einer merkwürdigen Beschwörungsformel, die man eine alte Frau aus Maiweiler in Lothringen kurz nach dem ersten Weltkrieg hat sagen hören:

„Gott Erschöpfer – Gott Erlöser – Gott der Bumberhans."[114] |

Hier nimmt also die Stelle des Heiligen Geistes der „Bumberhans" ein, den Linckenheld mit dem keltischen Donnergott identifizieren möchte, wie ihn die alten und jene neuen Denkmäler gleicherweiser als *Iuppiter altitonans* darzustellen scheinen. Dann hätte man sich, wenn ich seine knappen Andeutungen recht verstehe, die Sache so vorzustellen, daß die christianisierte Bevölkerung dieser linksrheinischen Gebiete das Bedürfnis empfand, innerhalb der Trinität den schwer begreifbaren Heiligen Geist zu konkretisieren und zu verpersönlichen, und daß sie dazu sich ihres alten heidnischen Donner- und Himmelsgottes bedient hätte, dem sie lediglich statt anderer Tiersymbole[115] die Taube beizugeben brauchte. Das Rad[116] oder die schon

---

starke Unterschiede in der Auffassung der Schrecklichkeit des Gottes ergeben (HAUG, RE Suppl.-Bd. IV 694).

[111] Über diese seit dem 12. Jahrh. nachweisbare Dreifaltigkeitsdarstellung in Verbindung mit dem Leiden Christi vgl. K. KÜNSTLE aaO. I 229 ff. m. Abb. 83 f. (freundlicher Hinweis von H. RUDOLPH, Heidelberg). Vgl. etwa eine aus Soest i. Westf. stammende Altarvorsatztafel des 13. Jahrh. im Deutschen Museum in Berlin, wo Gottvater mit der Taube auf der Brust das Kreuz mit dem Kruzifix vor sich auf dem Schoß hält (Abb. bei HERM. WIEMANN, Die Malerei der Gotik und Frührenaissance 60), oder Dürers Allerheiligenbild in Wien und zahlreiche Holz- und Metallschnitte des 15. Jahrh. (s. W. L. SCHREIBER, Hdbch. d. Holz- u. Metallschnitte des XV. Jahrh. 2 [1926] Nr. 736 ff.). Derartiges mag immerhin als christliches Vorbild zu unserer Darstellung mitgewirkt haben. Letztlich zugrunde liegen solchen Trinitätsbildern vielleicht Abbildungen der Taufe Jesu, wo die Übereinanderstellung von Jesus, der Geisttaube und Gottvater ihren guten Grund im Evangelienbericht hat (Ev. Matth. 3,16 f., Marc. 1,10 f., Luc. 322), so auf der Taufe Christi des Gerard David von etwa 1502/03 im Museum in Brügge (WIEMANN aaO. 54). Von da scheint das Motiv auch auf Geburts-, Kindheits- und Kreuzigungsdarstellungen übertragen worden zu sein.

[112] LINCKENHELD, Ann. Lorr. 1929/134, Anm. 47.

[113] L'Art pop. III 185 f.

[114] Vielleicht Hörfehler für „Gott der Schöpfer – Gott der Erlöser – Gott der Bumberhans"? – Vgl. übrigens die interessanten, in niedersächsischem Gebiet fortlebenden Reime auf Mars und Irmin bei E. JUNG, German. Götter und Helden . . . ²1939, 126 f. u. 132.

[115] Dazu s. o. [S. 166].

[116] Auffallend, daß gerade wiederum in Frankreich auf einem von Abt Suger in St. Denis in seiner Kirche angebrachten Glasgemälde des 12. Jahrhunderts eine „Gnadenstuhl"-Darstellung Gottvaters und Christi (ohne Hl. Geist-Taube) von den Wagenrädern der „Aminadab-Quadri-

vorgefundene Kugel[117] wäre dann zur Weltkugel umgedeutet worden; schließlich hätten die naturgemäß stark vatergöttlichen Züge dieser merkwürdig massiven Hl. Geist-Figur dazu verführt, sie als Verbindung von Gottvater und Hl. Geist zu fassen und in die „Gnadenstuhl"-Form zu bannen, d. h. eben so zu verwenden, wie es uns die besprochenen Denkmäler lehren.

Es bleibe dahingestellt, ob die kuriose Trinitätsformel der alten Lothringerin als Fundament für diese bestechende Konstruktion genügt. Soviel scheint aber durch die eigenartigen christlichen Denkmäler erwiesen, daß sowohl auf keltischem Mediomatriker- wie auf germanischem Tribokergebiet fast bis in unsere Tage jener alte Juppiterkult fortwirkt, hinter dem wir die keltisch-germanische Ausprägung des alten indogermanischen Himmelsgottes vermuten durften.

Zu erklären bleibt nun noch die in jenen durch v. Kienle untersuchten obergermanisch-römischen Götterweihungen so häufige Verbindung des I.O.M. mit *Juno Regina*. So deutlich diese Koppelung ihre Herkunft aus der kapitolinischen Trias verrät, so sicher muß doch auch die Gestalt der JReg sich den germanischen Widmern als willkommene Entsprechung für eine heimische Gottheit angeboten haben[118]; das beweist uns schon das völlige Fehlen der Minerva in jenen Weihungen: mit ihr, die damals weithin als Göttin des eigenständigen Handwerks empfunden| wurde, konnten die Germanen nichts anfangen, ließen sie also beiseite[119]; dafür setzten sie gelegentlich den *genius loci* ein[120]. Auffallend ist auch hier wiederum, daß die

---

ga" (vgl. 2. Sam. 6,3) und von den Tiersymbolen der Evangelisten umgeben ist (Künstle aaO. I 60f. mit Abb. 14).   [117] O. [S. 166].

[118] Auch der keltische Iuppiter-Taranis hat als weibliche Beigottheit Juno und Terra Mater (über sie s. a. unt. Anm. 129): Heichelheim RE IV A 2281. Sprater aaO. 75, 322ff. Wir dürfen in ihr wohl die keltische Fruchtbarkeitsgöttin Epona erblicken, die zahlreiche gemeinsame Züge mit dem Taranis verbinden (Pferd, Rad, Schlange; vgl. die gute knappe Besprechung und Zusammenstellung der Denkmäler bei W. Krause aaO. XII m. Abb. 64ff.; ferner Keune, RE VI, bes. 238 u. 241 f.); daß auch sonst die weiblichen Gottheiten der Kelten bisweilen das Attribut ihres männlichen Partners tragen (z. B. Rosmerta den Merkurstab), hat Sprater aaO. 75 betont.

[119] v. Kienle aaO. 280, der – nach übersichtlicher Vorlage des Materials für die Paarformel (273ff., dazu wieder die Karte 286) – das Juno Regina-Problem ausführlich erörtert 279ff. Unsere Darlegung kann sich um so kürzer fassen, als sie weithin mit v. Kienles Ansicht übereinstimmt; diese hat sich unlässlich einer Heidelberger studentischen Arbeitsgemeinschaft des Jahres 1936 gebildet, der wir beide für unsere Forschungen viel verdanken. Vertieft wurde unsere Zusammenarbeit in einem gemeinsamen Germania-Kolleg im Winter 1938/39. G. Bauchhenss aaO. (ob. Anm. 84) schenkt unsrer Hypothese nur flüchtige Beachtung (S. 11, Anm. 47 u. S. 44 m. Anm. 240–242) und lehnt sie ohne detailliertere Begründung ab. Noch knapper, wenn auch etwas positiver (zu v. Kienle allein) P. Noelke aaO., S. 398, Anm. 743 und S. 402, Anm. 770.

[120] Bemerkenswert im Hinblick auf die oben besprochenen schlangenfüßigen Giganten der Iuppitersäulen ist, daß das bekannte Schlangensymbol des römischen *genius* (Birt, Roschers Lex. I 1623; W. F. Otto, RE VII 1161 f.) auch gelegentlich auf diesen Weihungen erscheint. Sollte auch dem „*genius (loci)"* in den oberrheinischen Inschriften eine bestimmte germanische (keltisch beeinflußte?) Gottesvorstellung entsprechen? Vgl. dagegen v. Kienle aaO. 275.

Paarformel I.O.M. und JReg ganz eindeutig dem durch die I.O.M.-Widmungen charakterisierten Gebiet um den Oberrhein zugehört. 67 Widmungen mit der reinen Paarformel in diesen Gegenden stehen ganze zwei der *Germania Inferior* gegenüber, überhaupt nur 25 aus dem gesamten übrigen römischen Reich; in der *Gallia Belgica,* also auch bei den Mediomatrikern, fehlt sie völlig, Rom und Italien kennen sie so gut wie gar nicht[121].

Liegt die Deutung des I.O.M. als germanischer – genauer suebischer – Himmels- und Stammesgott fest, so fällt es nicht schwer, für seine weibliche Partnerin nach indogermanischen, ja noch darüber hinaus sich bietenden Parallelen auf eine *Muttergottheit* zu schließen, die den *Segen der fruchtbaren Erde* verkörpert hätte. Aber wir sind glücklicherweise nicht auf solch allgemeine Vermutungen angewiesen. Wiederum bietet uns Tacitus die erwünschte Bestätigung: im 9. Kapitel| der Germania erzählt er unmittelbar hinter der Nennung des alten Himmelsgottes Mars-Tīwaz, den wir im 39. Kapitel als *regnator omnium deus* der Sueben wiederkehren sahen, von einer *suebischen Isis (pars Sueborum et Isidi sacrificat)*[122], deren Schiffsymbol ihre Herkunft aus der Fremde verriete. Da man hat zeigen können, „daß Schiffsumzüge im Kult germanischer Fruchtbarkeits- und Erdgottheiten uralt und weitverbreitet sind"[123], so liegt es nahe, anzunehmen, daß in der Tat die suebische Isis des Tacitus ebenso wie die mit I.O.M. verbundene Juno Regina der oberrheinischen Inschriften suebischer Widmer nichts anderes darstellt als das weibliche Gegenstück zum Himmelsgott Tīwaz, eine mütterliche Gottheit der fruchtbaren Erde[124]. Daß sich bei irgend einer suebischen Gruppe, die wir nicht näher zu benennen wissen, für sie in der

---

[121] A. ZINZOW, Der Vaterbegriff bei den römischen Gottheiten 1887, 7; v. KIENLE aaO. 275f. – Zu den spärlichen Ausnahmen gehört die römische Säkularfeier, an deren ersten beiden Tagen I.O.M. und JReg im Mittelpunkt stehen (CIL VI 32323, Z. 103ff., 119ff., p. 3241); aber es wird ihnen auch hier getrennt geopfert, und am dritten Tage folgen Apollo und Diana; außerdem sind hier I.O.M. und JReg erst sekundär für Dispater und Proserpina eingetreten – vgl. TH. MOMMSEN, Eph. Epigr. 8 (1891) 258ff. –, und schließlich liegt hier ganz deutlich griechische Beeinflussung vor, wie sich aus dem für die Feier maßgebenden, die Paarheit Zeus-Hera enthaltenden Sibyllinenspruch ergibt (v. 12ff.), der bei DIELS, Sibyll. Blätter 1890, 133ff., und in HEINZES Einleitung zum carmen saeculare des Horaz abgedruckt ist. Höchst bezeichnend, daß auch HORAZ die durch die Sibyllinverse gebotene Vorschrift der Ehrung des für Rom singulären Götterpaares durch weiße Rinder im carm. saec. v. 45ff. nur scheu mit „*di*" ohne weitere Namennennung anführt, so daß (wie HEINZE zu v. 37–48 in anderem Zusammenhang richtig gesehen hat) das religiöse Bewußtsein des Lesers zugleich an die Gesamtheit der anderen römischen Gottheiten erinnern sein konnte.

[122] Auf sie hat im Zusammenhang mit dem Semnonengott u.a. schon F. R. SCHRÖDER hingewiesen in: Germ.-Roman. Monatsschr. 22 (1934) 203ff.; vgl. CLOSS aaO. 600.

[123] v. KIENLE 281 nach OSCAR ALMGREN, Nordische Felszeichnungen als religiöse Urkunden 1934, vgl. bes. 18ff., 27ff., 68ff., 289ff., 314ff., vor allem aber 319ff. Zum Schiff als Sinnbild oder Wahrzeichen vgl. jetzt auch FR. PFISTER in: Brauch und Sinnbild (Fehrle-Festschrift) 1940, 43.

[124] Auch in einer Inschrift aus Capua, CIL X 3800, ist Isis in merkwürdiger Übereinstimmung einer an den *regnator omnium deus* erinnernden Sphäre angeglichen: *una quae es omnia dea Isis* wird sie hier angerufen.

Interpretatio Romana der Isisname einbürgerte, verstehen wir gut angesichts der in die Augen springenden verwandten, an einheimische Vorstellungen erinnernden Züge, die jener damals im römischen Heer so weit verbreiteten orientalischen Muttergöttin auch sonst allenthalben das Vordringen erleichterten; das hier wie dort sich findende, von Tacitus begreiflicherweise mißdeutete Schiffsymbol mag dabei den Ausschlag gegeben haben[125].

Wenn wir auch die suebische Isis oder Juno Regina nicht unmittelbar mit ihrem heimischen Namen benennen können[126], so führt doch ein zwingender Schluß auf die Bezeichnung, die eine völlig gleichartig geartete Göttin bei nördlicheren Germanenstämmen trug, die den alten Sitzen der Sueben unweit der Ostsee benachbart waren[127]. Der Norweger Magnus Olsen hat an der Westküste seiner Heimat aus Ortsnamen die gemeinsame Verehrung von Ty, dem nordgermanischen Tīwaz, mit der| Göttin *Njörð* aufgezeigt[128], und eben sie kennen wir ja wiederum als Nerthus aus Tacitus' Germania. Wenn es auch vielleicht Zufall sein mag, so ist es doch jedenfalls Tatsache, daß Tacitus, ganz entsprechend der Nennung der suebischen Isis unmittelbar nach Mars-Tīwaz in Kap. 9, in den Kapiteln 39/40 der Schilderung des suebischen Regnator-Gottes und seines Kults die Ausführungen über *Nerthus* folgen läßt[129], die wir nach jener nordgermanischen Parallele als die Gattin des Tīwaz ansprechen dürfen. So wird sich also die bisher meist vertretene Gleichung Isis-Nehallenia[130], die man wegen der Schiffsdarstellungen auf Denkmälern dieser Göttin angenommen hat, nicht weiter halten lassen, um so weniger, als ja Nehallenia am Niederrhein verehrt wurde und nicht auf suebischem Gebiet[131]. Allenfalls könnte diese Nehallenia eine

---

[125] Auch Griechen und Römer empfanden die Isis sowohl als Mutter- wie als Erdgöttin und konnten sie so – von anderen Interpretationen abgesehen – bald als Hera-Juno, bald als Demeter-Ceres fassen (Diod. I 25; ROEDER, RE IX 2115; 2121 f., hier zahlreiche weitere Quellenstellen).   [126] Vermutungen („Frau Harke; Erke") bei CLOSS aaO. 602 f.

[127] Tac. Germ. 41,1 (ähnlich Strabo VII 290; Ptolem. II 11,6) betrachtet ja bekanntlich Langobarden und „Nerthusvölker" sogar fälschlich als Sueben; s. dazu MUCH 330 f., 361 (= ³425 f., 462).

[128] MAGNUS OLSEN, Det gamle norske önavn Njarðarlog 1905 (Christiania Videnskabs-Selskabs Forhandlinger for 1905, No. 5, bes. 7, 16 ff., 26). Ferner hat der Schwede ELIAS WESSÉN in einer Arbeit „Forntida gudsdyrkan i Östergötland" (Meddelanden fr. Östergötlands Fornminnes-och Museiförening 1921, 31 ff.) 85 ff. – vgl. bes. 117 – das Götterpaar Ull (an. *WulPus) und Njord *(Nerðus)* aus zahlreichen nah beisammen gelegenen Ortsnamen Ostgotlands nachgewiesen (der Gott Ull entspricht genau dem altnorwegischen Ty), z. B. Ullevi und Njärdevi bei Linköping. Danach ist die Notiz bei v. KIENLE aaO. 281 zu berichtigen. Zum Namen und zur Bedeutung von Nerthus s. jetzt H. BIRKHAN, Germanen und Kelten 1970, S. 544 ff.

[129] Diese beiden Berichte werden auch dadurch verknüpft, daß zunächst beide Male römische Kultbegriffe zur Erläuterung des Wesens der Gottheit dienen: dort *regnator omnium deus* (c. 39,2), hier *terra mater* (c. 40,2, dazu E. BICKEL, Rh. M. 1940, 26). Ferner erinnern die Menschenopfer für Nerthus (c. 40,4) an diejenigen für den *regnator* (c. 39,1) und stellen die Göttin gewissermaßen auf eine Stufe mit dem höchsten Gott (= vgl. dazu o. Anm. 18).

[130] So HELM aaO. 319, vorsichtiger MUCH 126 f. (³180).   [131] v. KIENLE 280.

lokal-niederrheinische, nichtsuebische Ausprägung der alten germanischen Fruchtbarkeitsgöttin mit dem Schiffsymbol sein[132].

In der Schilderung dessen, was Tacitus von Nerthus zu berichten weiß, findet sich eine Reihe von Zügen, die uns darin bestärken, sie mit der „suebischen Isis" in genaue Parallele zu setzen[133], ja die zugleich jene Isis-interpretatio noch verständlicher machen. Die besondere Verbindung der Göttin mit den menschlichen Belangen *(intervenire rebus hominum)*, das Friedliche ihrer Erscheinung, der ihrem Dienst geweihte Priester, die ihr heiligen Bäume *(castum nemus)*, ihre Verehrung auf einer Insel mit feierlicher Prozession, die heiligen Kühe in ihrer Umgebung, ja so|gar Tötung von Menschen wenn nicht in ihrem Kult, so doch im Zusammenhang ihres Mythos[134] – all das mußte eine Isis-interpretatio der suebisch-germanischen Muttergöttin da geradezu herausfordern, wo der Kult der ägyptischen Isis greifbar in Erscheinung trat[135].

Zusammenfassend darf festgestellt werden, daß die Glieder des in den oberrheinischen Inschriften sich findenden wahrscheinlich suebischen Götterpaares I.O.M. und JReg auch schon dem Tacitus als Suebengottheiten bekannt waren, zwar unter anderen Namen, aber mit den gleichen charakteristischen Zügen, und daß Mars und Isis des 9. Kapitels der Germania wie der *regnator omnium deus* des 39. und die Nerthus des 40. Kapitels teils Urbilder, teils Abwandlungen dieses Götterpaares[136] darstellen.

---

[132] Vgl. a. HEUSLER, RGG.[2] II (1928) 1065. – Eher wäre die Garmangabis heranzuziehen, die auf einer Widmung (neckar-?)suebischer Soldaten in Britannien aus dem 3. Jahrh. begegnet, vollends wenn ihr Name mit MUCH 43 f. ([371]) als *ga-erman-gabis* gedeutet werden dürfte und somit einen Hinweis auf *Erminaz enthielte. Siehe darüber CLOSS aaO. 601 f.; v. KIENLE 282.

[133] Den Vergleich der Nerthus mit der *Sueborum Isis* hat schon H. REIS in REEBS Germania-Ausgabe 1930, 148 f. ausgeführt, vgl. a. MUCH 124 (= [3]178 f.).

[134] Daß die Beseitigung der Sklaven mit dem Nerthuskult nichts zu tun habe, daß sie vielmehr „als mindere und wertlose Menschen getötet" wurden, ist die Meinung von GERO ZENKER, Germanischer Volksglaube . . . 1939, 109 f. Er hätte sich diesen kuriosen Umweg ersparen können, denn nach seiner Auffassung ist ja sowieso „der ganze Kultbericht . . . ungermanisch und trägt ausgesprochen orientalischen Charakter"! Vgl. o. Anm. 33.

[135] Über die entsprechenden Züge der ägyptisch-hellenistischen Isis und ihres Kults vgl. A. ERMAN, Die Religion der Ägypter 1934, 432 ff. (über das von Apuleius metam. XI 8–17 geschilderte Frühlingsfest der Göttin), ferner G. ROEDER aaO. 2090 ff. passim; vgl. bes. 2090 unt. (heilige Bäume), 2095 f. (Prozessionen), 2099 f. (Insel Philä), Diod. I 21 (Tötung Seth-Typhons und seiner Genossen). Andere Vergleichsmomente bei MUCH 126 (= [3]179 f.) TH. HOPFNER, Plutarch über Isis und Osiris I (1940) 122 f., 149 ff., 153 f. u. ö. Bei Erwähnung des in der Isisprozession getragenen Rindes spricht Apuleius met. XI 11 vom *fecundum simulacrum omnia parentis deae*, einem Epitheton der Göttin, das ihren auch von ERMAN aaO. 435 schön gekennzeichneten universalen Charakter ähnlich treffend hervorhebt wie des Tacitus' Formel *regnator omnium deus* die gleiche Eigenschaft des Himmelsgottes (vgl. dazu a. o. Anm. 124).

[136] Genauer gesprochen verrät schon die ausdrückliche Kennzeichnung als „suebisch" die nähere Zusammengehörigkeit des *regnator omnium deus* von c. 39,1/2 und der Isis von c. 9,1, während Mars-Tiu (c. 9,1) und Nerthus (c. 40,2 ff.) angesichts der auch bei den Nordgermanen begegnenden Njörð gewissermaßen das gemeingermanische Urbild des Götterpaares repräsentieren.

Inhaltsübersicht

In Tacitus Germania c. 9,1 beruht die Erwähnung des *Hercules* neben *Mercurius* und *Mars* auf der Zufügung einer Glosse, die in der Überlieferung deutlich als solche erkennbar ist. Der übrigbleibende Text der beiden Anfangssätze des Kapitels scheint davon Zeugnis zu geben, daß der alte germanische Haupt- und Himmelsgott Mars-Tīwaz von Tacitus hier bereits als durch Mercurius-Wodan auf die zweite Stelle gedrängt angesehen wird und statt der Menschenopfer, die früher *er* erhalten hatte, nunmehr durch Tieropfer beschwichtigt erscheint. Andere Tacitusstellen lassen als Vorstufe hierzu bei einzelnen Germanenstämmen den Zustand erkennen, wo noch Mars-Tīwaz als *praecipuus deorum* verehrt wird (Tencterer: hist. IV 64,1), bzw. den anderen schon fort|geschritteneren, wo der hohen Verehrung des Mars sich bereits die des Mercurius als gleichwertig zugesellt (Hermunduren: ann. XIII 57,2).

Der Bericht des Tacitus Germ. c. 39 über den Kult der suebischen Semnonen legt durch die Kennzeichnung des Hauptgottes der Sueben als *regnator omnium deus* den Vergleich mit dem römischen Iuppiter nahe, der in gehobener Sprache seit Naevius immer wieder mit ganz ähnlichem Epitheton in vielfältiger Abwandlung begegnet. Tacitus kann hier wiederum nur den germanischen *Tīwaz(-Erminaz?) im Auge haben, der ja – wie ursprünglich auch Iuppiter – einmal alter Himmelsgott gewesen ist. Daß der Verfasser der Germania im Semnonenkapitel weder die Bezeichnung Mars für Tīwaz wählt, wie in c. 9,1, noch auch die dem *regnator*-Epitheton entsprechende ausdrückliche Iuppiterinterpretatio, hat seine guten Gründe. Aber die Probe auf die Richtigkeit der Annahme einer solchen interpretatio liefert der Nachweis R. v. Kienles, daß hinter dem I.O.M. zahlreicher römischer Weihinschriften des weiteren Umkreises der Neckar- und Mainmündung sich ein germanischer, wahrscheinlich suebischer Hauptgott verbirgt (ARW. 35 [1938] 270ff.). Hier wie im Semnonenkapitel liegt dabei der Schluß auf Tīwaz-Erminaz nahe. In dem fraglichen Gebiet weisen auch eine Anzahl von Bodenfunden auf suebisch-elbgermanische Besiedlung.

Der durch die Beischrift I.O.M. seinerseits als Iuppiter gekennzeichnete sog. Gigantenreiter der keltisch-germanischen Oberrheingegenden dürfte da, wo er auf germanischem Gebiet erscheint, ebenfalls als Tīwaz-Erminaz aufgefaßt worden sein. Doch spricht manches für seine letztlich keltische Herkunft, wobei man an den Himmels- und Gewittergott der Kelten, Taranis, denken möchte, der ja für das Keltentum – so wie Tīwaz und Iuppiter für Germanen und Römer – den alten idg. Himmelsgott repräsentiert. Der Glaube an ihn lebt vielleicht noch in eigenartigen Barockkruzifixen Ostlothringens und des Unterelsasses fort, auf denen oberhalb des Gekreuzigten ein stark unchristlich aufgefaßtes Gottvaterbild in dräuender Haltung, dem Gigantenreitertyp vergleichbar, aufgesetzt ist.

Das weibliche Gegenstück zum alten Himmelsgott Tīwaz-Erminaz (Germ. c. 9,1), die den Segen der fruchtbaren Erde verkörpernde Muttergöttin Nerthus (c. 40,2ff.), begegnet uns in ihrer suebischen Ausprägung bei Tacitus als *Sueborum Isis* in c. 9,1 der Germania, ebenso wie sie nach v. Kienles Feststellungen in zahlreichen I.O.M.-Inschriften des suebischen Gebiets um den Oberrhein als „Iuno Regina" erscheint. Mars, der *regnator omnium deus* der Sueben, I.O.M. auf jenen suebischen Weihungen auf der einen, Nerthus, Sueborum Isis, Iuno Regina auf der anderen Seite bezeichnen also jeweils die gleichen Gottheiten, deren Verbindung unbeschadet der verschiedenen Namen das im Wesen sich gleichbleibende Hauptgötterpaar der alten Germanen, insbesondere der Sueben, ergibt.

Der Gott Achilleus*

– Auszug –
Sitzung der Phil.-hist. Klasse am 5. Mai 1979

Die seit dem 6. vorchristlichen Jahrhundert vereinzelt auf Graffiti, später dann – mit dem Höhepunkt in der frühen Kaiserzeit – gehäuft im Pontosgebiet auftretenden inschriftlichen Weihungen an den Gott Achilleus oder Achilleus Pontarches verlangen nach einer Klärung vor allem im Blick auf die Frage, welche Gestalt sich hier hinter dem Achilleusnamen verbirgt. Der fragmentarische Beginn eines Götterhymnus des Alkaios von Lesbos, also wohl um 600 v. Chr., mit dem Wortlaut Ἀχίλλευς ὁ γᾶς (oder τᾶς?) Σκυθίκας μέδει bedient sich bereits der gleichen Formel, der wir nachher auf Inschriften begegnen (z. B. Ἀχίλληι Λευκῆς μεδέοντι) und die M. H. Jameson erst vor kurzem aufgrund reichen Materials aufschlußreich behandelt hat. Beide genannten Zeugnisse enthalten zugleich den Hinweis auf die Hauptzentren des Kultes: die milesischen Siedlungen im Skythenland am Nordrand des Schwarzen Meeres und die einsame (ja einzige!) Insel des Pontos namens Leuke, die der Donaumündung ca. 20 km ostwärts vorgelagert ist.

Aus dem Befund ergibt sich ferner, daß kaum anzunehmen ist, der göttlich verehrte Achilleus habe sich vom Heros der Ilias Homers allmählich zum Gott entwickelt, oder es handle sich um eine den Griechen assimilierte skythische oder thrakische Gottheit (Rostovtzeff). Vielmehr müssen wohl die kolonisierenden Milesier im 7. Jh. einen uralten (dem Namen nach zweifellos vorgriechischen) Gott Achilleus – der sich dann erst sekundär in der vorhomerischen ‚Aufklärungs'-Zeit zu dem in der Ilias besungenen Heros gewandelt hätte – noch gekannt und in der neuen Heimat im Norden sozusagen wiederentdeckt haben, um ihm fortan kultische Verehrung zu zollen. Eine Schlüsselrolle muß dabei der genannten Insel Leuke zugekommen sein, von der dieser Kult seinen Ausgang nahm. Spuren alter Achilleus-Verehrung in Milet und Umgebung finden sich noch im dortigen Namensgut.

Zahlreiche verstreute Quellen, darunter vor allem die in der Chrestomathie des Proklos auszugsweise erhaltene ‚Aithiopis' sowie einige Stellen der Odyssee (bes. aus der ‚Nekyia' 11,483ff.), ferner Pindar, Euripides usw.

---

* Heidelberger Akademie der Wissenschaften. Jahrbuch 1979 (1980), 46–47. Der ganze Vortrag ist in den Sitzungsberichten 1980, 1 erschienen.

liefern die Bausteine zu einer Rekonstruktion des Mythos vom Gott Achilleus. Danach muß er in dem von den Griechen übernommenen vorhellenischen Glauben als Totengott auf der Insel der Seligen fern über dem Meer geherrscht haben (was die spätere Bezeichnung Πουτάρχης erklären hilft, vgl. a. Od. 11,485 und 491, wo Achilleus als νεκύεσσι κρατέων bzw. ἀνάσσων erscheint). Die milesischen Kolonisten haben wohl auf ihrer Erkundung des nördlichen Pontos diese Stätte in der seitdem von ihnen Leuke genannten Insel zu erkennen geglaubt und dort einen | Kult des Gottes gestiftet, den sie dann auch aufs Festland übertrugen (besonders in Olbia und im Mündungsgebiet des Borysthenes).

Die spätere Sage hat diese Erinnerung an die ursprünglichen Zusammenhänge des Göttermythos so umgedeutet, daß sie den Helden Achilleus nach seinem Tod auf die Insel Leuke entrückt werden ließ, wohin ihm eine weibliche Sagengestalt als Gefährtin folgte, um mit ihm gemeinsam dort die Herrschaft auszuüben. Helena, Medea, Diomede, Penthesilea und ganz besonders Polyxene und Iphigeneia erscheinen nach jeweils verschiedenen Sagenversionen in dieser Rolle. In Wirklichkeit weist jede von ihnen auf ein ehemaliges weibliches Pendant des Achilleus als Totengöttin hin. Den redenden Namen der Polyxene, der sie als die ‚Vielgastliche‘ in die Nähe des Ἅιδης πολυδέγμων, πολύξενος etc. rückt, hat man schon länger erkannt (E. Wüst), wodurch auch auf die Bezeichnung des Πόντος Εὔξεινος als das ‚wohlgastliche Meer‘ (der Toten) neues Licht fiel. Besonders aufschlußreich ist jedoch in diesem Zusammenhang die sich um Iphigenie rankende Sage, wie sie vor allem in den beiden nach ihr benannten Dramen des Euripides ihren Niederschlag fand. Danach wird – wiederum stark rationalisierend – der Tochter des Agamemnon schon bei Lebzeiten die Ehe mit dem Helden Achilleus versprochen, und sie wird dann, nach ihrer Opferung an die Todesgöttin Artemis zur Sühnung eines Frevels, selber noch als eine Art von Totengottheit verstanden, ins Gebiet des nördlichen Pontos entrückt, wo sie die Funktion einer ‚πολυξένη‘ des Totenreiches zu erfüllen hat, indem sie alle Ankommenden tötet. Dort heißt ihr männliches Pendant Thoas, der ‚Schnelle‘ *(θοός)*, der sich schon durch diesen Namen als Doppelgänger des ποδώκης Ἀχιλλεύς empfiehlt; die Bezeichnung dürfte an den in so vielen Fällen dem Betroffenen oder seinen Angehörigen als allzu jäh und eilig erscheinenden Zugriff des Todes erinnern.

Was den (vorgriechischen) Namen des Achilleus selber anlangt, so darf ein Zusammenhang mit dem Meer oder dem Wasser aus mancherlei Indizien vermutet werden. Jedenfalls scheint eine Verwandtschaft zu bestehen mit den Flußnamen Acheloos und Acheron und mit der Ἀχερουσία Λίμνη, deren aller Beziehung zum Totenreich evident ist. Schon 1913 hat Paul Kretschmer außerdem darauf hingewiesen, daß das sagenhafte Heimatland des Achilleus, Phthia, nichts anderes bezeichnet als das ‚Land der Toten‘ *(φθίμενοι)*, wie auch der Name seines Volkskontingents, der Myrmidonen, von dem gleichen Forscher mit ‚Schreckgespenster‘ (= Totengeister) übersetzt

wurde (zu μύρμος = φόβος). Die Konsequenz, den Achilleus als ursprünglichen Herrscher über die Toten anzusehen, aus dem erst sekundär der Heros
entstanden ist, hat schon Kretschmer wenigstens angedeutet.

Die nahe Verbindung des Achilleus mit dem Totenreich hat folgerichtig
auch in der Ilias ihre Spur hinterlassen; erscheint doch in ihr der zum
Menschen gewordene Heros allenthalben vom Tod umwittert, ja als einer,
der geradezu auf den Tod hinlebt, wobei sein Ende in diesem Epos selber
nicht mehr erzählt, aber doch ständig reflektiert wird.

Anmerkungen 1982

[S. 46]
Alkaios fr. 14 Diehl = 354 (Z 31) Lobel-Page. M. H. JAMESON, A Bosporan Cult
Epithet. Vortragsmanuskript 1977 (Internat. Epigraphiker-Kongreß in Konstanza).
M. ROSTOVTZEFF, Isvestija Archeolog. Komissij 65. 1918, 181 f., und DERSELBE,
Skythien und der Bosporus 1931, S. 4. Proklos, Chrestomathie ed. A. Severyns
1963. 199 f.
[S. 47]
ERNST WÜST, Wer war Polyxene? In: Gymnasium 56. 1949, 205–213, und DERSEL-
BE, Art. ‚Polyxena' RE XXI 1952, Sp. 1840 ff. (bes. 1844). Euripides, Iph. Aul. 87 ff.,
350 ff., Iph. Taur. 32 ff.
PAUL KRETSCHMER, Mythische Namen, 1. Achill. In: Glotta 4. 1913, 305–308.
WOLFG. SCHADEWALDT, Der Aufbau der Ilias . . . 1975, 8 ff., 58, 62 f., 66, 68, 70,
77.

Nachträge 1982

[S. 46]
Nach Plutarch, Pyrrhos 1,3 und anderen Quellen verehrte man in Epirus
den Achilleus als Gott unter dem Namen Ἄσπετος (der ‚Unaussprechliche'),
worin ich eine alte sehr bezeichnend gewählte Todesgott-Epiklese erblicken
möchte (vgl. a. H. W. PARKE, The oracles of Zeus 1967, 156).
[S. 47] unten
Vielleicht zu Leuke als Toteninsel und mit Sicherheit zu Phthia als ‚Land
der Toten' paßt der Traum des todbereiten Sokrates bei Platon, Kriton 44
A/B ἐδόκει τίς μοι γυνὴ προσελθοῦσα . . . λευκὰ (!) ἱμάτια ἔχουσα, καλέσαι με καὶ
εἰπεῖν· Ὦ Σώκρατες, ἤματί κεν τριτάτῃ Φθίην ἐρίβωλον ἵκοιο (Ilias 9,363) – frdlr.
Hinweis von O. LUSCHNAT. Die positivistische Erklärung der Anspielung
etwa in BURNETs Kommentar ist zweifellos abzulehnen. Immerhin hatte
bereits DENIS LAMBIN(US) – 1520–1572 – in Φθίην hier eine Anspielung auf das
Wort φθίνω empfunden, wie BURNET ablehnend berichtet.

Das Apollonorakel in Didyma*

Pflege alter Musik im spätantiken Gottesdienst

Χρήσω δ' ἀνθρώποισι Διὸς νημερτέα βουλήν – „Künden will ich den Menschen des Zeus untrüglichen Ratschluß", so formuliert gleich nach der Geburt der junge Apollon das Programm seines irdischen Wirkens, wie uns der homerische Hymnus berichtet (3,132). Damit ist in einer wichtigen Urkunde von allem Anfang an das Orakelwesen als zentraler Aufgabenbereich dieses Gottes bezeichnet. Er gebraucht das Wort χράω „ich erteile ein feierliches Responsum", das ebenso wie das Medium χράομαι („ich lasse mir ein solches geben") seit der Odyssee begegnet. Da das Verbum sich deutlich zu der Wortfamilie χρα-, χρηΐζω „bedürfen, gebrauchen" stellt und eine Unzulänglichkeit, einen Mangel, eine Notdurft auf menschlicher Seite zum Ausdruck bringt – idg. Wz.* *gher* „klein, gering" –, so sind wir berechtigt anzunehmen, daß das Medium χράομαι „ich bedarf für mich, ich brauche" das Primäre ist (da ja der einen Rat erteilende Gott seinerseits keineswegs aus einer Notdurft handelt), und daß in diesem Falle das Activum (χράω) erst sekundär aus dem Medium (χράομαι) gewonnen ist. Am Anfang steht also der Mensch, der „bedürftig" ist, einen Rat, eine Auskunft „braucht" und sich dergleichen vom Gott erbittet. Die nachhomerischen Ausdrücke χρηστήριον „die Orakelstätte" (seit dem Apollonhymnus) und χρησμός „der Orakelspruch" (seit Pindar) leiten sich davon ab, und wir dürfen dem Hesych glauben, daß der Orakelspender auch χρήστης heißen kann. Dazu würde die freilich nicht unbestrittene Deutung des bei Homer für den Seher oft gebrauchten Wortes θεοπρόπος gut passen (vgl. θεοπροπεῖν, θεοπροπεία, θεοπρόπιον), nach welcher vermutet wird, daß dieser Ausdruck sich zu lat. *precor* stellt und also denjenigen bezeichnet, der es mit einer an Gott gerichteten Bitte zu tun hat.

Sonst heißt der Seher, der Prophet, den der Gott zum Dolmetscher seines Ratschlusses bestellt hat, bei Homer und weiterhin auch μάντις (dazu μαντεύεσθαι „weissagen", was seit Pindar und Herodot auch die aktive Bedeutung dazugewinnt „ein Orakel befragen"); das zugehörige μαντήιον bezeichnet in der Odyssee noch den „Seherspruch" (wofür mehr und mehr

---

* Festschrift für Friedrich Smend zum 70. Geburtstag 1963, 7–18. (Eingearbeitet) Akten des IV. Internationalen Kongresses für griechische und lateinische Epigraphik 1962, Wien 1964, 140–156 (mit Tafel V).

χρησμός eintritt), seit dem 5. Jahrhundert aber bedeutet es die „Orakelstätte".
Diese Wortgruppe stellt sich wohl – trotz Wilamowitz' Einspruch[1] – als
Nomen agentis auf -*τι* (wie μάρπτις „Räuber" von μάρπτω) zu μαίνομαι,
μανῆναι „besessen sein", wie man schon in der Antike richtig empfunden hat
(Euripides, Bakchen 298 f.; Platon, Phaidros 244 B/C). Der μάντις des Gottes
ist also ein von θεία μανία, von göttlichem Wahnsinn Ergriffener (und aus
solcher Besessenheit Handelnder), um es mit Platon auszudrücken, der im
Ion (534 B/C, vgl. Phaidros 256 B u. ö.) ausdrücklich die θεῖοι χρησμῳδοί und
μάντεις unter die von solcher θεία δύναμις Besessenen mit einbezieht. Eine wie
schwere Bürde dieses Ergriffensein vom Gott mit der Last übermenschli-
chen Wissens für die damit Ausgezeichneten oft gewesen ist, kennen wir aus
berühmten Beispielen wie Teiresias und Kassandra, und es wundert uns
nicht, als Gegenpol solcher θεία μανία bei Platon (Phaidros a.O.) und bei
Xenophon (Mem. I 1,16) ausdrücklich die ἀνθρωπίνη σωφροσύνη genannt zu
finden. Andererseits ist natürlich die θεία μανία wie die μαντική keineswegs
umgekehrt mit ἀφροσύνη gleichzusetzen; sie ist vielmehr nicht eigentlich
Gegensatz, sondern eher |Steigerung der σωφρυσύνη, und das geheime Wissen
des apollonischen Sehers „ist immer verbunden mit einer besonderen Erho-
benheit des Geistes"[2]. Wir sprechen dabei gern von göttlicher Inspiration.

Ich habe nach guter Philologensitte an den Anfang meiner Ausführungen
zu einem besonderen Kapitel des griechischen Orakelwesens eine gedrängte
Übersicht des wichtigsten terminologischen Befundes gestellt. Was sich uns
daraus ergibt, ist in Kürze folgendes: Apollon als Orakelgott ist der Vermitt-
ler der Ratschlüsse seines Vaters Zeus an die ratbedürftigen Menschen. Er
bedient sich dazu seinerseits der Seher und Orakelkünder, denen als ausge-
wählten Werkzeugen des Gottes, als Gottbesessenen, übermenschliches
Wissen eignet, das sie jeweils nur auf ausdrückliches Befragen an den Ratsuchenden preisgeben.

Es ist leicht einzusehen, daß dieser komplexe Sachverhalt mit Notwendigkeit gewisse Institutionen zur Folge haben mußte, in denen sich der Prozeß
der Orakelbefragung und Ratserteilung in geordneter Weise vollziehen
konnte. So wurden zahlreiche Heiligtümer des Gottes Apollon zu ausgesprochenen Orakelstätten, vorwiegend solche, an denen eine heilige aus
dem Fels hervorsprudelnde Quelle oder gar vulkanische Dämpfe geeignet
waren, die Inspiration des Priesters, der Priesterin oder des Propheten dem
ratsuchenden Volke in sinnfälliger Weise zu demonstrieren. Das ehrwürdige
Alter dieser z. T. wohl schon bei der Einwanderung der Griechen vorgefun-
denen Kultstätten und der ausgeprägte Formsinn der Hellenen brachte es mit
sich, daß die Antwort des Gottes in Versen formuliert wurde (denn die
literarische Prosa ist ja der gebundenen Rede gegenüber ein verhältnismäßig
junges Gebilde). So waren die Responsa, wenn auch vorsichtigerweise oft

---

[1] Siehe die Literatur bei HJ. FRISK, Griech. etymolog. Wörterbuch II 1970, S. 172f.
[2] W. F. OTTO, Die Götter Griechenlands, S. 73.

mehrdeutig und verschlüsselt, doch verbindlich formuliert und ließen sich „bequem nach Hause tragen".

Wir kennen außer der berühmten mutterländischen Orakelstätte, dem Apollonheiligtum in Delphi, vor allem eine Anzahl bedeutender Wahrsagezentren dieses Gottes im griechisch besiedelten Kleinasien, so in Patara in Lykien, der mutmaßlichen Heimat Apollons, im äolischen Gryneion, dazu ein anderes in Ionien unweit Kolophon und Ephesos, nämlich in Klaros, das neuerdings durch die Ausgrabungen und Funde von Louis Robert erschlossen ist. Und schließlich das Apollonorakel, von dem hier die Rede sein soll, das 18 km südlich von Milet gelegene, zu dieser ionischen Metropole gehörige und mit ihr durch eine heilige Straße verbundene uralte Heiligtum von *Didyma*[3]. Der Sage nach soll es von dem Milesier Branchos, einem Liebling des Apollon, gestiftet worden sein, zum Dank für die geglückte Reinigung der Stadt von einer verheerenden Pestseuche. Seine Nachkommen, die Branchiden, bildeten daher auch das erbliche Priestergeschlecht, dem die Verwaltung des Heiligtums anvertraut war.

Wie anderwärts war auch hier das Orakel mit einem Tempel des Gottes verbunden, dessen Spuren mindestens ins 6. vorchristliche Jahrhundert hinaufreichen. Er wurde bei der großen Katastrophe des ionischen Griechentums, nach dem mißglückten Aufstand gegen die Perser im Jahre 494, bereits zum zweiten Mal zerstört. Erst um das Jahr 300 ist von den Seleukiden der Wiederaufbau in Angriff genommen worden| (Abb. 1), vielleicht in beabsichtigter Konkurrenz zu dem damals ebenfalls in der Wiederherstellung befindlichen gewaltigen Tempel der Artemis in Ephesos. Bis zum Ende der Antike hat man an dem Heiligtum in Didyma gebaut, vollendet wurde es nie (Abb. 2). Hätte der imposante Bau im 3. Jahrhundert v. Chr., als der Kanon der sieben Weltwunder entstand, sich nicht erst in den Anfängen befunden, er wäre zweifellos diesen Wunderschöpfungen menschlicher Kunstfertigkeit zugezählt worden (Abb. 3 ff.)[3a].

Vor dem Tempel im Osten befand sich eine riesige mit Stützmauern versehene Terrasse für die Weihgeschenke aus aller Welt und, von kreisrunder Einfassung umgeben, ein kolossaler Altar, auf dem sich die Knochenund Aschenreste der blutigen Brandopfer türmten und zu einer festen Masse zusammenballten (Abb. 4 u. 6, vgl. a. Abb. 11, links unten). Das Haus des Gottes ohne die Treppenstufen war 108 m lang, 51 m breit, entsprach also etwa den Maßen des ephesischen Artemisions (110:55 m). Vorne zwischen

---

[3] Herodot I 157, 3 ἦν γὰρ αὐτόθι μαντήιον ἐκ παλαιοῦ ἱδρυμένον. Einen Überblick über den Grabungsbefund des Didymaions gibt H. v. Steuben in: Antike Welt, 12. Jg. 1981, H. 3, S. 3–7 mit Abb. 2–6 (in einem Aufsatz: Seleukidische Kolossaltempel). – Zum Folgenden vgl. bes. Fr. Hiller v. Gaertringen RE XV 1932, Sp. 1620 ff. (Art. Miletos). Maximilian Mayer ebda. Sp. 1649 ff. F. Cauer RE III 1899, S. 809 ff. (Art. Branchidai) – durchweg mit Quellenbelegen und weiterer Literatur.

[3a] Zu den 7 Weltwundern vgl. jetzt Th. Dombart, Die Sieben Weltwunder des Altertums ²1970 (Tusculum-Schriften).

den Anten erhob sich ein Wald von 12 gewaltigen Säulen (Abb. 2, 4, 5, 6);
dann folgte nach Westen 1½m erhöht ein großer Quersaal (Abb. 4, 8, 9).
Dieser war den Gläubigen unzugänglich, aber zu der eben erwähnten Vorhalle hin durch eine riesige Tür geöffnet und diente so zugleich als Rampe
oder Schwelle, von welcher aus der „Prophetes" genannte Verkünder des
göttlichen Orakelspruches dem unter ihm in der Säulenhalle wartenden
Volk seinen Spruch verlesen konnte (Abb. 4, 7, 8, 9). Von jener Wartehalle
führten rechts und links zwei kleinere, wohl dem Tempelpersonal vorbehal-
tene Türen durch schräg abfallende mit Tonnengewölben sauber gedeckte
Gänge ins Innere des Heiligtums, ins Adyton, hinunter (Abb. 6, 9). Von
diesem aus konnte der Prophetes, mit der göttlichen Botschaft ausgestattet,
über eine 4½ m hohe Freitreppe, also von Westen her, zu dem vorhin
erwähnten Quersaal emporsteigen, um sich nach Osten gewandt von der
Rampe aus dem Volke zu zeigen und ihm den göttlichen Bescheid zu erteilen
(Abb. 7, 8). Rechts und links vom Quersaal befand sich übrigens je ein
Treppenhaus, durch das man auf das Dach des Gebäudes gelangen konnte
(Abb. 9).

Das sehr geräumige Adyton (Abb. 10), von Hofmauern (Abb. 3, 9, 10)
und einer doppelten Reihe 20 m hoher ionischer Säulen umgeben (Abb. 1),
war ohne Dach und glich so einem großen Garten, in dem sich auch die heute
versiegte heilige Quelle befunden haben muß (Abb. 9, 10)[4]. Aus ihr trank
eine Priesterin, die Prophetis, und gab darauf die vom Geist Apollons
inspirierte Botschaft an den Prophetes zur Redaktion und Verkündigung
weiter. Im Adyton hat man am Ende der Antike eine byzantinische Kirche
eingebaut, deren Reste von den Ausgräbern aufgenommen und wieder
beseitigt wurden. Weiter nach Westen zu, im Hintergrund dieses gartenarti-
gen Raumes, stand ein gedeckter Naiskos (Abb. 10), der das altehrwürdige
bronzene Apollonkultbild, ein Werk des Künstlers Kanachos aus Sikyon aus
der Zeit um 500 enthielt (vgl. Abb. 11). Es war im Jahre 494 von Xerxes nach
Ekbatana verschleppt, aber 200 Jahre später von Seleukos I. zurückgebracht
worden.

Die riesige Gesamtanlage wurde im Mittelalter mehrfach durch Erdbeben
heimgesucht, doch sah der berühmte Inschriftensammler Cyriacus von
Ancona am | 30. Januar 1446 noch die Cellamauern aufrecht stehen. Erst 1493
vollendete ein neues Erdbeben die Zerstörung des Tempels. Der bildete
dann Jahrhunderte hindurch einen gewaltigen Schutthaufen, aus dem die
Oberteile der heute noch aufrecht stehenden Säulen gerade noch herausrag-
ten, so daß der Besitzer einer auf den Trümmern errichteten Windmühle sie

---

[4] Schon im Lauf des 3. Jahrhunderts wird sie durch Vernachlässigung versickert gewesen
sein, um dann zur Zeit der Belagerung durch die Goten 262 unter dem Druck fatalen Wasser-
mangels wieder freigelegt zu werden, was dann auch ihre kultische Bedeutung von neuem ins
Bewußtsein gerufen haben dürfte: Didyma 2, 1958, no. 159 mit den Bemerkungen von A.
REHM auf S. 138, vgl. L. ROBERT, Hellenica VI 1948, S. 119f.

als Unterlage für das Aufladen der Mehlsäcke auf die Rücken seiner Esel benützen konnte.

Seit etwa 90 Jahren haben die Franzosen Olivier Rayet, Albert Thomas und dann vor allem Bernard Haussoullier die Ruinen aufgenommen, studiert und mit der Freilegung begonnen, die dann zu Anfang unseres Jahrhunderts von Theodor Wiegand und seinen Helfern, besonders Hubert Knackfuß mit imponierendem Erfolg zu Ende geführt wurde. Seit 1962 untersuchten neue deutsche Grabungen auch die Fundamente der beiden vorangegangenen Heiligtümer des 6. vorchristlichen Jahrhunderts (zum Teil sichtbar auf Abb. 10).

Es ergibt sich ohne weiteres aus der Verbindung von Orakelstätte und Tempel, wie sie in Didyma und anderwärts eindringlich vor Augen steht, es folgt aber auch aus dem den antiken Menschen eingepflanzten Sinn für Leistung und Gegenleistung, daß der bei dem Gott Rat und Hilfe suchende Gläubige nicht mit leeren Händen kam, vielmehr an Schlachtopfern und Weihgeschenken nicht sparte. Der riesige Aschenaltar vor dem Heiligtum in Didyma wie anderwärts etwa die reichen Schatzhäuser in Delphi legen beredtes Zeugnis davon ab. Wir werden von der Reaktion des didymeischen Gottes gegenüber solcher Spende- und Opferfreudigkeit nachher noch einiges hören.

Damit ist der Raum abgesteckt für das, was hier im speziellen über das Apollonorakel in Didyma berichtet werden soll. Zwar hat die Erforschung der Baugeschichte und haben die zahlreichen Inschriften, die 1958, von Rehm und Harder gesammelt, erschienen sind, vielfältige Aufschlüsse erbracht. Aber der Ertrag für unsere Kenntnis des Orakels im engeren Sinn ist wie überall so auch hier gering. „Über den Betrieb der Orakel wissen wir recht wenig", so äußert sich kurz und bündig ein Kenner wie M. P. Nilsson[5]. Von der geistigen Atmosphäre vollends, die das Klima der didymeischen Orakelstätte bestimmt hat, wüßten wir kaum etwas zu sagen, wenn nicht das Fragment einer Hexameter-Inschrift aus der letzten Zeit des Heiligtums uns wenigstens über diese späte Epoche höchst erwünschten Aufschluß gäbe. Auf dieses Versorakel soll sich nunmehr unsere Aufmerksamkeit konzentrieren[6].

Die Inschrift stammt aus dem sogenannten Prophetenhaus, dessen genaue Lage unweit des Tempels bisher noch unbekannt ist, und gehört wohl den Jahren um 290 n. Chr. an, wie der Vergleich mit einer im Charakter ganz

---

[5] Geschichte der griech. Religion I 1941, S. 516; derselbe ebda. S. 514 und II 1950, S. 450f. über die antiken Nachrichten vom Orakel in Didyma, vgl. a. Cauer RE III Sp. 810ff. (Art. Branchidai) und vor allem die treffliche Zusammenfassung des bisherigen Kenntnisstands bei A. Rehm in: Didyma 2, 1958, S. 323b.

[6] Im Folgenden resümiere ich weithin meinen Vortrag auf dem IV. Internationalen Kongreß für griech. und latein. Epigraphik in Wien 1962, der 1964 in erweiterter Form erschienen ist (s. unt. Beilage 4d). Dort sind partienweise noch mehr und ausführlichere Anmerkungen beigegeben, auf die hier zusätzlich verwiesen sei; vgl. unten Anm. 8.

ähnlichen, ungefähr datierbaren Inschrift aus Didyma ergibt. Sie ist also nicht allzu lang vor der Zeit entstanden, in der es durch die Einführung des Christentums mit dem Heiligtum überhaupt zu Ende ging. Der Stein, dessen Rückseite die Inschrift bedeckt, trägt auf der Vorderseite eine etwa 300 Jahre ältere, uns hier nicht interessierende Propheteninschrift. Er hat, wie man durch scharfsinnige Schlüsse ermitteln konnte, als Antenwandblock im Prophetenhaus gedient, wobei zunächst die Außenseite beschriftet wurde, später aus| Platzmangel auch die Innenseite, und zwar eben mit unserem Orakeltext. Die Spur einer alten Einarbeitung im Stein auf dieser Seite, die unser Steinmetz schon vorfand und bei seiner Tätigkeit gegen Ende der ersten Zeilen auszusparen hatte (Abb. 12), deutet auf eine nachträglich im Prophetenhaus angebrachte Schranke, durch welche die Vorhalle des Hauses, wohl zur besseren Abwicklung des Publikumsverkehrs, in zwei Räume unterteilt werden konnte. Hier wird man sich also das Büro vorzustellen haben, wo die an den Gott gerichteten Anfragen eingereicht und vom Orakelpersonal zur weiteren Bearbeitung schriftlich aufgenommen wurden. Der treffende Ausdruck χρησμογράφιον für dieses Lokal ist inschriftlich belegt[7].

Während man wesentliche Teile dieses Prophetenhauses unter Theodosius I., also etwa 100 Jahre nach Abfassung unserer Inschrift, zum Bau der byzantinischen Kirche im Adyton des Tempels benützt hat, scheint unser Quader dagegen anderweitig verschleppt worden zu sein und fand sich 1925 in einer Hausmauer verbaut. Heute ist er verschollen. Übrigens hat man ihn – von unserer Rückseite her gesehen – linker Hand senkrecht abgeschnitten bzw. zubehauen und damit teilweise zerstört, um ihn dem neuen Verwendungszweck anzupassen (Abb. 12). Dadurch sind für uns die Zeilen am Anfang jeweils um knapp ein Drittel ihres Buchstabenbestandes verkürzt, wie sich unschwer berechnen läßt, da jede Zeile einen Hexameter umfaßt, dessen Enden erhalten sind. Harders Ergänzungen bewegen sich in allzu weiter Streuung zwischen 7 und 12 Buchstaben pro Zeile, die meinigen suchen dies auszugleichen (Beilage 1).

Daß es sich bei dieser Versinschrift von 13 Zeilen um ein Orakel handelt, hat schon Rehm vermutet und Harder bündig erwiesen; zustimmend äußert sich auch L. Robert. Rehm hat bei Ergänzung und Interpretation des Textes starke Zurückhaltung geübt, hat aber doch die drei Hauptteile klar erkannt und im groben richtig charakterisiert. Daß dies möglich war, aber immerhin welchen Scharfsinns es dazu bedurfte, ermessen wir am raschesten, wenn wir anhand unserer Prosaübersetzung nur das überblicken, was weder in eckige Klammern gesetzt noch kursiv gedruckt ist (Beilage 2).

Man wird die drei Abschnitte jetzt also von Zeile 1–6a (bis θνητοί), 6b–11, 12–13 reichend voneinander abheben können – also gut fünf, knapp sechs

---

[7] Rehm, Didyma 2, no. 31,6. 32,8 (2. Jhdt. v. Chr.), S. 34f., vgl. S. 104, 155f.; ferner Liddell & Scott s. v.

und genau zwei Zeilen (Beilage 1): cum grano salis sind dies zwei Stollen und ein Abgesang, eine aus der europäischen Dichtung, besonders auch aus den Chorliedern des griechischen Dramas wohlbekannte Gliederung.

Inhaltlich bilden Teil 1 und 2 eine beziehungsreiche Antithese: emphatischer Verzicht des Gottes Apollon auf Hekatomben und auf die Stiftung von kostbaren und kunstvollen Weihgeschenken aus Gold, Erz und Silber; dagegen Ausdruck seiner Freude über ihm geweihte Gesänge, besonders solche althergebrachter Art. Teil 3, zweifellos in naher Verbindung mit dem zuletzt Gesagten, schließt das Gedicht mit einem Hinweis auf das altehrwürdige Aition der Stiftung des Branchidenorakels von Didyma, das auch in einigen Fragmenten des Kallimachos seinen Niederschlag gefunden hat.

Die Rechtfertigung meines Versuchs einer vollständigen Ergänzung des Gedichts (s. am Ende dieser Abhandlung) gegenüber der vorsichtigen Zurückhaltung von A. Rehm (der immerhin an ein paar Stellen die Fugen richtig ausgebessert hat) und | im Anschluß an die scharfsinnige Wiederherstellung der ersten und letzten Zeilen durch R. Harder habe ich an anderer Stelle gegeben[8], so daß sie hier unterbleiben kann. Doch seien von dort (S. 145–147) einige sprachlich-stilistische Erläuterungen zu dem Gedicht übernommen, stets aber nach Möglichkeit ohne Wiederholung dessen, was schon Harder in seinem wertvollen Aufsatz ausgeführt hat.

v. 1 *εἰλίποδες* absolut, d. h. substantivisch gebraucht auch Ps.-Theokrit 25, 131.

v. 9 zu *τελεῖν τί τινι* vgl. Homer, Ilias 9, 156. 298. 596 (*δῶρα* u. ä.); besonders nah vergleichbar jedoch Pindar, Pyth. 1, 79. 2, 13 (*τελεῖν τινι ὕμνον*).

v. 10 Der Versschluß *πολὺ φέρτερόν ἐστιν* ist den von Harder gesammelten Homerismen zuzufügen[9]; die Wendung findet sich Ilias 1, 169. Od. 12, 109, 21, 154 jeweils an der gleichen Versstelle.

v. 11 *σαοφροσύνης (εὐφροσύνης) ἔσται χάρις αἰὲν ἀμεμφής* heißt natürlich ebenso „solche Gesinnung (Feier) wird stets Dank finden ohne Tadel" wie „über solche Feier wird stets Freude herrschen . . ." (vgl. Aristophanes, Lysistr. 865, hier allerdings mit Dativ *ὡς οὐδεμίαν ἔχω γε τῷ βίῳ χάριν*) als auch ganz besonders „solcher Feier wird stets untadelige Anmut innewohnen". Unsere Sprache ist nicht in der Lage, dies alles mit einem Wort auszudrücken.

v. 12f. Hier ist zunächst auffällig, daß Apollon, der doch sonst selber gelegentlich als *μοιραγέτης* erscheint[10], die Macht der Schicksalsspinnerinnen ad absurdum führt, während er sie Pindar Ol. 6, 42 wenigstens von vornher-

---

[8] An dem oben Anm. 6 aaO. (Beilage 4d), S. 142ff. Siehe dazu auch das Nachwort unten S. 225ff. Natürlich gilt von jedem derartigen Unternehmen, daß die Wahl des Ausdrucks im einzelnen, wenigstens da wo erkennbare Reste fehlen, i.a. nur „exempli gratia" gemeint sein kann, wenngleich die Erfordernisse des syntaktischen Zusammenhangs wie der Zwang des hexametrischen Metrums die verbleibenden Möglichkeiten doch etwas einschränken.

[9] An anderer Stelle, gegen Ende seines Aufsatzes, spielt er selber kurz darauf an.

[10] s. EITREM RE XV 2494.

ein seinen Absichten gefügig macht. Sonst hören wir, daß die schlaue
Galinthias (bei der Geburt des Herakles) dergleichen bewirkt[11]. Aber daß
Apollon[12] die Macht der Moiren durch plötzliches Eingreifen bricht, ist
doch nicht ganz ohne Parallele: bei Statius, Silvae I 4, 63 f. tut er dies im
Verein mit Aesculap[13], was zu unserer Stelle gut paßt.
v. 13 Harders Ergänzung οὐλομένων] . . .Μοιρῶν ist durch Anthol. Pal. VII
490,4 οὐλομένη Μοῖρα (frühhellenistisch) – vgl. a. Homer, Ilias 22,5 ὀλοιὴ
μοῖρα – hinreichend gedeckt.
    Auf eine stilistische Besonderheit („gleichsam ἀπὸ κοινοῦ") hat bereits
Harder zu v. 2/3 hingewiesen, wo „die drei Metalle . . . inhaltlich sowohl zu
κολοσσοὶ wie zu δείκηλα gehören". Zwar würde ich diese Figur jetzt vom „ἀπὸ
κοινοῦ" doch lieber trennen und der Gruppe komplizierter, sozusagen ver-
schränkter „Versparungen" zurechnen, wie sie bereits bei Homer an mar-
kanten Stellen und dann besonders in der Tragödie begegnen[14]. Aber im
weiteren Sinne sind solche kunstvollen Wendungen dem „ἀπὸ κοινοῦ" vergleichbar. Und wenn wir Kühnheiten unseres Dichters hinzunehmen, wie
v. 7 f. die Personifizierung des Stuhls, auf dem die Seherin sitzt (vgl. dazu
unt. das Nachwort), so zeigt uns all dies den Mann als einen um rhetorischen
Schmuck bemühten Stilisten, der da und dort bereits von der Kunst ins
Künstliche abgleitet und es nicht vermeiden kann, daß die Poesie von der
Rhetorik überschattet wird.
    Damit sind wir bereits unvermerkt bei der Gesamtwürdigung des späten
Orakelgedichts angelangt; dabei sei besonders noch auf die inhaltlichen
Momente hingewiesen, die dem Ganzen sein Gepräge geben.
    Die Verse setzen emphatisch mit einem sehr konkret belegten Aufruf zur
„Verinnerlichung des Kults" ein; Richard Harder hat gegen Ende seiner
kleinen Monographie diese „Schlichtheitstendenz" mit ihrer „Kritik am
herkömmlichen Kultaufwand" eindrucksvoll mit Zeugnissen von Xenophanes, Platon, Theophrast und den Neuplatonikern zu belegen gewußt
und ist ihren „sozialen" Motiven wie ihrer Verbindung mit der religionspäd-
agogischen Forderung nach täglicher Gottesdienstübung[15] nachgegangen.
Er hat vor allem auch mit Recht betont, daß es sich dabei eigentlich mehr um
eine religiöse Reformbewegung als um „abstrakte Theoreme" handelt,
wenngleich sich die Philosophie gern zum Sprachrohr dieser Tendenzen

---

[11] AaO. 2485 f., dort auch die Pindarstelle.
[12] Ähnlich wie Hercules: Stat., Silvae III 1, 171.
[13] EITREM aaO. 2482. Vgl. Aisch., Eum. 172 (Hinw. von S. MELCHINGER).
[14] Ilias, 1, 4/5 ἑλώρια τεῦχε κύνεσσιν/οἰωνοῖσί τε δαῖτα „er machte sie Hunden und Vögeln zu
Beute und Fraß", und Od. 1,5 ἀρνύμενος ἥν τε ψυχὴν καὶ νόστον ἑταίρων „sein und seiner Gefährten
Lebensrettung und Heimkehr betreibend." Siehe dazu die Tübinger Diss. meines Schülers
GOTTFRIED KIEFNER, Die Versparung. Untersuchungen zu einer Stilfigur der dichterischen
Rhetorik . . . 1960, im Druck 1963, S. 43 ff.
[15] Vgl. dazu auch M. P. NILSSON, Pagan divine service in late antiquity, in: Harvard
Theological Review 38. 1945, S. 63 ff.; dort 64 f. und 66 ff. bes. über täglichen Chorgesang.

macht und um ihre Vertiefung bemüht ist. Von dieser Seite her wäre besonders noch an Demokrit fr. 171 D. zu erinnern εὐδαιμονίη οὐκ ἐν βοσκήμασιν οἰκεῖ οὐδέ ἐν χρυσῷ· ψυχὴ οἰκητήριον δαίμονος „Glück-Seligkeit wohnt nicht in Herden noch in Gold: die Seele (das Innere) ist seligen Wesens Wohnsitz"[16]. Bemerkenswert ist die durchgängige Typologie „nicht Rinder, nicht Edelmetall", die sich nicht nur bei Demokrit, sondern auch noch in dem späten Epigramm des Alexandriners Palladas am Anfang des 5. Jahrhunderts findet: Anthol. Pal. VI 60

> ἀντὶ βοὸς χρυσέου τ' ἀναθήματος Ἴσιδι τούσδε
> θήκατο τοὺς λαμπροὺς Παμφίλιον πλοκάμους·
> ἡ δὲ θεὸς τούτοις γάννυται πλέον ἤπερ Ἀπόλλων
> χρυσῷ, ὃν ἐκ Λυδῶν Κροῖσος ἔπεμψε θεῷ.

> „Statt eines Rindes als Opfer und statt eines goldnen Geschenkes
> Weihte Pamphilion hier Isis ihr duftendes Haar.
> Und es freut sich die Göttin mehr über die Gabe als Phoibos
> Über das Gold, das ihm Kroisos aus Lydien gesandt".   (H. Beckby)|

Hier also erscheint Apollon unter den für materielle Gaben empfänglichen Göttern; um so mehr läßt es uns aufhorchen, wenn er in Didyma der Verinnerlichung des Gottesdienstes das Wort redet.

Er tut dies aber in v. 4/6 noch unter Hinweis auf ein besonderes Argument, dem Harder nicht nachgegangen ist; es beruht auf dem Erhabensein der Götter über alle menschlichen Bedürfnisse. Aber hier handelt es sich um ein traditionelles Motiv aus der Reformbewegung innerhalb der griechischen Religion, das sich wiederum bis auf die Eleaten zurückführen läßt. Der Locus classicus ist Euripides, Herakles 1345 f.

> δεῖται γὰρ ὁ θεός, εἴπερ ἔστ' ὀρθῶς θεός,
> οὐδενός· ἀοιδῶν οἴδε δύστηνοι λόγοι

„Es bedarf der Gott, wenn er wirklich Gott ist, nichts; es sind dies (bloß) unselige Erfindungen der Dichter". Im Hellenismus wird der Gedanke vielfach variiert und ist von da auch in die sogenannte Areopagrede des Paulus Acta 17,25 übergegangen, während er sonst dem Alten wie dem Neuen Testament im wesentlichen fremd ist[17].

Nicht das Gleiche gilt übrigens von der Ablehnung herkömmlicher Opfer und Gaben, wie sie vielmehr schon im Alten Testament, insbesondere von den Propheten, Gott in den Mund gelegt wird, worein dann das Evangelium

---

[16] Zu der bekanntlich auch christlichen Vorstellung von der Seele oder dem Herzen des Menschen als dem Tempel Gottes bietet reiches Material JOHS. HAUSSLEITER, Deus internus RAC III S. 794 ff., und jetzt H. HOMMEL, Kosmos und Menschenherz. Zur Interpretation und Geschichte religiöser Metaphern. In: Festschrift für K. J. Merentitis 1972, S. 147–169; abgedruckt auch unten Bd. II.

[17] MARTIN DIBELIUS, Aufsätze zur Apostelgeschichte ²1953, S. 43 ff. H. HOMMEL, ZNW 46. 1955, S. 160 jeweils mit zahlreichen Belegen von der Frühzeit an, die jetzt noch durch weitere Stellen vermehrt werden können; s. unten Bd. II.

mit einstimmt[18]. Während dort Gehorsam gegen Gott, vertiefte Gotteserkenntnis und Mitleid gegen den Nächsten als Ersatz gefordert wird, und während in den griechischen Zeugnissen die Skala von einer Verinnerlichung schlechthin – bei Demokrit – bis zum Opfer des eigenen Haares, also zum Verzicht auf äußere Schönheit, reicht – dies bei Palladas –, so wünscht sich unser Apollon statt der Hekatomben und Weihgeschenke vielmehr den Kultgesang der Gläubigen[19], wie er seit alters *(καὶ πρόσθεν)* vor der Verkündigung des Orakelspruchs bei seinem Tempel *(παρὰ σηκοῖς)* erschallt.

Zur künstlerischen Komposition des Gedichts sei hier kurz angemerkt, wie gut in v. 4ff. das alte apollinische Motiv der Distanz des Gottes vom Menschen zum Ausdruck kommt, das dann fein verbunden wird mit dem gegensätzlichen der Nähe des Gläubigen zu seinem Gott im dargebrachten Kultgesang. Damit wird sehr kunstvoll wieder das Hauptmotiv des Ganzen – nicht sichtbare Opfer, sondern Gesang – aufgegriffen und weitergeführt, wie es dann in v. 8ff. voll zum Klingen kommt. Die Wendung „seit alters" *καὶ πρόσθεν* in v. 7 liefert dem Gott aber nun zugleich das Stichwort für sein im folgenden eingeprägtes Programm einer kultischen Musik und zwar speziell einer Musik im alten Stil.

Der betonte Ausdruck einer Vorliebe des Gottes gerade für alte Gesänge verrät deutlich eine restaurative Tendenz, wie sie für den Ausklang der Antike charakteristisch ist. Denn im frischen ursprünglichen Kult verlangt der Gott nicht ein altes Lied, sondern erfreut sich vielmehr an einem neuen Ton. So finden wir es bereits im Alten|Testament, wo der Ruf *cantate domino canticum novum!* immer wieder eindrucksvoll erklingt[20]. Und im Neuen, dessen Name *καινὴ διαθήκη* an sich schon ein Programm bedeutet (bes. Hebr. 8,8), wird die Parole wieder aufgenommen (Apocal. Joh. 5,9. 14,3), wie denn hier nach einer schönen Formulierung des Paulus das Alte dahin und alles neu geworden ist (II Kor. 5,17). Auch im älteren Griechentum verlangt der Gott nach einem „neuen Lied", wofür uns Alkman Zeuge ist mit seinem fr. 7,1ff. D. *Μῶσ' ἄγε . . . μέλος νεοχμὸν ἄρχε παρσένοις ἀείδην* „Muse, wohlan! ein neues Lied beginn den Jungfrauen anzustimmen", ebenso wie das iambi-

---

[18] I Sam. 15,22 zugunsten von *ἀκοή* und *ἐπακρόασις*. Jes. 1,11ff. 43,23. Hosea 6,6 (*ἔλεος* und *ἐπίγνωσις θεοῦ*), wovon EvMatth 9,13 und 12,7 (ohne eine Synoptikerparallele) beeinflußt ist.

[19] Über die Wichtigkeit des Chorgesangs im Kult der Spätzeit vgl. M. P. NILSSON aaO. Zur Bedeutung der Musik bes. im apollinischen Kult vgl. etwa TH. V. SCHEFFER, Hellenische Mysterien und Orakel. ²1948, S. 148ff.

Meine Frau weist mich auf eine schlagende Parallele zu unserem Text auch im christlichen Bereich hin: PAUL GERHARDT (Str. 5 des Morgenlieds „Wach' auf mein Herz und singe") „Du willst ein Opfer haben, Hier bring' ich meine Gaben: Mein Weihrauch, Farr' und Widder Sind mein Gebet und Lieder." Hierfür dürfte die biblische Anregung durch Hebr. 13,15 kaum ausreichen: „lasset uns Gott das Lobopfer darbringen, das ist die Frucht der Lippen!", wo immerhin der gleiche Gedanke anklingt. Eher darf an Ps. 141 (140),2 erinnert werden: „mein Gebet müsse vor dir sich ausrichten wie ein Rauchopfer, . . .".

[20] Bes. Ps 33 (32),3. 96(95), 1. 98(97),1.

sche Phallophorenlied an Dionysos, das uns der gelehrte Semos bei Athenaios überliefert hat (Carm. popul. 48, 1 ff. D.)

1 *σοί, Βάκχε, τάνδε μοῦσαν ἀγλαΐζομεν . . .*
3 *καινάν, ἀπαρθένευτον, οὔ τι ταῖς πάρος*
κεχρημέναν ᾠδαῖσιν, ἀλλ᾿ ἀκήρατον
κατάρχομεν τὸν ὕμνον.

„Dir Bakchos zelebrieren wir dieses Lied, ein neues, unentjungfertes, von niemand früher in Gesängen verwendetes – nein! unversehrt ist der Hymnos, den wir (dir) anstimmen." – Auch an die entsprechende athenische Forderung und Sitte darf erinnert werden, Jahr für Jahr immer wieder neue Dramen aufzuführen[21].

Ganz anders unser später Apollon von Didyma mit seiner proklamierten Vorliebe für eine *ἀοιδὴ παλαιή*, mit der er sich als Repräsentant seiner absterbenden Epoche ausweist. Freilich müssen wir gerade dem Gott Apollon zugutehalten, daß er, der *ἀρχηγέτης* und *πατρῷος*, von jeher zu den Ursprüngen sein besonderes Verhältnis hat. Vielleicht tritt sogar das hinzu, daß der *Ἀπόλλων Διδυμαῖος* aus Gründen der Konkurrenz mit Delphi sein und seiner Kulteinrichtungen hohes Alter betonen will. Dieses kommt ja auch in den Schlußversen noch einmal eindrucksvoll zur Geltung, wo der Gott auf seine mythische Ursprungstat mit starkem Selbstbewußtsein hindeutet. Übrigens haben wir auch anderwärts Belege genug für die Zähigkeit, mit der sich alte Kulthymnen durch die Jahrhunderte in Gebrauch erhielten[22].

Nicht ohne Reiz ist aber auch der Vergleich mit archaisierenden Tendenzen in der bildenden Kunst von Milet und Didyma in jener späten Zeit. Nicht nur daß die steinernen Löwen, die allenthalben in Milet und Didyma gleichsam als Wappentiere aufgestellt waren, immer wieder unter Rückgriff auf ältere Vorbilder erneuert wurden; sondern das alte aus der Zeit um 500 v. Chr. stammende bronzene Kultbild des Apollon im Naiskos des Tempels von Didyma von der Hand des Sikyoniers Kanachos, den Ägineten nahestehend, das von Xerxes einst nach dem ionischen Aufstand geraubt und von Seleukos I. Anfang des 3. Jahrhunderts aus Ekbatana wieder zurückgesandt wurde, verpflichtete geradezu zum Festhalten an uralter Tradition. So entstammt denn das in seiner Primitivität ergreifende Relief aus Milet[23], das die Züge| dieses ehrwürdigen Denkmals festzuhalten sucht, etwa der gleichen Zeit wie unser Gedicht (Abb. 11). Und es repräsentiert mit den Mitteln der bildenden Kunst dieselbe bewahrende Tendenz wie der Ruf nach einer *ἀοιδὴ*

---

[21] H. HERTER, Vom dionysischen Tanz zum komischen Spiel . . . 1947, S. 26 (u. 52), wo die entsprechenden Zeugnisse gesammelt und eindrucksvoll besprochen sind.

[22] P. STENGEL, Die griechischen Kultusaltertümer ³1920, S. 81 mit zahlreichen Belegen. Ferner G. FLEISCHHAUER an dem unten Anm. 26 aaO., S. 206 f.

[23] R. KEKULE V. STRADONITZ, Über den Apoll des Kanachos. In: Sitzber. d. pr. Akad. d. Wiss., Ph.-h. Kl. 1904, S. 786 ff., bes. 798 ff. mit Abb. auf S. 787, 797 (frdlr. Hinweis meines Sohnes PETER HOMMEL). Vgl. a. LIPPOLD RE X 184 f.

παλαιή im Versorakel des Apollon, das damit seine Einordnung in einen größeren Rahmen findet[24].

In den vorangehenden Ausführungen ist mit bewußter Entschiedenheit die Auffassung vertreten und begründet worden, daß die Forderung des Gottes von Didyma nach kultischen Gesängen statt der hergebrachten Opfer und insbesondere nach Chorgesängen alten Stils aus inneren Gründen verständlich wird, die mit dem Gesicht dieser späten Zeit in jeder Hinsicht harmonisieren. Daß in unserem Fall hinter der Forderung des Gottes sich auch noch „das Interesse einer bestimmten Gruppe" verbergen mag, die den kostspieligen Chorgesang gefördert wissen will und diese Forderung dem Gott in den Mund legt, ist eine Vermutung von Harder, die daneben eine gewisse Wahrscheinlichkeit für sich hat[25]. Dies um so mehr, als auch sonst vielfältig belegt werden kann, wie große finanzielle Opfer aus dem in den Heiligtümern regelmäßig gepflegten Chorgesang den Gemeinden und Körperschaften erwuchsen[26]. So hat man beispielsweise in Ephesos und anderwärts schon unter Claudius die bezahlte Hymnodie des Kaiserkults aufgehoben und aus Spargründen den Epheben übertragen.

Nun hat aber bereits Albert Rehm umgekehrt angenommen, „der Spruch des Gottes in eigener Sache" dürfe als „Verzicht auf kostspielige Opfer" herkömmlicher Art verstanden werden, „zu denen die niedergehende Stadt nicht mehr imstande" gewesen sei[27]. Und ein Diskussionsbeitrag von Gerold Walser geht in die gleiche Richtung. Dem ist zu entnehmen, daß auch er einen durch die äußeren Ereignisse jener Zeit bedingten Niedergang des Heiligtums für die als Sparmaßnahme verstandene Empfehlung von Chorgesängen zu Ehren des Gottes in unserer Inschrift verantwortlich machen will. Dabei denkt er vor allem an die verheerenden Einfälle der Goten in

---

[24] Die Bewährtheit eines alten Kultlieds (eines Paians des Dichters Tynnichos von Chalkis auf den delphischen Apollon) soll schon Aischylos mit den zwar einfachen aber dem Gott angemesseneren ἀγάλματα ἀρχαῖα verglichen haben: Porphyr., De abstin. II 18, 133; s. dazu A. v. BLUMENTHAL RE XVIII 1. 1942, Sp. 2355 f., vgl. a. W. SCHMID, Gesch. d. griech. Lit. II 1934, S. 192₆.

[25] An Einflüsse von Klaros her, wo sich schon im 2. Jahrhundert „la prédilection pour le chant" abzeichnet, denken J. und L. ROBERT, REtGr 71. 1958, S. 309 (Bull. épigr. 1958, no. 430).

[26] M. P. NILSSON, Pagan divine service in late antiquity, in: Harvard Theol. Rev. 38. 1945, S. 66 mit Angabe der inschriftlichen Quellen. Über die in diesem Zusammenhang wichtigen „Hymnodoi" der Kaiserzeit mit ihren hohen Unkosten haben das Material zusammengestellt E. ZIEBARTH RE IX 1916, Sp. 2520 ff. und L. ZIEHEN RE Suppl. VII 1940, Sp. 279 ff., ferner A. HUG RE XVI 1935, Sp. 888 ff. M. P. NILSSON, Gesch. d. griech. Rel. II ²1961, S. 379 f. G. FLEISCHHAUER, Die Musikergenossenschaften im hellenistisch-römischen Altertum . . . Diss. Halle-Wittenberg i. Masch.-Schr. 1959, S. 183 ff. (über Milet und Didyma insbes. S. 183 f., dazu auch v. BLUMENTHAL RE XVIII 1, Sp. 2352 f., Art. Paian). Dort auch die Belege und weitere Literatur. Die Chöre bestanden in der Regel aus 2 bis 3 Dutzend Mitgliedern (FLEISCHHAUER aaO. 188). Die Kenntnis der Arbeit von Fleischhauer verdanke ich G. WILLE (vgl. a. dessen Rezension im Gnomon 1962, S. 711 ff.).

[27] Didyma 2, S. 156a.

Kleinasien, die im Jahre 262 zur Zerstörung des Artemisions von Ephesos
und bald darnach zur Belagerung von Milet geführt haben[28], deren erfolg-
reiche Abwehr| unter dem Asiarchen[29] Makarios auch von Didyma die
schlimmste Gefahr abwenden konnte. Gewiß hat man damals hier wie an
vielen Orten Kleinasiens in fieberhafter Eile Befestigungsmauern gebaut
und sogar das Apollonheiligtum selber durch eine der Ostfront zugefügte
Vermauerung entstellt, die man auch in der Folge nicht mehr zu beseitigen
wagte[30].

Aber einmal haben wir soeben bereits die Tatsache festgehalten und
belegt, daß auch Kultgesänge eine kostspielige Angelegenheit waren und
insofern also kaum geeignet, für etwa ausbleibende materielle Opfer und
Weihgaben einen billigeren Ersatz zu schaffen. Und zum anderen darf man
darauf hinweisen, daß jene bedrohlichen Ereignisse zur Zeit der Erstellung
unserer Inschrift bereits etwa ein Menschenalter zurücklagen und daß Didyma nicht nur weiterhin unbehelligt geblieben ist (wie Rehm selber ausdrücklich feststellt)[31], sondern daß der weitausgreifende Goteneinfall überhaupt
mehr ein düsteres Wetterzeichen war[32], als daß er für Kleinasien bereits
unmittelbar eine Zeit des allgemeinen Niedergangs herbeigeführt hätte. So
konnte auch ein Kenner wie der türkische Archäologe A. M. Mansel, der
Ausgräber von Perge und Side, aus sorgfältigen Beobachtungen und Erwägungen den Schluß ziehen, „daß die zweite Hälfte des 3. Jhdts. n. Chr. in
Kleinasien keine Zeit der Unruhen und des Verfalls gewesen ist", daß diese
Kulturprovinz damals vielmehr noch weithin nach dem Westen ausgestrahlt
und sich als gebendes Land erwiesen und bewährt hat[33]. Es wird also doch
dabei bleiben dürfen, daß der Sinn unserer Inschrift sich eher durch eine
geistesgeschichtliche Betrachtung erschließt als durch den Hinweis auf die
kriegerischen Ereignisse und den materiellen Niedergang der Epoche. Daß

---

[28] Darüber vgl. DAVID MAGIE, Roman Rule in Asia Minor 1950 I 705 f. II 1567 und dann vor
allem den Forschungsbericht von G. WALSER und TH. PEKÁRY, Die Krise des römischen Reichs
1962, S. 33. Von den literarischen Quellen ist bes. wichtig Synkellos I p. 716 (abgedruckt bei L.
ROBERT, Hellenica VI 1948, S. 119).

[29] Der Asiarch war der Abgeordnete seiner Vaterstadt (hier von Milet) zum Landtag der
Provinz Asia; nebenher bekleidete er das kostspielige sakrale Amt der Besorgung von Agonen
und Festspielen in seiner Heimat (BRANDIS RE II 1896, Sp. 1577f.). Er wird also auch die
Didymeia geleitet haben (anders A. REHM in: Didyma 2, S. 324a), von deren Begehung selbst in
dieser bewegten Zeit unter den Kaisern Valerian I. und Gallien (253–268) noch Münzen zeugen:
Brit. Mus. Cat. of Greek Coins 15. Ionia 1892, S. 201; POTTIER in: Dict. des Antiqu. II 1. 1892,
S. 168 m. Abb. derselben Münze von Valerian I. und Gallienus, wie sie der Katalog des Brit.
Museums beschreibt (eine noch spätere Bronzemünze des gleichen Typs von Gallien allein, aus
meinem Besitz, befindet sich jetzt in der Sammlung des Archäologischen Instituts der Universität Tübingen.) – Über Makarios vgl. A. REHM in: Didyma 2, S. 138.

[30] REHM aaO. 138a.

[31] REHM aaO. 138b.

[32] Beutezug, nicht „Auswanderung", wie auch JOHS. STRAUB, Studien zur Historia Augusta
1952, S. 59 betont.

[33] A. M. MANSEL, Archäol. Anz. 1959, Sp. 302.

es sich um das bezeichnende Dokument einer Spätzeit handelt, darf dabei als das Verbindende der beiden Anschauungsweisen gelten. Denn auch unsere Interpretation hat zu zeigen versucht, daß die merkwürdige Orakelinschrift des didymeischen Apollon als ein Schwanengesang verstanden werden muß.

Es hat nicht viel mehr als ein Menschenalter gedauert, bis auch in Didyma die Macht der jungen christlichen Religion, kräftiger und nachhaltiger als es der Barbarensturm vermocht hatte, den heidnischen Kult und das heidnische Orakelwesen in seinen Grundfesten erschüttert und schließlich zum Einsturz gebracht hat[34]. |

Die den Kult vergeistigende Tendenz unseres Spruches bezeichnet den Versuch, kurz vor dem Untergang die schwindende Kraft des Heiligtums in der Rückwärtsbesinnung auf altehrwürdige Tradition noch einmal zu festigen. In dieser Sicht gewinnt das Orakel als retardierendes Moment in einem dramatischen Geschichtsablauf beinahe tragischen Charakter.

Beilagen

Inschr. von Didyma Nr. 217

1) Text

Ƿὤ μέλεοι, τί μοι] εἰλιπόδων ζατρεφεῖς ἑκατόμβαι
λαμπροί τε χρυ]σοῖο βαθυπλούτοιο κολοσσοὶ
καὶ χαλκῷ δεί]κηλα καὶ ἀργύρῳ ἀσκηθέντα;
οὔτε γὰρ ἀθ]άνατοι κτεάνων ἐπιδευέες εἰσὶν
5 οὔτε τινὸς χρ]είης, ᾗπερ φρένας ἰαίνονται.
ἀλλά μοι ἐμμελ]ὲς ὕμνον ἐμοῖς μέλπειν παρὰ σηκοῖς
ἐστιν, ὅπως κ]αὶ πρόσθεν, ὅταν μέλλῃ φάτιν ἄξων
χρήσειν ἐξ ἀδ]ύτων. χαίρω δὲ ἐπὶ πάσῃ ἀοιδῇ,
ἥτις ἂν εὖ τ]ελέθῃ, πολλὸν δ' εἴπερ τε παλαιή,
10 καὶ ὃ νομίζετ]ε μᾶλλον, ἐμοὶ πολὺ φέρτερόν ἐστιν.
τῇδε σαοφ]ροσύνης ἔσται χάρις αἰὲν ἀμεμφής.
οὕτως γὰρ καὶ] ἐγὼ πολυκηδέας ἤλασα νούσους
οὐλομένων ἀ]λεγεινὰ δυσωπήσας λίνα Μοιρῶν.

1 erg. Harder / Νηλεῖδαι Peek
2 erg. Harder und Rehm   3 Harder
4 Hommel und Harder / οὔγε μὲν Peek
5 Hommel und Harder
6 Peek, der aber ὑμῖν δ'εὐπρεπές, in seinen Text setzt (εὐσεβές Merkelbach)

---

[34] Rehm, aaO. S. 138, der den Namen des Asiarchen Makarios bereits als möglicherweise christlich anspricht, stellt eine christliche Konkurrenz für das Heiligtum schon vom 2. Jahrhundert an in Rechnung; vgl. auch ebenda S. 322 f., ferner jetzt auch H. Hommel, Juden und Christen im kaiserzeitlichen Milet . . . In: Istanbuler Mitteilungen 25. 1975, S. 167 ff., hier S. 193 f., abgedruckt unten Bd. II.

7 Hommel, Peek, Rehm / ἄνδρας, ὅπως Peek
8 Bean und Rehm / ἀμφαίνειν (oder νέμψειν ἐξ) ἀδ. Peek
9 Hommel und Rehm / σεμνὴ ὅταν τ. Peek
10 Hommel / ὅττι γὰρ εὔαδε Peek
11 Peek und Merkelbach / τοίης εὐφροσύνης Harder
12 Hommel / ἐξ οὖ πρῶτον Harder / ἐξ ὅτε πρ. oder ᾠδαῖς δ' αὐτός Peek
13 Harder

2) Prosaübersetzung

[Ihr Elenden, was (sollen) mir] von schleppfüßigen (Rindern) strotzende Hekatomben

[und prächtige], reich aus schwerem *Gold* (gefertigte) Kolosse

[und aus Erz] und Silber kunstvoll bereitete *Darstellungen?*

[Denn] *Unsterbliche* sind (ja) [weder] Besitztums ermangelnd

5 [noch (überhaupt) irgend einer] *Notdurft,* woran sie ihre Herzen erlaben (müßten).

[Vielmehr] ist es *angemessen,* daß man [mir] ein Lied bei meinem Heiligtum singe,

[wie] (es) *auch* (schon) von jeher (üblich ist), wenn die (auf ihrer) Sitzgelegenheit (thronende Prophetin) im Begriff ist, den Spruch

[zu erteilen aus dem] *Allerheiligsten.* Ich freue mich über jeden Gesang,

[der wohllautend] *ertönt,* aber voll (und ganz dann), wenn | es ein altehrwürdiger (ist),

10 [und je mehr etwas bei euch] *eingebürgert* ist, (desto) besser ist es für mich (geeignet).

[Solchem Sinn für das] *gesunde Maß* wird stets (mein) Dank sicher sein ohne Tadel;

[denn so (= aus dieser Gesinnung) hab' auch] ich (einst) kummervolle Seuche ausgetrieben,

indem ich zuschanden machte das *elende Gewebe* der [unheilvollen] Moiren.

(Eckige Klammern: Ergänzungen. – *Kursivdruck:* fragmentarisch erhaltene Wörter. – Runde Klammern: sinngemäße Zufügungen.)

3) Versübertragung

Toren! was sollen mir rindergesättigte Festhekatomben,

Herrlich in lauterem Gold reich ausgeführte Kolosse,

Eherne Bilder und silbergetriebene, kunstvoll bereitet,

Sind doch Unsterbliche nicht des Besitzes bedürftig und sind von

5 Jeglicher Notdurft frei, daran ihren Sinn zu erlaben.

Mir aber ziemt's, daß ein Lied mir man singe an heiliger Stätte,

Wie es von jeher geschah, wenn der Spruch vom Sitz der Prophetin

Aus meinem Tempel ergeht. Ich freu mich an jedem Gesange,

Wenn er wohllautend ertönt, zumal wenn er ehrwürdig alt ist,

10 Und je mehr im Gebrauch, desto lieber will ich ihn hören.

Solchem Sinn für das Maß wird niemals Schelte begegnen.

Denn so war auch ich selber gesinnt, als ich schmerzliche Krankheit

Austrieb und machte zuschanden das schlimme Gewebe der Moiren.

4) Literatur

a) ALBERT REHM in: Th. Wiegand, Didyma 2. Teil 1958, S. 165, Nr. 217 mit Abb. 73, vgl. S. 157 a.

b) RICHARD HARDER, Inschrift von Didyma Nr. 217 . . . In: Navicula Chilionensis (Fel. Jacoby-Festschr.) 1956, S. 88–97 mit Tafel; wiederabgedruckt in: Kleine Schriften 1960, S. 137–147 mit Abb. 43.

c) JEANNE et LOUIS ROBERT, Bulletin épigrahique 1958, No. 430 (Revue des Etudes Grecques 71), S. 308 f.

d) H. HOMMEL, Das Versorakel des Apollon von Didyma (Rehm-Harder Nr. 217). In: Akte des IV. Internat. Kongresses für griech. und latein. Epigraphik 1962. Wien 1964, S. 140–156 (m. Abb. 2 auf Taf. V).

e) WERNER PEEK, Helikon 4. 1964, S. 561.

f) W. PEEK, Milesische Versinschriften 4. Didyma II 217. In: Zeitschrift für Papyrologie und Epigraphik 7. 1971, S. 196–200.

Nachwort

Meinen Wiener Vortrag von 1962 (erschienen 1964) – s. Beilage 4d), der hier jetzt zum großen Teil eingearbeitet ist, hat sich WERNER PEEK zur Zielscheibe scharfer Kritik genommen (s. Beilage 4 f.), etwa so als hätte ich mich angemaßt, das letzte Wort gesprochen zu haben (zum „Odium epigraphicum" siehe die treffenden Ausführungen von R. MERKELBACH, Zs. f. Papyrol. u. Epigr. 21. 1976, S. 92 f.). Dabei hatte ich (aaO., S. 143), was PEEK verschweigt, meine vorläufigen Ergänzungen des Textes der Inschrift ausdrücklich zur Diskussion gestellt und die Mitforscher zur Nachprüfung aufgerufen. Einige von PEEKs Einwänden haben mich überzeugt, und ich habe sie vorstehend eingearbeitet (s. bes. Beilage 1), anderes wurde von mir neu überdacht. So dürfte der Text im ganzen jetzt einer befriedigenden Wiederherstellung um einen weiteren Schritt nähergerückt sein. Doch stand der Hauptgedankengang der Inschrift, zumeist durch die Bemühungen von REHM und HARDER, schon vorher fest, so daß ich an meiner Interpretation kaum etwas zu ändern brauchte.

Auf einige Punkte der Textgestaltung gehe ich hier jedoch noch kurz ein. v. 5 hatte man bisher das von χρείης abhängige ᾗπερ φρένας ἰαίνονται auf die Menschen bezogen, so daß HARDER, gefolgt von PEEK, den Zeilenanfang mit οὐδὲ βροτῶν ergänzte, während ich οὐδέ τινος vorzog und dafür am Anfang von v. 6 θνητοί empfahl, da mir die Beziehung der fraglichen Worte in v. 5 auf die βροτοί bei dem HARDERschen Vorschlag keineswegs eindeutig genug scheint. PEEK dagegen hält diese Beziehung für ohne weiteres evident (βροτοί zu entnehmen aus βροτῶν) und stellt andererseits das durch mein θνητοί hervorgerufene Enjambement – als bei dem Stil unseres Dichters ganz singulär – energisch in Frage. Aber wie steht es dann, so fragt man dagegen, mit seinem Enjambement v. 6/7 . . . / ἄνδρας, . . .]? Übrigens halte ich den durch diesen Vorschlag nach ὑμῖν εὐπρενές (ἐστιν) entstehenden a.c.i. ὕμνον

... μέλπειν ... ἄνδρας „es ist euch geziemend, daß Männer einen Hymnus singen" für absolut ungriechisch (auch nicht etwa gedeckt durch die Beispiele bei KÜHNER-GERTH II 27, Anm. 2). Eher möglich schiene mir das von PEEK S. 199 in v. 6/7 zur Wahl gestellte ἀλλά μοι ἐμμελές (ἐστιν) ... ἄνδρας, wenn man das μοι auf μέλπειν bezieht (für ἐμμελές mit Dativ finde ich sowieso keinen Beleg), wie denn auch bei Simonides fr. 4, 4 D. (= Platon, Protag. 339 C 3) in der Wendung οὐδέ μοι ἐμμελέως τὸ Πιττάκειον νέμεται das μοι selbstverständlich zu νέμεται (= νόμιζεται) zu ziehen ist. Aber dann braucht man kein ἄνδρας, wofür besser ἐστιν stünde, womit man von dem lästigen a.c.i. überhaupt wegkommt, und so habe ich es jetzt in den Text gesetzt (vgl. dazu auch meine Übersetzung Beilage 2). Der Relativsatz in v. 5 bezieht sich dann hypothetisch auf die Götter.

v. 7 hatte ich krampfhaft die vertrackte Konstruktion ὅταν μέλλη φάτιν ἄξων statt ἄξειν zu verteidigen gesucht und als Subjekt dazu v. 8 χρήστης (= προφήτης) vorgeschlagen. Gegen beides nimmt PEEK entschieden Stellung, durchaus mit Recht, wie ich jetzt zugebe. Als Subjekt zu ὅταν μέλλη gewinnt er das merkwürdige ἄξων, nach Iamblich, De mysteriis 3,11 p. 127 Parthey, wo für die Spätzeit als Sitzgelegenheit der weissagenden Branchiden-Priesterin in Didyma ein ἄξων erscheint (also wohl irgend ein „Drehstuhl" oder eine Art Wägelchen, wie man annehmen muß – vgl. den Dreifuß der Pythia in Delphi). Dann hat sich unser Dichter hier einer unerwarteten Metonymie bedient, indem er statt von der Priesterin sozusagen von ihrem „Thron" spricht (vgl. etwa unser „Thron und Altar" für „weltliche und geistliche Herrschaft"), dies nach dem Typ „instrumentum pro domino" (s. dazu Rhet. ad Herenn. IV 42 und H. LAUSBERG, Handbuch der literar. Rhetorik 1960 I S. 292f. unter 1d). Zu ergänzen ist dann v. 8 der Infinitiv nach μέλλη, wofür PEEK unbefriedigende Vorschläge macht (s. den Apparat zu Beilage 1). Schon zuvor hatte mir GEORGE E. BEAN (brieflich am 18. 4. 1964) die gleiche Lösung hinsichtlich des ἄξων empfohlen und dabei für v. 9 die richtige Ausfüllung der Lücke gefunden: χρήσειν ἐξ ἀδ]ύτων. Bestätigt wird dies, wie ich jetzt sehe, durch Lykophron, Alexandra v. 1051 χρήσει ... φάτιν.

v. 10 ist PEEKs Vorschlag ὅτι γὰρ εὐαδ]ε μᾶλλον vor dem folgenden Nachsatz recht blaß und bringt überhaupt keinen neuen Gedanken. Mein Gegenvorschlag καὶ ὅ νομίζετ]ε μᾶλλον hebt darauf ab, daß Apollon im Sinn der Tendenz des ganzen Gedichts an der Pflege alter Tradition sein besonderes Gefallen hat. Hart bleibt dann freilich so oder so der Übergang von v. 11 zu der Schlußwendung v. 12f., deren Skopos allerdings klar ist: der Gott erinnert zum guten Ende an das Aition seiner Orakelgründung in Didyma, die einst als Dank für die Befreiung von einer Seuche durch Apollon erfolgt ist. Schon HARDER hatte mit der Ergänzung der Anfänge von v. 11 τοίης (δ') εὐφ]ροσύνης und v. 12 ἐξ οὗ πρῶτον] diese Partie logisch eng mit dem Vorangehenden verbinden wollen. PEEK fragt dagegen mit einem gewissen Recht, „was die Versicherung ‚an Gesang werde ich immer Gefallen haben‘ mit der

Erinnerung an frühere Heilungstaten . . . zu schaffen hat" (aaO. 199). Wenn er fortfährt: „War da nicht doch vielleicht auf Gesang, Beschwörungslieder abgezielt, mit deren Hilfe der Paieon jene Heilungen bewirkt hatte?" und wenn er dann dementsprechend v. 12 ergänzt ᾠδαῖς δ᾽ αὐτὸς] ἐγώ . . ., so hätte das viel für sich (παιάν ist ja sowohl Beiname des Heilgottes wie Bezeichnung seines Gesangs; weiteres bei O. GRUPPE, Griech. Mythol. u. Religionsgesch. II 1906, S. 1239 m. Anm. 3, 4 u. 6 und bei A. v. BLUMENTHAL RE XVIII 1, 2345; zum Heilen Apollons durch Musik könnte man allenfalls auch Platon, Ges. II 653 C/D heranziehen, dazu W. F. OTTO, Die Götter Griechenlands 1947, S. 75). Aber die vorangehende Partie der Inschrift hatte doch mit dem Lob speziell der *alten* Musik geschlossen; daher ziehe ich MERKELBACHS Ergänzung von v. 11 Anfg. (bei PEEK aaO., S. 200) τῆσδε σαοφ]ροσύνης vor und fahre dann v. 12 Anfg. fort mit οὕτως γὰρ καὶ] ἐγώ. Dann ist das tertium comparationis zwischen dem Verlangen Apolls nach alter Musik und der Erinnerung an seine Heilungstat und die Orakelstiftung ganz allgemein diese seine Kardinaleigenschaft der Sophrosyne (vgl. schon Homer, Ilias 21,462 und dazu W. F. OTTO aaO. 67); denn sie schließt sowohl maßvolles Festhalten am Altbewährten wie die Wiederherstellung einer gesunden Ordnung ein. Dagegen scheint mir PEEKS in seinen Text übernommener Vorschlag zu v. 12 Anfg. ἐξ ὅτε πρῶτον] ἐγώ . . . (ähnlich schon HARDER) nach dem vorangehenden Futur ἔσται χάρις αἰέν auch heute noch unbefriedigend, obwohl er ihn mir gegenüber mit der „Parallele" verteidigt: „Ich werde Griechenland immer lieben, seitdem ich zuerst dort gewesen bin" (!). Unserem Dichter möchte ich eine solche Syntax und Logik nicht zutrauen.

Das Versorakel des gryneischen Apollon*

In den Jahren 1946—1952 fanden unter der Leitung des Engländers
G. E. BEAN von der Universität Istanbul in mehreren Campagnen
türkische Grabungen in Kaunos auf dem der Insel Rhodos gegenüber-
liegenden Festland statt. BEAN hat die epigraphische Ausbeute von
an die 60 Inschriften sowie die sonstigen Aufschlüsse über die erst spät
und allmählich hellenisierte karisch-lykische Stadt in einer muster-
haften Erstveröffentlichung bekannt gemacht[1].

Unter den Inschriften fand sich überraschenderweise das erste an-
nähernd vollständige bisher im Wortlaut bekanntgewordene Versorakel
des Apollon von Gryneion in der südlichen Aiolis[2]. Es darf angesichts
der einstigen Bedeutung des neben Didyma und Patara wohl wichtigsten kleinasiatischen Apollonorakels[3] besonderes Interesse bean-
spruchen, um so mehr als Vergil das Heiligtum verschiedentlich erwähnt, ja von dort dem Äneas die Weisung zukommen läßt, seinen Weg
nach Italien zu nehmen[4].

Nach dem ersten Herausgeber haben sich mehrere Forscher um den
gerade das Versorakel enthaltenden verstümmelten Schluß der proble-
matischen Inschrift bemüht. Hiernach, besonders seit PEEKs Behandlung der Verse in dieser Zeitschrift[5], darf jetzt folgendes als gesichert gelten (anders als PEEK gebe ich aus bald zu ersehendem
Grunde den gesamten Text der Inschrift wieder, nicht nur die Verse):

---

* Philologus 102. 1958, 84—92.

[1] G. E. BEAN, Notes and Inscriptions from Caunus. Journal of Hellenic
Studies 73, 1953, 10—35; 74, 1954, 85—110 mit 56 Abb.

[2] BEAN a. O. no. 21, S. 85—87 m. Abb. 36. Ein allerdings umfangreiches
Fragment eines gryneischen Orakels aus antoninischer Zeit findet sich bei
G. KAIBEL, Epigr. Gr., no. 1035.

[3] RE VII 1900ff. Art. Gryneion und Gryneios. M. P. NILSSON, Gesch. der
griech. Religion II, 1950, S. 102. Das Orakel des Apollon von Klaros bei Kolophon hat erst später Bedeutung erlangt; s. dazu G. KLAFFENBACH, Die Ausgrabungen in Klaros. Das Altertum 1, 1955, 225ff.

[4] Vergil, Ecl. 6, 72f., Aen. IV 345f.

[5] W. MOREL und H. LLOYD-JONES in je einer Miszelle JHS 75, 1955, 155.
W. PEEK, Philologus 100, 1956, 139.

ἐπὶ ἱερέως Εὐνόμου
τοῦ Λεωνίδου
Μηνόδωρος Σωσικλέους
Ἴμβριος[1]
5 ἀποσταλεὶς εἰς Γρύνειον
ἀνήνεγκεν χρησμόν.
ἀγαθῆι τύχηι ὁ δῆμος ὁ Καυνίων
ἐπερωτᾶι τίνας θεῶν
ἱλασκομένου αὐτοῦ καρπο[ὶ
10 καλοὶ καὶ ὀνησιφ ροι γίνοιντο[2].
θεὸς ἔχρησεν·
τιμῶσιν Λητοῦς Φοῖβον
καὶ Ζῆνα πατρῶιον[3]
ὕμμι κλέος· δεσμοῖς ϑ[ὲ[4]
15   ἀραρίσκετε
— ᴗᴗ — ᴗ
. . . .

Zum verstümmelten Schluß sind zunächst einige formale Bemerkungen
nötig. PEEK will das ganze Versende — ᴗᴗ — ᴗ noch in Z. 15 unterbringen. Aber so schlecht die Photographie des Abklatsches bei
BEAN[5] auch ist, so läßt sie doch erkennen, daß dafür auf dem heute
rechts abgesprungenen Rest der Zeile 15 kein Platz vorhanden war.
Vielmehr ist ganz deutlich zu sehen, daß der Steinmetz zu spät ge-

---

[1] Imbros ist ein Demos von Kaunos, dessen Lage durch BEAN a. O. 16f. 22
m. Abb. 13—15 auf einem Hügel nördlich der Stadt ermittelt worden ist.

[2] An dem Potentialis ohne ἄν in indirekter Frage nach einem Haupttempus
im Indikativ hat sich noch BEAN a. O. 86 gestoßen, und KÜHNER-GERTH I 231
(Anm. 5) vermerken eine Anzahl entsprechender Stellen aus Platon und Lysias,
wo man (da ja die Prosa wehrlos ist) jeweils ein ἄν hat einschieben wollen. Aber
nach den Forschungen von FR. SLOTTY, Der Gebrauch des Konjunktivs und
Optativs in den griech. Dialekten I 1915 sollte man an dem gelegentlichen
Fehlen der Hilfspartikel ἄν keinen Anstoß mehr nehmen (vgl. zuletzt zu dieser
Frage SCHWYZER-DEBRUNNER II, 1950, 328. H. HOMMEL, Wiener Studien 69,
1956, 200₅₂ = H. H., Symbola I 1976, 223₅₂).

[3] Daß auch in Z. 13 der Text (um 2 Buchstaben) eingerückt ist, haben weder
BEAN noch PEEK in der Umschrift berücksichtigt. Damit will offenbar zu den
Anfangszeilen der Inschrift eine in der Raumwirkung strenge formale Symmetrie hergestellt werden. Aus diesem Rahmen fällt lediglich die Abschnitts-
überschrift Z. 11, die jedoch mit ihrem Einrücken ebenfalls wenigstens die am Anfang und Schluß zu beobachtende Abwechslung langer und kurzer Zeilen einhält.

[4] Interpunktion nach MOREL a. O. Lesung und Ergänzung des Zeilenschlusses
von PEEK a. O. mit überzeugender Begründung.

[5] BEAN a. O. Abb. 36 auf S. 86.

merkt hat, er habe mit dem Beginn von ΑΡΑΡΙΣΚΕΤΕ zu wenig eingerückt, da er das folgende, offenbar nicht ganz kurze Wort auf der
Zeile ja doch nicht mehr würde unterbringen können[1]. So stellt er die
ersten Buchstaben des Wortes ungewöhnlich weit, um erst allmählich
wieder enger zu werden. Mir scheint, daß auf ἀραρίσκετε in Z. 15 also
überhaupt nichts mehr gefolgt sein kann, sodaß Z. 16 den Schluß des
zweiten Hexameters — ‿‿ — ‿ enthalten haben wird, wie es oben
in der Umschrift des Ganzen bereits angedeutet wurde. Und zwar
muß dieser Versschluß mindestens einige Buchstaben mehr umfaßt
haben als ἀραρίσκετε, damit die angestrebte Raumsymmétrie[2] gewahrt werden konnte. Mit Z. 16 schloß offensichtlich die Inschrift ab.
Also umfaßt das Versorakel mit Sicherheit nur zwei Hexameter, wie
schon LLOYD-JONES gesehen hat; denn man wird kaum annehmen
dürfen, daß nach der Weise älterer Epigramme das Responsum mitten
in einem (hier also dem dritten) Verse schloß[3]. Wie wir noch sehen
werden, besteht zu einer solchen überlangen Ergänzung auch weder
von der Form noch vom Sinn her irgendein Zwang. Der Gesamteindruck zeigt überdies schon auf den ersten Blick eine bemerkenswert
knappe Diktion sowohl in den Orakelversen wie in der vorangehenden
Prosa.

Aber an dieser Kürze, die bei aller Künstlichkeit mit Klarheit des
Satzbaus gepaart ist, liegt es nicht, daß das Ganze der Interpretation
erhebliche Schwierigkeiten bereitet. Dafür sind vielmehr die von Anfang an beobachteten[4] Widersprüche zwischen Anfrage und Orakelbescheid einerseits, und zum andern der fehlende Schluß des Orakels
verantwortlich. Beginnen wir mit einem Versuch, diesen wenigstens
dem Sinne nach zu ergänzen. Dabei kann nach PEEKs Ausführungen,
der selber Zurückhaltung übt[5], von den früheren offenbar auf einem
Irrweg befindlichen Vorschlägen hier abgesehen werden[6]. Dies um so
mehr als man sich ein wichtiges Zeugnis bisher nicht zunutze gemacht
hat.

---

[1] Wortschluß am Zeilenende ist in der Inschrift stets gewahrt.

[2] Siehe dazu ob. S. 85, Anm. 3.

[3] Vgl. zu solchen tastenden Versuchen der früheren Zeit H. HOMMEL, Rhein.
Mus. 88, 1939, 193 ff. = H. H., Symbola I 1976, 43 ff.

[4] BEAN 86 f. PEEK a. O.

[5] Doch wird ihm die wertvolle Feststellung verdankt, daß am Ende von
Z. 14 nur ein δὲ gestanden haben kann; s. ob. S. 85, Anm. 4.

[6] Sie waren darauf ausgegangen, in den δεσμοί Bündel = Kränze zum Um-
winden eines Götterbildes zu sehen (MOREL) oder gar ἀραρίσκειν hier als
Synonym von ἀρέσκειν aufzufassen (BEAN).

Servius zu Vergil, Ecl. 6, 72 (wo vom *Gryneum nemus* die Rede ist)[1]:

Varro ait, vincla detrahi solita, id est compedes
catenasque et alia ⟨ab iis⟩, qui intrarunt in Apol-
linis Grynaei lucum, et fixa arboribus.

THILO bemerkt hierzu im Apparat: *qui*] fortasse *si qui vincti* vel *eis qui vincti*. Ich hoffe, mit der Ergänzung von *ab iis*[2] die durch eine Art Haplographie (*alia abis*) entstandene Korruptel auf einfachere Weise beseitigt zu haben.

Also wußte Varro von einem Brauch, dem gryneischen Apollon — wohl zum Dank für Befreiung aus Gebundenheit[3] — seine Fesseln u. dgl. zu weihen, indem man sie nach Betreten des heiligen Haines dort an einem der Bäume befestigte. Da in unserer Inschrift nun der gleiche Gott befiehlt: δεσμοῖς δ' ἀραρίσκετε . . ., so kann wohl über den Sinn der fehlenden Worte kein Zweifel bestehen. Ohne natürlich auf volle Sicherheit des Ausdrucks Anspruch machen zu können, schlage ich vor δεσμοῖς δ' ἀραρίσκετε [δένδρεα τῇδε[4] und verweise

---

[1] THILO-HAGEN III 1, S. 78.

[2] Dies die zu Varros wie zu Servius' Zeit geläufige Schreibweise für ein gesprochenes *īs*; s. dazu FERD. SOMMER, Handbuch der lat. Laut- und Formenlehre[2/3] 1914, 419f. Die Korruptel dagegen wird eher aus der Schreibung *is* entstanden sein (s. dazu ob. im Text).

[3] Vgl. etwa die Weihung des Gürtels troizenischer Jungfrauen vor der Hochzeit im Heiligtum der Athena Apaturia, Pausanias II 33, 1. P. STENGEL, Die griech. Kultusaltertümer[3] 1920, 90, 92f.; weitere Literatur bei FR. PFISTER, RE XI 2184, der selber eine nicht befriedigende Deutung bietet. In unserem besonderen Falle wird ja wohl vornehmlich an Gefangene und Sklaven gedacht sein, die ihre Freiheit wieder erlangt hatten und dem offenbar besonders dafür zuständigen Gott sicherlich nicht nur in dieser symbolischen Form ihre Dankbarkeit zu bezeigen pflegten. Vielleicht darf man außerdem sogar an eine reale Mitwirkung des Gottes in Form des sakralen Sklavenfreikaufs denken, wie er massenweise vor allem auf delphischen Inschriften, also für den gleichen Gott Apollon, bezeugt ist, und auf den noch von Paulus ad Rom. 8, 23 mit der Metapher der ἀπολύτρωσις τοῦ σώματος angespielt zu sein scheint; vgl. dazu H. HOMMEL, Schöpfer und Erhalter, 1956, 14ff. (jetzt auch unten in Bd. II), und schon A. DEISSMANN, Licht vom Osten[4], 1923, 274ff.; 322f. Zum Aufhängen von Fesseln als Opfer und zum Aufhängen von Opfergaben überhaupt vgl. auch schon M. P. NILSSON, Griechische Feste . . . (1906) 1957, S. 235₁.

[4] Verführerisch wäre nach Varro a. O. auch ein δένδρα πέδαις τε, doch ist es fraglich, ob die Sprache des gryneischen Orakels die außerattisch nur spät belegte Form δένδρα zuzutrauen ist. Zwar glaubt man auf der Abklatschphotographie gleich rechts unterhalb des ersten E von ἀραρίσκετε ein A zu erkennen, was zu dieser Ergänzung vortrefflich stimmen würde. Aber eine solche Spur auf dem Stein würde dem ersten Herausgeber kaum entgangen sein.

für die Konstruktion auf Apollonios von Rhodos, Argon. II 1064 δούρασί τε ξυστοῖσι καὶ ἀσπίσιν ἄρσετε νῆα (vgl. v. 1074 ff.) „bedeckt das Schiff mit glatten Speeren und Schilden".

Ist somit der Text des Orakels hergestellt, so gilt es nun jenen merkwürdigen scheinbaren Widerspruch zwischen Befragung und Bescheid des Gottes aufzuhellen. Was soll für ein Zusammenhang bestehen zwischen der Anfrage des Demos der Kaunier, welche Götter sie sich gnädig stimmen sollten, damit ihre Feldfrucht gut und nutzbringend gedeihe, und zwischen der Antwort des Gottes: „Ehret den Letosohn Phoibos (also mich selber) und den Stammvater Zeus[1], dann werdet ihr Ruhm gewinnen[2]; befestigt aber eure Fesseln an den Bäumen hier!" (und zwar zum Dank für gewonnene Freiheit, wie wir erschließen konnten)?

Schon BEAN hat festgestellt, daß die notorische Fruchtbarkeit des Landes um Kaunos, die heute wie in alter Zeit ins Auge fällt, schlecht zu jener Anfrage der Kaunier paßt[3]. Er hilft sich freilich mit der Annahme schlechter Erntejahre, von denen wir sonst nichts hören. Aber sollten die Kaunier in einem solchen Falle sich die Kosten und Mühen einer Gesandtschaft nach dem fernen Gryneion auferlegt haben? Hier scheint mir vielmehr ein anderer Gedanke fruchtbar, den BEAN ausgesprochen hat[4]: "Should we suppose that Apollo takes καρποί figuratively, and promises that glory will take the place of servitude? ... 'Servitude' is suggestive of subjection to Rhodes, always intensely unpopular at Caunus ..." Hier dürfte in der Tat die Lösung zu suchen sein.

---

[1] Zur Verbindung des Zeus Patroios mit Apollon vgl. O. GRUPPE, Griech. Mythologie ... II, 1906, 1116 m. Anm. 10, u. vgl. auch 1233ff. m. Anmerkungen. Große Ähnlichkeit mit unserer Inschrift nach allgemeiner Situation und Formular hat der Prosatext DITT., Syll.³ 1044 I von einem Stein aus Halikarnaß etwa aus dem 3. Jahrhundert v. Chr. Dort erscheint ebenfalls Zeus Patroios neben Apollon (und anderen Gottheiten). — Ein Opfer an Zeus ὑπὲρ καρπῶν aus der Zeit um 200 v. Chr. ist aus Mykonos bezeugt: O. KERN, Die Religion der Griechen I, 1926, 191 m. Anm. 3.

[2] Z. 14 der Inschrift wird nach κλέος ein ἔσται dazugedacht werden müssen, wie MOREL a. O. richtig kombiniert; s. dazu auch PEEK a. O. Für den Zusammenhang zwischen der erhofften ἀγαθὴ τύχη (Z. 7) und dem vom Gott in Aussicht gestellten κλέος (Z. 11 u. 14) vgl. ganz allgemein [Solon,] fr. 28 D. εὐχώμεσθα Διὶ Κρονίδη ... τύχην ἀγαθὴν καὶ κῦδος ὀπάσσαι.

[3] BEAN a. O. 86, die Belege ebda. 15 (vor allem Strabon XIV 2, 3 p. 652 τῆς δὲ χώρας εὐδαίμονος οὔσης ... διὰ ... τὴν ἀφθονίαν τῶν ὡραίων).

[4] BEAN a. O. 87.

Die Situation ist folgende[1]: Bei der römischen Vesper in Kleinasien gegen alle Italiker im Jahre 88 v. Chr. wüteten die Kaunier in besonders roher Weise (Appian, Mithr. 23) und wurden im Friedensschluß von Dardanos zwischen Rom und Mithradates 85/84 von Sulla den Rhodiern zugeteilt, unter deren Oberhoheit sie als Teil der rhodischen Peraia schon früher mehrfach geseufzt hatten, sich aber immer wieder mit echt lykischem Unabhängigkeitstrieb aus diesen Fesseln befreiend. Auch jetzt wieder wandten sie nach einem Bericht Ciceros sich an den Senat mit der Bitte, lieber noch den Römern als den verhaßten Rhodiern dienstbar zu sein[2]. Das war wohl Ende der sechziger Jahre. Unmittelbar vor jener Gesandtschaft oder — wahrscheinlicher — nach abschlägigem Bescheid[3] scheinen sie, um ein fait accompli zu schaffen, von Rhodos abgefallen zu sein. Aber die Sache kam in Rom zur Entscheidung, wo die Partei der Rhodier vom Rhetor Apollonios Molon mit Erfolg vertreten wurde (dessen Rede dem Strabon XIV 2, 3 p. 652 noch vorlag); Kaunos kam also erneut unter rhodische Botmäßigkeit. Doch scheint ihm, wie BEAN und andere einleuchtend gemacht haben[4], im Lauf des ersten vorchristl. Jahrhunderts dann noch einmal auf etwa 100 Jahre die Befreiung vom rhodischen Joch gelungen zu sein, vielleicht Ende der vierziger Jahre oder nach Actium.

Der Grund, warum BEAN[5] letzten Endes doch zögert, unsere Inschrift im Zusammenhang mit dem Bestreben der Kaunier zu sehen, von Rhodos loszukommen, ist, daß Z. 1—7 darauf hindeute, daß Kaunos zu der Zeit bereits unabhängig war. Doch scheint es mir unbedenklich, auch einem von Rhodos politisch abhängigen Kaunos die Initiative zuzubilligen, daß es in einer religiösen oder als religiös getarnten Angelegenheit als Volksgemeinde in Erscheinung trat und unter Verantwortung des sakralen Oberhaupts (Z. 1 f.)[6] ein Orakel

---

[1] BÜRCHNER, RE XI (1921) 87f. HILLER V. GAERTRINGEN, RE Suppl. V (1931) 801f. 804. BEAN a. O. 18f. 109f. mit den Belegen (bes. wieder Strabon a. O.). BRZOSKA, RE II (1896) 142. HATTO H. SCHMITT, Rom und Rhodos ... 1957, 182 m. Anm. 2, vgl. a. 158f. Ich ergänze diese Untersuchungen durch eigene Schlüsse, besonders hinsichtlich der Umstände des Abfalls der Kaunier von Rhodos und seiner Datierung in die 60er Jahre.

[2] Cicero ad Qu. fr. I 1, 33 (anno 60): *Caunii nuper omnesque ex insulis, quae erant ab Sulla Rhodiis attributae, confugerunt ad senatum, nobis ut potius vectigal quam Rhodiis penderent.*

[3] Denn Cicero a. O. erwähnt von einem Abfall noch nichts, ebenso auch nicht, daß ihnen ihre Bitte erfüllt worden sei.

[4] BEAN a. O. 19 m. Anm. 39. SCHMITT a. O. 186f. 190 mit älterer Literatur.

[5] BEAN a. O. 87.

[6] Kaunos pflegt ohnehin nach einem eponymen Priester zu datieren; s. die Inschriften BEAN no. 5, 23f. 6, 27. 7, 60 und dazu BEAN a. O. 21.

einholte. Geboten war es dabei freilich, wie angedeutet, der ganzen
Angelegenheit ein harmloses Gesicht zu geben, d. h. unter dem Vor-
wand einer Anfrage wegen der zu erwartenden Ernte sich in Wirklichkeit wegen des geplanten Abfalls von Rhodos Rats zu erholen. Das
scheint denn auch von der Priesterschaft des Apollon Gryneios, vielleicht unterstützt durch mündliche Erläuterungen, verstanden und
im Sinne einer Bestärkung der Kaunier in ihrem Vorhaben beantwortet
worden zu sein. Und zwar geschah dies nach alter Orakelpraxis ebenfalls in vorsichtigster Formulierung und offenbar so, daß den Kauniern
von seiten ihrer nicht eingeweihten Feinde keine Unannehmlichkeiten
entstehen sollten.

Damit kämen wir — wie gesagt — in die Zeit um 60 v. Chr., unmittelbar vor der von Strabon berichteten kurzfristigen Abschüttelung
des rhodischen Joches durch die Kaunier[1], wozu sie sich nach unserer
Annahme durch den Orakelbescheid ermutigt fühlen konnten[2]. Die
Datierung des Steins in die erste Hälfte des 1. Jahrhunderts v. Chr.
nach dem Schriftcharakter[3] stimmt vortrefflich zu diesem Ansatz.
Daß die Kaunier sich mit ihrem Anliegen nicht an die weit näher gelegenen apollinischen Orakel von Patara oder Didyma wandten, mag
darin seine Erklärung finden, daß hier Bindungen noch so loser Art
an das mächtige Rhodos einen solchen Schritt nicht ratsam erscheinen
ließen. Doch können auch andere Gründe dafür maßgebend gewesen
sein, vielleicht eine besondere Zuständigkeit des Gryneionorakels für
Befreiungsaktionen[4].

Wer trotz alledem die Wendung τίνας θεῶν ἱλασκομένου αὐτοῦ
(scil. τοῦ δήμου) καρποὶ καλοὶ καὶ ὀνησιφόροι γίνοιντο nicht aus
dem landwirtschaftlichen Bereich loslösen möchte, der sei darauf hingewiesen, daß es sich bei dem Ausdruck ὀνησιφόροι γίνοιντο um eine
vieldeutige triviale Floskel des Alltags handelt, die sich längst aus ihrem
ursprünglichen Bildbereich gelöst hatte und soviel besagt haben wird
wie 'möge es (damit) gut ausgehen!'. Denn Fragm. com. adesp.

---

[1] Strabon a. O. ἀπέστησαν δέ ποτε Καύνιοι τῶν ῾Ροδίων· κριθέντες δ᾽ ἐπὶ τῶν
῾Ρωμαίων ἀπελήφθησαν πάλιν· καὶ ἔστι λόγος Μόλωνος κατὰ Καυνίων.

[2] Zwar bleiben verschiedene Möglichkeiten offen; aber die natürliche Abfolge
der Ereignisse scheint doch diese zu sein:

    Gesandtschaft der Kaunier nach Rom (Cicero)

    Gesandtschaft zum Apollon Gryneios (Inschrift)

    Abfall von Rhodos (Strabon)

    Entscheidung Roms zugunsten von Rhodos (Strabon).

[3] BEAN a. O. 87 m. Anm. 6.

[4] Vgl. dazu oben S. 87, Anm. 3.

108/109, v. 10/11 K. finden wir 'ὀνησιφόρα γένοιτο' als τὸ τῶν γυναι-κῶν ῥῆμα bezeichnet, was MEINEKE aus dem ganzen Zusammenhang richtig dahin deutet, daß es „mulieres religiosae in ore gerebant"[1].

Und wenn Pollux V 136 das Wort ὀνησιφόρον als μοχθηρόν bezeichnet, so mag er auf die abgebrauchte Wendung anspielen und befindet sich zugleich in gewisser Übereinstimmung mit dem Urteil, das über die primitiven Kaunier umlief (die wir in unserer Inschrift gerade jenen Ausdruck gebrauchen sehen): Dion Chrysost. 31, 124f. (zu den Rho-diern gesprochen) καὶ μὴν εἴ τις ὑμᾶς Καυνίοις . . . ὁμοίους εἶναι λέγοι, σφόδρα ὀργιεῖσθε καὶ βλασφημεῖν αὐτὸν ἡγήσεσθε . . . τίς γὰρ παρὰ Καυνίοις γέγονε γενναῖος ἀνήρ; . . . οἵ γε δουλεύουσιν οὐχ ὑμῖν μόνοις, ἀλλὰ καὶ Ῥωμαίοις, δι' ὑπερβολὴν ἀνοίας καὶ μοχθηρίας διπλῆν αὐτοῖς τὴν δουλείαν κατασκευάσαντες[2].

Freilich darf nicht übersehen werden, daß in unserem Falle eine Charakterisierung der Kaunier als μοχθηροί zwar im Hinblick auf den Gebrauch der primitiven Formel ὀνησιφόροι γίνοιντο ihren Sinn hat, daß dagegen in der Verwendung des banalen Ausdrucks zur Tarnung der wahren Absicht eine bemerkenswerte Bauernschlauheit beschlossen läge, daß also die Not hier wie sonst vielfach auch den unterdrückten μοχθηρός erfinderisch gemacht haben mag.

Der metaphorische Gebrauch von καρπός bzw. καρποί[3] wird voll-ends nicht verwundern, zumal wenn ihm, wie wir vermuten, eine be-sondere Absicht zugrunde gelegen hat. Es sei hier nur verwiesen auf Aischylos, Hepta 618 εἰ καρπὸς ἔσται θεσφάτοισι Λοξίου, und auf Inschr. v. Priene 112, 14 μόνη μεγίστους ἀποδίδωσιν ἡ ἀρετὴ καρποὺς καὶ χάριτας.

Und daß der Topos der Sklaverei vom Einzelindividuum auf eine ganze Volksgemeinde wie hier auf den Demos der Kaunier übertragen erscheint, hat ebenfalls seine Parallelen, zunächst beim Gegenteil, der unumschränkten Herrschaft und Gewalt[4]: Aristophanes, Ritter 1111ff. ὦ δῆμε . . . πάντες ἄνθρωποι δεδίασί σ' ὥσπερ ἄνδρα τύραννον. Beides vereint begegnet dann ebenfalls bei Aristophanes, in den

---

[1] Also ursprünglich eine gedankenlose Wendung, die etwa unserem „wir wollen's Beste hoffen" entspricht, auch da gebraucht, wo eigentlich nicht mehr viel zu hoffen ist, wo also viel eher eine Einschränkung am Platze wäre, wie sie Schiller mit den Versen getroffen hat: „Doch vielleicht, indem wir hoffen, Hat uns Unheil schon getroffen."

[2] BEAN a. O. 109₆₁.

[3] LIDDELL-SCOTT s. v., weiteres bei HAUCK, ThWNT III, 1938, 617f.

[4] GUSTAV STROHM, Demos und Monarch . . . 1922, 98 ff. mit Beispielen aus Thukydides und Aristophanes.

'Wespen', wo ein Agon geradezu unter dieses Thema gestellt wird. Da tritt Philokleon als Repräsentant des Demos auf (STROHM nennt ihn schlechtweg „den alten Demos"): Aristoph., Wesp. 517ff. ΒΔΕΛ. δουλεύειν λέληθας. ΦΙΛ. παῦε δουλεύειν λέγων, // ὅστις ἄρχω τῶν ἀπάντων. ΒΔΕΛ. οὐ σύ γ' ἀλλ' ὑπηρετεῖς // οἰόμενος ἄρχειν· ἐπεὶ δίδαξον ἡμᾶς, ὦ πάτερ, // ἥτις ἡ τιμή 'στί σοι καρπουμένη τὴν Ἑλλάδα. Die Ähnlichkeit des Vokabulars in der Inschrift und bei Aristophanes (τιμῶσιν ... ὕμμι κλέος ~ ἥτις ἡ τιμή 'στι σοι und καρποὶ καλοὶ καὶ ὀνησιφόροι ~ καρπουμένη τὴν Ἑλλάδα) unterstreicht noch die strukturelle Verwandtschaft der beiden Stellen.

So dürfen wir denn abschließend unsere Interpretation der Inschrift in einer Übersetzung zusammenfassen, die so lautet:

„Unter der Priesterschaft des Leonidassohnes Eunomos ist Menodoros der Sohn des Sosikles aus dem Demos Imbros nach Gryneion entsandt worden und brachte einen Spruch des Gottes mit zurück, über dem Tyche freundlich walten wolle.

Die Gemeinde der Kaunier fragt an, welche Götter sie sich gnädig stimmen müsse, damit gute und nutzbringende Frucht daraus erwachse.

Der Orakelgott gab den Bescheid:

Wenn ihr Letos Sohn Phoibos und den Stammvater Zeus verehrt, werdet ihr Ruhm gewinnen; befestigt aber (dann[1]) eure Fesseln an den Bäumen hier!"

---

[1] D. h. nach der glücklichen Befreiung von den rhodischen Sklavenketten (s. dazu oben).

Nachtrag 1981

R. Merkelbach, Ein Orakel des gryneischen Apollon. In: Zeitschr. f. Papyrologie u. Epigraphik 5. 1970, S. 48, der die früheren Wiederherstellungsversuche registriert, schlägt selber – auf den Spuren von H. Lloyd-Jones – am Schluß des Orakelspruchs folgende Lesung vor:

14   ὔμμι κλέος δεσμοῖς ἀ[λύτοις ἀραρισκέτ᾽ ἐ[ς αἰεί

und übersetzt: [dann] „ist euer Ruhm mit unlöslichen Fesseln auf immer befestigt".

Abgesehen davon, daß dieses Bild recht verschwommen erscheint (wo soll der Ruhm angefesselt sein? – doch wohl kaum an ὔμμι, was auch in der Übersetzung nicht zum Ausdruck kommt), ist die Ergänzung – was übrigens M. selber empfindet – am Schluß von Z. 14 zu lang. Auch wird durch die zur Diskussion gestellte Ergänzung die von mir auf den Spuren Früherer S. 85f. betonte Symmetrie der Zeilenordnung und Schriftverteilung ganz und gar zerstört. Ich bleibe also bei meinem Vorschlag.

Vesta und die frührömische Religion*

THEODOR MOMMSEN hat gegen Ende seines Lebens zu erklären versucht, warum er sich in seinem 'Römischen Strafrecht' „alles Vergleiches der römischen Ordnungen mit nicht römischen in strenger Beschränkung enthalten" habe. Er weiß zwar: „Die historisch-philologische Bedeutung solcher Zusammenstellungen für unser Ahnen über die Urzustände des Menschengeschlechts . . . und unser Wissen über seine weitere Entfaltung kann nicht hoch genug angeschlagen werden; aber der Einzelforscher wird durch dieselben nur zu leicht in die Irre geführt, zumal weil er alsdann halb als kompetenter Sachkundiger, halb als von fremder Hand abhängiger Laie zu reden genötigt ist"[1]. Um diese Lücke auszufüllen, hat MOMMSEN ein Team von Sachkennern aufgeboten, die auf eine Reihe präzis gestellter Fragen Auskunft geben sollten. Das Ergebnis der Umfrage wurde nach seinem Tode veröffentlicht. Ausgangspunkt für die von MOMMSEN selber zunächst geübte Zurückhaltung war die Tatsache, daß die durch Vergleichung erschließbaren „Urzustände" im römischen Recht „wohl vorauszusetzen, aber nicht historisch nachweisbar" sind[2]. Die strenge durchweg auf den Staat bezogene Systematik der römischen Ordnungen hat auch auf anderen Gebieten als dem des Rechts den Blick auf die Vorstufen verstellt. Sie sind von der Sache her wie durch Vergleich vorauszusetzen, auch aus zahlreichen Relikten von altertümlichem Charakter zu erschließen; doch sind diese so sehr in den jüngeren Ordnungen aufgegangen, daß es nun schwer ist, sie herauszulösen und auf die Frage nach ihrem ursprünglichen Sinn und Zweck eine Antwort zu erhalten.

Vornehmlich die wie bei keinem anderen Volk vom Staat beanspruchte und von ihm nach strengen Ordnungen geregelte Religionsübung stellt uns vor eine ähnliche Problematik, wie sie MOMMSEN in der Geschichte des römischen Rechts vorfand. Was dort — speziell fürs Strafrecht — durch eine Umfrage geleistet werden sollte, hat die so lebendige, ihrem Wesen nach gern in die Weite des Raums und der Zeit ausgreifende, allzuleicht auch der Gefahr des Schweifens erliegende Disziplin der antiken Religionsgeschichte in Generationen von sich aus zu bewältigen versucht, ohne zu festen oder

---

* Aufstieg und Niedergang der römischen Welt I 2. 1972, 397–420.

[1] Zum ältesten Strafrecht der Kulturvölker. Fragen zur Rechtsvergleichung gestellt von TH. MOMMSEN, . . . Leipzig 1905. Vorwort, 1.

[2] MOMMSEN, a. O. 3.

auch nur einigermaßen überzeugenden Ergebnissen zu gelangen. So ist es nicht verwunderlich, daß vorsichtigere Forscher in neuerer Zeit sich auch hier auf die von Mommsen im Bereich der Rechtsgeschichte geübte Reserve zurückzogen und nur das gelten lassen wollten, was im hellen Licht gleichzeitiger Zeugnisse der Prüfung standhält.

Um konkret zu werden und das weite Feld religionsgeschichtlicher Thematik zugleich auf markante Beispiele einzugrenzen, so tragen zwar zentrale Gestalten des römischen Kultes wie Jupiter die Vergleichbarkeit mit verwandten Gottheiten des indogermanischen Bereiches geradezu herausfordernd im Namen (*Diespiter, Dyâush pitâ*, Ζεύς πατήρ), aber von der patriarchalischen Stufe, die dort vielfach noch greifbar ist, läßt der römische Befund, der uns einen Staatsgott mit mehr herrenhaften als väterlichen Zügen bietet, wenig mehr unmittelbar erkennen[3]. Dasselbe gilt für Vesta, der die folgenden Betrachtungen gewidmet sind. Auch sie weist durch ihren Namen, dessen Gleichung mit griechisch Ἑστία heute ziemlich unbestritten ist[4], auf die indogermanische Verwandtschaft hin, ohne doch aus den überlieferten Zeugnissen von der schon mit dem Begriff des Herdes gegebenen patriarchalischen Frühstufe[5] Wesentliches zu verraten[6]. Die der Gottheit in neuerer Zeit gewidmeten Monographien von Käthe Schwarz, von Angelo Brelich, von Carl Koch[7] sind sich daher, so verschiedene Wege sie auch gehen, darin einig, daß es — wie es schon vorher Wilamowitz

---

[3] Durch Rückschlüsse gleichwohl weiterzukommen habe ich nach dem Vorgang anderer (z. B. C. Koch, Der römische Jupiter, Frankfurt a. M. 1937 [1968], 123f., 125f.) mehrfach versucht: Domina Roma, Antike 18, 1942, 127ff., bes. 132ff. Der Himmelvater, Forschungen und Fortschritte 19, 1943, 95ff. Die ausführlichere, mit Belegen reich ausgestattete Fassung dieser Studie im Arch. f. Religionswiss. 38, 1943—44 ist in der Leipziger Katastrophe des 4. 12. 1943 vor Auslieferung zerstört worden und soll nun im Rahmen meiner ‚Kleinen Schriften' demnächst erscheinen [liegt hier vor: ob. S. 3ff.]. Vgl. a. Die Hauptgottheiten der Germanen bei Tacitus (ob. S. 178ff.; hier bes. 194). Von älterer Literatur nenne ich als besonders bedeutsam Ad. Zinzow, Der Vaterbegriff bei den römischen Gottheiten, Pyritz 1887, 125f. u. ö. Wichtig wie gesagt auch C. Koch, aaO. 125f. u. ö. (bes. 67—85 über Vediovis).

[4] W. Süss, RE VIII 1913, Sp. 1266 (Art. 'Hestia'). O. Schrader—A. Nehring, Reallexikon der indogermanischen Altertumskunde ²I, Straßburg 1917—23, 495 (Art. 'Herd'). L. Deroy, Le culte du foyer dans la Grèce mycénienne, Rev. Hist. Rel. 137, 1950, 34f. Vgl. a. C. Koch, RE VIII A 1958, Sp. 1718f. (Art. 'Vesta'). Ad. Greifenhagen, Das Vestarelief aus Wilton House, Berlin 1967, 21 u. 28 mit Hinweis auf die neuen Hestiaforschungen von Werner Fuchs, Hestia, Enciclopedia dell'Arte Antica IV, Rom 1961, 18ff. (s. jetzt a. den Art. 'Vesta' von G. Carettoni, ebd. VII 1966, 1148f.).

[5] Vgl. M. P. Nilsson, Wesensverschiedenheiten der römischen und der griechischen Religion, Römische Mitteilungen 48, 1933, 246: Die Gleichung „Hestia–Vesta bezeugt den Herdkult, welcher der patriarchalischen Familie eigen ist".

[6] Die wenigen Spuren sind gesammelt von C. Koch, a. O. (oben Anm. 4) 1761f.

[7] Käthe Schwarz, Der Vestakult und seine Herkunft, Diss. Heidelberg in Masch.-Schr. 1941 (bei Karl Meister; angeregt vom Verf. dieser Studie). — Angelo Brelich, Vesta, Zürich–Stuttgart 1949 = Albae Vigiliae N. F. 7. — Carl Koch, Vesta, RE VIII A 1958, Sp. 1717—1776. Diese fein abgewogene und erschöpfend dokumentierte Darstellung des verstorbenen Forschers enthebt mich im folgenden weithin der Notwendigkeit, einzelne Literaturbelege zu geben, da bei ihm das Wichtigste in klarer Gruppierung referiert und kritisch gewürdigt ist.

ausgedrückt hatte — in Rom nur ei ne Vesta gibt, nämlich „nur die eine *populi Romani*"⁸.

Aber dürfen wir dabei stehen bleiben? Gewiß, die mehrere Jahrzehnte herrschende These von den Vestalinnen als einer lediglich aus arbeitstechnischen Gründen zur Sechszahl erhöhten juristischen Einzelperson, die entwicklungsgeschichtlich als Frau des römischen Königs anzusehen sei, auf welche die alten Hausfrauenfunktionen der Herdbetreuerin im Einzelhaushalt übergegangen wären, ist mit allen ihren Positionen und Konsequenzen in neuerer Zeit klar und bündig widerlegt worden⁹, am ausführlichsten von C. Koch, auf den für die komplizierten Beweisgänge dieser Theorie und ihre Schwächen ein für allemal verwiesen werden kann. Doch gibt dieser Forscher selber gelegentlich zu¹⁰, daß an der Wirklichkeit eines „Strukturparallelismus zwischen *res publica* und *res privata* in Rom" nicht zu rütteln sei, und andere halten mit Recht an der damit im Einklang stehenden Überzeugung fest, der staatliche Vestakult habe sich aus dem häuslichen entwickelt¹¹. Aber wie man sich das im einzelnen vorzustellen habe, darüber gehen die Anschauungen auseinander. Auszugehen haben wir gewiß von der Göttin selber, bevor wir uns über die älteste Funktion ihrer Dienerinnen Gedanken machen.

Da scheint es nun doch, so simpel die Feststellung ist, von fundamentaler Wichtigkeit zu sein, daß *Vesta* genau wie ihre griechische Entsprechung *Hestia* nichts anderes als den Herd bezeichnet haben kann¹², dessen zentrale Bedeutung für den Menschen der Frühzeit eine göttliche Verehrung geradezu herausforderte. Aber welcher Herd kann dabei nur ge-

---

⁸ U. v. Wilamowitz, Der Glaube der Hellenen I, Berlin 1931, 158 (2. Aufl. Darmstadt 1955, 155) — der ganze Abschnitt ist bezeichnend für die allgemein verbreitete Auffassung; vgl. C. Koch, a. O. Sp. 1719, 1762, und Ders. schon in 'Drei Skizzen zur Vestareligion', Studies presented to D. M. Robinson, Saint-Louis 1953, 1084.

⁹ Nach L. Euing, Die Sage von Tanaquil, Frankfurt a. M. 1933, 34ff. bes. von C. Koch, a. O. Sp. 1733, 1742—52. Doch haben diese beiden Forscher übersehen, daß bereits H. J. Rose, De virginibus Vestalibus, Mnemosyne N. S. 54, 1926, 440—448 (mit Nachtrag ebenda 56, 1928, 79f.) die kurz zuvor von G. Wissowa, Art. 'Vesta' in Roschers Mythologisches Lexikon VI, Leipzig 1924, bes. Sp. 262ff. vertretene These von der Vestalin als Gattin und Hausfrau mit wichtigen Argumenten bekämpft hat. An Rose schließt sich K. Latte, Römische Religionsgeschichte, München 1960, 108₄f. an, der wiederum in seiner Darstellung den RE-Artikel von C. Koch noch nicht verwendet hat.

¹⁰ C. Koch, a. O. 1763, eingeschränkt jedoch 1761.

¹¹ So H. J. Rose, a. O. Franz Bömer, Rom und Troja, Baden-Baden 1951, 53, Anm. 3 mit Literaturangaben, vgl. a. Koch, a. O. 1773 und Ders. schon in 'Der römische Jupiter', Frankfurt a. M. 1937 [1968], 72 unten. K. Latte, a. O. 90, Anm. 1, und 108.

¹² Vgl. Wilamowitz, a. O. ²155, der das mit spürbarem Widerwillen zugibt, jedoch die römische Vesta von der griechischen Hestia auch dadurch zu distanzieren sucht (vgl. a. oben Anm. 8), daß er sagt „Hestia ist der Herd, Vesta das Herdfeuer". Aber das ist doch nichts anderes als eine römische Akzentverlagerung gegenüber dem indogermanischen Erbe (das seinerseits übrigens vielerlei Spuren von Feuerkult patriarchalischen Einschlags zeigt — dies immerhin haben die sonst weithin fragwürdigen Studien von O. Huth gezeigt: Der Feuerkult der Germanen, ARW 36, 1939, 108ff.; Ders., Vesta. Untersuchungen zum indogermanischen Feuerkult, ARW Beiheft 2, 1943, vgl. a. schon Schrader–Nehring, RLIA ²I 1917—23, 495 [Art. 'Herd']).

meint sein? Weder hat in der frühen Gesellschaft der Einzelmensch einen Herd, an dem er sein Süppchen kocht, noch ist der Gedanke an einen Staatsherd ohne sekundäre Abstraktion möglich. Also kommt nur der Herd der in einem Haushalt verbundenen Familie in Betracht, die wir uns nach vielen Zeugnissen verschiedenster Herkunft als Großfamilie vorzustellen haben[13]. Daß diese urtümliche Form des Beisammenwohnens gerade auch für Rom in älterer Zeit als sicher vorausgesetzt werden darf[14], dafür bürgen einige Berichte, die ihr Weiterbestehen sogar noch in historischer Zeit bezeugen. Für die erste Hälfte des 2. Jahrhunderts v. Chr. heißt es da von einer Tochter des berühmten L. Aemilius Paulus Macedonicus (Scipios Vater), daß sie in die Familie der Aelii Tuberones geheiratet habe, wo in altrömischer Einfachheit noch 16 Aelier „in einem οἰκίδιον πάνυ μικρόν zusammen hausten, und daß ihnen allen ein bescheidenes Gütchen (χωρίδιον = *agellus*) genügte, wobei sie mit vielen Kindern und Frauen sich an einen Herd hielten"[15]. Und gegen Ende des gleichen Jahrhunderts sei kein Geringerer als M. Licinius Crassus Dives in einem kleinen Haus zusammen mit zwei Brüdern aufgezogen worden, „und seine Brüder waren noch bei Lebzeiten der Eltern verheiratet, und alle gingen zu demselben Tisch[16]".

---

[13] SCHRADER–NEHRING, a. O. 288 ff. (Art. 'Familie'). ED. HERMANN, Die Eheform der Urindogermanen = Nachr. v. d. Ges. d. Wiss. zu Göttingen. Ph.-hist. Kl. III N. F. I 2, 1934, 36 ff., 41 mit weiterer Literatur. C. W. WESTRUP, Introduction to Early Roman Law. Comparative Sociological Studies. The Patriarchal Joint Family II, Oxford 1934, 5 ff. (6₁ Literatur), vgl. a. III 1, 1939, 152 ff. E. SACHERS, RE XVIII 2, 1949, Sp. 2127 f. (Art. 'Pater familias', mit weiterer Literatur). Zur griechischen Großfamilie sind die Zeugnisse gesammelt und besprochen von W. ERDMANN, Die Ehe im alten Griechenland, München 1934, 124 ff. Vgl. a. L. DEROY, Le culte du foyer dans la Grèce mycénienne, RevHistRel 137, 1950, 26.

[14] Die neueren Darstellungen lassen diesen wichtigen Zug allzusehr zurücktreten. Immerhin setzt z. B. ER. BURCK, Die altrömische Familie, in: Das Neue Bild der Antike II, Leipzig 1942, 36, 40 f. eine römische Großfamilie ausdrücklich voraus, ohne im einzelnen Belege zu geben.

[15] Plutarch, Aem. Paulus 5, 6 u. 28, 9 (ähnlich Val. Maximus IV 4, 8, dazu vgl. KLEBS, RE I 1894, Sp. 533 f. (Art. 'Aelius'): ... χωρίδιον ἐν ἤρκει πᾶσι μίαν ἑστίαν νέμουσι ..., was sowohl 'einen Herd benützen' wie 'einer Vesta den Kult besorgen' (*unam Vestam colere*) bedeuten mag; νέμειν m. bloßem Accus. im Sinn von 'bewohnen' ist längst von νέμεσθαι abgelöst (Theokrit 25, 171 Τίρυνθα νέμων ἠὲ Μυκήνην muß bereits vom Scholiasten mit οἰκῶν erklärt werden), nur im Sinn von 'verwalten, besorgen' kommt es noch vereinzelt vor: ἱερὰ νέμειν auf einer Inschr. aus Ios s. IV a. Chr., IG XII 5: 2 A, 3, so auch bei Plutarch selber Themist. 24, 1 Λευκάδα κοινῇ νέμειν ἀμφοτέρων ἄποικον von Korinthern und Kerkyraiern; das Material übersichtlich bei E. LAROCHE, Histoire de la racine NEM- en grec ancien, Paris 1949, hier bes. 15, 22 f., 35, 39 (unsere Plutarchstelle fehlt). Danach wäre ein 'Latinismus' Ἑστίαν νέμειν für *Vestam colere* in der Tat nicht ausgeschlossen.

[16] Plutarch, Crass. 1 ... καὶ πάντες ἐπὶ τὴν αὐτὴν ἐφοίτων τράπεζαν (vgl. M. GELZER, RE XIII 1927, Sp. 295, Art. 'Licinius' [Crassus]). Beide Plutarchstellen, auf die auch C. W. WESTRUP, a. O. II 13—15 eingeht, finden sich mit Übersetzung bei SCHRADER–NEHRING, a. O. I 290. Vgl. dort 292 das über *familia* als Großfamilie Gesagte. Ob ebd. 293 ff. die ausführlich empfohlene Etymologie von *vindex* als Großfamilienhaupt („der auf die Familie hinweist", ich h. für sie eintritt, sie schützt, verteidigt, für sie bürgt — vgl. altirisch *fine* 'Großfamilie') ihre Berechtigung hat, mag dahingestellt bleiben (gewisse Bedenken bei A. WALDE—J. B. HOFMANN, Lateinisches etymologisches Wörterbuch II,

Ein weiterer Beleg für das Bestehen und die Bedeutung der Großfamilie in der römischen Frühzeit ergibt sich, wenn wir den Blick auf das notwendige Inventar des Hauses lenken, soweit es kultische und religiöse Relevanz gewonnen hat. Da fallen neben dem Herd (ἑστία = _focus_) besonders die Tür (_ianua_) und die Vorratskammer (_penus_) ins Auge, beide wiederum göttlicher Verehrung teilhaftig, was uns — noch unmittelbarer als bei Hestia-Vesta — schon vom Vokabular her der Gott Ianus und die Hausgötter, die Penaten, klar und eindrucksvoll bezeugen[17]. Auch die enge Kultverbindung von Vesta, Ianus und Penaten spricht eine deutliche Sprache[18]. Nun hat gewiß in der römischen Religion der Staatskult der Vesta wie des Ianus und selbst der Penaten den privaten Kult des Hauses weithin verdrängt[19]. Ja eine häusliche Verehrung des Ianus ist überhaupt nicht direkt bezeugt und kann allenfalls aus der kultischen Bedeutung der Tür und der Hausschwelle auch für diesen Bereich erschlossen werden[20].

Aber gerade hier läßt sich noch einen kleinen Schritt weiterkommen, wobei auch wieder erwünschtes Licht auf die altrömische Großfamilie fällt. Eine im Indogermanischen erstaunlich breit belegte Bezeichnung für die im gleichen Haus wohnende Frau des Mannesbruders, also eine primär wohl von den eingeheirateten jungen Frauen der Großfamilie[21], dann aber auch von den Männern für die eingeheiratete Schwägerin gebrauchte Benennung dieses agnatischen Verwandtschaftsgrades lautet bei Homer mit metrischer Dehnung εἰνατέρες (Il. 6, 378) und ist uns in Prosa in der authentischen Form ἐνάτηρ belegt[22]. Die lateinische Ausprägung nun präsentiert sich

---

Heidelberg 1954, 793 f.). — Einige weitere (weniger ergiebige) Stellen zur römischen Großfamilie nebst Literatur sind ganz kurz auch von E. Sachers, RE XVIII 2, 1949, Sp. 2137 im Art. 'Pater familias' aufgeführt (vgl. a. Sp. 2128).

[17] Ianus: W. F. Otto, RE S III 1918, Sp. 1175—1191. E. Burck, a. O. (Anm. 14), S. 19ff. C. Koch, a. O. Sp. 1763f. (Art. 'Vesta'). Penates: St. Weinstock, RE XIX 1938, Sp. 417—457. Burck, a. O. 16ff. (im Anschluß an die Behandlung des Herdes und der Vesta), Frz. Bömer, Rom und Troja, Baden-Baden 1951, 50—117 (107ff. über die Verbindung der Penaten mit Vesta). C. Koch, a. O. Sp. 1756.

[18] Siehe vor allem Burck, a. O. 10ff., Bömer, a. O. 53ff., Koch, a. O. 1772ff., Latte, Römische Religionsgeschichte, 108. Für die wenn auch antithetische Zuordnung von Ianus und Vesta ist noch bedeutsam, daß nach Cicero, De n. deor. II 67 _principem in sacrificando Ianum esse voluerunt_, während _in Vesta ... omnis precatio et sacrificatio extrema est_ (Serv., Aen. I 292); s. W. F. Otto, RE S III Sp. 1176 u. 1190 (Art. 'Ianus') Koch, a. O. Sp. 1772.

[19] Es ist eine ansprechende, von E. Burck 19, vorgetragene Vermutung, daß die wachsende und allmählich dominierende Bedeutung der Larenverehrung im Hauskult aus dieser Entwicklung zu erklären sei, indem die Laren hier sozusagen sich in einem Vakuum ausgebreitet hätten.

[20] Burck, a. O. 19ff. Koch, a. O. Sp. 1764. Vgl. a. Karl Meister, Die Hausschwelle in Sprache und Religion der Römer, Heidelberg 1925, 27. Vor allem aber Plautus, Merc. 822ff. (Beginn des 5. Akts); Catull 67, 1ff. (vgl. Hom. Hymn. in Merc. 384) und dazu Ed. Norden, Aus altrömischen Priesterbüchern, Lund 1939, 152ff.

[21] Daher σύννυμφος — _consponsa_ in Gloss. II 446, 58.

[22] E. Boisacq, Dictionnaire étymologique de la langue grecque, Paris ³1938, 250. Hj. Frisk, Griechisches etymologisches Wörterbuch I, Heidelberg 1960, 464. P. Chantraine, Dictionnaire étymologique de la langue grecque, Lief. II 1970, 323, überall mit weiterer Literatur und den indogermanischen Parallelen.

merkwürdigerweise nicht wie erwartet als *ianeter* o. ä. sondern als *ianitrix* (belegt ist vorwiegend der Plural *ianitrices*)[23]. Mit Recht hat man angenommen[24], diese sowohl das i vor dem t wie das Suffix betreffende Abweichung erkläre sich aus der volksetymologisierenden Assoziation mit *ianitor* = 'Türhüter'. Man hätte dann also den Schwiegertöchtern in der altrömischen Großfamilie ursprünglich eine Rolle zugewiesen (ob mit Recht ist dabei nicht von Belang), die sie in irgend einer funktionellen Beziehung zur Tür des Hauses und damit zweifellos auch zum Gott Ianus erscheinen ließ, und die *ianitrices* hätten sich zu Ianus nach dieser Vorstellung etwa so verhalten wie die *Vestales* zu Vesta, über deren gegenseitige Beziehung noch zu reden sein wird.

Wenn sich diese Gottheiten des Hauses mit der Ausweitung und Verlagerung der sozialen Strukturen zu Gemeinde- und Staatsgöttern wandelten, so darf uns dies nicht wundern; denn wir finden im Griechischen gerade etwa bei Hestia genau dasselbe[25], nur daß eben dort daneben und davor die Rolle der Herdgöttin des Hauses erhalten blieb, während in Rom durch die religiöse und politische Absorptionskraft des Staates jene andere ursprüngliche Sphäre bis auf wenige Spuren verdrängt worden ist[26]. Nehmen wir aber jene Spuren ernst und erkennen wir eine frühe Stufe kultischer Verehrung der häuslichen Gottheiten ebenso für Rom an, dann dürfen wir mit einiger Vorsicht auch griechische Kulttatsachen und -begriffe durch Analogieschluß auf römische Verhältnisse übertragen. So hat M. P. Nilsson[27] mit der Verehrung des Ζεὺς Σωτήρ, der dem Ζεὺς Κτήσιος, dem Gott der häuslichen Vorratskammer, nahesteht[28], mit Recht den Vestakult verglichen[29] und hätte dabei auch auf die Penaten hinweisen dürfen. Und wenn im Griechischen für den Herrn des Hauses (οἰκῶναξ bzw. οἴκου δεσπότης) die

---

[23] Walde–Hofmann, a. O. I 1938, 668, wo in gedrängter Kürze alles Wesentliche auch zum Gesamtbereich des indogermanischen Worts gesagt ist. Das vollständige lateinische Material im Thes. l. Lat. VII 1, 133. Kurzer Hinweis im Zusammenhang der Großfamilie auch bei Westrup, a. O. II 15f.

[24] K. Meister, Genetrix, Monitrix und Verwandtes, Zeitschrift für vergleichende Sprachforschung 45, 1913, 188.

[25] W. Süss, RE VIII 1913, Sp. 1277ff., 1283ff. (Art. 'Hestia'). Kurz und treffend ist diese Entwicklung skizziert bei U. v. Wilamowitz, Der Glaube der Hellenen ²I, Darmstadt 1955, 152—155, bes. 154 unten. Vgl. a. L. Deroy, RevHistRel 137, 1950 (oben Anm. 13), 27ff., 41. Nachzutragen sind so bezeichnende Metaphern wie diejenige, mit der Polybios V 58, 4 Seleukeia ἀρχηγέτην . . . καὶ σχεδὸν ὡς εἰπεῖν ἑστίαν der Seleukiden, oder Diodor IV 19, 2 Alesia ἁπάσης τῆς Κελτικῆς . . . ἑστίαν καὶ μητρόπολιν nennt.

[26] Immerhin unterscheidet der gelehrte Dionys. Halic., Ant. II 65f. im Vestakult der frühen Königszeit klar zwischen den zwei Stufen der συγγενικά und der κοινὰ καὶ πολιτικά und schreibt die Einrichtung des Vestakults der 30 Tribus dem Romulus, den staatlichen dem Numa zu, der jenen gentilizischen Kult dabei jedoch nicht angetastet habe: τὰς μὲν ἰδίας οὐκ ἐκίνησε τῶν φρατριῶν ἑστίας, κοινὴν δὲ κατεστήσατο πάντων μίαν (66, 1).

[27] M. P. Nilsson, Vater Zeus, ARW 35, 1938, 161—165, hier 164.

[28] Menander fr. 452 Koerte (fr. 519 Kock), vgl. a. M. P. Nilsson, Geschichte der griechischen Religion ²I, München 1955, 404.

[29] Zur „Sorge um die Kontinuität der *salus publica*" als Hauptgrund der Vestaverehrung und des Vestalinnendienstes siehe C. Koch, a. O. Sp. 1771.

alten Bezeichnungen ἑστιοῦχος und ἑστιοπάμων begegnen[30], oder wenn gar noch im 4. Jahrhundert v. Chr. ein περιστίαρχος als Umgangs- und Reinigungspriester im staatlichen Kult erscheint[31], dessen Funktion sich jedoch nach den Lexikographen gleichermaßen auf häuslichen Herd, Volksversammlung und Polis bezieht[32], so fällt mit all dem auch Licht auf die zentrale Bedeutung des ursprünglich als 'privat' zu verstehenden Herdes in anderen verwandten Ordnungen wie gerade auch der römischen.

Daß wir uns den also mit einiger Sicherheit vorauszusetzenden Übergang des römischen Vestakults vom Haus an die Stadt[33] als einen Prozeß zu denken haben, der sich speziell am königlichen Haushalt orientiert hat und von diesem seinen Ausgang nahm, ist eine Vermutung, die von zahlreichen Forschern geteilt[34] und durch mancherlei Indizien gestützt wird. Vor allem ist hier an die räumliche Nähe der Regia zum Tempel der Vesta zu erinnern, des alten Königshauses des Numa also, der als Begründer des staatlichen Vestakults gilt; ferner an die Tatsache, daß in eben dieser Regia der Patronus der Vestalinnen, der Pontifex Maximus, sozusagen als Vertreter des königlichen Hausvaters, seinen Amtssitz hat[35].

Damit stellt sich nun die Frage nach dem ursprünglichen Charakter der den staatlichen Vestadienst besorgenden Priesterinnen. Daß die hausväterliche Gewalt des Pontifex den Vestalinnen gegenüber als die des Gatten über die Ehefrau zu betrachten sei, diese lange Zeit herrschende Auffassung von G. Wissowa und anderen haben wir eingangs bereits abgelehnt[36]. Vielmehr sind sie wohl letztlich — immer im Blick auf die zu erschließende patriarchalische Vorstufe des Vestakults am häuslichen Herd der Großfamilie — als die noch im väterlichen Haushalt befindlichen H a u s t ö c h t e r zu betrach-

---

[30] Hesych s. v. ἑστιᾶχος. — Pollux I 74 (vgl. X 20) ὁ δεσπότης τῆς οἰκίας ... παρὰ δὲ τοῖς Δωριεῦσι ... ἑστιοπάμων ὀνομάζεται. Ebenso heißt der Ζεὺς Κτήσιος bei den Doriern Πάσιος (Nilsson, a. O. 403). Zur Wurzel πα- 'Macht haben', 'besitzen' vgl. Hj. Frisk, a. O. II 507f., s. v. πέπαμαι.

[31] Aristophanes, Ekkles. 128 (hier in der Ekklesie, der Priester wird angeredet) ὁ περιστίαρχος, περιφέρειν χρὴ τὴν γαλῆν (was hier witzig für das im Kult übliche δελφάκιον steht, wie der Scholiast zu berichten weiß).

[32] Suda s. v. περιστίαρχος· ὁ περικαθαίρων τὴν ἑστίαν καὶ τὴν ἐκκλησίαν καὶ τὴν πόλιν, κτλ. Der ganze Text bei W. Süss, a. O. Sp. 1280f., wo die Lustration der περίστια überhaupt besprochen ist, jedoch unsere Aristoph.-Stelle fehlt.

[33] Ebenso wie für die Verstaatlichung des Ianus- und des Jupiterkultes spricht C. Koch, a. O. Sp. 1765 gut von der mitwirkenden ,,Tendenz einer dynastisch-staatlichen Monopolisierung".

[34] Genannt sei vor allem G. Wissowa in Roschers Lex. VI 1924ff., Sp. 247ff. H. J. Rose, Mnemos. N. S. 54, 1926, 441. O. Huth, Vesta, Leipzig 1943, 29. L. Deroy, RevHist Rel, a. O. 27₂, 40f. Koch, a. O. Sp. 1729 (mit weiterer Literatur, jedoch mit Einschränkungen Sp. 1741 unten (s. die nächste Anm.). K. Latte, Römische Religionsgeschichte, 108, 110. Ebenso für den griechischen Hestiakult (,,Herdsitz des Staates ... Fortsetzung des Königshauses") W. Süss, a. O. Sp. 1285, 1299.

[35] Vgl. bes. Wissowa, a. O. 260. Koch, a. O. Sp. 1729, 1740f. (der freilich die hausväterliche Stellung des Pontifex gegenüber den Vestalinnen — zugunsten einer nicht weiter reduzierbaren Gewalt in Vertretung oder Nachfolge des Königs — bestreitet, eine Ansicht, die ich nicht teilen kann).

[36] s. o. S. 399.

ten, wie schon TH. MOMMSEN vermutet hat[37]. Hierzu passen vor allem ganz vortrefflich die für die Vestalinnen bezeugten Verrichtungen[38]: Anmachen und Unterhalten des Feuers am Herde, Wasserholen für vielerlei Haushalt- und Kulterfordernisse wie für die Reinigung des Hauses bzw. Heiligtums, Fürsorge für die Herstellung und für die Aufbewahrung der Vorräte, Bereitung des Mahles, der im staatlichen Opferdienst das Dörren, Zerstampfen und Mahlen der Speltähren entsprach, woraus unter Zusatz von Salzlauge die *mola salsa,* der Opferschrot, bereitet wurde. Daß all dies nicht, wie G. WISSOWA wollte, zu den Verrichtungen der Hausfrau gehört, sondern eher wohl den Haustöchtern oblag, hat H. J. ROSE betont und durch die von Plutarch, Quaest. Romanae 85 (284 F) überlieferte auffallende Bestimmung unterstrichen[39], wonach die Römer τὰς γυναῖκας οὔτ᾽ ἀλεῖν εἴων οὔτ᾽ ὀψοποιεῖν τὸ παλαιόν. Mahlen des Mehls und Zubereitung der Speisen war also den römischen Hausfrauen vor alters verwehrt[40], beides dann doch offenbar den Töchtern vorbehalten, wobei es nichts ausmacht, daß wir bei all diesen Verrichtungen auch die Mithilfe von Sklavinnen in Rechnung stellen dürfen[41].

Vor allem aber entspricht die Gewalt des Pontifex Maximus über die Vestalinnen[42] in wesentlichen Zügen genau der *patria potestas,* die der *pater familias* seinen Töchtern gegenüber ausübte[43]. Sie manifestiert sich am gra-

---

[37] In mehrfachen Äußerungen, die C. KOCH, a. O. Sp. 1742 im einzelnen nachweist. Der Ansicht MOMMSENS schließt sich an H. J. ROSE, Mnemos. N. S. 54, 1926, 446—448, und 56, 1928, 79f. mit neuen Argumenten. Ferner L. EUING, Die Sage von Tanaquil, a. O. 37f. K. LATTE, a. O. 108f. Vgl. a. L. DEROY, a. O. 29, 40f. in seinem Aufsatz 'Le culte du foyer dans la Grèce mycénienne'. Sein Versuch freilich, die Hypothese durch Herleitung des Wortes παρθένος von einer indogermanischen Wurzel *per-, erweitert *per-dh- ('Feuer anmachen') und die dadurch gewonnene Gleichung παρθενικὴ νεῆνις (Hom., Od. 7, 20) = vestalis virgo (!) zu stützen, erscheint recht abenteuerlich. Denn die Bezeichnung *virgo Vestalis* ist ja — von jener halsbrecherischen Etymologie von παρθένος ganz abgesehen — zweifellos erst im organisierten Vestakult entstanden, nicht aber von einem alten vesta = 'Herd' abzuleiten.

[38] Am bequemsten zu überschauen in der Zusammenstellung von G. WISSOWA, a. O. 253ff., 266. Vgl. K. LATTE, a. O. 109.

[39] H. J. ROSE, Iterum de virginibus Vestalibus Mnemos. 56, 1928, 79f., vgl. allgemein auch schon ebd. 54, 1926, 441f.

[40] Daß sie diese Arbeiten gleichwohl anordneten und überwachten, darf angenommen werden. Ihre manuelle Hauptbetätigung war jedenfalls offenbar das Spinnen und Verarbeiten der Wolle, wie die lobenden Epitheta der verheirateten Frau auf Grabinschriften bezeugen: auf das Kochen wird da nie abgehoben, dagegen findet sich *lanifica* in Verbindung mit *pulcherrima, pia, frugi, domiseda, casta, pudica* u. ä. CIL VI 11602 und 34045 (vgl. F. BÜCHELER, Anthologia Latina II, Carmina Latina Epigraphica, Leipzig 1895, 237, 2), II 1699, 5 (die Stellen verdanke ich der Freundlichkeit von KL. E. BOHNENKAMP vom Thes. l. Lat. in München).

[41] Daß diese das Kochen allein besorgten, wie E. ORTH, RE XI 1921, Sp. 966 (Art. 'Kochkunst'), ebd. XII 1925, Sp. 596 (Art. 'Lana') im Anschluß an die Plutarchstelle vermutet, ist dort nicht gesagt.

[42] Zur *captio* der Vestalin durch den Pontifex Maximus s. H. J. ROSE, De virginibus Vestalibus Mnemos. 54, 1926, 442ff. C. KOCH, a. O. Sp. 1744ff. B. GLADIGOW, Condictio und Inauguration. Hermes 98, 1970, 370 mit Anm. 2 u. 5.

[43] Dazu s. L. DEROY, a. O. 40f.

vierendsten in der Bestrafung des Vergehens gegenüber dem Keuschheitsgebot mit dem Tode[44]. Schon TH. MOMMSEN hat vermutet, daß „sicher in
dem ursprünglichen Familiengericht wie das Adulterium der verheiratheten
Frau, so auch das Stuprum der unverheiratheten als Capitalverbrechen behandelt worden" sei[45]. Diese Ansicht läßt sich durch die altrömischen Sagen
belegen, wonach Väter ihre unverheirateten Töchter *stupri crimine coin-
quinatas* mit dem Tode bestraften: so A. Verginius[46], Pontius Aufidianus und
P. Atilius Philiscus[47] — lauter Erzählungen von zweifelhaftem historischem
Wert, die uns jedoch — ob verbürgt oder nicht — die Existenz eines *iudicium domesticum*[48] als Bestandteil der *patria potestas,* gerade auch gegenüber
den Keuschheitsdelikten unverheirateter Haustöchter, unwiderleglich bezeugen. Da wir wissen, wie grundlegend sich die Stellung der römischen Frau
auch im Familienverband im Sinn zunehmender Freizügigkeit und Liberali-
sierung durch ihre allmähliche Emanzipation geändert hat[49], darf es uns
nicht wundern, daß der ursprüngliche Zustand nur noch in spärlichen Rudi-
menten faßbar und bezeugt ist.

Es ist nicht die Absicht dieser Ausführungen, alle Verpflichtungen und
Obliegenheiten der sechs Vestalinnen[50] sowie ihre sakralrechtlichen Beziehungen und Abhängigkeiten gegenüber dem Pontifex Maximus und anderen Priesterschaften im einzelnen auf ihre von uns für richtig gehaltene
Charakterisierung als ursprüngliche Töchter des königlichen Haushalts ab-
zutasten und zu befragen. Das Wichtigste ist im Vorangehenden wohl besprochen oder wenigstens angedeutet worden. Auch ist natürlich in Rechnung zu stellen, daß sich manche ihrer Verhältnisse und Bezüge erst im
Lauf der Zeit aus ihrer öffentlichen Funktion ergeben haben, also auf unsere
Frage gar keine Antwort zu geben imstande sein würden.

---

[44] Zu der neuerdings abgelehnten, lange Zeit herrschenden Auffassung von G. WISSOWA,
Vestalinnenfrevel, ARW 22, 1924, 201 ff., ROSCHERS Lex. VI 260 f.), es handle sich dabei
um die Prokuration eines Prodigiums, s. C. KOCH, a. O. Sp. 1747 ff., wo vielmehr der
Charakter der Verfehlung als Incest mit entsprechender Bestrafung nachdrücklich vertreten wird.

[45] TH. MOMMSEN, Römisches Staatsrecht II 1, Leipzig 1874 u. ö., 54 (vgl. a. 55), vgl. III
1, 1887 u. ö., 433 f.

[46] Der berühmteste und am reichsten dokumentierte Fall, bei dem noch andere juristische
Probleme hereinspielen; darüber H. GUNDEL, RE VIII A 1958, Sp. 1530 ff. (Art. 'Verginius'), dazu noch Val. Maximus VI 1, 2.

[47] Diese beiden Fälle nur bei Val. Maximus VI 1, 3 u. 6 überliefert. Vgl. PFAFF, RE IV A
1932, Sp. 423 (Art. 'Stuprum'), wo als weiterer Fall eines solchen *iudicium domesticum*
noch die nur verstümmelt überlieferte Affäre einer Florentia aus äußerst trüber Quelle
angeführt wird (Ps.-Plutarch, parallel. 27, dazu allgemein K. ZIEGLER, RE XXI 1952,
Sp. 867 ff. [Art. 'Plutarchos']).

[48] Vgl. allgemein auch R. LEONHARD, RE IX 1916, Sp. 2481 (Art. 'Iudicium'). C. W.
WESTRUP, Introduction to Early Roman Law . . . III 1, 1939, 151 f. E. SACHERS, RE XVIII
2, 1949, Sp. 2137 f., 2140 (Art. 'Pater familias').

[49] Dazu s. JOS. VOGT, Römische Geschichte [4]I, Freiburg 1959, 203 f. Aber selbst in späterer
Zeit gilt noch das catullische *sic virgo, dum intacta manet, dum cara suis est* (Catull 62, 45).

[50] Nur nebenbei sei ein alter Irrtum ausgeräumt. Die Zahl der Vestalinnen, von ursprünglich
4 schon früh auf 6 erhöht, umfaßt bei 30-jähriger Dienstzeit zwei Novizen bzw. An-

Die sechs Vestalinnen am Herd ihres
Heiligtums (im Hintergrund das Kult-
bild der Vesta). Sesterz der Kaiserin
Julia Domna ca. 215/17 n. Chr. (s. die
Anm. 50)

Zeichnung von Agathe Hommel

Vielmehr soll im folgenden die Aufmerksamkeit auf urtümliche Züge in ihrer zentralen Aufgabe gelenkt werden, die im Entfachen und Bewahren des Herdfeuers besteht[51]. Wie wichtig schon und gerade unter den einfachen Verhältnissen der Frühzeit die Sorge für jene geheimnisvolle und unheimliche Macht gewesen sein muß, liegt auf der Hand. Nicht nur daß Flamme und Glut ständig behütet sein wollen, wenn man sich vor ihrer zerstörenden Gewalt zu schützen bestrebt war, sondern auch die wärmende, erhellende und so viele Verrichtungen und Segnungen höherer Kultur fördernde Kraft des gebändigten Elements bedurfte zu ihrer Erhaltung der sorgfältigsten Aufmerksamkeit. Daß das Erlöschen der den Vestalinnen anvertrauten Glut ihnen als schweres Vergehen angelastet wurde, obwohl ja doch der Schaden auf irgendeine Weise leicht wieder gutgemacht werden konnte, beweist schon, daß hier neben und vor der reinen Nützlichkeitserwägung andere, vermutlich religiöse Vorstellungen und Zwänge im Spiel waren. Und daß die auf jenem Versehen der Vestalinnen lastende Strafe zwar im allgemeinen nicht so radikal und tödlich (aber doch grausam genug) war[52] wie die bei Verlust ihrer Jungfräulichkeit ausgesprochene und voll-

lernlinge im Alter von 6—10 Jahren, zwei Offiziantinnen (ihre Funktion: τελεῖν τὰ ἱερά) und zwei Lehrmeisterinnen, nach Dion. Hal., Ant. II 67 (Wissowa in Roschers Lex. VI 262f., vgl. Koch, a. O. Sp. 1732f.); eine von ihnen fungiert als *Virgo Vestalis maxima*. Genau diese Rang- und Altersordnung ist auf der Rückseite von Münzen der Kaiserin Julia Domna dargestellt (s. die Abb.), wo die sechs vor dem Rundtempel stehen (Cohen, [2]IV 124, no. 232ff. — H. Mattingly—E. A. Sydenham, Roman Imperial Coinage IV 1, London 1936, 211, no. 893, und 311, no. 594. — H. Mattingly, Catalogue of the Coins of the Roman Empire in the British Museum V, London 1950, 471 oben u. ö.): eine von ihnen alle anderen an Körpergröße überragend, zwischen zwei Erwachsenen rechts und links je ein Kind. Die beiden Kinder nun sind in der numismatischen Literatur (a. O. und sonst) nicht als die 'Novizen' erkannt (es heißt überall „4 Vestalinnen und 2 Kinder" o. ä.), wo doch schon A. Preuner, Hestia-Vesta, Tübingen 1864, 330f. zögernd das Richtige vermutet hat.

[51] Ich bin Herm. Strasburger zu Dank verpflichtet dafür, daß er mich in seiner Abhandlung 'Zur Sage von der Gründung Roms' (Heidelberger Sitzungsberichte 1968, 5) 23, Anm. 82 zu diesem Vorhaben ermutigt hat.

[52] Sie entsprach dem Auspeitschen des Verführers, nur daß eben hier die Strafe bis zum Tod des Betreffenden fortgesetzt wird (die Belege für beide Exekutionen bei C. Koch, a. O. Sp. 1748, 1753, zum Auspeitschen der Vestalin auch F. J. Dölger, Antike und Christentum III, Münster i. W. 1932, 212ff. mit Taf. 12). Aber auch daran, die Vestalin ihr Versehen mit dem Tode büßen zu lassen, war gedacht worden, und man darf es vielleicht sogar als ursprünglich voraussetzen, worauf manche Anzeichen hindeuten, vor allem der Bericht des Dionys. Halic., Ant. II 68 über das Wunder, durch das eine Vestalin der Frühzeit, Aemilia, von der Schuld am Verlöschen des Feuers reingewaschen wurde, so

zogene, das deutet auf eine enge Verbindung der beiden Sphären — der stofflich-elementaren und der geschlechtlichen — im zugrundeliegenden Glauben hin, auch wenn man sich dessen in historischer Zeit nicht mehr bewußt war. Diese Beziehung also gilt es zu ergründen.

Der schnellste und technisch einfachste Weg, das erloschene Feuer wieder anzufachen, wäre es zweifellos gewesen, sich bei der nächsten Feuerstelle frische Glut zu holen[53]. Statt dessen war die für das fatale Ersterben des Feuers verantwortliche Jungfrau gehalten, es mit Hilfe des urtümlichen und umständlichen Reibens zweier Feuerhölzer von bestimmter Qualität erneut anzufachen[54]. Was für eine Vorstellung und was für ein Glaube liegt hier zugrunde?

Der Indologe ADALBERT KUHN hat zuerst das Augenmerk darauf gelenkt, daß nach Ausweis der Quellen bei Indern[55], Griechen, Römern und Germanen gleichermaßen eine uralte, wohl auf gemeinsames indogermanisches Erbe zurückgehende Gewinnung des Feuers im Gebrauch war[56], wobei ein

---

daß es ihr erspart blieb οἴκτιστον μόρον ἀποθανεῖν. Dazu vgl. A. PREUNER, Hestia-Vesta 1864, 294 m. Anm. 3; FR. MÜNZER, Die römischen Vestalinnen bis zur Kaiserzeit, Philologus 92, 1937, 199ff. (vgl. bes. a. Plut., Tib. Gr. 15, 4); KOCH, a. O. Sp. 1750. MÜNZER, a. O. 201f. vertritt mit Recht nachdrücklich die Ansicht einer ursprünglichen Beziehung zwischen dem Ausgehenlassen des Feuers und dem Übertreten des Keuschheitsgebots (darüber s. u. S. 419); er meint, die Milderung der Strafe für das erstgenannte Delikt sei eingetreten, weil die Feuerbesorgerinnen meist die jüngsten, noch im Kindesalter stehenden Vestalinnen waren (Dionys. Hal. a. O.), bei denen man sich mit der Prügelstrafe begnügen wollte, um so mehr als auf sie ein ausdrückliches Keuschheitsgebot noch keine Anwendung finden konnte.

[53] Darüber s. M. PLANCK an dem in der nächsten Anm. a. O., 35f.

[54] Paulus Diaconus, Epitome Festi 106 M. (*Ignis Vestae*) = p. 94, 1 LINDSAY. — Joh. Lydus, De mensibus 180, 4ff. W., 1898. Dazu G. WISSOWA in ROSCHERS Lex. VI 254f. KOCH, a. O. Sp. 1753, wo kaum richtig vermutet wird, das Feuerwiederanmachen hätten die Vestalinnen nicht selber besorgen müssen. Jedenfalls kann das aus dem Wortlaut des Festus nicht geschlossen werden (die ganze Stelle s. unt. 409) *virgines verberibus afficiebantur a pontifice, quibus mos erat tabulam . . . terebrare* (und eine früher versuchte Änderung von *pontifice in pontificibus* ist keinesfalls statthaft). Daß bei dem schwierigen und langwierigen Geschäft des Feuerreibens mehrere Vestalinnen zusammenwirken mußten oder sich gegenseitig ablösen konnten, darf freilich angenommen werden. — Eine andere, von Plutarch, Numa 9, 6f. erwähnte Wiederbelebung des Feuers der Vesta durch die Sonne vermittels eines Brennspiegels (KOCH, a. O.) ist zweifellos jünger, wie bereits A. PREUNER, a. O. 283f. angenommen hat (ähnlich dann auch M. PLANCK, Die Feuerzeuge der Griechen und Römer und ihre Verwendung zu profanen und sakralen Zwecken. Progr. des Karls-Gymnasiums Stuttgart 1884, 22f. — vgl. 19 u. 41 —, und A. BRELICH, Vesta, Zürich 1949, 49).

[55] Dazu tritt als Zeugnis für den iranischen Bereich, den älteren Kyros betreffend, Nikolaus von Damaskus FGrHist 90 F, 66, 41 (Bd. II A. 1926, 369, 24ff.), vgl. A. ALFÖLDI, Königsweihe und Männerbund bei den Achämeniden, Schweiz. Archiv f. Volkskunde 47, 1951, 13ff.

[56] ADALB. KUHN, Die Herabkunft des Feuers und der Göttertrank (Mytholog. Studien, Bd. 1), Berlin 1859, 2. vermehrte Auflage 1886 (nach der auch im folgenden zitiert wird) 35ff. (vgl. 16f.) mit reichen Quellenbelegen. Diese werden für den klassisch-antiken Kulturkreis noch vermehrt von M. PLANCK, Die Feuerzeuge der Griechen und Römer a. O., 11ff. Vgl. auch den Art. 'Feuerzeug' bei SCHRADER-NEHRING, RLIA ²I 1917—23, 309f. (mit weiterer Literatur).

Holzstab auf einer gleichfalls hölzernen Unterlage[57] bei senkrecht nach unten
wirkendem Druck durch lebhaftes Hin- und Herdrehen mit der Hand, gelegentlich auch erleichtert durch einen umgewickelten Strick oder Riemen,
als Bohrer wirkte und an den Berührungsstellen der beiden Teile die ab-
splitternden Holzpartikeln durch die entstehende Reibungshitze in Brand
setzte, der dann durch Hinzubringen leicht entzündbaren Stoffs genährt
werden konnte[58]. Fürs Altindische konnte KUHN eine Anzahl Stellen nachweisen, aus denen klar hervorgeht, daß man diesen Vorgang zum Geschlechtsakt und zur Erzeugung von Menschen in vergleichende Beziehung
gesetzt hat[59].

Wir geben kurz die Belege[60] für das zweiteilige Reibehölzerfeuerzeug
aus der klassischen Antike und beziehen schon deshalb die griechischen Quellen mit ein, weil für den ganzen Komplex des uns hier in erster Linie beschäftigenden Vestakults die Berichte zum Teil in dieser Sprache abgefaßt
sind, und weil ihre Verfasser naturgemäß stets zugleich die entsprechenden
Anschauungen und Bräuche ihres eigenen Volkstums im Auge hatten. Von
gewissem Wert zur Erhellung des rein technischen Vorgangs ist der in der
Odyssee 9, 384/6 sich findende Vergleich des Einbohrens eines glühenden
Pfahls ins Auge des Polyphem mit dem Anbohren von Schiffsholz, wobei die
Drehbewegung wie beim Feuererzeugen ebenfalls mit Hilfe eines Riemens
bewerkstelligt wurde (KUHN S. 38). Die älteste Erwähnung des eigenartigen
Feuerzeugs findet sich jedoch erst im sogenannten homerischen Hymnos auf
Hermes 108ff., wo dem jungen Gott die Erfindung zugeschrieben wird.
Sophokles in der zweiten Fassung seines 'Phineus' fr. 642 N. hat ἀχάλκευτα
τρύπανα (Bohrer ohne Metall)[61] erwähnt, die Hesych s. v. als φρύγια πυρεῖα
(Feuerzeug aus getrocknetem Holz)[62] erklärt, während eine andere, von
KUHN (S. 36) ebenfalls, aber irrtümlich, herangezogene Sophoklesstelle,
Philokt. 36, unter πυρεῖα zweifellos Feuersteine versteht, wie aus v. 295ff.
hervorgeht[63].

Es folgt Platon, Staat IV 434 E 5ff. (von KUHN nicht vermerkt), wo
die Erhellung des Begriffs der Gerechtigkeit im Staate durch den Versuch
am kleineren Modell des Einzelmenschen mit dem Vorgang des Reibens bei
der Feuererzeugung verglichen wird σκοποῦντες καὶ τρίβοντες, ὥσπερ ἐκ

---

[57] Daß diese Unterlage eine Vertiefung oder ein Loch zum Einsetzen des Holzstabs besaß,
macht PLANCK, a. O. 13ff. wahrscheinlich. Zu diesem von uns bei Aristophanes, Ekkles.
624 nachgewiesenen τρύπημα s. u. S. 412 m. Anm. 91.

[58] Als solchen nennt Plinius n. h. XVI 207 (dazu s. a. unten S. 409.) Zunder, Baumschwamm
und Blätter; vgl. PLANCK, a. O. 18. Weiteres ebd. 19.

[59] AD. KUHN, a. O. 64ff.; dazu treten 90 ein paar entsprechende Beispiele aus der deutschen
Volkskunde.

[60] Ein Teil davon findet sich bereits bei KUHN, a. O. 35ff. Die meisten übrigen sehe ich
nachträglich auch vermerkt und besprochen in der trefflichen, oben Anm. 54 u. 56
genannten Abhandlung des Stuttgarter Gymnasialrektors MAX PLANCK.

[61] So auch PLANCK, a. O. 14f. (d. h. ohne eiserne Spitze, wie wir sie beim τρύπανον, dem
Werkzeug der Zimmerleute, voraussetzen dürfen).

[62] Ebenso PLANCK, a. O. 15.

[63] Das Richtige bereits bei PLANCK, a. O. 8, m. Anm. 1.

πυρείων ἐκλάμψαι ποιήσαιμεν τὴν δικαιοσύνην[64]. Von mehr technischer Bedeutung sind die ausführlichen Nachrichten bei Theophrast, Hist. plant. V 9, 16f. und fr. III De igne (9) 64 W., die sich bei KUHN (S. 36f.) ausgeschrieben finden[65]. Sie befassen sich vornehmlich mit der Auswahl der verschiedenen besonders geeigneten Hölzer für die beiden Teile des Werkzeugs, von welchen an der erstgenannten Stelle eines als ποιητικόν, das andere als παθητικόν bezeichnet wird[66]. Theokrit 22, 32, wo die Dioskuren πυρεῖά (τε) χερσὶν ἐνώμων, und Apollonios Rhod. I 1184, der von den Mysern erzählt, daß sie ἀμφὶ πυρήια δινεύεσκον, schließen sich an; zu dieser Stelle gibt der Scholiast eine kurze Beschreibung des Vorgangs[67], den er als πῦρ ἐγγεννᾶν bezeichnet. Diodor V 67, 2 läßt den Prometheus das Reibefeuerzeug erfinden, während Lukian, Ver. hist. I 32 und Simplikios zu Aristoteles, De caelo 3[68] wiederum die Handhabung des πυρεῖον kurz erwähnen und erläutern.

Weit geringer ist die Bezeugung des Instruments und seiner Handhabung in den erhaltenen römischen Quellen. Plinius, Nat. hist. XVI 207f. legt wie Theophrast Wert auf die besonders geeigneten Hölzer, verwendet aber auch ähnlich wie das Apollonios-Scholion zur Kennzeichnung des Vorgangs eine Metapher aus dem Bereich der Zeugung, wenn er sagt *teritur ergo lignum ligno ignemque concipit attritu . . . facillimo conceptu*[69]. Auch Seneca, Nat. quaest. II 22 beschreibt die Methode der Feuererzeugung neben derjenigen vermittels Steinen und der durch den Blitz aus den Wolken ermöglichten, und er führt ebenfalls einige zum Reiben besonders geeignete Hölzer auf.

Der letzte römische Beleg muß im vollen Wortlaut angeführt werden, da er sich ausdrücklich auf den Vestakult bezieht: Paulus Diaconus, Epitome Festi p. 94 LINDSAY, 1913, *Ignis Vestae si quando interstinctus esset, virgines verberibus adficiebantur a pontifice, quibus*[70] *mos erat tabulam felicis materiae* (d. i. aus dem Holz eines fruchttragenden Baumes[71]) *tam diu terebrare, quousque exceptum ignem cribro aeneo virgo in aedem ferret.*

Die aus all diesen Belegen abzulesende Terminologie ergibt als Bezeichnung für das Reibefeuerzeug und seine Teile

im Griechischen:

     Feuerzeug   πυρεῖα[72]

---

[64] Eine ähnliche, wenn auch allgemeiner gefaßte Äußerung des Themistios, Paraphras. Aristot. III 5 führt PLANCK, a. O. 12 an. Auch Platon, 7. Brief, 341 C gehört wohl hierher.

[65] PLANCK, a. O. 13, Anm. weist dazu noch auf die knappe Erwähnung 'De igne' III (3) 29 hin.

[66] Dazu vgl. PLANCK, a. O. 20 unten.

[67] Dazu PLANCK, a. O. 11 u. 12ff. Vgl. a. unten S. 410 u. Anm. 75.

[68] Dazu s. u. Anm. 73.

[69] Vgl. a. n. h. II 239 und zu beiden Stellen PLANCK, a. O. 18.

[70] Dazu vgl. oben Anm. 54.

[71] Dazu vgl. PLANCK, a. O. 19.

[72] Die Belege im einzelnen (Theophrast und andere) s. bei H. G. LIDDELL—R. SCOTT, Greek-English Lexicon, Oxford ⁹1940, s. v. Dazu noch Etymolog. Magn. s. v. πυρήια (s. PLANCK, a. O. 15, weiteres ebd. Anm. 1).

Oberteil (Bohrer)   τρύπανον[73]
Unterteil   ἐσχάρα[74] (Theophrast) (στορεύς)[75]

im Lateinischen:

Feuerzeug   *igniarium*[76] (Plinius; Glossatoren s. v. πυρεῖον)
Oberteil   *lignum* (carm. Priap. 73, 3)[77]
             terebra? (zu erschließen aus Paul., Epit. Festi
             p. 94 L.)
Unterteil   *tabula* (Epit. Festi a. O.)
             ara (carm. Priap. 73, 4)[77] (= 'Brandaltar',
             vgl. ἐσχάρα)

Wenn wir zunächst vom Vestakult und seinen Überlieferungen absehen, so hatten sich bisher für den im Indischen und in germanischen Volksüberlieferungen reichbelegten Vergleich[78] zwischen der Feuererzeugung (mit den Reibehölzern) und der Zeugung im Geschlechtsakt[79] keine eindeutigen Belege aus dem griechischen und römischen Bereich ergeben[80]. Zwar liegt die

---

[73] So bei Theophrast und in anderen griechischen Zeugnissen. Zum Vergleich zieht Simplic. in Aristot. de caelo 3 den Handbohrer (τέρετρον) heran: θάτερον τῶν ξύλων ὡς τέρετρον ἐν θατέρῳ περιστρέφοντες, vgl. dazu KUHN, a. O. 37f. PLANCK, a. O. 11. 14.

[74] Sonst = Feuerstelle, Herd-Plattform (s. L. DEROY, Le mégaron homérique, Revue Belge de Philologie et d'Histoire 26, 1948, 525ff.), dann auch Brandaltar (πυρὸς ἐσχάρα Homer, Ilias 10, 418 — dazu L. GRAZ, Le feu dans l'Iliade et l'Odyssée. Thèse Lausanne 1965, 317f., 332; zu ἐσχάρα als *pudendum muliebre* s. u. S. 412). Die Etymologie ist dunkel; «pas d'étymologie» sagt P. CHANTRAINE s. v. kurz und bündig (Dict. étymolog. de la langue grecque, Lief. II 1970, 380). Doch hat FR. HOMMEL, Ethnologie und Geographie des Alten Orients, München 1926, 783ff. (bes. 783, Anm. 4 u. 5; 784, Anm. 4) sich für altsemitische Herkunft des Wortes ausgesprochen (babylon. Ešg'anna, Göttin des Räucherbeckens) und gibt auch Belege für altorientalische Feuerhölzersymbolik, woraus hervorgeht, daß sich die Praktik und ihre Deutung nicht auf den indogermanischen Kreis beschränkt. — Man hat sich daneben auch in indogermanischen Etymologien von ἐσχάρα versucht; s. darüber SCHRADER–NEHRING, RLIA ²I 496. HJ. FRISK I 1960, 577. H. KRAHE (brieflich) trat entschieden für eine Verbindung mit altbulgarisch *iskra* 'Funke' ein. — Zu ἐσχάρα in dem bei Aristophanes belegten Sinn (s. dazu u. S. 412) ganz kurz schon KUHN, a. O. 70, Anm.

[75] Das Schol. Apollon. Rhod. I 1184 bietet statt ἐσχάρα den Terminus στορεύς, es heißt da πυρεῖα . . . τὸ μὲν ὕπτιον, ὃ καλεῖται στορεύς (= 'Hinbreiter', zur Bildung vgl. das verwandte στρωματεύς und unser Wort 'Bettvorleger', also dem Sinne nach wohl 'Hingebreitetes'). Vgl. KUHN, a. O. 37, der ebd. 70f., Anm. wohl irrig vermutet, es liege bei dem Scholiasten ein Mißverständnis vor, und στορεύς sei ursprünglich dem τρύπανον als Bezeichnung zugekommen. Besser PLANCK, a. O. 12, 15.

[76] Der Terminus *ignitabulum* dagegen meint den Feuerzeug schlechthin, unter Einschluß der Steine, zu gehören; vgl. dazu PLANCK, a. O. 16.

[77] Dazu s. u. S. 413.   [78] Siehe dazu oben S. 408 m. Anm. 59.

[79] Vorauszusetzen ist der Vergleich gewiß allenthalben und kann sich immer wieder neu einstellen, wofür als Beispiel dienen mag, daß man sich bei uns in neuerer Zeit die Scherzfrage vorlegt, was gute Zündhölzer mit braven Ehemännern gemeinsam haben, und als Antwort bereit hält: beide entzünden sich nur an der eigenen Schachtel.

[80] Bei SCHRADER–NEHRING, RLIA ²I 310 wird sehr allgemein „die nach der Volksauffassung überall [!] dem Koitus vergliechene Bewegung des Feueranzünders" angesprochen. Das bahnbrechende Buch von ADALB. KUHN, das sonst weithin anregend gewirkt hat, fand innerhalb der Wissenschaft vom klass. Altertum wenig Beachtung. A. PREUNER,

Metapher 'Feuer — Liebe' an sich nahe und hat in der Sprache der Völker in mehr oder weniger deutlichen Anspielungen zu allen Zeiten ihren Niederschlag gefunden. Und auch im engeren Bezirk der Entstehung, Bergung und Ausbreitung des Feuers findet sich Entsprechendes, so wenn etwa in einem Gleichnis der Odyssee (5, 490) vom σπέρμα πυρός, der in der Asche verwahrten Glut, die Rede ist[81], oder wenn der Römer die Wendung *flammam alere* u. dgl. gebraucht[82]. Doch geht es ja hier vielmehr um den ganz spezifischen Vergleich zwischen dem aus der bohrenden und reibenden Berührung zweier Hölzer entstehenden Feuerfunken und der lebenerzeugenden Vereinigung der Geschlechter. Wir haben oben bereits auf einzelne Wendungen wie πῦρ ἐγγεννᾶν oder *ignem concipere facillimo conceptu* hingewiesen[83], mit denen der Vorgang des Feuerreibens und sein Effekt umschrieben wird. Darüber hinaus hat Ad. Kuhn versucht, Spuren einer ,,Vergleichung der Feuerentzündung mit dem Zeugungsakt ... auch bei den Griechen" zu entdecken, wobei aber seine vor allem ins Feld geführte Etymologie des nach Theophrast besonders beliebten Reibeholzes ἀθραγένη (*Clematis vitalba?*)[84] als 'Feuergebärende'[85] keinesfalls stichhält.

Doch finden sich bei näherem Zusehen solche Spuren in der Tat, im griechischen sowohl wie im lateinischen Schrifttum. So hat offenbar der Verfasser der in die Ehoien des Hesiod eingereihten epischen Erzählung von der Hochzeit des Keyx[86] bereits die Parallele gezogen. Zwar können wir dies aus dem verstümmelten Text des Fragments kaum erraten[87]. Aber die kurze Paraphrase bei Plutarch, Quaest. conv. VIII 8, 2 p. 730 F (= fr. 267 M.-W.) weist doch deutlich in diese Richtung καθάπερ οὖν τὸ πῦρ τὴν ὕλην, ἐξ ἧς ἀνήφθη, μητέρα καί πατέρ' οὖσαν, ἤσθιεν, ὡς ὁ τὸν Κήυκος γάμον εἰς τὰ ʽΗσιόδου παρεμβαλὼν εἴρηκεν, οὕτως ... [88].

Hestia-Vesta 1864, 419 äußert sich nur ganz kurz mit spürbar ängstlicher Zurückhaltung. Weit entschlossener neuerdings Maur. Schuster, Volkskundliche Betrachtungen zu Tibulls Ambarvaliengedicht (II, 1), Wiener Studien 56, 1938, 89ff. mit neuem volkskundlichem Material; aber die Beziehungen, die er zwischen Kuhns Forschungen und dem Ambarvalgedicht des Tibull (II 1, 11f.) herstellen will, überzeugen kaum.

[81] Dazu Schrader–Nehring, a. O. ²I 309 m. Anm. 1. L. Graz, a. O. (oben Anm. 74) 318ff.

[82] Zu beiden Metaphern vgl. E. Lewy, Festschrift f. Alb. Debrunner, Bern 1954, 311f. mit weiterer Literatur (bes. L. Radermacher, Lebende Flamme, Wiener Studien 49, 1931, 115—8 über die ζῶσα φλόξ Eurip., Ba. 8).

[83] Oben S. 409.

[84] Dazu s. Planck, a. O. 18, Anm. 3. Derselbe scheint 13 an der Etymologie Kuhns keinen Anstoß zu nehmen. Im übrigen geht er 20 unten — ebenfalls im Anschluß an Kuhn — nur mit wenigen Worten auf die uns hier beschäftigende Symbolik ein.

[85] Danach wäre das Wort im ersten Bestandteil zu zend. *âtar* 'Feuer' zu stellen, Kuhn, a. O. 39f., vgl. 70, Anm.

[86] Ihre Echtheit war bereits in der Antike teils bestritten (s. dazu Plutarch gleich unten im Text) teils verdächtigt; s. A. Rzach, RE VIII 1913, Sp. 1207 (Art. 'Hesiodos').

[87] fr. 153 Rzach = fr. 266a und c M.-W., 1967. Eine Rekonstruktion des Sinnes versucht die deutsche Übertragung von W. Schadewaldt, Legende von Homer dem fahrenden Sänger ..., Leipzig 1942, 74 (vgl. 99).

[88] Vgl. den Traktat περὶ τρόπων Rhetor. Gr. VIII 776 W. (III 224f. Sp.), der eben jenes Fragment enthält (fr. 266 c M.-W.), das nun auch noch — nicht weniger verstümmelt — im Pap. Oxyrh. 2495 fr. 37 Lobel aufgetaucht ist (Hesiod, fr. 266 a M.-W.).

Die schlagendsten Belege bietet für das uns beschäftigende Phänomen die Komödie des Aristophanes, wobei es sich ergibt, daß es sich jeweils nicht etwa nur um geistreiche Einfälle des witzigen und genialen Dichters, sondern zugleich um Metaphern handelt, die fest im Sprachgebrauch des Volkes angesiedelt sind. Sie finden sich nämlich in allen drei Epochen seines Schaffens mit gewiß variierenden Pointen, aber doch unter Benutzung des landläufigen Vokabulars, das kaum vom Dichter selber auf die andere Sphäre übertragen sein kann.

'Ritter' 1286 bietet das simpelste Beispiel, indem es da im Epirrhema der zweiten Parabase von einem *cunnilingus* heißt, daß er im Hurenhaus sein unsauberes Geschäft betreibt, sich dabei den Bart bekleckernd καὶ κυκῶν τὰς ἐσχάρας, ein Wortgebrauch, den das Scholion erläutert mit τὰ χείλη τῶν γυναικείων αἰδοίων[89].

Viel witziger ist der Einfall 'Thesmophoriazusen' 912, wo ein Vers aus der 'Helene' des Euripides, die Begrüßung des wiedergefundenen Menelaos durch die ägyptische Helena, 566 ὦ χρόνιος ἐλθὼν σῆς δάμαρτος ἐς χέρας durch die geringe Veränderung des Schlusses ἐσχάρας[90] seinen parodistisch-obszönen Sinn erhält. Wenn Aristophanes an beiden Stellen den Plural ἐσχάραι gebraucht und damit physiologisch fein differenziert (τὰ χείλη . . ., s. o.), so wird dies dem allmählich eingebürgerten Sprachgebrauch entsprechen. Jedoch ist auch im übertragenen Sinn der Gebrauch des Singulars gesichert durch Eustathios zur Od. p. 1523, 29: ἐσχάραν καὶ τὸ γυναικεῖον ἐκάλουν μόριον (vgl. a. p. 1539, 34).

Der späte Aristophanes bezeugt dann auch — wenigstens indirekt — das männliche Gegenstück in dem Vergleichsgespann, das τρύπανον, 'Ekklesiazusen' 623f., wo er in Anapästen versichert, daß bei der neu eingeführten Weibergemeinschaft kein 'Bohrloch' leer bleiben wird:

προβεβούλευται γάρ, ὅπως ἂν
μηδεμιᾶς ᾖ τρύπημα κενόν[91].

Fürs Lateinische belegt uns ein Priapeum die auch im römischen Bereich angesiedelte gleiche Übertragung der beiden Termini auf die erotische Sphäre:

---

[89] Die aristophanische Wendung besagt also wohl „und indem er damit die *vulva* reizt".

[90] Leider haben die meisten Aristophanes-Herausgeber und -Übersetzer (rühmliche Ausnahme die Oxoniensis) den Witz zerstört, indem sie die eindeutige Überlieferung ἐσχάρας pedantisch und ahnungslos in ἐς χέρας zurückbogen. Wen der bloße Accus. stört, der sei daran erinnert, daß gerade dies ebenfalls den Stil der Tragödie parodiert (vgl. z. B. Soph., El. 893 ἦλθον πατρὸς ἀρχαῖον τάφον).

[91] Gehört diese in leichter Veränderung vorgenommene Übertragung des 'männlichen' Terminus auf den weiblichen Geschlechtsteil kaum dem Dichter selber (s. dazu oben Anm. 57), so darf dies aber doch wohl für zwei weitere Varianten zur ἐσχάρα gelten, die wir im 'Frieden' lesen: v. 440, wo das σκαλεύοντ' ἄνθρακας (scil. ἑταίρας) 'in ihrer Glut stochernd' dem κυκῶν τὰς ἐσχάρας 'Ritter' 1286 entspricht (auch hier wieder der Plural), und Fri. 891ff., wo dafür die Bezeichnung ὀπτάριον 'Bratöfchen' steht, dessen rußgeschwärzter Anblick an die Schamhaare erinnern soll. Zu beiden Stellen geben die Scholien die entsprechende Erklärung und weisen in der Tat die Metaphern dem Dichter selber zu (εἶπεν bzw. δείκνυσι).

Carm. Priap. 73

Obliquis quid me, pathicae, spectatis ocellis?
non stat in inguinibus mentula tenta meis.
quae tamen exanimis nunc est inutile lignum,
utilis haec, aram si dederitis, erit.

Was schaut ihr mich mit schiefen Augen an, ihr Dirnen?
Freilich steht bei mir da unten das Glied nicht stramm.
Aber das (Bohr-)Holz, das jetzt kraftlos und unnütz ist,
Wird doch zu gebrauchen sein, sobald ihr ihm den ‚Brandaltar'
　　　　　　　　　　　zur Verfügung stellt.

Lignum entspricht hier genau dem τρύπανον oder der *terebra*, ebenso wie die *ara* der ἐσχάρα bzw. *tabula* in der Terminologie des Reibefeuerzeugs.

Aus alledem geht klar hervor, daß sowohl Griechen wie Römern die Erzeugung des Feuers durch das Aneinanderreiben der beiden Hölzer ein geläufiges Symbol für den Zeugungsakt gewesen ist, und daß umgekehrt dieser der auf jene geheimnisvolle Weise zustande gebrachten Feuergewinnung gleichsam eine neue Dimension verlieh. Das damit gewonnene Ergebnis setzt uns nun aber auch instand, altrömische Sagen, deren Beziehung zu Vesta und ihren Dienerinnen schon früher beachtet wurde[92], in neuer Beleuchtung zu sehen und an dem von den Vestalinnen besorgten Kult zu messen.

Auszugehen ist von einer Notiz des älteren Plinius n. h. 28, 39 *fascinus ... qui deus inter sacra Romana a Vestalibus colitur*, wonach also dem 'Phallos' im römischen Kult von seiten der Vestalinnen göttliche Verehrung zuteil wurde[93]. Es gibt nun, wie bereits angedeutet, eine ganze Reihe von untereinander thematisch eng verwandten römischen Sagen[94], die sich mit der wunderbaren Geburt von Gestalten königlichen Ranges[95] beschäftigen, und in denen dem Phallos wie dem Herdfeuer entscheidende Bedeutung zukommt. Auf die Entwirrung der mannigfaltigen Verflechtungen dieser Legenden hat man viel Scharfsinn verwendet; sie braucht uns hier nicht des näheren zu beschäftigen. Vielmehr geht es uns nur darum, ihre gemeinsamen Züge herauszustellen, soweit diese eine deutliche Beziehung zur Vesta

---

[92] Zuletzt A. Brelich, Vesta 1949, 96ff. C. Koch, a. O. Sp. 1721f. (mit weiterer Literatur), 1774 (vgl. 1751f.). O. Seel, Römertum und Latinität, Stuttgart 1964, 166ff. (vgl. a. schon 161ff.). H. Strasburger, Zur Sage von der Gründung Roms, Heidelberg 1968, 21ff.

[93] Die von G. Wissowa, Religion und Kultus der Römer, München ²1912, 243, Anm. 6 angezweifelte Authentizität dieser Nachricht wird mit Recht nachdrücklich verteidigt u. a. von Frz. Altheim, Griechische Götter im alten Rom, Gießen 1930, 51. L. Euing, Die Sage von Tanaquil, Frankfurt 1933, 29f. E. Marbach, RE XVII 1937, Sp. 1784 (Art. 'Ocrisia'; unter zusätzlichem Hinweis auf Dionys. Hal., Ant. II 66). Vgl. a. St. Weinstock, RE XIX 1938, Sp. 445 (Art. 'Penates') mit bemerkenswerten Parallelen.

[94] Auf die ihnen unzweifelhaft beigemengten etruskischen Elemente hat vor allem Frz. Altheim, a. O. 44ff. u. ö. mit Nachdruck hingewiesen.

[95] Dies schon richtig hervorgehoben von A. Preuner, Hestia-Vesta 1864, 414f. Vgl. jetzt auch A. Brelich, Vesta 1949, 97ff.

und zu ihrem Kult verraten. Das ist besonders bei dreien von ihnen der Fall[96].

1. *Ocrisia*[97] stammt aus altem latinischem Geblüt und lebt als Kriegsgefangene im römischen Königspalast des Tarquinius Priscus, wo sie Hausdienste bei dessen Gattin Tanaquil verrichtet, die mit anderem Namen Gaia Caecilia heißt. Als Ocrisia einmal wie gewohnt die Opferkuchen zum Altar der Regia trägt, erhebt sich aus dem Herdfeuer ein männliches Glied. Sie berichtet von der Erscheinung dem königlichen Paar, und Tanaquil, mit etruskischer Seherkunst begabt, erklärt, wenn ein menschliches Weib sich dem Phallos geselle, werde ein übermenschliches Wesen aus der Verbindung hervorgehen. Tarquinius bestimmt dazu die Ocrisia, da sich ihr das Phänomen als erster gezeigt habe. Sie gebiert den Servius Tullius, den späteren römischen König. Um das Haupt des Kindes zeigt sich einmal im Schlaf ein Feuerschein, der erst vergeht, als man es weckt.

2. *Die Schwester zweier göttlicher Brüder*[98] empfängt am Ort des späteren Präneste, während sie am Herd sitzt, durch einen in ihren Schoß gesprungenen Feuerfunken einen Sohn, den sie am Tempel des Jupiter gebiert und aussetzt. Wasserholende Jungfrauen, die nach einem der Berichte[99] ihrerseits als Schwestern göttlicher Brüder erscheinen[100], also wohl als Schwestern der Kindesmutter gelten dürfen[101], finden das Kind, aufmerksam gemacht durch ein nicht weit von der Quelle entstandenes Feuer. Der Knabe, dessen göttliche Herkunft noch einmal durch ein Feuerwunder beglaubigt wird, erhält den Namen Caeculus und gründet später Praeneste. Nach einer Parallelversion[102] wird das Kind am Herd gefunden, wo es ja auch von der Mutter empfangen war. Die Sage hat gewisse Ähnlichkeit mit der Geburtsgeschichte des Volcanussohnes Cacus[103], der ebenso wie seine mit dem Herdfeuer verbundene Schwester, die Göttin Caca[104], auch dem Namen nach kaum von Caeculus zu trennen sein wird[105], wobei wir uns auch an den zweiten Namen der Tanaquil, Caecilia, aus der vorigen Geschichte erinnern.

[96] Siehe dazu auch E. MARBACH, a. O. Sp. 1784.
[97] Dionys. Hal., Ant. IV 2. Plutarch, Fort. Rom. 10, 323 A ff. Ovid., Fast. VI 625—636. Plin., Nat. hist. 36, 204. Dazu L. EUING, Tanaquil, 20ff. E. MARBACH, a. O. Sp. 1781ff.
[98] Servius zu Verg. Aen., VII 678. Dazu ausführlich L. EUING, a. O. 26ff.
[99] Solin II 9, dazu EUING a. O. 28f.
[100] Sie heißen *Depidii* oder *Digidii*; s. die Belege bei FRZ. ALTHEIM, Griechische Götter im alten Rom, Gießen 1930, 194f., wo sie als göttliche Zwerge gedeutet und mit den idäischen Daktylen in Verbindung gebracht werden.
[101] EUING, a. O. 29.
[102] Vergil, Aen. VII 680f. und Schol. Veron. zu v. 681 (aus Cato, Origines).
[103] Die Vaterschaft des Volcanus, die ebenso bei Caeculus wie bei Servius Tullius behauptet wird, dürfte freilich sekundär sein, wie G. WISSOWA in ROSCHERS Lex. VI 1924—37, Sp. 367f. mit Recht annimmt. Entscheidend ist vielmehr die Geburt aus dem Feuer, die von den beiden anderen Gestalten berichtet und also wohl auch für Cacus vorauszusetzen sein wird; vgl. a. R. PETER in ROSCHERS Lex. I 1884—1890, Sp. 2273. FRZ. ALTHEIM, a. O. 176.
[104] Eine „uralte Göttin des Herdfeuers, die dann durch Vesta verdunkelt wurde", so G. WISSOWA in ROSCHERS Lex. I 842. Vgl. a. A. PREUNER, Hestia-Vesta 1864, 386f. C. KOCH, a. O. Sp. 1771 unten.
[105] EUING, a. O. 29.

3. *Eine Dienerin der Tochter des* rohen und ungebärdigen Königs von
Alba Longa, *Tarchetius*, erscheint in einer Version der Sage als Mutter der
Zwillinge Romulus und Remus[106]. Diesmal zeigt sich dem König selber in
seinem Haus eine göttliche Erscheinung: ein Phallos erhebt sich aus dem
Herdfeuer und bleibt tagelang sichtbar. Die daraufhin befragte etruskische
Orakelgöttin Tethys[107] gibt die Weisung, eine Jungfrau solle sich dem Phallos
verbinden und werde dann einen an Tüchtigkeit, Glück und Macht überragenden Sohn gebären. Der König gibt einer seiner Töchter den entsprechenden Auftrag, die jedoch an ihrer Statt eine Sklavin vorschickt. Tarchetius
erfährt von der Mißachtung seines Befehls und will beide Frauen dem Tod
überantworten. Aber Vesta erscheint ihm im Traum und verbietet die
Exekution. Die Sklavin gebiert die beiden Zwillinge, deren einer, wie man
anmerken könnte, die beabsichtigte Mutterschaft der Königstochter mit
vertreten soll[108].

Betrachtet man das diese drei Sagen Verbindende und einander Er-
gänzende unter dem Aspekt des Vestakults und seiner Überlieferungen, so
heben sich ganz von selber zwei Komplexe heraus. Der eine wird bezeichnet
vom königlichen Palast und Haushalt (1. 3), den darin waltenden Töchtern
(2? 3) und Dienerinnen (1. 3), die den Opferkuchen zum Herdaltar der Regia
bringen (1) oder als Wasserholerinnen tätig sind (2) — lauter Züge, die uns
an die Rolle der Vestalinnen[109] und ihre von uns als Haustöchterdienste ge-
deuteten Funktionen erinnern[110].

---

[106] Promathion (hellenistischer Historiker) bei Plutarch, Romulus c. 2 = FrGHist III C 817.
Dazu Frz. Altheim, a. O. 51. L. Euing, a. O. 23ff. Zur Datierung des Promathion (3. Jh. v.
Chr. ?) s. H. Strasburger, Zur Sage von der Gründung Roms, 1968, 15f. m. Anm. 57. Über
die Sage selbst und ihre Parallelen ebd. 21ff.

[107] Die Parallele zu der mit etruskischer Seherkunst begabten Gattin des Tarquinius, Tana-
quil, im ersten Beispiel und zu dem von ihr erteilten Rat ist unverkennbar; vgl. dazu
Euing, a. O. 23f., der auch auf die schon von anderen beobachtete Ähnlichkeit der
Familiennamen Tarquinius und Tarchetius hinweist.

[108] Zum griechischen Ursprung des Zwillingsmotivs und zur Problematik dieses rätselhaften
Zugs der Überlieferung überhaupt vgl. H. Strasburger, a. O. 25f. Zu schwach ist die aus
indischen Parallelen hergeholte Begründung für die These von O. Huth, Vesta 1943
56 u. 73, Zwillinge seien die spezifischen Feuerholzreiber.

[109] Über die ausdrückliche Rolle der Vesta im Beispiel Nr. 3 s. weiter unten (S. 418). — Nicht zu
übersehen ist ferner, daß auch in andere Versionen der Geburtsgeschichte von Romulus
und Remus Vestalisches auffallend hineinspielt: Ilia, Tochter des Aeneas, Mutter der
Zwillinge, ist nach Ennius eine Vestalin (Preuner, a. O. 402. Stoll in Roschers Lex. II
1, 1890—1894, Sp. 117f.). Rea Silvia, Tochter des Albanerkönigs Numitor, wird von
ihrem Onkel Amulius zum Vestalinnendienst gezwungen, gebiert aber gleichwohl dem
Mars die Zwillinge (Preuner 402. Lorentz in Roschers Lex. IV 1909—1915 Sp. 63).
Mit Acca Larentia, der Nährmutter der Zwillinge, ist in der Überlieferung die Vestalin
Taracia verschmolzen (Preuner, a. O. 382ff., bes. 384 u. 409; L. Euing, a. O. 44; über
Taracia s. den Art. 'Gaia Tar.' von Boehm in der RE VII 1912 Sp. 480/83 und Gust.
Hermansen, Studien über den italischen und den römischen Mars, Kopenhagen 1940,
113f.).

[110] Zur Regia als 'Umschlagsplatz' vom Übergang des häuslichen zum staatlichen Vestakult
s. o. S. 403. — Dienende Haustöchter als Urbild der Vestalinnen oben S. 403f. — Opfer-
kuchenbereitung und Wasserholen durch die Vestalinnen oben S. 404. — Vgl. a. Euing,
a. O. 37f.

Der andere Komplex illustriert eindrucksvoll die ebenfalls im Vestakult betonte Eigenschaft des Herdes als Feuerstätte (1. 2. 3), seine durch den aus ihm aufsteigenden Phallos hervorgehobene geschlechtliche Symbolik (1. 3), welche in einem Fall (2) durch die unmittelbare Zeugungskraft des Feuerfunkens ersetzt wird, unterstrichen noch durch Feuerzeichen, von denen die Frucht der überirdischen Verbindung ihren Glanz bestätigt erhält (1. 2) — eine Symbolik, die wir mit dem reichbelegten Vergleich zwischen Geschlechtsakt und Feuererzeugung verständlich machen konnten, wobei die Hervorbringung des Feuers durch das Reiben der Feuerhölzer gerade wieder im Vestakult ihren festen Platz hat[111].

Diese urtümlichen Sagen dürfen also als wichtige Dokumente zur Erhellung der Rätsel um den Vestakult in Anspruch genommen werden. Die Ergebnisse ihrer Prüfung seien zum Schluß in einer Arbeitshypothese zusammengefaßt, die ein einigermaßen geschlossenes Bild zu geben versucht. Dabei empfehlen sich als Leitgedanken die beiden sich durchdringenden und gelegentlich auch bis zur Widersprüchlichkeit überschneidenden Aspekte, die sich soeben bei der Analyse jener wunderbaren Geburtsgeschichten aus der altrömischen Überlieferung gezeigt und unterschieden haben. Wir nennen sie kurz den Sozial- und den Naturaspekt[112].

Der eine von den beiden, der auf die soziologischen Voraussetzungen der Vestaverehrung gerichtet ist, zeigt uns die Göttin als Symbol des Herdes (Vesta = ἑστία) im Mittelpunkt des Hauses mit hausfraulich-mütterlichen Zügen, wie sie denn schon früh im Kult als *Vesta mater* angerufen wird[113]. Als männliches Pendant erscheint in diesem Gefüge der *pater familias* der beisammen wohnenden Sippe, später der König, und im Staatskult der Republik — gleichsam als dessen Vertreter — der Pontifex maximus. Die Töchter des Hauses unterstehen seiner väterlichen Gewalt, die ihre Obliegenheiten der Besorgung des Herdes im Auge hat und ganz besonders über der Erhaltung ihrer Jungfräulichkeit wacht (versteht sich, nur bis zu ihrem mit der Verheiratung erfolgenden Ausscheiden aus der Hausgemeinschaft)[114];

---

[111] Herd als Feuerstätte oben S. 406 — Phallos im Vestakult S. 413 (Plin., n. h. 28, 39). — Geschlechtliche Symbolik des Feuerfunkens Anm. 91 (Aristophanes). — Feuerreiben als Metapher für den Geschlechtsakt S. 410ff. — Feuerreiben im Vestakult S. 407. 409 — Vgl. zu all dem auch L. Euing, Die Sage von Tanaquil 29ff.

[112] Dieselbe Zweiteilung trägt auch zur Erhellung des Wesens anderer antiker Gottheiten und ihrer Verehrung bei; für Zeus und Jupiter s. H. Hommel, Der Himmelvater, Forschungen und Fortschritte 19, 1943, 95f. (vgl. a. oben Anm. 3, unten Anm. 126). — Selbst die neuere amerikanische Soziologie, die sonst in diesen Fragen hellhörig ist, scheidet die beiden Aspekte vielfach noch nicht genügend scharf, indem sie etwa die Soziologie als eine 'Naturwissenschaft' versteht. Siehe dazu in der Frankf. Allgem. Ztg. vom 28. 7. 1970 die berechtigte Kritik von W. Lepenies gegenüber 'Knaurs Buch der modernen Soziologie' von Imogen Seger, München–Zürich 1970.

[113] Die reichen Belege von Ennius an bis in die Spätantike bei C. Koch, a. O. Sp. 1767f., wo unser Aspekt damit umschrieben ist, daß ,,das Prädikat *mater* nur die der Menschenwelt zugekehrte Gestalt kennzeichnet''. Vgl. a. L. Euing, a. O. 37f.

[114] Auch die Vestalinnen durften nach quittiertem Dienst eine Ehe eingehen; s. dazu C. Koch, a. O. 1733 mit den Belegen.

dabei werden Übertretungen streng bestraft. Die Vestalinnen des Staatskultes dürfen als die legitimen Nachfolgerinnen dieser Haustöchter betrachtet werden[115].

Der andere, der Naturaspekt des urtümlichen Vestakultes bedarf einiger Erläuterungen, da sich in ihm das Erlebnis der Zeugung und der Feuerbereitung aufs innigste verbinden. Es steht fest und ist vielfach zu belegen, ,,daß in prähistorischer Zeit (und bei primitiven Völkern der entsprechenden Stufe) der Zusammenhang zwischen Kohabitation und Gravidität nicht erkannt ist"[116]. Die Entdeckung des zwischen den beiden Phänomenen bestehenden Kausalnexus und damit der Möglichkeit einer gezielten Kindererzeugung muß auf die Menschen dieses frühen Stadiums einen ähnlich tiefen und nachhaltigen Eindruck gemacht haben wie die auf experimentellem Wege gewonnene Fähigkeit[117] der Feuererzeugung[118], sei es durch Aneinanderreiben von Steinen oder von Hölzern. Aber nur diese letztere Methode konnte im Bewußtsein jener Menschen den bis zu mystischer Identität gesteigerten Vergleich zwischen beiden Betätigungen hervorrufen, da nur hier das Instrumentarium und der Vorgang bis ins einzelne in gegenseitige Beziehung gesetzt werden konnten[119]. Unterstützt wurde dieser Prozeß durch die Bedeutung und wiederum auch durch die Vergleichbarkeit des jeweiligen Produkts. Das menschliche Leben wie das Feuer, beide konnten gleichermaßen zum Guten wie zum Schlimmen ausschlagen, bargen sowohl Segen als auch Unheil in sich, waren durch Pflege und Nahrung ins Ungemessene zu steigern, aber auch der Gefahr des jähen Verlöschens ausgesetzt, das nur durch neue Zeugung ersatzweise wieder gutgemacht werden konnte. Die Voraussetzungen zur Identifikation waren für eine unverbildete Phantasie damit gegeben, und wenn wir aufgeklärten Epigonen dafür gern die Etikette des 'Symbols' benützen, so sollten wir uns darüber klar sein, daß eine unmittelbare Gleichsetzung viel eher jener Bewußtseinsstufe entsprach. So konnten der samenspendende Phallos wie der aus dem Bohrholz springende Funke einander ablösend oder ersetzend menschenzeugende Kraft gewinnen, konnte das Feuererzeugen mittels des Reibeholzes schlechthin für Menschenerzeugung stehen.

---

[115] Dazu s. o. S. 403.

[116] B. GLADIGOW, Zwei frühe Zeugungslehren. Zu γόνυ, γένυς und γένος, Rhein. Mus. f. Philol. N. F. 111, 1968, 368, dazu seine Anm. 51 und 52.

[117] Die bereits in der Antike vorbereitete Anschauung, daß die Gewinnung des Feuers durch Reibehölzer von der Beobachtung angeregt sein könnte, daß ,,durch die Reibung vom Winde heftig bewegter Wipfel und Äste nahe stehender Bäume" gelegentlich Feuer entstanden sein soll (Lucrez 1, 897 ff. 5, 1096 ff.; Servius zu Verg. Aen. I 743; dazu M. PLANCK, a. O. 20 — von da das Zitat —, und sehr zurückhaltend schon ADALB. KUHN, Die Herabkunft des Feuers . . ., 1. Aufl. 1859, 104, 2. Aufl. 1886, 92 f.), scheint doch wohl bloßer Spekulation zu entstammen.

[118] Das Entstehen des Feuers durch Blitzschlag und damit die Existenz des Feuers schlechthin war natürlich genau ebenso schon vorher bekannt, wie die Geburt von Kindern der Erkenntnis eines Zusammenhangs mit dem Geschlechtsverkehr lang vorausging.

[119] Siehe die Übersicht des Vokabulars oben S. 409 f. und die anschließenden Ausführungen.

Sehen wir näher zu, so war der weibliche Partner beider Werkzeuge die ἐσχάρα oder *ara*, die — wie wir uns erinnern — eines wie das andere ebenso das weibliche Genitale bezeichnen konnten. In den besprochenen altrömischen Sagen muß also dem personifizierten göttlichen *fascinus* als weibliches Pendant die Feuerstätte[120] entsprechen, die als Vesta ihrerseits göttliche Gestalt gewann[121]. Und wenn wir hier durchweg ein sterbliches Weib diese Rolle verwalten sehen (denn nur so konnte es ja zur Geburt eines vor allen anderen hervorgehobenen menschlichen Wesens kommen), dann kann diese zur Mutterschaft ausersehene Jungfrau nur als besonders begnadete menschliche Vertreterin der Göttin Vesta interpretiert werden[122] — eine 'Vestalin' also, aber in ganz anderem Sinn als jene züchtigen Haustöchter, die unter dem anderen, dem Sozialaspekt der Großfamilie, zu dienenden Vestalinnen bestimmt sind.

Diese beiden Aspekte gilt es also bei Betrachtung jener Sagen zu unterscheiden[123]; nur so wird dann auch verständlich, warum die Verweigerung des Beischlafs in der Tarchetiusgeschichte (oben Beispiel 3) mit dem Tode bedroht wird — das geschieht unter dem 'Naturaspekt' —, während sonst — unter dem 'Sozialaspekt' — gerade umgekehrt auf die Verletzung der Keuschheit durch die Vestalin die Todesstrafe folgt. Beide Aspekte durchdringen sich im Falle der Rea Silvia, wo zwar der Vestalinnencharakter vor geschlechtlicher Betätigung bewahren soll[124], dann aber doch nach Übertretung dieses Verbots durch wunderbares Eingreifen der Gottheit die Todesstrafe verhindert oder rückgängig gemacht wird[125]. Daß in der Tarchetiusgeschichte (Beispiel 3) auf Eingreifen der Vesta beide Frauen am Leben bleiben, sowohl die Königstochter, die sich der Vereinigung mit dem Phallos widersetzt hat, wie die Magd, die sie auf sich nahm, verrät deutlich die unter dem 'Naturaspekt' vorwaltende Tendenz, bei der es der Gottheit in erster Linie darauf ankommt, daß der Beischlaf überhaupt vollzogen wird und eine Zeugung erfolgt, gleichviel ob mit der Königstochter oder einer Vertreterin.

---

[120] Dazu s. o. Anm. 74.

[121] In der Dichtersprache wird der Herd auch gelegentlich als *vesta* bezeichnet (die Belege bei Koch, a. O. Sp. 1762, 56 ff.). Und Ovid, Fast. 6, 234 nennt umgekehrt die Göttin *ignea Vesta*.

[122] Für die Vestalin Rea Silvia (oben Anm. 109, und gleich unten im Text) haben bereits Konr. Schwenck, Mythologie der Römer, Frankfurt a. M. 1845, 64, Anm. und Alb. Schwegler, Römische Geschichte I, Tübingen–Berlin 1853, 430 vermutet, daß sie im Grunde für die Göttin Vesta selber steht (vgl. A. Preuner, Hestia-Vesta 1864, 402 m. Anm. 3; für Ocrisia = Vesta s. Preuner, a. O. 415).

[123] Tut man es nicht, dann ergeben sich dem gewissenhaften Betrachter erhebliche Schwierigkeiten (ἀπορίαι τινές), die in der Antike Dionys. Hal., Ant. II 66 am Anfang, in neuerer Zeit H. Herter, RE XIX 1938, Sp. 1722 (Art. 'Phallos') und Gust. Hermansen, Studien über den italischen und den römischen Mars, Kopenhagen 1940, 142 scharfsinnig artikuliert haben. Vgl. a. C. Koch, a. O. Sp. 1751 f., 1774, 40 ff.

[124] s. o. Anm. 109.

[125] Die verschiedenen Varianten der Sage (darunter die Vermählung der Rea mit dem Flußgott nach ihrer Entrückung) sind bei Lorentz in Roschers Lex. IV 63 f. kurz und übersichtlich zusammengestellt.

Aus all dem wird klar, daß dem 'Naturaspekt' der Vestareligion ein bedeutend höheres Alter zukommt, und daß er also dem 'Sozialaspekt', mit dem er sich dann verbunden hat, zeitlich entschieden vorangeht[126].

Noch bleibt eine Frage zu beantworten, wieso nämlich das Verlöschen des Feuers durch die Unachtsamkeit einer Vestalin mit so schwerer Strafe belegt war, ursprünglich vielleicht sogar mit der gleichen Todesstrafe, die ihr bei Verletzung des Keuschheitsgebotes drohte[127]. Die Antwort kann nur sein, daß jenes Versäumnis eben zur Folge hatte, daß die Unachtsame gehalten war, das Feuer wieder zu entfachen, was ja seit alters mit Hilfe der Feuerreibehölzer zu geschehen hatte, und eben dies kam, wie wir jetzt wissen, dem Vollzug des Geschlechtsaktes gleich[128]. Dieses traditionelle Bestehen auf der althergebrachten Form des Feueranzündens im Vestakult sowie die uns von Plinius überlieferte göttliche Verehrung des *fascinus* durch die Vestalinnen[129] waren die beiden einzigen hervorstechenden Elemente der ihnen auferlegten Ordnungen, die sich vom 'Naturaspekt' her erklären[130] und die uns wie Relikte aus ferner Urzeit anmuten, sicher auch in Altrom bereits so empfunden wurden. Die meisten anderen Bestandteile der vestalischen Ordnungen und Bräuche lassen sich dagegen vom 'Sozialaspekt' her deuten[131]. Danach scheint es unzweifelhaft, daß in der Tat der phallische 'Naturaspekt', dem die altertümliche Feuererzeugung beigesellt ist, der allerältesten, sozusagen prähistorischen Schicht der Vestaverehrung zugehörf;

---

[126] Wiederum trägt die oben (S. 398 m. Anm. 3, und Anm. 112) bereits verschiedentlich bemühte Parallele des indogermanischen Zeus zur Bestätigung bei. Denn sowohl der indische Dyâush pitâ wie der griechische Ζεὺς πατήρ und der römische *Dies-piter* bzw. *Iu-piter* lassen klar erkennen, daß sich der mit dem Beinamen des Vaters gegebene Sozialaspekt dem auf der Verehrung des lichten Himmels (*Dyâush* usw.) beruhenden Naturaspekt erst sekundär zugesellt hat (im Germanischen scheint der Vaterbeiname beim Gott *Tiwaz* überhaupt nicht belegt zu sein).

[127] Dazu s. o. S. 406f. m. Anm. 52.

[128] Umgekehrt meint MAUR. SCHUSTER, Wiener Studien 56, 1938, 90, ,,daß die Vestalinnen, die Bewahrerinnen des Feuers, sich des geschlechtlichen Verkehrs enthalten müssen (weil dies eben einer Feuerzeugung gleich käme)". Der Zusammenhang ist richtig gesehen, jedoch wird damit der Kausalnexus gerade auf den Kopf gestellt. Das Verbot des Geschlechtsverkehrs darf nicht unter dem Natur-, sondern muß unter dem Sozialaspekt gesehen werden, die sich dann freilich beide durchdringen.

[129] Oben S. 413 m. Anm. 93.

[130] Daneben allenfalls die Verehrung des Esels als heiliges Tier der Vesta (s. KOCH, a. O. Sp. 1755ff.), falls sein 'phallischer' Charakter dabei eine Rolle spielt (PREUNER, a. O. 337) und er nicht vielmehr einfach zur Mühle gehört, die für die Brotbereitung durch die Vestalinnen von entscheidender Bedeutung war. Über Vesta als Schutzherrin der Bäcker und die Rolle des Esels in diesem Zusammenhang s. A. GREIFENHAGEN, Das Vestarelief aus Wilton House, (oben Anm. 4) 14. — Die von KOCH, a. O. Sp. 1737ff. besprochenen Züge der Erdreligion im Vestakult tragen gewiß naturhaften Charakter, lassen sich aber ebenfalls der sozialen Sphäre des Hauses, speziell ihrer weiblich-mütterlichen Komponente, zuordnen.

[131] Natürlich gibt es daneben noch jüngere Elemente wie etwa den den Vestalinnen anvertrauten Schutz des Palladiums (PREUNER, a. O. 423ff., bes. 427f. KOCH, a. O. Sp. 1754), die der Institution erst im staatlichen Vestakult zugewachsen sind. Vgl. dazu auch oben S. 405f.

im Gegensatz dazu konnte der soziale Haus- und Großfamilienaspekt erst allmählich mit der Ausbildung einer patriarchalischen Sippenorganisation aufkommen und dominant werden.

Dieser Versuch, die so verschiedenartigen Bestandteile eines der
wichtigsten römischen Kulte von seinen Anfängen her zu deuten und so dem
uns bekannten und reichbelegten staatlichen Vestakult Relief und Hintergrund zu verleihen, ist damit an sein Ende gelangt. Er kann und will keinen
Abschluß bedeuten, hofft vielmehr, die künftige Forschung auf diesem weiten Feld durch einige Anregungen zu beleben.

Nachträge 1981

Zu [S. 398], Anm. 3, Z. 3:
„Domina Roma" jetzt auch in meinen Symbola I 1976, S. 331–364, und in: Wege
der Forschung 528, 1979, S. 271–314.

Zu [S. 398], Anm. 4:
Stimmen und Gegenstimmen zur Verwandtschaft von 'Εστία und *Vesta* bei Fr.
Schwenn, Gebet und Opfer 1927, S. 121 m. Anm. 9. Siehe jetzt Walde-Hofmann,
Lat. Etymol. Wrtrbch. ³II 1954, 772f. Hj. Frisk, Griech. Etymolog. Wrtrbch. I
1960, 576f. („Eine bessere Erklärung ist . . . trotz mehrfachen Versuchen nicht
gefunden"). P. Chantraine, Dict. Etymol. de la Langue Grecque II 1970, 379.
Weiteres neuerdings bei F. Hampl in der Festschrift für Rob. Muth 1983, S. 180,
Anm. 31.

Zu [S. 400], Anm. 15:
Natürlich gibt es umgekehrt auch ein νέμειν, das vom Walten der Götter gesagt ist;
Belege bei K. Keyssner, Studien zum griech. Hymnus 1931, S. 79.

Zu [S. 404], Anm. 37:
Vgl. a. U. W. Scholz, Studien zum altitalischen . . . Marskult . . . 1970, S. 157.

Zu [S. 405f.] m. Anm. 50:
Über Gliederung und Funktion des Collegiums der Vestalinnen handelt (mit den
Belegen) Alf. Senn, Beiträge zur Erläuterung von Plutarchs Schrift „An seni sit
gerenda res publica", Diss. Tübingen 1973, Masch.-Schr. S. 100f., im Druck 1978,
S. 81.

Zu [S. 406] oben:
Vgl. jetzt die nützliche Zusammenstellung von Anna Maria Tiengo, L'immagine
di Vesta sulle monete Romane. In: Gazzettino Numismatico II 51, Apr. 1980, S. 114–
122 mit 9 Abb. auf S. 121 – jedoch ist durchwegs nur die Göttin selber im Blick, nicht
ihre Dienerinnen.

Zu [S. 406]:
Wie sich das strikte Verbot, das heilige Feuer der Vesta ausgehen zu lassen, mit seiner alljährlichen rituellen Erneuerung am 1. März, dem alten Neujahrstag, verträgt (Ovid, Fast. III 141 ff.), ist eine offene Frage (s. C. KOCH, RE VIII A 1753, vgl. a. A. M. TIENGO aaO. 118 f.), wenigstens im Blick auf das äußere Verfahren zur Wahrung der ununterbrochenen Kontinuität.

Zu [S. 408 f.] m. Anm. 64:
Zu den Stellen aus dem platonischen „Staat" und dem 7. Brief nehmen K. GAISER und B. GLADIGOW mit Recht auch noch 7. Brief 344 B hinzu *(τριβόμενα . . . ἕκαστα, . . . ἐξέλαμψε φρόνησις)*, wie sie mir – je unabhängig voneinander – freundlich mitteilen.

Zu [S. 413], Anm. 92:
U. W. SCHOLZ, aaO. (ob. Nachtrag zu Anm. 37), S. 140 m. Anm. 81.

Zu [S. 414] m. Anm. 96:
Die Sagen sind in anderem Zusammenhang aufschlußreich behandelt von U. W. SCHOLZ aaO. 127 ff.

Zu [S. 416] unten:
K. GAISER (brieflich 10. 12. 1972) schließt aus dem pythagoreisierenden Vergleich bei Aristoteles, Oec. I 4, 1344 a 10 f. – vgl. IAMBLICH, De vita Pythagorica 9,48; 18,84 –, wonach die Braut vom väterlichen Herd *(ἑστία)* wie eine Schutzsuchende *(ἱκέτις)* weggeführt wird, „daß nicht nur die väterliche Gewalt, sondern der Herd selber die Jungfräulichkeit der Haustöchter schützt"; jenes Bild bekomme dann erst durch die von mir herausgestellte Zuordnung der Haustöchter zum Herd seinen richtigen Sinn.

Zu [S. 417], Anm. 116:
Bestritten bzw. stark eingeschränkt von K. KERÉNYI, Zeus und Hera . . . 1972, 46 f.

Zu [S. 419 f.]:
Unsere Beispiele 1–3 (oben [S. 414 f.]) haben gezeigt, daß der „Naturaspekt" ganz unverkennbar etruskische Züge trägt (s. dazu ob. Anm. 94), während der „Sozialaspekt" deutlich indogermanischen Charakter verrät (zum Ineinander von Etruskischem und Römischem im gleichen Bereich s. a. K. VAHLERT, RE XVI 1935, 982 ff., 986 f.). Wenn ich nach diesem Befund eine Zeit lang daran dachte, der „Naturaspekt" der Vestareligion könnte in die römische Entwicklung vielleicht überhaupt erst von den Etruskern eingebracht worden sein, so haben mich die Ausführungen von U. W. SCHOLZ, Studien zum altitalischen und altrömischen Marskult und Marsmythus 1970, 130 f. (mit reichen Literaturangaben) ebenso wie briefliche Äußerungen von WALTER SCHMID vom 22. 7. 1973 wieder davon abgebracht. Scholz charakterisiert das etruskische Beiwerk richtig als „Zusätze oder Überlagerungen über italisches Glaubensgut".

Ciceros Gebetshymnus an die Philosophie
(Tusculanum V 5)*

Sitzung der Phil.-hist. Klasse
am 16. Dezember 1967

Auszug

Im Proömium zum 5. und letzten Buch der Gespräche in Tusculum aus dem Jahr 45 v. Chr. hat Cicero einen merkwürdigen Hymnus an die Philosophie eingelegt. Der dabei verwendete Du-Stil gipfelt in einem dreiteiligen Gebet an die wie eine Göttin Angerufene und kontrastiert kunstvoll mit dem das Ich des Verfassers selber bezeichnenden Wir-Stil vonseiten des Redenden und Betenden.

Bisher hat man sich fast nur mit Einzelschwierigkeiten dieses Stückes dichterischer Prosa befaßt. Lediglich die Frage der Echtheit seines religiösen Gehalts stand allgemein zur Debatte. Eine umfassende Interpretation wurde hier zum ersten Mal versucht.

Es zeigt sich, daß hymnisch-religiöse und rhetorische Struktur in eigenartiger Weise einander durchdringen, ohne daß sie sich gegenseitig verdunkeln oder zerstören. Die *rednerische Disposition* erfüllt sich nach althergebrachtem Schema in Prooemium, Propositio, Argumentatio und Conclusio und ist mit abgekürztem Argumentationsverfahren in ein nach Quaestio generalis und specialis untergeteiltes Enthymema eingebettet, das auch die vom System geforderte rätselartige Sentenz (Gnome) enthält *(Est autem unus dies bene et ex praeceptis tuis actus peccanti immortalitati anteponendus)*; an deren Entschlüsselung vor allem hat sich die bisherige Forschung, wenn auch weithin vergebens, versucht.

Die *hymnologische Struktur* stellt sich als sinnvolle Abfolge von Anruf der Gottheit (Epiklese, Invocatio) und preisendem Hymnus mit eingeschlossenem Gebet dar. Dieses enthält alle die schon von Griechen geprägten Merkmale einer ‚Hikesie‘, mit der sich der Adorant schutzflehend an den Altar der Gottheit begibt *(Ad te confugimus, a te opem petimus, tibi nos . . . tradimus)*.

Die merkwürdige Sentenz (s. o.) erweist sich, wie schon OTTO WEINREICH gesehen hat, ohne bisher dafür Zustimmung zu finden, als letzten

* Heidelberger Akademie der Wissenschaften. Jahrbuch 1966/67 (1968), 156f. Der ganze Vortrag ist in den Sitzungsberichten 1968, 3 erschienen.

Endes von einem semitischen Schema beeinflußt, das im Psalm 84 (83), v. 11 vorliegt *(Melior est dies unus in atriis tuis quam alii mille)* und durch Ciceros stoischen Lehrer, den Syrer Poseidonios von Apameia vermittelt sein dürfte. Der Römer hat aber das Übernommene frei variiert und dem Satz die Wendung von der *peccans immortalitas* eingefügt, die auf sein Platon-studium zurückgeht und die verkürzte Wiedergabe einer Formulierung aus den Nomoi II 661 B 2ff., E 2f. darstellt. Hier wendet sich Platon gegen die ‚Unsterblichkeit‘, die ‚mit Unrecht und Frevel belastet‘ ist. Er meint damit in breit ausgeführter Polemik gegen ein Kampflied des altspartanischen Dichters Tyrtaios (fr. 9 D.) zweifellos die fragwürdige ‚Unsterblichkeit‘ des Ruhmes, die dem Menschen schon bei Lebzeiten zufallen kann, von der er sich aber freihalten oder baldigst wieder wegwenden müsse, wenn er der vollen Areté teilhaftig werden wolle. Cicero, der einleitend von seiner verzweifelten Situation, insbesondere auch von seinen eigenen *peccata* und *vitia* gesprochen hatte, ist sich also am Ende seines Lebens darüber klar geworden, daß auch er bisher vergeblich jenem Phantom irdischen Ruhmes nachgestrebt habe, wovon er jetzt bei der Göttin Philosophia Heilung und Befreiung sucht.

Damit und aus anderen Indizien bestätigt sich die wiederum bisher schon von O. Weinreich vertretene These, daß der ganze Hymnus sich nicht im Rhetorischen erschöpft, sondern ein Zeugnis echter Religiosität genannt werden darf, in den Grenzen natürlich, die dem philosophisch-ethisch be-stimmten Horizont des gebildeten und aufgeklärten Römers gesteckt waren.

Nachwort 1982

Damit dieser sehr gedrängte Auszug meiner kleinen Monographie über das wichtige und aufschlußreiche Dokument der Religiosität Ciceros an Relief gewinnt, gebe ich hier den Text mit meiner Übersetzung und füge das Aufbauschema bei, in welchem die religiöse Terminologie durch Kursiv-druck von der mit ihr gleichsam konkurrierenden rhetorischen abgehoben ist.

Hier die wichtigste Literatur, mit der ich mich auseinanderzusetzen hatte:

Otto Weinreich, Ciceros Gebet an die Philosophie. In: Arch. f. Religionswiss. 21. 1922, 504–506. Wiederabgedruckt in: O. W., Ausgewählte Schriften II 1973, 5–7.
Otto Weinreich, Ciceros Hymnus an die Philosophie und ein Psalmenvers. Das Gebet aus den Tusculanen. In: Die Brücke zur Welt. Sonntagsbeilage zur Stuttgar-ter Zeitung vom 6. 12. 1958. Wiederabgedruckt mit reichen Anmerkungen und Quellenbelegen aus des Verfassers Nachlaß, in: O. W., Ausgewählte Schriften III 1979, 381–394.

Ciceros Hymne und Gebet an die Philosophie	Cicero, Tusculanen V 5	Cicero, Tusculanen V 5 Aufbauschema
I O Lebensführerin Philosophie, o Tugendaufspürerin und Lasteraustreiberin!	I *o vitae Philosophia dux* *o virtutis indagatrix expultrix que vitiorum!*	I Epiklese–*invocatio* Prooimion *o*...*dux, o*...*indagatrix expultrixque.* . .
II	II	II *Hymnus und Gebet*
A 1 Was hätte – nicht nur ich, sondern überhaupt – das menschliche Leben ohne dich zu sein vermocht?	A 1 *quid* – non modo nos, sed omnino – *vita hominum sine te esse potuisset?*	A θέσις – quaestio infinita (generalis)
		1 πρόθεσις – propositio (Fragesatz, '*sine te*' – Topos) *quid* . . . *vita hominum sine te esse potuisset?*

2 Du hast die Städte hervorgebracht, du hast die verstreuten Menschen zu gemeinsamem Leben gesellt, du hast sie untereinander erst durch Wohnstätten,
   dann durch Ehestiftung,
   schließlich durch die Gemeinschaft der Schrift und der Sprache verbunden,
du warst die Erfinderin der Gesetze,
du die Lehrerin der Gesittung und Bildung.
	2 *tu urbis peperisti,*
	tu dissipatos homines in societatem vitae con*vocasti,*
	tu eos inter se *primo* domicil*iis,*
	   deinde coniug*iis,*
	   tum litterar*um* et voc*um* communione iunx*isti,*
	tu inventr*ix* leg*um,*
	tu magistra mor*um* et disciplinae fu*isti.*
		2 πίστις – argumentatio, zugleich *Aretalogie des Hymnus* *tu*. . .*perperisti,* *tu*. . .*convocasti,* *tu*. . .*iunxisti,* *tu*. . .*tu*. . .*fuisti.*

B 1 Bei dir such' ich Zuflucht,	B 1 *ad te* confug*imus,*	B ἱκεσία – supplicatio (3-teilig)
		1 *ad te* confugimus
2 von dir erbitt' ich Hilfe,	2 *a te* opem pet*imus,*	2 *a te* opem petimus

3 dir vertrau' ich mich an,
   wie schon bisher weithin, so jetzt ganz und gar.
	3 *tibi* nos *ut antea* magna ex parte
	   sic nunc penitus totosque trad*imus.*
		3 *tibi* nos . . . *tradimus.*

C 1 Es ist aber ein Tag, gut und nach deinen Vorschriften verbracht, einer verruchten, Unsterblichkeit' vorzuziehen.	C 1 est autem unus dies bene et ex praeceptis *tuis* actus peccanti immortalitati anteponendus.	C ὑπόθεσις – quaestio finita (specialis) in Form eines Enthymema
		1 γνώμη – sentenia est autem unus dies . . . immortalitati anteponendus
2 Auf wessen Hilfe soll ich mich also mehr verlassen als auf die deine, die du mir die Ruhe des Lebens geschenkt und den Schrecken des Todes genommen hast?	2 cuius igitur potius opibus utamur quam *tuis,* *quae* et vitae tranquillitatem *largita nobis es* et terrorem mortis *sustulisti?*	2 conclusio mit angehängter argumentatio (Fragesatz, '*potius quam*' – Floskel) cuius igitur . . . potius opibus utamur quam tuis, quae. . . *largita* es et . . . *sustulisti?*

WOLFG. SCHMID, Ein Tag und der Aion. Betrachtungen zu Ciceros Doxologie der Philosophie. In: Wort und Text. Festschrift für Fritz Schalk 1963, 14–33. Wiederabgedruckt in: Römische Philosophie (Wege der Forschung, Bd. 193) 1976, 142–168 mit Nachträgen von 1974 (S. 164ff.), die Rezeptionsgeschichte des „Gebets" betreffend, darunter Henry More's Enchiridion Ethicum 1679. Auf meine Arbeit weist Schmid nur mit einem kurzen Satz S. 164 hin, ohne auf meine Auseinandersetzung mit ihm einzugehen, so daß der Leser annehmen kann, seine Ausführungen bedürften keiner grundsätzlichen Revision (damit ist der Titel der Reihe „Wege der Forschung" von ihm wie von dem Herausgeber des Bandes über Gebühr strapaziert, wie mir scheint).

Erst 1971 wurde mir durch die Freundlichkeit des Verfassers eine feinsinnige didaktische Studie zugänglich:

HELMUT HROSS (Dillingen), O vitae philosophia dux. Zu Cicero, Tusculanae disputationes V 5. In: Anregung. Zeitschrift für die Höhere Schule 1963, 96–100, die sich – ohne den Anspruch wissenschaftlicher Forschung zu erheben – weitgehend mit meiner Grundtendenz berührt (der Verf. zieht noch Ovid, Trist. IV 10,115ff. und den christlichen Osterhymnus „Exsultet" heran).

Rezensionen zu meiner Arbeit sind, soweit mir bekannt, folgende erschienen:

E. R. MIX, The Classical World, Nov. 1968, 102.

A. MICHEL, Revue des Etudes Latines 48. 1971, 561.

M. RUCH, Revue des Etudes Anciennes 74. 1972, 290–292 (besonders ergiebig).

Zu danken habe ich für fruchtbare Kritik und weiterführende Hinweise (die hier in diesem kurzen Resümee nicht verwertet werden können, da sie Einzelheiten betreffen) vor allem W. BURKERT, C. J. CLASSEN und meinen Schülern P. LEO EIZENHÖFER †, EB. HECK und ULR. LEMPP.

Vergils „messianisches" Gedicht*

Das vierte „Hirtenlied" des Vergil (70–19 v. Chr.) hat wie kaum ein anderes antikes Gedicht gleich geringen Umfangs seit dem ausgehenden Altertum die Geister erregt und bis heute die Federn in Bewegung gehalten. Es wird als Bucolica 4 zitiert, wenn man die ganze Sammlung der meist nach des alexandrinischen Dichters Theokrit aus Syrakus Vorbild geschaffenen idyllisch-romantischen Hirtengedichte im Auge hat; als vierte Ekloge (d. i. „auserlesenes" Einzelgedicht), wenn man den Sondercharakter des einzelnen Stücks der Sammlung bedenkt, was gerade bei dieser berühmtesten vergilischen Ekloge sehr am Platze ist. Keine der beiden Bezeichnungen stammt unseres Wissens vom Dichter selber, es handelt sich vielmehr wie auch bei Vergils übrigen Werken (Katalepton, Georgica, Äneis) um Bildungen der hellenistisch beeinflußten Literaten-Fachsprache. Herausgegeben hat Vergil diese seine erste bedeutende, etwa 42 begonnene Gedichtsammlung i. J. 39. Doch wurden die einzelnen Stücke schon vorher im Freundeskreis durch Vorlesen bekannt.

Die allgemeinen Voraussetzungen der 4. Ekloge, die bisher begreiflicherweise schier allzu einseitig die Forschung beschäftigten, ergeben sich aus der Not der damaligen Zeit, indem Rom und durch Rom fast die ganze Oikumene seit drei Menschenaltern von Revolution und Bürgerkrieg in den Tiefen erschüttert und aufgewühlt war; sie ergeben sich weiterhin aus der auf diesem günstigen Nährboden wachsenden Sehnsucht nach Befreiung und Erlösung aus dem allgemeinen Elend, das den Staat zerrieb und kaum einen Einzelnen verschonte. Vor allem Vergils Heimat, Italien und Rom, befand sich seit den gracchischen Reformversuchen der 30er und 20er Jahre des 2. Jahrhunderts in einem Zustand der Selbst-

---

* Theologia Viatorum 2. 1950, 182–212 = Wege zu Vergil 1963 (²1976; Paperback 1981), 368–425.

zerfleischung im Streit der beiden großen Parteien, Nobilität und Popularen. Cäsars Ermordung i. J. 44 hatte keineswegs die von den Republikanern erhoffte Wiederkehr alter friedlicher Ordnungen gebracht. Der Kampf war durch die versuchte Gewaltlösung nur um so | heftiger wieder entbrannt. Des Diktators Adoptivsohn, der junge Octavian, von dem die Senatspartei ein Einlenken in die alten Bahnen der republikanischen Aristokratie erwarten durfte, hatte bald die Zeichen der Zeit erkannt und sich zunächst mit dem Erben von Cäsars Machtanspruch, M. Antonius, verbündet, zur bitteren Enttäuschung der konservativen Elemente. Mit dem Sieg der beiden Neuverbündeten bei Philippi über die Verschwörer und Cäsarmörder Brutus und Cassius i. J. 42 war der republikanische Freiheitstraum ausgeträumt. Es folgten die gewaltigen Landbeschlagnahmungen in ganz Italien zur Versorgung der zum Teil Jahrzehnte unter den Waffen stehenden Veteranen. Diese in die bestehenden Eigentumsverhältnisse schwer eingreifende Maßnahme bedeutete die Entwurzelung Unzähliger, so auch der später zu Dichterruhm gelangten Horaz und Properz. Auch Vergils heimatlicher Grundbesitz in der Gegend von Mantua war bedroht, ja schien bereits betroffen; da ließ sich L. Antonius, der Bruder des Triumvirn M. Antonius, zur Rückgabe bewegen. Schon diese glückliche Wendung macht bei Vergil das frühe Aufkeimen einer hoffnungsvolleren Weltsicht verständlich, während Horaz, als Mitkämpfer bei Philippi auf der Gegenseite doppelt geschlagen, noch in den Banden der Verzweiflung rang. Aber Vergils Aufschwung zu günstigerer Beurteilung der Lage war entscheidend gefördert durch seine wesensmäßige Grundstimmung zu versöhnlicher Milde, und noch mehr durch seine fromme Gläubigkeit, die ihn das religiöse Sehnen und die Erlösungshoffnung der Zeit freudig in sich aufnehmen ließ.

Zwei Vorstellungskreise waren es, die der gequälten Welt damals Hoffnung gaben und Rettung verhießen: Die vor allem in weit verbreiteten griechischen Sibyllenorakeln niedergelegte Weissagung der Alten, daß nach Streit und Not endlich das Goldene Zeitalter des Saturn unter Apollos Herrschaft wieder anbrechen werde; und die leicht damit zu verbindende Erwartung, nach der die Geburt eines göttlichen Kindes den neuen Aion anzeigen und verwirklichen werde. Der Erhellung dieses religiösen Gedankenkreises hat sich vor allem die an der 4. Ekloge ansetzende Forschung der vergangenen Jahrzehnte mit Hingabe gewidmet; als ihre schönste und reifste Frucht darf Eduard Nordens Monographie „Die Geburt des Kindes" gelten[1], wo die jene Zeit erfüllende Konzeption bis auf ein altägyptisches Theologumenon verwandter Art zurückgeführt werden konnte.

Hier soll es nicht in erster Linie unternommen werden, diesen religionsgeschichtlichen Hintergründen des vergilischen Gedichtes weiter nachzuspüren. Vielmehr will eine Interpretation ganz einseitig aus dem viel-| befragten und doch nicht zu Ende gedeuteten Text und aus den nächsten historischen, ja sozusagen biographischen Voraussetzungen neues Licht gewinnen und damit erst das Fundament legen helfen, auf dem jenes andere gewiß wichtige Anliegen desto sicherer aufbauen kann[2].

Der feinfühlige Dichter Vergil war von den religiösen Hoffnungen und Heilsgedanken seiner Generation in besonderem Maße erfüllt und wartete mit verhaltener Spannung auf den Anbruch der goldenen Zeit und auf die Geburt des dieses neue Weltenjahr anzeigenden, ja geradezu verkörpernden göttlichen Kindes. Es mußte ihm als Sohn seiner Zeit auch gewiß sein, daß, sollte sich jener alte Glaube erfüllen, das Götterkind nicht etwa nur „in der Idee" oder in der erregten Phantasie der Gläubigen erscheinen werde — ein abstruser Gedanke, dem jedoch die Mehrzahl der neueren Erklärer folgt[3]. Es kann solchem Doketismus gegenüber

---

[1] Ed. NORDEN, Die Geburt des Kindes. Geschichte einer religiösen Idee. Leipzig 1924. Vgl. die Besprechungen von R. BULTMANN, Theol. Lit. Ztg. 1924, 319 ff. und H. SASSE, Christentum und Wissenschaft 1. 1925, 68 ff.

[2] Zum Allgemeinen dieser Fragestellung vgl. die Bemerkungen von Fr. KLINGNER, Römische Geisteswelt 1943, S. 101 ff. W. HARTKE, Römische Kinderkaiser 1951, S. 55$_1$. 376 f.

[3] Der Unterschied der Auffassungen ist von erheblicher Tragweite. Den „locus classicus" der Gegenseite bietet Ed. NORDEN, a. O. 12 f., 137 f., 144 f., ähnlich W. WEBER, Der Prophet und sein Gott 1925, S. 3 ff. Norden sagt a. O. 138: „Das Unbestimmte ist in dem Gedichte das eigentlich Bestimmende; ein Phantasiegebilde soll man nicht in die nackte

kein Zweifel sein, daß es wie den frühen Christen so den antiken
Menschen dieser Zeit schlechthin ein entscheidendes Anliegen war,
daß der erhoffte Retter kein „Phantasiegebilde" blieb, sondern
buchstäblich und sichtbar in die Leiblichkeit werde eingehen müssen[4], also tatsächlich in die „nackte Realität gebannt", paulinisch
ausgedrückt „im Fleisch offenbart" würde[5]. Zum anderen war dem
Vergil klar, daß sich jenes Wunder durch ein ganz konkretes und
unzweideutiges Zeichen erkennbar zu machen und zu erweisen
habe[6]. Wir werden darauf noch zurückkommen müssen.

Wohl im Juli des Jahres 41 war C. Asinius Pollio zum Konsul

Realität bannen und es dadurch der höheren Wahrheit, die es nur als
das Unwirkliche besitzt, berauben". Auch W. Weber a. O. 4 beobachtet
nur ganz allgemein „den Strom religiösen Lebens, welcher schon in
des Dichters Zeit vom fernen Osten an die Ufer seiner Welt schlug".
Ähnlich Sasse a. O. 69. H. Oppermann, Vergil 1938 S. 17 ff. = o. S. 109 ff.
C. Koch, Roma Aeterna (1949/52) in: Koch, Religio... 1960, S. 158.
Dagegen wendet sich bereits L. Deubner, Gnomon I. 1925, 167 f. Vgl.
a. Hartke a. O. 377. G. Jachmann, Die 4. Ekloge Vergils. In: Annali
della Scuola Normale Superiore di Pisa 21. 1952, S. 54 f. R. Waltz,
Les Etudes Classiques 26. 1958, S. 3 ff., bes. S. 11. Über eine bemerkenswerte Äußerung von Ed. Norden, die der soeben angeführten radikal
widerspricht, s. unten den Schluß des Nachworts zu dieser Abhandlung.
  [4] *deum vitam accipiet... et ipse videbitur... (et) reget... orbem*
Verg. ecl. 4, v. 15/17.
  [5] I. Tim. 3,16. Vgl. Phil. 2,6 f. I. Joh. 4,2 f.
  [6] So auch Verg. Aen. II 693 ff., bes. 694—97 *illam (stellam)... cerni-*
mus... claram... signantemque vias. Apoll. Rhod. Argonaut. IV 294 ff.
Vgl. den Stern als wegweisendes Zeichen für die Magier, daß der „König
der Juden" geboren sei, Ev. Matth. 2, 2. 9, oder bei der Verkündigung
an die Hirten Ev. Luk. 2, 12 καὶ τοῦτο ὑμῖν σημεῖον κτλ. Weiteres bei
R. Bultmann, Th. Lit. Ztg. 1924, 323. Die Auffassung der Zeit kennzeichnet treffend das Jesuswort Ev. Joh. 4, 48 ἐὰν μὴ σημεῖα καὶ τέρατα
ἴδητε, οὐ μὴ πιστεύσητε. — Die Bedeutung des „signum" hat W. Weber
a. O. S. 7, 1. 84, 1. 107 richtig erkannt, jedoch versäumt, die Konsequenzen für die Interpretation des Gedichtes daraus zu ziehen. Ähnlich Gottfr.
Erdmann, Die Vorgeschichte des Lukas- und Matthäus-Evangeliums und
Vergils vierte Ekloge. Göttingen 1932, S. 99.

für das folgende Jahr 40 bestimmt worden, nachdem er bereits seit längerer Zeit | für dieses Amt ausersehen war[7]; noch vor Beginn seines Konsulates (1. Jan. 40) gebar ihm seine Frau Quintia den ersten Sohn C. Asinius Gallus[8]. Asinius Pollio, sechs Jahre älter als Vergil, war ein hochangesehener, feingebildeter Mann, von Natur friedliebend, des erregten Zeitgetriebes müde[9], der Dichtung und den Wissenschaften zugetan, unabhängig im Urteil, erregbar aber beherrscht, von unverbrüchlicher Freundestreue. Er hatte noch den Catull gekannt, schrieb selber Tragödien und machte sich nachmals durch Abfassung eines Geschichtswerkes einen Namen, führte Rezitationen junger Autoren ein und begründete in Rom die erste öffentliche Bibliothek nach alexandrinischem Muster[10]. Kein Wunder, daß zu ihm gerade Vergil sich hingezogen fühlte, und daß auch er hinwiederum an dem jungen, ihm in mancher Hinsicht geistesverwandten und gleichgestimmten Dichter Gefallen fand. Er war es gewesen, der als Legat des M. Antonius[11] in Ober-

---

[7] Groebe RE (Pauly-Wissowa) II 1592; allgemein Kübler RE IV 1115. Die Designation mag nach vorbestimmtem Plane der Triumvirn (Appian, Bell. civ. IV 2, 6/7) auf Betreiben von L. Antonius, dem Bruder des Triumvirn M. Ant., zur gesetzlichen Frist im Juli 41 in Rom erfolgt sein, als L. Antonius zu Beginn des perusinischen Krieges im Sommer des Jahres vorübergehend sich der Hauptstadt bemächtigt hatte (Appian V 30. Dio Cassius XLVIII 13 f.); zum erschlossenen Zeitpunkt s. Münzer RE XVII 863, 50 ff.: „Mitte 41". Vgl. a. Mommsen, Röm. Staatsrecht [3] I 1887, S. 586.

[8] *natus Pollione consule designato* Servius auctus zu Vergil, Ecl. 4, 11. Groebe a. O. 1602; v. Rohden RE II 1585; Kübler RE IV 1116. Zur Frage des Amtsbeginns im rechtlichen Sinne (für Pollio 1. I. 40) vgl. Mommsen a. O. 594 ff. 599 f. 608; vgl. a. 8 f. 468. Norden a. O. 6₄ f.

[9] Zur Friedensliebe des Pollio s. a. oben [S. 371, 387] und vgl. seinen erhaltenen Brief an Cicero vom 16. 3. 43 (Cic. ad fam. X 31). Dazu G. Erdmann a. O. 132. J. Götte, Vergil, Landleben 1949 S. 260f. A. Kurfess, Hist. Jbch. 73. 1954, S. 126f.

[10] Zur orientalischen Bildung und zu den orientalischen Beziehungen des Asinius Pollio s. Kurfess a. O. 124.

[11] Pollios und Vergils Abhängigkeit „vom Geist des Antonius und seines Kreises" ist wohl überbetont bei Koch a. O. 158 f. m. Anm. 27.

italien nach manchem Hin und Her schließlich bei L. Antonius die Rückgabe von Vergils Landbesitz oder eine angemessene Entschädigung[12] erwirkt hatte[13] und fortan freundschaftliche Beziehungen zu ihm unterhielt, die gerade in den in diesen Jahren entstandenen Eklogen seines Schützlings vielfältigen Niederschlag fanden[14].

Diesem seinem Freunde und Gönner Asinius Pollio hat Vergil die 4. Ekloge gewidmet[15]. Der also Geehrte stand im Jahre 41 und noch tief ins Jahr 40 hinein als Befehlshaber mehrerer Legionen in der Gallia | Transpadana, von wo aus er sich zögernd am perusinischen Krieg beteiligte, der ein gutes Jahr lang — vom Frühjahr 41 bis zum Sommer 40 — den Octavian und seines Mittriumvirn M. Antonius Verwandte und Gefolgsleute, darunter Asinius Pollio, entzweite. Anlaß waren ernste Unzuträglichkeiten zwischen den Triumvirn, die durch jene unpopulären Landbeschlagnahmungen entstanden waren, und an denen besonders der zur Versöhnung geneigte Pollio schwer trug. Endlich gelang es (im Spätsommer 40) vereinten Bemühungen, an denen der Konsul maßgeblich beteiligt war, die Gegner im Vertrag von Brundisium wieder zu versöhnen[16]. Erst jetzt konnte Asinius Pollio sein Konsulat, das er juristisch schon seit dem 1. Januar bekleidete, auch tatsächlich ausüben.

Doch wir wenden uns zu Vergils Gedicht. Zunächst der lateinische Text:

---

[12] Ein Gut bei Neapel (?) nach R. PHILIPPSON, Horaz' Verhältnis zur Philosophie 1911, S. 6 f.

[13] Servius auctus zu Verg. ecl. 6, 6. 9, 11. Donatus auctus, Vita Verg. 36, p. 30 Diehl, und ebenda p. 51 ff., was jetzt zu ergänzen ist durch J. LIEGLE, Hermes 78. 1944, 208 ff. BÜCHNER RE VIII A, 1046 ff.

[14] Ecl. 3, 86; 4, 3. 11 ff.; 8, 10. Zu Asinius Pollio allgemein vgl. GROEBE a. O. 1589 ff. Elis. D. PIERCE, A Roman man of letters C. Asinius Pollio. Thesis New York 1922. J. ANDRÉ, La vie et l'oeuvre d'Asinius Pollion 1949. R. WALTZ a. O. 5 f.

[15] Ecl. 4, 3. 11 ff.

[16] Appian V 64, 272 f.

Saeculi novi interpretatio.

Sicelides Musae, paulo maiora canamus.
non omnis arbusta iuvant humilesque myricae;
si canimus silvas, silvae sint consule dignae.

  Ultima Cumaei venit iam carminis aetas;
5 *magnus ab integro saeclorum nascitur ordo.*
iam redit et Virgo, redeunt Saturnia regna;
iam nova progenies caelo demittitur alto.
tu modo nascenti puero, quo ferrea primum
desinet ac toto surget gens aurea mundo,
10 *casta fave Lucina, tuus iam regnat Apollo.*

  Teque adeo decus hoc aevi, te consule inibit,
Pollio, et incipient magni procedere menses;
te duce, si qua manent sceleris vestigia nostri,
inrita perpetua solvent formidine terras.
15 *ille deum vitam accipiet divisque videbit*
permixtos heroas, et ipse videbitur illis,
pacatumque reget patriis virtutibus orbem.

  „At tibi prima puer nullo munuscula cultu
errantis hederas passim cum baccare tellus
20 *mixtaque ridenti colocasia fundet acantho.*
ipsae lacte domum referent distenta capellae
ubera, nec magnos metuent armenta leones.
ipsa tibi blandos fundent cunabula flores.
occidet et serpens, et fallax herba veneni
25 *occidet; Assyrium volgo nascetur amomum.* |

  At simul heroum laudes et facta parentis
iam legere et quae sit poteris cognoscere virtus;
molli paulatim flavescet campus arista,
incultisque rubens pendebit sentibus uva,
30 *et durae quercus sudabunt roscida mella.*

Pauca tamen suberunt priscae vestigia fraudis,
quae temptare Thetim ratibus, quae cingere muris
oppida, quae iubeant telluri infindere sulcos.
alter erit tum Tiphys et altera quae vehat Argo
35 *delectos heroas, erunt etiam altera bella,*
atque iterum ad Troiam magnus mittetur Achilles.

Hinc, ubi iam firmata virum te fecerit aetas,
cedet et ipse mari vector, nec nautica pinus
mutabit merces; omnis feret omnia tellus.
40 *non rastros patietur humus, non vinea falcem;*
robustus quoque iam tauris iuga solvet arator;
nec varios discet mentiri lana colores,
ipse sed in pratis aries iam suave rubenti
murice, iam croceo mutabit vellera luto;
45 *sponte sua sandyx pascentis vestiet agnos.*

Talia saecla" suis dixerunt „currite" fusis
concordes stabili fatorum numine Parcae.

Adgredere o magnos — aderit iam tempus — honores,
cara deum suboles, magnum Iovis incrementum.
50 *adspice convexo nutantem pondere mundum,*
terrasque tractusque maris caelumque profundum;
adspice, venturo laetentur ut omnia saeclo.

O mihi tum longae maneat pars ultima vitae,
spiritus et quantum sat erit tua dicere facta;
55 *non me carminibus vincet nec Thracius Orpheus,*
nec Linus, huic mater quamvis atque huic pater adsit,
Orphei Calliopea, Lino formosus Apollo.
Pan etiam, Arcadia mecum se iudice certet,
Pan etiam Arcadia dicat se iudice victum.

Incipe parve puer risu cognoscere matrem;
matri longa decem tulerunt fastidia menses.
incipe parve puer: qui non risere parenti,
nec deus hunc mensa, dea nec dignata cubili est. |

Zur Interpretation hilft am besten eine möglichst wortgetreue
Übersetzung:

1 Ihr Musen Siziliens[17], um etliches bedeutenderen Stoff
laßt uns besingen[18]! Nicht jeglichen erfreut niedriges
Tamariskengebüsch[19]; wenn sich unser Lied (schon) in
(solchen) Wäldern[20] ergeht, dann sollen (diese) Wälder
auch des Konsuls würdig sein.

4 Schon ist das letzte Zeitalter angebrochen, von dem die

---

[17] (v. 1) Das heißt: der bukolischen Dichtung im Stil des Sizilianers
Theokrit, an dessen Weise sich Vergils Eklogendichtung i. a. anschließt,
ebenso wie schon Ps.-Theokrit [Moschos] 3, wo die Wendung Σικελικαὶ...
Μοῦσαι mehr als ein Dutzend mal begegnet (R. WALTZ a. O. 3).

[18] *maiora canere* auch bei Ovid, Fast. IV 3. Wichtig zu der Stelle auch
R. WALTZ a. O. 4 f. (*paulo maiora* Litotes für *multo maiora*).

[19] (v. 2) *arbusta* und *myricae* bilden ein Hendiadyoin („Tamariskengebüsch"), zu dem als adjektivisches Attribut *humiles* tritt. Da es beim
zweiten Glied steht, aber zu beiden gehört, liegt eine „Versparung" des
Attributs vor; über diese beliebte rhetorisch-dichterische Figur der antiken
wie der altdeutschen gehobenen Rede s. THEOLOGIA VIATORUM 1948/49,
S. 197 ff. (E. HENSCHEL) und 129, 2 (H. HOMMEL). Zeitschr. f. neutestamentl. Wiss. 46. 1955, S. 157[17]. Gottfr. KIEFNER, Die Versparung...
Tüb. Diss. Masch.-Schr. 1960 (demnächst auch im Druck).

[20] (v. 3) Wie hier die niedrigen Heidekrautbüsche symbolisch die
schlichte Hirtendichtung bezeichnen, so die Wälder deren gehobenere Form,
zu der sich der Dichter in dieser Sammlung ausnahmsweise aus besonderem Anlaß erhebt (Gg. ROHDE verweist auf Ecl. 2, 62. 5, 58; vgl. a.
BÜCHNER RE VIII A 1195 f. WALTZ 4 f.). Zu solcher metaphorischen Benennung literarischer Werke vgl. Beispiele wie Papirius Statius' Silvae,
Clemens' von Alexandria Stromateis (Teppiche), Herders Kritische Wälder
usw. usw.; reiches Material aus allen Zeiten seit dem Hellenismus, wo
offenbar diese barocke Übung in Gebrauch kam, bei Franz DÖLGER,
Der Titel des sog. Suidaslexikons 1936, S. 22 ff.
Daß die drei Einleitungsverse des Gedichts diesem von Vergil erst
nachträglich zugefügt seien, um es für die Aufnahme in die Bucolica
geeignet zu machen, hat F. JACOBY, Rhein. Mus. 65. 1910, S. 77[1] vermutet; vgl. dazu a. JACHMANN a. O. 49[2]. 52. Dagegen mit überzeugenden
Gründen C. BECKER, Hermes 83. 1955, S. 340 f.

cumäische Sibylle singt[21]; der große Ablauf (*ordo*) der Zeiten (*saeclorum*) gebiert sich ganz von neuem[22]. Schon kehrt auch die Jungfrau[23] wieder, | kehrt wieder die

---

[21] (v. 4) Die Parallelen zur 4. Ekloge aus den uns in jüdisch-christlicher Redaktion erhaltenen Sibyllensprüchen sind sorgfältig zusammengestellt bei G. ERDMANN a. O. 85–87. Dazu. A. KURFESS a. O. 120ff., bes. 122₇. 123 f. Vgl. a. JACHMANN a. O. 23 ff. 48 mit zu weitgehender Skepsis, leider auch unter Ignorierung der Arbeit von Erdmann. Zur Frage der Vorlage Vergils vgl. a. unten das Nachwort. Ferner R. WALTZ a. O. 6.

[22] (v. 5) Also eine ἀποκατάστασις der Himmelskörper zu neuem Beginn.

[23] (v. 6) Unter der im goldenen Zeitalter zur Erde zurückkehrenden Virgo ist Dike, die Tochter des Zeus und der Themis, zu verstehen, die damals, als das eiserne Zeitalter das goldene der Urzeit abgelöst hatte, zum Himmel entflohen und zum Sternbild geworden war. Die Belege s. in DEUTICKE-JAHN's Kommentar zu Vergils Bucolica (u. Georgica) ⁹1915 zu der Stelle (dazu noch Euripides Meda 439 f.), auf den hier ein für allemal für die Einzelerklärung des Gedichtes verwiesen sei, ferner W. GUNDEL, Art. Parthenos in der RE XVIII 2, Sp. 1945. In den Sibyllinen III 373 f., denen Vergil zu folgen scheint, heißt es hier in der uns vorliegenden Fassung: εὐνομίη γὰρ πᾶσα ἀπ᾿οὐρανοῦ ἀστερόεντος ἥξει ἐπ᾿ ἀνθρώπους ἥδ᾿ εὐδικίη. Weiteres bei ERDMANN a. O. 95. WALTZ a. O. 19 m. Anm. 19. Wahrscheinlich ist jedoch die Auffassung der Virgo (= griech. Parthenos) als Sternbild der Jungfrau das Primäre und ihre Identifikation mit Dike, wie sie uns erstmals in Arats Phainomena v. 96 ff. begegnet und auch bei Vergil durchschimmert, erst sekundär. Vergil hat zweifellos auch an das Sternbild gedacht, das also irgendwie als „Zeichen" zu der Geburt des göttlichen Kindes (v. 8) in Beziehung steht. Hauptstern und Attribut der Virgo ist die Spica, die Ähre oder das Ährenbüschel; ihr einziger sonst noch deutlich sichtbarer Stern heißt Vindemiator, der „Winzer". Wie jene in die Sphäre der Isis-Demeter-Ceres weist, so dieser in die des Dionysos-Bacchus. Das scheint in einigen der v. 19 ff. genannten Pflanzen anzuklingen: Epheu (v. 19) und Wein (v. 29) sind dem Dionysos heilig (vgl. dazu a. H. J. ROSE, The Eclogues of Vergil 1942, S. 204. 263 f. nach JEANMAIRES Vorgang, und schon F. MARX, N. Jhrbchr. 1898, 114. H. LIETZMANN, Der Weltheiland... 1909, 39); und ein anderer Name für *baccar* (v. 19) dürfte *spica nardi* (deutsch „Spiek" oder „Speik" wegen der ährenförmigen Büschel) = Lavendel sein, wie sich hinter *arista* (v. 28) ebenfalls die Spica der Ceres verbirgt.

Herrschaft Saturns[24], schon steigt ein neues Geschlecht
vom hohen Himmel hernieder. Du keusche Lucina[25] sei
gnädig dem eben geborenen Knäblein[26], mit dessen Erscheinen sogleich[27] das eiserne aufhören wird und auf der
ganzen Welt erstehen wird ein goldenes Geschlecht: schon[28]
herrscht dein Bruder Apollo.

11 Allzumal wird auch mit dem Antritt deines Konsulats[29]

---

[24] Dazu Jul. Jüthner, Anz. d. Ak. d. Wiss. Wien, 1925 Nr. 22,
S. 165 ff., u. vgl. Kurfess a. O. 120.

[25] (v. 10) Lucina ist die Geburtshelfergöttin, bei den Römern sonst
gewöhnlich *Iuno Lucina*, literarisch aber auch wie hier nach dem Vorbild der
Ἄρτεμις Εἰλείθυια vielfach an Diana angeglichen (vgl. Catull 34, 13;
Horaz, carmen saeculare 13 ff., s. K. Latte RE XIII 1651), was hier auch
durch die erwünschte Verbindung mit Dianas Bruder Apollo nahe gelegt
ist. Vgl. a. E. Bickel, Rhein. Mus. 97. 1954, S. 209 f. — Zum Verhältnis
von Apollo zu Saturn (v. 6) vgl. H. Gressmann, Der Messias... 1929,
S. 474.

[26] (v. 8) *tu modo nascenti puero ... fave:* die Erklärer nehmen *tu modo*
nach dem Muster von Aen. IV 50 (*tu modo posce deos veniam*) zum
Verbum („sei du doch nur ... gnädig"). Doch liegt hier angesichts der
engen Zusammenstellung von *modo* und *nascenti* wohl näher, die Wendung *modo nascenti* als „soeben geboren" zu fassen; allenfalls liegt ein
ἀπὸ κοινοῦ von *modo* zu *tu ... fave* und zu *nascenti* vor, was zugleich
ein Zeugma ergäbe (Bedenken bei Büchner a. O. 1198). Vgl. dazu a.
unten Anm. 75.

[27] (v. 8) *quo ... primum* gehört zusammen, vgl. die geläufige Kon-
junktion *cum primum* (Bedenken äußert wiederum Büchner a. O.).

[28] Zum prophetischen Stil des mehrfach wiederholten *iam* vgl. G. Radke,
Gymnasium 66. 1959, S. 245 m. Anm. 150. Zur *gens aurea* v. 9 vergleicht
R. Waltz a. O. 3. 6. gut Theokrit 12, 16 χρύσειοι ἄνδρες.

[29] (v. 11) In *adeo* liegt fast stets noch etwas von der Grundbedeutung
„bis zu dem Maße, in dem Maße, im gleichen Maße"; vgl. etwa Ennius,
Medea 321 V. *Iuppiter tuque adeo summe Sol;* Catull, 64, 25 (die zahlreichen weiteren Parallelen zur Ekloge aus dem gleichen Catullgedicht
sind gesammelt von Radke a. O. 243 f. m. Anm. 144); Verg. Georg. I 24
bei Anrufung des göttlichen Cäsar unmittelbar nach den Himmlischen:
tuque adeo ... Caesar. An unserer Stelle verbindet dieses *adeo* ganz
ebenso den Amtsantritt des angeredeten Konsuls mit dem unmittelbar

dieses herrliche Zeitalter anheben — mit deinem Konsulate,
Pollio — und werden hervorzutreten beginnen die großen
Weltenmonate; unter deiner Ägide werden, wenn noch
irgendwelche Spuren unserer Ver-| worfenheit übrigblei-
ben, sie durch ihr Verlöschen von ewigem Schrecken die
Lande erlösen[30]. Jener (Knabe) wird göttliche Existenz
annehmen und wird schauen, wie Halbgötter sich unter die Götter mischen, und wird selbst ihnen (in gleicher Verbindung) erscheinen[31], und er wird den durch

---

vorangehenden *regnat Apollo:* wie in der überirdischen Sphäre der Gott
das neue Zeitalter einleitet und regiert, so in der irdischen der Mann,
mit dessen Konsulatsantritt der neue glanzvolle Aion anhebt. Die Beziehung auf den Antritt des Amts muß nämlich der römische Leser deutlich herausgehört haben; denn 'ein Amt, ein Konsulat antreten' heißt ja
ganz offiziell *magistratum, consulatum inire* (Cic. 3. Philipp. 1, 2.
Liv. XXIV 9, 7. Sueton, Calig. 1). Also dürfen wir die gedrängte Wendung etwa so paraphrasieren: *te quoque simul consulatum ineunte hoc
aevi decus inibit.* An den Amtsantritt des Konsuls hat schon Christian
Gottlob HEYNE in seiner kommentierten Vergilausgabe 1767 gedacht
(s. a. bei DEUTICKE S. 265), der aber im übrigen in seiner Erklärung
andere Wege geht. Vgl. a. HARTKE, Röm. Kinderkaiser 374. An das Ende
der Amtszeit denkt bei *te ... adeo ... consule* — sicher zu Unrecht —
ERDMANN a. O. 134. Richtiger ROSE a. O. 179 f. WALTZ a. O. 16[18]. —
Zu *decus hoc aevi* vgl. etwa ἀρετᾶς μέγαν κόσμον Simonides fr. 5, 8 f. D.
(frdl. Hinweis meines Sohnes Peter HOMMEL). Falsch bezieht A. GUDEMAN
Thes. l. lat. V 243 die Wendung als Apposition auf Pollio! — Zur Anapher
teque adeo ... te vgl. entsprechend an der gleichen Versstelle Georg. II
323 *ver adeo ... ver.* — Zum großen Weltjahr v. 12 vgl. Cic., De nat.
deorum II 51 f. Verg. Aen. III 284 mit Servius' Kommentar (R. WALTZ
a. O. 7[4]).

[30] (13/14) Zu dem durch v. 31 bedeutsam variierten v. 13 vgl. unten
Anm. 41. — *inrita ... solvent* d. h. „indem sie getilgt werden, werden sie
lösen". Zu der Vergleichbarkeit mit Ev. Luk. 1, 31 ff. s. Ed. NORDEN
a. O. 21. 130. Die Vergilstelle wird viermal von Augustinus als typisch
messianisch zitiert: A. KURFESS, Zeitschr. f. Rel.- u. Geistesgeschichte 4.
1952, S. 47[20]. Aber wichtiger erscheint doch der spezifisch antike Gehalt.

[31] (v. 15—17) Die schwierige Stelle besagt zunächst, daß das Knäblein,
dessen Menschlichkeit der Ausgangspunkt ist, Götterexistenz annehmen

die Mannestugenden der Väter befriedeten Erdkreis regieren.

18 Dir aber, o Knabe, dem lächelnden[32], wird die Erde als
Erstlingsgaben ganz von selber allenthalben wuchernden
Efeu mit Narde und Wasserrosen, mit Akanthus dazwi-
schen, ausgießen[33]. Von selbst (d. i. ungeleitet von ihren

---

wird, wodurch es sein menschliches Wesen nicht gänzlich abtut, sondern
in dieser Zwischenstellung nach antiker Auffassung zum Halbgott, zum
„Heros" wird (besonders aufschlußreich ist neben Euripides, Heracl. 871 f.
die Parallele in Horazens 3. Römerode v. J. 27, c. III 3, 9 ff., wo
Augustus mit Romulus-Quirinus, Hercules, Pollux, Bacchus in der gleichen Rolle erscheint — die mit dem Princeps Verglichenen sind bemerkens-
werterweise, worauf hier schon hingewiesen sei, durchwegs Söhne gött-
lichen Vaters und sterblicher Mutter). In dieser Rolle wird er sehen, wie
Halbgötter mit Göttern verkehren dürfen und wird umgekehrt — selber
Halbgott — von ihnen im Genuß des gleichen Vorzugs erblickt werden.
Wichtiges Material zu *videre* — *videri* aus antiker und altchristlicher
Mystik und Gnosis hat K. RUPPRECHT in einem 1956 in München gehaltenen Vortrag beigebracht. Vgl. im übrigen Franz BOLL, Aus der
Offenbarung Johannis 1914, S. 12; derselbe Kl. Schriften... 1950
S. 340 ff. (danach ist auch hier Ev. Luk. 1, 32 zu vergl.). Vgl. ferner SASSE
a. O. 70. K. KERÉNYI, Klio 29. 1936, S. 26 ff. und oben S. 323. JACHMANN
a. O. 35 f.

[32] (v. 18—20) Das *ridenti* gehört in einem tieferen Sinne nach der
Absicht des Dichters (s. dazu oben S. 384) zweifellos zu dem *tibi* v. 18
und weist vorbereitend auf v. 60 ff. *risu* und *risere* hin, ebenso wie das
consule v. 3 auf das *consule* v. 11 (vgl. dazu a. R. WALTZ a. O. 9). Will
man es wegen der Nähe zu *acantho* und der Parallele der Satzstruktur
von v. 19 und 20 (*errantis hederas-cum baccare/ridenti acantho-mixta
colocasia*) nicht von *acantho* trennen, dann liegt zumindest ein ἀπὸ
κοινοῦ vor (vgl. oben Anm. 26 zu v. 8). Zu der starken Sperrung (hier
über 2 Verse hin) vgl. Solon fr. 1, 43/45 πόντον . . . ἰχθυόεντα (1½ Verse)
und Mimnermos fr. 10, 5/8 τὸν μὲν . . . εὕδοντα (3 Verse), u. dazu
E. RÖMISCH, Studien zur älteren griechischen Elegie 1933, S. 70 ff. —
Zu *baccar* = Narde vgl. ERDMANN a. O. 90 (ecl. 7, 28. Horaz c. IV 12, 17.
Aristoph. fr. 488 K.), zu den Pflanzen v. 19 ff. oben Anm. 23.

[33] (v. 20) Zugrunde liegt das verbreitete Bild des Füllhorns (vgl.
etwa Horaz c. s. 59 f.).

Hirten[34]) werden ihre milchgestrafften Euter | die Ziegen
nach Hause tragen, und nicht ängstigen werden sich die
Pflugtiere vor den gewaltigen Löwen[35]; deine Wiege
sogar wird dir schmeichelnde Blüten streuen. Sterben wird
auch der Wurm (*serpens*)[36], und das tückische Giftkraut
wird vergehen; assyrischer Ingwer wird allenthalben
wachsen[37].

---

[34] (v. 21) So die Interpretation von J. H. Voss, von F. Marx, N. Jahrbchr. 1898, S. 114 und von K. Barwick, Philologus 96. 1944, S. 36, die
den Vers mit dem folgenden in sinnvoller Weise verbindet, ähnlich auch
H. Gressmann a. O. 465. H. J. Rose a. O. 258 f. Dieser Gebrauch von
ipse entspricht genau dem von griech. αὐτός, Beispiele bietet D. L. Page
zu Euripides Medea 729 (Ausgabe Oxford 1938). Vgl. besonders Theokrit
9, 12 f. (*ipsae* ~ αὐταί, worauf H. Fuchs und C. Koch mit Nachdruck
hinweisen, s. Gymnasium 64. 1957, S. 194), ferner Hesiod, Erga 117
(αὐτομάτη) und andere Stellen, dazu G. Jachmann a. O. S. 19 m. Anm. 2,
vgl. auch S. 58 f.
[35] Zum ‚Tierfrieden' vgl. a. W. Kranz, Empedokles 1949, S. 81.
W. Hartke a. O. 265 f. Hingewiesen sei aber auch auf die Verzierungen
an den beiden Tempeln in Baalbek, wo neben der Szene mit der Geburt
des göttlichen Knaben wiederholt der Stier (des syrischen Gottes Hadad)
und der Löwe (seiner Kultgenossin Venus) erscheint. Und unter den
Schmuckelementen finden sich vorwiegend Wein, Ähren und Granaten.
Dazu s. K. Schefold, Jhrbch. d. Dt. Arch. Instit., Erg.-H. 16. Lit.-
Berichte 1939–1947, Sp. 144 mit weiterer Lit. (Picard, Seyrig und Dus-
saud).
[36] (v. 24) Ein verbreiteter Topos; vgl. die Beschreibung der Hölle,
ὅπου ὁ σκώληξ . . . οὐ τελευτᾷ „wo der Wurm nicht stirbt" Ev. Mk. 9,
44. 46. 48 nach Jes. 66, 24, dazu A. Dieterich, Nekyia 1893, S. 200,
wo die Vergilstelle nachzutragen ist. Weiteres bei Jachmann a. O. 20;
vgl. bes. a. Properz IV 7, 53 f. mit großartiger Lautmalerei. — Zu dem
Anklang der Verse 18 ff. an Jes. c. 7. 9. 11 vgl. die kritischen Bemerkungen bei Ed. Norden a. O. 51 ff.
[37] Zu den ‚Mirabilia' der Verse 18–25 vgl. Hartke a. O. 266. 268
(dazu a. u. Anm. 113), vor allem aber die grundlegenden Ausführungen
von Frz. Altheim, Röm. Religionsgesch. 2. 1953, S. 157 ff., wo der
Unterschied von Singular u. Plural bei den Pflanzennamen v. 19 f. u.
23 ff. zu erklären versucht wird. Derselbe will S. 159 f. das *Assyrium
amomum* v. 25 unter Hinweis auf Plutarch, De Is. et Os. 46 (ὄμωμι)

26 Doch sobald du bereits imstand sein wirst, der Heroen
Ruhm und deines Vaters Taten zu lesen[38] und zu erkennen, was Mannestugend sei, dann wird allmählich das
Feld von Ähren gelb[39], und am Dornstrauch ohne Pflege
wird die rötliche Traube hangen, und knorrige Eichbäume
werden Honig ausschwitzen[40] wie Tau.

31 Gleichwohl werden noch geringe Spuren alter Wirren
(fraudis) unvermerkt[41] übrig bleiben, welche Veranlassung
geben, das Meer[42] mit Schiffen zu befahren[43], die Städte
mit Mauern zu umgürten und der Erde Furchen einzu-

---

auf ein iranisches *humāma* zurückführen. — Zu dem ganzen Verskomplex
vgl. a. C. BECKER, Herm. 83, 1955, 332 f., ferner ob. Anm. 23.

[38] (v. 26 f.) Der Codex Romanus s. V bietet die mit Recht fast allgemein abgelehnte Variante *parentum* statt *parentis;* s. dazu a. unten
Anm. 85 und vgl. oben S. 388; dagegen BÜCHNER a. O. Sp. 1200. —
Zum „lesenden Götterkind" vgl. Ed. NORDEN a. O. 134 ff. W. HARTKE
a. O. 55₁. Ferner ist wohl auch die nur bei Lukas sich findende Erzählung vom zwölfjährigen Jesus im Tempel heranzuziehen: Ev. Luc. 2,
40—51, wo das von der Mutter nicht verstandene (τὰ) τοῦ πατρός in v. 49
den *facta parentis* ecl. 4, 26 zu entsprechen scheint. Vgl. dazu a. unten
Anm. 115. — Zum lesenden Kind Maria vgl. O. WEINREICH, Horatius
Christianus. In: Universitas 2. 1947, 1450 ff.

[39] (v. 28) Zu den reifenden Ähren vgl. HARTKE a. O. 55₂ f. u. schon
A. KURFESS Philol. Wochenschr. 1938, Sp. 959 f.

[40] (v. 29 f.) Die Verbindung des zur Erkenntnis heranreifenden Kindes
mit dem Honig auch Jes. 7, 15. Zu Jes. 7, 16 in diesem Zusammenhang
vgl. SASSE a. O. 72. — Zu den wunderbaren „Paradieses"-Zeichen der
Verse 29 und 30 (weintraubentragende Dornenhecke und honigspenden-
der Lebensbaum) hat H. WAGENVOORT, Mnemosyne IV 15. 1962, S. 134 ff.
eine Fülle indogermanischer Parallelen beigebracht.

[41] (v. 31) Die Nuance liegt in dem *sub-* beschlossen. Zu *fraudis* vgl.
sceleris v. 13; der Sinn für die Schuld der Generationen an der Verworfenheit ihres Aions ist ganz lebendig. Horaz greift das Motiv des *scelus
nostrum* in dem an Vergil gerichteten c. I 3 (v. 39) auf; dazu R. HARDER,
Kl. Schriften 1960, S. 431 ff.

[42] (v. 32) *Thetim* (die Mutter Achills), verbreitete Metonymie für das
feuchte Element.   [43] (v. 32) *temptare* eigentlich 'versuchen'.

graben. Dann wird noch einmal (*alter*) ein Tiphys[44] erstehen, und noch einmal ein Argo(nautenschiff), das aus-
erlesene Helden (mit sich) führt (*vehat*); auch Kriege
werden noch einmal sein, und noch einmal wird gen Troja
gesandt werden ein gewaltiger Achill[45].

37   Dann aber (*hinc*), sobald dich gekräftigtes (Jugend-)Alter
zum Mann gemacht hat, wird seinerseits (*et ipse*) vor
dem Meere zurück- | weichen der Seemann (*vector*), und
kein fichtenes Schiff wird (mehr) Waren tauschen: allenthalben (*omnis*)[46] wird alles die Erde (von selbst) hervorbringen. Keine Hacke wird der Boden (mehr) leiden, keine
Sichel die Rebe; schon auch wird der kräftige Pflüger
von den Stieren die Joche lösen; nicht mehr wird bunte
Farben vorzutäuschen die Wolle (erst) lernen (müssen)[47],
sondern auf den Wiesen wird der Schafbock bald in an-
genehm roten Purpur, bald in Safranfarbe sein Vlies ver-

---

[44] (v. 34) Tiphys, der boiotische Steuermann und sein Schiff Argo weisen
auf den mythischen Argonautenzug (Apollonius Rhodius, Argonautica I
105 f.). Den Agrippa will hinter Tiphys erblicken E. BICKEL, Rh. Mus.
97. 1954, S. 228. Zum Folgenden vgl. A. KURFESS a. O. 813.

[45] (v. 36) Das Motiv vom zweiten Achill kehrt wieder Aen. VI 89
(frdl. Hinweis von E. Henschel). Vgl. dazu a. P. CORSSEN Philol. 81.
1926, S. 35. JACHMANN a. O. 22.

[46] (v. 39) „Die ganze Erde..." übersetzt A. KURFESS, Ztschr. f. Rel.-
u. Geistesgesch. 3. 1951, S. 253 f. und zwar im Sinne von Sib. III 271
πᾶσα δὲ γαῖα σέθεν πλήρης, also die ‚Allmutter Erde' der jüdischen Pro-
phetien (Sib. III 675 u. 714 γαῖα δὲ παγγενέτειρα σαλεύσεται . . .). —
Kuriose Erklärung von v. 38 f. aus den Zeitbedingungen des Jahres 40
bei E. BICKEL a. O. 220.

[47] (v. 42) Anspielung auf die Kunst des Stoffärbens, die in der *aurea
aetas* nicht mehr vonnöten sein wird. Das Färben der Wolle ruft dem
antiken Leser den wiederholt begegnenden Vergleich mit dem Anerziehen
der Mannestugend ins Bewußtsein (Plato, Staat IV 7, 429 D ff. Horaz c. III
5, 27 ff., ähnlich Cicero, Hortensius fr. 8 Orelli: *literae, doctrinae, sapien-
tia*): auch die *virtus* ist im goldenen Zeitalter angeboren (wie sie es einst bis
auf die Zeiten Pindars war) und braucht nicht mehr „erlernt" zu werden
(*nec . . . discet* v. 42).

ändern[48]; ganz von allein wird Scharlach die weidenden Lämmer kleiden[49].

46 Solche Zeitläufte, so sprachen zu ihren Spindeln einträchtig in beständigem Schicksalswalten die Parzen, bringet eilend herbei![50]

48 O tritt deine hohen Ehren an — denn schon ist die Zeit erfüllt —, teurer Göttersproß, Jupiters großer Sohn![51] Sieh auf die runde Welt, die mit ihrem Gewichte

---

[48] (v. 43 f.) *iam ... iam* 'bald ... bald'. — *suave rubenti* Übersetzung von ἡδὺ ἐρυθαινομένῳ o. ä.?

[49] (v. 44 f.) Purpur — Safran — Scharlach, vielleicht ein Hinweis auf die zum Teil kultisch bedingte Vorliebe der Antike für die rote und gelbe Farbe mit ihren Spielarten. Über Etruskisches in diesem Zusammenhang vgl. ERDMANN a. O. 82 nach Macrob. Saturnal. III 7, 1 f., außerdem ROSE a. O. 253. BECKER 339. WAGENVOORT a. O. 139 ff., der jedoch selber durch Hinweis auf Tibull I 10, 9 f. und Apuleius, Metam. VI 11 an eine nicht mehr verstandene Anspielung auf die von der Sonne golden und rötlich gefärbten ‚Wolkenschäfchen‘ des Paradieses denkt.

[50] (v. 46 f.) Die beiden Verse erweisen nachträglich (wie E. PFEIFFER, Vergils Bukolika 1933, S. 79 gesehen hat — vgl. auch KERÉNYI ob. 332; dagegen BÜCHNER a. O. 1196. 1201 f.) die ganze Anrede an das Knäblein v. 18—46 als Rede der drei Parzen, die übrigens keinen Sinn hätte, wäre das Kind nicht schon geboren (*parca* wahrscheinlich zu *parere*: Schicksalskünderin bei der Geburt). Die gedrängte Ausdrucksweise (besonders *talia saecla currite* scil. durch das Drehen eurer Spindeln) erklärt sich, wie längst erkannt ist, aus verkürzender Nachahmung von Catull 64, 321 f. 381 ff. (*currere* nach E. HENSCHEL wohl = *properare,* was m. E. dem griechischen σπεύδειν entsprechen dürfte). Die folgenden Verse 48 ff. sind Anrede an das Kind, vom Dichter in eigener Person gesprochen — wiederum undenkbar, wenn nicht das Knäblein bereits geboren war.

[51] (v. 49) Die Feierlichkeit der Rede unterstreicht der Spondeus im 5. Fuss. *magnum Iovis incrementum* („Nachwuchs“) scheint freie Paraphrase von Sibyll. III 290 καινὸν σηκὸν θεοῦ (Acc.); zu *incrementum* s. Ed. NORDEN a. O. 129 f. ERDMANN a. O. 118 f. KERÉNYI an dem Anm. 31 a. O. 29 f. BÜCHNER 1209, der 1202 die Vorliebe des ganzen Gedichts für das Wort *magnus* vermerkt (v. 12. 22. 36. 48. 49). — Zu *cara deum suboles* vgl. Ev. Mt. 3, 17 u. Parallelstellen.

schwankt[52], auf die Länder und die Weiten[53] | des Meeres
und auf den unergründlichen Himmel — sieh, wie alles
sich des kommenden Weltjahrs freut![54]

53   O dann möge mir noch lange meines Lebens letzte Zeit
währen[55], und soviel Dichtergeist (verbleiben)[56], als nötig
ist, um deine Taten zu besingen: dann soll weder der
Thracier Orpheus mich mit seinen Liedern übertreffen,
noch Linus, so sehr auch dem einen seine Mutter und dem
anderen sein Vater beistehen mag, dem Orpheus die
Calliope, dem Linus der herrliche Apollo[57]. Selbst Pan,
wenn er unter Arcadiens Schiedsrichterschaft sich mit mir

---

[52] (v. 50) *convexo* steht in Enallage (Attributvertauschung), gehört
dem Sinne nach zu *mundum*. Das groß geschaute kosmische Bild dieses
Verses ist sicherlich von Sibyll. III 675 ff. beeinflußt (s. bei Deuticke
zu v. 50). Vgl. auch J. Geffcken, Hermes 49. 1914, S. 332. P. Corssen,
Philol. 81. 1926, S. 60. Hans Schmidt, Der Mythos vom zurückkehrenden
König ²1933, S. 20 f. G. Stégen, Etude sur cinq bucoliques de Virgile …
1955, S. 71 f. Merkwürdig ist die Verkennung bei Büchner 1207.
Über die kongeniale Nachahmung durch Paul Gerhardt („davor sonst
schrickt und scheut das große Weltgewichte") s. Theologia viatorum
1948/49, S. 135 = unten Bd. II.

[53] (v. 51) *tractus* eine Art ,Versparung' auch zu *terras* (= *terrarum
tr.*) nach der Ansicht von E. Henschel.

[54] (v. 52) Vgl. Sibyll. III 619 καὶ τότε δὴ χαρμὴν μεγάλην θεὸς ἀνδράσι
δώσει. Zum theologisch-politischen Gehalt der *laetitia* (und *hilaritas*) s.
A. Alföldi in: Historia 4. 1955, S. 133 ff., hier bes. 141.

[55] (v. 53) Vgl. Sibyll. III 371 (nach Hesiod, Erga 174 f.) u. dazu
A. Kurfess, Hist. Jhbch. 73. 1954, S. 126₁₉.

[56] (v. 54) *spiritus* (sowohl „Atemhauch" wie „Dichtergeist", vgl. Horaz
c. IV 3, 24) scil. *maneat* (v. 53). — Vergil starb 51jährig bereits im
Jahre 19. Vgl. dazu a. R. Waltz a. O. 10.

[57] (v. 55—57) Von den beiden mythischen Sängern der Heroenzeit,
deren Wiederkunft im goldenen Zeitalter erwartet werden darf, ist
Orpheus Sohn des thrakischen Stromgottes Oiagros und der Muse
Kalliope(ia), Linos des Apollon und der Muse Urania.

messen möchte, selbst Pan müßte — mit Arcadien als
Schiedsrichterin — sich geschlagen geben (*dicat*)[58].

60 Auf denn, du Knäblein, beginne (deinen Lauf damit),
lächelnd deine Mutter zu erkennen[59] — haben doch der
Mutter ihre zehn Monate lange Beschwerden gebracht[60] —
auf denn, fang gleich (damit) an, mein Knäblein: (denn)

---

[58] (v. 58—59) Arkadien ist die Heimat des Waldgottes Pan, der sich
mit Apollon in einen Sangeswettstreit einließ und dabei unterlag. Vergil
vergleicht sich also in dezenter Andeutung mit Apollon selbst. Das Land
Arcadia ist hier als Schiedsrichter gedacht wie in einer anderen Fassung
der Sage der Berg(gott) Tmolos in Phrygien (Ovid, Metamorph. XI 156
iudice sub Tmolo). Zu Pan vgl. a. unt. Anm. 94; zu diesem Gott und
zum Arkadienmotiv vgl. jetzt a. G. JACHMANN, Maia N. S. 5. 1952, S. 169 f.
in einem Aufsatz ‚L'Arcadia come paesaggio bucolico'. Die durch Pan
gegebene Verbindung des Vergilgedichts mit der bukolischen Sphäre
betont auch BÜCHNER 1206 f.

[59] (v. 60) *incipe ... cognoscere* „beginne damit zu erkennen, erkenne
gleich anfangs". Das Lateinische gebraucht *incipio* c. infinit. für die drei
verschiedenen Möglichkeiten des Sinnes, während das Griechische zu unterscheiden pflegt:

a) ich beginne — ein anderer fährt fort, griech. ἄρχω c. infinit. sive partic.,
    lat. *princeps sum* oder *incipio*, z. B. Verg. ecl. 3, 58 *incipe Damoeta,
    tu deinde sequere Menalca.*

b) ich beginne und fahre mit etwas anderem fort, griech. ἄρχομαι c.
    partic.

c) wie hier: ich beginne gleich mit etwas, tue es gleich anfangs anstatt erst
    später, griech. ἀρχόμενος ποιῶ τι (Thucyd. IV 64 ἅπερ καὶ ἀρχόμενος
    εἶπον) oder ἄρχομαι c. infinit.

Der Vers müßte also griechisch etwa heißen: ἄρξαι γ', ὦ φίλε παῖ, γελάσας
τὴν μητέρα γνῶναι. — Zur Sache vgl. oben [S. 383 f.].

[60] (v. 61) *decem ... menses* (nach Theokrit 24, 1) sind Mondmonate zu
28 Tagen (nach denen auch die heutige Medizin noch die Schwangerschaft
berechnet); vgl. Gellius, Noctes Atticae III 16, 1 ff., dazu ferner Ed. NOR-
DEN a. O. S. 61, 1. A. ERNOUT, Rev. de Philol. 88. 1962, S. 264. —
tulerunt mit Systole des langen ē wie auch sonst gelegentlich metri causa,
z. B. Aen. II 774 *steteruntque comae*. Weiteres zu dem Vers bei KURFESS,
Ph. Woch. 1938, 813[3].

wer nicht der Mutter zugelächelt | hat[61], den hat auch kein

---

[61] Die Anapher *incipe parve puer* v. 60 u. 62 zeigt, daß die jeweils folgenden Wendungen *risu cognoscere matrem* bzw. *qui* (überl. *cui* — v. l. *quoi) non risere parenti* (überl. *parentes*) doch wohl gleichsinnig interpretiert werden müssen. Wer also im zweiten Passus an der Überlieferung festhält, muß den ersten übersetzen mit „an ihrem Lächeln die Mutter zu erkennen", d. h. auf der Mutter Lächeln zu reagieren. Zur Widerlegung dieser verzweifelten Interpretation hat schon E. NORDEN, 61_2. 64_2 das Nötige gesagt; übrigens müßte es bei diesem untergelegten Sinn vielmehr heißen *ex risu*, wie sich aus dem von G. RADKE, Gymnas. 1957, 184_{150} vorgelegten Material ergeben dürfte. Andererseits meint C. STANGE, Jrbch. der Alb.-Univ. zu Königsberg 3. 1953, 5 ff. (bes. S. 11) dem Vergil vorschreiben zu müssen, er hätte statt *risu* vielmehr *ridens* einsetzen müssen, wenn er das Lächeln auf den Knaben bezogen wissen wollte. So nimmt denn auch K. BÜCHNER RE VIII A 1203 jene Interpretation wieder auf, was wie gesagt den Vorteil bietet, im zweiten Passus an der Überlieferung festhalten zu können. Aber um welchen Preis? Beide Wendungen werden nämlich mit schönem Unfehlbarkeitsanspruch als bloße Paraphrasen (!) für das Eintreten des Aionkindes in die Leiblichkeit erklärt: „Eintritt ins Leben ist Vorbedingung für Vergöttlichung" und „ohne Welteintritt kein Verkehr später mit den Göttern"! Hier scheint sich unvermerkt und ungewollt der christliche Gedanke der „Inkarnation" Gottes als Ausweis seiner erlösenden Kraft eingeschlichen zu haben. Vielmehr ist im Sinn des Vergil nicht Menschwerdung eines Kindes die Vorbedingung seiner Göttlichkeit, sondern umgekehrt das wunderbare Zeichen der Beweis für den göttlichen Rang eines Menschenkindes. Vollends phantastisch erscheint der von G. RADKE a. O. 184 versuchte Nachweis, hinter dem Zulächeln der Mutter eine freundliche Gesinnung der Göttin Juno (!) gegenüber dem Neugeborenen zu erkennen; dies wird uns deshalb empfohlen, weil Servius zu v. 62 den an sich bei der Göttlichkeit des Vulcanus schiefen Vergleich e contrario bringt: *sicut Vulcano contigit, qui cum deformis esset et Iuno ei minime arrisisset, ab Iove est praecipitatus in insulam Lemnum.*

Die Lesart *qui non risere parenti,* so kühn sie auf den ersten Blick erscheinen mag, ist also unerläßlich, zumal die Korruptel leicht ihre Erklärung findet. Denn das *cui* ist nichts weiter als eine häufig sich findende schlampige Schreibweise für *qui,* die dann notwendig die Änderung von *parenti* in *parentes* nach sich gezogen hat, sobald es als dativisches *cui* mißverstanden war.

Die Wiederherstellung des Textes ist überdies nahegelegt durch das

Zitat des Verses bei Quintilian, Instit. orat. IX 3, 8, wo sich zwar fatalerweise ebenfalls jener Fehler in die Überlieferung eingeschlichen hat: *cui non risere parentes*, der aber eindeutig ausgemerzt werden kann, da nur mit der Lesart *qui non risere parenti, nec deus hunc* ... die Verse 62/63 die auch aus dem Griechischen bekannte grammatische Eigentümlichkeit ergeben, die Quintilian belegen will: pluralisches Relativum aufgenommen durch singularisches Demonstrativum (*qui* ..., *hunc*). Vgl. Ed. NORDEN a. O. 61 ff. (griechische Beispiele: Platon, Phaidon 15, 70 E 5 ὅσοις ... αὐτό. Aisch. Eumen. 338 f. τοῖς ... ὑπέλθῃ — ähnlich auch Soph. El. 1505 f. τοῖς πᾶσιν ... ὅστις ...; weitere vor allem auch lateinische Beispiele bei Th. BIRT, B. Philol. Wochenschr. 1918, Sp. 189 f.)

Da die Erörterung der Quintilian-Stelle bei E. NORDEN 62$_2$ f. und erst recht bei G. RADKE a. O. 183 f., wo aus ihr die kühnsten Folgerungen gezogen sind, noch an einigen Unklarheiten leidet (zu fein gesponnen wohl auch A. ERNOUT a. O. 262 ff.), sei hier der Sachverhalt dargestellt und kurz besprochen.

Quintilian i. or. IX 3, 8 interpretiert im Abschnitt über die Wortfiguren folgendermaßen: *Est f i g u r a* (scilicet: *mutationis*, hier = Inkongruenz) *et in numero, vel c u m s i n g u l a r i p l u r a l i s subiungitur: „gladio pugnacissima g e n s , R o m a n i"* — ‚gens' enim ex multis (scilicet: constat), *vel e diverso* (also: *cum plurali singularis subiungitur*): *„qui* (codd.: *cui) non risere parenti* (codd.: *parentes), Nec deus hunc mensa dea nec dignata cubili est"* — *ex illis enim, „qui non risere", „hunc* { quem } *non* ⟨*dignatus deus nec dea*⟩ *dignata"* —

Das *ex illis enim* des Quintilian ist zur Erklärung etwas ungeschickt; denn es handelt sich nicht um einen Partitivus, sondern um eine sinngemäße Identität von Singular und Plural. An der zweiten Stelle dürfte bloßes *hunc* das Richtige bieten; *hic quem* ist dazu wohl varia lectio (s. unten 2).

Im einzelnen ist folgendes festzustellen:

1. Die leichte Emendation *qui* für *cui* (s. ob.) braucht nicht, wie Th. BIRT, Phil. Woch. 1918, 187 f. annahm, (s. bei NORDEN 63$_2$) speziell von Politianus 1489 zu stammen; auch Hss. dieser Zeit, wie der von J. M. GESNER in seiner Ausgabe von 1738 verwendete Cod. Gothanus s. XV ex. lesen hier *qui*, was vor Gesner auch schon BURMANN 1725 in seinen Quintilian-Text übernommen hatte.

2. Derselbe Cod. Gothanus hat (außer dem von Radermacher in seiner Quintilian-Ausgabe benützten P = Parisinus s. XV) statt *hic quem* vielmehr *hunc quem*, was frühe Herausgeber (so wiederum Burmann

und Gesner) in bloßes *hunc* verbesserten. Dieses *hunc non ... dignata* ergibt im Anschluß an Vergil v. 63 einen tadellosen und sinngemäßen Satz, während ein *hic quem* ebenso wie ein *hunc quem* des Hauptsatz-Prädikats ermangelt. Bloßes *hunc* wird also von Quintilian gesagt sein, Verschreibung des *hunc* in *hic* (über *himc*, s. den Apparat bei Radermacher) hat dann mit syntaktischer Notwendigkeit ein zusätzliches *quem* nach sich gezogen, das fatalerweise auch diejenigen Hss. übernahmen, die bei dem richtigen *hunc* geblieben waren.

3. Das *non dignata* ist, wie ebenfalls die alten Herausgeber (wiederum z. B. Burmann und Gesner) schon gesehen haben, zweifellos eine Haplographie für *non dignatus deus nec dea dignata,* was deshalb herzustellen ist.

So ergibt sich an der korrupten Stelle der Text:

Ex illis enim, „qui non risere", „hunc" { quem } non ⟨dignatus deus nec dea⟩ dignata.

Übrigens schiene — bei Vergil wie bei Quintilian — die Lesart *qui non risere parentes* im Sinne von „wer nicht die Eltern angelächelt hat", zwar vielleicht sprachlich ebenfalls möglich (Plautus, Captivi 481, vgl. Th. BIRT a. O. 190 ff.), aber *parenti* scheint auch durch v. 60 f. gesichert.

Ein weiterer, neuer Beweis für die Richtigkeit der Lesart *qui non risere parenti* „wer nicht seiner Mutter zugelächelt hat", darf in einer Sequenz des Notker Balbulus von St. Gallen (aus dem 9. Jhdt.) erblickt werden, auf die mich im Zusammenhang mit der 4. Ekloge Vergils Richard KIENAST freundlichst aufmerksam macht. Da heißt es „In purificatione Sanctae Mariae" Abs. 10 (Wolfr. von den STEINEN, Notker der Dichter ... Editionsband I 1948, S. 24):

> *Exulta, cui parvus / arrisit tunc, Maria,*
> *qui laetari omnibus / et consistere / suo nutu tribuit.*

Das *nutu* v. 5 und das *laetari* v. 3, so scheint mir, weist so deutlich auf Vergil, ecl. 4, 50. 52, daß auch für die Verse 1 und 2 die Anspielung auf die Ekloge (v. 60—62) als sicher gelten kann. Dann aber ist für Vergil die längst von vielen postulierte Lesart vollends gesichert. Übrigens stellt sie auch eine genuine Variante des Sprachgebrauchs dar zu dem mehrfach anklingenden Catull, hier 61, 219 (*parvulus*) *dulce rideat ad patrem* (zur wechselweise gebrauchten Konstruktion von ad c. acc. und bloßem Dativ s. STOLZ-SCHMALZ-HOFMANN, Lat. Gramm. 1928, S. 410).

Sehr hübsch ist das Klischee der richtig verstandenen Verse in der sogen. Donat-Vita [4], wo der charakteristische Zug gemildert auf die Jugendgeschichte des Dichters selber übertragen ist. Gewiß, ein Gott oder Halb-

Gott seines Tisches, keine Göttin ihres Lagers gewürdigt[62].

Die Disposition des Gedichtes ergibt sich ohne Schwierigkeit[63]:

A. v. 1—3. Herkömmlicher Anruf der Muse; Aufschwung   }3
zu bedeutenderem, des Consuls würdigem Stoff.

---

gott war darnach Vergil nicht, so daß er auch nicht gleich nach der Geburt
gelächelt haben kann. Aber immerhin: *ferunt infantem ut sit editus neque
vagisse et adeo miti vultu fuisse, ut haud dubiam spem prosperioris
geniturae iam tum daret* — „man sagt, das kleine Kind habe gleich nach
seiner Geburt nicht gewimmert, habe vielmehr ein so sanftes Gesicht
gezeigt, daß es schon damals die über jeden Zweifel erhabene Hoffnung
geweckt habe, es sei unter einem besonders glücklichen Stern geboren"
(Übersetzung nach J. GÖTTE; vgl. dazu D. STUART bei NORDEN 65$_2$ f.).
    Die schlampige Lesart *cui non risere p.*, die durch Quintilian widerlegt
wird, hat freilich schon beim Servius-Kommentar und in der griechischen
Übersetzung der 4. Ekloge aus Constantins Zeit die Verwirrung gestiftet,
von der sich eine große Anzahl der heutigen Philologen noch nicht frei-
gemacht hat, so etwa R. WALTZ a. O., S. 11 m. Anm. 11 u. 12 (auch Racine
hat danach in seiner ‚Iphigénie' auf diese Lesart angespielt).

[62] (v. 63) Nur wer seine göttliche Natur im Sinne der *heroes* v. 15 f.
erwiesen hat, der wird selber des Umgangs mit Göttern und Göttinnen
gewürdigt (vgl. wiederum v. 15 f.); mit Recht hat man auf das genau
vergleichbare Beispiel des Herakles bei Homer Od. 11, 601 ff. und Horaz
c. IV 8, 29 f. verwiesen. Über die Möglichkeit babylonischen Einflusses
H. GRESSMANN a. O. 476 f. Im übrigen vgl. zur Sache oben [S. 383 f.].

[63] Das Ganze durchwaltet ein leicht verdecktes Siebenerschema: 1—
63 = 9 mal 7; 1—3 (3) und 60—63 (4) = 7; 4—59 (56) = 8 mal 7;
18—45 (28) = 4 mal 7; 4—17 (14) und 46—59 (14) = je 2 mal 7: beobachtet von ERDMANN a. O. 75 (nach Frz. BOLL, Kl. Schriften, S. 333 ff.);
vgl. a. G. STÉGEN a. O. 63 ff. Ein anderes Schema bei W. WEBER a. O. 25;
grundsätzlich gegen das Siebenerschema JACHMANN, Annali... a. O. 52,
vgl. a. BÜCHNER a. O. 1196. 1202 nach NORDEN a. O. 8 f. — Zum
„Prooemium" v. 1—17 s. W. HARTKE, Röm. Kinderkaiser 1951, S. 374 f.

B. v. 4—63. Verkündigung des neuen Aions (*aevi* v. 11)
und Begrüßung des göttlichen Knaben, der ihn verkörpert.

   I. v. 4—17. Wiederkehr des von der Sibylle geweis-
sagten goldenen Zeitalters unter Apollos Herrschaft
und Pollios Consulat mit der Geburt des zu Heroen-
dasein bestimmten Kindes.

      a) v. 4—10. Erneuerung der Zeit mit der Geburt
des Knaben. } 7 } 14

      b) v. 11—17. Beginn des neuen Weltjahrs mit
Pollios Consulat. Weissagung des Heroenranges
für den herrscherlichen Knaben. } 7

   II. v. 18—47. Schicksalsspruch der Parzen für das göttliche Kind, das den neuen Aion verkörpert.

      a) v. 18—25. Das Kind in der Wiege und der wun-
derbar verwandelte Aion. } 8 } 60

      b) v. 26—36. Das Heranwachsen beider zu männ-
licher Reife.
         1. v. 26—30. Glückliches Kindesdasein. } 5 } 11 } 30
         2. v. 31—36. Rückfall im Entwicklungsalter. } 6

      c) v. 37—45. Manneskraft und Vollendung der gol-
denen Zeit. } 9

      d) v. 46—47. Bekräftigendes Schlußwort der Par-
zen an ihre Spindeln. } 2

   III. v. 48—63. Anruf des Dichters an den göttlichen
Knaben.

      a) v. 48—52. Gottessohn und Kosmos. } 5

      b) v. 53—59. Wunsch des Dichters, die Erfüllung zu
erleben und würdig zu besingen. } 7 } 16

      c) v. 60—63. Aufforderung an das Neugeborene,
durch Anlächeln der Mutter, ihr zum Lohne,
seine Göttlichkeit zu erweisen. | } 4

Wir sind in der glücklichen Lage, für Anlaß und Entstehungszeit
der 4. Ekloge des Vergil einige feste Daten in der Überlieferung
vorzufinden, von denen alle Forschung auszugehen hat. Die sogenannten Scholia Danielis, die vielfach altes und zuverlässiges Ma-

terial enthalten[64], berichten uns in Servius' erweitertem Vergil-
kommentar (dem „Servius auctus") zu ecl. 4, 11, daß einer ihrer
Gewährsmänner, der hervorragende Gelehrte der ersten Kaiserzeit,
Asconius Pedianus, Landsmann des Historikers Livius, von des
Asinius Pollio ältestem Sohn C. Asinius Gallus noch selber gehört
habe, *hanc eclogam in honorem eius factam*[65]. Außerdem fügt
Hieronymus in seiner Chronik, sei es aus Sueton, sei es aus dem
Vergilkommentar seines Lehrers Donatus, einer gelegentlichen Erwähnung des Asinius Gallus den Zusatz bei: *cuius etiam Vergilius
meminit*[60], was vermutlich doch als ein Hinweis auf die gleiche
Tradition zu werten ist. Ganz ebenso sagt der gleichzeitige heid-
nische | Schriftsteller Macrobius[67] bei Erwähnung der 4. Ekloge
Vergils: *cum loqueretur de filio Pollionis*. Schließlich weiß die erweiterte Donat-Vita[68] zu berichten, daß Vergil den Sohn des Pollio
miro amore dilexit. Und ferner hat uns, wie wir schon sahen,
wiederum der Servius auctus an der gleichen vorhin zitierten Stelle
überliefert, Asinius Gallus sei *natus Pollione consule designato,*
also wohl in der zweiten Hälfte des Jahres 41; denn am 1. Januar 40
begann Pollios Consulatsjahr. Freilich hat man diese Angaben,
obwohl sie offensichtlich Fakten berichten und kaum allesamt etwa
nur Kombinationen darstellen dürften, bisher meist beiseite ge-
schoben oder gar verdächtigt[69]. Natürlich haben wir am Text des

---

[64] Dazu vgl. WESSNER RE II A (1923) 1838 f. u. Joh. GÖTTE, Vergil
Landleben ... 1949, S. 227 f.

[65] Nach P. CORSSENS ansprechender Vermutung (Philol. 81. 1926,
S. 70 f.) stand dies in des Asconius Schrift *Contra obtrectatores Vergili*.
Vgl. allgemein bes. R. WALTZ a. O. 7 f.

[66] Ed. NORDEN a. O. S. 12, Anm.

[67] Macrob., Saturnal. III 7, 1. Dazu KURFESS, Hist. Jrbch. 73. 1954,
S. 127.

[68] Donatus auctus, Vita Verg. 38 (p. 31 Diehl); vgl. a. Schol. Bernensia
775—777 Hagen (ROSE a. O. 262).

[69] Der krasseste Beleg sei hier ausgehoben: W. WEBER, Der Prophet
und sein Gott, S. 4, bemerkt spöttisch, daß auf die kühlen Ausleger des
Gedichtes „der anmaßliche Anspruch eines bedeutungslosen Gecken, der

Gedichtes selber zu prüfen, ob sich jene Aussagen ohne Zwang und
Widerspruch der Interpretation einfügen. Erst wenn das nicht der
Fall sein sollte, hätten wir das Recht, sie zu verwerfen.

Vergil deutet gleich anfangs (v. 3) an, daß sein Lied dem Consul
zu Ehren gedichtet sei. In v. 11 und 12 folgt dann die solenne
Anrede des Consuls Pollio; die feine Andeutung seines Amts-
antritts[70] weist auf den 1. Januar des Jahres 40. Zwischen diese
beiden bedeutsamen Stellen eingeschoben steht die feierliche Verkündigung der Wiederkehr des goldenen Weltalters im Zusammenhang mit der Geburt eines Knaben (v. 4—10). Schon dieser Umstand läßt darauf schließen, daß zwischen dem angeredeten Consul,
des Dichters Gönner und Freund, und jenem Knäblein ein Zusammenhang besteht. Hinzu nehmen müssen wir, daß wiederum
an entscheidender Stelle, nämlich wie dort am Anfang des Gedichtes Pollio, so in den letzten Versen (v. 60 ff.) die Mutter des
Kindes in unverkennbar warmem persönlichem Ton apostrophiert
wird; denn besonders der v. 61 kann doch nur aus einem — wenn
auch noch so achtungsvoll zurückhaltenden — menschlichen Verhältnis zu der hohen Frau verfaßt sein, die für ihre schwere Stunde
und alle vorangegangenen Beschwerden sich mit einemmal reich
belohnt sieht — ins Blaue hinein gesprochen und mit Bezug auf
die imaginäre Mutter irgendeines erhabenen Phantasiegebildes würden gerade diese Verse läppisch wirken[71]. Nimmt man weiter
hinzu, daß — wovon wir ausgingen — nach dem schlichten und gar
nicht anmaßenden Selbstzeugnis von Pollios kurz vor Entstehung
des Gedichtes geborenem ältestem Sohn dieser mit dem | Ganzen ge-
meint sei, so — denke ich — ergibt sich unabweislich, daß Vergil seine
Ekloge anläßlich der Geburt dieses C. Asinius Gallus gedichtet hat.

Bevor wir untersuchen, wie es zu solcher Ehrung kam, muß
einigen Einwänden begegnet werden, die von den Gegnern dieser

---

Verheißene zu sein, sichtlich Eindruck" gemacht habe, so daß sie „ihn
nachträglich anerkannten".

[70] Siehe oben Anm. 29 zu v. 11 und [S. 370 f.] m. Anm. 8.

[71] ERDMANN a. O. 74. ROSE a. O. 209 f. Vgl. dazu auch oben Anm. 50
zu v. 46 f.

Schlußkette gemacht sind[72]. Sie konzentrieren sich im wesentlichen auf zwei Punkte:

1. In den Versen 8—10 soll das particip. praes. *nascenti puero* auf einen Knaben deuten, der erst geboren wird[73], sonst hätte der Dichter die Wendung *nato puero* gebrauchen müssen; das gleiche gehe eindeutig aus der Anrufung der Geburtshelfergöttin Lucina hervor, die man nicht bemühen könne, wenn das Kind schon da ist[74].

Hierzu sei zunächst nur am Rande bemerkt, daß das partic. praes. im Lateinischen gar keine absolute Zeitstufe ausdrückt; sie wird vielmehr lediglich durch den Zusammenhang bzw. gelegentlich

---

[72] Es wird wohl nicht verdacht werden, wenn hier und weiterhin auf Anführung der kaum mehr übersehbaren Literatur verzichtet wird. Die beigebrachten Argumente finden sich im wesentlichen in Deutickes Kommentar und in den Monographien von Ed. Norden und W. Weber verzeichnet. Von der seither erschienenen Literatur nenne ich auswahlweise: P. Corssen, Die vierte Ekloge Vergils. Philol. 81. 1926, S. 26—71. Andreas Alföldi, Der neue Weltherrscher der 4. Ekloge Vergils. Hermes 65. 1930, S. 369—384. G. Erdmann a. O. (oben Anm. 6). Erwin Pfeiffer, Virgils Bukolika 1933, S. 68—115. H. J. Rose, The Eclogues of Vergil 1942, S. 162—217. 253—265. Karl Barwick, Zur Interpretation und Chronologie der 4. Ekloge des Vergil ... Philol. 96. 1944, S. 28—67. René Waltz, Sur la 4me Bucolique de Virgile. Les Études Classiques 26. 1958, S. 3—20.

[73] Vgl. z. B. E. Norden a. O. 149.

[74] Aus diesem Bedenken ist dann jene merkwürdige Theorie entstanden, der unvorsichtige Dichter habe mit seinem Lied auf ein noch nicht geborenes Kind abgehoben, das im Consulatsjahr des Pollio für das folgende Jahr aus der Verbindung hochgestellter Personen erwartet wurde, sei es aus der eben geschlossenen Ehe des Octavian mit Scribonia (so etwa E. Bickel, Rh. Mus. 1954 210 u. ö.), sei es aus dem Ehebruch des M. Antonius mit Kleopatra. Im einen Falle wäre Vergils leichtfertiger Schluß auf das Erscheinen eines *puer* fatal durch die Geburt der kleinen Julia getäuscht worden, im anderen durch die des Zwillingspärchens Alexandros Helios und Kleopatra Selene! Vgl. dazu Fitzler RE X 896; Wilcken RE I 1441 f. Die erste Hypothese ist weit verbreitet (neuere Anhänger etwa L. Deubner, Fr. Klingner, G. Jachmann), die zweite hat zuerst R. Eisler, Orphisch-dionysische Mysteriengedanken ... 1925, S. 27, 2 f. und weiterhin mehrfach vertreten; dagegen u. a.

auch durch die Bedeutung des betr. Verbums an die Hand gegeben[75]. Wäre es nicht so, müßte man im Sinne jenes Einwands
ja auch nicht das partic. praes., | sondern das partic. fut. erwarten.
So bezeichnet denn auch der Terminus technicus *nascentia* nicht ausschließlich das soeben oder gar erst künftig Entstehende, sondern
schlechthin die organisch gewachsenen Dinge, das Gewachsene[76].
Ja, diese „zeitlose" Bedeutung des Präsens geht bei *nasci* vielfach
über das Partizip hinaus, so daß etwa (wenn man die Übersetzung
schon pressen will) die sprichwörtliche Wendung *inter vepres rosae
nascuntur*[77] „zwischen Dornen pflegen Rosen geboren zu werden"
doch eigentlich besagt „zwischen Dornen wachsen Rosen auf" (d. h.
sie sind jeweils schon geboren).

Aber daß hier der Dichter vom *nascenti*, nicht vom *nato puero*
spricht, mag darin seinen Grund haben, daß er soeben auch (v. 5)
vom sich wiedergebärenden Aion den Ausdruck *nascitur* gebraucht
hat. So wird durch den Anklang *nascitur — nascens* sinnfällig
eingeprägt, was nachher als fugenartig durchgeführtes Hauptthema

---

P. Corssen a. O. 61 f. Von anderen ähnlichen Lösungsversuchen sei hier
abgesehen; vgl. a. W. Hartke a. O. 214 f. u. 376 f., sowie R. Waltz'
sarkastischen Bericht a. O., S. 13 m. Anm. 14.

[75] Stolz-Schmalz-Hofmann, Lateinische Grammatik 1928 (Syntax),
S. 604, wo auf Ausführungen von Marouzeau in den Mémoires de la
Société de linguistique 16, 138 ff. verwiesen wird. Danach läßt sich das
part. praes. als eigentliches Partizip der Gegenwart „nur in den seit
klassischer Zeit vereinzelt begegnenden Fällen der Gegenüberstellung zu
anderen Part. bezeichnen wie ... Lucr. I 113 *nata sit an contra nascentibus
insinuetur*. Danach ist Rose a. O. 261 zu berichtigen. — Eine schlagende
Parallele zu *nascenti puero* = „dem soeben geborenen Knaben" bietet
Vergil Aen. IV 515 *nascentis equi* „eines soeben geborenen Pferdchens"
(frdl. Hinweis von Erika Simon). Außerdem übersetzt die in Kaiser
Constantins Rede an die Versammlung der Heiligen v. J. 313 (dazu s. unt.
Anm. 132) vorliegende griechische Übersetzung das *modo nascens* v. 8. mit
νεωστὶ τεχθείς (Ausg. v. I. Heikel p. 182, 26). Die richtige Übersetzung
von *nascenti puero* bietet auch R. Waltz a. O., S. 8₇.

[76] Vitruv. V 1, 3. VIII 1. Paulin. Nol. epist. 9, 3. Vgl. *gignentia* „Ge-
wächse" bei Sallust, u. ä.

[77] Amm. Marcellinus XVI 7, 4.

die Rede der Parzen erfüllt (v. 18 ff.), daß nämlich goldenes Zeitalter und göttliches Kind in engster Beziehung zueinander stehen,
einander bedingen, miteinander aufwachsen und sich gegenseitig
verbürgen, ja geradezu makro-mikrokosmisch verkörpern und durchdringen.

Auch die Anrufung der Lucina ordnet sich hier aufs schönste ein.
Es braucht gar nicht besonderer Nachdruck darauf gelegt zu werden, ist aber der Erwähnung wert, daß diese Göttin nach der Geburt eines Kindes noch bis zur kultischen Reinigung der Wöchnerin
eine Zeitlang im Haus verehrt wurde[78]. Vielmehr ist dies das Entscheidende: wir müssen doch dem Dichter zugestehen, daß er in
einem so fein vor uns hingestellten Durchblick auf Werden und
Wachsen von Aion und göttlichem Kind zunächst gleichsam rekapitulierend die Geburt vergegenwärtigt, als geschehe sie noch
einmal, wobei denn die Anrufung der Lucina ganz am Platze ist.
Erst dann fährt er mit der Schilderung von Kindheit, Jugend und
Reife fort. So entstehen ganz organisch die vier Stufen[79], von
denen keine im Gesamtaufbau dieses groß geschauten Gemäldes
fehlen darf:

   a) v. 8—10 Geburt,
   b) v. 18—25 das Kind in der Wiege,
   c) v. 26—36 Jugend und Jünglingsalter,
   d) v. 37—45 volle Reife.

Daß zwischen Stufe a und b die Huldigung an den Consul als den
menschlichen Vater und der Hinweis auf den Heroenrang des göttlichen Kindes eingeschoben ist, und daß dann das Schicksalslied
der Parzen erst an der Wiege des Knaben einsetzt, hat alles
seinen wohlbegründeten Sinn.|

2. Jedoch, so lautet der Haupteinwand gegen eine Verbindung
der Ekloge mit der bereits erfolgten Geburt des Asinius Gallus:

---

[78] K. Latte RE XIII 1649 f. Vgl. a. schon J. H. Voss, Virgils 4. Ekloge
übs. u. erkl. 1795, S. 95. 96 f.

[79] Bestritten von W. Hartke (brieflich, vgl. a. Röm. Kinderkaiser
374 f.); s. aber die treffenden Ausführungen von C. Koch, Gymn. 64.
1957, S. 194 f., R. Waltz a. O. (1958), S. 7. 8 ff. 11 f.

Pollio sei in dem Gedicht nirgends ausdrücklich als der Vater des Gotteskindes bezeichnet. Ist das verwunderlich? Er darf ja gar nicht im eigentlichen Sinne als der Vater gelten. In jenem ägyptischen Theologumenon, das Eduard Norden an Hand von reichem Material als letzten Urgrund des Motivs vom welterlösenden göttlichen Kinde aufzeigen konnte, und das nicht nur auf unser Gedicht eingewirkt hat, ist zwar die Mutter eine Sterbliche, der Vater aber stets ein Gott[80]. So ist es bei Polydeukes-Pollux, bei Herakles, bei Dionysos-Bacchus, bei Romulus-Quirinus, denen wir auch in der 3. Römerode des Horaz als Vertretern halbgöttlicher Herkunft neben dem gleicher Ehren gewürdigten Augustus begegnen[81], so beim vergöttlichten Alexander des bald nach seinem Tode entstandenen Romans, nicht anders auch hier: v. 49 *magnum Iovis incrementum*. Da muß denn der menschliche „Vater", in dessen Hause das Kind aufwächst, zurücktreten. Ja es ist jeweils geradezu das Kardinalproblem dieses Sachverhalts, wie dem Nährvater seine eigenartige Stellung, die so merkwürdig zwischen göttlicher Begnadung und menschlicher Zurücksetzung schwebt, begreiflich gemacht werden kann. Dafür braucht nur an die Ausgestaltung der Alexandersage erinnert zu werden, wo ein Mittler notwendig wird — Nektanebos —, der den König Philipp als den rechtmäßigen Gatten von Alexanders Mutter Olympias mit seiner Rolle zu versöhnen sucht[82], oder an das Amphitryon-Motiv der Heraklessage, dessen sich die Weltliteratur als eines ergiebigen Themas bemächtigt hat[83]. Vergil, der sich durch das Aufgreifen jenes Theologumenons

---

[80] Ed. NORDEN a. O. 73 ff.

[81] Dazu s. oben Anm. 31 zu v. 15—17 der Ekloge.

[82] Dazu etwa Fr. PFISTER, Studien zum Alexanderroman, in: Würzburger Jahrbücher f. d. Altertumswiss. I 1946, S. 52 f. Frz. BOLL, Kleine Schriften, S. 344 ff. P. CORSSEN a. O. 31 f. Vgl. a. (für Joseph) Ev. Matth. 1, 18 ff.

[83] Plautus' Amphitruo und die Dramen von Molière, Kleist, Giraudoux und Dutzenden anderer. Vgl. auch die Legende von der übernatürlichen Geburt Platons bei Plutarch Moral. 717 E (Quaest. conviv. VIII 1, 2), dazu Diog. Laert. III 1, 2. Ferner Ev. Mt. 1, 20—25. S. dazu L. BIELER, Theios Anér I 1935, 24 ff. H. ALMQVIST, Plutarch u. das NT ... 1946, S. 32; dazu H. BRAUN, ThLZ 1952, Sp. 353.

und seine Anwendung auf die Geburt des Asinius Gallus ganz
konkret und persönlich dem Asinius Pollio gegenüber vor das
gleiche Problem gestellt sah, hat es mit feinem Takt gelöst. Weder
durfte er seinen Gönner schlechthin als Vater des göttlichen Kindes
preisen, wenn er seine Konzeption nicht gefährden wollte, noch
konnte er die Ehre, die dem Hause Pollios und damit diesem
selbst widerfahren war, verschweigen, ja er hatte gerade die Aufgabe, den begnadeten Consul so viel von dieser Auszeichnung
spüren zu lassen, als es sich mit dem religiösen Gehalt des Gedichtes
irgend vertrug. So muß er sich mit zurückhaltenden Andeutungen
begnügen, die dem, der sein Anliegen überhaupt versteht, genug
besagen. Schon daß die das Entscheidende enthaltende Anrede | des
Gefeierten (v. 11—14) zwischen die beiden ersten Erwähnungen des
Kindes von je gleicher Verszahl (8—10 u. 15—17) zu stehen kommt,
hebt in zarter Verhüllung die Beziehung des Consuls zu dem Kinde
hervor. Und die so echt römisches Kolorit tragende Verszeile 17,
wo es von dem Göttersproß heißt

> *pacatumque reget patriis virtutibus orbem,*

kann ebenso wie v. 26 f. *(facta parentis ... et quae sit ... virtus)*
ganz eindeutig nur von des menschlichen Vaters traditionell römischer Männertugend und seinen dem Buch der Geschichte einge-
schriebenen Leistungen und Taten verstanden werden[84]. Dabei
weist besonders in v. 26 das *parentis,* von dem aus sich auch das
patriis virtutibus in seiner Beziehung erklärt, vornehmlich auf
persönliche Leistungen des Pollio, nicht etwa seiner Vorfahren,
wobei taktvoll dem Umstand Rechnung getragen wird, daß Pollio
Homo novus war[85], also keine Verdienste und Tugenden senatori-
scher Ahnen ins Feld zu führen hatte. Wie zart wird im gleichen

---

[84] Die abweichende Interpretation von W. HARTKE a. O. 373. 375₃ hat
mich nicht überzeugt. Vgl. dagegen schon K. KERÉNYI, Klio 29. 1936,
S. 26 ff., dann auch R. WALTZ a. O. 9.

[85] GROEBE RE II 1589 f. DEUTICKE in der Einleitung zur 4. Ekloge.
Die oben im Text angestellte Erwägung rechtfertigt in V. 26 die Lesart
parentis gegenüber *parentum*; s. dazu oben Anm. 38 zu v. 26 f., u. vgl. a.
oben S. 388.

Zusammenhang v. 15 f. die eigentliche, göttliche Herkunft des Knaben andeutend umschrieben, um den menschlichen Vater nur ja nicht zu verletzen. Es liest sich, mit den Augen der Zeitgenossen gesehen, geradezu so, als sei das göttliche Kind in die Familie des Asinius Pollio adoptiert, wodurch nach römischer Auffassung der Knabe ganz und gar in die Gens des Adoptivvaters übertritt[86] und an ihren Überlieferungen und Erbgütern, leiblichen wie geistigen, Anteil erhält, wobei es denn wiederum taktlos erscheinen müßte, die vormalige Herkunft stärker zu betonen, als es der Dichter eben mit jenen umschreibenden Worten tut (v. 15 f.).

Wenn es danach klargeworden ist, daß und warum in der Erwähnung der Vaterschaft des Pollio dem Dichter Zurückhaltung auferlegt ist, so konnte demgegenüber um so nachdrücklicher und unmittelbarer der Mutter gedacht werden, die ja auch im Sinne jenes Theologumenons als die wirkliche und echte Mutter erscheinen darf. Dieser schönen menschlichen Pflicht unterzieht sich Vergil an fein gewählter und bevorzugter Stelle, nämlich am Schluß des ganzen Gedichtes v. 60 ff. Da ist mit wenigen sicheren Strichen in der Verbindung menschlich schlichter und überirdisch wunderbarer Züge etwas wie ein frühes Madonnenbild hingestellt, das den Betrachter ganz in seinen Bann zieht und mit dem nachwirkenden Eindruck einer auf himmlischem Goldgrund sich abhebenden echten Natürlichkeit entläßt. |

Fragen wir nach dem unmittelbaren Anlaß unseres Gedichtes, so muß zunächst noch einmal mit aller Entschiedenheit betont werden, daß wir ihn von dem tiefen Glaubensgrund zu trennen haben, der die Ekloge trägt, und ohne den das Ganze nicht zu denken wäre. Denn nur die Gewißheit vom Erfülltsein der Zeit, vom Wiederanbruch des goldenen Weltalters und von seiner Darstellung durch ein göttliches Kind, das es verkörpert und mit ihm heranwachsen wird, konnte den Dichter zu seiner Prophetie befähigen[87]. Ob Vergil im einzelnen an die reale Verwirklichung der goldenen Zeit mit all ihren Wundern geglaubt hat, danach zu fragen wäre

---

[86] LEONHARD RE I 398 f.
[87] Siehe dazu oben [S. 369 f.] Vgl. a. ROSE a. O. 183. 258.

müßig[88]: entscheidend ist, daß er gewiß war, an einer Wende der Zeiten zu stehen, die er mit den ihm damals zur Verfügung stehenden Farben ausgemalt hat. Aber wir haben es in unserer Untersuchung nicht mit jener Grundhaltung vergilischen Glaubens zu tun, sondern fragen vielmehr nach dem auslösenden Anlaß, der ihm gerade in diesem Augenblick den Stift in die Hand gab. Gewiß bot der Consulatsantritt des hohen Gönners und die nicht lange zuvor empfangene Wohltat dem Dichter willkommene Gelegenheit, die überquellende Verehrung und Dankbarkeit im Liede zu bezeigen. Dazu kam das freudige Ereignis der Geburt eines ersten Sohnes im Hause des Freundes. Aber all das konnte für den Dichter nicht ausreichen, um den kühnen Schluß zu wagen, der neugeborene Knabe sei der erwartete Welterlöser. Hierzu muß es, wie wir schon sahen[89], eines wunderbaren Zeichens bedurft haben, das dem Dichter Gewißheit gab. Dieses Wunderzeichen dem Gedichte zu entnehmen, hätte Eduard Norden lehren können, indem er den Blick auf das entscheidende Quellenmaterial gelenkt hat[90], freilich auch hier, ohne selber die nötigen Konsequenzen zu ziehen[91]. Der Ältere Plinius[92] gibt uns den wichtigen Hinweis: *risisse eodem die quo genitus esset unum hominem accepimus Zoroastren*, ein Mirakel, das dann auch auf Mani und Buddha übertragen wurde[93]. Und

---

[88] Ähnlich K. BARWICK a. O. 63. JACHMANN a. O. passim gibt zu, daß Vergil um diese Prophetie gewußt habe, lehnt aber die Ansicht radikal ab, er habe daran geglaubt.

[89] Oben [S. 370] m. Anm. 6.

[90] NORDEN a. O. 65, 2 f. Vgl. schon J. H. Voss, Virgils 4. Ekloge ... 1795, S. 93 f. O. CRUSIUS, Rhein. Mus. 51. 1896, S. 551 f. Frz. BOLL a. O. 350. P. CORSSEN a. O. 70.

[91] Einen Schritt weiter auf dem richtigen Wege geht ERDMANN a. O. 103, vgl. 109.

[92] Plin. n. h. VII 72.

[93] W. WEBER, Der Prophet und sein Gott, S. 84, 1. H. SCHMIDT, Der Mythos vom wiederkehrenden König ... ²1933, S. 20 m. Anm. 1. K. KERÉNYI a. O. 30 f. und dann mit Nachdruck in größerem Zusammenhang Frz. ALTHEIM, Röm. Religionsgesch. 2 1953, S. 157 m. Anm. 68, wo die Pliniusnotiz durch den Nachweis einer mittelpersischen Quelle gestützt wird.

von dem Dionysosknäblein wird ebenfalls berichtet, daß es nach
seiner Geburt nicht geweint, vielmehr alsbald zu den Sternen ge-
lächelt habe; weitere Beispiele reihen sich an[94]. Es er- | scheint also
in antik-orientalischer Überlieferung als ein untrügliches Zeichen
göttlicher Art und Eigenschaft, wenn ein Neugeborenes gegen alle
physiologische Erfahrung am ersten Tage seines Daseins lacht, ein
Vermögen, das sich ja normalerweise erst nach etwa sechs Wochen
einzustellen pflegt[95]. Auch die 4. Ekloge schließt mit dem nach-

---

[94] Dionysos: Nonnos, Dionysiaka IX 26. 35 f. Eine weitere wichtige
Parallele führt nach Frz. Bolls Vorgang ERDMANN a. O. 107 an: die Sage
von Kypselos, dem Herrscher von Korinth aus dem 7. Jahrh., dessen
wunderbare Errettung gleich nach der Geburt vor den ihm nach dem
Leben trachtenden Verfolgern nach Herodot V 92 γ, 3 dem Umstand
verdankt wird, daß τὸν λαβόντα τῶν ἀνδρῶν θείῃ τύχῃ προσεγέλασε τὸ
παιδίον! Vgl. ferner Catull 61, 216 ff. (ERDMANN a. O. 108). Aber es gibt
noch ein weiteres aufschlußreiches Beispiel für diesen Topos, in dem es sich
wie bei Dionysos bei dem gleich nach der Geburt lächelnden Kinde
um den Sproß eines göttlichen Vaters und einer menschlichen Mutter
handelt: im sogenannten homerischen Pan-Hymnos, einer hexametrischen
Dichtung wohl des 5. vorchristl. Jhdts., wird v. 31 ff. erzählt, daß Hermes
der Gott aus Liebe zu einem schönen Menschenkinde, der jungen Frau
des Arkaders Dryops, Hirtendienst annahm. Sie war ihm zu Willen und
gebar ihm im Palast ihres Mannes ein halbgöttliches Wesen, den Pan,
der die Mutter dadurch erschreckte, daß er sogleich nach der Geburt
neben anderen wunderlichen Zeichen lieblich lächelte (35 ff. τέκε δ᾽ ἐν
μεγάροισιν Ἑρμείῃ φίλον υἱόν, ἄφαρ — τερατωπὸν ἰδέσθαι — ... ἡδυγέλω-
τα . . ., δεῖσε γὰρ, ὡς ἴδεν). Hier fehlt also wie bei Vergil (s. dazu im Text
unten S. 302) selbst nicht der Zeichencharakter dieses Wunders, der durch
das τερατωπὸν ἰδέσθαι ausdrücklich vermerkt wird. Daß gerade Pan und
Arkadien in unserer Ekloge (v. 58 f.) in eindringlicher Wiederholung erwähnt werden, und das unmittelbar vor dem Hinweis auf das lächelnde
Kind, erhält von hier aus seine besondere Beleuchtung. Vgl. dazu a. H.
HOMMEL, Gymnas. 57. 1950, S. 252 f. = H. H., Symbola I 1976, 56. 58.

[95] Diese Erfahrung war natürlich der Antike bekannt: nach Lydus,
De mensibus IV 21 lächelt der Säugling am 40. Tage. Auch Belege aus
neuerer Zeit gibt es in großer Zahl, z. B. Fr. LOGAU, Menschliches Elend:
„Alsbald ein neues Kind / Die erste Luft empfindt / So hebt es an zu
weinen; / Die Sonne muß ihm scheinen / Den viermal zehnten Tag, / Eh
als es lächeln mag. / Oh Welt, bei deinen Sachen / Ist Weinen eher als

drücklichen Hinweis darauf, daß das Knäblein, um seine Göttlichkeit zu erweisen, seinen Erdenlauf damit beginnen müsse, der Mutter zuzulächeln. Das wird bei Vergil in dichterisch wirkungsvoller Weise in eine Aufforderung an den Knaben gekleidet, deren Erfüllung so unmißverständlich als Grundbedingung seiner in v. 15 f. näher ausgeführten Heroeneigenschaft erscheint, daß das ganze Gedicht seinen Sinn verlöre, wollte man nicht annehmen, daß das Kind, von dem hier die Rede ist, auch wirklich und bezeugtermaßen jener Bedingung zu entsprechen in der Lage war, ja ihr schon entsprochen hat (v. 60—63). In v. 18—20 hat der Dichter ja überdies die Tatsache in feiner Andeutung vorweg genommen[96].

Man wird sich also den Hergang folgendermaßen vorstellen dürfen: dem Dichter war aus der Wochenstube der ihm befreundeten Familie die Kunde zugekommen, daß das neugeborene Knäblein wunderbarerweise der Mutter gleich nach der Geburt zugelächelt habe[97]. Diese Nachricht zündete bei dem von Heilserwartungen der oben geschilderten Art er- | füllten Vergil; sie bedeutete für den Kenner der zu verlangenden Voraussetzungen das „signum", daß in der Tat nunmehr das erwartete, den neuen Aion darstellende Kind geboren sei, und zwar im Hause seines verehrten Gönners, des designierten Consuls Asinius Pollio. Jetzt also war wirklich die Zeit erfüllt, das ersehnte Kind war geboren und hatte seine Göttlichkeit durch ein untrügliches Zeichen erwiesen. So konnte der Dichter zum Propheten werden und, indem er die lang gehegte Ahnung erfüllt sah, sein Wissen zum Ruhm dessen im Liede künden, der der besonderen Gnade gewürdigt war und dem er damit zugleich tief empfundenen Dank für empfangene Wohltat abstatten konnte. Wiederum müssen wir auch hier anmerken, daß es belanglos ist, danach zu fragen, ob das Kind denn wirklich, aller Natur-

---

Lachen". Zitiert nach W. KRANZ, Welt und Menschenleben im Gleichnis. In: Wirtschaft und Kultursysteme. Alex. Rüstow-Festschr. 1955, S. 101.

[96] Siehe dazu oben Anm. 32 zu v. 20.

[97] Ob die Geburt in Rom erfolgte, wissen wir nicht. J. H. Voss a. O. 40 nimmt „Venetien" als wahrscheinlich an, setzt also voraus, daß Quintia ihrem Gatten ins Feldlager gefolgt sei. Das Natürliche war wohl, daß die schwangere Frau in jenen stürmischen Zeiten sich zu Hause aufhielt.

erfahrung zum Trotz, am ersten Tag habe lächeln können. Genug, daß die glückliche, von ihrem Schmerz befreite Mutter es geglaubt. Ob sie dabei etwa, wie wohl manche Mutter nach ihr, einer Täuschung[98] erlegen sei, das ist in unserem Zusammenhang ohne Bedeutung.

Versuchen wir, unter diesen Voraussetzungen die Abfassungszeit des Gedichtes näher zu bestimmen, so bietet sich uns eine Anzahl fester Punkte, von denen wir auszugehen haben.

Aus den eingehenden Berichten über den perusinischen Krieg[99], unter denen die Darstellung Appians weithin auf des Asinius Pollio verlorenem Geschichtswerk fußt, möchte man wohl entnehmen dürfen, daß der Consul des Jahres 40 spätestens im Frühjahr 41 noch einmal in Rom bei seiner Frau gewesen sein kann; dann hielt ihn wohl das Kriegsgeschehen in Ober- und Mittelitalien bei der Truppe fest. Wäre er im Sommer 41 während der vorübergehenden Besetzung Roms durch L. Antonius und Fulvia mit in die Stadt gekommen, so hätte das sicherlich in jenen Berichten Erwähnung gefunden; es entsprach übrigens auch nicht der dort geschilderten militärischen Situation.

Daß das Knäblein während der gallischen Legatenzeit des Vaters geboren ist, dafür haben wir noch ein Zeugnis, das bisher, wie es scheint, merkwürdigerweise nicht genügend beachtet ist. Der älteste Sohn erhielt nämlich das Cognomen Gallus. Sein im Jahre 39 geborener Bruder wurde Saloninus zubenannt, und man hat längst gesehen, daß dieser Beiname gewählt wurde, weil der Vater damals seinen im Auftrag des M. Antonius unternommenen Feldzug gegen die Parthiner in Illyrien mit der Einnahme von Salonae, der späteren Residenz des Kaisers Diocletian, krönen konnte[100]. So liegt der Schluß nahe, daß der ältere Bruder den vom väter- |

---

[98] Komischer Niederschlag in einem Berliner Kindervers: „Heute früh um achte / Kam der Storch und brachte / Meiner Mutter einen Sohn, / Und der Bengel lachte schon". Frdl. mitgeteilt von Waldemar HOFFMANN.

[99] Dio XLVIII 12 ff. Appian V 30 ff. Velleius II 76.

[100] Quellenbelege bei POLASCHEK RE XVIII 4, 2042 f. ROSE a. O. 197. 262. Vgl. auch K. KERÉNYI, Klio 29. 1936, S. 29 m. Anm. 2.

lichen Cognomen Pollio abweichenden Beinamen Gallus erhielt, weil der Vater zur Zeit seiner Geburt in der Gallia Transpadana befehligte[101].

Das dem Pollio übersandte Gedicht hebt, wie wir sahen, auf den Consulatsantritt des Bewidmeten am 1. Januar 40 ab (v. 11), die Geburtshelfergöttin Lucina ist noch gegenwärtig (v. 8—10). Daß die Geburt des Kindes noch stattfand, als der Vater *consul designatus* war, also das Consulat noch nicht angetreten hatte, ist uns klar bezeugt[102].

All das kombiniert ergibt mit großer Wahrscheinlichkeit Ende Dezember 41 für die Geburtszeit des Knaben; die Ekloge wäre dann kurz vor Beginn des neuen Jahres rasch hingeworfen[103], damit die Begrüßung des durch das Kind dargestellten neuen Aions sich mit dem Hinweis auf den gleichzeitigen Consulatsantritt des Vaters am Neujahrstag 40 verbinden konnte. Wir kämen so für den Geburtstag des neuen Aions ungefähr auf den 25. Dezember 41, für den Anfang des neuen Weltjahrs und die Übersendung des Gedichtes an den fern von Rom seinen Consulatsbeginn feiernden Pollio auf den 1. Januar 40. Es handelt sich also um ein Neujahrsgedicht Vergils für seinen Gönner Asinius Pollio zum gleichzeitigen Antritt des höchsten Staatsamts; in feiner Doppelung verbindet sich damit der eigentliche und tiefere Zweck der Dichtung, den neuen Aion zu begrüßen und ihn auf Grund gewissen Zeichens in des Freundes soeben geborenem Sohn verkörpert zu sehen, der durch diese Erhöhung — von eben jenem Zeichen bestätigt — göttlichen Rang

---

[101] So auch bereits P. Corssen a. O. 70, wie ich nachträglich sehe. R. Waltz a. O., S. 10_{10} denkt einfach an Benennung nach dem mütterlichen Großvater L. Quintius Gallus.

[102] Servius auctus zu Verg. ecl. 4, 11; oben [S. 370f.] mit Anm. 8 und [S. 383].

[103] Dazu siehe auch oben [S. 387] R. Waltz in seiner vortrefflichen Abhandlung über die 4. Ekloge, mit der ich sonst fast durchgängig übereinstimme, setzt S. 5 f. u. 8 m. Anm. 7 unter Carcopino's Einfluß das Gedicht erst ins Jahr 40 nach dem Vertrag von Brundisium (womit ihm der Charakter einer Prophezeiung weithin genommen wäre), und er läßt dann konsequenterweise, aber gegen gute Überlieferung (s. oben [S. 377f.]), den Asinius Gallus auch erst in diesem Jahr geboren sein.

erhält und den höchsten der Götter, Jupiter selber, zum Vater bekommt (v. 49).

Als Vergil diese Prophezeiung gewagt hat, war die römische Welt noch keineswegs beruhigt[104]. Die Kette der Bürgerkriege war noch nicht abgerissen. Neuerdings war durch den wieder aufgelebten Streit der Machthaber ganz Italien in Aufruhr. Nüchterne menschliche Voraussicht konnte die baldige Einkehr endlichen Friedens nicht erwarten, noch viel weniger auf den Anbruch des goldenen Zeitalters rechnen. In eben der Neujahrsnacht, in der das Consulatsjahr des Pollio begann, versuchten die in Perusia eingeschlossenen Gegner Octavians, von Hungersnot gepeinigt, | einen verzweifelten Ausfall, der blutig abgeschlagen wurde[105]. Vergils mit seiner 4. Ekloge gewagte Verkündung war also eine echte Weissagung, von religiösem Glauben getragen, von seherischer Ahnung gespeist, durch ein als göttlich erkanntes Zeichen ausgelöst — kein Vaticinium ex eventu, wie es etwa 13 Jahre später der viel nüchternere, kritisch zurückhaltende, den Segnungen der neuen Zeit sich nur langsam nach dem Maße der erreichten Erfolge erschließende Horaz mit dem zweiten Lied des ersten Odenbuches auf den göttlichen Erretter Octavian gedichtet hat[106]. Wenn wir der 4. Ekloge Vergils also mit aller Entschiedenheit den Rang einer religiösen Prophetie zubilligen, müssen wir freilich zugleich betonen, daß das Wagnis einer solchen Verkündung am Maßstab der Zeit gemessen nicht so groß gewesen

---

[104] Man lese das lebendig gesehene und richtig beurteilte Zeitbild bei J. H. Voss a. O., bes. S. 17 f. „Dem Octavianus, der ... durch die erbarmungswürdigste Äckerverteilung ... ganz Italien empört ... und gegen die Bezwungenen in Perusia von neuem mit dem Schwerte gewütet hatte: diesem herrschsüchtigen, listigen und grausamen Jünglinge konnten jetzt in Italien, außer den räuberischen Legionen, nur die verdorbensten Bürger ... gewogen sein, ..." — zugleich ein beherzigungswertes Warnungszeichen gegen die immer wieder, neuerdings auch von Rose a. O. 211 ff. und von H. Wagenvoort (jetzt: Studies in Roman Literature ... 1956, S. 1 ff.) angenommene Beziehung des Gedichtes auf Octavian. Vgl. auch A. Alföldi, Hermes 65. 1930, S. 379 f. Zur Erklärung von Octavians Verhalten vgl. freilich etwa H. Drexler, Gymnas. 61. 1954, S. 189 f.

[105] Appian V 34, 136 f. Vgl. E. Bickel, Rh. Mus. 97. 1954, S. 204.

[106] Horaz c. I 2, bes. v. 29 f. 41 ff.

ist, wie es uns heute erscheinen mag. Denn immer wieder seit dem
beginnenden Hellenismus mit seiner dem Orient abgeborgten Tendenz zur Vergöttlichung bedeutender Menschen oder ganzer Dyna-
stien hat man da und dort aus besonderer Stimmung, Hoffnung
oder Sehnsucht und bei gegebenem Anlaß an einzelne Persönlich-
keiten die Erwartung eines epochalen Heilbringers oder Erlösers
geknüpft[107]. Aber die vergilische Ekloge bleibt in ihrer unbeirrten
Gläubigkeit doch das erstaunlichste Glied in dieser Reihe.

Freilich auch ihr Verfasser hat die zu erwartende ungläubige
Reaktion der Mitwelt auf seine Prophetie angesichts der so ganz
anders gearteten Realität der Zeit nicht außer acht gelassen. So vor
allem erklärt sich wohl das Motiv der „Parusieverzögerung" seines
goldenen Zeitalters, wie man es geradezu nennen könnte, mit der er
zu rechnen hat und der er an zwei Stellen des Gedichtes klug
begegnet. Zunächst übersieht er nicht, daß im Augenblick die
römische Welt noch den Fluch des Bürgerkrieges trägt, und er weist
dem neuen, auf Frieden bedachten, vor jeder Bürgerkriegsaktion
zurückschreckenden Consul[108] die Aufgabe zu, die noch verbleibenden Spuren der gemeinsamen Schuld seiner Generation zu tilgen
und so die Lande von dem fortdauernden Schrecken zu erlösen
(v. 13 f.). Aber auch für die folgende Zeit muß selbst der gläubige
Sinn des Dichters noch mit Rückschlägen rechnen, die dem goldenen
Zeitalter beschieden sein werden[109]. Niemand soll ihm angesichts
von künftig etwa noch eintretenden Wirren vorwerfen können, er
habe das nicht vorhergesehen oder doch bei seiner Prophetie nicht
in Rechnung gestellt. So baut er in kluger Weise vor und fügt der
Parzenrede, die den Weg des Aions wie des Knäbleins vorher-

---

[107] Dazu vgl. etwa A. ALFÖLDI, Der neue Weltherrscher der vierten
Ekloge Vergils, a. O. 369—384 mit reichem Material, das sich noch vermehren ließe. Außerdem s. H. E. STIER, Das Friedensreich des Augustus
1950, S. 57 f.

[108] Appian V 33. 35. Vgl. a. oben [S. 371].

[109] Die beiden Stellen sind durch das wiederholte *vestigia* v. 13 u. 31
eng verbunden, wie bes. Jachmann festgestellt hat. Zum Umgreifen auch
des Bedrohlichen durch den Dichter der Ekloge vgl. O. SEEL, Die Praefatio des Pompeius Trogus 1955, S. 63.

verkündet, jenes retardierende Moment ein, das den heranwachsenden Jüngling noch einmal den Rückfall in die schlimme | Zeit mit Seefahrt, Stadtbefestigung, Ackerbau, Abenteuer und Krieg als *priscae vestigia fraudis* erleben läßt (v. 31—36)[110]. Wie wenig befriedigend sich das im Rahmen des Ganzen ausnimmt, wie unvollkommen die Einfügung und Verfugung dieser Partie dem Dichter gelungen ist, hat man immer wieder gespürt und betont[111].

Wenn es richtig ist, was wir zu zeigen versuchten, daß Vergil die 4. Ekloge in raschem Wurf am Ende des Jahres 41 — zwischen der Geburt des Gallus und dem Consulatsbeginn des Pollio — sich von der Seele geschrieben hat, so daß sie etwa zum Neujahrstage seinem Gönner überreicht werden konnte, dann hilft dies nicht nur den hinreißenden Schwung zu erklären, der dem kleinen Gedicht innewohnt und der es dann so eindringlich auf die Jahrtausende hat wirken lassen, sondern es läßt uns auch die erheblichen Schwächen der Komposition verstehen, die der Philologe unbeschadet der Achtung und Bewunderung, die auch ihn beim Lesen immer wieder ergreift, nicht verschweigen darf.

Neben der eben erwähnten unvermittelten Einfügung des Rückschlagmotivs (v. 31—36), dessen Berechtigung wir freilich sehr wohl zu verstehen lernten, ist da die vielerörterte befremdliche Stellung der Verse 21 und 22 in ihrem Zusammenhang zu nennen, die sogar

---

[110] Daß es sich bei der Auffassung, es müßten vor der Verwirklichung endgültigen Weltfriedens noch einmal Kriege sein, zugleich um ein altes, auch in den Sibyllinen und sonst begegnendes Motiv handeln soll (Ed. NORDEN a. O. 147. SASSE Chr. u. Wiss. 1. 1925, 73. GRESSMANN a. O. 466 ff. ERDMANN a. O. 124. 127. ROSE a. O. 259. ALFÖLDI a. O. 378, 1; dagegen mit Entschiedenheit JACHMANN a. O. 40 ff.), käme dem Anliegen Vergils freilich entgegen, reicht aber allein nicht zur Erklärung aus.

[111] Z. B. Fr. MARX, N. Jbchr. 1898, S. 113. Vgl. jetzt bes. G. JACHMANN a. O. 20 ff. 24 ff. u. ö., der die hier gegebene Erklärung verschweigt. Seinem eigenen S. 26. 49 f. 59 gegebenen interessanten aber komplizierten Deutungsversuch kann ich mich nicht anschließen; ebenso wenig der im einzelnen lehrreichen Achilleus-Octavian-Hypothese von E. BICKEL, Polit. Sibylleneklogen II. Rh. Mus. a. O. 209 ff., die mit dem Spätansatz des Gedichts Ende 40 steht und fällt und die Widmung an Asinius Pollio nicht recht zu erklären weiß.

zu ihrer Umstellung nach v. 23 verführt hat[112]. Aber auch wenn
man die überlieferte Versordnung mit Erfolg hat verteidigen können[113], so bleibt doch die Frage bestehen: ist es dem Dichter
geglückt, den Unterschied dessen, was er v. 18–22 und was er
v. 23–25 zum Ausdruck bringen wollte, ohne weiteres verständlich
zu machen? Ferner wirkt das Motiv des lesenden Götterkindes
in v. 26 f., das Eduard Norden in überzeugender Weise auf alt-
ägyptische Vorstellungen zurückführen konnte[114], doch befremdlich
nach den Versen 15–17: daß der frei im Kreise der Himmlischen
sich bewegende und den befriedeten Erdkreis mit Vätervirtus regie-
rende Heros zuvor die *facta parentis* erst | noch buchstabierend
erlernen muß, verrät hier, so wie es dasteht, wiederum die Un-
ausgeglichenheit der poetischen Darstellung im ganzen[115]. Auch die

---

[112] Darüber Br. SNELL, Hermes 73. 1938, S. 238 ff., mit Hinweis auf
die ältere und gleichzeitige Literatur zu der Frage. Gegen die von
K. BÜCHNER 1199 f. wieder aufgegriffene Umstellung von v. 23 nach
20 wendet sich mit Recht C. BECKER 332₁ f. Für Umstellung wiederum
G. E. DUCKWORTH, Tr. of the Am. Phil. Ass. 89. 1959, S. 1 ff.

[113] K. BARWICK, Philol. 96. 1944, S. 28 ff. Vor allem W. HARTKE, Röm.
Kinderkaiser, 1951, S. 264 ff. JACHMANN a. O. 17. 58 f. Nach Hartke
bezieht sich v. 18–22 nur auf funktionale Akzidenzien, während in
v. 23–25 die grundlegende Änderung der Weltsubstanz geschildert werde.

[114] Siehe oben Anm. 38 zu v. 27. Vgl. ferner Hans SCHMIDT, Der
Mythos vom wiederkehrenden König im Alten Testament ²1933, S. 20.

[115] Dabei ist der Hinweis auf die *facta parentis* (dazu oben S. 381 f. u. ö.)
an sich von zwei Seiten her durchaus gerechtfertigt: a) als religionsgeschichtlicher Topos etwa im Hinblick auf (τὰ) τοῦ πατρός Ev. Luk. 2, 49
(vgl. oben Anm. 38 zu v. 26 f.); b) als Requisit römischen Familienstolzes,
wie es ganz ebenso in der Grabinschrift des Cornelius Scipio Hispanus,
Prätors des Jahres 139 v. Chr. erscheint, CIL I 38 = VI 1293:
v i r t u t e s generis meis moribus accumulavi,
progeniem genui, f a c t a p a t r i s petii.
maiorum obtinui l a u d e m, ut sibi me esse creatum
laetentur: stirpem nobilitavit h o n o r.
(Dazu vgl. Verg. ecl. 4, 26 *laudes et facta parentis*, 27 *virtus*, 48 *honores*).
Von Vergil wiederum scheint abhängig zu sein Tibulls *facta parentis*
I 7, 55, ebenso Ovid, Trist. II 168. Carm. Lat. Epigr. 1908, 14. Vgl.
a. unten S. 308 f. mit Anm. 120.

sicherlich als besonders feiner Kunstgriff zu verstehende Über-
raschung des Lesers, der erst mit den Versen 46 f. darüber aufgeklärt
wird, daß die vorhergehende Rede v. 18—45 den Parzen in den
Mund gelegt wird, scheint zu unvermittelt; denn sie ist nach vor-
und rückwärts ungenügend abgegrenzt, und das Stilmittel wirkt
dadurch beinahe grob[116]. Der Leser muß ja zunächst annehmen, die
Rede sei, wie die voraufgehende Partie v. 11—17, vom Dichter
gesprochen, der sich, wie vorher an den Consul, nunmehr an das
Kind wende. Erst v. 48 ff. wird dann nach 46 f. vollends verständlich — mit ganzer Sicherheit eigentlich erst 53 ff. —, daß erst jetzt
Vergil in eigener Person und Sache das Knäblein anspricht.

Aber all diese Unausgeglichenheiten, die hier einmal kühl ausgesprochen werden mußten, reichen nicht an die Hauptschwäche des
Gedichtes, die noch tiefer greift und abschließend deutlich macht,
daß der Ekloge nicht etwa nur die Feile fehlt, sondern daß sie so
rasch hingeworfen ist, daß der Dichter, dem all das nicht verborgen
bleiben konnte, nichts mehr daran zu ändern vermochte — wollte
er nicht das Ganze von Grund auf erneuern und damit die ihm
anhaftende frische Unmittelbarkeit zerstören.

Vergil hat sich mit der 4. Ekloge einem orientalischen Theologumenon verschrieben, das ihn in seinen Bann gezogen hatte. Aber
er hat es, durch jenes „Zeichen" veranlaßt, mit gegenwärtiger
Wirklichkeit vermählt, und er war zu sehr mit allen Fasern seines
Wesens dieser Wirklichkeit verhaftet, als daß er dabei das Römische
hätte abstreifen können. So biegt er den metaphysischen Charakter
der nach der übernommenen Vorstellung zu erfüllter Zeit spontan[117]
und gleichsam gnadenhaft hereinbrechenden Erlösung in echt römischer Weise ab: die goldene Zeit kann für ihn, den Römer, nur der
Lohn der *virtus* sein und nur durch *virtus* weiterbestehen | (v. 13 f.
17. 27)[118]. Ganz ebenso hat 13 Jahre später Horaz in der dritten

---

[116] Um wieviel feiner ist das dem Horaz in einem vergleichbaren
Fall gelungen: epod. 2, 67 ff.

[117] Das Kennwort ist *„sponte sua"* v. 45 (vgl. Ovid, Metam. I 89 f.,
dafür Tibull I 3, 45 *ultro*), sowie *ipsa(e)* v. 21. 23 (vgl. Tib. a. O. *nullo
cultu*, u. dgl.).

[118] Einwände bei BÜCHNER 1199.

Römerode den Augustus und die anderen Heroen ihren göttlichen
Rang sich durch die römische *ars* der *iustitia* und *tenacitas* erwerben
lassen[119]. Aber während seiner bändigenden Kraft die Vereinigung
fremder und heimischer Gedankenwelt in zurückhaltender Andeutung weithin geglückt ist, erscheint hier bei Vergil die Verschmelzung
der beiden Vorstellungskreise doch weit weniger gelungen. Denn
wozu bedarf es noch der immer wieder sich vordrängenden *facta,
laudes, virtutes* und *honores*[120], wenn mit der wunderbaren Geburt
der *aurea aetas*[121] zugleich ein erneuertes Geschlecht sich vom
hohen Himmel herabsenkt[122]? Ist aber dieser bedenkliche Schritt
einmal getan, die *virtus* als Voraussetzung und Attribut des ver-
wandelten Aions anzuerkennen und zu preisen, dann hat sie
umgekehrt in jener Rückfallsepoche der Abenteuer und Kriege
nichts mehr zu suchen. So entsteht für den Dichter die fatale
Situation, daß er sie gerade hier, wo ihr eigentlichstes Feld zu
finden wäre, nicht mehr bemühen darf: in den Versen 31—36, beim
Argonautenzug der *delecti heroes,* in den *altera bella,* ja selbst im
erneuerten trojanischen Krieg des *magnus Achilles* muß Vergil auf den
Einsatz der *virtus* verzichten, und man spürt beim Lesen dieser
Partie nachgerade, wie schwer ihm der Verzicht fällt[123]. Für uns aber
liegt eben darin der Beweis dafür, daß der Dichter mit der

---

[119] Horaz c. III 3, 1—16, bes. 1. 9 u. 13. All das umschreibt die
römische *constantia,* die Ludwig Curtius (Das antike Rom 1944, 26,
vgl. a. 16) als Kardinaltugend dieses Volkes postuliert hat.

[120] v. 13 *te duce,* 17 *pacatumque reget patriis virtutibus orbem,* 26 f.
heroum laudes et facta parentis ... et quae sit ... virtus, 37 *ubi ... virum
te fecerit aetas,* 48 *adgredere o magnos ... honores,* 54 *tua dicere facta.*
Zum römischen Charakter der vier kardinalen Begriffe *virtutes, facta
parentis, laudes* und *honores* vgl. das gleiche Schema in der Scipionen-
inschrift oben Anm. 115.

[121] v. 5 *magnus ab integro saeclorum nascitur ordo,* vgl. v. 9.

[122] v. 7 *iam nova progenies caelo demittitur alto;* dazu Erdmann
a. O. 100.

[123] Ähnliches scheint G. Jachmann a. O. 28 empfunden zu haben.
Seine Folgerungen kann ich nicht teilen. Zur „schöpferischen Unerfüllt-
heit" der Ekloge überhaupt vgl. Jachmann 40. Ein beinahe noch härteres
Urteil bei R. Waltz a. O. 12 f.

Ansiedlung der Römertugenden in der *aurea aetas* in eine Sackgasse geraten ist, aus der es keinen Ausweg gibt.

Diese unverkennbare Schwäche — wer wollte sie dem Römer verdenken? — gilt es zu beachten; denn sie verleiht nicht nur dem Gedicht seine besondere Frische, sondern sie spricht ganz entscheidend für die beinahe überstürzte Abfassung — gerade bei Vergil, dem sonst so bedächtig arbeitenden und sorgsam feilenden, von dem berichtet wird, er habe immer nur wenige Verse an einem Tag gedichtet[124]. Unsere These von der raschen Entstehung der 4. Ekloge (etwa in der letzten Woche des Dezember 41) findet also auch von hier aus ergänzend ihre Bestätigung. |

Wenn das Gedicht auf den gegen Ende d. J. 41 unter so wunderbaren Umständen seine Erdenlaufbahn beginnenden C. Asinius Gallus verfaßt ist, so muß es reizen zu erfahren, was nachmals aus dem Kind geworden ist[125]. Der älteste Sohn des Pollio war jedenfalls kein „bedeutungsloser Geck"[126]. Er hat der väterlichen Stellung entsprechend die senatorische Laufbahn betreten. Schon i. J. 17, zwei Jahre nach Vergils Tod, widerfuhr ihm die hohe Auszeichnung von seiten des Augustus, als *quindecimvir sacris faciundis* an der Vorbereitung und Ausgestaltung der Säcularfeier, zu der Horaz das Festlied dichtete, maßgeblich beteiligt sein zu dürfen. In den gleichen Jahren ist es ihm verstattet, seinen Namen als *triumvir auro argento aere flando feriundo* auf senatorische Kupfermünzen zu setzen, die das Bild des Kaisers tragen[127], eine Gunst, die damals nur noch selten gewährt wurde und bald danach ganz außer Gebrauch

---

[124] Quintilian, Institutio oratoria X 3, 8. Weitere Stellen bei E. Diehl, Die Vitae Vergilianae 1911, S. 15.

[125] Die Einzeldaten und die Nachweise s. bei v. Rohden RE II 1585 ff. und jetzt PIR ²A 1229. Vgl. zum Folgenden bes. a. R. Waltz a. O., S. 8. 12.

[126] Siehe dazu oben Anm. 69.

[127] H. Cohen, Description historique des Monnaies frappées sous l'Empire romain. ²I 1880 Nr. 367 ff. Babelon, Descr. histor... des Monnaies de la République I 1885, S. 122. Mattingly, Catal. of Coins in the Brit. Mus. I 1923, Nr. 157 ff.

kam. Als i. J. 12 des Augustus Freund und Schwiegersohn, der große
Soldat M. Vipsanius Agrippa, starb, wurde Asinius Gallus zu einer
hochpolitischen Heirat gezwungen. Er hatte mit der bisherigen
Gattin des Tiberius, Vipsania Agrippina, Agrippas Tochter, die
Ehe einzugehen, damit Tiberius nach des Kaisers Wunsch sich mit
dessen Tochter Julia, der Witwe des Agrippa, verbinden könne.
So wurde er zum Stiefvater des jüngeren Drusus. Im Jahre 8, im
Alter von 33 Jahren, also zum frühest möglichen Zeitpunkt nach
der damals geltenden Satzung, wurde er Consul, um schon in den
Jahren 6 und 5 das bevorzugte Proconsulat der Provinz Asia zu
verwalten. Dann hören wir nichts mehr von ihm bis zum Todesjahr
des Augustus 14 n. Chr. Doch wissen wir, daß er gleich seinem
Vater, wenn auch mit geringerem Erfolg, als Dichter und Historiker
hervorgetreten ist. Der alte Augustus scheint übrigens sogar vorübergehend erwogen zu haben, den Asinius Gallus für seine Nachfolge im Principat ins Auge zu fassen, fand ihn dann aber doch für
diese entscheidende Stellung im Staat nicht geeignet[128]. Ein solcher
nach unserer Kenntnis der Dinge nicht gerade naheliegender Gedanke fände am ehesten dadurch seine Erklärung, daß Gallus auch
in den Augen des Princeps mit der Aura der Prophetie umgeben
war, was einen Augenblick lang seine Wirkung getan hätte, dann
aber rasch einer nüchterneren Betrachtung wich.

Die Laufbahn des Gallus spricht also für einen begabten Mann, auf
den der Kaiser — vielleicht nicht ohne durch die vergilische Weissagung
beeinflußt zu sein — bedeutende Hoffnungen gesetzt hatte, dem aber
die letzte Größe fehlte, um diesen Erwartungen zu genügen. Der
ältere Seneca spricht von ihm als von einem bezeichnenden Beispiel
für die so häufige Tragik des Sohnes eines größeren Vaters[129]. |

Dem Tiberius war Gallus verhaßt, seitdem dieser ohne Willen
seine glückliche Ehe zerstört hatte. Daß er ihn trotzdem lange Zeit
unbehelligt ließ, mag wiederum dem Ansehen zuzuschreiben sein,
das ihn durch Vergils Prophezeiung umgab[130]. Aber schließlich im

---

[128] Tacitus, Annal. I 13, 2.

[129] Seneca, Controvers. IV praefat. 4.

[130] Tacitus, Annal. I 12, 4. Bezeichnend für Gallus scheint es übrigens,
daß er besonderes Zutrauen zu den Sibyllinischen Büchern gehabt haben

Jahre 30 ließ der verbitterte Kaiser den Ahnungslosen vom Senat zum Tode verurteilen und ordnete seine Verhaftung an, während er ihn bei sich zu Gast hatte. Von da an, also etwa in der Zeit, da auch der echte Heiland seine Erdenlaufbahn vollendete, schmachtete der alte Gallus im Gefängnis, wo er — ein gescheiterter Messias — i. J. 33 den Hungertod erlitt[131].

Hier setzt nun mit dem allmählichen Sieg des Christentums, das der Hoffnung der Menschen auf das welterlösende göttliche Kind eine ganz neue Erfüllung hatte zuteil werden lassen, das Interesse der Folgezeit auch für Vergils Gedicht ein. Sein Bezug war durch das Scheitern des von der Ekloge für den Retter Gehaltenen sozusagen vakant geworden und gab neuer Deutung Raum. Was Wunder, daß man die Weissagung nunmehr als heidnische Vorausahnung auf das Erscheinen des wahren göttlichen Erlösers deutete? Unseres Wissens wurde in konstantinischer Zeit und zwar durch Lactanz und durch den Kaiser selbst dieser Schritt vollzogen[132]. Augustin[133], Notker der Stammler[134] und Dante Alighieri[135] sind der Spur gefolgt. Haben sie recht daran getan?

Diese Frage kann für uns nicht heißen, die verehrungsvolle Würdigung, die das Christentum dem frommen heidnischen Dichter zuteil werden ließ, herabzusetzen. Aber für die kritische Betrach-

---

muß (Tac. Ann. I 76, 1), denen er die von Vergil auf ihn gestellte Prophezeiung verdankte (ecl. 4, 4).

[131] Tac. Ann. VI 23, 1.

[132] Constantinus, Ad Sanctorum coetum 19 ff. Lactantius, Divinae institutiones VII 24, 11. Für den christlichen Gehalt von Vergils Verkündigung scheint dabei jeweils dessen Abhängigkeit von der Sibylle zu bürgen (dazu grundlegend A. Bolhuis, De vierde Ecloga in de Oratio Constantini ad sanctorum coetum ... Diss. 1950. A. Kurfess, Tüb. Theol. Quartalschr. 130. 1950, S. 145—165, bes. 158 ff.). Hierzu und vor allem zum Folgenden (bes. zu Augustin) vgl. die sehr kritischen Ausführungen von R. Waltz a. O. (1958), S. 13—20.

[133] Augustinus, Epist. in Rom. incohata expositio 3; dazu Rose a. O. 193 f. 261. Vgl. Scholia Bernensia 775 ff. Hagen. Rose a. O. 196. Weiteres bei W. Kranz, Rh. Mus. 93. 1950, S. 87.

[134] Siehe oben Anm. 61 zu v. 62.

[135] Dante, Purgatorio 22, 57—62.

tung des eigenartigen Phänomens von Vergils Prophetentum ergibt sich doch die Pflicht, zum Schluß wenigstens das Problem zu stellen, ob Vergils Glaube mit jüdisch-christlichem Messianismus überhaupt verglichen werden kann[136].

Die antike Weltansicht, zumal die der vergilischen Prophetie zugrunde liegende Anschauung vom Umlauf der Zeitalter, weiß es nicht anders, | als daß alles Geschehen einem in ewigem Wechsel sich vollziehenden Kreislauf unterworfen sei — ein kyklisches Denken also, das sich von dem christlichen Ausgerichtetsein auf ein überzeitliches eschatologisches Ziel grundsätzlich und radikal unterscheidet, so daß vom einen zum anderen keine Brücke führt. Beide Anschauungsformen sind vielmehr durch einen Abgrund getrennt, den nur eine völlige gottgewirkte Umkehr oder Verwandlung im Verhältnis zu den diesseitigen und jenseitigen Dingen zu überwinden imstande ist. Nach antiker Auffassung kann das wiedergekehrte goldene Weltalter (das übrigens nicht im Jenseits gesucht wird, sondern im Diesseits erlebt werden will) künftighin auch einmal wieder — in einem etwa für Vergil nicht mehr aktuellen späteren Zeitpunkt — vom eisernen abgelöst werden, so daß der Kreislauf von neuem begänne, so wie es ja auch in unserer Ekloge v. 5 heißt: *magnus ab integro saeclorum nascitur ordo*[137]. In schroffem Gegensatz dazu kann für jüdisch-christliches Denken und Glauben die Wiederkunft des Herrn nur endgültig und abschließend sein, ein Eschaton, das aller Zeitlichkeit ein Ziel setzt und sie aufhebt in der Ewigkeit. Neuerdings hat diesen Gegensatz Karl Reinhardt bei Betrachtung der herodoteischen Geschichtsauffassung richtig erkannt und treffend formuliert[138], wenn er sagt, daß „der

---

[136] Bisher hat man dieses Recht meist unbesehen in Anspruch genommen; bezeichnend dafür etwa Hans SCHMIDT, Der Mythos ... a. O. 19 ff. („Auch hier der Wandel der Zeit ... Auch hier das liebliche Bild ... Die Gemeinsamkeit der Züge ... in wenig voneinander abweichenden Weissagungen ... Einen ähnlichen Mythos hat auch das Alte Testament gekannt ...").

[137] Dazu grundlegend Hans LIETZMANN, Der Weltheiland ... 1909, S. 35 ff. G. JACHMANN a. O. 36. — Als ihrer Herkunft nach iranisch sucht dagegen die zeitliche Grundvorstellung der 4. Ekloge nachzuweisen F. ALTHEIM, Röm. Religionsgesch. 2. 1953, S. 156 u. ö.

Begriff des Zeitalters in unserem Sinn, ja unser allgemeinstes Schema
von Vergangenheit, Gegenwart und Zukunft seines Ursprungs
christlich ist und aus der Welterlösungsform sich herleitet, die mit
dem Christentum uns überliefert wurde"; dagegen ist das Gesetz
der Zeit, dem das Geschehen nach antiker Sicht gehorcht, „nicht
chiliastisch, nicht hinausdrängend in eine Zukunft, nicht dem Strom
vergleichbar, nicht, gleichviel in welchem Sinn, eschatologisch, sondern ,kyklisch', in sich selbst zurücklaufend, periodisch, jedesmal
auf Umschweifen vom Ende wiederum zurück zum Anfang biegend.
Seine Weisheit . . . ist: daß es einen Kreislauf der menschlichen Dinge
gebe . . .". Wenn freilich Reinhardt in dieser richtig empfundenen
Antithese den „Zeitalter-Begriff der Augusteer" wegen seines „religiösen, prophetischen Ursprungs" auf der christlichen Seite ein-
reiht[139], so scheint er selber der christlichen Umdeutung erlegen zu
sein, die Vergils „Messianismus" sich je und je hat gefallen lassen
müssen. Wohl schien dem Vergil seine Zeit erfüllt | und reif für die
Wiederkehr des neuen Aions, den ein göttliches Menschenkind verkörpern sollte; Jesus und die Apostel, die sich der Sprache des
antiken Mythos bedienten[140], haben es auch nicht viel anders ausgedrückt, etwa der Evangelist Markus: „erfüllt ist die Zeit, und
nahe herbeigekommen ist die Königsherrschaft des Gottes", oder

---

[138] Karl REINHARDT, Herodots Persergeschichten, in: Von Werken und
Formen. Vorträge und Aufsätze 1948, S. 166 f.; vgl. auch E. STAUFFER,
Mythos und Epiphanie, in: Christus und die Cäsaren 1948, S. 13 ff.
(beides Wiederabdrucke früherer Aufsätze aus dem Anfang der vierziger
Jahre). Ferner W. STAERK, Soter . . . 1. 1933, S. 134 u. ö. O. CULLMANN,
Christus und die Zeit . . . 1946; derselbe, Die ersten christlichen Glaubensbekenntnisse ²1949, S. 59. Stärker nuancierend R. BULTMANN, Ursprung
und Sinn der Typologie . . . ThLZ 1950, Sp. 205 ff. Auch W. HARTKE
fordert (brieflich) eine feinere Differenzierung, besonders fürs Römische.
Die ganze Frage bedürfte einer gründlichen neuen Untersuchung vor
allem von der Antike her.
[139] K. REINHARDT a. O. 167. Vgl. ERDMANN a. O. 99 (zu v. 5 der
Ekloge) und schon GRESSMANN, Der Messias . . . 1929, S. 464. Ebenso auch
noch R. BULTMANN, Das Urchristentum . . . 1949, S. 95. 171. Einsichtiger
in diesem Punkte E. STAUFFER a. O., besonders 21.
[140] E. STAUFFER a. O. 26.

Paulus an die Galater: „als das Erfülltsein der Zeit gekommen war, da sandte der Gott seinen Sohn aus, geboren aus einem Weibe"[141]. Aber nur die Sprache ist scheinbar die gleiche. Die Botschaft Vergils, mag sie auch mancherlei orientalischen Einflüssen unterliegen, ist im Grunde doch eine Botschaft seiner Zeit, nur für sie geschrieben und für sie verbindlich, mit dem Siegel des Irdisch-Römischen versehen, das wir zu entziffern versuchten. Die Botschaft Christi dagegen zielt auf abschließende Erfüllung, die alle Zeitlichkeit überwindet und im Ewigen aufhebt, so wie es der jüdische Prophet voraus-verkündet hat[142]: „Ihm ist gegeben Gewalt, Ehre und Königsherr-schaft, und alle Völker, Nationen und Zungen sollen ihm dienen, und seine Macht ist ewig und unverletzlich, und sein Königreich wird nicht vergehen".

Vorwort zum Wiederabdruck 1963

Im vorangehenden handelt es sich um den Wiederabdruck einer 1950 in „Theologia Viatorum, Jahrbuch der Kirchlichen Hochschule Berlin" Bd. 2, S. 182—212 erschienenen Abhandlung. Da sich meine Grund-auffassung seither nicht gewandelt hat, konnte der Text im wesentlichen unverändert bleiben. Doch wurden die hier folgenden Anmerkungen nach Möglichkeit auf den heutigen Stand gebracht. Denn die damals gegebene verhältnismäßig ausführliche Dokumentation, die ein Cha-rakteristikum der Arbeit darstellt, sollte nicht jäh abgebrochen erscheinen. Andererseits ist es für den Leser bequemer, das inzwischen Dazugekom-mene — wie beim Erstdruck wiederum in Auswahl geboten — nicht in getrennten Nachträgen aufsuchen zu müssen.

Zu danken habe ich für ausführliche Kritiken in Karl Büchners RE-Artikel über Vergil und in dem Literaturbericht von Gerhard Radke (Gymnasium 64. 1957, S. 182 ff.). Dieser Dank für die Kritik gilt auch

---

[141] Ev. Mark. 13, 15. Epist. ad Galat. 4, 4. Vgl. Verg., ecl. 4, 4 f. 9. 15. 17. 49. 61.

[142] Daniel 7, 14. Für Hilfe bei der Übersetzung des Wortlauts aus dem aramäischen Text bin ich K. v. RABENAU zu Dank verpflichtet. Die Stelle ist herangezogen und in einem allgemeineren Zusammenhang sinnvoll verwertet bei STAUFFER a. O. 27.

da, wo ich mich von ihrer Berechtigung nicht überzeugen konnte; denn
sie hat mich zu nochmaligem Durchdenken der strittigen Probleme veranlaßt. Vor allem aber danke ich den Fachgenossen, mit denen ich
mündlich und schriftlich die nie zu Ende kommenden Fragen des schwierigen Gedichts erörtern konnte; von ihnen nenne ich vor allem Andreas
Alföldi, Werner Hartke, Erich Henschel, Peter Hommel, Hans Oppermann, Georg Rohde †, Karl Rupprecht, Erika Simon, Lothar Wickert.
Für bibliographische Hilfen bin ich Frau R. Chr. Cordes zu Dank verpflichtet.

Zu den Hauptlinien der Forschung über die 4. Ekloge seit dem ersten
Erscheinen meines Aufsatzes, also in den letzten 12 Jahren, sei auf das
Nachwort verwiesen.

NACHWORT 1963

Das kleine vergilische Gedicht, das inzwischen (1959/60) zwei-
tausend Jahre alt geworden ist, wird seine Geheimnisse wohl nie
ganz erschließen. Es spricht für die hohe Bedeutung dieses Stücks
großer Literatur, daß seit sein Reiz und seine Schwierigkeit von
neuem entdeckt ist, geradezu zwangsläufig jede Generation sich ihm neu zu
stellen hat. So ist auch in den vergangenen Jahren die Diskussion seiner
mannigfachen Probleme nicht verstummt und bleibt für den einzelnen
schwer überschaubar. Daher sei vor allem für die Detailfragen auf den
1955 und alsbald auch als Buch erschienenen großen RE-Artikel „P. Vergilius
Maro. Der Dichter der Römer" von K. Büchner verwiesen (Real-Ency-
clopädie der Classischen Altertumswissenschaft VIII A 1021 ff., hier 1195—
1213). Ferner auf zusammenfassende Literaturberichte wie den von
G. Radke im Gymnasium 64. 1957 (169 f. und 181—189) und von V.
Pöschl im Wiener Anzeiger für die Altertumswissenschaft 12. 1959 (202—
205).

In diesem Epilog soll nur versucht werden, streiflichtartig die Bahnen
aufzuzeigen, in denen sich die seitherige Forschung bewegt. In der ersten
Jahrhunderthälfte waren es insbesondere die zwanziger Jahre, die der
Arbeit an der 4. Ekloge gewaltigen Auftrieb gaben und das Interesse
vorwiegend auf die religionsgeschichtlichen Hintergründe des Gedichts
im Sinn altorientalisch-ägyptischer Anregungen lenkten, aus denen es
ganz und gar zu leben schien. Die Arbeiten von Franz Boll (1923),
Eduard Norden (1924), W. Weber (1925), H. Wagenvoort (1929), J.
Carcopino (1930), H. Jeanmaire (1930) brachten hier bedeutenden Ertrag.

Sie alle konnten sich darauf berufen, daß das Thema der Ekloge der Anbruch einer neuen Weltzeit ist, heraufgeführt durch die Geburt eines Knaben von göttlichem Rang, und daß der Dichter selber auf ein sibyllinisches Carmen als seine Quelle und Anregung hinweist, was alles ganz offensichtlich nach dem Osten zu deuten schien. Aber die Freude an den in Verfolgung dieser lockenden Spur geglückten Funden und Entdeckungen ließ allzusehr in den Hintergrund treten, daß es sich bei der Ekloge doch immerhin um ein *bukolisches* Gedicht und um die Schöpfung eines großen *Römers* handelt.

So mußte sich zumal bei einer Generation, die sich der Erforschung des Römischen in der lateinischen Literatur verschrieben hatte, früher oder später eine entschiedene Wendung vollziehen, und schon mein Aufsatz aus dem Jahr 1950 will in diesem Sinn verstanden werden. Der Hauptschlag erfolgte aber dann 1952/53 durch die ebenso gelehrte wie kämpferische Abhandlung von G. Jachmann, auf die alsbald eine gekürzte für weitere Kreise gedachte, aber nicht minder entschiedene Fassung folgte. Zwar läßt der Verfasser das Sibyllinum als Anregung für den Anbruch einer goldenen Zeit in Vergils Gedicht gelten, aber den Quellen dieser Theologie versagt er sein Interesse ganz. Und wenn er die sukzessive Verwirklichung des neuen Zeitalters durch einen heranwachsenden heilbringenden Knaben auch „als ein Erzeugnis asiatischen Geistes" anerkennt, so gilt ihm das doch bloß als ein literarisch verwendetes Motiv, das Vergil aufgriff, ohne ihm auch nur im geringsten „gläubigen Herzens angehangen" zu haben, was zu behaupten vielmehr als „ein seltsames Ansinnen" erscheinen müsse. Vor allem sind Jachmanns temperamentvolle Ausführungen von starkem Ressentiment gegen die Forschungen Eduard Nordens erfüllt, und da bei einem so noblen Gelehrten persönliche Motive kleinlicher Art ausscheiden, so bleibt nur die Erklärung, daß der Angriff aus einer tiefen Aversion gegen „den geradezu phrenetisch anmutenden Gefühlsüberschwang" in Nordens Buch „Die Geburt des Kindes" beruht. Dieser Antipathie nachgebend hat denn Jachmann so gründlich entmythologisiert, daß von dem vorwiegend religionsgeschichtlichen Ertrag des Vorgängers überhaupt nichts mehr übrig bleibt und ebenso von Vergils „Messias-Ekloge" und „Erlöserlied", wie das Gedicht mit spöttischem Zitat genannt wird, nicht viel mehr als ein schlechtes oder doch bisher weit überschätztes Elaborat, als dessen Hauptdefekt „die Brüchigkeit seines Gefüges" aufgedeckt werden müsse.

Wie weit damit über das Ziel geschossen ist, hat ein hervorragender Kenner römischer Religiosität und der in sie eingegangenen fremden Elemente, dabei zugleich ein feinsinniger Deuter lateinischer Dichtung,

Carl Koch, in einer nachgelassenen äußerst gehaltvollen Rezension mit
vornehmer Polemik aufgezeigt. Vielen wird es bei der Lektüre Jachmanns
ähnlich ergehen: man hat, wenn man sich seiner Führung anvertraut, das
erkältende Gefühl, vor einer kahlen und entgöttlichten Landschaft zu
stehen, und man muß das — trotz allem — großartige Gedicht dann erst
von neuem unmittelbar auf sich wirken lassen, um allmählich wieder
zu erwarmen.

Darin stimme ich freilich mit Jachmann überein und habe dies, wie
oben nachzulesen ist, schon vor Erscheinen seiner Arbeit klar ausgesprochen, daß die Ekloge „erhebliche Schwächen der Komposition"
aufweist, die man nicht vertuschen soll und die es zu erklären gilt.
Die Diagnose ist dabei weithin dieselbe — es geht vor allem um den Sitz
des „Heroenpassus", der Verse 31—36, im Gefüge des Ganzen. In der
Erklärung des Tatbestandes jedoch gehen wir verschiedene Wege, indem
Jachmann besonders auf die nicht geglückte Verschmelzung jener beiden
aus ganz verschiedenen Quellen stammenden Motive des schlagartig
erneuerten Zeitalters und des dieses verkörpernden, aber erst allmählich
heranwachsenden Kindes hinzuweisen nicht müde wird. Dabei wird ihm
das ganze Gedicht zu einem mißglückten Entwurf, während für mich die
aus den Zeitumständen und der Schwierigkeit des Unternehmens erklärbaren Schwächen zu dem großen Wurf im ganzen in einem reizvollen und
erregenden Kontrast zu stehen scheinen.

Es ist nebenbei gesagt kurios zu verfolgen, wie unsere Kritiker, vielleicht um dem verdienten Meister des Faches nicht allzu weh zu tun,
manche seiner Übertreibungen mir anlasten und entsprechende Mahnungen
an meine Adresse richten. So C. Becker, wenn er behauptet, von mir sei
das vergilische Gedicht überhaupt stark abgewertet, oder K. Büchner,
wenn er mich „vor angeblicher Erkenntnis von Fehlerhaftigkeit (!) solcher
Gedichte" warnt und dagegen auf das „poetische Empfinden" verweist,
„das in der 4. Ekloge immer wieder ein Kunstwerk höchsten Ranges
erkennen wird", zumal „die römische große Welt" gewußt haben dürfte,
„warum sie jemanden als großen Dichter begrüßte". Damit sind freilich
teils offene Türen eingerannt, teils hat dieser Appell, wenn er nämlich als
Warnung vor analytischem Bemühen überhaupt zu verstehen ist, mit
Philologie nicht mehr allzuviel zu tun. Hier scheint gewissermaßen
Sokrates' ironisches Wort über Heraklit zur peinlichen Richtschnur genommen zu sein: was ich verstehe, ist gut, also wird es mit dem übrigen
nicht anders sein. Ähnlich läßt sich Radke, jedoch mit unmittelbarer
Adresse, vernehmen indem er sagt: „die Kritik an Vergils dichterischem

Schaffen ... läßt vermuten, daß Jachmanns Schlußfolgerungen doch nicht in allen Punkten zutreffen".

Aber auch wo sich unsere Kritiker selber bemühen, das schwierige Problem des „Heroenpassus", der das Aufwachsen des göttlichen Kindes recht unsanft unterbricht, auf konziliante Weise zu glätten, ohne dem Dichter zu nahe zu treten, da kommt — so etwa in C. Beckers Variante — keine überzeugende Lösung zustande: der plötzliche Rückfall des goldenen Zeitalters in eine Epoche der Kriege wird auf einen vagen Horizont projiziert, der eine „allmähliche Entwicklung" der neuen Zeit symbolisiere, was aber mit Vergils konkreten Aussagen „erit tunc", „erunt etiam altera bella", „iterum ... mittetur" schlecht genug übereinstimmt. Eher wäre noch an eine aus künstlerischer Absicht bezweckte Kontrastwirkung zu den vorangehenden und nachfolgenden mehr „bukolisch" gestimmten Versen zu denken (schon Eduard Norden hatte vom eingewobenen „Pastoralmotiv" gesprochen). Man braucht in der Tat nur den Text des Gedichtes — etwa in H. WAGENVOORTs eindrucksvoller Wiedergabe auf einer Schallplatte — einmal im Ganzen laut zu hören, um aufs angenehmste zu empfinden, wie der Dichter von der hohen religiös-politischen Zukunftsschau immer wieder zu dem den Eklogen angemessenen „bukolischen" Ton zurückfindet und so gleichsam Ruhepunkte schafft oder, um Vergils eigenes Bild zu bemühen (v. 2 f.), die ernsten Wälder durch heiteres Gebüsch auflockert. Diesem Bestreben zu dienen konnte der Dichter wohl auch einmal umgekehrt einer längeren „bukolischen" Partie durch das Einschieben einer düsteren Kulisse stärkeres Relief geben. Aber daß er damit die meisterliche Komposition des Gedichts im ganzen (an der ich mit Norden gegen Jachmanns gereizten Einspruch festhalten möchte) an einem entscheidenden Punkte gefährdet hat, das festzustellen darf man uns nicht verwehren. Man hat dann etwa freilich — darin ist C. Koch beizupflichten — danach zu „suchen, ob der Dichter nicht einer kühnen Idee zuliebe bewußt die Härten in Kauf genommen hat", so daß eine neue, „außerlogische Einheitlichkeit der Erscheinung" ins Blickfeld tritt (mein Schüler B. Gatz denkt z. B. an eine bewußte ,variatio in alteram partem' Vergils gegenüber dem ,Heroenpassus' im Weltaltergedicht des Hesiod, Erga 156—173).

Im Vorigen wurde bereits angedeutet, daß die Zugehörigkeit auch der 4. Ekloge zum Zyklus der Bukolika bei der Interpretation nicht außer acht gelassen werden darf. Im ·Aufspüren und Sichtbarmachen dieses wichtigen Einschlags im Gewebe haben Büchner und Becker, die ja beide das Gedicht im Zusammenhang der größeren Vergilthematik behandeln, wichtige Fortschritte erzielt. Wie aber solches Bestreben sich mit religionsgeschichtlicher Betrachtungsweise durchaus verbinden läßt, zeigen die Ausführungen von F. Altheim im 2. Band seiner Römischen Religionsgeschichte, wo er seinerseits neben der 4. auch der vielumstrittenen 1. Ekloge die gleiche doppelte Bemühung angedeihen läßt. Daß der künstlerische Gesamteindruck bei diesem Gedicht stärker ist als bei der ihres Stoffes wegen ungleich berühmteren 4. Ekloge, wird man wiederum Jachmann ohne weiteres zugeben müssen.

Aber wo das lebendige Interesse für das von Vergil hier vertretene, in weltweitem Sinn religiös-politisch zu verstehende „messianische" Anliegen fehlt, da wird man dieser Schöpfung nie voll gerecht werden können. So muß denn hier noch einmal darauf hingewiesen werden, welche bedenklichen Konsequenzen das Zurückdrängen des religiösen Aspektes, der nun einmal von hellenistisch-orientalischen Einflüssen bestimmt ist, nach sich zu ziehen droht. Schon C. Becker, der hierin ganz mit Jachmann übereinstimmt, fühlt sich ermutigt zu sagen, die Auffassung Eduard Nordens von einer unmittelbaren Verbindung des Gedichts „mit altägyptischem Herrscherzeremonialwesen und religiösen Ideen des alten Orients" — eine solche *direkte* Verbindung hatte E. Norden übrigens nie behauptet — sei „heute aufgegeben". Vielmehr sei die „Idee eines irdischen Heilsbringers im Mittelpunkt von Virgils ganzem Lebenswerk" angesiedelt (was freilich in striktem Gegensatz zu Jachmanns Auffassung steht, der dies „durch des Dichters gesamtes späteres Schaffen rundweg widerlegt" sieht). Vorsichtiger als Becker ist hier Büchner, der aber — bei einer im übrigen da und dort durchscheinenden Übereinstimmung mit E. Norden — sich seinerseits damit begnügt, die „Ausmalung der goldenen Zeit" durch den Dichter als „symbolisch-traumhaft" zu charakterisieren. Andere wiederum, die das Licht vom Osten scheuen, ersetzen das Traumgebilde durch ein Gedankenspiel, wie etwa F. Focke, der das „Gedicht im ganzen" als „eine kaum wägbare Mischung von Spiel und Ernst" bezeichnet. V. Pöschl in seinem die 50er Jahre umfassenden Vergilbericht nimmt zwar in dem Streit um das Für und Wider einer religionsgeschichtlichen Interpretation von Vergils Gedanken maßvoll gegen Jachmann und Becker Partei und läßt einen Rest von Nordens Ergebnissen gelten. Aber auf der anderen Seite geht er zu leicht über Jachmanns Anstöße an der Komposition der Ekloge hinweg, und Altheims wie meine Bemühungen um das Gedicht während der Berichtszeit werden überhaupt nicht erwähnt. Wenn Pöschl dann im Blick auf die verdienstvollen Untersuchungen des Belgiers G. Stégen zu Vergils Bukolika und die Auseinandersetzungen dieses Gelehrten mit fremden und eigenen Deutungen kritisch bemerkt: „Es gibt Hypothesen, über die man am besten schweigt", so wird man gedrängt, hier Verbindungslinien zu ziehen, und fragt sich, ob diese Devise nicht für einen Literaturbericht doch ein etwas zu vereinfachtes Rezept darstellt.

Tritt das religionsgeschichtliche Interesse an dem Gedicht in einer gewissen Forschungsrichtung ganz in den Hintergrund, so glaubt man da und dort, auch wo ihm noch ein bescheidenes Daseinsrecht eingeräumt wird, selbst den durch die Erwähnung des cumäischen Gedichts nahegelegten Untergrund hellenistisch-orientalischer Gedanken dadurch ausschalten zu können, daß man einem Sibyllinum als Quelle Vergils die Existenz überhaupt bestreitet. So G. RADKE in seiner stattlichen Abhandlung über „Vergils Cumaeum carmen". Hier wird die alte von Philargyrius I und — abgeschwächt durch ein *vel . . . vel* — auch von Ps.-Probus zu v. 4 der Ekloge aufgestellte und neuerdings von Lagrange und L. Herrmann vertretene Hypothese wieder aufgegriffen, unter dieser von Vergil gewählten Bezeichnung seien gar keine poetischen Äußerungen der campanisch-cumäischen Sibylle zu verstehen, sondern vielmehr die Erga des Hesiod, die wegen der Herkunft von dessen Vater aus dem äolischen Kyme so genannt werden könnten. Tertium comparationis ist die Weltalterlehre hier und dort. Aber im einzelnen stimmt es so wenig, daß mit einer von der unseren verschiedenen Fassung des Hesiodgedichts gerechnet wird, die Vergil benutzt habe. Überdies müsse dem Vergil selber das Werk in zwei verschiedenen getrennten Teilen vorgelegen haben, dem „Ascraeum carmen" der Georgica II 172 als „den eigentlichen Erga" und dem „Cumaeum carmen" der 4. Ekloge (v. 4), mit der „Zeitalterlehre (opp. 106 ff.), als eigenes Gedicht". Werben schon diese komplizierten Auskünfte nicht gerade für die mit einem ungeheuren Aufwand an gelehrtem Material vorgetragene These, so liegt ihr überdies eine kaum vertretbare Auffassung von der Einheitlichkeit der Sibyllenliteratur in Vergils Zeit zugrunde. Radke rechnet nämlich ausschließlich mit den offiziellen Sibyllensprüchen nach Art des bekannten augusteischen Säkularorakels, in denen nach unserer Kenntnis der Überlieferung für eine cumäische Sibylle kein Platz sei, und deren festes Aufbauschema sich zu Vergils Zitat nicht füge. Denn erst Vergil selber, so argumentiert Radke weiter, hat viel später am Anfang des 6. Buchs der Äneis die cumäische Sibylle mit der römischen Sibyllen-Befragung in Zusammenhang gebracht und damit die nachfolgende Tradition bestimmt. Aber wir fragen: warum hat er das getan? Doch wohl deshalb, weil er in jüngeren Jahren schon mit dieser Sibylle des campanischen Cumä näher bekannt geworden war und ihr sein besonderes Vertrauen geschenkt hatte. Das ist durchaus nicht verwunderlich, wo Neapel, die Wahlheimat Vergils, das natürliche Einzugsgebiet der Cumana Sibylla gewesen sein muß, so daß er hier leicht ihrem prophetischen Einfluß sich öffnen konnte. Dabei braucht es sich keineswegs um eine „Befragung" gehandelt zu haben, sondern vielmehr um ein unter dem Volk verbreitetes „Gedicht", von dessen Charakter uns manche Teile der später redigierten, aber z. T. älteres Gut enthaltenden Sibyllensprüche einen Begriff geben, die jetzt A. Kurfess durch seine nützliche Heimeran-Ausgabe (1951) so bequem zugänglich gemacht hat. Nicht von ungefähr finden sich ja doch in diesen erhaltenen Sprüchen zahlreiche z. T. ganz enge Parallelen zu Versen der 4. Ekloge, von denen allenfalls die des christlich über-arbeiteten 8. Buchs, wie Radke will, ihrerseits bereits aus der Ekloge geschöpft haben könnten. Das darf aber z. B. von denen des 3. Buchs, woraus auch wir oben einiges ausgehoben haben, keinesfalls gelten. Mit alldem entfällt auch Radkes Einwand, kein zeitgenössischer Leser der Ekloge könne damals den Ausdruck „Cumaeum carmen" als Hinweis auf ein Sibyllinum verstanden haben. Alle Welt wird vielmehr, so dürfen wir annehmen, sich damals in ihrer Sehnsucht nach Frieden gierig auf derartige Prophezeiungen gestürzt haben, zumal wenn deren Suggestions-kraft so stark war, daß sie sogar einen Mann vom Rang Vergils aufs tiefste beeindrucken konnte. Daß das cumäische Gedicht späterhin bald verloren ging oder nur noch mit Bruchstücken in die weiter tradierten und bis auf unsere Zeit erhaltenen Sibyllensprüche eingegangen ist, das darf uns bei der Kurzlebigkeit solcher Gebilde nicht wundern. Die Tatsache, daß Vergil sich dem Inhalt der Prophetie gläubig erschloß und sich durch Zitat zu ihr bekannt hat, weist uns den Weg nicht nur zu seiner unmittelbaren Quelle, sondern darüber hinaus zu dem reichen hellenistisch-orientalischen Überlieferungsgut, aus dem die Sibylle ihrer-seits geschöpft hat, und das Eduard Norden und andere erschlossen haben, ohne daß diese Forschung damit schon am Ende wäre.

Blicken wir auf die Bemühungen der letzten 12 Jahre um Vergils 4. Ekloge zurück, von denen hier einige Hauptlinien aufgezeigt werden sollten, so ergibt sich zwar kein einheitliches Bild. Aber es lassen sich doch gewisse Tendenzen klar erkennen: ein sehr elementarer, aber wie ich glaube nur zeitweiliger Überdruß am religionsgeschichtlichen Aspekt; demgegenüber die begrüßenswerte Absicht, das eigenartige Gebilde durch künstlerische Analyse wieder deutlicher in seiner bukolischen Atmosphäre erscheinen zu lassen. Daneben im Einklang mit der Abneigung gegen die orientalische Komponente des Gedichts das offensichtliche Bestreben, es aus seinen römischen Voraussetzungen zu erklären. Freilich sind diese Ansätze überall da zum Scheitern verurteilt, wo man sich den Blick aufs Römische dadurch verbaut, daß man ein Anknüpfen Vergils an die

Realität der Zeitumstände nur bedingt gelten läßt, oder gar mit Entschiedenheit leugnet.

Zum Schluß sei daher ein Wort zu dieser alten Streitfrage gestattet, ob der den neuen Aion verkörpernde welterlösende Knabe der vergilischen Ekloge als „Phantasiegebilde" im „idealen Raum" zu denken sei, wie es Boll, Norden, Weber, Oppermann, Hartke, Altheim und zahlreiche andere Forscher, so auch jetzt wieder Büchner, mit Nachdruck vertreten haben, oder als ein „Wesen von Fleisch und Blut, von menschlichem Vater erzeugt, von menschlicher Mutter nach schlicht natürlich-beschwerlicher Schwangerschaft... unter dem... Beistand der Göttin Lucina... geboren, ein Mensch, der sein Wirken als Inhaber römischer Staatsämter ausüben wird". So hat Jachmann das Kind charakterisiert, und ich freue mich der Übereinstimmung, auch wenn dieser Gelehrte dann mit vielen anderen, von denen er zahlreiche Namen aufzählt, sich zu der fragwürdigen Identifizierung mit einem erhofften Sprößling Octavians entschließt. Übrigens lenken auch manche Vertreter der Gegenseite, mit besonderem Nachdruck Norden und Büchner, von dem Bekenntnis zur idealen Sphäre in das Zugeständnis ein, irgendwie müsse Vergil mit dem Phantasiegebilde doch auf eine Huldigung für den künftigen Herrscher hinzielen. Wir haben oben mehrfach zu zeigen versucht, daß dies mit den Zeitumständen des Jahres 41 und mit der damaligen politischen Stellung des Asinius Pollio unvereinbar erscheint und daher einen schweren Anachronismus bedeutet. Daß die Frage natürlich auch die Erklärung der 1. Ekloge mitbetrifft, darauf kann hier nicht eingegangen werden.

Aber wie dem auch sei, es erscheint bemerkenswert, daß der unwiderstehliche Sog der von Vergil in der Ekloge beschworenen Realität selbst diejenigen Forscher, die sich dieser Realität verschließen, zur Anerkennung eines irgendwie gearteten Substrats von Fleisch und Blut in den Ausführungen des Dichters veranlaßt. „Aus allen mystischen Nebeln konkretisiert sich langsam eine personale Vorstellung" des pacator orbis, heißt es bei HARTKE. Dieses Zugeständnis der Gegenseite übersieht Jachmann, oder es genügt ihm eben nicht, wenn er im Blick auf ihre Vertreter, wie Boll, Norden und Weber, gerade umgekehrt verallgemeinernd feststellt: bei ihnen „löst sich der puer in Dunst und Nebel auf".
Wenn neuerdings W. KROGMANN, G. STÉGEN, K. KERÉNYI und R. WALTZ (unt. S. 325f.) sich mit Nachdruck für Asinius Gallus als das von Vergil gemeinte Kind einsetzen, jeder mit besonderen Nuancen der Begründung, so begrüße ich ihr unabhängig von mir gewonnenes Ergebnis als notwendige Konsequenz einer nüchternen Interpretation. Aber eine ganz besondere Genugtuung ist es mir, für die einer solchen Betrachtungsweise zugrunde

liegende allgemeine Überzeugung auch noch eine postum veröffentlichte Äußerung von Eduard NORDEN beibringen zu können, mit der er seine oben zitierte, aus der Betrachtung der 4. Ekloge gewonnene Auffassung implicite in schlagender Weise korrigiert. Ich schließe meine Bemerkungen damit, daß ich das Bekenntnis des verehrten Lehrers im Wortlaut wiedergebe. Die Sätze finden sich in einem Brief Nordens an Adolf Schulten, den dieser in der 2. Auflage seines Tartessos-Werkes 1950 (S. 96₃) zitiert. Sie lauten: „Ich will nur noch sagen, daß ich Ihren allgemeinen Betrachtungen über freie Erfindungen durchaus zustimme. Darüber habe ich ›ab initiis meis‹ viel nachgedacht und in Vorlesungen oft gesprochen. Ein μὴ ὄν im absoluten Wortsinn, also ein imaginäres, von jeder Realität losgelöstes Phantasiegebilde hat die antike Poesie nicht gekannt. Der Wirklichkeitssinn war zu stark entwickelt, als daß er bloße Fiktionen geduldet hätte. Erst die Romane der Spätzeit wichen meist davon ab, und man sieht ja, was dabei herauskommt."

Wenn die Forschung zur 4. Ekloge sich Nordens Maxime zu eigen macht und sich dann endlich dazu versteht, die im Vorangehenden aufgezeigten, bisher meist so hart aufeinanderstoßenden Fronten zu einer harmonischen Synthese zu vereinigen, dann mag vielleicht einmal eine Interpretation des Gedichts glücken, die seine reichen und vielgestaltigen Aspekte zu einem überzeugenden Bild vereinigt.

LITERATUR ZU VERGILS 4. EKLOGE
SEIT ETWA 1950

(in Auswahl)

VERGILS vierte Ekloge. Deutsch von Fr. Focke (mit Anmerkungen). Privatdruck 1946.

VERGIL, Landleben: Bucolica Georgica, Catalepton. Lateinisch und deutsch. Hrsg. von Johann Götte 1949 (Heimeran). S. 22—25. Anmerkungen S. 260—264.

P. VERGILIUS Maro, Die größeren Gedichte. Hrsg. u. erkl. v. H. Holtorf I. Einleitung. Bucolica 1959 (4. Ekloge: S. 41—43. 48. 160—172).

VIRGILE, Les Bucoliques. Edition, Introduction et Commentaire de Jacques Perret 1961, S. 47—55.

VERGILIUS, 4e Ecloga. Gesproken door H. Wagenvoort... (Schallplatte, Zwolle 1959/60).

K. BÜCHNER, Artikel ‚P. Vergilius Maro, der Dichter der Römer' in der RE VIII A 1958 (1955), Sp. 1021 ff. (auch als Buch erschienen) (Zur 4. Ekloge: Sp. 1195—1213).

V. PÖSCHL, Forschungsbericht Vergil (hier: 4. Ekloge) = Anzeiger für die Altertumswissenschaft 3. 1950, Sp. 71. 12. 1959, Sp. 196. 202—205.

G. RADKE, Fachbericht Vergil (hier: 4. Ekloge) = Gymnasium 64. 1957, S. 169 ff. 179 ff.

D. WIEGAND, Bibliographie 1920—1959 (in Auswahl) = Gymnasium 67. 1960, S. 353—356.

A. Y. CAMPBELL, Vergiliana (unt. and. Ecl. 4, 62 f.) = Proceedings of the Cambridge Philological Society 1948—49, No. 5/6.

Frz. BOLL, Die vierte Ekloge des Vergil (1922/23) = Frz. B., Kleine Schriften zur Sternkunde des Altertums 1950. 332—356 (deutsche Übersetzung der italienischen Fassung 1923).

Frz. BOLL, Zur „Geburt des Kindes". Eine Besprechung (von Ed. Norden, Die Geburt des Kindes) (DLZ 1924) = ebenda, S. 357—368.

Werner HARTKE, Römische Kinderkaiser 1951, S. 266 ff. u. ö.

W. KROGMANN, Das Kind und der Komet.
= Classica et Mediaevalia. 12. 1951, S. 51 ff.

G. JACHMANN, Die vierte Ekloge Vergils.
= Annali della Scuola Normale Superiore di Pisa 21. 1952, S. 13—62.
(Dasselbe, gekürzt):

= Arbeitsgemeinschaft für Forschung des Landes Nordrhein-Westfalen. Geisteswissenschaften H. 2. 1953, S. 37—62. (Rez. von C. Koch, Gymnasium 64. 1957, S. 193—195).

Frz. Altheim, Römische Religionsgeschichte 2. 1953, S. 144—163.

E. Bickel, Politische Sibyllenklogen.
= Rhein. Museum 97. 1954, S. 209 ff.

C. Becker, Virgils Eklogenbuch.
= Hermes 83. 1955, S. 314 ff. (4. Ekl.: 328—341).

G. Stégen, Études sur cinq Bucoliques de Virgile (1. 2. 4. 5. 7.) 1955 (4. Ekl.: S. 40—82).

H. Wagenvoort, Virgil's forth Eclogue & the Sidus Julium (1929)
= H. W., Studies in Roman Literature, Culture & Religion 1956, S. 1—29.

P. Courcelle, Les exégèses chrétiennes de la quatrième Eclogue.
= Revue des Études Anciennes 59. 1957, S. 294—319.

K. Kerényi, Vergil und Hölderlin. Zürich 1957.
= oben S. 320 ff. (hier bes. S. 322 ff. 329 ff.).

R. Waltz, Sur la 4e Bucolique de Virgile.
= Les Études Classiques 26. 1958, S. 3—20.

G. Radke, Vergils Cumaeum carmen.
= Gymnasium 66. 1959, S. 217—246.

H. Wagenvoort, Indo-european Paradise Motifs in Virgil's 4th Eclogue
= Mnemosyne S. IV, Vol. 15. 1962, S. 133—145.

Ph. Merlan, Zum Schluß von Vergils Vierter Ekloge = Museum Helveticum 20. 1963, S. 21.

Nachwort 1981

Meinem Nachwort von 1963 möchte ich kein vergleichbares von 1981 hinzufügen, da eine Reihe neuerer Arbeiten jeweils ein Resümee der seitherigen Forschung zur vierten Ekloge zu geben versucht hat. Ich nenne vor allem das verdienstvolle, vielfach zu neuem Nachdenken anregende „kritische Hypomnema" zu „Vergils vierter Ekloge" von Walther Kraus (ANRW 31, 1. 1980, 604–645) mit einem 4 Seiten umfassenden bibliographischen Anhang – leider im wesentlichen nur bis 1974 reichend. Doch hilft jetzt weiter W. W. Briggs Jr., A Bibliography of Virgils Eclogues. In: ANRW 31, 2. 1270ff. (hier 1311–1325). Ein Essay von Heinr. Naumann,

Das Geheimnis der Vierten Ekloge. In: Der Altsprachl. Unterricht, Jg. 124, 1981, H. 5 (Zu Vergils 2000. Todestag), 29–47 ist wenig förderlich und nicht frei von Widersprüchen. Vgl. dagegen die gehaltvolle (von KRAUS nicht mehr verwertete), freilich mehr literargeschichtlich ausgerichtete Groninger Dissertation von VICTOR SCHMIDT, Redeunt Saturnia regna. Studien zu Virgils vierter Ecloga 1977, gleichfalls mit angehängtem Literaturverzeichnis (S. 159–162); seine Hauptthese ist, das vergilische Gedicht sei eine Antwort auf den düsteren Ausblick in Catulls 64. Stück (dies auch erörtert von FR. KLINGNER, Virgil 1967, 74. 76–78. 80). Mit seinem mehr literargeschichtlichen Anliegen folgt SCHMIDT dankbar den Spuren von R. D. WILLIAMS, Virgils fourth eclogue. A literary analysis. In: Proceedings of the Virgil Society 14. 1974–76, 1–6 (s. dazu a. V. PÖSCHL, Anz. f. d. Altertumswiss. 32. 1979, 16). Doch sind die anderen Aspekte des Themas bei V. SCHMIDT jeweils mitberücksichtigt; dabei zieht der Verfasser manchen Gewinn aus dem wichtigen und umfassenden Buch von BODO GATZ, Weltalter, goldene Zeit und sinnverwandte Vorstellungen (Tübinger Dissertation 1964) 1967, bes. Kap. 5 „Vergils 4. Ekloge" (S. 87–103). Von V. PÖSCHL liegen wieder zwei naturgemäß mehr summarische Literaturberichte zu Vergils Eklogen insgesamt vor: AA 21. 1968, 211 ff. und 32. 1979, 1 ff. Überall wird auch zu verstreuten Einzelarbeiten zum Thema referiert, teilweise auch Stellung genommen. Ich erwähne davon in den folgenden Nachträgen nur das in unserem Zusammenhang wichtigste, vor allem kritische Äußerungen zu meiner Arbeit oder abweichende Anschauungen mit z. T. neuen Nuancen. Denn um mehr handelt es sich auch im besten Falle nirgends auf diesem seit langem so fleißig beackerten Boden. Fruchtbare Auseinandersetzungen mit meinen Thesen vermisse ich allenthalben. Doch ist vor allem W. KRAUS in gewohnter Weise wenigstens da (und nur da) auf meine Positionen eingegangen, wo er mir – oft auch in sarkastischem Ton – am Zeug flicken zu können meint. Voll überzeugt hat er mich nirgends, doch da und dort in mir den schon vorher lebendigen Eindruck verstärkt, daß all unsere Vorschläge auf diesem schwierigen Gebiet selten endgültige Resultate bergen, sondern allenfalls wahrscheinliche Lösungen, die vielleicht doch einmal durch bessere ersetzt werden können. Freilich scheint mir mancher erreichte Consensus, den KRAUS wieder geistreich und oft überscharfsinnig in Frage stellt, unerschüttert geblieben zu sein.

Alles in allem haben die vergangenen knapp zwanzig Jahre viel Einzelforschung und manches erneute Hin und Her in der Bewertung längst diskutierter Argumente gebracht, aber keine wesentlich neuen Aspekte eröffnet. Mein eigener bescheidener Beitrag wird hier erneut zur Diskussion gestellt, die ihm bisher nur in sehr geringem Umfang zuteil geworden ist.

Einen 1951 von meiner Tochter AGATHE HOMMEL nach den Anregungen des Gedichts gefertigten Scherenschnitt, den bereits H. WAGENVOORT 1956 einem Sammelband vorangestellt hatte, sowie eine durch meine Studie angeregte poetische Übersetzung der 4. Ekloge Vergils – die beste, die ich

kenne – von ERIKA SIMON füge ich dem Neudruck mit freundlicher Geneh-
migung der Urheberinnen bei.

Nachträge 1981

Ich folge bei der Nachlese der raschen Identifizierung halber jeweils der Numerie-
rung der Anmerkungen, obwohl auch der dazugehörige Text natürlich in vielen
Fällen mit heranzuziehen ist.

Anm. 7 ff. (bes. 14)
Zu Asinius Pollio vgl. a. den Aufsatz von V. D'AGOSTINO in der Rivista di Studi
classici 2. 1954, 100–108. Außerdem sind zu Teilaspekten der Persönlichkeit des
Staatsmanns und Literaten für ANRW 30,1 zwei Aufsätze von G. ZECCHINI und J. P.
NÉRAUDAU angekündigt.

Anm. 18 (v. 1 paulo maiora)
Vgl. a. V. SCHMIDT aaO. 92 ff.

Anm. 19 gg.E.
Mein Aufsatz jetzt auch unten Bd. II. – GOTTFRIED KIEFNER, Die Versparung . . .
(Tübinger Diss. 1960) als Buch erschienen 1964.

Anm. 20.
Über die „Wälder" abweichend W. KRAUS aaO. 606 f.; vgl. a. FR. KLINGNER, Virgil
1967, 73.

Anm. 26. (v. 8 tu modo . . .)
Widerspruch zu meiner Interpretation bei KRAUS 609.

Anm. 29, Anfg.
Vgl. das oben im Nachwort zu V. SCHMIDT Gesagte (Catull als Ansatzpunkt für
Virgil).

Anm. 32. (v. 18 ff. tibi . . . ridenti)
Widerspruch bei KRAUS 616.

Anm. 35.
Zum „Tierfrieden" vgl. M. LANDMANN, Ursprungsbild und Schöpfertat . . .
1966, 272 ff., ferner den einschlägigen Abschnitt des Buches von B. GATZ, Weltalter,
goldene Zeit . . . 1967, 171. 174, und V. SCHMIDT 61 ff. – Zur Ähnlichkeit der Stellen
v. 22 (. . . *leones*) und Jesaja 11,6 ff. vgl. LANDMANN 280 f. und KRAUS 619.

Zu Anm. 47–49. (v. 42–45)
Davon abweichend KRAUS 625 f. (vgl. a. schon H. WAGENVOORT, Mnemosyne IV
15. 1962, 133 ff. und dazu V. PÖSCHL, AA 21. 1968, 211 f.).

Anm. 50. (Parzenrede)
Im Sinn von Büchner jetzt wieder Fr. Klingner, Virgil 1967, 76 und Kraus 627 f.
– Zu den *saecla* Klingner 74 f.

Anm. 51. (v. 49 *magnum Iovis incrementum*)
Kraus 630 f. übersetzt und erklärt (nach Kerényi) „großes Wachstum von Jupiters Herrschaft" (!).

Anm. 52.
Zum „Beben des Weltalls" s. außer Kraus 631 m. Anm. 38 auch die Bemerkungen von J. van Sickle im gleichen Band von ANRW 31, 1. 1980, 586₃₄ über die auch von Kraus zitierte Arbeit von A. Traina in der Festschrift für C. Diano 1975, 435 ff., und über weitere Erörterungen des gleichen Problems.

Anm. 57. (Orpheus und Linus)
Siehe dazu E. A. Schmidt, Poetische Reflexion. Vergils Bukolik 1972, 164 ff., der die beiden Sänger der Epik zuordnet, während sie Kraus 632 als Exponenten der religiösen Hymnik ansieht.

Anm. 58. (Pan)
Vgl. Fr. Klingner, 73; E. A. Schmidt aaO. (dazu V. Pöschl AA 32. 1979, 3), ferner Kraus aaO. m. Anm. 40.

Anm. 59 u. 61. (v. 60–63)
Mit dem Schlußteil des Gedichts hat sich vor allem Kraus (633–641) noch einmal eingehend beschäftigt und kehrt v. 62 zur überlieferten Lesart zurück *cui non risere parentes.* Die damit verbundene Interpretation (636) „Dem ersten Lachen des Kindes erwidert, wie sollte es anders sein, das Lachen der beglückten Eltern, und ein so gesegneter Ursprung gibt die Anwartschaft, das Höchste zu erreichen, was ein Sterblicher erreichen kann" ergibt doch wohl einen trivialen Nonsens, auf den Spuren Büchners übrigens: „Eintritt ins Leben ist Vorbedingung für Vergöttlichung . . ." (die Stelle ist ausführlicher zitiert bei mir in Anm. 61). Schon Kraus' „wie sollte es anders sein" unterstreicht doch die Alltäglichkeit des Geschehens, die bei seiner Lesart und Interpretation herauskommt. Wie könnte der Dichter mit einer solchen Banalität am Ende des köstlichen Gebildes die Aufnahme des göttlichen Kindes unter die Himmlischen haben begründen wollen? So sind denn auch neuerdings etwa R. D. Williams (Class. Philol. 71. 1976, 119–121) und andere bei der Lesart *qui non risere parenti* und einer entsprechenden Auslegung der Worte geblieben. Was die von mir vorgelegte betrifft, so bemerkt Kraus (635) spöttisch, ich meine „sogar, hier den Keim des Gedichtes zu fassen . . . Auf diese Art hätte man endlich eine Erklärung dafür, warum in aller Welt Vergil gerade in dem Sohn des Pollio – wenn er diesen meinte! – den Erstling der goldenen Zeit sah." Kraus' Einwand gegen meine Deutung der Verse 60 ff. beruft sich vor allem auf den Imperativ *Incipe* . . . („warum *verlangt* der Dichter von dem Neugeborenen die Erfüllung dieser Voraussetzung, wenn sie schon geschehen war?"). Doch nimmt Kraus ja diese dichterische Freiheit einer Umsetzung von Heilsgeschehen in liturgische Formel, deren sich religiöse Poesie je und je bedient hat, seinerseits in Kauf, wenn er dem „ersten Lachen des Kindes" die Funktion einer Teilvoraussetzung zubilligt, „das Höchste zu erreichen, was ein Sterblicher erreichen kann" (s. ob.).

Gewiß kann sich auch KRAUS dem Eindruck nicht ganz entziehen, daß dem göttlichen Kind bei Vergil reale Existenz zukommt. Aber am Ende seiner Reflexion (637) schränkt er dies durch ein „ignoramus" wieder ein. Schon vorher (633) heißt es gar „Die Dichtung entspricht überhaupt keiner realen Situation, die Rede des Dichters schwebt frei in einem idealen Raum". Wenn bei solchem Schwanken dann doch einmal wieder die Möglichkeit einer realen Existenz des Knaben ins Auge gefaßt wird, dann lesen wir (637) „Vergil wollte – oder konnte – nicht sagen, wer mit dem Knaben gemeint war." Ähnlich übrigens R. D. WILLIAMS, Proc. of the Virg. Soc. 14. 1974–76, 1 ff. mit Zustimmung von V. PÖSCHL, AA 32. 1979, 16. Aber bei KRAUS erfolgt dann eben die erneute Wendung (637): „Vielleicht spiegelte er seine Hoffnungen im erträumten Lebenslauf eines Phantasiekindes. Man mag sagen, daß es die Generation vertritt, die am Beginn der Erneuerung der Welt geboren wird. Der Dichter denkt es sich als ein Kind der römischen Oberschicht, der in der gegebenen geschichtlichen Situation die Aufgabe gestellt war, individuell oder kollektiv die Welt zu regieren." Ähnlich hat sich kurz zuvor auch W. BERG, Early Virgil 1974, 170 geäußert (diese Arbeit wird von KRAUS lediglich im Literaturverzeichnis genannt): „the puer was really and truly born . . . in the soal of a bucolic poet" (das Zitat ausführlicher bei V. SCHMIDT 97, der aber seinerseits hier und auf den folgenden Seiten sowie 151, Anm. 66 zustimmend eine Reihe von Bekenntnissen zur realen Existenz des Knaben anführt).

Die gleiche Frage hat KRAUS auch schon einleitend beschäftigt (605), wo er es als ziemlich sicher hinstellt, daß „die zeitgenössischen Leser" Vergils „nicht mehr wußten als wir", weil der Dichter „die Deutung offen gelassen und wie im Gedicht so auch als Mensch darüber geschwiegen" hat. Ganz abgesehen davon, daß wir dies letzte gar nicht wissen können, liegt hier eine Verkennung der jedem Historiker geläufigen Erscheinung zugrunde, daß Dinge, die auch ohne ausdrückliche Erklärung von denjenigen Zeitgenossen, die es verstehen sollten, auch verstanden wurden, dann bereits nach 1 bis 2 Generationen völlig aus dem Bewußtsein und der Verstehensmöglichkeit verschwinden können. So mochte der Ende 41 v. Chr. geborene Asinius Gallus als reifer Mann dem erst nach der Zeitwende geborenen und aufgewachsenen Asconius Pedianus sehr wohl die inzwischen aus dem Bewußtsein der jüngeren Generation entschwundenen Tatsache mitgeteilt haben, daß er mit der 4. Ekloge gemeint gewesen sei (wenn sich dann auch die darin beschlossene Prophezeiung nicht erfüllt hat). Daß der Wahrheitsgehalt dieser Aussage in der Forschung fast durchwegs bestritten wird, halte ich für ein revisionsbedürftiges Vorurteil (von Neueren nenne ich nur C. A. SCHOTTER, Historia 20. 1971, 444 m. Anm. 15, und ST. BENKO, ANRW 31, 1. 1980, 685 f.).

Anm. 92. (Zoroaster)
Nach KRAUS' Feststellung (632₄₂) hat wohl O. CRUSIUS, Rhein. Mus. 51. 1896, 551 ff. als erster in diesem Zusammenhang auf die Stelle aufmerksam gemacht.

Anm. 103.
An der Datierung ins Jahr 40 (statt Ende 41) hält auch E. A. SCHMIDT fest (in seiner Arbeit über die Datierung der Eklogen Vergils, Heidelberger Sitzungsberichte 1974; s. dazu V. PÖSCHL, AA 32. 1979, 11).

Anm. 108–111 u. [S. 417–420]: („Rückfall"-Motiv)
Daß die Verse 31–36 einen „Rückfall" ins „Heroenzeitalter" betreffen, wird von

KRAUS 623 f. energisch bestritten zugunsten einer „Vorstellung von der Wiederkehr aller Dinge", während B. GATZ aaO. 100 sich mit Nachdruck zur alten Auffassung bekannt hat; vgl. a. V. SCHMIDT 134 (Anm. 74) und schon FR. KLINGNER, Virgil 1967, 80–82.

Anm. 112 f.
Zur Frage der Umstellung von v. 23 vor 21 hat sich ausführlich und mit neuem Material KRAUS 617–620 geäußert, der letztlich doch auch zur überlieferten Reihenfolge zurückkehrt (vgl. auch schon FR. KLINGNER 79 f.).

Anm. 112–124 und [S. 417 f.]:
Was die vor allem von JACHMANN und mir hervorgehobenen Schwächen des Gedichts betrifft (die für mich freilich lediglich als Kehrseite der hohen Qualitäten des einzigartigen Stücks Poesie zu gelten haben), so hat vor allem V. SCHMIDT 36 u. ö. Bedenken gegen unsre Beurteilung angemeldet. KRAUS 637 hat daran erinnert, daß schon F. JACOBY 1910 und WILAMOWITZ 1930 (ähnlich wie JACHMANN) das Gedicht im ganzen abgewertet haben.

Anm. 125–131. (C. Asinius Gallus)
Siehe oben die Bemerkungen zu Anm. 59 u. 61 gegen Ende meiner Ausführungen.

Anm. 132–135.
Vgl. jetzt den Aufsatz von ST. BENKO, Virgil's fourth eclogue in Christian interpretation. In: ANRW 31, 1. 1980, 646–705 mit zahlreicher weiterer Literatur.

Zu [S. 420]:
Gegenüber RADKE's Rückführung des Gedichts auf hesiodische Anregungen, die schon von mir mit Fragezeichen versehen war, hat nun ANTONIE WLOSOK, „Cumaeum Carmen" (Verg. Ecl. 4,4): Sibyllenorakel oder Hesiodgedicht? In: Forma Futuri (Festschr. f. M. Pellegrino) 1975, 693–711 den bündigen Nachweis zugunsten der Sibyllinen erbracht (vgl. a. schon B. GATZ aaO. 102 im gleichen Sinne).

Vergils 4. Ekloge

Übersetzt von Erika Simon

Musen Siziliens, auf! von Größerem lasset uns singen,
Denn nicht jeden erfreut ein niedriger Strauch Tamarisken.
Wäldern zwar gelte das Lied, doch des Konsuls seien sie würdig.

Was die Sibylle verkündet, ist da: der Weltalter Grenze,
Und der gewaltige Lauf der Zeiten gebiert sich von neuem.   5
Schon kehrt die Jungfrau zurück, es kehrt das Reich des Saturnus,
Schon läßt ein neues Geschlecht sich herab aus der Höhe des Himmels.
Du sei dem eben geborenen Kind, bei dessen Erscheinen
Endet das Eisengeschlecht und das goldene aufsteigt im Weltall,
Gnädig, keusche Lucina, schon herrscht dein Bruder Apollo.   10

Unter dir wird dies herrliche Reich, dir dem Konsul, beginnen,
Pollio, und es rücken hervor die gewaltigen Monde;
Unter dir werden alle die Zeichen unsrer Verbrechen
Spurlos gelöscht und erlöst von unendlichem Grauen die Lande.
Jener Knabe wird göttliches Leben erhalten und schauen,   15
Wie unter Götter Heroen sich mischen, er selber ein Heros;
Und er regiert den durch Taten der Väter befriedeten Erdkreis.

„Aber es streut dir, o Kind, als Erstlingsgabe von selber
Wucherndes Efeugerank mit Narde weithin die Erde,
Wasserrosen dir auch, dem lächelnden, zwischen Akanthus.   20
Ohne Hirtengeleit tragen heim ihre Euter die Ziegen
Strotzend von Milch, nicht fürchtet das Zugvieh die mächtigen Löwen.
Selbst das Holz deiner Wiege läßt sprießen dir schmeichelnde Blüten
Sterben muß dann der Wurm und das tückische Giftkraut vergehen;
Weit und breit wird wachsen Assyriens kostbarer Ingwer.   25

Doch sobald du vermagst, den Ruhm der Helden zu lesen
Und die Taten des Vaters und weißt, was männliche Tugend,
Wird allmählich die Flur ergelben von wogenden Aehren,
Wird am Dornbusch dem starrenden hangen die rötliche Traube,
Und aus knorrigen Eichen wird träufeln wie Tau dir der Honig.   30
Aber es haften verstohlen noch Spuren vergangenen Frevels,
Drum müssen Schiffe noch einmal die Fluten der Thetis befahren,
Mauern die Städte umgürten und Furchen die Erde verwunden.
Wieder wird Tiphys erstehn, um wieder zu steuern die Argo,
Auserlesener Helden Gefährt; neue Kriege entflammen,   35
Und noch einmal nach Troja muß ziehen der große Achilles.

Dann, sobald dich zum Manne gemacht die gekräftigte Jugend,
Weicht vom Meere der Seemann zurück und die fichtenen Schiffe
Tauschen die Waren nicht mehr, denn allen trägt alles die Erde.
Nicht wird Hacken der Boden, nicht Sicheln der Weinberg ertragen,   40
Und es löset vom Joch die Stiere der kräftige Pflüger.
Nicht muß lernen die Wolle zu lügen verschiedene Farben,
Sondern schon auf den Wiesen verändert der Widder in rötlich
Strahlenden Purpur sein Vliess, schon auch in das Goldgelb des Safrans.
Ganz von selber wird Scharlach bekleiden die weidenden Lämmer.   45

Solche Zeiten, ihr Spindeln, bringt eilig heran!" Dieses sprachen
Einmutsvoll im beständigen Walten des Schicksals die Parzen.

O tritt an – es ist Zeit – den hohen Lauf deiner Ehren,
Teurer Sproß der Götter, du Großer aus Jupiters Samen!
Sieh, wie gewölbten Gewichts das Weltall wanket und schwanket: 50
Länder, Fluten des Meers und die Tiefe des Himmels darüber.
Sieh, wie alles voll Freude erwartet das kommende Weltjahr.

O dann währe mir lang der letzte Teil meines Lebens,
Und mir bleibe noch Atem genug, deine Taten zu rühmen:
Nicht wird besiegen im Lied mich der Thrakier Orpheus, noch Linus,   55
Steht auch dem einen die Mutter, dem andern der Vater zur Seite,

Orpheus Calliopea, dem Linus der schöne Apollo.
Ja selbst Pan, wenn er streitet mit mir vor Arkadias Richtstuhl,
Ja selbst Pan gibt geschlagen sich wohl nach Arkadias Urteil.

Auf denn, kleiner Knabe, erkenne mit Lächeln die Mutter!   60
Lohne die langen Beschwerden der Monde, da dich sie getragen.
Auf denn, kleiner Knabe: Wer nicht der Mutter gelächelt,
Den hat kein Gott seines Tischs, keine Göttin des Lagers gewürdigt.

Friedensvision im 4. Hirtengedicht des Vergil (70–19 v. Chr.)
Scherenschnitt 1951 von Agathe Hommel

Cetera Mitte

Zu Archilochos, Horaz, Euripides und Empedokles*

Arnold v. Salis zum 70. Geburtstag
in dankbarer Freundschaft

Archilochos fr. 58 gibt Diehl in der Anthologia Lyrica in folgender Form:

τοῖς θεοῖς †τ᾽ εἰθεῖ᾽ ἅπαντα · πολλάκις μὲν ἐκ κακῶν
ἄνδρας ὀρθοῦσιν μελαίνῃ κειμένους ἐπὶ χθονί,
πολλάκις δ᾽ ἀνατρέπουσι καὶ μάλ᾽ εὖ βεβηκότας
ὑπτίους κ<λ>ίνουσ᾽. ἔπειτα πολλὰ γίγνεται κακά,
5   καὶ βίου χρήμῃ πλανᾶται καὶ νόου παρήορος ·

Die crux in v. 1 hat man je und je auf versch:edenerlei Weise zu heilen gesucht. Überliefert ist bei Stobaios, der uns 4, 41, 2⁴ p. 935 H. die Verse erhalten hat, τοῖς θεοῖς τ᾽εἰθεῖά παντα. Von den zahlreichen Herstellungsversuchen nenne ich nur einige wenige:

τοῖς θεοῖσι θεῖα πάντα	Kaibel;
τοῖς θεοῖς ἕτοιμα πάντα	Hiller v. Gaertringen;
τοῖς θεοῖσ᾽ ἰθεῖα πάντα	oder
τοῖς θεοῖσι ῥεῖα πάντα	(beides nach Hesiod, Erga v. 5ff.)
	v. Wilamowitz.

Hugo Grotius hatte auf den Spuren von V. Trincavelli vermutet τοῖς θεοῖς τ{ε}ίθει <τ>ὰ πάντα „überlaß alles den Göttern" — ein Vorschlag, der bis heute stark nachgewirkt hat. Denn etwa Diehl, der zwar diese Konjektur nicht in den Text zu setzen gewagt hat, scheint doch anzunehmen, daß sie dem Sinn nach das Richtige trifft, da er zur Sache an Tyrtaios fr. 1, 14 (53) erinnert ἡμεῖς] δ᾽ ἀθανάτοισι θεοῖσ᾽ ἐπὶ πάντ[α τρέποντες (oder nach anderen τιθέντες) und da er ebendort auf unsere Archilochos-Stelle vorausverweist. Aber man | hat aus der Grotius᾽schen Vermutung noch weitergehende Konsequenzen gezogen. R. Heinze in der 6. Aufl. seines Kommentars zu Horaz'

---

* Gymnasium 58. 1951, 218–227.

Oden[1] erinnert für das berühmte *permitte divis cetera* c. I 9, 9 an den Archilochos-Vers in der Grotius'schen Fassung. Man müßte, auch wenn diese Lesart feststünde, dennoch fragen, ob jener Hinweis zu Recht besteht[2]; denn das *cetera*, das bei Archilochos fehlt, scheint in dieser Wendung stereotyp zu sein, da es c. III 29, 33 f. in ganz ähnlichem Zusammenhang wiederkehrt:

> *cetera fluminis ritu feruntur,* und ebenso epod. 13, 7:
> *cetera mitte loqui: deus haec fortasse benigna*
> *reducet in sedem vice.*

Aber wir brauchen uns hier zunächst gar nicht darum zu kümmern; denn der Sinn ist an der Archilochos-Stelle sicherlich ein ganz anderer. Es ist zu lesen τοῖς θεοῖς τέλεια πάντα „den Göttern ist alles in Erfüllung gehend, vollziehbar, möglich" — eine ganz leichte Korruptel τειθεια < τελεια, die entstehen konnte, wenn bei undeutlicher Schreibung des Lambda die linke Hasta in ι verlesen, die rechte dann durch Raten als θ gedeutet wurde. Zur Stützung der Lesart vom Sachlichen her bieten sich Beispiele die Fülle[3]; denn Gedanke[4] und Formulierung[5] sind so griechisch wie nur irgend etwas:

---

[1] 1917, S. 72.

[2] Von der 7. Aufl. 1930 an ist er weggeblieben.

[3] Einige von ihnen, vor allem die entscheidende Pindar-Stelle und ihre richtige Beurteilung, verdanke ich meinem Sohn Peter HOMMEL, der als Lesefrüchte aus griechischer Lyrik mehreres zur Stützung meines hier mitgeteilten Heilungsversuchs von Archil. fr. 58, 1 beigebracht hat.

[4] Er begegnet aber auch in jüdischer, römischer und deutscher Literatur; ich nenne je ein Beispiel, wovon die beiden letzten, das lateinische und das deutsche, — nicht von ungefähr, wie ich an anderer Stelle zeigen konnte — aus dem Anfangssatz die gleiche Folgerung ziehen wie Archilochos fr. 58:

   a) Genes. 18, 14 sollte dem Herrn etwas unmöglich sein? (vgl. Ev. Luk. 1, 37 bei Gott ist kein Ding unmöglich).

   b) Horaz c. I 34, 12 ff. *valet ima summis*
      mutare et insignem attenuat deus
      obscura promens. hinc apicem rapax
       Fortuna cum stridore acuto
        sustulit, hic posuisse gaudet.
   (Diese Stelle lehnt sich in ihrem ersten Teil offensichtlich an Archil. fr. 58 an.)

   c) Georg Neumark (1621—81) in seinem Kirchenlied „Wer nur den lieben Gott läßt walten ...":

      Es sind ja Gott recht schlechte Sachen
      und ist dem Höchsten alles gleich,
      den Reichen klein und arm zu machen,
      den Armen aber groß und reich.
      Gott ist der rechte Wundermann,
      der bald erhöhn, bald stürzen kann.

(Diese Liedstrophe wiederum ist mit ihrer zweimal wiederholten zweigliedrigen Argumentation der Abhängigkeit von Horaz in hohem Maße verdächtig, was bei

Archilochos fr. 84 D. Ζεὺς ἐν θεοῖσι μάντις ἀψευδέστατος
καὶ τέλος αὐτὸς ἔχει.
Semonides fr. 1, 1f. D. ὦ παῖ, τέλος μὲν Ζεὺς ἔχει βαρύκτυπος
πάντων ὅσ᾽ ἐστὶ καὶ τίθησ᾽ ὅκη θέλει.
Solon fr. 1, 17 D. ἀλλὰ Ζεὺς πάντων ἐφορᾷ τέλος, . . .
Theognis 142 θεοὶ δὲ κατὰ σφέτερον πάντα τελοῦσι νόον.
Aischylos, Hepta 166f. θεοί, | ἰὼ τέλειοι τέλειαί τε γᾶς τᾶσδε πυργοφύ-
λακες[6].
Aischylos, Agam. 973f. Ζεῦ Ζεῦ τέλειε, τὰς ἐμὰς εὐχὰς τέλει ·
μέλοι δέ τοι σοὶ τῶνπερ ἂν μέλλῃς τελεῖν.
Aristophanes, Thesmophor. 352ff. ξυνευχόμεσθα τέλεα μὲν | πόλει, τέλεα
δὲ δήμῳ | τάδ᾽ εὔγματα γενέσθαι.
Pindar, Pyth. 2, 49ff. θεὸς ἅπαν ἐπὶ ἐλπίδεσσι τέκμαρ ἀνύεται,
θεός, ὃ καὶ πτερόεντ᾽ αἰετὸν κίχε, καὶ
θαλασσαῖον παραμείβεται
δελφῖνα, καὶ ὑψιφρόνων τιν᾽ ἔκαμψε βροτῶν,
ἑτέροισι δὲ κῦδος ἀγήραον
παρέδωκ᾽ · . . .

„ein Gott erreicht jedes Ziel nach Wunsch,
der Gott, der selbst den geflügelten Adler einholt und den Meeres-
delphin
übereilt, auch manchen der hochgemuten Sterblichen beugte,
aber andern nie alternden Ruhm gab. . . .“

(Übersetzung von Franz Dornseiff). |

---

dem gelehrten Weimarer Bibliothekar und Hofpoeten nicht zu verwundern braucht.
Vgl. darüber ausführlicher H. HOMMEL, Antikes Erbgut im evangelischen Kirchenlied. In: Theologia viatorum. Jahrb. d. Kirchl. Hochschule Berlin 1948/49, S. 127ff.).
[5] Die Übersetzung von τέλειόν τινι „jemandem vollendbar“ mit dem „Dativ der
Person dessen, der die Vollendung oder Entscheidung gibt“ (hierfür fordert Werner
JAEGER brieflich mit Recht Belege als letzten Beweis für die Evidenz der Konjektur)
rechtfertigt sich aus lyrischen Stellen wie Aischyl., Hiket. 823f. in einem Gebet an
Zeus τί δ᾽ ἄνευ σέθεν θνατοῖσιν τέλειόν ἐστιν; (vgl. 810 τέλεά πως πελόμενά μοι,
ferner Hiket. 91f.) und [Euripides] Rhesos 199f. (der Chor zu Dolon gewendet)
τὰ θεόθεν ἐπιδέτω Δίκα, τὰ δὲ παρ᾽ ἀνδράσιν τέλειά σοι φαίνεται.
[6] Vgl. a. 117f. Ζεῦ πάτερ παντελές, πάντως ἄρηξον, dazu das Schol. πάντων ἔχων τέλος.
Vgl. auch Agam. 1486f. (581f.). Der τέλος-Prädikationen und ihrer Varianten finden
sich bei Aischylos noch eine Fülle; ich zähle allein in den Persern und den Hepta
je etwa ein Dutzend (Pers. 203f., 216f., 218, 225, 228, 726, 735, 739f., 740f.; vgl.
a. 47, 462, 787f., ferner 744, 748, 766. — Hepta 35, 116, 157, 167f., 251, 626f.; vgl.
a. 162f., 491, 655, 659, ferner 260, 367, 617, 692f.). Einiges wenige bietet in sehr bedeutsamen Ausführungen, die das Problem klar herausstellen, ED. FRAENKEL,
Philologus 86, 1930, S. 11f. mit Anm. 30, ausgehend von Hiket. 92, 525f., wozu
neben Hepta 117f. und Solon, fr. 1, 17 noch Pindar, Pyth. 9, 44 angeführt werden
(an Apollon) κύριον, ὃς πάντων τέλος οἶσθα καὶ πάσας κελεύθους. FRAENKEL schließt
Anm. 30 mit den Worten: „In dieser τέλος-Konzeption des frühen Aischylos ist
ein wichtiges Stück athenischer Philosophie vorgebildet.“

Das ist offensichtlich nichts anderes als eine erweiterte und in die pindarische Vorstellungswelt übertragene Paraphrase unserer Archilochos-Stelle[7], wobei für τοῖς θεοῖς τέλεια πάντα die Wendung eintritt θεὸς ἅπαν . . . τέκμαρ ἀνύεται, außerdem die Glieder Archil. 58, 1f. u. 3ff. vertauscht sind. Daß dem Chorlyriker wirklich das Archilochos-Zitat vorschwebte, scheint sich durch die Gedankenassoziation zu bestätigen, auf Grund deren dann Pindar einige Verse später (Pyth. 2, 55) den Archilochos in einem aus dem Weiterspinnen des Gedankens sich ergebenden Zusammenhang namentlich erwähnt hat[8].

———

Wir haben oben gesehen, daß Horaz an mehreren Stellen seiner Dichtung (c. I 9, 9; III 29, 33f.; epod. 13, 7) den ihm so geläufigen Gedanken „genieße den Tag; das andere überlaß den Göttern" in die Wendung ausklingen läßt: *permitte divis cetera; cetera fluminis ritu feruntur; cetera mitte loqui,* wobei also das *cetera* (3 Beispiele) bzw. das *cetera (per)mitte* (2 Beispiele) sich geradezu leitmotivisch einprägt. Fragen wir, woher das stammt, so könnte man, da nunmehr Archilochos endgültig ausscheidet, geneigt sein, zunächst an Alkaios zu denken, von dessen ὕει μὲν ὁ Ζεύς ja die Ode I 9 ohne Zweifel angeregt ist[9]. Die Vielschichtigkeit des horazischen Schaffens muß uns freilich zur Vorsicht mahnen. Im übrigen ist ja bekannt, wie sehr die leichte Lebensweisheit dieser Gedichte dem vergröberten Epikureismus jener Zeit entspricht, wie er in Werken der bildenden und der redenden Künste vielfältigen Ausdruck fand[10]. Da aber auch bereits anakreontische Lebensauffassung in dem berühmten Spruch gipfelt

———

[7] In v. 51f. mag auch wie schon bei Archilochos eine Erinnerung an Hesiod, Erga 3ff. mit anklingen.

[8] Pyth. 2, 52ff. in unmittelbarem Anschluß an den oben ausgeschriebenen Wortlaut:

ἐμὲ δὲ χρεών
φεύγειν δάκος ἀδινὸν κακαγοριᾶν.
εἶδον γὰρ ἑκὰς ἐὼν τὰ πόλλ' ἐν ἀμαχανίᾳ
ψογερὸν Ἀρχίλοχον βαρυλόγοις ἔχθεσιν | πιαινόμενον.

Zum Gedankengang vgl. a. WILAMOWITZ, Sitzber. d. Pr. Ak. d. Wiss. 1901, S. 1300f. Ebenda wird der Hymnos aufs Jahr 471 datiert.

[9] Auch c. III 29 scheint eine alkäische Wendung zu enthalten: v. 42 *in diem* ∼ ἐπ' ἀμέραν Alk. fr. 45, 3D. (doch klingt c. III 29, 41—43. 49 *ille potens sui laetusque deget, cui licet in diem dixisse 'vixi'* . . . *Fortuna* . . . eher wohl an Euripides, Alk. 788f. an — die Stelle ist weiter unten ausgeschrieben). Vgl. ferner zum Einladungsmotiv dieser horazischen Ode Alk. fr. 44 (dazu die Bemerkungen von WILAMOWITZ, Neue Jahrbücher 33. 1914, S. 234).

[10] Zahlreiche Gemmen, die Becher von Boscoreale usw.; vgl. dazu unten Anm. 19, ferner H. HOMMEL, Horaz 1950, S. 35. — Anthol. Pal. XI 56, 1 πῖνε καὶ εὐφραίνου, τί γὰρ αὔριον ἢ τί τὸ μέλλον, | οὐδεὶς γινώσκει. Vgl. a. unten Anm. 18.

τὸ σήμερον μέλει μοι,
τὸ δ᾽ αὔριον τίς οἶδεν[11];

läßt sich nicht ohne weiteres von vornherein der Ort feststellen, wo
Horaz sein *cetera mitte* ... hat finden können, wenn es wirklich eine
feste traditionelle Formel darstellt. Aber gerade der mutmaßliche
Formelcharakter wird sich dann am sichersten bestätigen, wenn es
gelingt, irgendwo in früherer Literatur die gleiche Wendung festzustellen, so daß sie sich als „Leitfossil[12]" tatsächlicher Kontinuität erweist.

In der Tat begegnet uns die Formel an anderer Stelle und zu anderer
Zeit zweimal im gleichen, der Gedankenwelt des Horaz nahverwandten
Zusammenhang, einmal in der Gestalt τὰ δ᾽ἄλλα *(cetera)* λογίζου τῆς
τύχης, das andere Mal in der Form τὰ δ᾽ἄλλ᾽ἔασον *(cetera mitte)*[13]. Es
lohnt sich, die ganze Partie hierher zu setzen: Euripides, Alkestis
779–802.

Herakles als Gast Admets spricht zu dem alten Diener des Hauses,
der ihm sauertöpfisch und mit vorwurfsvollem Blick begegnet war,
weil Herakles im Hause des Gastfreunds trotz des eingetretenen Trauer-
falls unbekümmert sich dem Schmaus und Trunke hingegeben hatte: |

δεῦρ᾽ ἔλθ᾽, ὅπως ἂν καὶ σοφώτερος γένῃ.
780 τὰ θνητὰ πράγματ᾽ οἶδας ἣν ἔχει φύσιν;
οἶμαι μὲν οὔ · πόθεν γάρ; ἀλλ᾽ ἄκουέ μου.
βροτοῖς ἅπασιν κατθανεῖν ὀφείλεται,

---

[11] Der Spruch (Anacreontea 7, 9f.) steht bekanntlich in einem Hemiambos, der beginnt οὔ μοι μέλει τὰ Γύγεω, . . .; das ἐμοὶ μέλει wird weiterhin als Motiv festgehalten (v. 5, 7, 9). Das ganze Gedichtchen scheint mir doch wesentlich älter zu
sein als die Hauptmasse der Sammlung, der es zugehört („um den Beginn unserer
Zeitrechnung oder kurz vorher" nach Crusius RE I 2047). Denn schon in Euripides'
Kyklops 322f. heißt es in einem durchaus „anakreonteischen" Zusammenhang οὔ μοι
μέλει τὸ λοιπόν · ὡς δ᾽οὔ μοι μέλει, ἄκουσον. Da auch Kykl. 495ff. anakreontischer
Einfluß erkennbar ist (Crusius a. O. 2045), während etwa die hedonistische Predigt
des Herakles in der 438 aufgeführten Alkestis 779ff. nicht unmittelbar an dergleichen anklingt, so möchte man versucht sein, Anacreontea 7 oder ein ähnlich lauten-
des Vorbild dieses Gedichts so früh anzusetzen, daß die Verse auf Euripides nach der
Entstehung der Alkestis und vor Abfassung des Kyklops, also zwischen 438 und ca. 415,
eingewirkt haben konnten. — Vgl. übrigens auch Homer, Od. 19, 502; Theognis 1047f.

[12] Der Ausdruck ist in diesem Sinn gebraucht von Ed. Norden, Die Geburt des Kindes
1924, S. 165; vgl. dazu H. Hommel, Per aspera ad astra. In: Würzburger Jahrbücher 4, 1949/50, S. 157f. = H. H., Symbola I 1976, S. 274ff.

[13] Vgl. a. Eurip. Kykl. 322 οὔ μοι μέλει τὸ λοιπόν, und dazu oben Anm. 11.
Noch im 4./5. nachchristl. Jh. taucht dann die Formel leicht abgewandelt noch
einmal auf: Palladas, Anth. Pal. XI 62, 6 τἄλλα δὲ πάντα Τύχη πράγματα δὸς διέπειν
(s. Heinze[7] zu Hor. c. I 9, 9), Schlußvers eines Gedichtchens, das deutlich die Anregung auch von Eurip. Alk. 782ff., 788ff. verrät. — Formal vorgebildet scheint
die Wendung schon Aischylos, Agam. 912, doch findet sich dort von hedonisti-
schem Einschlag keine Spur; s. dazu unten Anm. 21.

κοὐκ ἔστι θνητῶν ὅστις ἐξεπίσταται
τὴν αὔριον μέλλουσαν εἰ βιώσεται ·
785 τὸ τῆς τύχης γὰρ ἀφανὲς οἷ προβήσεται[14],
κᾆστ᾽ οὐ διδακτὸν[15] οὐδ᾽ ἁλίσκεται τέχνῃ.
ταῦτ᾽ οὖν ἀκούσας καὶ μαθὼν ἐμοῦ πάρα
εὔφραινε σαυτόν, πῖνε, τὸν καθ᾽ ἡμέραν
βίον λογίζου σόν, τὰ δ᾽ ἄλλα τῆς τύχης.
790 τίμα δὲ καὶ τὴν πλεῖστον[16] ἡδίστην θεῶν
Κύπριν βροτοῖσιν · εὐμενὴς γὰρ ἡ θεός.
τὰ δ᾽ ἄλλ᾽ ἔασον ταῦτα καὶ πιθοῦ λόγοις
ἐμοῖσιν, εἴπερ ὀρθά σοι δοκῶ λέγειν ·
οἶμαι μέν. οὔκουν τὴν ἄγαν λύπην ἀφεὶς
795 πίῃ μεθ᾽ ἡμῶν τάσδ᾽ ὑπερβαλὼν τύχας,
στεφάνοις πυκασθείς; καὶ σάφ᾽ οἶδ᾽ ὁθούνεκα
τοῦ νῦν σκυθρωποῦ καὶ ξυνεστῶτος φρενῶν
μεθορμιεῖ σε πίτυλος ἐμπεσὼν σκύφου[17].
ὄντας δὲ θνητοὺς θνητὰ καὶ φρονεῖν χρεών[18] ·
800 ὡς τοῖς γε σεμνοῖς καὶ συνωφρυωμένοις
ἅπασίν ἐστιν, ὡς γ᾽ ἐμοὶ χρῆσθαι κριτῇ,
οὐ βίος ἀληθῶς ὁ βίος, ἀλλὰ συμφορά.

---

[14] Die Endreime der vv. 782—785 unterstreichen die Eindringlichkeit der Paränese.
Auch die Wiederholungen von οἶμαι μέν v. 781, 794, τύχης (τύχας) 785, 789, 795,
τὰ δ᾽ἄλλα 789, 792 dienen wohl mit bewußter Kunst dem gleichen Zweck (für
die τύχη-Stellen vgl. a. G. BUSCH, Untersuchungen zum Wesen der τύχη in den
Tragödien des Euripides. Diss. Heidelb. 1937, S. 11, 43).

[15] Vgl. Hippol. 79f. ... διδακτὸν μηδέν, ἀλλ᾽ ἐν τῇ φύσει
τὸ σωφρονεῖν εἴληχεν.

[16] Vgl. Med. 1323 ὦ μέγιστον ἐχθίστη γύναι, dagegen Hippol. 1421 μάλιστα φίλτατος
... βροτῶν. Die seltene Variante der Superlativform des Adv. ist also metrisch
bedingt und findet nur in Notfällen Anwendung, da in der Hippolytos-Stelle das
Metrum auch μέγιστον erlaubt hätte. Heraklid. 792 ζῶσιν μέγιστόν γ᾽ εὐκλεεῖς mag
μάλιστα deshalb vermieden sein, da sonst 794 eine lästige, weil sinnlose Wiederholung entstanden wäre.

[17] „Verschiffen aus der Bucht der Düsternis und Verkrampfung des Herzens wird
dich das in den Becher einfallende Tröpfeln" (eigentlich: der Ruderschlag; hier der
Tropfenfall scil. des Weines), d. h. auf leichtere Gedanken bringen wird dich das
Her(nieder)rauschen des sprudelnden Weines in den Becher. Zu den beiden Bildern
von der Schiffahrt und vom Wasserfall, die sich hier gegenseitig durchdringen, vgl.
Med. 258, 442; Hippol. 1464. Hesych. s. πιτύλοις · ταῖς καταφοραῖς ὑδάτων καὶ
τοῖς ψόφοις τῶν ὑδάτων.

[18] Der Gedanke ähnlich schon bei Pindar, Epicharm, Theognis, Simonides, Bakchylides,
Aischylos, Sophokles; vgl. a. Eurip. fr. 1075 und s. dazu W. NESTLE, Euripides ...
1901, S. 195, die Belege S. 483f. Weitere aufschlußreiche Parallelen aus Euripides
bei W. SCHMID, Gesch. d. griech. Lit. 3, 1940, S. 725₂. Auch das Epigramm Anth.
Pal. XI 56, 3 greift den Gedanken und die Formel in leichter Abwandlung auf
(θνητὰ λογίζου), scheint überhaupt von Eurip. Alk. beeinflußt (vgl. oben Anm. 10).

Es bedarf keiner Analyse, um darzutun, wie nah verwandt auch im
Ganzen diese nur scheinbar unbeschwerte, im Grunde doch keineswegs
naive, sondern höchst reflektierte Empfehlung einer leichten Lebensauffassung dem populären durch Horazens Kunst geadelten Hedonis-
mus der Zeit um Christi Geburt ist. Hier wie dort steht düster drohend
das Wissen um den Tod im Hintergrund einer etwas nervös vorgetra-
genen Philosophie des „*carpe diem*", eine Spur zu laut, um ganz echt
und natürlich wirken zu können. Die gleiche Stimmung weht uns bei
Euripides und bei Horaz mit kühlem Hauche an, ebenso wie auf den
zahlreichen Gemmen, Fingerringen, Weinkrügen, Bechern, Lampen,
Mosaiken der Jahrhunderte vor und nach der Zeitenwende, auf denen
das Totenskelett neben Kränzen, Würfeln und Humpen erscheint[19].
Man ist gewohnt, indem man nur die Zeugnisse dieser Zeit vor Augen
hat, in solcher Haltung einen popularisierten und zugleich vergröberten Epikureismus zu erblicken. Wie aber verhält es sich mit dem
„Epikureismus" lang vor Epikur in jenen Versen des Euripides?

Die Predigt des Herakles geht davon aus (v. 780ff.), daß sich aus
der φύσις der menschlichen Verhältnisse ihre Unsicherheit ergibt, die
vor allem auf der Ungewißheit über den Zeitpunkt des an sich unaus-
weichlichen Todes beruht. Denn auf die τύχη ist kein Verlaß (v. 785);
da hilft auch keine τέχνη (v. 786). Das heißt also: φύσει — von Naturanlage — sind alle Menschen sterblich, der Zeitpunkt des Todes wird
durch die τύχη — das Schicksal — bestimmt, die τέχνη — Menschenwitz,
Lehre, Erziehung, kurz jeglicher von Menschen regulierbare Umwelt-
faktor — kann das Schicksal, zumal die Todesstunde, weder erfahrbar
machen noch gar beeinflussen (κἄστ' οὐ διδακτὸν οὐδ' ἁλίσκεται τέχνη
v. 786).[20]

Dieser Gedankengang weist mit Sicherheit auf einen Kernsatz der
empedokleischen Philosophie:
Platon, Gesetze X 4, 889 B (FV⁵ I 31 A, p. 292, 5ff.) ... φύσει πάντα
εἶναι καὶ τύχῃ φασί (scil. die Anhänger des Empedokles), τέχνῃ δὲ
οὐδέν ...[21], ein Standpunkt, den Platon im folgenden wie auch schon

---

[19] Abbildungen bei Robert ZAHN, Κτῶ χρῶ... 1923; Fr. P. WEBER, Des Todes Bild.
    Bearb. v. E. Holländer. 1923, S. 35ff., 227ff.; O. BRENDEL, Röm. Mittlgn. 49.
    1934, S. 157ff.

[20] Vgl. Empedokles fr. 2, 7/8 οὕτως οὔτ' ἐπιδερκτὰ τάδ' ἀνδράσιν οὔτ' ἐπακουστὰ
    οὔτε νόῳ περιληπτά.

[21] Damit waren, eine geniale Konzeption, die drei Töne gefunden — φύσις, τύχη, τέχνη
    —, auf deren harmonischem Zusammenklang das menschliche Dasein überhaupt
    beruht, mag auch von Anfang an in der Diskussion über das Problem die kontra-
    punktische Unter- oder Überbewertung einzelner Elemente des Dreiklangs die Har-
    monie gefährdet haben. Die Geschichte dieser Trias in ihren schillernden Beziehun-
    gen muß noch geschrieben werden. Mit einem Versuch, den ersten Teil dieser Auf-
    gabe (für die Epoche von Empedokles bis Platon) zu leisten, ist mein Schüler Helmut

IV 4, 709 B ff. und ebenso am Schluß des Sophistes 49 f., 265/6 aufs entschiedenste bekämpft, indem er der τέχνη (der θεία τέχνη, die bei ihm an die Stelle der φύσις zu rücken scheint, wie der ἀνθρωπίνη, die gleichsam die τύχη aufhebt), sowohl als νοῦς oder σοφία wie als νόμος, ihre ausschlaggebende Rolle zuweist. Euripides dagegen hat sich an jener Stelle der Alkestis ganz der 'empedokleischen' Auffassung verschrieben, wonach φύσις und τύχη[22] das menschliche Leben bestimmen, aber τέχνη nichts daran ändern kann. Die Konsequenz aus diesem für richtig gehaltenen Sachverhalt, daß nämlich der Mensch die τύχη überwinden solle (τάσδ' ὑπερβαλὼν τύχας 795[23]), indem er unbekümmert genießend seine φύσις auslebt, kann freilich unmöglich von Empedokles stammen, nach allem was wir von ihm besitzen und wissen.

Schreiner in Worms befaßt. Dabei dürften sich u. a. besondere Aufschlüsse für Aischylos ergeben, der in Sizilien früh mit Empedokles' Lehre vertraut geworden sein mag; s. Prom. 103 ff., 511—514 (weitere Empedokles-Anklänge anderer Art v. 83, 88—92, 134, 172 f., 253, 615 ?, 936, 945); Agam. 912 f. (s. dazu a. oben Anm. 13) τὰ δ' ἄλλα φροντὶς οὐχ ὕπνῳ νικωμένη | θήσει δικαίως σὺν θεοῖς εἱμαρμένα. Die empedokleische Konzeption ist hier so umgebogen, daß eine vom Schlaf (also von der φύσις) nicht zu überwindende menschliche Sorge (τέχνη) mit Gerechtigkeit und Götterwillen (zwei spezifisch aischyleischen Mächten) zusammenwirkt, um das vorbestimmte Schicksal (τύχη) zu erfüllen. – Für den Empedokles-Schüler Gorgias (Hel. 6. 19 f.) hat O. Immisch, Gorgiae Helena 1927, S. 16 ff. Entscheidendes beigetragen. Vgl. ferner Wilamowitz, Glaube der Hellenen II S. 300 ff. und Fr. Wehrli, Λάθε βιώσας 1931, S. 64 ff., wo reiches Material geboten, aber Empedokles selbst nicht berücksichtigt ist. Zu Wehrlis Zitaten aus medizinischem Schrifttum füge ich noch Hippokr. περὶ τέχνης 8 und περὶ εὐσχημοσύνης 4. 18; Weiteres wird Schreiner beizubringen haben. Einen Teilaspekt des Problems (φύσις — τέχνη) hat R. Bultmann, Th. L. Z. 1950, 599 f. richtig gesehen.

Besonders bedeutsam erscheint mir, daß noch ein später Autor wie Sueton den empedokleischen Dreiklang φύσις — τέχνη — τύχη in voller Reinheit ertönen läßt: Divus Titus 1 *tantum illi ad promerendam omnium voluntatem vel ingenii vel artis vel fortunae superfuit.*

Für die Aktualität der allmächtig das Leben durchwirkenden Begriffstrias noch in unserer Zeit mag schließlich eine Stelle aus Th. Fontanes Berliner Roman „Irrungen Wirrungen" Kap. 19 zeugen, wo noch dazu die Akzente ganz ähnlich wie bei Empedokles verteilt sind. Die weise alte Frau Nimptsch äußert sich kurz vor ihrem Tode zum Guten im Menschen, zu den „guten Grundsätzen": „... die kommen vom lieben Gott (τύχη). Und der eine hat sie, und der andre hat sie nicht (φύσις). Ich glaube nich recht ans Lernen und Erziehen (τέχνη) ...".

[22] O. Immisch, a. O. S. 17 f. bemerkt mit Recht, daß φύσις und τύχη (ἀνάγκη) bei Empedokles nahe beisammen stehen. Daß sie ihm „unum idemque principium" seien, ist freilich im Blick auf Platon, Ges. X 888 E ff. Soph. 265 C ff. im Zusammenhalt mit Euripides Alk. 780, 785 f. kaum mehr zu vertreten.

[23] Falsch übersetzt von Wilamowitz und Rupé; die richtige Wiedergabe bietet L. Méridier in seiner Edition 1925: supérieur à ces hasards. Die Worte sind nicht ganz unverdächtig, Herwerden hat sie getilgt, Leo Weber ist ihm gefolgt. Aber wenn dieser Verdacht zurecht besteht, dann sind sie eine frühe Schauspielerinterpolation nach v. 829 τάσδ' ὑπερβαλὼν πύλας, die den Sinn des Ganzen vortrefflich erfaßt hat.

Auch Demokrit, der ja übrigens der τέχνη (etwa in der Form der σοφίη) eine viel höhere Schätzung zuteil werden läßt als hier Euripides auf den Spuren des Empedokles, hat fr. 178ff. D. sich scharf gegen jede Art von Leichtlebigkeit ausgesprochen: πάντων κάκιστον ἡ εὐπετείη. Er kommt also für die bei Euripides aus der empedokleischen Lehre gezogenen Folgerungen ebenfalls nicht in Frage. Aber auch dem Euripides selber sind sie eigentlich nicht zuzutrauen. Hat er doch in der freilich späten „Antiope" in eindringlichen Versen, deren Anschauung man als seine eigene hat erweisen können[24], die Warnung vor sorglosem Sichausleben mit den Worten beschlossen (fr. 187, 5f.): ἡ φύσις γὰρ οἴχεται, | ὅταν γλυκείας ἡδονῆς ἥσσων τις ᾖ, wonach also der Genießer ganz im Gegensatz zu der Heraklesrede gerade seiner φύσις entgegen handelt und sie vertreibt. Es dürfte sich also in der „Alkestis" vielmehr um dieselbe popularisierende Vergröberung der Lehre des Meisters Empedokles handeln, wie wir sie später an seinem Nachfahren im Geiste, an Epikur, sich vollziehen sehen, mit dessen grob hedonistisch umgedeuteter Philosophie ein ganzes Zeitalter seine praktische Lebensweisheit bestritten hat[25].

Unverkennbar ist dabei freilich, daß der vergröberte Empedokles bei weitem nicht die starke Verbreitung gewonnen hat wie nachmals der trivialisierte Epikur der ausgehenden römischen Republikzeit. Aber andererseits darf uns die Spur solcher Lehre in der perikleischen Zeit doch auch wieder nicht verwundern: der Zug zu hedonistischer Lebensphilosophie ist zu tief im Wesen der menschlichen Natur begründet, als daß solches Verlangen nicht auch in der Zeit zwischen Anakreon und Aristipp seine Ausdrucksform und seine Begründung gesucht und gefunden hätte. Es mag dabei etwa an die τέχνη ἀλυπίας, die „Technik der Sorglosigkeit" des Antiphon erinnert werden, eine Art Diätetik der Seele, von der uns Plutarch eine Kunde bewahrt hat[26]. Hiervon freilich den Euripides in der Heraklesrede der „Alkestis" abhängig sein zu lassen[27], geht nicht an: wird dort (Alk. 786) doch gerade jede Wirksamkeit der τέχνη gegenüber φύσις und τύχη mit 'Empedokles' radikal abgelehnt. Eher könnte man also an eine Polemik gegen Antiphon denken, mit dessen Gedankenwelt sich

---

[24] W. Schmid, Geschichte der griech. Lit. 3, S. 696 m. Anm. 12.

[25] So hat sich noch Seneca, De vita beata 12 veranlaßt gesehen, den Epikur vor der Leichtfertigkeit oberflächlicher Mitläufer in Schutz zu nehmen, die ihre Genußsucht mit seinem bedeutenden Namen zu decken suchten.

[26] Vitae X or. 1, p. 833 C/D = FVS⁵ II 87 A 6, S. 366f. Zur Identität von Antiphon Sophist und Rhetor vgl. H. Hommel in: Geistige Arbeit v. 5. Juli 1941 (8. Jg., Nr. 13, S. 1ff.) = H. H., Symbola I 1976, S. 189ff.

[27] So W. Schmid a. O. S. 158₂, 347₂. Auch die Kennzeichnung der Partie als „anakreontisch" (ders. S. 743₁, vgl. a. S. 347₂, 663f.) trifft nicht ihren Kern; vgl. dazu ob. Anm. 11.

Euripides in der „Alkestis" auch sonst befaßt[28]. Es muß also wohl, solange keine weiteren Aufschlüsse gewonnen sind, dabei bleiben, daß Euripides irgendeine auf empedokleischer Grundlage aufbauende hedonistische Philosophie vorgefunden und in der Heraklesrede der „Alkestis" verwertet hat.

Für uns ist es lehrreich und reizvoll zugleich, zu sehen, wie nahe die beiden Lehren — der mißverstandene Empedokles und der mißverstandene Epikur — einander stehen, so daß wir eigentlich in dem einen allbekannten Falle so wenig von Epikureismus reden dürften, wie wir den anderen, der hiermit ins Licht gerückt werden wollte, als Empedokleismus zu bezeichnen uns werden verstehen können. Miteinander zu tun haben übrigens die beiden Bestrebungen im historischen Sinne von Haus aus gar nichts: es sind zwei aus ähnlichen Voraussetzungen ähnlich hervorgewachsene konvergente Erscheinungen, nicht durch irgendein Band der Tradition verknüpft[29], aber doch höchst bemerkenswerterweise dadurch einander angenähert, daß Horaz zum Ausdruck des Lebensgefühls seiner Zeit sich mit sicherem Griff von einem repräsentativen Zeugnis jener innerlich verwandten älteren Weisheit eine bezeichnende Formel ausborgt: τὰ δ'ἄλλ' ἔασον — *cetera mitte*!

Nachträge 1981

Zu [S. 219] (Beispielreihe):
Vgl. a. Alkaios fr. 200 L.-P. (Pap. Oxyrrh. 2295 f.) Ζεὺ]ς ἔχει τέλος Κρο[νίδαις χρή]μματος αὖτος.

Zu [S. 222] Mitte:
Demokrits Wertschätzung der τέχνη: fr. 33 (διδαχή). 119. 242 (ἄσκησις).

Zu Anm. 4:
Beispiel b) vgl. a. Aischylos, Eumeniden 650 f.

Zu Anm. 4a, Ende:
= unten in Bd. II.

Zu Anm. 6:
Siehe jetzt die Diss. meines Schülers ULR. FISCHER: Der Telosgedanke in den Dramen des Aischylos (Spudasmata 6) 1965, bes. S. 107 ff.

---

[28] v. 879 ff. ∼ Antiph. fr. 49, FVS[5] II S. 359, 2 ff., und dazu W. SCHMID a. O., S. 158₂, 317₈.

[29] Vgl. hierzu wiederum meine grundsätzlichen Ausführungen Würzb. Jahrb. 4, 1949/50, S. 157 f. (ob. Anm. 12).

Zu Anm.11:
Außer auf diese beiden Stellen (wozu man bereits früher auch Theognis 879 ff. hat heranziehen wollen) verweist P. KESELING in einer Miszelle in der Philol. Wochenschr. 63. 1943, Sp. 141 auch auf Homer. Od. 21, 279 und 22, 288 f., wo das ἐπιτρέψαι θεοῖσιν formelhaft wiederkehrt. Der Verf. denkt an „eine geläufige Redewendung sprichwörtlicher Prägung" (frdlr. Hinweis von O. LUSCHNAT). Vgl. a. unten Anm. 18.

Zu Anm. 12:
H. HÄUSLE, Das Denkmal als Garant des Nachruhms . . . in lateinischen Inschriften 1980, S. 7 f.

Zu [S. 222 f.] mit Anm. 21 f.:
Es ging und geht mir bei diesen Ausführungen darum, zunächst und zuvörderst eine damals und später weitverbreitete popularphilosophische Ansicht ins Licht zu rücken, die in der Tat, besonders wenn man ihre drei Elemente *Physis, Tyche* und *Techne* als harmonischen Dreiklang auffaßt, den Schlüssel zum Weltgeschehen wie zu den menschlichen Dingen bietet. So hat Platon bei Behandlung des Problems einleitend zitiert (Ges. X 888 E 4–6): λέγουσί πού τινες, ὡς πάντα ἐστι τὰ πράγματα γιγνόμενα καὶ γενόμενα καὶ γενησόμενα τὰ μὲν φύσει, τὰ δὲ τύχῃ, τὰ δὲ διὰ τέχνην (wobei ich die Wendung *τὰ μέν, τὰ δέ, τὰ δέ* mit „teils-teils-teils" übersetzen und jeweils komplex auf *πάντα τὰ πράγματα* beziehen möchte, also im kollektiven, nicht distributiven Sinn). Platon freilich hat mit seiner Polemik dann ihre distributive Auslegung durch eine gewisse Gruppe von Empedokleern im Sinn, die zudem die *τύχη* in Gegensatz zu den Göttern, ihrer Existenz und ihrem Wirken, stellen, außerdem die *τέχνη* aus dem Gefüge auszubrechen bestrebt sind. Davon scheint denn auch die in Euripides, Alkestis 780 ff. sich findende Anschauung abzuhängen, wie ich nachzuweisen bestrebt war. Diese von Platon aufs Korn genommene Spezialmeinung hat R. MUTH wohl richtig als eine in Athen verbreitete „materialistische philosophische *κοινή*" charakterisiert (Wiener Studien 69. 1956, S. 140 ff., hier S. 146 m. Anm. 20–22, dort auch weitere Literatur); zustimmend D. MANNSPERGER, Physis bei Platon 1969, S. 265[139] und A. DIHLE im Hermes 105. 1977, S. 40 f. m. Anm. 25. Ähnlich auch schon H. GÖRGEMANNS, Beiträge zur Interpretation von Platons Nomoi 1960, S. 91 u. 194 f., der von „atheistischer Lehre", „atheistischem System", „atheistisch-materialistischer Theorie" u. ä. spricht, und der die Frage nach der Herkunft dieser Anschauung als „bisher nicht eindeutig geklärt" ansieht. Auch die Wiener masch.-schr. Diss. von FRZ. BERNER, „Techne" und „tyche". Die Geschichte einer griechischen Antithese 1954, S. 155 ff. äußert sich unbestimmt („Demokrit" oder „mehrere Naturphilosophen"). Weitere Literatur findet sich verzeichnet bei T. J. SAUNDERS, Bibliography on Plato's Laws 1920–1970. New York 1976, S. 55 (frdlr. Hinweis von K. GAISER).

Die Anerkennung des Gleichgewichts der drei genannten Faktoren steht auf einem anderen Blatt, zumal ja die Tyche im Verlauf der Entwicklung seit dem 5. vorchristl. Jahrhundert nach und nach den Rang einer Gottheit erhielt (vgl. dazu U. v. WILAMOWITZ, Der Glaube der Hellenen II 292 [²II 295 f.]; H. HOMMEL, Symbola I 1976, 355 ff.): d. h., jener Dreiklang wird mehr und mehr zu einem Bekenntnis weltanschaulich-religiöser Art, wenn auch in ganz unphilosophischem, wenn man will populärem oder gar trivialem Sinn. Diesen Prozeß zu untersuchen und zu beschreiben, hatte ich meinem Schüler H. SCHREINER als Aufgabe gestellt, der jedoch durch ein langes Leiden verhindert wurde, sie auszuführen, so daß das mir dringend scheinende Desiderat nach wie vor unerfüllt ist. Eine dem Titel nach verheißungsvolle Züricher Dissertation aus der Schule von Fritz Wehrli enttäuscht insofern, als sie der Sache in ziemlich einseitiger Weise geistesgeschichtlich zu Leibe geht und sie nur anhand von einigen Spitzenerzeugnissen der griechischen Literatur behandelt, dabei die dreigliedrige Formel, überhaupt die terminologische Seite des Falles nicht in den Blick bekommt (PAUL JOOS, *TYXH, ΦΥΣΙΣ, TEXNH*. Studien zur Thematik frühgriechischer Lebensbetrachtung 1955 – das letzte, den Hippokratikern gewidmete Kapitel der Diss. ist nur gesondert erschienen in der Zeitschrift Janus 46. 1957, S. 238–252). Vollends philosophiegeschichtlich orientiert sind die anderen mir bekanntgewordenen Äußerungen zu dem Thema, außer den schon genannten etwa W. ALY, Formprobleme der frühen griechischen Prosa 1929, S. 137f. m. Anm. 144. HERMANN DIELS hat sich außer in den FVS 31 [21] A 48 noch einmal brieflich am 30. 11. 1918 mit Entschiedenheit zur Urheberschaft des Empedokles bekannt (s. Gymnasium 63. 1956, S. 81), während man seitdem wohl mit Recht eher an Sonderentwicklungen innerhalb der empedokleischen Nachfolge denkt (so mit Nachdruck auch briefliche Äußerungen mir gegenüber: RUTH CAMERER 3. 9. 1951 und O. LUSCHNAT 24. 11. 1951). Einige wie I. DÜRING (Gymnasium aaO. 149) denken gar erst an aristotelische Strömungen, was dann der platonischen Auseinandersetzung in den „Gesetzen" unmittelbar vorausliegen müßte (differenzierter W. JAEGER, Aristoteles ²1955, 75–77, vgl. 154). Auch an Prodikos hat man gedacht (A. DIÈS zu der Stelle in der französischen Platon-Ausgabe mit Übersetzung XII 1. 1956, S. 147₁), ebenso an den Sophisten Antiphon (S. LURIA, Philol. Wochenschr. 46. 1926, Sp. 619f., im Anschluß an F. DÜMMLER).

Was die späteren Bezeugungen jenes Dreiklangs anlangt, so hat man sich in der bisherigen Diskussion nicht um sie gekümmert, wie denn auch keiner von den Genannten meine Hinweise auf den Gegenstand beachtet hat. Ich hatte da bisher nur auf Sueton, Titus 1 hingewiesen *(ingenium, ars, fortuna)*, was hinfällig wäre, wenn G. LUCK mit seiner Konjektur *formae* statt *fortunae* recht hätte (Rhein. Mus. 107. 1964, 63–75). Doch beruht dieser Vorschlag auf dem Mißverständnis, daß *fortuna* hier im Sinn von „günstiges Geschick" zu verstehen sei, woran es dem Titus ja gebrach. Vielmehr ist jedoch das Wort hier als Vox media, als neutraler Begriff also, zu betrachten; vgl. den Auctor ad Herennium IV 48, 61 *omnes res . . . artificio, casu, natura comparatas,* womit zugleich ein weiteres schönes Beispiel gewonnen ist (s. dazu H. LAUSBERG, Handbuch der literarischen Rhetorik I 1960, S. 25 m. Anm. 1). Ich erinnere ferner an das Grabepigramm des Hippokrates AP VII 135 = PEEK, Griech. Vers-Inschriften I no. 418, wo das γένος (ἀπὸ ῥίζης ἀθανάτου) hervorgehoben, aber der Ruhm des Verstorbenen ausdrücklich statt auf die τύχη vielmehr auf seine τέχνη zurückgeführt wird. Immerhin ist damit die Trias unzweideutig und früh bezeugt. Weiterhin scheint diese auch bei HORAZ, Epod. 7, 13f. zugrundezuliegen, *furorne caecus an rapit vis acrior/an culpa?*, sofern man der Erklärung von KIESSLING-HEINZE folgt, wonach der *furor* als schicksalsmäßig bedingter *morbus,* die *vis* als auf *indoles,* also Naturanlage zurückgehend, und die *culpa* als vom Menschen zu verantwortendes *vitium* zu verstehen sind (vgl. a. Epod. 4, 5f. *fortuna – pecunia – genus*).

Außerdem sei auch das von mir angeführte Beispiel aus neuerer Literatur (TH. FONTANE) um ein paar weitere vermehrt. In der Tendenz und Akzentuierung ganz ähnlich wie FONTANE sagt W. BERGENGRUEN von sich selber: „Am stärksten fühle ich mich angerührt von der Natur und der Geschichte *[τύχη!]* . . . im Gegensatz zum Gemachten" – auch hier wie bei unserem Ausgangsbeispiel die Techne abgewertet zugunsten von Physis und Tyche (das Zitat nach Christ und Welt vom 11. 9. 1964). Gerade entgegengesetzt votiert VOLTAIRE nach einem ihm zugeschriebenen Wort (Schwäbisches Tagblatt 30. 5. 1962): „Man muß bis zum letzten Augenblick gegen Natur *[φύσις]* und Schicksal *[τύχη]* kämpfen *[τέχνη]* und nie an etwas verzweifeln". Ausgleichend jedoch klingt es, was der Ägyptologe und Romancier GEORG EBERS (Die Geschichte meines Lebens 1893, S. 300f.) von einem anderen Aufklärer, ROUS-SEAU, gelernt zu haben bekennt, nämlich „daß die Erziehung des Menschen durch Kunst, Natur und Umstände bewirkt werde". Zum Schluß sei noch eine Briefstelle von GOETHE angeführt, in welcher der Dreiklang rein und voll ertönt (an Frau von Stein 20. 1. 1787 aus Rom): „Überwältigt meine Natur, mein Geist, mein Glück diese Krise, so ersetz ich dir tausendfältig, was zu ersetzen ist."

Der „unbekannte Soldat"

Zu Propertius I 21, v. 9/10*

Zu einer nur allzu häufig traktierten und bisweilen schwer mißhandelten Properzstelle soll hier kurz das Wort ergriffen werden. Anlaß dazu ist einmal eine neuerliche abwegige Deutung, die P. H. Damsté – übrigens in sklavischer Anlehnung an Housman (J. Ph. XXI, p. 184) – als „interpretationem unice veram" anbietet (Mnemosyne N. S. LII 1924, p. 5 ff.), zum andern die Möglichkeit, die vielfach angezweifelte Überlieferung des Neapolitanus (N) mit inneren Gründen zu stützen, indem die der schweren Stelle zugrundeliegende Anschauung durch eine – vielleicht in der Antike wurzelnde – moderne Parallele beleuchtet werden kann.

Rothstein begründet in seinem Kommentar (²I 1920, S. 201) einleuchtend die Ansicht, daß das Gedicht in gewissem Sinne als fingiertes Kenotaph-Epigramm – in der Art so manches hellenistischen Vorbilds (vgl. z. B. Anth. Pal. VII, 274 u. 500) – zu verstehen ist, nur geht er zu weit, wenn er dies traditionelle Motiv in dem Gedichtchen mehr als nur anklingen hört. Denn es wird – echt properzisch – nicht durchgeführt; es drängt sich ein weit bildhafteres Motiv vor: der bei Perusia i. J. 41 zum Tod verwundete Soldat spricht noch kurz vor dem Sterben zu einem ganz bestimmten Vorübereilenden – nicht zu dem traditionellen ὁδίτης wie schon Leo, Gött. gel. Anz. 1898, S. 743 mit Recht anmerkt –, zu dem aus der Schlacht fliehenden Bruder seiner Gattin oder Braut. Ihm trägt er darum auch ganz bestimmte Wünsche auf: er soll nicht aus seinen Tränen die geliebte Frau die besonders schrecklichen Umstände seiner tödlichen Verwundung erraten lassen (in v. 6 ist doch wohl gegen Leo aaO. die Überlieferung *ne* zu halten), sondern ihr die Einzelheiten seines Todes, den er nach scheinbar gelungener Flucht aus der Gefahr fand, ersparen, so dürfen wir wohl ergänzen. Er soll ihr außerdem die nötige Anweisung geben, wenn sie – wie es dem Herkommen entspricht – den Toten bestatten und mit den üblichen Ehren auszeichnen will[1]; dies setzen die beiden letzten Verse voraus:

---

* Philologische Wochenschrift 46: 1926, Sp. 988–991.

[1] Die Belege für das Gebot der Bestattung von Toten bei den Römern gibt MAU in der RE III, Sp. 346 f. Ebendort ist auch über die allgemein geltende Sitte gehandelt, dem Toten ein Kenotaph zu errichten, wenn man seiner Leiche nicht habhaft werden konnte. Daß Properz hier einen andern Ausweg kennt, zeigt das Folgende. Aufschlußreich ist auch die griechische Parallele, auf die mich WILH. NESTLE hingewiesen hat: Thukyd. II 34,3 in der Einleitung zur berühmten Leichenrede des Perikles wird die attische Sitte geschildert, bei der offiziellen Gefallenengedenkfeier für jede Phyle einen Sarg aus Zypressenholz, der die Gebeine der ihr

> *Et quaecumque super dispersa invenerit ossa*
> *Montibus Etruscis, haec sciat esse mea.*

Man hat keine Berechtigung, mit DV *quicumque* zu lesen, was einen recht matten Sinn gäbe. Überdies läßt sich zeigen, daß DV, wo sie Eigenes bieten, fast durchweg plump interpolieren (nur gelegentlich einmal gut konizieren), nicht aber gegenüber N selbständige Überlieferung bieten[2]). Auch Damsté hält an *quaecumque fest*, paraphrasiert aber (aaO. S. 7) als Ergebnis seiner Interpretation folgendermaßen: *postea a te discat, inter multorum occisorum ossa, quae in his Etruriae montibus dispersa invenerit, haec mea esse.* Das gibt doch wohl einen Unsinn; denn wie könnte der Fliehende sich in der Eile die Stelle merken, wo *inter multorum ossa* der tote Kamerad lag, und wer hätte dafür gebürgt, daß die inzwischen verweste Leiche dann zur Zeit des Besuches der Gattin oder Braut[3] noch am alten Platze gelegen wäre. Nein, *quaecumque* und *haec* gehören unlöslich zusammen, und die richtige Erklärung liegt ganz im Sinne der Rothsteinschen Deutung: welche Gebeine die Schwester auf dem mit Toten besäten Schlachtfeld von Perusia auch finden mag – es werden viele sein –, alle haben sie Anspruch darauf, für des Geliebten sterbliche Reste gehalten zu werden[3a]. Nur daß Properz mit diesem Gedanken „den Lesern etwas Neues und Eigenartiges . . . bieten" wolle, scheint mir nicht richtig. An sich ist ja die Betonung der Gleichheit aller Menschen im Tode schon nichts Befremdendes, noch dazu, wenn es sich um Totengerippe handelt. Aber denken wir an eine heute nach dem großen Kriege auf romanischem Boden aufgekommene[3b] oder wiederauferstandene (?) Sitte, nämlich, die Ehren, die man den unzähligen Gefallenen erweisen will, gleichsam auf

---

zugehörigen Toten enthält, und außerdem eine leere mit einem Tuch bedeckte Kline als Symbol für die Vermißten *(τῶν ἀφανῶν, οἳ ἂν μὴ εὑρεθῶσιν)*, wozu man auf Euripides, Hel. 1239 ff. *(ἀπόντων τύμβος)* verwiesen hat. Der Begriff des *ἀφανής* steht auch rein ausdrucksmäßig dem „unbekannten Soldaten" nicht fern.

  [2] Zu diesem Ergebnis kommt eine letztlich auf ED. FRAENKELS Anregung zurückgehende Königsberger Diss. von E. NEUMANN, De cotidiani sermonis apud Propertium proprietatibus 1925, 74 ff. Siehe dazu die Rezension von C. HOSIUS, Philol. Wochenschr. 46. 1926, Sp. 1303 ff. (hier 1305), der selber skeptisch bleibt. Auch weiterhin schwanken die Ansichten darüber, s. A. LA PENNA Gnomon 29. 1957, 344, der unserer Auffassung zuneigt.

  [3] Was DAMSTÉ (aaO. S. 6) über die Verwirrung der Verwandtschaftsbeziehungen ROTHSTEIN vorwirft, zeigt, daß er nur die 1. Auflage des ROTHSTEINschen Kommentars eingesehen hat; es ist längst (1920) in der 2. Auflage richtiggestellt.

  [3a] C. HOSIUS aaO. 1305 gibt die bisher herrschende positivistische Ansicht zur Stützung seiner eigenen Lesart *quicumque* wieder, wenn er sagt: „Wer I 21,9 *quaecumque* hält, muß die *soror*, die dann Subjekt zu *invenerit* ist, alle Gebeine, die sie findet, für die ihres Bruders halten lassen [!].

  [3b] An englischen (bzw. deutschen) Ursprung denkt ED. NORDEN, Heldenehrungen 1928, S. 7 f., der auf S. 26 meine Ausführungen billigt – dies gilt übrigens auch von ER. REITZENSTEIN, Wirklichkeitsbild und Gefühlsentwicklung bei Properz 1936, S. 7 f., der von meiner Interpretation sagt, daß „damit das richtige Verständnis des ganzen Gedichts erschlossen" sei. An weiteren Zustimmungen sind mir bekannt geworden: H. MERSMANN, Quaestiones Propertianae 1931, S. 12, und H.-J. GLÜCKLICH, Zeitkritik bei Properz. In: Der Altsprachliche Unterricht 20. 1977, H. 4, S. 45 f., 59. 61.

einen Einzigen zu vereinigen, auf den „unbekannten Soldaten" *(soldat incon-nu, milite ignoto)*, dessen alljährlich im heutigen Frankreich und Italien, wie auch schon in vielen anderen – auch nichtromanischen – Ländern in ein-drucksvollen Totenfeiern öffentlich gedacht wird. Es kann dies an einem Denkmal geschehen, auch an einem Kenotaph, aber meist begnügt man sich nicht damit, sondern man hat an ein Massengrab gerührt, sich eine unbe-kannte Leiche verschafft und öffentlich bestattet, so in Paris und gerade auch in Rom (am „altare della patria"). Der Tote verliert dadurch gewissermaßen seinen individuellen Charakter, was durch die tatsächliche Anonymität erleichtert ist, und wird so zur Verkörperung des gewaltigen Heeres derer, die nicht heimgekehrt sind. Es könnte scheinen, es sei die umgekehrte Anschauung wie in jenem Properzschen Gedichtchen, wo ja nicht einer alle, sondern gewissermaßen alle einen verkörpern sollen. Doch dieser Gegensatz hebt sich auf, wenn man versucht, einmal die Empfindungen dessen nachzu-fühlen, der selber um einen seiner Lieben trauernd im Zuge hinter dem Sarge des „unbekannten Soldaten" einhergegangen ist und alljährlich an seinem Grabe um ihn trauert. Da wird doch sicherlich – und das ist der tiefere Sinn dieser schönen Sitte – einem jeden der „unbekannte Soldat" – ruhe er nun wirklich oder nur gedacht in jenem Sarg – zum *eigenen* Gemahl, Bruder, Vater oder Sohn. „Wer es auch sein mag, der dort ruht, denk', es sind *meine* irdischen Reste", so scheint auch hier die Stimme des lieben Gefallenen dem Trauernden zuzurufen. Wir haben also tatsächlich in jener modernen Toten-feier, mit der auch Italien seine Gefallenen ehrt, ein Analogon der Anschau-ung, die uns in jener Properzstelle entgegentritt und uns eigentlich gerade dadurch erst wieder lebendig und verständlich wird. Mag man auch mit jenen Erinnerungsmalen der Neuzeit – was sicher zu eng gefaßt wäre – nur das Gedächtnis derer geehrt sehen, denen draußen im Felde keine Ruhestätte zuteil geworden ist, so bleibt auch dann der Vergleich mit dem bei Properz zugrunde liegenden Gedanken bis in Einzelheiten durchführbar. Denn wel-che Gebeine die Trauernde dort nur immer finden wird, sie ehrt, indem sie sie bestattet, den lieben Mann, der vielleicht an ganz anderer Stelle unbestat-tet liegen bleibt. –

Eine Geschichte des sinnig-einfachen Mysteriums vom unbekannten Sol-daten zu schreiben, wäre für den Volkskundler schon jetzt eine reizvolle Aufgabe; als Quellen kämen vor allem Augenzeugenberichte aus Zeitungen der betreffenden Länder, speziell Frankreichs und Italiens, in Betracht. Vielleicht würde sich dabei zeigen, daß die Sitte der Totenehrung eines „unbekannten Soldaten" doch nicht erst nach dem großen Kriege gleichsam vom Himmel gefallen ist, sondern in ihren Wurzeln weiter zurückreicht, vielleicht bis in jene Anschauung hinein[4], die in unserer Properzstelle wirkt, und die uns erst durch eben jene neue Sitte wieder ganz lebendig wird.

---

[4] Es mag dabei vielleicht auch kein Zufall sein, daß der moderne Terminus der Italiener für den „unbekannten Soldaten" nicht etwa „soldato sconosciuto" ist, sondern in dem feierlichen

Nachwort

Der Gedanke, daß *ein* unbekannter Toter die Ehrung entgegennimmt, die
man den gefallenen Angehörigen erweisen will, deren Ruhestätte man nicht
kennt, taucht in literarischer Gestaltung von Zeit zu Zeit auf, so bei GOTT-
FRIED KÖLWEL, Der Tote (Literarische Beilage zum Würzburger General-
Anzeiger vom 4. Nov. 1933); oder bei HEINZ STEGUWEIT, Das Bildnis eines
Toten (mir bekannt aus: Stimme der Kirche, Tübingen 17. Nov. 1957).
Anläßlich einer deutschen Aufführung von PAUL REYNAL, Le Tombeau sous
l'Arc de Triomphe habe ich die Parallele zu Properz I 21 zu ziehen versucht
im Fränkischen Volksblatt Würzburg vom 29. Okt. 1927; daraus zitiere ich
meine freie Übertragung der lateinischen Elegie:

> (Der Tote spricht:)
> Aus frischer Wunde rinnt auch dir das Blut,
> Mein Bruder, doch dich rettet noch die Flucht.
> Du kehrst mit Grauen deinen Blick von mir,
> O schau noch einmal nach dem Freund zurück;
> Er wünscht dir sterbend, daß ein beßrer Stern
> Dich sicher heim zu deinen Lieben führt. –
> Dann schau nach vorwärts, freu dich deines Glücks,
> Daß nicht die Schwester schon am Blick errät,
> Welch dunkles Schicksal sich an mir erfüllt,
> Der ich – des Cäsars Waffen kaum entronnen –
> Dem unbekannten Feindesstahl erlag.
> Und kommt die Gute, mir die letzte Ehr'
> Hier zu erweisen, laß sie ohne Scheu
> Gebeine sammeln irgendwo im Feld,
> Verstreut und unbekannt, von wem's auch sei:
> Es sind die meinen, des sei sie gewiß.

Ton, in dessen Dienst der Italiener mit Vorliebe eine latinisierende Ausdrucksweise stellt,
„milite ignoto"!

Korrekturanmerkung: OTTO WEINREICH, der ja in seiner Habilitationsschrift 1914 (AR XVIII
1915, S. 1 ff.) über die Di ignoti gehandelt hat, macht mich nachträglich freundlichst auf seine
Miszelle „Diis ignotiis" in den NJb. 45 (1920), S. 185 f. aufmerksam. Dort weist er auf die
immerhin auffallende Rolle hin, die der Begriff der „unbekannten Götter" und sogar die
Weiheformel „Diis ignotis" in der französischen Literatur (MONTAIGNE, VOLTAIRE, NODIER,
BALZAC) spielt. Er vermutet nun (laut persönlicher Mitteilung), daß auch auf das Aufkommen
der Feier des „unbek. Soldaten" in Frankreich die dort bis heute nicht verschwundene oder doch
wieder erwachte Vorstellung vom „unbek. Gott" irgendwie eingewirkt haben kann, eine
Annahme, der ich mich durchaus anschließen kann. Freilich bleibt unklar, wie man sich die
Einwirkung zu denken hat, und ob erst jetzt nach dem Kriege oder schon früher die Vertrautheit
mit dem Begriff des „unbekannten Gottes" das Aufkommen einer anderen Vorstellung vom
„unbek. Soldaten", die – wie wir sahen – ihrem Grundgehalte nach ebenfalls schon dem
Altertum angehört, begünstigt hat.

Antike Bußformulare

Eine religionsgeschichtliche Interpretation
der ovidischen Midas-Erzählung

Die Unterscheidung von gut und böse ist dem Menschen eingeboren. Wie beides jeweils zu bestimmen sei, hängt von mancherlei Faktoren der Zeitströmung, der Umwelt, auch des Vorurteils ab. Den Mitmenschen, die Verhältnisse, die Mächte, das Schicksal einer derartigen polaren Beurteilung zu unterwerfen, hat sich von jeher leicht angeboten. Sich selber am gleichen Maßstab zu messen, ist dagegen der letzte und schwerste Schritt. Wo er – selten genug – vollzogen wird, ist eine hohe Stufe des Menschseins erreicht. Und auch da hat man zu fragen, was zu solchem Insichgehen geführt hat. Mit diesen wenigen Sätzen ist das allgemeine Thema unserer Betrachtung umrissen, das freilich historisch akzentuiert werden soll und zugleich eingeschränkt auf solche Bereiche der Antike, die dafür klare Zeugnisse zur Verfügung stellen[1].

In den Mittelpunkt gerückt sei der Mythos vom König Midas, wie er mit vollendeter Kunst und überdies höchst aussagereich vom Dichter Ovid in den Metamorphosen XI v. 85 und folgende erzählt wird. Ich gebe die Partie im Urtext mit der Übersetzung von Erich Rösch[2]. Zunächst der erste Teil

---

[1] „Über die Tiefe der Sündenempfindung in der hellenistisch-römischen Welt . . . und damit auch die Sehnsucht nach Vergebung . . . wäre überhaupt eine gute Monographie erwünscht und lohnend" – so hat sich bereits vor mehr als siebzig Jahren HANS LIETZMANN geäußert (Der Weltheiland 1909, S. 56). Hier kann nur ausschnittsweise ein erster Versuch vorgelegt werden.

[2] Publius Ovidius Naso, Metamorphosen (lateinisch und deutsch). München, bei Heimeran 1952 u. ö., hier S. 400 ff. (10. Aufl. 1983). Die Gelegenheit ist günstig, die denkwürdigen Umstände der Entstehung dieser Übersetzung festzuhalten. Ihr Verfertiger war gleich vielen anderen i. J. 1945 als ‚Parteigenosse' seines Amtes als Gymnasiallehrer durch Verfügung der amerikanischen Besatzungsmacht enthoben worden. Das Heidelberger Arbeitsamt setzte ihn zunächst einmal – sowohl als Bloßstellung wie zur Versorgung mit dem Nötigsten gedacht – im städtischen Straßenkehrdienst ein. Diese Metamorphose schien ihm die günstigste Voraussetzung zu bieten für ein im stillen lang gehegtes Vorhaben, eben die Übersetzung der ovidischen Verwandlungen ins Deutsche. Dabei ging er planmäßig zu Werk, wobei ihm der rasch von den zünftigen Genossen des neuen Berufs erlernte, nicht übersteigerte Arbeitsrhythmus zu Hilfe kam. Abends lernte er etwa zwei Dutzend Verse des Urtexts auswendig, deren Übertragung ins Deutsche er dann am nächsten Tag mit der Erledigung seines offiziellen Pensums verband, geistige und körperliche Betätigung in schöner Harmonie vereinend. Oft sah man ihn, das Kinn versonnen auf seinen Besen gestützt, wie er sich schwierigeren Partien auf dem geistigen Sektor seiner Arbeit hingab. Abends schrieb er das Ergebnis auf und lernte das neue Deputat, und so fast Tag für Tag, wozu noch kam, daß er vom zweiten Abend an vor dem Erlernen weiterer

der Midasgeschichte (Metam. XI 85–145) (die Rede war von der Verwandlung missetäterischer Mänaden in Bäume durch Bacchus):

Liber XI

85   Nec satis hoc Baccho est: ipsos quoque deserit agros,
cumque choro meliore sui vineta Timoli
Pactolonque petit, quamvis non aureus illo
tempore nec caris erat invidiosus harenis.
hunc adsueta cohors, satyri bacchaeque, frequentant.
90   at Silenus abest: titubantem annisque meroque
ruricolae cepere Phryges vinctumque coronis
ad regem duxere Midan, cui Thracius Orpheus
orgia tradiderat cum Cecropio Eumolpo.
qui simul agnovit socium comitemque sacrorum,
95   hospitis adventu festum genialiter egit
per bis quinque dies et iunctas ordine noctes.
et iam stellarum sublime coegerat agmen
Lucifer undecimus, Lydos cum laetus in agros
rex venit et iuveni Silenum reddit alumno.
100   Huic deus optandi gratum, sed inutile, fecit
muneris arbitrium gaudens altore recepto.
ille male usurus donis ait „effice, quidquid
corpore contigero, fulvum vertatur in aurum!"
adnuit optatis nocituraque munera solvit
105   Liber et indoluit, quod non meliora petisset.
Laetus abit gaudetque malo Berecyntius heros
pollicitique fidem tangendo singula temptat
vixque sibi credens non alta fronde virentem
illice detraxit virgam: virga aurea facta est;
110   tollit humo saxum: saxum quoque palluit auro;
contigit et glaebam: contactu glaeba potenti
massa fit; arentis Cereris decerpsit aristas:
aurea messis erat; demptum tenet arbore pomum:
Hesperidas donasse putes; si postibus altis
115   admovit digitos, postes radiare videntur;
ille etiam liquidis palmas ubi laverat undis,
unda fluens palmis Danaën eludere posset;
vix spes ipse suas animo capit, aurea fingens
omnia. gaudenti mensas posuere ministri
120   exstructas dapibus nec tostae frugis egentes;
tum vero, sive ille sua Cerealia dextra
munera contigerat, Cerealia dona rigebant,
sive dapes avido convellere dente parabat,
lamina fulva dapes admoto dente, premebat;
125   miscuerat puris auctorem muneris undis:

Midas

Doch dies ist dem Gott nicht genug: Er verläßt auch die Gegend,
sucht mit dem besseren Chor seines Tmolus Rebengelände
und den Pactolus auf, obgleich der damals noch nicht ein
goldener Fluß und noch nicht ob des kostbaren Sandes begehrt war.
Diesen belebt nun das Heer des Gottes, die Bacchen und Satyrn.
Aber Silenus fehlt. Der wurde von phrygischen Bauern
schwankend von Alter und Wein gefaßt und, mit Kränzen umwunden,
hin vor Midas geführt, den König, den Orpheus, der Thracer,
einst das Geheimnis gelehrt mit dem cecropsentstammten Eumolpus.
Midas, als er die Weihen vertrauten Genossen erkannte,
gab, des Gastfreunds Ankunft zu feiern, ein heiteres Fest, zehn
Tage und Nächte hindurch in ununterbrochener Folge.
Und schon hatte den hohen Zug der Sterne der elfte
Lucifer wieder geschlossen, als fröhlich der Fürst in der Lyder
Landschaft kam und dort den Silen seinem Pflegling zurückgab.
Froh, seinen Pfleger wiederzuhaben, gewährte der Gott zum
Dank ihm – freilich umsonst – ein Geschenk, das frei er sich wähle.
Schlecht zu nutzen gewillt, spricht Midas: „Mache, daß alles,
was mit dem Leib ich berührt, in rotes Gold sich verwandelt!"
Bacchus nickte Gewährung, verlieh die schädliche Gabe
und bedauerte nur, daß nicht er Besseres wünsche.
Glücklich geht, seines Übels froh, der phrygische König;
dies berührend und das erprobt er die Wirkung der Gabe.
Kaum noch traut er sich selbst; er bricht von der niedrigen Eiche
hier einen grünenden Zweig: der Zweig ward golden, er hebt vom
Boden auf einen Stein: der Stein auch glänzte von Gold, dort
rührt eine Scholle er an: durch die Wunderkraft der Berührung
ward sie zum Barren. Er pflückt die trockenen Ähren des Kornes:
golden die Ernte! Er hält einen Apfel vom Baume: du glaubst, ihn
hätten die Töchter des Abends geschenkt. Wenn die Finger den hohen
Pfosten er angelegt, dann sah man die Pfosten erstrahlen.
Als er die Hände in lauterem Naß sich gewaschen, da konnte
Danaën täuschen das Naß, wie es ihm von den Händen herabrann.
Kaum mehr weiß er selbst, was er sonst noch hoffe, und sieht schon
alles in Gold. Da setzen die Diener dem Frohen den Tisch vor,
hoch mit Speisen gehäuft, nicht arm an gerösteten Broten.
Da nun: sei es, er hatte berührt mit der Rechten der Ceres
Gaben, – siehe! die Gaben der Ceres verhärteten, oder
wollte mit gierigem Zahn er die Speisen zerkleinern, – es schloß sich
rötliches Erz um die Speisen, sobald sein Zahn sie berührte;
hatte mit reinem Naß er den Geber der Gabe gemischt, dann

Verse die Leistung vom Vortag aus der inzwischen gewonnenen Distanz überholte und verbesserte. Freunde, die von der geheimgehaltenen Nebenbeschäftigung nichts ahnten, verwendeten sich für ihn und konnten ihm die Aussicht auf eine andere, wie sie meinten angemessenere und würdigere Tätigkeit eröffnen. Er aber lehnte strikt ab und erklärte, er wolle aus später offenzulegenden Gründen noch etwa 3/4 Jahre in dem liebgewordenen Beruf verharren. So geschah es denn auch, und der Abschluß des Vorhabens fiel dann ziemlich genau mit der ihm gewährten Rückkehr in den alten Beruf zusammen. Habent sua fata libelli. – Wie jede sorgfältige Übersetzung, so enthält auch die der Metamorphosen von Rösch ein gut Teil wohlüberlegte Auslegung. Daher ist es zu bedauern, daß man sie seither in der wissenschaftlichen Diskussion nicht herangezogen hat.

fusile per rictus aurum fluitare videres.
attonitus novitate mali divesque miserque
effugere optat opes et, quae modo voverat, odit.
copia nulla famem relevat; sitis arida guttur
30 urit, et inviso meritus torquetur ab auro
ad caelumque manus et splendida bracchia tollens
"da veniam, Lenaee pater! peccavimus", inquit
"sed miserere, precor, speciosoque eripe damno!"
mite deum numen: Bacchus peccasse fatentem
35 restituit pactique fide data munera solvit.
"neve male optato maneas circumlitus auro,
vade" ait "ad magnis vicinum Sardibus amnem
perque iugum montis labentibus obvius undis
carpe viam, donec venias ad fluminis ortus,
40 spumigeroque tuum fonti, qua plurimus exit,
subde caput corpusque simul, simul elue crimen!"
     Rex iussae succedit aquae: vis aurea tinxit
flumen et humano de corpore cessit in amnem.
nunc quoque iam veteris percepto semine venae
45 arva rigent auro madidis pallentia glaebis.

konntest du flüssiges Gold durch den Rachen rinnen ihm sehen.
     Da erkennt er bestürzt das Unheil; reich und elend
möcht' er die Schätze nun fliehn und haßt, was er eben gewünscht hat.
Keinerlei Fülle stillt ihm den Hunger, die Kehle verbrennt ihm
dörrender Durst, ihn quält, wie verdient, das Gold, das begehrte.
Auf zum Himmel hebt er die schimmernden Arme und Hände:
„Vater Lenäus, verzeih! Ich habe gesündigt", so ruft er,
„doch erbarm dich, ich bitte, entreiß mich dem glänzenden Unheil!"
Mild ist der Götter Art: der gesündigt zu haben bekennt, ihm
nimmt der Gott das Geschenk, das er treu seinem Worte gegeben.
„Daß du verhaftet nicht bleibst dem Gold, das du töricht gewünscht hast",
spricht er, „geh zu dem Strom, der dem großen Sardes benachbart.
Bergwärts diesem entlang, den gleitenden Wogen entgegen,
nimm deinen Weg, bis hinauf du kommst zu dem Ursprung des Flusses.
Tauche dann dort in den schäumenden Quell, wo am stärksten er austritt,
Haupt zugleich und Leib und spüle zugleich deinen Fehl ab!"
Wie ihm befohlen taucht der König ins Wasser. Die Goldkraft
tränkte den Fluß und wich aus dem menschlichen Leib in die Wogen.
Schimmernd starrt sein Strand, der den Samen dieser nun alten
Ader empfangen, noch heut mit goldgefeuchteten Schollen.

Der mythische Midas ist also hier identifiziert mit dem königlichen Gründer der phrygischen Dynastie gleichen Namens, und noch der historisch greifbare König Midas des 8. vorchristlichen Jahrhunderts hat insofern mit dem Gold zu tun, als er nach Herodots Bericht (I 14,2/3) aus seinem sprichwörtlichen Reichtum in überschwenglichem Maß das Heiligtum in Delphi bedacht hat. Aber erst dieser Einzelzug und vielleicht eine Namensähnlichkeit mag die Verbindung mit der Sagengestalt hergestellt haben. Diese erweist sich nach Ovids klassischer Darstellung, in welcher uralte Überlieferungen noch erkennbar sind[3], vielmehr als dem Kreis des Dionysos zugehörig[4]. Wie bei seinem Mysterienbruder Silen erinnern an das ursprünglich theriomorphe Wesen[5] noch die bei ihm später zu Eselsohren umgestalteten Pferdeohren. Bei Ovid (v. 92ff.) hat der Lehrer Orpheus selber den beiden, zugleich mit dem Athener Eumolpos, die heiligen Weihen vermittelt. Hier ist also ein später Synkretismus greifbar, der in der Gestalt des Midas orphische, eleusinische und dionysische Züge miteinander verschmolzen hat. Ursprünglich ist daran zweifellos nur die bakchisch-dionysische Komponente, die ja auch bei Ovid durchaus dominiert. Ebensowenig wie Silen ist jedoch Midas – trotz der angeblichen Einweihung in die Mysterien – als ein Vertreter uralter Weisheit anzusehen[6] – derartige Züge

---

[3] Der Kommentar von HAUPT-EHWALD II[5] 1966 (zu v. 85ff.) denkt an eine alexandrinische Quelle Ovids (die natürlich ihrerseits aus älteren Überlieferungen geschöpft haben würde).

[4] Von da aus erscheint der Versuch fraglich, den Namen Midas als ‚Sonne‘ zu deuten (W. BRANDENSTEIN in der Debrunner-Festschrift 1954, S. 607), erhält jedenfalls durch den Mythos keine Bestätigung.   [5] Ähnlich auch HAUPT-EHWALD aO. zu v. 178.

[6] Wie es die antike Überlieferung vielfach darstellt, am lebendigsten Aristoteles im ‚Eudemos‘ (fr. 6 Ross). S. EITREM im Art. ‚Midas‘, RE XV 1932, Sp. 1527 hält die dort vertretene Verbindung des antiken ‚locus communis‘ (von der Abwertung des Lebens gegenüber dem Tod) mit Silen und Midas zwar für sekundär, will aber ebenda 1526f. an dem ‚alten Weisen‘ Midas festhalten.

hat man den beiden doch wohl erst nachträglich beigelegt[7], so daß man sich über des Midas vermuteten Wandel zum Toren oder über die Dialektik in ihm angelegter Gegensätze[8] keine Gedanken zu machen braucht.

Vielmehr gehört, meine ich, Midas – wie Silen – zu jenen Gestalten des Mythos, an deren allzumenschlicher Schwäche und Labilität die ihnen weit überlegenen Götter ihre Exempel statuieren. Midas ist sozusagen primitiv, zeigt aber durchaus liebenswürdige Züge[9]. So feiert er zunächst mit dem vor ihn gebrachten Silen, in welchem er weniger den Mysteriengenossen als den alten Saufbruder zu seiner Freude wiedererkennt, zehn Tage und Nächte ein heiteres Trinkgelage: v. 95 *festum genialiter egit* – das meint: die beiden *indulgent genio* (wie es bei Persius 5,151 einmal heißt), sie huldigen ihrem in diesem Falle weinseligen Genius und lassen sichs wohl sein[10]. Dann aber liefert Midas treu und brav den Freund bei dessen Gebieter, dem Gott Bacchus, wieder ab[11], noch fröhlich gestimmt (*laetus* v. 98)[12] von den gemeinsam genossenen Freuden. Zum Lohn erhält er vom Gott einen Wunsch frei. Die Antwort gibt ihm seine *auri sacra fames* ein, freilich nur zu seinem Schaden. Da alles, womit er in Berührung kommt, wunschgemäß zu Gold wird, so drohen ihm Hungertod und Verdursten, indem auch Speise und Trank, kaum daß er sie berührt, zu Gold erstarren.

Da hebt er die Hände zum Himmel und bittet den Gott um Erlösung von dem Übel, v. 132f.

,da veniam, Lenaee pater! peccavimus', inquit,

,sed miserere precor speciosoque eripe damno!'

Der Wortlaut läßt uns aufhorchen, da uns dieser Erstbeleg des *pater peccavi* an seine Wiederkehr im Neuen Testament erinnert (Ev. Lc. 15,21 in der Geschichte vom Verlorenen Sohn), ebenso wie das *eripe damno* an die Wendung in der 6. Bitte des Vaterunsers anklingt (Ev. Mt. 6,13) *libera nos a malo*.

---

[7] Nach Wilamowitz, Glaube der Hellenen I 1931, S. 197f., ist es „eine Erfindung des siebten Jahrhunderts".

[8] So jetzt wieder F. Bömer aO. Kommentar zu Buch X–XI. 1980, S. 260 zu v. 85–193.

[9] Ähnlich urteilt auch G. Luck an dem unten Anm. 18 aO., S. 471f. Ebenso der knappe aber hilfreiche Kommentar von H. Breitenbach 1958 (²1964) zu v. 89/90ff.

[10] Siehe F. Bömer zu der Stelle; richtig über *genialis* auch schon Haupt-Ehwald aO. zu Metam. IV 14.

[11] Dazu sucht er den Gott in Lydien auf v. 98f. *Lydos . . . in agros rex venit*, während dieser später v. 131ff. ihm bei seinem Bußgebet sozusagen allgegenwärtig zur Verfügung steht – ein bemerkenswertes Nebeneinander gemeinantiker und ,orphischer' Vorstellungen; siehe dazu allgemein H. Hommel, Arch. f. Religionswiss. 23.1926, 193ff. und Zeitschr. f. Alttestamentl. Wissensch., N. F. 6.1929, 110ff. (oben S. 44ff. u. 65ff.)

[12] Ovid entwickelt meisterhaft die Kunst, Affekte anzudeuten, zu steigern und miteinander zu konfrontieren. Denn der Freude des Midas, erst über das Wiedersehen mit dem Freund (95.98), dann über die ihm von Bacchus gewährte Gunst (100 *laetus abit gaudetque*, 119 *gaudenti*) wird zunächst die Besorgnis des Gottes wegen der schlecht genützten freien Wahl (100ff. *inutile . . . arbitrium . . . male usurus donis . . . Liber . . . indoluit*), schließlich die eigene Zerknirschung des Toren entgegengesetzt (v. 127ff. *attonitus . . . miserque . . . odit . . . torquetur . . . eripe damno*).

Nehmen wir das vorangehende *miserere precor* dazu, so erhalten wir eine dreigliedrige Bußformel. Die ersten zwei Bestandteile, *peccavimus und miserere*, finden sich schon bei Aristophanes im ‚Frieden' des Jahres 421 v. Chr., wo der Bauer Trygaios sich an die Göttin Eirene wendet: ἡμάρτομεν ταῦτ'· ἀλλὰ συγγνώμην ἔχε. Bei Ovid also alle drei Elemente unverkürzt: ich habe gesündigt – erbarme dich – erlöse mich aus der Not! Ob die Formel nun tradiert ist oder sich jeweils spontan aus der Situation ergibt, bleibe dahingestellt, so sehr man geneigt sein möchte, das erstere anzunehmen. Ihr stereotyper Charakter scheint mir jedenfalls evident zu sein. Hinzuzunehmen ist aus der Midasgeschichte, daß sich der Gott gnädig zeigt und den Büßenden von der Strafe losspricht[13], indem er ihn auffordert, zum Fluß zu gehen, seine Befleckung durch Untertauchen abzuwaschen und damit zugleich die Schuld wegzuspülen (v. 141 *simul elue crimen*)[14]. Auch dabei stellen sich formelhafte Wendungen ein. So entspricht dem *vade* und *carpe viam* (v. 137 und 139) das bei den so oft mit Sündenvergebung verbundenen Wunderheilungen von Jesus in den Evangelien immer wiederkehrende πορεύθητι o. ä. (Vulgata: *vade* u. dgl.); am nächsten kommt der Ovidstelle Ev. Joh. 9,7 (u. 11) bei der Blindenheilung, wo es heißt ὕπαγε νίψαι εἰς τὴν κολυμβήθραν Σιλωάμ, *vade lava in natatoria Siloe* ‚geh hin zum Teich Siloah und wasch dich!', wobei ja auch die inhaltliche Entsprechung erstaunlich ist (ganz ähnlich bei der Heilung des Kranken im Teich Bethesda Ev. Joh. 5,8.11.14). Ja, was die durch das Bad bewirkte oder doch symbolisierte Sündenvergebung anlangt, so heißt es ja bereits von Jesu Vorläufer, dem Täufer Johannes, knapp und klar im Evangelium (Mc. 1,5 und Mt. 3,6) ‚sie ließen sich von ihm taufen im Jordan, indem sie ihre Sünden bekannten' (die natürlich durch das Bad symbolisch abgewaschen werden sollten).

Wenn dann die für Midas so fatale Goldfolie auf den Fluß Paktolos übergeht, so mag dieser Zug für Ovid vor allem auch als Aufhänger für die aitiologische Pointe der Erzählung dienen. Aber auch da erinnern wir uns außerdem an das typologische Schema, nach welchem ausgetriebene Sünden oder Krankheiten an einen Ort gebracht werden, wo sie dem Menschen nicht mehr schaden können. So heißt es schon beim alttestamentlichen Propheten Micha 7,19, daß Gott ‚alle unsere Sünde in die Tiefen des Meeres werfen' wird[14a]; und Ev. Mc. 5,11ff. (mit den synoptischen Parallelen Mt.

---

[13] v. 135 (dessen Schlußworte *munera solvit* diejenigen von v. 104 wirksam wieder aufnehmen) ist zweifellos statt des von der Hauptüberlieferung gebotenen *facti* vielmehr *pacti* zu lesen (so auch Bömer zu der Stelle). Der Kommentar von Haupt-Ehwald II⁵ 1966 übersetzt und paraphrasiert dementsprechend: er „befreite das verliehene Geschenk von der Erfüllung des Vertrags d. h. machte das verliehene Geschenk unwirksam". Ähnlich auch Rösch.

[14] Rituelle Waschungen und Bäder zur Tilgung von Schuld und Sünde sind seit uralter Zeit weltweit verbreitet. Eine Fülle von Beispielen findet sich bei G. v. Hahn und H.-K. v. Schönfels, Wunderbares Wasser. Aarau (Schweiz).

[14a] Bei weitausgreifender Behandlung der verwandten Metapher vom Versenken der Traurigkeit ins Meer (Horaz, c. I 26,1ff.) ist Otto Weinreich nebenbei auch auf den anderen, von

8,30ff. Lc. 8,32ff.) fahren die von Jesus ausgetriebenen bösen Geister in eine Herde von Säuen und stürzen dann mit ihnen ins Meer. Im klassisch-antiken Bereich hat man längst damit das von Kallimachos fr. 75,13 in dem Aition von Akontios und Kydippe nebenbei berichtete Phänomen verglichen, daß die den Menschen befallende sogenannte ‚heilige Krankheit' – wahrscheinlich ist die Epilepsie gemeint – bei der Heilung auf Ziegen übergeht, wovon sich das Sprichwort herleitet τὴν νόοον ἐς αἶγας τρέψαι[15].

In unserem Zusammenhang interessiert jedoch vornehmlich das von Ovid in der Midasgeschichte gebrauchte Bußformular, das dem Dichter so geläufig war, daß er es später in der ersten Epistel ex Ponto (I 1,51ff.) auf seinen eigenen Fall, die Strafe der Verbannung, angewendet hat:

Ovid, Ex Ponto I 1,51–66

Vidi ego linigerae numen violasse fatentem	Einst sah ich einen, der saß an Isis', der linnenumhüllten,
Isidis Isiacos ante sedere focos.	Heiligem Herd und gestand, daß er die Göttin gekränkt.
Alter, ob huic similem privatus lumine culpam,	Wieder ein andrer, um ähnliche Schuld mit Blindheit geschlagen,
Clamabat media se meruisse via.	Tat es vor aller Welt kund: ‚ach, und ich hab's ja verdient'.
55 Talia caelestes fieri praeconia gaudent,	Solcher Bekenntnisse Ton vernehmen die Himmlischen gerne,
Ut sua quid valeant numina, teste probent.	Nehmen's als Zeugnis dafür, daß sie noch hochstehn im Kurs,
Saepe levant poenas ereptaque lumina reddunt,	Und sie erlassen die Strafe und schenken das Augenlicht wieder,
Cum bene peccati paenituisse vident.	Wenn nur auf Sünde und Schuld ehrliche Reue erfolgt:
Paenitet, o! si quid miserorum creditur ulli,	‚Reue', ach wenn sie je einem elenden Sünder geglaubt wird,
60 Paenitet, et facto torqueor ipse meo.	Reue, sie quält ja auch mich ob der begangenen Tat.
Cumque sit exilium, magis est mihi culpa dolori:	Schmerzlich genug ist Verbannung, noch heftiger schmerzt das Gewiss
Estque pati poenam, quam meruisse, minus.	Leichter ist's, Strafe zu spürn als das Bewußtsein der Schuld.
Ut mihi di faveant, quibus est manifestior ipse:	Hört mich ein gnädiger Gott – und keiner ist näher als Er ja –,
Poena potest demi, culpa perennis erit.	Nimmt er die Strafe mir ab, bleibt doch die Schuld noch bestehn.
65 Mors faciet certe, ne sim, cum venerit, exul:	Sicher befreit mich der Tod, wenn er kommt, aus meiner Verbannung,
Ne non peccarim, mors quoque non faciet.	Aus der Versündigung Haft löst aber selbst nicht der Tod.

H.

Hier legt also Ovid sein eigenes Sündenbekenntnis ab und kann dabei den Ton nicht hoch genug stimmen, um des Kaisers Gnade zu erwirken. Das zugrundeliegende Schema leiht er sich jedoch ausdrücklich bei Geständnissen, wie sie im zeitgenössischen Modekult der ägyptischen Göttin Isis zu hören waren.

Der um die Erforschung des uns hier beschäftigenden Stoffes hochverdiente italienische Forscher Raffaele Pettazzoni hat einerseits die Ähnlichkeit mit christlichen Aussagen hervorgehoben und andererseits für Ovid angesichts der Midaserzählung und weiterer von ihm beigezogener Stellen, wie eben auch jenes Schuldbekenntnisses ex Ponto, mit Recht angenommen, daß dem Dichter die entsprechenden Formulare aus den Kulten seiner Zeit ganz geläufig waren[16]. Wenn man ihm eingewendet hat[17], Ovids Notschrei

---

uns oben behandelten Topos eingegangen: Beiträge zu Horaz 5, jetzt in O. W., Ausgewählte Schriften III 1979, 164ff., hier 165f. m. Anm. 45 u. 46.

[15] Die Belege in R. Pfeiffers Kallimachos-Ausgabe zu der Stelle.

[16] R. Pettazzoni, La confessione dei peccati. 3.1936, bes. S. 117ff. mit den Anmerkungen auf S. 159ff. Zusammenfassend derselbe in seinem Vortrag ‚Confession of Sins in the Classics' in: Harvard Theological Review 30.1937, S. 1–14.

[17] E. Ehnmark im Gnomon 1956, S. 466. Vgl. dazu auch unten Anm. 31b.

vom Schwarzen Meer nach Rom sei „simple adulation" gegenüber dem von ihm apostrophierten *ipse*, dem ‚Er', hinter dem sich der Gottkaiser Augustus verbirgt, so ändert dies doch nichts an der Tatsache, daß er dabei verbreitetes Formelgut benützt hat.

Vor allem im Blick auf die Midasgeschichte wollte man neuerdings diese Schemata speziell für die Orphik in Anspruch nehmen, ja es nicht für ausgeschlossen halten, daß Ovid selber in die orphischen Mysterien eingeweiht gewesen sei[18]. Aber dieser Hypothese bedarf es wahrlich nicht, da in des Dichters Umwelt jene Bußformulare allgemein verbreitet und keineswegs auf eine bestimmte religiöse Gemeinschaft beschränkt waren, wie denn Ovid ex Ponto sich selber ausdrücklich auf den Isisdienst bezieht.

Für die Verbreitung dieses Bußschemas gibt es nun eine Anzahl ganz unmittelbarer Zeugnisse in den sogenannten Beichtinschriften Kleinasiens aus dem 2. und 3. Jh. n. Chr., die zuerst in einer bemerkenswerten Münchner Dissertation[19], dann vollständiger in den *Monumenta Asiae Minoris Antiqua* und dem *Supplementum Epigraphicum Graecum*[20] gesammelt bzw. interpretiert wurden. Viele von ihnen sind Weihungen an den im Grenzgebiet von Lydien und Phrygien[21] verehrten Gott Apollon Lairbenos[22], eine altkleinasiatische, dem Lichtgott Apollon angeglichene Gestalt,

---

[18] G. LUCK in einem sonst vielfache Anregung bietenden Aufsatz: König Midas und die orphischen Mysterien, In: Hommages à Marcel Renard II 1969, S. 470–477, hier bes. S. 475. Gegen Luck auch BÖMER zu v. 131 f.

[19] FRANZ SERAPH STEINLEITNER, Die Beicht im Zusammenhang mit der sakralen Rechtspflege in der Antike. 1913. Wichtige Bemerkungen dazu bei K. LATTE, Arch. f. Rel.-Wiss. 20.1920–21, S. 292 ff. mit weiterer Literatur, in seinem Aufsatz ‚Schuld und Sünde in der griechischen Religion', ebenda S. 254–298.

[20] MAMA IV 1933 no. 279–290 (davon no. 282–286 schon bei STEINLEITNER aO., der daneben aber auch einiges bietet, was nicht in MAMA IV enthalten ist); weiteres SEG VI 1939, no. 248 ff.

[21] Die Identifikation des Fundorts (in der Gegend des antiken Motella) mit Dionysopolis kann nach den Ermittlungen von LOUIS ROBERT nicht mehr aufrechterhalten werden; s. dazu W. RUGE RE XX 1941, Sp. 824 im Artikel ‚Phrygia' u. schon PETTAZZONI aO. 3. 1936, S. 54 mit Anm. 3 auf S. 132.

[22] Über diesen synkretistischen Gott handelt ausführlich H. OPPERMANN RE S V 1931, Sp. 521–535; Ergänzungen bei W. FAUTH in: Der Kleine Pauly III 1975, Sp. 456 f. Da auf einer der Inschriften (MAMA IV 286) die Abbildung eines Doppelbeils erkennbar ist, und wegen der Namensähnlichkeit möchte ich nach dem Vorgang anderer einen Zusammenhang mit dem karischen Zeus Labrandeus und seinem Doppelaxtsymbol für wahrscheinlich halten. Vgl. a. Plutarch, Quaest. Gr. 45 Λυδοὶ λάβρυν τὸν πέλεκυν ὀνομάζουσι, s. dazu P. KRETSCHMER, Einleitung in die Gesch. d. griechischen Sprache 1896, S. 304. Während W. VOLLGRAFF im Rhein. Mus. N. F. 61.1906, S. 150 f. den Namen des Gottes Lairbenos mit λάβρυς ‚Doppelaxt' zusammenbrachte, hatte bereits 1904 FRITZ HOMMEL in der ersten Lieferung seiner Ethnogr. u. Geogr. des Alten Orients (1926) S. 58₁ (vgl. a. die Nachträge S. 987 und STEINLEITNER aO., S. 53₂) es gewagt, den Lairbenos als eine lokale Variante des karischen Labrandeus zu fassen, für den auch die Namensform Labrandenos belegt ist (s. KRETSCHMER aO. S. 303, der S. 404 auch eine Entsprechung kret. Λαβύρινθος ~ kar. Λάββρανδος postuliert hatte). PETTAZZONI aO. 82 f. hat sich jenen Vermutungen weithin angeschlossen.

neben welcher gelegentlich auch ein weibliches Pendant Leto erscheint, hinter der eine alte Erdgöttin zu vermuten ist. Ich greife aus der Fülle der Zeugnisse drei Inschriften heraus, die das in unserem Zusammenhang Wichtige besonders knapp und eindringlich erkennen lassen:

1) Steinleitner Nr. 29, S. 58

Σώσανδρος Ἱεραπολε(ί)/της ἐπιορκήσας καί / ἄναγνος ἰσῆλθα ἰς τὸ / σύνβωμον· ἐκολάσ/θην παραγγέλλω μη/δένα καταφρονεῖν / τῷ Λαιρμηνῷ, ἐπεὶ ἔξει / τὴν ἐμὴν στήλλην ἔξενπλον.

‚Ich Sosandros aus Hierapolis betrat meineidig und unrein das gemeinsame Heiligtum [von Lairbenos und Leto?]; ich wurde (dafür) bestraft; so tue ich kund, es solle keiner den Lairbenos mißachten, denn er soll sich meine (hier aufgestellte) Stele als Exempel nehmen.'

Die Weihung der Stele wird wohl neben dem Zweck der Warnung anderer auch den Dank für die Lösung von Schuld und Strafe zum Anlaß gehabt haben. Möglicherweise bestand der Eidbruch in nichts anderem als im Betreten des Heiligtums im Zustand der Unreinheit (die nach Ausweis anderer Zeugnisse sexuellen Charakter gehabt haben mag – s. z. B. die folgende Inschrift). Vielleicht waren nämlich alle Glieder der betreffenden Kultgemeinschaft eidlich verpflichtet, nicht im Zustand der Unreinheit das Heiligtum zu betreten[23].

2) Steinleitner Nr. 26, S. 56 f. MAMA IV 283 mit Abb. SEG VI 251

Αὐρήλιος / Σωτήρ(ι)χος / Δημοστράτου Μοτελ/ηνὸς κολαδὶν ἐπὸ τὸ θε/οῦ παρα/γέλων μηδὶ/ς ἄνα(γ)νον ἀναβῆτε ἐπὶ τὸ χ/ωρίον ἒ προκήσι ἢ κηνέ[σ]/ετε τὸν ὄρχις· ἐγὼ Γέ/ᾳ ἐκηνησάμην ἐπὶ τὸ χ/ωρίον.

In dieser in besonders barbarischem Griechisch abgefaßten Inschrift soll κολάδιν wohl bedeuten ἐκολάσθην. – ἄναγ(ν)ον ist entweder Verschreibung für ἄναγνος oder als Adverb zu verstehen. – ἀναβῆτε vermutlich = ἀναβήσεται. – ἒ προκήσι ἢ κηνέ[σ]ετε τὸν ὄρχις steht wohl für καὶ (κὲ) ἐπιορκήσει ἢ κινήσεται τοὺς ὄρχεις. – Die Lesung von Γέα κτλ. ist unsicher. Ein ähnliches Vergehen Juvenae VI 535 f. Also ist etwa zu übersetzen:

‚Ich Aurelios Soterichos, Sohn des Demostratos aus Motella wurde bestraft von dem Gott und ich tue kund, daß niemand [so wie ich es getan] in unreinem Zustand den Platz betreten und den Eid brechen oder Geschlechtsverkehr ausüben soll. Ich habe (nämlich) dies mit Gaia getan auf diesem Platz.' Abgebildet sind entsprechend zwei Füße und ein männliches Pudendum.

3) Steinleitner Nr. 24, S. 49–52. MAMA IV 285. SEG VI 250.

Εὐτυχεῖς] Ἡλίου Ἀπολλ/ών]ου δὶ τὸ ἡμαρτηκ/εῖναι ἐπεὶ τῷ χωρὶ πισε/τύχει καὶ διῆθα τὴν/κώμη·β᾽ἀνάγνα λημόν·/ησα παρήμη εἰς τὴν κώμη·/παραγέλλω μηδεὶς καταφ/ρεινήσει τῷ θεῷν, ἐπεὶ ἔξ/ει τὴν σ[τ]ίλην ἐξοπράρει[ον]/.ἐπόῖσ᾽ ἐτόνμετο ἡ προγεμένε/Εὐτ]υχεῖς καὶ ἐξωμολογησά/μην] καὶ εἰλάθη. Ο . . .

Ἡλίου Ἀπολλώνου, der (z. Tl. barbarisch gebildete) Genetiv steht für den

---

[23] Eine andere, etwas umständliche Erklärung des ἐπιορκεῖν bei STEINLEITNER aO. 89 f.

Dativ. Der Gottesname, hinter dem sich auch hier der Lairbenos verbirgt, ist in jenen Inschriften mehrfach belegt und in der Regel ausdrücklich durch den Zusatz Λαιρμηνῷ o. ä. determiniert (so MAMA IV 275 ff. mehrfach).

τῷ χωρὶ πιοετύχει = τῷ χωρίῳ ἐπεισέτυχον? –
διῆθα = διῆλθον. – τὴν κώμην bezeichnet wohl die – ebenfalls sakrale – Tempelsiedlung[24]. – β′ β = δίς. –
λημόνησα = ἐλησμόνησα. – παρήμη = παρείμην. –
τῷ θεῶν (Dativ statt des Genetivs, also umgekehrt wie oben).
ἐξοπράρει[ον = ἐξεμπλάριον. – ἐτόνμετον = αὐτόματον. –
ἡ προγεμένε = ἡ προκειμένη. – εἰλάθη = ἰλάσθη.

Die vornehmlich auf den Lesungen in MAMA IV 285 beruhende Übersetzung lautet dann etwa:

‚Ich Eutyche-is, [habe diese Stele] dem Helios Apollon [geweiht] wegen meiner Versündigung; denn ich bin in den Platz eingedrungen und habe die Tempelsiedlung zweimal in unreinem Zustand durchschritten. Ich habe mich vergessen und bin unvermerkt hineingeraten in die Siedlung. Ich tue kund: niemand soll die Gottheiten mißachten; denn er soll sich diese Stele als Exempel nehmen. Ich vollzog [scil. die Bußweihung] aus eigenem Antrieb, ich, die vorgenannte Eutyche-is, und ich habe (meine Sünde) bekannt[25], und sie [die Gottheit] war mir gnädig[26] . . .‘

Dieses letzte Stück zeichnet sich, sofern der Text einigermaßen richtig hergestellt ist, durch eine Besonderheit aus, auf die nachher noch zurückzukommen ist.

Aus den beiden ersten Beispielen ist unschwer ein Schema zu gewinnen, das in zeitlicher Abfolge geordnet so aussieht: (nach eidlicher Bindung an ein Verbot)

1) Übertretung des Verbots
2) erlittene Strafe[27]
3) öffentliches Schuldbekenntnis zum Zweck sowohl der Sühne wie der Abschreckung. Daß
4) die Vergebung durch die Gottheit und die Aufhebung der Strafe er-

---

[24] Zur ἱερὰ κώμη s. die Ausführungen von STEINLEITNER aO. S. 51 f., wenn auch die spezielle Lokalisierung unweit Dionysopolis überholt ist (s. dazu oben Anm. 21).

[25] Zum ἐξωμολογησάμην vgl. Ev. Mc. 1,5 u. Mt. 3,6 ἐβαπτίζοντο ἐν τῷ Ἰορδάνῃ ποταμῷ ὑπ' αὐτοῦ ἐξομολογούμενοι τὰς ἁμαρτίας αὐτῶν (s. dazu a. ob. S. 355), vgl. Ep. Jac. 5,16 ἐξομολογεῖσθε . . . τὰς ἁμαρτίας (s. die Übersetzung der ganzen Stelle unt. S. 363).

[26] Vgl. Ev. Lc. 18,13 den Stoßseufzer des Zöllners ‚Gott sei mir Sünder gnädig‘ ὁ θεὸς ἱλάσθητί μοι τῷ ἁμαρτωλῷ.

[27] STEINLEITNER aO. 96: „Gleichsam automatisch löst die Sünde . . . die Strafe der Gottheit aus." Vgl. a. S. 110.

folgt ist, vielleicht aber auch erst durch die Weihung der Stele erhofft wird, darf angenommen werden[28].

Vergleicht man dieses Modell mit den ovidischen Zeugnissen, von denen wir ausgingen, so springt die Ähnlichkeit der Struktur ins Auge, nur daß dort natürlich alles viel breiter ausgemalt ist und andere Vergehen gegenüber der Gottheit[29] zugrunde liegen. In der Midasgeschichte sieht es so aus:

1) Versündigung durch Habsucht 2) Strafe 3) Reue und Bekenntnis der Schuld 4) Entlastung durch den Gott 5) Vollzug der Entsühnung durch die Taufe im Fluß.

Bei Ovids für den Gottkaiser bestimmter Epistel ging voraus

1) das uns im einzelnen unbekannte Vergehen, das der Dichter selber mehrfach an anderer Stelle – ähnlich wie die Sünderin im dritten inschriftlichen Beispiel – als *error*, nicht als *scelus* oder *facinus* bezeichnet hat[30]. Dann folgt

2) ebenfalls die Strafe   3) Reue und Zerknirschung, mit dem Sündenbekenntnis

4) Vergebung und Heilung (bei den Isis-Exempla vollzogen, beim Dichter selber nur erbeten und erhofft).

Kurz: die Abfolge

Vergehen – Strafe – Sündenbekenntnis – Vergebung und Straferlaß
kehrt in fast allen Zeugnissen wieder.

Die Nähe dieser Schemata in der Gesamtstruktur wie in einzelnen Formulierungen zur entsprechenden christlichen Lehre und Praxis (Versündigung – Beichte – Absolution) hat man gelegentlich bereits gesehen und betont. Auf manche Vergleichbarkeit haben auch wir im Vorangehenden bereits hingewiesen. Es scheint jedoch notwendig, darauf aufmerksam zu machen – und ich vermisse dies in der ganzen bisherigen Forschung, soweit ich sie übersehe –, daß zwischen den klassisch-antiken und den christlichen Zeugnissen fast durchgängig ein fundamentaler Unterschied besteht[31]. In den

---

[28] In unserem Beispiel 3 scheint ja die erfolgte Absolution mit εἰλάθη = ἱλάσθη angedeutet zu sein.

[29] Aber Habsucht (auf der das Vergehen des Midas beruht), Unzucht und Unreinheit (wie in den kleinasiatischen Inschriften) erscheinen zur Dreiheit vereinigt in der Warnung vor Sünde Epist. ad Ephes 5,3–5.

[30] Näheres bei W. KRAUS RE XVIII 1.1942, Sp. 1916. Bezeichnend und sicher nicht ohne Absicht des Dichters, daß auch in den ihm als Muster vorschwebenden *exempla* – dieser Ausdruck findet sich wiederholt in den inschriftlichen Zeugnissen – ex Ponto I 1,52f. die Art des Vergehens ganz in der Schwebe bleibt.

[31] Auch die neutestamentliche Forschung hat auf diesen doch auch theologisch höchst relevanten Unterschied, wie er von uns im folgenden skizziert und durch Beispiele belegt wird, offenbar nicht geachtet. So AUG. STROBEL, Erkenntnis und Bekenntnis der Sünde in neutestamentlicher Zeit (1968), wo auf S. 48 mit Anm. 18 die Arbeit von STEINLEITNER wenigstens zitiert wird, jedoch nur um festzustellen, daß „die offene Schulderklärung auch in der sakralen Rechtspflege der Antike das übliche" war (vgl. a. S. 71 unter Ziffer IV).

Beispielen heidnischer Herkunft erfolgt nämlich die Reue und das Bekenntnis der begangenen Sünde regelmäßig erst als Reaktion auf ein erlittenes Übel, das entweder offensichtlich oder durch Reflexion als Strafe für das begangene Unrecht erscheint[31a]. So bei Midas, bei dem mit Blindheit geschlagenen Isisjünger, beim der Heimat beraubten Ovid[31b], bei den Kleinasiaten der ersten beiden von uns herangezogenen Beispiele, denen sich zahlreiche andere mit dem stereotypen Stichwort ἐκολάσθην hinzufügen ließen. Nichts von alledem in den entsprechenden christlichen Zeugnissen[31c]. Und wenn man mit dem leicht sich anbietenden Exempel der Geschichte vom Verlorenen Sohn den Gegenbeweis antreten wollte[32], wo ebenfalls die Reue und das Schuldbekenntnis erst im Elend sich einstellt, so wäre doch darauf hinzuweisen, daß sich dieses nur bei Lukas (15,11–24) überlieferte Gleichnis mit seiner isolierten Struktur ganz ähnlich in vorchristlichen orientalischen Quellen findet, deren gemeinsamer Urgrund auch für Lukas vorausgesetzt werden darf[33]. Gewiß gibt es, was die von uns

---

[31a] Richtig erkannt und treffend formuliert bei K. LATTE aO. (ob. Anm. 19) 258, wenn auch nur speziell für den „homerischen Sündenbegriff", aber mit dem Hinweis auf ‚andere alte Relgionen' („Erst das Unheil weckt . . . das Empfinden, sich vergangen zu haben."). Vgl. a. unten Anm. 38 gg. E.

[31b] Man hat mir gelegentlich eingewendet, die tiefe Zerknirschung des Ovid (Ex Ponto I 1,64–66 – s. ob.), die selbst Vergebung und Tod überdauern werde, wie er vorauszusehen meint, weise über antikes Sündenbewußtsein weit hinaus. Doch scheint es mir fraglich, ob es ohne die Strafe der Verbannung bei Ovid je zu solchen Reflexionen gekommen wäre.

[31c] Ein weiterer Unterschied zwischen antiker und christlicher Bußpraxis dürfte darin bestehen, daß dort – wie in den kleinasiatischen Bußinschriften oder in Ovids publiziertem Gedicht ex Ponto I 1 – das detaillierte Sündenbekenntnis öffentlich erfolgt, während es im Christentum i.a. ohne Zeugen vor sich geht, was schließlich zur geheimen Ohrenbeichte geführt hat. (Diskussionsbeitrag von GOTTFRIED KIEFNER.)

[32] Seit HARNACK hat man in der Tat mehrfach versucht, das isolierte Stück gerade als spezifische Lehre Jesu aufzufassen (wogegen mir das weiter unten im Text vorgelegte Material zu sprechen scheint), so bes. C. SCHNEIDER, Geistesgeschichte des antiken Christentums I 1954, S. 30f. Auch ein als Verhöhnung des Christentums gedachtes Pamphlet von HANSJÖRG LEHNER und anderen: De statu corruptionis . . . (Konstanz 1980) widmet S. 30ff. ein Kapitel diesem „Nutzenmaximierer" und spricht S. 41 vom „Heimkehr-Dilemma des ‚verlorenen Sohnes', der als Archetyp des ‚common sinner' gelten" könne. Eine schöne aber wiederum ganz typisch antikheidnische Parallele zum ‚Verlorenen Sohn' in einem Privatbrief des 2. Jhs. aus dem Faijûm hat A. DEISSMANN beigebracht: Licht vom Osten ⁴1923, S. 153–158. Dort ist S. 158₅ auch auf die Steinleitnerschen „Sühneinschriften" hingewiesen.

[33] G. A. VAN DEN BERGH VAN EYSINGA, Indische Einflüsse auf Evangelische Erzählungen (1904) ²1909, S. 67ff., der S. 69 bereits auch auf eine der lukanischen Fassung noch näher stehende Version hinweist, wie sie sich in der unter den Elephantine-Papyri des 5. vorchristl. Jhs. aramäisch überlieferten ‚Weisheit des Achikar' findet, die ja auch der apokryphen Tobias-Geschichte als Vorbild gedient hat (s. dazu ED. MEYER, Ursprung und Anfänge des Christentums II 1921, S. 18). Da sagt nämlich (nach F. C. CONYBEARE etc., The Story of Ahikar . . . 1898 [²1913] S. 22.59.83) der ‚verlorene Sohn' zu seinem Erzieher „erbarme dich meiner . . . Vater, ich habe gesündigt . . . handle mit mir nach deiner Barmherzigkeit" – also ganz die übliche Typologie des im Evangelium wie bei Ovid begegnenden *Pater peccavi*, abgesehen davon, daß auch in der Achikargeschichte wie bei Lukas vom Schweinehüten des Abtrünnigen die Rede ist.

hervorgehobene Besonderheit anlangt, wie überall in solchen Fällen Nuancen und Übergänge, wozu auf der heidnischen Seite unser drittes inschriftliches Beispiel zu rechnen ist; denn da fehlt jeder Hinweis auf eine der Reue vorangehende Strafe. Vielmehr hebt die Büßerin das ἀντόματον ihres Sündenbekenntnisses ausdrücklich hervor. Doch hört man solche Töne selten im außerbiblischen Bereich.

Fassen wir nur kurz die Position der christlichen Botschaft in dieser Frage ins Auge. Das Neue Testament setzt alsbald mit einer Bußpredigt ein (Ev. Lc. 3,7–9). Johannes der Täufer, aus dessen Mund sie kommt, weist nach dem Johannesevangelium (1,33) auf den hin, der nicht mehr in herkömmlicher Weise mit Wasser tauft, sondern mit dem Heiligen Geist. Entsprechend äußert sich dann Jesus, indem er im Gespräch mit Nikodemus jenen Gedanken aufnimmt (Ev. Joh. 3,5): ,Es sei denn, daß jemand geboren werde aus Wasser *und* Geist, so kann er nicht in das Reich Gottes kommen'. Übrigens ruft Jesus (nach Ev. Joh. 5,14) erst *nach* der Heilung des Kranken am Teich Bethesda diesem zu μηκέτι ἁμάρτανε ,sündige (hinfort) nicht mehr!' Gewiß steht der Bußruf ganz allgemein überhaupt am Anfang der Wirksamkeit Jesu: ,Tut Buße, denn das Himmelreich ist nahe herbeigekommen' (Ev. Mt. 4,17 vgl. Mc. 1,15)[34]. Doch kündigt sich im Neuen Testament dabei allenthalben etwas ganz Neues an, die nahe Verbindung der Bußpredigt mit der Enderwartung des Reiches Gottes. Die Unterweisung des Petrus an die ratsuchende Gemeinde in Jerusalem nach dem Pfingstfest (Acta 2,38) bietet dann nocheinmal ein knappes Bußformular, das bereits einige der neuen Elemente enthält: ,Tut Buße, und lasse sich ein jeglicher taufen auf den Namen Jesu Christi zur Vergebung der Sünden, so werdet ihr empfangen die Gabe des Heiligen Geistes'. Auch hier wieder vor allem der schon von Johannes dem Täufer angeschlagene Ton.

Bei Paulus vollends wird in einem wiederum ganz neuen Ansatz die Lehre von der göttlichen Gnade entwickelt, die in Christi Sühnetod für den Menschen gipfelt; sie wird durch den Glauben erworben, oder besser: sie fällt

---

[34] Der hier und an anderen Stellen formelhaft wiederkehrende Bußruf μετανοεῖτε ist bereits antik (was JAC. BURCKHARDT, Griech. Kulturgeschichte 1898 ff. u. ö., Bd. II, Abschn. 3,2 übersehen zu haben scheint: „keine inneren Zumutungen an den Menschen, vollends nicht auf innere Umkehr"). Bei Stobaios III 1,173 (III S. 127,4 f. H.) aus Σωτιάδου τῶν ἑπτὰ σοφῶν ὑποθῆκαι, sowie im Gnomologium Parisinum (Cod. Par. Gr. 1630) bei BOISSONADE, Anecdota Graeca I 1829, S. 141 ff. unter no. 67, und im Gnomologium Laurentianum (Laur. 60,4) bei Ferd. SCHULTZ, Philologus 24.1866, S. 193 ff. unter no. 66 steht die Mahnung ἁμαρτὼν μετανόει, die auch bereits in einer von H. Diels musterhaft edierten und interpretierten, schon um die Jahrhundertwende bekanntgewordenen Inschrift aus Miletopolis in Mysien aus der Zeit um 300 v. Chr. erscheint (H. DIELS in Syll. ³III 1920, no. 1268 ,Praecepta Delphica' S. 392 ff., hier S. 396b, Z. 2). Vgl. a. Demokrit fr. 43 D. μεταμέλεια ἐπ' αἰσχροῖσιν ἔργμασι βίου σωτηρίη (!) und Bias fr. 4 D. (FVS⁵ I S. 65,4 f.) . . . μὴ ἁμάρτῃς· μετάνοια γὰρ ἀκολουθεῖ. Es handelt sich also um ganz festes, seit früher Zeit tradiertes Formelgut. Vgl. E. F. THOMPSON, *Μετανοέω* and *μεταμέλει* in Greek Literature until 100 A. D. Diss. Chicago 1908 (1909). O. MICHEL in Kittels ThWNT IV 1942, 630 ff. und J. BEHM ebda. 972 ff.

dem Gläubigen als Geschenk zu, so daß bei dem großen Apostel der Begriff der μετάνοια nur mehr eine geringe Rolle spielt[35]; und die Vergebung der Sünden vor aller Buße, die sie gleichwohl voraussetzt, wird als Frucht des stellvertretenden Opfers Christi verheißen, wie denn auch schon Jesus nach dem Evangelium (Mc. 2,5 und Parallelen) dem Gichtbrüchigen in Kapernaum ohne sein Verlangen die Sünde vergibt, ehe er ihn heilt[36]. Ganz leise klingt da und dort noch das alte Schema an, so in dem nicht gerade von Paulus' Geist erfüllten Jakobusbrief am Schluß (5,15f.): ,Das Gebet des Glaubens wird dem Kranken helfen, und der Herr wird ihn aufrichten; und so er hat Sünden getan, werden sie ihm vergeben sein. Bekenne einer dem anderen seine Sünden, und betet für einander, daß ihr gesund werdet.'[37]

Wie weit diese christliche Botschaft bereits durch das Alte Testament vorbereitet war, kann hier nicht im einzelnen untersucht werden. Bemerkenswert ist immerhin, daß der in den ersten beiden Kapiteln des Propheten Joel dem Gott Jahwe selber in den Mund gelegte Bußruf (2,12f.) das Echo auf die ausführlich geschilderte Heuschreckenplage ist, die offenbar das Volk erst zur Buße reif gemacht hat[38]. Auch in dem wohl berühmtesten Bußdrama des Alten Testaments, nach Davids Versündigung an dem Hethiter Uria, den er in den Tod gejagt hat, und nach seinem Ehebruch mit dessen Weib Bath-Seba, fehlt nicht die Strafe durch den frühen Tod des Sohnes aus der ehebrecherischen Verbindung (II Sam. c. 11/12). Aber Reue und Buße des Sünders erfolgt hier erstaunlicherweise doch schon vor der Strafe, auf des Propheten Nathan Zuspruch hin. Und auch der aus dieser Seelenlage

---

[35] R. Bultmann, Theologie des Neuen Testaments 1953, S. 74. Auch ein dem Christentum entfremdeter Religionsforscher wie J. W. Hauer (Mensch und Schicksal 1959, abgedruckt in: J. W. H., Über Religion und Religionsforschung 1981, S. 24f.) beobachtet richtig: „Not, Leid und Tod sind Strafen für begangenes Unrecht: selbst in hochentwickelten Religionen . . . Der Tod ist der Sünde Sold, so schreibt noch der Apostel Paulus [Röm. 6,23], der doch in seiner Lehre von der Gerechtigkeit allein durch den Glauben . . . ins Zentrum des Religiösen gedrungen war."

[36] Bezeichnend für Jesu Ablehnung eines unbedingten Zusammenhangs zwischen Unglück und Verschuldung sind seine Worte Ev. Joh. 9,2/3 auf die Frage der Jünger, ob der Blindgeborene sein Leiden eigener Versündigung oder der seiner Eltern verdanke: ,Es hat weder dieser gesündigt noch seine Eltern . . .'. Vgl. a. Ev. Lc. 13,2–5.

[37] Dazu R. Bultmann aO. 551: „Daß auch Leiden, wenn sie zur Buße führen, sündentilgende Wirkung haben, sagt . . . vielleicht . . . Jak 5,14–16."

[38] Andere Äußerungen deuten in die gleiche Richtung, so Ps. 119 (118), 67: ,Ehe ich gedemütigt wurde, irrte ich, nun aber halte ich dein Wort' (wo das ,nun aber' sinngemäß richtig ein διὰ τοῦτο – *propterea* wiedergibt, das auf den Anfang des Satzes – das Gedemütigtwerden – zu beziehen ist). Vgl. a. Jes. 26,16 ,Herr, wenn Trübsal da ist, so suchet man dich; wenn du sie züchtigest, so rufen sie ängstlich' und Jes. 28,19 ,allein die Anfechtung lehrt aufs Wort merken'. Siehe zu Jes. 26,8ff. Aug. Strobel aO., S. 10f., wo v. 9 zitiert wird: ,Wenn deine Gerichte über die Erde kommen, so lernen Gerechtigkeit die Bewohner des Erdkreises'. Herm. Gunkel (RGG V 990f. [2]V 880f.) weist in diesem Zusammenhang daraufhin, daß manche hebräischen Wörter für Sünde wie *chetʾawōn* zugleich auch das der Sünde folgende Unheil bedeuten; ähnlich Th. C. Vriezen RGG [3]VI, 1964, Sp. 479f. u. bes. 482 (auch mit weiterer Literatur). Vgl. auch K. Latte aO. (ob. Anm. 19) 258.

entstandene Psalm 51 (50), das erschütternde Bußgebet Davids, läßt nicht das mindeste davon erkennen, daß die Reue etwa erst der Strafe gefolgt sei. Also ein ganz ‚neutestamentlicher‘ Zug. Eine merkwürdige Verbindung gehen dagegen die beiden gegensätzlichen Modelle ein in der Geschichte von Jonas Ungehorsam und dem sündigen Treiben der Stadt Ninive (Jona c. 1–4), wo im einen Fall (bei Jona) erst die Not – im Bauch des Walfisches – die Buße weckt, im anderen (bei Ninive) die bloße Bußpredigt, allerdings mit Drohung verbunden, die Umkehr und die Sündenvergebung bewirkt.

Auch wenn heute viele von uns die neue christliche Antwort auf die alte Frage selber nicht im einzelnen nachvollziehen können, so spüren wir doch den ungeheuren Abstand zu den antiken Texten und der ihnen zugrunde liegenden religiösen Haltung. Und wer ein Ohr dafür hat, daß auch in diesen Dingen das sprachliche Niveau der Verkündigung von Belang ist, der kann nur mit Staunen feststellen, wie himmelhoch sich der Stil etwa des nachpaulinischen Kolosserbriefs über jene kleinasiatischen Bußinschriften erhebt, die nur wenige Meilen von der Stadt der Adressaten dieser Epistel und noch dazu ein bis zwei Jahrhunderte später entstanden sind. Dabei hatte Paulus auch in Kolossai sich noch mit Resten des Heidentums auseinanderzusetzen (z. B. 2,20 ff. 3,9). Man kann sich Menschen wie die primitiven Verfasser jener Inschriften überhaupt nicht als empfängliche Leser des ganz in Paulus' Geist abgefaßten Briefs vorstellen. Freilich hat die seit dem Anfang des 2. Jhs. v. Chr. einsetzende Gräzisierung dieser Landschaft ganz vorwiegend die städtischen Siedlungen wie Hierapolis, Laodikeia und Kolossai erfaßt, wo Paulus wie auch anderwärts fast ausschließlich sein Publikum fand. Auch hatte die Durchsetzung Kleinasiens mit griechischer Kultur im 2./ 3. Jh. n. Chr. bereits ihren Höhepunkt überschritten[39]. Aber der Anspruch sich griechisch auszudrücken bestand eben doch auch auf dem flachen Land nach wie vor, wie gerade unsere Bußinschriften, wenn auch mit kläglichem Erfolg, beweisen. Auch sind dort ja die Personennamen fast alle griechisch. So hat denn der Apostel wie auch noch seine unmittelbaren Nachfolger wohl mit diesen Briefen zunächst nur oder doch vorwiegend bei einer kleinen Bildungselite ein Echo gefunden[40]. Daneben darf freilich nicht die zweifellos gewaltige Wirkung seiner mündlichen Rede und seine persönliche Ausstrahlung vergessen werden, wobei es wohl, wie noch heute auf dem Land zu beobachten, als psychologische Erfahrung gelten kann, daß das einfache Volk sich gerade da leicht faszinieren läßt, wo die Ausführungen seinen Horizont übersteigen.

---

[39] Zu der ganzen Frage sind wichtig die Erörterungen von H. OPPERMANN aO., Sp. 534 f.

[40] Daß die von Paulus Bekehrten sich vorwiegend aus den Kreisen der sogen. ‚Gottesfürchtigen‘ (θεοσεβεῖς) zusammensetzten, d. h. aus den zur jüdischen Gemeinde sich haltenden Nichtjuden, habe ich in den Istanbuler Mitteilungen 25.1975, S. 188 f. betont und belegt (s. jetzt auch unten Bd. II). Diese ‚Gottesfürchtigen‘ waren von vornherein dem Monotheismus zugeneigt und für den heidnischen ‚Aberglauben‘ verloren. Die Juden selber standen ja an sich religiös weit über dem Niveau ihrer polytheistischen Umwelt.

Wir kehren nach diesen notwendig skizzenhaften Betrachtungen, die den gewaltigen Unterschied der antiken Bußformeln zur frühen christlichen Überlieferung hervorheben wollten, zurück zu Ovid und werfen noch einen Blick auf das Ende der Midasgeschichte. Zwar gehört der zweite Teil der Erzählung nicht mehr im engeren Sinn zu unserem Thema. Aber auch um dem weiteren Schicksal unseres Haupthelden Midas noch nachzuspüren, und ebenso wegen der dichterischen Qualität gerade dieser Partie sei sie noch einer kurzen Betrachtung gewürdigt[41].

Ovid, Metamorphosen XI 146–193[41]

Ille perosus opes silvas et rura colebat
Panaque montanis habitantem semper in antris.
pingue sed ingenium mansit, nocituraque, ut ante,
rursus erant domino stolidae praecordia mentis.
150 *nam freta prospiciens late riget arduus alto*
Tmolus in adscensu clivoque extensus utroque
Sardibus hinc, illinc parvis finitur Hypaepis.
Pan ibi dum teneris iactat sua carmina nymphis
et leve cerata modulatur harundine carmen
155 *ausus Apollineos prae se contemnere cantus,*
iudice sub Tmolo certamen venit ad inpar.

Monte suo senior iudex consedit et aures
liberat arboribus; quercu coma caerula tantum
cingitur, et pendent circum cava tempora glandes.
160 *isque deum pecoris spectans "in iudice" dixit*
"nulla mora est." calamis agrestibus insonat ille
barbaricoque Midan (aderat nam forte canenti)
carmine delenit. post hunc sacer ora retorsit
Tmolus ad os Phoebi: vultum sua silva secuta est.
165 *ille caput flavum lauro Parnaside vinctus*
verrit humum Tyrio saturata murice palla
instrictamque fidem gemmis et dentibus Indis
sustinet a laeva: tenuit manus altera plectrum:
artificis status ipse fuit. tum stamina docto
170 *pollice sollicitat, quorum dulcedine captus*
Pana iubet Tmolus citharae submittere cannas.

Midas haßte fortan die Schätze, und widmete sich den Wäldern und Gefilden und dem Verkehr mit Pan, dem Bewohner der Berghölen; doch blieb er dumpfen Sinnes, und nach wie vor gereichte ihm seine Albernheit zum Nachteil. Denn, weit ragt, nach dem Meere hinblickend, der hohe Tmolus mit steilem Zugange empor, dehnt, zu beiden Seiten abhängig, sich aus, und endet hier bei Sardes, und dort beim kleinen Hypäpa. Hier streicht Pan den zärtlichen Nymphen seine Flöte heraus, spielt auf dem mit Wachs verkleibten Rohre ihnen ein gemeines Lied, und wagt es, des Apollo Kunst gegen die Seinige zu verachten. Ja einmal läßt er sich sogar auf einen ungleichen Wettstreit ein, und Tmolus wird dabei zum Schiedsrichter erwählt.

Auf seinen Berg sitzt der bejahrte Richter nieder; und befreiet seine Ohren von den Bäumen. Nur ein Eichenkranz umgiebt das blaue Haar, um die hohlen Schläfen hängen die Eicheln. Sobald er den Gott der Heerden erblickt, spricht er: "Bereit ist euer Schiedsrichter!"

Jetzt bläst zuerst die Hirtenflöte Pan, und bezaubert durch seine barbarischen Töne den Midas, der von ohngefehr zugegen ist. Darauf wendet sein Antlitz der heilige Tmolus zu Phöbus Antlitze hin; dem Angesichte folgt sein Wald.

Dieser – der Gott –, das blonde Haupt mit Parnasischem Lorbeer umwunden, schleift am Boden einen Mantel in Tyrischem Purpur getränkt, und führt die mit Edelsteinen und Indischen Zähnen geschmückte Leier in der Linken; die andere Hand hält das Plectrum. Selbst die Stellung ist die eines Meisters. Darauf rührt er die Saiten mit künstlichem Finger: und von ihrem süßen Klange entzückt, befiehlt Tmolus dem Pan, der Leier des Apoll seine Rohrflöte zu unterwerfen.

---

[41] Wir schließen uns mit der deutschen Übersetzung dieses Abschnitts, der poetisch besonders anspruchsvoll und dabei äußerst gedrängt berichtet, um der raschen Verständlichkeit willen der Prosafassung des Goethezeitgenossen AUGUST RODE an: Ovids Verwandlungen übersetzt. Berlin 1791 Bd. II S. 173–175. Gerne benütze ich die Gelegenheit, auf diese vortreffliche, wenn auch im Stil zeitgebundene Übertragung wieder den Blick zu lenken.

Iudicium sanctique placet sententia montis
omnibus, arguitur tamen atque iniusta vocatur
unius sermone Midae; nec Delius aures
175 *humanam stolidas patitur retinere figuram,*
sed trahit in spatium villisque albentibus inplet
instabilesque imas facit et dat posse moveri.
cetera sunt hominis: partem damnatur in unam,
induiturque aures lente gradientis aselli.

180 *Ille quidem celare cupit turpisque pudore*
tempora purpureis temptat velare tiaris.
sed solitus longos ferro resecare capillos
viderat hoc famulus. qui cum nec prodere visum
dedecus auderet, cupiens efferre sub auras,
185 *nec posset reticere tamen, secedit humumque*
effodit et, domini quales adspexerit aures.
voce refert parva terraeque immurmurat haustae
indiciumque suae vocis tellure regesta
obruit et scrobibus tacitus discedit opertis.
190 *creber harundinibus tremulis ibi surgere lucus*
coepit et, ut primum pleno maturuit anno,
prodidit agricolam: leni nam motus ab austro
obruta verba refert dominique coarguit aures.

Des heiligen Berggottes richterlicher Aus-
spruch gefällt allen; nur Midas allein tadelt ihn,
und nennt ihn ungerecht. Da leidet der Delier
nicht, daß dessen thörichte Ohren forthin die mensch-
liche Bildung behalten; sondern zieht sie in die
Länge, füllt sie mit weißlichem Haar aus; macht unten
sie unstabil, und giebt ihnen Beweglichkeit. Alles
Übrige bleibt menschlich; nur dieser einzige Theil
wird gestraft: – Umgestaltet wird er zu Ohren des
langsam schreitenden Esels.

Zwar versteckt sie Midas, und sucht seine
schimpfbeladenen Schläfen mit der Purpurmütze zu
umhüllen; doch sah sie der Diener, der das lange
Haar ihm zu schneiden pflegte. Dieser, der
sich eben so wenig seines Herrn Schande zu verra-
then getraute als er sehr wünschte das Geheimniß
sich vom Herzen zu schaffen, weil er nicht schweigen
konnte: begiebt sich an einen entlegenen Ort, und
gräbt ein Loch in die Erde, und wispert mit leiser
Stimme hinein, welcher Art und des Königs Ohren er-
blickt hat: 'Midas hat Eselsohren'. Darauf wirft er
die Grube wieder zu, und geht, nachdem er also seine
Entdeckung in die Erde verscharret, stillschweigend
hinweg. Siehe, da beginnt ein dichter Wald wan-
kenden Schilfrohrs an diesem Orte aufzuschießen,
und nach vollendetem Jahre, als es zur Reife ge-
diehen, verräth es seinen Säemann. Denn vom
Winde durchsäuselt, lispelt es die vergrabenen
Worte und zeiht den König seiner Ohren.

Diese Sage, die Märchencharakter verrät und über die ganze antike Welt verbreitet war[42], in deren Ländern sie noch heute vielfach lebendig ist, sie trägt bei Ovid und wohl schon bei seiner Vorlage wiederum wie der erste Teil der Erzählung ganz deutlich aitiologische Züge. Wie dort das Gold des Flusses Paktolos, so sollen hier die Eselsohren des Midas eine ursächliche Erklärung finden. Doch geht es wohl zu weit, wenn man auch den Schluß des Berichts aitiologisch hat deuten wollen, indem man darin eine Erklärung

---

[42] ROB. LEHMANN-NITSCHE, König Midas hat Eselsohren. In: Zeitschr. für Ethnologie 68.1937, S. 281–303 zählt und erläutert 28 Fassungen der Sage, mit dem Schwerpunkt auf keltischem Gebiet, aber bis Nordafrika und bis in die Mongolensteppe reichend. Bei den irischen Kelten heißt der Held der Sage übrigens mehrfach *Labraid* oder *Labradh* (aO. 284 f.), was uns an jene kleinasiatische Gottheit erinnern mag, von der oben (S. 357 m. Anm. 22) in anderem Zusammenhang die Rede war: *Lairbenos, Labrandeus* etc., wie auch immer ein nicht auszuschließender Zusammenhang zu erklären sein mag. Daß auch als Gründer des Chatti-Reiches ein *Labarnaš* begegnet (ALBR. GÖTZE bei O. SEEL in: Navicula Chiloniensis 1956, S. 55) rundet das Bild ab, so viele Fragen dabei auch offen bleiben.

der eigenartigen, die Ohren verhüllenden Form der Tiara (v. 181) zu finden gemeint hat[43]. Das ist denkbar unwahrscheinlich, weil ja diese Kopfbedeckung keineswegs typisch bloß für Midas war, sondern einen festen Bestandteil der Königstracht iranischer (und später auch hellenistischer) Herrscher bildete. Eher könnte man, wenn schon auch hier eine aitiologische Spur verfolgt werden soll, an ihre Sonderform, die ebenfalls ohrenverhüllende phrygische Mütze denken[44], wofür der Urphryger Midas allenfalls als repräsentativ gedacht werden mag. Vielmehr sticht in dem Schlußteil der Erzählung ein anderer eigenartiger Zug in die Augen: der Barbier des Midas erfährt bei seiner Berufsausübung von dem beschämt gehüteten Geheimnis der Eselsohren. Er fühlt sich zum Schweigen verpflichtet, aber kann die Entdeckung schlechterdings nicht bei sich behalten, so daß er schließlich der Mutter Erde davon erzählt, die es dann durch das aus ihr hervorsprießende Schilfrohr im Säuseln des Windes publik macht. Abgesehen von dem wunderbaren poetischen Bild[45], könnte man die Schilderung des unbezwinglichen Drangs, der den Diener dazu treibt, sein Wissen loszuwerden, als einen Versuch auffassen, die psychologische Wurzel des menschlichen Beichtbedürfnisses bildlich-poetisch bloßzulegen. Denn von purer Klatschsucht kann keine Rede sein, da das Geheimnis ja an keinen Menschen weitergegeben wird. Aber daß eigene Schuld bei dem ‚Bekenntnis‘ des Barbiers gar nicht mit im Spiel ist, hebt diesen ‚Beichtvorgang‘ – wenn wir ihn so nennen dürfen – in eine umfassendere Sphäre.

Im Zentrum der Erzählung steht jedoch die erneute Versündigung des tumben Toren Midas, diesmal nicht durch Habsucht, sondern durch pri-

---

[43] So neben anderen Forschern etwa auch S. Eitrem im Artikel ‚Midas‘ RE XV 1932, Sp. 1531, wenn auch mit spürbarer Zurückhaltung in Klammern gesetzt. Gegen eine solche Erklärung mit Recht und mit weiteren Argumenten F. Bömer zu v. 180f. Vollends übertrieben ist die These von Lehmann-Nitsche aO. 300f., der meint, die Tiara wie auch die Ohrenkappe der mittelalterlichen Helmzier und die Narrenkappe des Karnevalkostüms gingen samt und sonders letzten Endes auf eine Pferdsohrenkappe zurück, die dem Midasmärchen entstammt.

[44] Über sie wie über die Tiara überhaupt s. bes. den erschöpfenden Artikel T. von W. Heinz RE S XIV 1974, Sp. 786–796; dort Sp. 791 über die Midassage, ohne Erwähnung der aitiologischen Hypothese. An einer solchen halten, mit Einschränkung auf die phrygische Mütze, fest C. Robert, Die griechische Heldensage 1920–26, S. 645₂ und H. v. Geisau in: Der Kleine Pauly III 1975, Sp. 1288.

[45] Daß bei der Wahl des Wortes *agricola* v. 192 für den Barbier, der das Geheimnis in die Erde gesenkt hat, Humor mit im Spiel ist, hat Bömer zu v. 190f. mit Recht hervorgehoben. E. Rösch hat mit seiner Übersetzung ‚Pflanzer‘ ins Schwarze getroffen. – Ein dichterischer Höhepunkt der Midasgeschichte ist vor allem v. 157ff. die Szene, wo der Berg Tmolos sich zum Schiedsrichteramt bereitet, wobei „göttliche Person und Naturgewalt des Berges" sich in großartiger Weise „miteinander verbinden" (Bömer zu v. 150f.). Bömer hat in diesem Zusammenhang (zu v. 163f.) auch auf die „Häufung von s-Lauten . . . als lautmalerische Nachbildung des Rauschens des Waldes" hingewiesen. – Sehr hübsch auch im Rahmen der poetischen Motivierung, wenn Midas v. 174f. u. 178 für sein musikalisches Fehlurteil gerade an den Ohren gestraft wird.

mitiven und vorlaut artikulierten Kunstgeschmack, der ihn in Konflikt mit
dem Gegenspieler seines Herrn Dionysos, mit Apollon bringt. Es ist für des
Pferdsdämons Silen nahverwandten Artgenossen Midas, der auch in vielen
der erwähnten Märchenfassungen seinerseits mit Pferde-, nicht mit Eselsohren ausgestattet wird, wohl bezeichnend, daß er sich für die Musik eines
seiner Sphäre weit näher als Apoll stehenden niederen Gottes, des bocksfüßi-
gen Pan, erwärmt und ihm den Vorzug vor jener des Zeussohnes gibt,
obwohl er gar nicht darum gefragt war. Die Pferde- oder Eselsohren, die er
in der aitiologischen Erzählung erst sekundär als Strafe für dieses sein
vorlautes Fehlurteil erhält, entsprechen ja an sich schon von Natur aus
seinem Wesen und verraten eindeutig, welchem Kreis er letztlich zuzuord-
nen ist. Wahrscheinlich gehören übrigens die Pferdeohren des Midas einer
älteren Schicht der Sage an, während die Eselsohren ganz der Sphäre des
phrygischen Berglands entsprechen, wo der Esel je und je als Last- und
Reittier vorherrscht[46].

Es ist nebenbei gesagt dem Ovid ganz besonders hoch anzurechnen, daß
er in seiner bezaubernden Schilderung nicht in das seit den Tagen der Antike
nicht verstummende Fehlurteil einstimmt, der Esel sei ein dummes Tier,
wie denn auch Midas zwar als schwacher und primitiver Mensch, aber doch
nicht als ausgesprochen dumm dargestellt wird. Wer zum Esel etwa gerade
in Kleinasien ein näheres Verhältnis gewonnen hat[47], wird ihn zwar als
eigenwillig, ja vielleicht störrisch kennen gelernt haben, aber zugleich als
treuen Freund des Menschen. Dabei gewinnt man geradezu den Eindruck,
daß er seine Klugheit, die ihn zum Beispiel heute seit langem zum Anführer
der im Gänsemarsch einhertrottenden Kamelskarawanen prädestiniert hat –
denn das brave Kamel ist wirklich dumm –, daß er diesen gefährlichen und
oft unbequemen Vorzug höheren Intellekts in raffinierter Weise dadurch
tarnt, daß er sich für dumm ausgibt. Mit dieser auch den Eselsohren des
Midas einen versöhnlichen Zug verleihenden Bemerkung sei jedoch unsere
Interpretation noch nicht abgeschlossen.

Wir haben vielmehr auch den zweiten Teil der Erzählung noch kurz auf
sein Verhältnis zur Bußtheologie zu befragen. Der arme Sünder, den Hunger und Durst im ersten Abschnitt der Geschichte zur Reue und zum
Sündenbekenntnis getrieben hat, zeigt jetzt keinerlei Regung dieser Art.
Verschuldung und Strafe stehen zwar auch hier im Verhältnis einer notwendigen Aufeinanderfolge. Aber statt daß Midas in sich geht und bekennt,
versteckt er seine Schande vor der Öffentlichkeit und ist um strenge Ge-
heimhaltung der Folgen des Frevels bemüht. Das hat vor allem auch seinen

---

[46] Daß eine neugriechische Fassung des Märchens von Bocksohren spricht (LEHMANN-
NITSCHE aO. 294 ob.), hat seine Parallele im Wandel der Silene und Satyrn von Pferds- zu
Bocksdämonen in hellenistischer Zeit.

[47] „Der Esel, im Orient ein achtbares Tier" sagt H. v. GEISAU aaO. Gegen Abwertung des
Esels auch schon R. SUCHIER, Ovids Metamorph. übersetzt und erläutert ²1862 zu v. XI 193
unter Bezug auf L. PRELLER, Griech. Mythol. I 453.

technisch-poetischen Grund. Denn von dem Augenblick an, wo der Sünder selber mit seiner strafweise erlittenen Entstellung zum Objekt der aitiologischen Erklärung wird, war nicht gerade seiner Reue, aber doch einem Zurücknehmen der Strafe der Weg verbaut. Der Dichter verzichtet daher hier sogar auch auf das erste dieser beiden Momente, die Zerknirschung des Helden und erspart ihm und uns somit die Enttäuschung über nicht erlangte Verzeihung und Wiederherstellung. Die Aufmerksamkeit ist vielmehr ganz und gar auf das Phänomen der ‚Verwandlung' gerichtet, das Hauptthema des ovidischen Dichtwerks. Damit wird klar, daß – auch hier im Gegensatz zu den Zeugnissen des frühen Christentums – das prinzipielle Interesse nicht der Erhörung des Sünders gilt. Dies wird vielmehr nur von Fall zu Fall ins Auge gefaßt, etwa wo sich besonders poetische Wirkungen ergeben wie bei Midas Nummer eins, oder wo – wie ex Ponto – eigene Not den Dichter dazu veranlaßt.

Damit sind wir am Ende unserer Wanderung zwischen den beiden Welten Antike und Christentum angelangt, die bei frappanter Ähnlichkeit immer wieder zum Vergleich herausfordern und sich dann schließlich doch als grundverschieden erweisen. Aber wir christlichen Abendländer wollen auch nicht übersehen, daß in der Praxis des Lebens auch bei uns heute noch das antike Modell überwiegt, indem wir in der Regel erst dann zu Reue und Buße gestimmt sind, wenn wie bei Midas die Gottheit unserem Treiben einen schmerzlichen Dämpfer aufgesetzt hat[48].

Literatur

(in Auswahl)

P. Ovidius Naso, Metamorphosen (lateinisch und deutsch). Übersetzung von Erich Rösch München 1952 u. ö. Heimeran (10. Aufl. 1983)

Haupt-Ehwald, Kommentar zu Ovids Metamorphosen. Durchgesehen von M. v. Albrecht II, 5. Aufl. 1966

Franz Bömer, P. Ovidius Naso, Metamorphosen. Kommentar zu Buch X–XI. Heidelberg 1980

Robert Lehmann-Nitsche, König Midas hat Eselsohren. In: Zeitschr. f. Ethnologie 68.1937, S. 281–303.

Georg Luck, König Midas und die orphischen Mysterien. In: Hommages à Marcel Renard II 1969, S. 470–477

---

[48] Das dokumentiert sich z. B. in einem noch heute viel gesungenen Kirchenlied vom 16. Jh. und reicht also bis in neuere Zeit. Des Humanisten Joachim Camerarius (1500–1574) lateinischer Hymnus ‚In tenebris . . .', den noch bei dessen Lebzeiten Paul Eber ins Deutsche übersetzt hat, beginnt in dieser weit verbreiteten Fassung so: „Wenn wir in höchsten Nöten sein und wissen nicht, wo aus noch ein, . . . so ist dies unser Trost allein, daß wir . . . dich anrufen, o treuer Gott, um Rettung aus der Angst und Not, und heben unser Aug und Herz zu dir in wahrer Reu und Schmerz und flehen um Begnadigung und aller Strafen Linderung".

Franz Seraph Steinleitner, Die Beicht im Zusammenhange mit der sakralen Rechtspflege in der Antike. Diss. München 1913
Dazu jetzt: Monumenta Asiae Minoris Antiqua IV 1933 no. 279–290
Raffaele Pettazzoni, La confessione dei peccati. 3.1936, S. 117ff. 54ff.
derselbe, Confession of Sin in the Classics. In: Harv. Theol. Rev. 30.1937, S. 1–14
Hans Oppermann, Artikel ‚Lairbenos‘ in der RE S V 1931, Sp. 521–535

Mythos und Logos*

Der vorliegende Aufsatz versucht eine übersichtliche Zusammenfassung der Ergebnisse einer Ringvorlesung, die im Sommer-Sem. 1953 im Rahmen des „Studium Universale" der Kirchlichen Hochschule Berlin** veranstaltet wurde. Beteiligt waren folgende Fachvertreter:

ERWIN REISNER † (Philosophie): Philosophische Grundlegung.

MEINHARD PAESLACK † (Antike Religionsgeschichte): Wortgeschichte und Semasiologie.

ILSE V. LOEWENCLAU (Altsprachliche Kurse): Mythos und Logos bei Platon.

CLAUS WESTERMANN (Altes Testament): Mythos und Wort im Alten Testament.

MARTIN ALBERTZ † (Neues Testament): Logos und Mythos im Neuen Testament und im Zeitalter der christlichen Väter.

SIEGFRIED KNAK † (Missionswissenschaft): Mythos und Logos im Lichte der Religionen.

FRITZ DEHN † (Literaturwissenschaft): Der Mythos in der antiken und abendländischen Literatur.

KARL KUPISCH † (Geschichte): Sebastian Frank und die moderne Geschichtswissenschaft.

GERHARD GIESE † (Pädagogik): Humanistischer Mythos und christlicher Logos in der Geschichte der Erziehung.

HEINRICH VOGEL (Systematische Theologie): Das Gestaltgeheimnis.

HILDEBRECHT HOMMEL (Klassische Philologie): Der Gott Hermes und das Gewissen.

Die Absicht, die als Schlagwort viel gebrauchte, aber selten präzisierte Antithese „Mythos und Logos" gleichermaßen auf Antike, Christentum und Abendland anzuwenden, hat dem Vorhaben gemeinsamer Untersuchungen schon an der Schwelle seiner Verwirklichung Kritik eingetragen (MARTIN SCHMIDT †). Man wollte der Konzentration solcher Bemühungen deshalb schlechte Chancen geben, weil Mythos und Logos als Begriffspaar und als Antithese wie auch einzeln für sich genommen dem Betrachter abendländischer Geistesgeschichte etwas anderes bedeuteten als dem Klassi-

---

* Studium Generale 8. 1955, 310–316.

** Über das 1948, zu Beginn der Berliner Blockade, ins Leben gerufene Institut (Studium Universale der Kirchlichen Hochschule in Berlin-Zehlendorf), eine dem Studium Generale anderer Hochschulen vergleichbare Einrichtung, vgl. H. HOMMEL, Zeichen der Zeit. Jg. 1948, S. 436f. – Gymnasium. Vierteljahresschrift für humanistische Bildung. Jg. 56/1949, S. 90f. – Theologische Literaturzeitung 1950, Sp. 184ff. – Theologia Viatorum III. Jahrbuch der Kirchl. Hochsch. Berlin 1951, S. 1ff. („Studium Generale und Universitas"; dasselbe auch gesondert erschienen 1954).

schen Philologen, der allein diese Begriffe in Reinkultur vor sich habe, und weil vollends der Theologe aus christlicher Sicht erst recht etwas völlig anderes darunter verstehen müsse als jene beiden eben genannten Gruppen von Fachvertretern. Hier war aber gerade dem Kirchenhistoriker, von dem solche Kritik angemeldet wurde, zu entgegnen, daß die komplizierte und wandlungsreiche Geschichte einer geistigen Erscheinung den Forscher nicht schrecken dürfe; hat doch beispielsweise der Betrachter des die Kirchen beherrschenden Rationalismus im 18. Jh. auch etwas anderes vor sich, etwa einen gänzlich andersartigen Kirchenbegriff, als der Erforscher des Urchristentums, und beider Themen ordnen sich gleichwohl der großen Aufgabe einer Kirchengeschichte unter, deren Bewältigung vielfach sogar ein und derselbe Gelehrte zu leisten hat.

Das Thema ist also – schon rein historisch gesehen – wohl vertretbar, aber es ist in der Tat vieldeutig, und es ist schwierig. Das Ergebnis gemeinsamer Bemühungen um die Lösung der mit dem Thema gegebenen Probleme im Rahmen einer Vorlesung der Kirchlichen Hochschule Berlin soll in Kürze darzustellen versucht werden. Einheitliche Geschlossenheit der Darbietung im ganzen kann nach der Art solcher Veranstaltungen nicht erwartet werden. So klang am Anfang einmal auf, daß es eine christliche Kunst nicht geben könne oder daß das, was sich so nenne, kaum den Rang und die Wichtigkeit der guten Akustik des Predigtraumes erreiche (Erwin Reisner); und am Schluß, daß trotz allem Wenn und Aber im Rühmen des Logos, der selbst keine Gestalt noch Schöne besitzt, doch auch das aus eigener Kraft ohnmächtige Stammeln gestalteter Kunst christlichen Rang und verbindliche Kraft gewinnen könne (Heinrich Vogel). Dergleichen unaufgelöste Dissonanzen im vielstimmigen Konzert sind nicht zu leugnen. In anderen für das Thema wesentlichen Fragen ergab sich aber auch ein gewisser Zusammenklang, nicht nur vermöge eines bei aller Vielfalt der Meinungen und Richtungen vorhandenen Grundtons, auf den die Beteiligten gestimmt waren, sondern doch auch im gemeinsamen Verfolgen des von verschiedenen Richtungen her behandelten Stoffgebietes selbst.

Was heißt *mythos*, was heißt *logos* dem ursprünglichen Wortsinn nach – das, was wir Etymologie nennen –, was ist aus ihnen geworden, wozu haben sie sich ausgewachsen – ihre Bedeutungsentwicklung und Bedeutungsgeschichte – in der frühen und in der klassischen Antike, im Hellenismus, im Christentum, und als „Fremdwort" dann auch im Abendland? Wie fanden die beiden zueinander, wie verhielten sie sich gegenseitig begrifflich sowohl wie werthaft; sind die beiden als Einheit fruchtbar ge|worden oder als Antithese, wie wurden dabei die Akzente gesetzt und wie sind sie von uns heute zu setzen, falls die beiden uns noch etwas zu sagen haben? Das etwa war zu fragen.

Zunächst zur Etymologie: Meinhard Paeslack hat es einprägsam gemacht, daß *mythos* nichts mit dem in *myein* steckenden geheimnisvollen Schließen des Mundes und der Augen zu tun hat (wie die My-stik und die Mysterien)[1], sondern der Wurzel *meuth* entstammt, die dem gotischen *maudjan* „Gedächtnis, Gedenken", deutlicher dem slavischen *mysli* „Gedanke" verwandt ist[2], daß also *mythos* ursprünglich auch wohl einmal das Denken bedeutet hat und danach erst das ausgesprochene Wort, ganz entsprechend übrigens der Bedeutungsentwicklung des Verbums *phrazesthai*, das ebenso den Weg von „sinnen, denken, meinen, erinnern" zu „sagen, aussprechen" gegangen ist, bloß daß hier eben beide Bedeutungen noch belegbar sind, in *mythos* dagegen nur noch erschlossen werden können[3]. Da scheint es mir nun eine schlagende Bestätigung und zugleich Erläuterung dieser Etymologie zu sein, daß Ilse von Loewenclau am Begriff des platonischen Logos hat zeigen können[3a], wie der Urvorgang von Denken und Sicherinnern dadurch zum Sprechen, zum Wort führt, daß ein isolierter Denkakt erst im Gegenüber, mit dem er sich dialogisch ausspricht, seine Sinnerfüllung findet. Mit anderen Worten: das Denken führt notwendigerweise zum ausgesprochenen Wort, weil sich menschliches Dasein erst in der Kommunikation vollendet. Gilt das bei *Platon* zunächst vom Logos, wie Ilse von Loewenclau dargetan hat, so verrät uns die Etymologie also, daß die Sprache in der erschließbaren Geschichte des Wortes Mythos dasselbe längst exemplarisch vorgeprägt hat, und daß *Platon* Wesenszüge des Mythos auf den Logos übertragen hat, den Logos zu einem Teil wieder remythisiert hat.

Denn *legein* und *logos* heißt ja ursprünglich etwas ganz anderes. Das zeitlich dem Substantiv vorangehende Verbum *legein* bezeichnet von Haus aus das Sammeln und Auflesen (so konnte das verwandte lateinische Wort *legere* die Bedeutung „lesen" erhalten) und wird bei *Homer* nur in ganz eigentlichem konkretem Sinn gebraucht, so vom Aufsammeln der Totengebeine, auch vom Rechnen, Zählen und Aufzählen; nur das Kompositum *katalegein* kann auch bei ihm schon „erzählen" heißen. Weist also das Verbum bereits bei seinem Aufkommen deutlich auf die Sphäre des Rationalen, so gewinnt das jüngere Substantiv *logos*, das bei *Homer* nur zweimal vorkommt, bei ihm und seinen jüngeren Zeitgenossen, den Hymnendichtern

---

[1] So wäre die ältere, etwa von A. FICK und GG. CURTIUS, Grundzüge der griech. Etymologie [4]1873, S. 338 vertretene Auffassung, an der noch HJ. FRISK, Griech. etymolog. Wörterbuch (1963) II 265 festhält; kritisch dagegen P. CHANTRAINE, Dictionnaire étymologique de la langue grecque . . .3. 1968, 719, der sich selber nicht entscheidet („obscure").

[2] Mit einiger Zurückhaltung geboten von EM. BOISACQ, Dictionnaire étymologique de la langue grecque [3]1938, S. 649 nach WOOD und PEDERSEN; vgl. a. J. B. HOFMANN, Etymolog. Wörterbuch des Griechischen 1949, S. 207.

[3] Vgl. aber die intuitive Deutung dieses Sachverhalts bei Aischylos, Prometheus 888 f. (in einem Chorlied zur Einleitung einer Gnome) ἐν γνώμᾳ τόδ' ἐβάστασε καὶ γλώσσᾳ διεμυθολόγησεν = „vom Gedanken zum Wort durchschleuste", eine dann von Platon gern gebrauchte Vokabel. Wichtig ist in diesem Zusammenhang auch der neuplatonische Gebrauch von ἐπίνοια = ‚Nachgedanke' für die ‚Sprache'. Beobachtet von W. THEILER, Debrunner-Festschr. 1954, S. 438 m. Anm. 17, dort auch die Belege.

[3a] Inzwischen im Druck erschienen: I. v. L., Mythos und Logos bei Platon. In: Studium Generale 11. 1958, 731–741.

und Hesiod, gar schon eine polemisch abwertende Bedeutung, nämlich „List, Betörung, Betrug". So heißt die mehrfach begegnende Wendung *haimylioisi logoisi* „mit listig betörenden Schmeichel- oder Trugworten". Kein Zweifel: hier meldet sich also ein neues rationales Element des Denkens und Redens an und schafft sich seine Terminologie, der die ältere Generation nur mit äußerstem Vorbehalt, ja mit Mißtrauen begegnet. Die berechnende, zählende, messende Klugheit wird mit dem Odium der verführerischen List und Betörung versehen. Aber sie bricht sich Bahn und findet allenthalben ihre Anhänger. Zwar bezeichnet der sehr modern sich dünkende Geograph und Genealoge *Hekataios von Milet* (der „Großvater" der Geschichte) um das Jahr 500 sein eigenes gewichtiges Reden noch als *mytheisthai*, das seiner wissenschaftlichen Gegner als lächerliche *logoi*[4]. Aber bereits der vielleicht nur eine Generation jüngere, sonst so konservative Dichter *Pindar* dreht die Wertung der beiden Begriffe und ihre bisherige Ordnung radikal um, indem er den *haimyloi mythoi* den bei ihm sonst in den Blick genommenen *alethes logos* gegenüberzustellen scheint[5], während am Ende des 5. Jh. selbst der logosgläubige Euripides noch vom *mythos tes aletheias* spricht[6]. Hier sind also deutlich Überschneidungen und Verlagerungen festzustellen. Auch *Pindars* älterer Zeitgenosse *Heraklit* von Ephesos, gewiß ein revolutionär moderner Denker, aber doch auch ganz und gar kein Rationalist, kein Sammler, Rechner und Klügler, vielmehr Metaphysiker und Mystiker, wählt als Chiffre für den Urgrund alles Seins oder besser alles Werdens nicht etwa den *mythos*, sondern den sonst so rational vorgeprägten *logos*. Das heißt also, der Logos hat sich sehr früh aus theoretisch-rationaler Enge befreit und umschließt hier bereits auch Gültigkeiten, die dem verlebendigenden Geist, nicht tödlicher Schematisierung angehören, aber sich durch | Systemstrenge doch scharf vom „poetischen Chaos" bunter mythischer Gestaltungen abheben[7].

Ist uns der Logos als Bezeichnung für alles Rationale im weitesten Sinne, für alles vernünftig Denkerische damit ohne weiteres klar geworden, so ist es jetzt an der Zeit, auch eine *Definition des Mythos* zu wagen, die über die einstmals verbreitete Erklärung des Phänomens als menschlicher „Ur-

---

[4] HEKATAIOS Fr. Ia (FGrHist ed. FEL. JACOBY I 1923, S. 7 f.).

[5] PINDAR Nem. 8, 33 αἱμύλων μύθων ὁμόφοιτος. Olymp. 2, 101 αὐδάσομαι ἐνόρκιον λόγον ἀλαθεῖ νόῳ.

[6] Euripides, Phönissen 469 ἁπλοῦς ὁ μῦθος τῆς ἀληθείας ἔφυ. Der Dichter des „Prometheus" gebraucht sowohl die Wendung ἔργῳ κοὐ λόγῳ (336) wie ἔργῳ κοὐκέτι μύθῳ (1080); frdl. Hinweis meiner Schülerin HELGA KUHNKE.

[7] Vgl. dazu etwa ERNST TROELTSCH, Logos und Mythos in Theologie und Religionsphilosophie (Logos 1913), in: Kleine Schriften, 2, 1913, S. 840. Umgekehrt darf der Logosgehalt gerade des griechischen Mythos im Gegensatz zu manchen „primitiven" Mythen nicht übersehen werden, eine These, für die sich je und je ERNST CASSIRER nachdrücklich eingesetzt hat. Vgl. zuletzt The Myth of the State 1946 (jetzt auch deutsch „Vom Mythos des Staates"), darin auch ein Kapitel „Logos und Mythos in der frühgriechischen Philosophie" und eines über Platons Staatsmythos; ferner PAUL TILLICH in: Die Rel. in Gesch. u. Gegenw. ²IV 1930, Sp. 364 f.

dummheit" hinausgeht[8]. Hierfür haben die vorangehenden Vorlesungen reiches Material geboten. Erwin Reisner weist dem Mythos das gesagte substantivische Wort zu, den konkretisierenden Gedanken – dem Schauen, dem Raum, der Natur, dem Sein, dem Werke zugeordnet –, während der Logos mehr das sagende verbale Wort im Akte des Redens bezeichne – und somit dem Hören, der Denkvernunft, der Zeit, der Geschichte, dem Werden und Wirken zugehörig erscheine – eine tiefsinnige Deutung, die Ilse von Loewenclau vielfältig in *Platon*s Werk und Wortgebrauch bestätigt fand. Überspitzt ausgedrückt ist damit Mythos eine Aussage mit Gott als Subjekt, Logos das von Menschen gesprochene Wort. Siegfried Knak hat in seinen reichen und vielseitigen Darlegungen eine Fülle weiterer Definitionen vor uns ausgebreitet. Suchen wir es uns danach noch konkreter verständlich zu machen, ohne damit die Reisnersche Deutung abzulehnen, so ist der Mythos eine aus dem noch ungeformten Urgrund der Menschenseele in ihrem prälogischen Stadium hervorquellende geschichtslose Aussageform, die freilich alsbald nach einer meist dichterischen Formung drängt. Auf den Inhalt hin betrachtet mag er als ein Versuch gelten, die auf den Menschen von außen und von innen eindringenden Mächte – also die Natur in allen ihren Erscheinungsformen, das Schicksal, das menschliche Miteinander (das „Soziale"), das eigene Herz mit seinen Tiefen und Untiefen, den grübelnden Verstand – all diese Mächte in Gleichnisse, Bilder, Symbole, Formeln, Chiffren, Geschichten und Zusammenhänge zu fassen, gleichsam zu bannen, ihrer ahnend habhaft zu werden (niemals aber zu definieren), wobei mehr oder weniger deutlich ein Überirdisches, Göttliches als redend empfunden wird. So konnte – nach Knaks Bericht – der Russe Berdjajew den Mythos knapp und treffend kennzeichnen als „Spiegelung einer Wirklichkeit, die größer ist als wir."[8a].

In diese Welt des Mythos voller Gesichte, tiefer Ahnungen und bunter Gestalten bricht nun nach langer Vorbereitung im 5. vorchristlichen Jahrhundert der junge *Logos* mit unbekümmerter Gewalt ein, sammelnd, zählend, rechnend, erfindend, vernünftelnd, klügelnd, schlau, selbstsicher, die Gesetze des Denkens ergründend und ausbildend, so daß man von einer „Entdeckung des Geistes" in diesem exemplarischen Jahrhundert hat sprechen können[9]. Dieser Geist und sein Träger, der Mensch, wird zum Mittelpunkt, um den sich alles dreht, zum „Maß aller Dinge" *(Protagoras)*. Mehr und mehr ist dabei alles aufs Vernünftige, aufs Praktische, aufs Anwendbare gerichtet. Die Sophistik führt die neue Bewegung rasch zu erster Höhe, kaum ahnend, was sie damit zugleich dem Menschen genommen hat. *Euripides*, der Jünger der sophistischen Aufklärung, hat die gleichzeitige Verar-

---

[8] Darüber E. Cassirer, aaO. (engl. Ausgabe), S. 4.

[8a] Differenzierter, ohne im Prinzipiellen einen wesentlichen Fortschritt zu bieten, K. Kerényi, Spuren des Mythos 1967, u. dazu J. Kleinstück in der Frankf. Allgem. Ztg. vom 3. 3. 1970.

[9] Bruno Snell, Die Entdeckung des Geistes. Studien zur Entstehung des europäischen Denkens bei den Griechen 1946 (5. Aufl. 1980).

mung vielleicht als erster begriffen und tief an ihr gelitten, während sein Kritiker *Aristophanes* beide Mächte, ahnungsschweren Mythos und durchdringenden Logos, an der Schwelle zweier Zeiten harmonisch in sich vereint hat.

Da treten *Sokrates* und sein Schüler *Platon* auf den Plan, *Sokrates*, der Rationalist (sit venia verbo[10]) und der große Frager, der aber von den Sophisten die Fähigkeit des *gnothi sauton* in letzter unerbittlicher Konsequenz – bis zum Wissen des Nichtwissens – voraus hat, dazu die tiefe ethische Empfindlichkeit (die sich etwa auch in seinem Daimonion äußert), was beides zur zwingenden Macht seiner Persönlichkeit beigetragen haben muß. Und *Platon*, der aus altem adligem Erbe starke Mythoskräfte in sich trägt, aber von seinem Lehrer zur Unterwerfung unter den rationalen Logos gezwungen wird, bis er sich im Durchbruch seiner dichterischen Natur wieder langsam davon befreit; doch so, daß der Logos, wie ihn Ilse von Loewenclau trefflich in der platonischen, lebendige Mythoszüge an sich tragenden Neuschöpfung charakterisiert hat, unverloren bleibt, und daß dieser Logos dann obendrein der Ergänzung durch den wieder zu Ehren gekommenen Mythos teilhaftig wird, vor allem stets da, wo selbst der platonische mythosgeimpfte Logos an seine Grenzen gelangt und nicht mehr weiterfindet, so daß der unüberprüfbare, unwiderlegbare Mythos letzte Erhellung schafft, freilich auch er als äußerste | menschliche Stufe der Erkenntnis an der Ungesichertheit des Logos teilhabend und nicht fähig, das absolute Wahre einzufangen.

Wir sehen: *Platon* hat in dieser großartigen Durchdringung und Umschmelzung von Logos und Mythos zwar alle sophistische Problematik weit hinter sich gelassen, vertieft und überhöht zugleich, aber er hat sozusagen die reinen Linien der im 5. Jh. noch so klaren Mythos-Logos-Dialektik (oder besser einfach Mythos-Logos-Antithese) verwischt. So hat er es – neben und nach *Heraklit* – entscheidend mit vorbereitet, daß die Späteren, je nach gewünschter Akzentsetzung, mit diesen Begriffen frei schalten zu können meinten, so daß wir fortan nicht nur allenthalben schillernde Nuancen der bisher so klar scheidenden Termini, sondern vielfach sogar ihre Umkehr ins gerade Gegenteil entdecken. Das für uns verwirrendste Beispiel ist vielleicht, daß sich das Christentum im johanneischen Logos eben dieses Begriffs bedient, der ursprünglich einmal als Requisit berechender Ratio auf den Plan getreten war[11]. Aber damit greifen wir schon vor.

Zunächst sei das Fazit gezogen, daß eine geistesgeschichtliche Betrachtung der Phänomene Mythos und Logos als echter Antithese im strengen Sinn am Ende der Sophistenzeit, an der Wende des 5. zum 4. Jh. haltmachen

---

[10] Ich verweise dafür auf das zu wenig beachtete Buch von ERNST HOWALD, Platons Leben 1923, bes. Kap. I, S. 15 ff.

[11] Vgl. dazu freilich W. KRANZ, Der Logos Heraklits und der des Johannes. Rhein. Museum für Philologie N. F. 93, 1950, S. 81 ff. Jetzt auch in W. KRANZ, Kleine Schriften, Heidelberg 1967, S. 389 ff.

muß, wie wir es denn auch sinnentsprechend in Wilhelm Nestles bedeutendem Versuch „Vom Mythos zum Logos" (1940) befolgt sehen. Als Nestle seine Darstellung 1944 bis in die nachchristliche Zeit (nämlich bis auf Lukian) fortsetzte, hat er das Ganze – obwohl der Anfang dieses Buches aus dem vorangegangenen „Vom Mythos zum Logos" gekürzt übernommen wurde – ehrlicherweise „Griechische Geistesgeschichte" genannt, freilich mit dem verschämten Untertitel „In ihrer Entfaltung vom mythischen zum rationalen Denken dargestellt". Also nicht mehr „vom Mythos zum Logos": an Stelle des Mythos ist in zurückhaltender Formulierung das mythische, an Stelle des Logos das rationale Denken getreten. Daraus läßt sich manches entnehmen, zugleich Bestätigung und Widerlegung des eingangs erwähnten Einwandes gegen das Unternehmen dieser Vorlesung. Bestätigung insofern, als ja wirklich, wie wir sahen, seit *Sokrates* und *Platon* die Antithese Mythos–Logos ihre Schärfe und Prägnanz verloren hat (sehr bezeichnend, daß sich Nestle in den Kapiteln Sokrates und Platon und weiterhin gar nicht mehr die Mühe nimmt, den Wortgebrauch von *mythos* und *logos* nachzuweisen und zu untersuchen – er geriete damit auch nur in eine freilich sehr aufschlußreiche Verwirrung, der sich z. B. Meinhard Paeslack und Ilse von Loewenclau in dieser Vorlesung durchaus gestellt haben und zwar mit bemerkenswerten Ergebnissen). Widerlegung jenes Einwandes aber insofern, als wir in der Tat berechtigt sind, aus dem dialektischen Begriffspaar des 5. Jhs. ein Thema zu formulieren, das sich als fruchtbar für die Erforschung der weiteren antiken Geistesgeschichte erweist (das hat Nestle in dem zweiten der genannten Bücher gezeigt), das aber auch fernerhin als Motiv der Betrachtung abendländischen Geistes seinen Wert und sein Recht hat. Dies wiederum hat im Rahmen dieser Vorlesung Fritz Dehns großangelegte Überschau über entscheidende Epochen der antiken und abendländischen Literatur in eindrucksvoller Weise dargetan, wobei er mit der von Friedrich Schlegel erstmals in ähnlichem Sinn erhobenen Klage endete, daß der Mythos „in dürftiger Zeit" seine Rolle so gut wie ausgespielt habe. Kaum nötig dabei zu betonen, was Wilhelm Nestle immer wieder eingeprägt und was wohl auch von Fritz Dehn unterschrieben werden kann, daß der Mythos-Logos-Aspekt nur eine von vielen geistesgeschichtlichen Betrachtungsweisen darstellt, der zahlreiche andere nicht ausschließt, ja vielmehr zur Ergänzung verlangt.

Neu und gewagt war freilich der Versuch Claus Westermanns, das abendländische Begriffspaar auch auf die Betrachtung des Alten Testaments auszudehnen. Aber da hier nichts verwischt und harmonisiert werden wollte, sondern das Inkommensurable der Begriffsapparaturen hüben und drüben immer wieder betont und aufgezeigt wurde, so warf das Unterfangen Licht auf beide Seiten hin. Der fast ganz vom Geschichtlichen aufgesogene Mythos im Alten Testament läßt – das sei nebenbei bemerkt – an Vergleichbares im Römertum denken und uns bedauern, daß das römische Mythos-Logos-Kapitel in unserem Abriß gefehlt hat. Im übrigen tendiert natürlich vor allem das Wort im Alten Testament, das im Gegensatz zum Logos der Griechen absolut theozentrisch ist, ganz deutlich nach seiner Erfüllung im Christentum, wo es sich ebenso verhält. Und die Vermählung mit dem christlichen Logos wird dadurch erleichtert, daß auch das alttestamentliche Wort im Spätjudentum zur Hypostase geworden ist.

Zum Beleg für die Richtigkeit unserer vorhin bekräftigten Behauptung, daß der im 5. Jh. geprägte Gegensatz – ohne Rücksicht auf die weitere so differenzierte Wortgeschichte von *mythos* und *logos* – weiterhin fruchtbar geblieben ist und daher einen legitimen Standpunkt der Betrachtung gewährt, ja mehr noch zum Erweis dessen, daß die Antike selber | (für die neuere Zeit ist es ja notorisch), ohne sich um die *mythos-logos*-Terminologie zu kümmern, den gedanklichen Gegensatz festhält, sei nur *ein* spätantikes Zeugnis herangezogen. Erwin Reisner hat festgestellt, was wir schon für *Platon* bemerkten, daß im Verlauf der Altertums eine Art Entmythologisierung des Mythos stattfindet – ich würde lieber sagen Entmythisierung, was übrigens auch Rudolf Bultmann in seinem Fall zu raten wäre – man könnte auch sagen eine Logisierung des Mythos, so daß etwa eine Gestalt wie der spätantike Hermes Logios noch als Logos-Gebilde mit Recht mythische Verbindlichkeit beansprucht. Ich wähle dazu als Beleg die Warnung eines Hermetikers an den ägyptischen Gottkönig Ammon (Hermes Trismegistus, 16, 1–2), „er solle verhindern, daß die hermetische Weisung ins Griechische übersetzt werde, denn der griechische Logos vermöge zwar Beweise zu bewerkstelligen, kenne aber nicht die in sich wirksame magische Kraft der ägyptischen Wörter"[12]. Hier ist also (ohne antithetische Verwendung des *mythos-logos*-Vokabulars) eine Warnung des in die Defensive gedrängten Mythos gegen den griechischen Logos und seine spezifischen Gefahren ausgesprochen.

Noch weiter geht der Christ *Justinus*, wenn er, noch dazu anläßlich eines Vergleichs Christi mit *Sokrates*, den Logos Christus damit erklärt, daß „die Gesamtheit des Vernünftigen zum Christus geworden" sei (Apol. 2, 11)[13]. Christus erscheint also hier als Erfüller und Vollender alles dessen, was je und je griechischer Logos stückwerkweise vorbereitet hat, nach Justins Überzeugung relativ am vollkommensten durch Sokrates' Lehre, Dämonenvertreibung und exemplarisches Sterben.

Dieser Deutung werden wir uns nicht ohne weiteres anschließen können. Vielmehr merken wir mit Erwin Reisner folgendes als entscheidend für die Geschichte der Auseinandersetzung zwischen Mythos und Logos an (übrigens eine bewußt vereinfachende, aber absolut schlagende Feststellung):

Der Mythos hat sich im Laufe seiner langen Geschichte gegen zwei

---

[12] RICHARD HARDER, Weltöffentlichkeit bei den alten Griechen. Studium Generale 6, S. 129–137, hier S. 132. Den vollen Wortlaut s. bei W. SCOTT, Hermetica I 1924, S. 262ff.

[13] ERNST BENZ, ZNTW. 43, 1952, S. 206; dort ist die Stelle in größerem Zusammenhang übersetzt.

entscheidende Gegner gleichen Namens zu wehren gehabt, die ihn jeweils radikal in Frage stellten. Beide Angriffe sind historisch datierbar und doch zugleich fortwirkend bis auf den heutigen Tag. Beide Widersacher heißen Logos. Einmal und zwar zuerst im 5. vorchristlichen Jahrhundert erfolgte der Angriff vom rationalen menschlichen Logos der Aufklärung und der Sophistik her, und er besiegt den Mythos seither fort und fort, so daß wir uns hier schon wundern, daß dieser überhaupt noch – vielleicht nur noch in unserer Sehnsucht? – am Leben ist. Und zum anderen erschien ihm an der Wende der Zeit im göttlichen Logos Christus ein neuer Gegner, der ihn vollends aufzuheben trachtet. Zwei Logoi also, zwei Antithesen des Mythos, die trotz *Justinus'* naiver Ineinssetzung im Grunde nichts miteinander gemein haben. So steht der Mythos in einem Zweifrontenkampf und droht in der Tat zwischen den so verschiedenartigen Gegnern zerrieben zu werden, so daß uns seine aussichtslose Position zwischen menschlichem und göttlichem Logos nicht verwundern darf.

Dem Hörer dieser Vorlesung kann es nicht entgangen sein, daß einige der Vortragenden es ausschließlich mit der einen dieser Frontstellungen zu tun hatten, mit der Antithese zwischen dem *logos tu thëu* und dem Mythos als seiner heidnischen Gegenwelt. Das ist vor allem für die Sicht des Theologen verständlich und im vielstimmigen Konzert des Ganzen auch kein Schaden, sondern eher eine Bereicherung gewesen; wir denken hier besonders an die weiten und zugleich differenzierten Durchblicke, die Martin Albertz und Siegfried Knak je aus ihrer Sicht des Neutestamentlers und des Missionswissenschaftlers geboten haben. Dabei ging insofern im Grunde nichts verloren, als ja der Mythos, der dabei ins Blickfeld genommen wurde, meist auch für all das mit einstehen mußte, was bei schärferem Zusehen als rationaler Logos zu ihm in der Antithese jener anderen Frontstellung in scharfem Gegensatz zu stehen hätte.

Besonders fiel das an der Vorlesung von Gerhard Giese auf, wo *Homer, Platon,* Renaissance, Aufklärung, Idealismus und Neuhumanismus gleichermaßen als pädagogische Mythen dem christlichen Logos entgegengestellt wurden. Umgekehrt hat Heinrich Vogel in seinem spannenden Exposé, in dem er dem Gestaltgeheimnis nachspürte, zahlreiche Elemente vor allem des Künstlerischen, die sich im Spannungsgefüge unserer Antithese besser dem Mythos einordneten, von vornherein dem Logos subsumiert, zugleich ein Schlaglicht auf die mehrfach von uns angemerkte Vertauschung der Begriffe seit *Platon* oder eigentlich schon seit *Heraklit.* Eine Vertauschung übrigens, die gelegentlich zum wohlüberlegten Prinzip wird, so wenn, wie es Martin Albertz eindrucksvoll dargestellt hat, der philosophische Logos spätantiker Philosophie den neutestament|lichen Logos verketzert und ihn dabei zum Mythos stempeln muß[14].

---

[14] Daß die heutige „christliche Lebenswelt" als „großer religiöser Mythos" gefaßt wurde, in dessen Hintergrund als philosophische Theorie der wissenschaftliche Logos sichtbar wird,

Es liegt im Wesen des christlichen *Logos tu thëu* beschlossen, daß er uns zur Entscheidung aufruft, und wer sich ganz unter diese Entscheidung stellt, der hat eigentlich den rationalen Logos wie den Mythos überwunden, also sozusagen Spatz und Habicht in einem verschluckt. Diese radikale Konsequenz klang denn auch in mehreren der gehörten Vorträge ganz vornehmlich an, so in kühl und unerbittlich abgeleiteter, aber liebenswürdig vorgetragener Folgerichtigkeit bei Erwin Reisner, in nüchtern ernster Sachlichkeit bei Martin Albertz und Siegfried Knak, in temperamentvoller Leidenschaft bei Heinrich Vogel, am härtesten und unerbittlichsten aber vielleicht in dem so groß angelegten Vortrag von Gerhard Giese, wo uns die Notwendigkeit der Entscheidung in einer Fülle von Variationen mit aller Eindringlichkeit eingehämmert wurde: Platon oder Christus? *Mythos* oder *Logos tu thëu?* Höhlengleichnis oder Gleichnis vom Barmherzigen Samariter? Sittliche Autonomie oder Erlösungsbedürftigkeit? Eros oder Agape? Elite oder Suchen des Verlorenen? Akademie oder Gemeinde? Humanismus oder Christentum? – von wo aus sich dann die Utopie einer Synthese von *Logos tu thëu* und heidnischem Mythos, etwa in einem „Christlichen Humanismus", ganz von selbst erledigen sollte.

Ich möchte gewiß auch nicht einer matten Synthese das Wort reden, die weder warm noch kalt ist, und möchte den Wert einer Theologie der Entscheidung nicht herabsetzen. Aber es mußte immer wieder auffallen, mit welch spürbarer innerer Liebe und Hingabe unsere Entscheidungstheologen und -laien an den doch so fragwürdigen Objekten und Subjekten mythisch-logischen Wahnglaubens hafteten, wie sympathisch etwa Martin Albertz – darin übrigens auf Harnacks Spuren wandelnd – den theologisch gar nicht ungefährlichen, weil so stark und einseitig dem neuplatonischen Logos verpflichteten *Origenes* geschildert hat. Oder wie warm und lebendig mit deutlicher Bewegtheit Gerhard Giese uns den ach so verwerflichen Vorbildmythos *Homers* nahegebracht hat, von Heinrich Vogels heimlicher Leidenschaft auch für die profane Kunst in allen ihren Bereichen gar nicht zu reden. Was sollen wir von all dem halten? Da scheint mir trotz Heinrich Vogels Warnung doch die konstituierende Kraft und Bedeutung des Widerspruchs, ja mit *Heraklit* zu reden, der *palintropos harmonië,* der „gegenstrebigen Vereinigung", in allem Menschlichen anerkannt werden zu müssen, in dem Sinn, daß wir die Widersprüchlichkeit und Polarität unseres geistigen Daseins zwar gewiß nicht leichtfertig hinnehmen dürften, daß wir sie vielmehr in der Tiefe erleiden sollten, auch immer wieder zur Entscheidung und zu Entscheidungen uns sollten aufgerufen wissen – aber daß wir doch letzten Endes hoffen dürften, dereinst mitsamt unseren unausgetragenen Widersprüchen, ja gerade ihretwegen erlöst zu werden.

So muß ich gestehen, daß es mich besonders angesprochen hat, wie in

---

diese subtile Konzeption von ERNST TROELTSCH (Logos 1913; Ges. Schriften, II, 816f. und 835f.) ist uns heute bereits nicht minder fremd geworden.

einer dieser Stunden der Fachvertreter der Geschichte, Karl Kupisch, am Spezialfall des vielleicht frühesten modernen Historikers, Sebastian Frank, aufgezeigt hat, wie die gesamte neuere Historie geradezu hoffnungslos humanistisch-neuplatonisch verseucht ist, und wie dieses Übel ausgerechnet bei einem ernsten Theologen begann, dem die Verworfenheit des Menschen gewiß, seine Erlösungsbedürftigkeit unumstritten und die Eschatologie ein zentrales Anliegen war; und daß dann der Vortragende daraus eben nicht die Konsequenz der Verwerflichkeit aller profanen Historie zieht, sich nicht zur Entscheidung Historie oder Theologie aufruft, sondern den Widerspruch sieht und trägt und in solch verdächtiger Verstrickung es nicht aufgibt, trotz allem Historiker und Christ sein zu wollen.

Die lautesten Rufer widerlegen sich eben in praxi letztlich doch selber – ich sage das ohne jede persönliche Spitze –, und ich muß gestehen, daß es mich keineswegs wundert, wenn Walther Rehm in seinem großen Kierkegaard-Buch[15] aufzeigen kann, wie selbst der Vater der dialektischen Theologie über seinem „Entweder-oder" das „Sowohl-als-auch", das „Weder-noch" und das „Zugleich" nicht vergaß, nicht vergessen konnte, weil auch er, ja gerade er dem Gesetz der Polarität und des Widerspruchs nicht zu entrinnen vermochte.

Es liegt dem Nichtphilosophen und Nichttheologen ganz fern, hier eine neue These aufstellen zu wollen; sie wäre ja auch wohl nicht eben neu, sondern hätte sich zu *Heraklit* zu bekennen[16]. Übrigens würde es mir ganz grundsätzlich befremdend erscheinen, wenn | nicht auch der antike Mythos und Logos, bei aller Unvereinbarkeit mit dem christlichen *Logos tu thëu,* diesem da und dort sollte unmittelbar vorgearbeitet haben, etwa im Sinne des Droysenschen Gedankens, daß das Griechentum berufen war, das schwierigste und fruchtreichste Tagewerk in der Geschichte der Menschheit zu vollbringen, da es den Übergang aus der heidnischen in die christliche Welt erarbeitet hat[17]. Es hätte damit, so setzen wir hinzu, eine ähnliche Rolle gespielt wie das Alte Testament – ein Standpunkt, den kein Geringerer als *Clemens Alexandrinus* zuerst mit Nachdruck vertreten hat[18].

Trifft das für unsere Fragestellung selbst nur in ganz bescheidenem Maße

---

[15] WALTHER REHM, Kierkegaard und der Verführer. 1949, bes. S. 370 f.

[16] Vielleicht auch zu dem heute im Wirbel der Zeit allzu rasch dahinten gelassenen ERNST TROELTSCH, wenn er, wie ich nachträglich sehe, sich folgendermaßen äußert (aaO., S. 815 f.): „Diese Spannung ist die Größe unseres Lebens und wird in tausend unvermeidlichen und immer neuen Kompromissen aufgelöst, in denen sich die feindlichen Gegensätze immer neu befruchten, und in denen die strengen radikalen Christen immer aufragen als die einsamen Mahner, als das Salz der Erde. "

[17] J. G. DROYSEN, Zur griech. Literatur. Kl. Schriften zur Alten Gesch. II 63. Ich verdanke die Kenntnis des Zitats dem Buch von KARL BOGNER, Der tragische Gegensatz 1947, S. 238, 285.

[18] Darüber neuerdings ERNST BENZ aaO., S. 210 ff. Auch Origenes und vor allem der große Kappadokier Gregor von Nyssa stehen auf demselben Boden; dazu vgl. W. JAEGER, in: Varia variorum. Festgabe für Karl Reinhardt 1952, S. 164 ff.

zu, so muß es sich wohl erweisen lassen. Und so habe ich denn am Schluß unserer Vorlesung den Versuch gemacht, den Beweis in einem Einzelfall anzutreten[18a]. Dabei wurde es unternommen, mit einigen Strichen einen griechischen Mythos – den des Gottes Hermes – zu skizzieren und danach zu zeigen, wie dieser Mythos aus einem seiner Züge einen Logos entwickelt hat oder doch vorbereiten half, und wie schließlich dieser Logos eine menschliche Grundregung erstmals ins klare Bewußtsein hob, auf der auch das Christentum entscheidend aufgebaut hat, und die zugleich sicherlich nicht mythischen Schauers bar ist, das Gewissen[19].

Geschlossen sei dieser Bericht mit einem berühmten Wort *Platons*, das gewiß sein eigenes Gewicht und seine eigene Problematik hat, aus dem aber auch noch einmal blitzartig die tiefe Wahrheit leuchtet, daß Mythos und Logos, in Spannung und Widerstreit zwar, dennoch einer höheren Einheit zustreben, in der sie zu schöner Verwirklichung aufgehoben wären:

Staat VI 13,501E. „Wird man also immer noch außer sich geraten, wenn wir behaupten: bevor nicht das Philosophengeschlecht im Staat an die Macht kommt, ist kein Ende des Übels abzusehen, nicht für den Staat und nicht für seine Menschen, noch auch wird der Staatsaufbau, von dem wir hier nur mit Hilfe von Mythos und Logos reden, in Wirklichkeit in Erfüllung gehen?“[20].

Nachwort

Mit diesem Aufsatz beschließe ich den ersten Band dieser gesammelten Schriften zur Religionsgeschichte, der die vorwiegend der Antike gewidmeten Arbeiten enthält. Er weist mit seiner Doppelgesichtigkeit hinüber zum zweiten Band, in welchem der christliche Aspekt überwiegt. Daß es sich in den beiden Bänden jeweils um die stärkere Akzentuierung nach der einen und der anderen Seite handelt, daß also gewissermaßen hier wie dort Antike und Christentum das Thema abgeben, hat es ja wohl auch gerechtfertigt, daß das Sammelwerk in der von Martin Hengel herausgegebenen Reihe erscheinen darf.

[18a] Der Vortrag ist nicht veröffentlicht.

[19] Vgl. jetzt auch die im Grundsätzlichen verwandten Äußerungen von O. SEEL, Zur Vorgeschichte des Gewissensbegriffes im altgriechischen Denken (Festschr. Frz. Dornseiff 1953, S. 291 ff., bes. 295 f., 309 ff.). M. CLAß, Gewissensregungen in der griechischen Tragödie (Diss. Tübingen 1961/62) 1964, bes. S. 10 f.

[20] . . . οὐδὲ ἡ πολιτεία, ἣν μυθολογοῦμεν λόγῳ, ἔργῳ τέλος λήψεται.

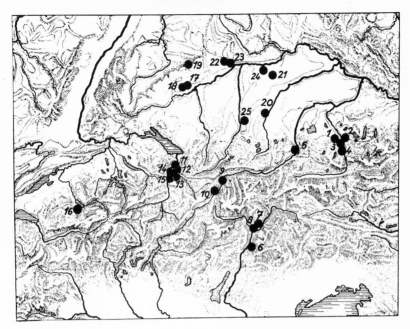

Abb. 1: Die prähistorischen Brandopferplätze im Alpengebiet. Nach W. Krämer, 1966. – Die Zahlen bedeuten: 1 Langacker. – 2 Goiserberg. – 3 Hellbrunner Berg. – 4 Dürrnberg. – 5 Wasserfeldbühel. – 7 Laugen. – 8 Altbrixen. – 9 Landeck. – 10 Mottata. – 11 Feldkirch. – 12 Heidenburg. – 13 Scheibenstuhl. – 14 Schneller. – 15 Gutenberg. – 16 Eggli. – 17 Isterstein. – 18 Hägelesberg. – 19 Messelstein. – 20 Gauting. – 21 Ratzenhofen. – 22 Weiherberg. – 23 Rollenberg. – 24 Stätteberg. – 25 Auerberg. Hirmer Fotoarchiv. München

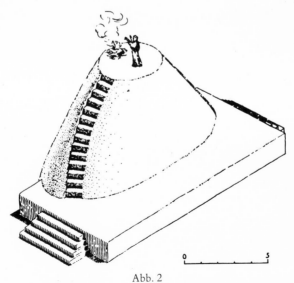

Abb. 2

Der Aschenalter in Olympia. Rekonstruktionsversuch.
Nach H. Schleif, 1934. Hirmer Fotoarchiv München

Abb. 3

Münzen der griechischen Stadt Krannon mit dem Wappenemblem eines von
Vögeln flankierten Kesselwagens. Bronze. 1–3 = 1/1/, 4 = etwas vergrößert.
Nach R. Forrer und A. B. Cook

Abb. 4

Der Kultwagen von Acholshausen bei Ochsenfurt. Urnenfelderkultur, ca. 1000 v. Chr.
Höhe ca. 18 cm

Die Satorformel und ihr Ursprung

Abb. 1
Die älteste vollständig erhaltene Rotas-Formel. Pompeji,
Palästra
Aus: Notizie degli Scavi 1939

Abb. 2
Holzrelief der Tür von Sta. Sabina in Rom, Mitte des 5. Jahrhunderts
Foto Alinari

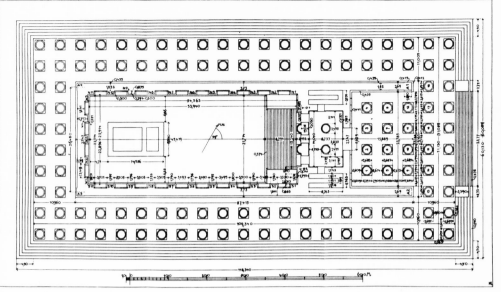

Abb. 1

Grundriß des Apollontempels in Didyma bei Milet
(Nach Wiegand-Knackfuß, Didyma 1, 1941)

Abb. 2

Ostansicht der Tempelruine von Didyma nach den deutschen Grabungen
(Mustafa-Foto, Izmir)

Abb. 3
Nordwand des Heiligtums von Didyma
(Photo A. Hommel)

Abb. 4
Rundaltar, „Säulenwald" und Quersaal des Tempels von Didyma, im Hintergrund
die Erscheinungstür für den Orakelverkünder
(Photo P. Hommel)

Abb. 5
„Säulenwald" in der Vorhalle des Tempels von Didyma
(Photo A. Hommel)

Abb. 6
Ostfront des Tempels von Didyma (l. vorn Rundaltar, r. hinten
Türe zum gedeckten Gang)
(Photo P. Hommel)

Abb. 7
Erscheinungstür mit Schwelle für den orakelverkündenden Priester,
von unten gesehen
(Photo H. Hommel)

Abb. 8
Dasselbe mit Blick nach Osten, gegen den „Säulenwald", von
oben gesehen
(Photo H. Hommel)

Abb. 9

Blick vom Adyton gegen Osten auf den Quersaal; l. eine der Türen der gewölbten Gänge;
l. vorne im Hof Platz der heiligen Quelle
(Photo A. Hommel)

Abb. 10

Blick nach Westen ins Adyton mit Naiskos, vom Ostteil des Tempels aus
(Photo A. Hommel)

Abb. 11

Antike Abbildungen des bronzenen Apollon-Kultbildes von Didyma. Steinrelief aus dem 3. Jhdt. n. Chr. (Nach Kekule, Sitzungsberichte der Preuss. Akademie der Wiss. 1904)

Abb. 12

Reste der Inschrift Didyma no. 217, Versorakel von ca. 290 n. Chr. (Nach Rehm-Harder, Didyma 2. 1958)